Robert M Matheny
Goode Hall
T. C. U.

D1538811

THE NEW TESTAMENT

IN THE ORIGINAL GREEK

THE MACMILLAN COMPANY
NEW YORK · BOSTON · CHICAGO · DALLAS
ATLANTA · SAN FRANCISCO

MACMILLAN AND CO., Limited
LONDON · BOMBAY · CALCUTTA · MADRAS
MELBOURNE

THE MACMILLAN COMPANY
OF CANADA, Limited
TORONTO

THE NEW TESTAMENT

IN THE ORIGINAL GREEK

THE TEXT REVISED BY

BROOKE FOSS WESTCOTT D.D.

AND

FENTON JOHN ANTHONY HORT D.D.

THE MACMILLAN COMPANY · NEW YORK

1943

*ALIORUM LITTERAE SUNT EIUSMODI UT NON PA-
RUM MULTOS PAENITUERIT INSUMPTAE IN ILLIS
OPERAE.... AT FELIX ILLE QUEM IN HISCE LITTERIS
MEDITANTEM MORS OCCUPAT. HAS IGITUR TOTO
PECTORE SITIAMUS OMNES, HAS AMPLECTAMUR, IN
HIS IUGITER VERSEMUR, HAS EXOSCULEMUR, HIS
DEMUM IMMORIAMUR, IN HAS TRANSFORMEMUR,
QUANDOQUIDEM ABEUNT STUDIA IN MORES.... HAE
TIBI SACROSANCTAE MENTIS ILLIUS VIVAM REFE-
RUNT IMAGINEM, IPSUMQUE CHRISTUM LOQUENTEM,
SANANTEM, MORIENTEM, RESURGENTEM, DENIQUE
TOTUM ITA PRAESENTEM REDDUNT, UT MINUS VI-
SURUS SIS SI CORAM OCULIS CONSPICIAS.*

ERASMUS   MDXVI

ΕΥΑΓΓΕΛΙΟΝ

ΕΥΑΓΓΕΛΙΟΝ

ΚΑΤΑ ΜΑΘΘΑΙΟΝ

ΚΑΤΑ ΜΑΡΚΟΝ

ΚΑΤΑ ΛΟΥΚΑΝ

ΚΑΤΑ ΙΩΑΝΗΝ

ΚΑΤΑ ΜΑΘΘΑΙΟΝ

1 ΒΙΒΛΟΣ γενέσεως Ἰησοῦ Χριστοῦ υἱοῦ Δαυεὶδ υἱοῦ Ἀβραάμ.

2   Ἀβραὰμ ἐγέννησεν τὸν Ἰσαάκ,
  Ἰσαὰκ δὲ ἐγέννησεν τὸν Ἰακώβ,
  Ἰακὼβ δὲ ἐγέννησεν τὸν Ἰούδαν καὶ τοὺς ἀδελφοὺς αὐτοῦ,
3 Ἰούδας δὲ ἐγέννησεν τὸν Φαρὲς καὶ τὸν Ζαρὰ ἐκ τῆς Θάμαρ,
  Φαρὲς δὲ ἐγέννησεν τὸν Ἐσρώμ,
  Ἐσρὼμ δὲ ἐγέννησεν τὸν Ἀράμ,
4 Ἀρὰμ δὲ ἐγέννησεν τὸν Ἀμιναδάβ,
  Ἀμιναδὰβ δὲ ἐγέννησεν τὸν Ναασσών,
  Ναασσὼν δὲ ἐγέννησεν τὸν Σαλμών,
5 Σαλμὼν δὲ ἐγέννησεν τὸν Βοὲς ἐκ τῆς Ῥαχάβ,
  Βοὲς δὲ ἐγέννησεν τὸν Ἰωβὴδ ἐκ τῆς Ῥούθ,
  Ἰωβὴδ δὲ ἐγέννησεν τὸν Ἰεσσαί,
6 Ἰεσσαὶ δὲ ἐγέννησεν τὸν Δαυεὶδ τὸν βασιλέα.

  Δαυεὶδ δὲ ἐγέννησεν τὸν Σολομῶνα ἐκ τῆς τοῦ Οὐρίου,
7 Σολομὼν δὲ ἐγέννησεν τὸν Ῥοβοάμ,
  Ῥοβοὰμ δὲ ἐγέννησεν τὸν Ἀβιά,
  Ἀβιὰ δὲ ἐγέννησεν τὸν Ἀσάφ,
8 Ἀσὰφ δὲ ἐγέννησεν τὸν Ἰωσαφάτ,
  Ἰωσαφὰτ δὲ ἐγέννησεν τὸν Ἰωράμ,
  Ἰωρὰμ δὲ ἐγέννησεν τὸν Ὀζείαν,

Ὀζείας δὲ ἐγέννησεν τὸν Ἰωαθάμ, 9
Ἰωαθὰμ δὲ ἐγέννησεν τὸν Ἄχας,
Ἄχας δὲ ἐγέννησεν τὸν Ἐζεκίαν,
Ἐζεκίας δὲ ἐγέννησεν τὸν Μανασσῆ, 10
Μανασσῆς δὲ ἐγέννησεν τὸν Ἀμώς,
Ἀμὼς δὲ ἐγέννησεν τὸν Ἰωσείαν,
Ἰωσείας δὲ ἐγέννησεν τὸν Ἰεχονίαν καὶ τοὺς ἀδελφοὺς 11
αὐτοῦ ἐπὶ τῆς μετοικεσίας Βαβυλῶνος.

Μετὰ δὲ τὴν μετοικεσίαν Βαβυλῶνος Ἰεχονίας ἐγέννησεν 12
τὸν Σαλαθιήλ,
Σαλαθιὴλ δὲ ἐγέννησεν τὸν Ζοροβάβελ,
Ζοροβάβελ δὲ ἐγέννησεν τὸν Ἀβιούδ, 13
Ἀβιοὺδ δὲ ἐγέννησεν τὸν Ἐλιακείμ,
Ἐλιακεὶμ δὲ ἐγέννησεν τὸν Ἀζώρ,
Ἀζὼρ δὲ ἐγέννησεν τὸν Σαδώκ, 14
Σαδὼκ δὲ ἐγέννησεν τὸν Ἀχείμ,
Ἀχεὶμ δὲ ἐγέννησεν τὸν Ἐλιούδ,
Ἐλιοὺδ δὲ ἐγέννησεν τὸν Ἐλεάζαρ, 15
Ἐλεάζαρ δὲ ἐγέννησεν τὸν Ματθάν,
Ματθὰν δὲ ἐγέννησεν τὸν Ἰακώβ,
Ἰακὼβ δὲ ἐγέννησεν τὸν Ἰωσὴφ τὸν ἄνδρα Μαρίας, ἐξ 16
ἧς ἐγεννήθη Ἰησοῦς ὁ λεγόμενος Χριστός.

Πᾶσαι οὖν αἱ γενεαὶ ἀπὸ Ἀβραὰμ ἕως Δαυεὶδ γενεαὶ 17
δεκατέσσαρες, καὶ ἀπὸ Δαυεὶδ ἕως τῆς μετοικεσίας Βαβυ-
λῶνος γενεαὶ δεκατέσσαρες, καὶ ἀπὸ τῆς μετοικεσίας Βα-
βυλῶνος ἕως τοῦ χριστοῦ γενεαὶ δεκατέσσαρες.

18 ΤΟΥ ΔΕ ⌈ΙΗΣΟΥ⌉ ΧΡΙΣΤΟΥ⌉ ἡ γένεσις οὕτως ἦν. Μνη-
στευθείσης τῆς μητρὸς αὐτοῦ Μαρίας τῷ Ἰωσήφ, πρὶν ἢ
συνελθεῖν αὐτοὺς εὑρέθη ἐν γαστρὶ ἔχουσα ἐκ πνεύματος
19 ἁγίου. Ἰωσὴφ δὲ ὁ ἀνὴρ αὐτῆς, δίκαιος ὢν καὶ μὴ θέ-
λων αὐτὴν δειγματίσαι, ἐβουλήθη λάθρᾳ ἀπολῦσαι αὐτήν.
20 Ταῦτα δὲ αὐτοῦ ἐνθυμηθέντος ἰδοὺ ἄγγελος Κυρίου κατ᾽ ὄναρ
ἐφάνη αὐτῷ λέγων Ἰωσὴφ υἱὸς Δαυείδ, μὴ φοβηθῇς παρα-
λαβεῖν ⌈Μαρίαν⌉ τὴν γυναῖκά σου, τὸ γὰρ ἐν αὐτῇ γεννη-
21 θὲν ἐκ πνεύματός ἐστιν ἁγίου· τέξεται δὲ υἱὸν καὶ καλέ-
σεις τὸ ὄνομα αὐτοῦ Ἰησοῦν, αὐτὸς γὰρ σώσει τὸν λαὸν
22 αὐτοῦ ἀπὸ τῶν ἁμαρτιῶν αὐτῶν. Τοῦτο δὲ ὅλον γέγο-
νεν ἵνα πληρωθῇ τὸ ῥηθὲν ὑπὸ Κυρίου διὰ τοῦ προφήτου
λέγοντος
23 Ἰδοὺ ἡ παρθένος ἐν γαστρὶ ἕξει καὶ τέξεται υἱόν,
καὶ καλέσουσιν τὸ ὄνομα αὐτοῦ Ἐμμανουήλ·
24 ὅ ἐστιν μεθερμηνευόμενον Μεθ᾽ ἡμῶν ὁ θεός. Ἐγερθεὶς
δὲ [ὁ] Ἰωσὴφ ἀπὸ τοῦ ὕπνου ἐποίησεν ὡς προσέταξεν αὐτῷ
ὁ ἄγγελος Κυρίου καὶ παρέλαβεν τὴν γυναῖκα αὐτοῦ·
25 καὶ οὐκ ἐγίνωσκεν αὐτὴν ἕως [οὗ] ἔτεκεν υἱόν· καὶ ἐκάλεσεν
τὸ ὄνομα αὐτοῦ Ἰησοῦν.

1 Τοῦ δὲ Ἰησοῦ γεννηθέντος ἐν Βηθλεὲμ τῆς Ἰουδαίας
ἐν ἡμέραις Ἡρῴδου τοῦ βασιλέως, ἰδοὺ μάγοι ἀπὸ ἀνα-
2 τολῶν παρεγένοντο εἰς Ἱεροσόλυμα λέγοντες Ποῦ ἐστὶν
ὁ τεχθεὶς βασιλεὺς τῶν Ἰουδαίων; εἴδομεν γὰρ αὐτοῦ τὸν
ἀστέρα ἐν τῇ ἀνατολῇ καὶ ἤλθομεν προσκυνῆσαι αὐτῷ.
3 Ἀκούσας δὲ ὁ βασιλεὺς Ἡρῴδης ἐταράχθη καὶ πᾶσα
4 Ἱεροσόλυμα μετ᾽ αὐτοῦ, καὶ συναγαγὼν πάντας τοὺς ἀρχι-
ερεῖς καὶ γραμματεῖς τοῦ λαοῦ ἐπυνθάνετο παρ᾽ αὐτῶν

18 χριστοῦ Ἰησοῦ   20 Μαριάμ

ποῦ ὁ χριστὸς γεννᾶται. οἱ δὲ εἶπαν αὐτῷ Ἐν Βηθλεὲμ 5
τῆς Ἰουδαίας· οὕτως γὰρ γέγραπται διὰ τοῦ προφήτου
Καὶ cΎ, Βηθλεὲμ ΓΗ Ἰογλα, 6
  ογδαμῶc ἐλαχίcΤΗ εἶ ἐν ΤΟῖc ΗΓεμόcιν Ἰογλα·
ἐκ cΟΎ Γὰρ ἐξελεΎcεΤαι ΗΓΟΎμενΟc,
ὅcΤιc ΠΟιμανεῖ ΤὸΝ λαόΝ μΟΥ ΤὸΝ Ἰcραήλ.

Τότε Ἡρῴδης λάθρᾳ καλέσας τοὺς μάγους ἠκρίβωσεν πα- 7
ρ᾽ αὐτῶν τὸν χρόνον τοῦ φαινομένου ἀστέρος, καὶ πέμψας 8
αὐτοὺς εἰς Βηθλεὲμ εἶπεν Πορευθέντες ἐξετάσατε ἀκρι-
βῶς περὶ τοῦ παιδίου· ἐπὰν δὲ εὕρητε ἀπαγγείλατέ μοι,
ὅπως κἀγὼ ἐλθὼν προσκυνήσω αὐτῷ. οἱ δὲ ἀκούσαντες 9
τοῦ βασιλέως ἐπορεύθησαν, καὶ ἰδοὺ ὁ ἀστὴρ ὃν εἶδον ἐν
τῇ ἀνατολῇ προῆγεν αὐτούς, ἕως ἐλθὼν ἐστάθη ἐπάνω οὗ
ἦν τὸ παιδίον. ἰδόντες δὲ τὸν ἀστέρα ἐχάρησαν χαρὰν με- 10
γάλην σφόδρα. καὶ ἐλθόντες εἰς τὴν οἰκίαν εἶδον τὸ παιδί- 11
ον μετὰ Μαρίας τῆς μητρὸς αὐτοῦ, καὶ πεσόντες προσεκύνη-
σαν αὐτῷ, καὶ ἀνοίξαντες τοὺς θησαυροὺς αὐτῶν προσήνεγ-
καν αὐτῷ δῶρα, χρυσὸν καὶ λίβανον καὶ σμύρναν. καὶ χρη- 12
ματισθέντες κατ᾽ ὄναρ μὴ ἀνακάμψαι πρὸς Ἡρῴδην δι᾽ ἄλ-
λης ὁδοῦ ἀνεχώρησαν εἰς τὴν χώραν αὐτῶν.   Ἀνα- 13
χωρησάντων δὲ αὐτῶν ἰδοὺ ἄγγελος Κυρίου ⌜φαίνεται κα-
τ᾽ ὄναρ⌝ τῷ Ἰωσὴφ λέγων Ἐγερθεὶς παράλαβε τὸ παιδίον
καὶ τὴν μητέρα αὐτοῦ καὶ φεῦγε εἰς Αἴγυπτον, καὶ ἴσθι
ἐκεῖ ἕως ἂν εἴπω σοι· μέλλει γὰρ Ἡρῴδης ζητεῖν τὸ παι-
δίον τοῦ ἀπολέσαι αὐτό. ὁ δὲ ἐγερθεὶς παρέλαβε τὸ 14
παιδίον καὶ τὴν μητέρα αὐτοῦ νυκτὸς καὶ ἀνεχώρησεν εἰς
Αἴγυπτον, καὶ ἦν ἐκεῖ ἕως τῆς τελευτῆς Ἡρῴδου· ἵνα πλη- 15
ρωθῇ τὸ ῥηθὲν ὑπὸ Κυρίου διὰ τοῦ προφήτου λέγοντος
Ἐξ ΑἰΓΎΠΤΟΥ ἐκάλεcα ΤὸΝ γίόΝ μΟΥ.   Τότε 16
Ἡρῴδης ἰδὼν ὅτι ἐνεπαίχθη ὑπὸ τῶν μάγων ἐθυμώθη λίαν,
καὶ ἀποστείλας ἀνεῖλεν πάντας τοὺς παῖδας τοὺς ἐν Βηθ-
λεὲμ καὶ ἐν πᾶσι τοῖς ὁρίοις αὐτῆς ἀπὸ διετοῦς καὶ κατω-
τέρω, κατὰ τὸν χρόνον ὃν ἠκρίβωσεν παρὰ τῶν μάγων. Τότε 17

13 κατ᾽ ὄναρ ἐφάνη

ἐπληρώθη τὸ ῥηθὲν διὰ Ἰερεμίου τοῦ προφήτου λέγοντος

18 Φωνὴ ἐν Ῥαμὰ ἠκούϲθη,
    κλαυθμὸϲ καὶ ὀδυρμὸϲ πολύϲ·
    Ῥαχὴλ κλαίουϲα τὰ τέκνα αὐτῆϲ,
    καὶ οὐκ ἤθελεν παρακληθῆναι ὅτι οὐκ εἰϲίν.

19 Τελευτήσαντος δὲ τοῦ Ἡρῴδου ἰδοὺ ἄγγελος Κυρίου φαί-
20 νεται κατ᾽ ὄναρ τῷ Ἰωσὴφ ἐν Αἰγύπτῳ λέγων Ἐγερθεὶς
παράλαβε τὸ παιδίον καὶ τὴν μητέρα αὐτοῦ καὶ πορεύ-
ου εἰς γῆν Ἰσραήλ, τεθνήκασιν γὰρ οἱ ζητοῦντες τὴν
21 ψυχὴν τοῦ παιδίου. ὁ δὲ ἐγερθεὶς παρέλαβε τὸ παιδίον
22 καὶ τὴν μητέρα αὐτοῦ καὶ εἰσῆλθεν εἰς γῆν Ἰσραήλ. ἀκού-
σας δὲ ὅτι Ἀρχέλαος βασιλεύει τῆς Ἰουδαίας ἀντὶ τοῦ
πατρὸς αὐτοῦ Ἡρῴδου ἐφοβήθη ἐκεῖ ἀπελθεῖν· χρηματι-
σθεὶς δὲ κατ᾽ ὄναρ ἀνεχώρησεν εἰς τὰ μέρη τῆς Γαλιλαίας,
23 καὶ ἐλθὼν κατῴκησεν εἰς πόλιν λεγομένην Ναζαρέτ, ὅπως
πληρωθῇ τὸ ῥηθὲν διὰ τῶν προφητῶν ὅτι Ναζωραῖος κλη-
θήσεται.

1 ΕΝ ΔΕ ΤΑΙΣ ΗΜΕΡΑΙΣ ἐκείναις παραγίνεται Ἰωάνης
2 ὁ βαπτιστὴς κηρύσσων ἐν τῇ ἐρήμῳ τῆς Ἰουδαίας λέγων
3 Μετανοεῖτε, ἤγγικεν γὰρ ἡ βασιλεία τῶν οὐρανῶν. Οὗτος
γάρ ἐστιν ὁ ῥηθεὶς διὰ Ἠσαίου τοῦ προφήτου λέγοντος
    Φωνὴ Βοῶντοϲ ἐν τῇ ἐρήμῳ
    Ἑτοιμάϲατε τὴν ὁδὸν Κυρίου,
    εὐθείαϲ ποιεῖτε τὰϲ τρίβουϲ αὐτοῦ.

4 Αὐτὸς δὲ ὁ Ἰωάνης εἶχεν τὸ ἔνδυμα αὐτοῦ ἀπὸ τριχῶν
καμήλου καὶ ζώνην δερματίνην περὶ τὴν ὀσφὺν αὐτοῦ,
5 ἡ δὲ τροφὴ ἦν αὐτοῦ ἀκρίδες καὶ μέλι ἄγριον. Τότε

ἐξεπορεύετο πρὸς αὐτὸν Ἱεροσόλυμα καὶ πᾶσα ἡ Ἰου-
δαία καὶ πᾶσα ἡ περίχωρος τοῦ Ἰορδάνου, καὶ ἐβαπτί- 6
ζοντο ἐν τῷ Ἰορδάνῃ ποταμῷ ὑπ᾽ αὐτοῦ ἐξομολογούμενοι
τὰς ἁμαρτίας αὐτῶν. Ἰδὼν δὲ πολλοὺς τῶν Φαρισαίων 7
καὶ Σαδδουκαίων ἐρχομένους ἐπὶ τὸ βάπτισμα εἶπεν αὐ-
τοῖς Γεννήματα ἐχιδνῶν, τίς ὑπέδειξεν ὑμῖν φυγεῖν ἀπὸ
τῆς μελλούσης ὀργῆς; ποιήσατε οὖν καρπὸν ἄξιον τῆς 8
μετανοίας· καὶ μὴ δόξητε λέγειν ἐν ἑαυτοῖς Πατέρα ἔχομεν 9
τὸν Ἀβραάμ, λέγω γὰρ ὑμῖν ὅτι δύναται ὁ θεὸς ἐκ τῶν
λίθων τούτων ἐγεῖραι τέκνα τῷ Ἀβραάμ. ἤδη δὲ ἡ ἀξίνη 10
πρὸς τὴν ῥίζαν τῶν δένδρων κεῖται· πᾶν οὖν δένδρον μὴ
ποιοῦν καρπὸν καλὸν ἐκκόπτεται καὶ εἰς πῦρ βάλλεται.
ἐγὼ μὲν ὑμᾶς βαπτίζω ἐν ὕδατι εἰς μετάνοιαν· ὁ δὲ ὀπίσω 11
μου ἐρχόμενος ἰσχυρότερός μου ἐστίν, οὗ οὐκ εἰμὶ ἱκανὸς
τὰ ὑποδήματα βαστάσαι· αὐτὸς ὑμᾶς βαπτίσει ἐν πνεύ-
ματι ἁγίῳ καὶ πυρί· οὗ τὸ πτύον ἐν τῇ χειρὶ αὐτοῦ, 12
καὶ διακαθαριεῖ τὴν ἅλωνα αὐτοῦ, καὶ συνάξει τὸν σῖτον
αὐτοῦ εἰς τὴν ἀποθήκηνᵀ, τὸ δὲ ἄχυρον κατακαύσει πυρὶ
ἀσβέστῳ.   Τότε παραγίνεται ὁ Ἰησοῦς ἀπὸ τῆς 13
Γαλιλαίας ἐπὶ τὸν Ἰορδάνην πρὸς τὸν Ἰωάνην τοῦ βαπτι-
σθῆναι ὑπ᾽ αὐτοῦ. ὁ δὲ διεκώλυεν αὐτὸν λέγων Ἐγὼ 14
χρείαν ἔχω ὑπὸ σοῦ βαπτισθῆναι, καὶ σὺ ἔρχῃ πρός με;
ἀποκριθεὶς δὲ ὁ Ἰησοῦς εἶπεν ⌜αὐτῷ⌝ Ἄφες ἄρτι, οὕτω 15
γὰρ πρέπον ἐστὶν ἡμῖν πληρῶσαι πᾶσαν δικαιοσύνην.
τότε ἀφίησιν αὐτόν. βαπτισθεὶς δὲ ὁ Ἰησοῦς εὐθὺς ἀνέβη 16
ἀπὸ τοῦ ὕδατος· καὶ ἰδοὺ ἠνεῴχθησαν ᵀ οἱ οὐρανοί, καὶ
εἶδεν πνεῦμα θεοῦ καταβαῖνον ὡσεὶ περιστερὰν ἐρχό-
μενον ἐπ᾽ αὐτόν· καὶ ἰδοὺ φωνὴ ἐκ τῶν οὐρανῶν λέγουσα 17
Οὗτός ἐστιν ὁ υἱός ⌜μου ὁ ἀγαπητός, ἐν⌝ ᾧ εὐδόκησα.

Τότε [ὁ] Ἰησοῦς ἀνήχθη εἰς τὴν ἔρημον ὑπὸ τοῦ πνεύ- 1
ματος, πειρασθῆναι ὑπὸ τοῦ διαβόλου. καὶ νηστεύσας 2
ἡμέρας τεσσεράκοντα καὶ νύκτας τεσσεράκοντα ὕστερον
ἐπείνασεν. Καὶ προσελθὼν ὁ πειράζων εἶπεν αὐτῷ Εἰ 3

12 αὐτοῦ   15 πρὸς αὐτόν   16 αὐτῷ   17 μου, ὁ ἀγαπητὸς ἐν

υἱὸς εἶ τοῦ θεοῦ, εἰπὸν ἵνα οἱ λίθοι οὗτοι ἄρτοι γένωνται.
4 ὁ δὲ ἀποκριθεὶς εἶπεν Γέγραπται Οὐκ ἐπ' ἄρτῳ μόνῳ
ΖΗϹΕΤΑΙ ὁ ἄνθρωπος, ἀλλ' ἐπὶ παντὶ ῥήματι ἐκπο-
5 ΡΕΥΟΜΕΝῼ ΔΙΑ ϹΤΟΜΑΤΟϹ ΘΕΟΥ. Τότε παραλαμβάνει
αὐτὸν ὁ διάβολος εἰς τὴν ἁγίαν πόλιν, καὶ ἔστησεν αὐτὸν
6 ἐπὶ τὸ πτερύγιον τοῦ ἱεροῦ, καὶ λέγει αὐτῷ Εἰ υἱὸς εἶ
τοῦ θεοῦ, βάλε σεαυτὸν κάτω· γέγραπται γὰρ ὅτι
  Τοῖϲ ἀγγέλοιϲ ἀγτογ ἐντελεῖται περὶ ϲογ
  καὶ ἐπὶ χειρῶν ἀρογϲίν ϲε,
  μή ποτε προϲκόψΗϲ πρὸϲ λίθον τὸν πόδα ϲογ.
7 ἔφη αὐτῷ ὁ Ἰησοῦς Πάλιν γέγραπται Οὐκ ἐκπειράϲειϲ
8 Κγριον τὸν θεόν ϲογ. Πάλιν παραλαμβάνει αὐτὸν ὁ
διάβολος εἰς ὄρος ὑψηλὸν λίαν, καὶ δείκνυσιν αὐτῷ πάσας
9 τὰς βασιλείας τοῦ κόσμου καὶ τὴν δόξαν αὐτῶν, καὶ
εἶπεν αὐτῷ Ταῦτά σοι πάντα δώσω ἐὰν πεσὼν προσκυ-
10 νήσῃς μοι. τότε λέγει αὐτῷ ὁ Ἰησοῦς Ὕπαγε, Σατανᾶ·
γέγραπται γάρ Κγριον τὸν θεόν ϲογ προϲκγνήϲειϲ
11 καὶ ἀγτῷ μόνῳ λατρεγϲειϲ. Τότε ἀφίησιν αὐτὸν ὁ
διάβολος, καὶ ἰδοὺ ἄγγελοι προσῆλθον καὶ διηκόνουν
αὐτῷ.
12 Ἀκούσας δὲ ὅτι Ἰωάνης παρεδόθη ἀνεχώρησεν εἰς τὴν
13 Γαλιλαίαν. καὶ καταλιπὼν τὴν Ναζαρὰ ἐλθὼν κατῴκησεν
εἰς Καφαρναοὺμ τὴν παραθαλασσίαν ἐν ὁρίοις Ζαβουλὼν
14 καὶ Νεφθαλείμ· ἵνα πληρωθῇ τὸ ῥηθὲν διὰ Ἠσαίου τοῦ
προφήτου λέγοντος
15 Γᾱ Ζαβογλὼν καὶ γᾱ Νεφθαλείμ,
  ὁδὸν θαλάϲϲΗϲ, πέραν τογ Ἰορδάνογ,
  Γαλιλαία τῶν ἐθνῶν,
16 ὁ λαὸϲ ὁ καθήμενοϲ ἐν ϲκοτίᾳ
  φῶϲ εἶδεν μέγα,
  καὶ τοῖϲ καθΗμένοιϲ ἐν χώρᾳ καὶ ϲκιᾷ θανάτογ
  φῶϲ ἀνέτειλεν ἀγτοῖϲ.

ΑΠΟ ΤΟΤΕ ἤρξατο ὁ Ἰησοῦς κηρύσσειν καὶ λέγειν 17 ⸀Μετανοεῖτε, ἤγγικεν γὰρ⸂ ἡ βασιλεία τῶν οὐρανῶν.

Περιπατῶν δὲ παρὰ τὴν θάλασσαν τῆς Γαλιλαίας εἶδεν 18 δύο ἀδελφούς, Σίμωνα τὸν λεγόμενον Πέτρον καὶ Ἀνδρέαν τὸν ἀδελφὸν αὐτοῦ, βάλλοντας ἀμφίβληστρον εἰς τὴν θά- λασσαν, ἦσαν γὰρ ἁλεεῖς· καὶ λέγει αὐτοῖς Δεῦτε ὀπίσω 19 μου, καὶ ποιήσω ὑμᾶς ἁλεεῖς ἀνθρώπων. οἱ δὲ εὐθέως 20 ἀφέντες τὰ δίκτυα ἠκολούθησαν αὐτῷ. Καὶ προβὰς ἐκεῖθεν 21 εἶδεν ἄλλους δύο ἀδελφούς, Ἰάκωβον τὸν τοῦ Ζεβεδαίου καὶ Ἰωάνην τὸν ἀδελφὸν αὐτοῦ, ἐν τῷ πλοίῳ μετὰ Ζεβε- δαίου τοῦ πατρὸς αὐτῶν καταρτίζοντας τὰ δίκτυα αὐτῶν, καὶ ἐκάλεσεν αὐτούς. οἱ δὲ εὐθέως ἀφέντες τὸ πλοῖον καὶ 22 τὸν πατέρα αὐτῶν ἠκολούθησαν αὐτῷ.   Καὶ 23 περιῆγεν ἐν ὅλῃ τῇ Γαλιλαίᾳ, διδάσκων ἐν ταῖς συνα- γωγαῖς αὐτῶν καὶ κηρύσσων τὸ εὐαγγέλιον τῆς βασι- λείας καὶ θεραπεύων πᾶσαν νόσον καὶ πᾶσαν μαλακίαν ἐν τῷ λαῷ. καὶ ἀπῆλθεν ἡ ἀκοὴ αὐτοῦ εἰς ὅλην τὴν 24 Συρίαν· καὶ προσήνεγκαν αὐτῷ πάντας τοὺς κακῶς ἔχοντας ποικίλαις νόσοις καὶ βασάνοις συνεχομένους, δαιμονιζο- μένους καὶ σεληνιαζομένους καὶ παραλυτικούς, καὶ ἐθερά- πευσεν αὐτούς. καὶ ἠκολούθησαν αὐτῷ ὄχλοι πολλοὶ ἀπὸ 25 τῆς Γαλιλαίας καὶ Δεκαπόλεως καὶ Ἱεροσολύμων καὶ Ἰου- δαίας καὶ πέραν τοῦ Ἰορδάνου.   Ἰδὼν δὲ τοὺς 1 ὄχλους ἀνέβη εἰς τὸ ὄρος· καὶ καθίσαντος αὐτοῦ προσ- ῆλθαν [αὐτῷ] οἱ μαθηταὶ αὐτοῦ· καὶ ἀνοίξας τὸ στόμα 2 αὐτοῦ ἐδίδασκεν αὐτοὺς λέγων

17 ⸀Ἠγγικεν

3 ΜΑΚΑΡΙΟΙ οἱ πτωχοὶ τῷ πνεύματι, ὅτι αὐτῶν ἐστὶν ἡ
βασιλεία τῶν οὐρανῶν.

4 μακάριοι οἱ ΠΕΝΘΟῦΝΤΕϹ, ὅτι αὐτοὶ ΠΑΡΑΚΛΗΘΗϹΟΝΤΑΙ.

5 μακάριοι οἱ ΠΡΑΕῖϹ, ὅτι αὐτοὶ ΚΛΗΡΟΝΟΜΗϹΟΥϹΙ ΤΗΝ ΓῆΝ.

6 μακάριοι οἱ πεινῶντες καὶ διψῶντες τὴν δικαιοσύνην, ὅτι
αὐτοὶ χορτασθήσονται.

7 μακάριοι οἱ ἐλεήμονες, ὅτι αὐτοὶ ἐλεηθήσονται.

8 μακάριοι οἱ ΚΑΘΑΡΟΙ Τῆ ΚΑΡΔΙᾳ, ὅτι αὐτοὶ τὸν θεὸν ὄψονται.

9 μακάριοι οἱ εἰρηνοποιοί, ὅτι [αὐτοὶ] υἱοὶ θεοῦ κληθήσονται.

10 μακάριοι οἱ δεδιωγμένοι ἕνεκεν δικαιοσύνης, ὅτι αὐτῶν
ἐστὶν ἡ βασιλεία τῶν οὐρανῶν.

11 μακάριοί ἐστε ὅταν ὀνειδίσωσιν ὑμᾶς καὶ διώξωσιν καὶ
εἴπωσιν πᾶν πονηρὸν καθ' ὑμῶν ψευδόμενοι ἕνεκεν

12 ἐμοῦ· χαίρετε καὶ ἀγαλλιᾶσθε, ὅτι ὁ μισθὸς ὑμῶν πολὺς
ἐν τοῖς οὐρανοῖς· οὕτως γὰρ ἐδίωξαν τοὺς προφήτας τοὺς
πρὸ ὑμῶν.

13 Ὑμεῖς ἐστὲ τὸ ἅλας τῆς γῆς· ἐὰν δὲ τὸ ἅλας μωρανθῇ, ἐν
τίνι ἁλισθήσεται; εἰς οὐδὲν ἰσχύει ἔτι εἰ μὴ βληθὲν ἔξω

14 καταπατεῖσθαι ὑπὸ τῶν ἀνθρώπων. ὑμεῖς ἐστὲ τὸ φῶς
τοῦ κόσμου. οὐ δύναται πόλις κρυβῆναι ἐπάνω ὄρους κει-

15 μένη· οὐδὲ καίουσιν λύχνον καὶ τιθέασιν αὐτὸν ὑπὸ τὸν
μόδιον ἀλλ' ἐπὶ τὴν λυχνίαν, καὶ λάμπει πᾶσιν τοῖς ἐν τῇ

16 οἰκίᾳ. οὕτως λαμψάτω τὸ φῶς ὑμῶν ἔμπροσθεν τῶν ἀνθρώ-
πων, ὅπως ἴδωσιν ὑμῶν τὰ καλὰ ἔργα καὶ δοξάσωσιν τὸν
πατέρα ὑμῶν τὸν ἐν τοῖς οὐρανοῖς.

17 Μὴ νομίσητε ὅτι ἦλθον καταλῦσαι τὸν νόμον ἢ τοὺς

18 προφήτας· οὐκ ἦλθον καταλῦσαι ἀλλὰ πληρῶσαι· ἀμὴν
γὰρ λέγω ὑμῖν, ἕως ἂν παρέλθῃ ὁ οὐρανὸς καὶ ἡ γῆ, ἰῶτα
ἓν ἢ μία κερέα οὐ μὴ παρέλθῃ ἀπὸ τοῦ νόμου ἕως [ἂν]

19 πάντα γένηται. ὃς ἐὰν οὖν λύσῃ μίαν τῶν ἐντολῶν τού-
των τῶν ἐλαχίστων καὶ διδάξῃ οὕτως τοὺς ἀνθρώπους,
ἐλάχιστος κληθήσεται ἐν τῇ βασιλείᾳ τῶν οὐρανῶν· ὃς
δ' ἂν ποιήσῃ καὶ διδάξῃ, οὗτος μέγας κληθήσεται ἐν τῇ βα-

σιλεία τῶν οὐρανῶν. λέγω γὰρ ὑμῖν ὅτι ἐὰν μὴ περισ- 20
σεύσῃ ὑμῶν ἡ δικαιοσύνη πλεῖον τῶν γραμματέων καὶ
Φαρισαίων, οὐ μὴ εἰσέλθητε εἰς τὴν βασιλείαν τῶν οὐ-
ρανῶν. Ἠκούσατε ὅτι ἐρρέθη τοῖς ἀρχαίοις ΟΫ 21
ΦΟΝΕΥCΕΙC· ὃς δ᾽ ἂν φονεύσῃ, ἔνοχος ἔσται τῇ κρίσει.
Ἐγὼ δὲ λέγω ὑμῖν ὅτι πᾶς ὁ ὀργιζόμενος τῷ ἀδελφῷ αὐτοῦ 22
ἔνοχος ἔσται τῇ κρισει· ὃς δ᾽ ἂν εἴπῃ τῷ ἀδελφῷ αὐτοῦ
Ῥακά, ἔνοχος ἔσται τῷ συνεδρίῳ· ὃς δ᾽ ἂν εἴπῃ Μωρέ,
ἔνοχος ἔσται εἰς τὴν γέενναν τοῦ πυρός. ἐὰν οὖν προσ- 23
φέρῃς τὸ δῶρόν σου ἐπὶ τὸ θυσιαστήριον κἀκεῖ μνησθῇς
ὅτι ὁ ἀδελφός σου ἔχει τι κατὰ σοῦ, ἄφες ἐκεῖ τὸ δῶρόν 24
σου ἔμπροσθεν τοῦ θυσιαστηρίου, καὶ ὕπαγε πρῶτον διαλ-
λάγηθι τῷ ἀδελφῷ σου, καὶ τότε ἐλθὼν πρόσφερε τὸ
δῶρόν σου. ἴσθι εὐνοῶν τῷ ἀντιδίκῳ σου ταχὺ ἕως ὅτου 25
εἶ μετ᾽ αὐτοῦ ἐν τῇ ὁδῷ, μή ποτέ σε παραδῷ ὁ ἀντίδικος
τῷ κριτῇ, καὶ ὁ κριτὴς τῷ ὑπηρέτῃ, καὶ εἰς φυλακὴν βλη-
θήσῃ· ἀμὴν λέγω σοι, οὐ μὴ ἐξέλθῃς ἐκεῖθεν ἕως ἂν 26
ἀποδῷς τὸν ἔσχατον κοδράντην. Ἠκούσατε ὅτι 27
ἐρρέθη ΟΫ ΜΟΙΧΕΥCΕΙC. Ἐγὼ δὲ λέγω ὑμῖν ὅτι πᾶς ὁ βλέ- 28
πων γυναῖκα προς τὸ ἐπιθυμῆσαι [αὐτὴν] ἤδη ἐμοίχευσεν
αὐτὴν ἐν τῇ καρδίᾳ αὐτοῦ. εἰ δὲ ὁ ὀφθαλμός σου ὁ δεξιὸς 29
σκανδαλίζει σε, ἔξελε αὐτὸν καὶ βάλε ἀπὸ σοῦ, συμφέρει
γάρ σοι ἵνα ἀπόληται ἓν τῶν μελῶν σου καὶ μὴ ὅλον τὸ
σῶμά σου βληθῇ εἰς γέενναν· καὶ εἰ ἡ δεξιά σου χεὶρ 30
σκανδαλίζει σε, ἔκκοψον αὐτὴν καὶ βάλε ἀπὸ σοῦ, συμ-
φέρει γάρ σοι ἵνα ἀπόληται ἓν τῶν μελῶν σου καὶ μὴ ὅλον
τὸ σῶμά σου εἰς γέενναν ἀπέλθῃ. Ἐρρέθη δέ 31
Ὃς ἂν ἀπολύσῃ τὴν ΓΥΝΑΙΚΑ ΑΫΤΟΫ, ΔΟΤΩ ΑΫΤΗ ΑΠΟ-
CΤΑCΙΟΝ. Ἐγὼ δὲ λέγω ὑμῖν ὅτι πᾶς ὁ ἀπολύων τὴν 32
γυναῖκα αὐτοῦ παρεκτὸς λόγου πορνείας ποιεῖ αὐτὴν μοι-
χευθῆναι[, καὶ ὃς ἐὰν ἀπολελυμένην γαμήσῃ μοιχᾶ-
ται]. Πάλιν ἠκούσατε ὅτι ἐρρέθη τοῖς ἀρχαίοις 33
ΟΫκ ΕΠΙΟΡΚΗCΕΙC, ΑΠΟΔΩCΕΙC δὲ τῷ ΚΥΡΙῼ ΤΟΫC ὅρ-

34 κογο coγ. Ἐγὼ δὲ λέγω ὑμῖν μὴ ὀμόσαι ὅλως· μήτε ἐν
35 τῷ ογρανῷ, ὅτι θρόνος ἐστὶν τοῦ θεοῦ· μήτε ἐν τῇ
γῇ, ὅτι γποπόδιόν ἐστιν τῶν ποδῶν αγτοῦ· μήτε εἰς
Ἰεροσόλυμα, ὅτι πόλιc ἐστὶν τογ μεγάλογ βαcιλέωc·
36 μήτε ἐν τῇ κεφαλῇ σου ὀμόσῃς, ὅτι οὐ δύνασαι μίαν
37 τρίχα λευκὴν ποιῆσαι ἢ μέλαιναν. ⌜ἔστω⌝ δὲ ὁ λόγος
ὑμῶν ναὶ ναί, οὗ οὔ· τὸ δὲ περισσὸν τούτων ἐκ τοῦ πονηροῦ
38 ἐστίν.   Ἠκούσατε ὅτι ἐρρέθη Ὀφθαλμὸν ἀντὶ
39 ὀφθαλμοῦ καὶ ὀδόντα ἀντὶ ὀδόντοc. Ἐγὼ δὲ λέγω ὑμῖν
μὴ ἀντιστῆναι τῷ πονηρῷ· ἀλλ᾽ ὅστις σε ῥαπίζει εἰς τὴν
40 δεξιὰν σιαγόνα [σου], στρέψον αὐτῷ καὶ τὴν ἄλλην· καὶ τῷ
θέλοντί σοι κριθῆναι καὶ τὸν χιτῶνά σου λαβεῖν, ἄφες αὐτῷ
41 καὶ τὸ ἱμάτιον· καὶ ὅστις σε ἀγγαρεύσει μίλιον ἕν, ὕπαγε
42 μετ᾽ αὐτοῦ δύο. τῷ αἰτοῦντί σε δός, καὶ τὸν θέλοντα ἀπὸ
43 σοῦ δανίσασθαι μὴ ἀποστραφῇς.   Ἠκούσατε
ὅτι ἐρρέθη Ἀγαπήcειc τὸν πληcίον coγ καὶ μισήσεις τὸν
44 ἐχθρόν σου. Ἐγὼ δὲ λέγω ὑμῖν, ἀγαπᾶτε τοὺς ἐχθροὺς
45 ὑμῶν καὶ προσεύχεσθε ὑπὲρ τῶν διωκόντων ὑμᾶς· ὅπως
γένησθε υἱοὶ τοῦ πατρὸς ὑμῶν τοῦ ἐν οὐρανοῖς, ὅτι τὸν
ἥλιον αὐτοῦ ἀνατέλλει ἐπὶ πονηροὺς καὶ ἀγαθοὺς καὶ
46 βρέχει ἐπὶ δικαίους καὶ ἀδίκους. ἐὰν γὰρ ἀγαπήσητε τοὺς
ἀγαπῶντας ὑμᾶς, τίνα μισθὸν ἔχετε; οὐχὶ καὶ οἱ τελῶναι
47 ⌜τὸ αὐτὸ⌝ ποιοῦσιν; καὶ ἐὰν ἀσπάσησθε τοὺς ἀδελφοὺς
ὑμῶν μόνον, τί περισσὸν ποιεῖτε; οὐχὶ καὶ οἱ ἐθνικοὶ τὸ
48 αὐτὸ ποιοῦσιν; Ἔσεσθε οὖν ὑμεῖς τέλειοι ὡς ὁ πατὴρ
ὑμῶν ὁ οὐράνιος τέλειός ἐστιν.
1   Προσέχετε [δὲ] τὴν δικαιοσύνην ὑμῶν μὴ ποιεῖν ἔμπρο-
σθεν τῶν ἀνθρώπων πρὸς τὸ θεαθῆναι αὐτοῖς· εἰ δὲ μή-
γε, μισθὸν οὐκ ἔχετε παρὰ τῷ πατρὶ ὑμῶν τῷ ἐν τοῖς
2 οὐρανοῖς. Ὅταν οὖν ποιῇς ἐλεημοσύνην, μὴ
σαλπίσῃς ἔμπροσθέν σου, ὥσπερ οἱ ὑποκριταὶ ποιοῦσιν ἐν
ταῖς συναγωγαῖς καὶ ἐν ταῖς ῥύμαις, ὅπως δοξασθῶσιν ὑπὸ
τῶν ἀνθρώπων· ἀμὴν λέγω ὑμῖν, ἀπέχουσιν τὸν μισθὸν

αὐτῶν. σοῦ δὲ ποιοῦντος ἐλεημοσύνην μὴ γνώτω ἡ ἀρι- 3
στερά σου τί ποιεῖ ἡ δεξιά σου, ὅπως ᾖ σου ἡ ἐλεημοσύνη 4
ἐν τῷ κρυπτῷ· καὶ ὁ πατήρ σου ὁ βλέπων ἐν τῷ κρυπτῷ ἀπο-
δώσει σοι.   Καὶ ὅταν προσεύχησθε, οὐκ ἔσεσθε 5
ὡς οἱ ὑποκριταί· ὅτι φιλοῦσιν ἐν ταῖς συναγωγαῖς καὶ ἐν
ταῖς γωνίαις τῶν πλατειῶν ἑστῶτες προσεύχεσθαι, ὅπως
φανῶσιν τοῖς ἀνθρώποις· ἀμὴν λέγω ὑμῖν, ἀπέχουσι τὸν
μισθὸν αὐτῶν. σὺ δὲ ὅταν προσεύχῃ, ΕΙϹΕΛΘΕ ΕΙϹ ΤΟ 6
ΤΑΜΕΙΟΝ ϹΟΥ ΚΑΙ ΚΛΕΙϹΑϹ ΤΗΝ ΘΥΡΑΝ ϹΟΥ ΠΡΟϹΕΥΞΑΙ
τῷ πατρί σου τῷ ἐν τῷ κρυπτῷ· καὶ ὁ πατήρ σου ὁ
βλέπων ἐν τῷ κρυπτῷ ἀποδώσει σοι. Προσευχόμενοι δὲ 7
μὴ βατταλογήσητε ὥσπερ οἱ ἐθνικοί, δοκοῦσιν γὰρ ὅτι ἐν
τῇ πολυλογίᾳ αὐτῶν εἰσακουσθήσονται· μὴ οὖν ὁμοιωθῆτε 8
αὐτοῖς, οἶδεν γὰρ [ὁ θεὸς] ὁ πατὴρ ὑμῶν ὧν χρείαν ἔχετε
πρὸ τοῦ ὑμᾶς αἰτῆσαι αὐτόν.   Οὕτως οὖν προσεύχεσθε 9
ὑμεῖς

    Πάτερ ἡμῶν ὁ ἐν τοῖς οὐρανοῖς·
  Ἁγιασθήτω τὸ ὄνομά σου,
  ἐλθάτω ἡ βασιλεία σου,   10
  γενηθήτω τὸ θέλημά σου,
      ὡς ἐν οὐρανῷ καὶ ἐπὶ γῆς·
  Τὸν ἄρτον ἡμῶν τὸν ἐπιούσιον   11
      δὸς ἡμῖν σήμερον·
  καὶ ἄφες ἡμῖν τὰ ὀφειλήματα ἡμῶν,   12
      ὡς καὶ ἡμεῖς ἀφήκαμεν τοῖς ὀφειλέταις ἡμῶν·
  καὶ μὴ εἰσενέγκῃς ἡμᾶς εἰς πειρασμόν,   13
      ἀλλὰ ῥῦσαι ἡμᾶς ἀπὸ τοῦ πονηροῦ.
Ἐὰν γὰρ ἀφῆτε τοῖς ἀνθρώποις τὰ παραπτώματα αὐτῶν, 14
ἀφήσει καὶ ὑμῖν ὁ πατὴρ ὑμῶν ὁ οὐράνιος· ἐὰν δὲ μὴ 15
ἀφῆτε τοῖς ἀνθρώποις [τὰ παραπτώματα αὐτῶν], οὐδὲ ὁ πα-
τὴρ ὑμῶν ἀφήσει τὰ παραπτώματα ὑμῶν.   Ὅταν 16
δὲ νηστεύητε, μὴ γίνεσθε ὡς οἱ ὑποκριταὶ σκυθρωποί,
ἀφανίζουσιν γὰρ τὰ πρόσωπα αὐτῶν ὅπως φανῶσιν τοῖς

ἀνθρώποις νηστεύοντες· ἀμὴν λέγω ὑμῖν, ἀπέχουσιν τὸν
17 μισθὸν αὐτῶν. σὺ δὲ νηστεύων ἄλειψαί σου τὴν κεφαλὴν
18 καὶ τὸ πρόσωπόν σου νίψαι, ὅπως μὴ φανῇς ⌜τοῖς ἀνθρώ-
ποις νηστεύων⌝ ἀλλὰ τῷ πατρί σου τῷ ἐν τῷ κρυφαίῳ· καὶ
ὁ πατήρ σου ὁ βλέπων ἐν τῷ κρυφαίῳ ἀποδώσει σοι.

19   Μὴ θησαυρίζετε ὑμῖν θησαυροὺς ἐπὶ τῆς γῆς, ὅπου σὴς
καὶ βρῶσις ἀφανίζει, καὶ ὅπου κλέπται διορύσσουσιν καὶ
20 κλέπτουσιν· θησαυρίζετε δὲ ὑμῖν θησαυροὺς ἐν οὐρανῷ,
ὅπου οὔτε σὴς οὔτε βρῶσις ἀφανίζει, καὶ ὅπου κλέπται οὐ
21 διορύσσουσιν οὐδὲ κλέπτουσιν· ὅπου γάρ ἐστιν ὁ θη-
22 σαυρός σου, ἐκεῖ ἔσται [καὶ] ἡ καρδία σου. Ὁ λύχνος
τοῦ σώματός ἐστιν ὁ ὀφθαλμός. ἐὰν οὖν ᾖ ὁ ὀφθαλμός
23 σου ἁπλοῦς, ὅλον τὸ σῶμά σου φωτινὸν ἔσται· ἐὰν δὲ ὁ
ὀφθαλμός σου πονηρὸς ᾖ, ὅλον τὸ σῶμά σου σκοτινὸν
ἔσται. εἰ οὖν τὸ φῶς τὸ ἐν σοὶ σκότος ἐστίν, τὸ σκότος
24 πόσον. Οὐδεὶς δύναται δυσὶ κυρίοις δουλεύειν· ἢ γὰρ
τὸν ἕνα μισήσει καὶ τὸν ἕτερον ἀγαπήσει, ἢ ἑνὸς ἀνθέξεται
καὶ τοῦ ἑτέρου καταφρονήσει· οὐ δύνασθε θεῷ δουλεύειν
25 καὶ μαμωνᾷ. Διὰ τοῦτο λέγω ὑμῖν, μὴ μεριμνᾶτε τῇ
ψυχῇ ὑμῶν τί φάγητε [ἢ τί πίητε], μηδὲ τῷ σώματι ὑμῶν
τί ἐνδύσησθε· οὐχὶ ἡ ψυχὴ πλεῖόν ἐστι τῆς τροφῆς καὶ τὸ
26 σῶμα τοῦ ἐνδύματος; ἐμβλέψατε εἰς τὰ πετεινὰ τοῦ οὐρα-
νοῦ ὅτι οὐ σπείρουσιν οὐδὲ θερίζουσιν οὐδὲ συνάγουσιν
εἰς ἀποθήκας, καὶ ὁ πατὴρ ὑμῶν ὁ οὐράνιος τρέφει αὐτά·
27 οὐχ ὑμεῖς μᾶλλον διαφέρετε αὐτῶν; τίς δὲ ἐξ ὑμῶν μερι-
μνῶν δύναται προσθεῖναι ἐπὶ τὴν ἡλικίαν αὐτοῦ πῆχυν
28 ἕνα; καὶ περὶ ἐνδύματος τί μεριμνᾶτε; καταμάθετε τὰ
κρίνα τοῦ ἀγροῦ πῶς αὐξάνουσιν· οὐ κοπιῶσιν οὐδὲ νήθου-
29 σιν· λέγω δὲ ὑμῖν ὅτι οὐδὲ Σολομὼν ἐν πάσῃ τῇ δόξῃ
30 αὐτοῦ περιεβάλετο ὡς ἓν τούτων. εἰ δὲ τὸν χόρτον τοῦ
ἀγροῦ σήμερον ὄντα καὶ αὔριον εἰς κλίβανον βαλλόμενον
ὁ θεὸς οὕτως ἀμφιέννυσιν, οὐ πολλῷ μᾶλλον ὑμᾶς, ὀλι-
31 γόπιστοι; μὴ οὖν μεριμνήσητε λέγοντες Τί φάγωμεν;

ἢ Τί πίωμεν; ἢ Τί περιβαλώμεθα; πάντα γὰρ ταῦτα τὰ 32
ἔθνη ἐπιζητοῦσιν· οἶδεν γὰρ ὁ πατὴρ ὑμῶν ὁ οὐράνιος ὅτι
χρῄζετε τούτων ἁπάντων. ζητεῖτε δὲ πρῶτον τὴν βασι- 33
λείαν καὶ τὴν δικαιοσύνην αὐτοῦ, καὶ ταῦτα πάντα προσ-
τεθήσεται ὑμῖν. μὴ οὖν μεριμνήσητε εἰς τὴν αὔριον, ἡ 34
γὰρ αὔριον μεριμνήσει αὑτῆς· ἀρκετὸν τῇ ἡμέρᾳ ἡ κακία
αὐτῆς.

Μὴ κρίνετε, ἵνα μὴ κριθῆτε· ἐν ᾧ γὰρ κρίματι κρίνετε $^1_2$
κριθήσεσθε, καὶ ἐν ᾧ μέτρῳ μετρεῖτε μετρηθήσεται ὑμῖν.
τί δὲ βλέπεις τὸ κάρφος τὸ ἐν τῷ ὀφθαλμῷ τοῦ ἀδελφοῦ 3
σου, τὴν δὲ ἐν τῷ σῷ ὀφθαλμῷ δοκὸν οὐ κατανοεῖς; ἢ πῶς 4
ἐρεῖς τῷ ἀδελφῷ σου Ἄφες ἐκβάλω τὸ κάρφος ἐκ τοῦ
ὀφθαλμοῦ σου, καὶ ἰδοὺ ἡ δοκὸς ἐν τῷ ὀφθαλμῷ σοῦ;
ὑποκριτά, ἔκβαλε πρῶτον ἐκ τοῦ ὀφθαλμοῦ σοῦ τὴν δοκόν, 5
καὶ τότε διαβλέψεις ἐκβαλεῖν τὸ κάρφος ἐκ τοῦ ὀφθαλμοῦ
τοῦ ἀδελφοῦ σου. Μὴ δῶτε τὸ ἅγιον τοῖς κυσίν, μηδὲ 6
βάλητε τοὺς μαργαρίτας ὑμῶν ἔμπροσθεν τῶν χοίρων, μή
ποτε καταπατήσουσιν αὐτοὺς ἐν τοῖς ποσὶν αὐτῶν καὶ
στραφέντες ῥήξωσιν ὑμᾶς. Αἰτεῖτε, καὶ δοθήσεται ὑμῖν· 7
ζητεῖτε, καὶ εὑρήσετε· κρούετε, καὶ ἀνοιγήσεται ὑμῖν. πᾶς 8
γὰρ ὁ αἰτῶν λαμβάνει καὶ ὁ ζητῶν εὑρίσκει καὶ τῷ
κρούοντι ⌜ἀνοιγήσεται⌝. ἢ τίς ἐξ ὑμῶν ἄνθρωπος, ὃν 9
αἰτήσει ὁ υἱὸς αὐτοῦ ἄρτον – μὴ λίθον ἐπιδώσει αὐτῷ; ἢ 10
καὶ ἰχθὺν αἰτήσει – μὴ ὄφιν ἐπιδώσει αὐτῷ; εἰ οὖν ὑμεῖς 11
πονηροὶ ὄντες οἴδατε δόματα ἀγαθὰ διδόναι τοῖς τέκνοις
ὑμῶν, πόσῳ μᾶλλον ὁ πατὴρ ὑμῶν ὁ ἐν τοῖς οὐρανοῖς
δώσει ἀγαθὰ τοῖς αἰτοῦσιν αὐτόν. Πάντα οὖν ὅσα ἐὰν 12
θέλητε ἵνα ποιῶσιν ὑμῖν οἱ ἄνθρωποι, οὕτως καὶ ὑμεῖς
ποιεῖτε αὐτοῖς· οὗτος γάρ ἐστιν ὁ νόμος καὶ οἱ προφῆται.

Εἰσέλθατε διὰ τῆς στενῆς πύλης· ὅτι πλατεῖα ᵀ καὶ 13
εὐρύχωρος ἡ ὁδὸς ἡ ἀπάγουσα εἰς τὴν ἀπώλειαν, καὶ
πολλοί εἰσιν οἱ εἰσερχόμενοι δι᾽ αὐτῆς· ὅτι στενὴ ἡ πύλη 14
καὶ τεθλιμμένη ἡ ὁδὸς ἡ ἀπάγουσα εἰς τὴν ζωήν, καὶ

8 ἀνοίγεται 13 ἡ πύλη

15 ὀλίγοι εἰσὶν οἱ εὑρίσκοντες αὐτήν. Προσέχετε
ἀπὸ τῶν ψευδοπροφητῶν, οἵτινες ἔρχονται πρὸς ὑμᾶς ἐν
16 ἐνδύμασι προβάτων ἔσωθεν δέ εἰσιν λύκοι ἅρπαγες. ἀπὸ
τῶν καρπῶν αὐτῶν ἐπιγνώσεσθε αὐτούς· μήτι συλλέγουσιν
17 ἀπὸ ἀκανθῶν σταφυλὰς ἢ ἀπὸ τριβόλων σῦκα; οὕτω πᾶν
δένδρον ἀγαθὸν καρποὺς ⌜καλοὺς ποιεῖ⌝, τὸ δὲ σαπρὸν δέν-
18 δρον καρποὺς πονηροὺς ποιεῖ· οὐ δύναται δένδρον ἀγαθὸν
καρποὺς πονηροὺς ἐνεγκεῖν, οὐδὲ δένδρον σαπρὸν καρποὺς
19 καλοὺς ποιεῖν. πᾶν δένδρον μὴ ποιοῦν καρπὸν καλὸν
20 ἐκκόπτεται καὶ εἰς πῦρ βάλλεται. ἄραγε ἀπὸ τῶν καρπῶν
21 αὐτῶν ἐπιγνώσεσθε αὐτούς. Οὐ πᾶς ὁ λέγων μοι Κύριε
κύριε εἰσελεύσεται εἰς τὴν βασιλείαν τῶν οὐρανῶν, ἀλλ᾽ ὁ
ποιῶν τὸ θέλημα τοῦ πατρός μου τοῦ ἐν τοῖς οὐρανοῖς.
22 πολλοὶ ἐροῦσίν μοι ἐν ἐκείνῃ τῇ ἡμέρᾳ Κύριε κύριε, οὐ
τῷ σῷ ὀνόματι ἐπροφητεύσαμεν, καὶ τῷ σῷ ὀνόματι
δαιμόνια ἐξεβάλομεν, καὶ τῷ σῷ ὀνόματι δυνάμεις πολλὰς
23 ἐποιήσαμεν; καὶ τότε ὁμολογήσω αὐτοῖς ὅτι Οὐδέποτε
ἔγνων ὑμᾶς· ἀποχωρεῖτε ἀπ᾽ ἐμοῦ οἱ ἐργαζόμενοι τὴν
ἀνομίαν.

24 Πᾶς οὖν ὅστις ἀκούει μου τοὺς λόγους [τούτους] καὶ
ποιεῖ αὐτούς, ὁμοιωθήσεται ἀνδρὶ φρονίμῳ, ὅστις ᾠκοδό-
25 μησεν αὐτοῦ τὴν οἰκίαν ἐπὶ τὴν πέτραν. καὶ κατέβη ἡ
βροχὴ καὶ ἦλθαν οἱ ποταμοὶ καὶ ἔπνευσαν οἱ ἄνεμοι καὶ
προσέπεσαν τῇ οἰκίᾳ ἐκείνῃ, καὶ οὐκ ἔπεσεν, τεθεμελίωτο
26 γὰρ ἐπὶ τὴν πέτραν. Καὶ πᾶς ὁ ἀκούων μου τοὺς λόγους
τούτους καὶ μὴ ποιῶν αὐτοὺς ὁμοιωθήσεται ἀνδρὶ μωρῷ,
27 ὅστις ᾠκοδόμησεν αὐτοῦ τὴν οἰκίαν ἐπὶ τὴν ἄμμον. καὶ
κατέβη ἡ βροχὴ καὶ ἦλθαν οἱ ποταμοὶ καὶ ἔπνευσαν οἱ
ἄνεμοι καὶ προσέκοψαν τῇ οἰκίᾳ ἐκείνῃ, καὶ ἔπεσεν, καὶ ἦν
ἡ πτῶσις αὐτῆς μεγάλη.

28 Καὶ ἐγένετο ὅτε ἐτέλεσεν ὁ Ἰησοῦς τοὺς λόγους τού-
29 τους, ἐξεπλήσσοντο οἱ ὄχλοι ἐπὶ τῇ διδαχῇ αὐτοῦ· ἦν
γὰρ διδάσκων αὐτοὺς ὡς ἐξουσίαν ἔχων καὶ οὐχ ὡς οἱ

17 ποιεῖ καλούς

C

γραμματεῖς αὐτῶν.

Καταβάντος δὲ αὐτοῦ ἀπὸ τοῦ ὄρους ἠκολούθησαν αὐτῷ 1 ὄχλοι πολλοί. Καὶ ἰδοὺ λεπρὸς προσελθὼν προσεκύνει 2 αὐτῷ λέγων Κύριε, ἐὰν θέλῃς δύνασαί με καθαρίσαι. καὶ 3 ἐκτείνας τὴν χεῖρα ἥψατο αὐτοῦ λέγων Θέλω, καθαρίσθητι· καὶ εὐθέως ἐκαθερίσθη αὐτοῦ ἡ λέπρα. καὶ λέγει αὐτῷ ὁ 4 Ἰησοῦς Ὅρα μηδενὶ εἴπῃς, ἀλλὰ ὕπαγε σεαυτὸν ΔΕΙΞΟΝ ΤΩ͂ ἱερεῖ, καὶ προσένεγκον τὸ δῶρον ὃ προσέταξεν Μωυσῆς εἰς μαρτύριον αὐτοῖς. Εἰσελθόντος δὲ αὐτοῦ εἰς 5 Καφαρναοὺμ προσῆλθεν αὐτῷ ἑκατόνταρχος παρακαλῶν αὐτὸν καὶ λέγων Κύριε, ὁ παῖς μου βέβληται ἐν τῇ οἰκίᾳ 6 παραλυτικός, δεινῶς βασανιζόμενος. λέγει αὐτῷ Ἐγὼ ἐλ- 7 θὼν θεραπεύσω αὐτόν. ἀποκριθεὶς δὲ ὁ ἑκατόνταρχος ἔφη 8 Κύριε, οὐκ εἰμὶ ἱκανὸς ἵνα μου ὑπὸ τὴν στέγην εἰσέλθῃς· ἀλλὰ μόνον εἰπὲ λόγῳ, καὶ ἰαθήσεται ὁ παῖς μου· καὶ 9 γὰρ ἐγὼ ἄνθρωπός εἰμι ὑπὸ ἐξουσίαν [τασσόμενος], ἔχων ὑπ᾽ ἐμαυτὸν στρατιώτας, καὶ λέγω τούτῳ Πορεύθητι, καὶ πορεύεται, καὶ ἄλλῳ Ἔρχου, καὶ ἔρχεται, καὶ τῷ δούλῳ μου Ποίησον τοῦτο, καὶ ποιεῖ. ἀκούσας δὲ ὁ Ἰησοῦς 10 ἐθαύμασεν καὶ εἶπεν τοῖς ἀκολουθοῦσιν Ἀμὴν λέγω ὑμῖν, παρ᾽ οὐδενὶ τοσαύτην πίστιν ἐν τῷ Ἰσραὴλ εὗρον. λέγω 11 δὲ ὑμῖν ὅτι πολλοὶ ἀπὸ ἀνατολῶν καὶ ΔΥΣΜΩ͂Ν ἥξουσιν καὶ ἀνακλιθήσονται μετὰ Ἀβραὰμ καὶ Ἰσαὰκ καὶ Ἰακὼβ ἐν τῇ βασιλείᾳ τῶν οὐρανῶν· οἱ δὲ υἱοὶ τῆς βασιλείας ἐκ- 12 βληθήσονται εἰς τὸ σκότος τὸ ἐξώτερον· ἐκεῖ ἔσται ὁ κλαυθμὸς καὶ ὁ βρυγμὸς τῶν ὀδόντων. καὶ εἶπεν ὁ Ἰησοῦς 13 τῷ ἑκατοντάρχῃ Ὕπαγε, ὡς ἐπίστευσας γενηθήτω σοι· καὶ ἰάθη ὁ παῖς ἐν τῇ ὥρᾳ ἐκείνῃ. Καὶ ἐλθὼν ὁ 14 Ἰησοῦς εἰς τὴν οἰκίαν Πέτρου εἶδεν τὴν πενθερὰν αὐτοῦ βεβλημένην καὶ πυρέσσουσαν· καὶ ἥψατο τῆς χειρὸς αὐ- 15 τῆς, καὶ ἀφῆκεν αὐτὴν ὁ πυρετός, καὶ ἠγέρθη, καὶ διηκόνει αὐτῷ. Ὀψίας δὲ γενομένης προσήνεγκαν αὐτῷ 16

δαιμονιζομένους πολλούς· καὶ ἐξέβαλεν τὰ πνεύματα λόγῳ,
17 καὶ πάντας τοὺς κακῶς ἔχοντας ἐθεράπευσεν· ὅπως πληρωθῇ
τὸ ῥηθὲν διὰ Ἠσαίου τοῦ προφήτου λέγοντος Ἀγτὸς τὰς
ἀςθενείας ἡμῶν ἔλαβεν καὶ τὰς νόςογς ἐβάςταςεν.
18 Ἰδὼν δὲ ὁ Ἰησοῦς ⌐ὄχλον⌐ περὶ αὐτὸν ἐκέλευσεν ἀπελθεῖν
19 εἰς τὸ πέραν.   Καὶ προσελθὼν εἰς γραμματεὺς
εἶπεν αὐτῷ Διδάσκαλε, ἀκολουθήσω σοι ὅπου ἐὰν ἀπέρχῃ.
20 καὶ λέγει αὐτῷ ὁ Ἰησοῦς Αἱ ἀλώπεκες φωλεοὺς ἔχουσιν
καὶ τὰ πετεινὰ τοῦ οὐρανοῦ κατασκηνώσεις, ὁ δὲ υἱὸς τοῦ
21 ἀνθρώπου οὐκ ἔχει ποῦ τὴν κεφαλὴν κλίνῃ. Ἕτερος δὲ
τῶν μαθητῶν εἶπεν αὐτῷ Κύριε, ἐπίτρεψόν μοι πρῶτον
22 ἀπελθεῖν καὶ θάψαι τὸν πατέρα μου. ὁ δὲ Ἰησοῦς λέγει
αὐτῷ Ἀκολούθει μοι, καὶ ἄφες τοὺς νεκροὺς θάψαι τοὺς
23 ἑαυτῶν νεκρούς.   Καὶ ἐμβάντι αὐτῷ εἰς πλοῖον
24 ἠκολούθησαν αὐτῷ οἱ μαθηταὶ αὐτοῦ. καὶ ἰδοὺ σεισμὸς
μέγας ἐγένετο ἐν τῇ θαλάσσῃ, ὥστε τὸ πλοῖον καλύπτε-
25 σθαι ὑπὸ τῶν κυμάτων· αὐτὸς δὲ ἐκάθευδεν. καὶ προσ-
ελθόντες ἤγειραν αὐτὸν λέγοντες Κύριε, σῶσον, ἀπολλύ-
26 μεθα. καὶ λέγει αὐτοῖς Τί δειλοί ἐστε, ὀλιγόπιστοι; τότε
ἐγερθεὶς ἐπετίμησεν τοῖς ἀνέμοις καὶ τῇ θαλάσσῃ, καὶ
27 ἐγένετο γαλήνη μεγάλη. Οἱ δὲ ἄνθρωποι ἐθαύμασαν
λέγοντες Ποταπός ἐστιν οὗτος ὅτι καὶ οἱ ἄνεμοι καὶ ἡ θά-
28 λασσα αὐτῷ ὑπακούουσιν;   Καὶ ἐλθόντος αὐ-
τοῦ εἰς τὸ πέραν εἰς τὴν χώραν τῶν Γαδαρηνῶν ὑπήντησαν
αὐτῷ δύο δαιμονιζόμενοι ἐκ τῶν μνημείων ἐξερχόμενοι, χα-
λεποὶ λίαν ὥστε μὴ ἰσχύειν τινὰ παρελθεῖν διὰ τῆς ὁδοῦ
29 ἐκείνης. καὶ ἰδοὺ ἔκραξαν λέγοντες Τί ἡμῖν καὶ σοί, υἱὲ
30 τοῦ θεοῦ; ἦλθες ὧδε πρὸ καιροῦ βασανίσαι ἡμᾶς; Ἦν
δὲ μακρὰν ἀπ' αὐτῶν ἀγέλη χοίρων πολλῶν βοσκομένη.
31 οἱ δὲ δαίμονες παρεκάλουν αὐτὸν λέγοντες Εἰ ἐκβάλλεις
ἡμᾶς, ἀπόστειλον ἡμᾶς εἰς τὴν ἀγέλην τῶν χοίρων.
32 καὶ εἶπεν αὐτοῖς Ὑπάγετε. οἱ δὲ ἐξελθόντες ἀπῆλθαν εἰς
τοὺς χοίρους· καὶ ἰδοὺ ὥρμησεν πᾶσα ἡ ἀγέλη κατὰ τοῦ

18 [πολλοὺς] ὄχλους

κρημνοῦ εἰς τὴν θάλασσαν, καὶ ἀπέθανον ἐν τοῖς ὕδασιν.
Οἱ δὲ βόσκοντες ἔφυγον, καὶ ἀπελθόντες εἰς τὴν πόλιν 33
ἀπήγγειλαν πάντα καὶ τὰ τῶν δαιμονιζομένων. καὶ ἰδοὺ 34
πᾶσα ἡ πόλις ἐξῆλθεν εἰς ὑπάντησιν ⌈τῷ⌉ Ἰησοῦ, καὶ ἰδόν-
τες αὐτὸν παρεκάλεσαν ὅπως μεταβῇ ἀπὸ τῶν ὁρίων αὐ-
τῶν.   Καὶ ἐμβὰς εἰς πλοῖον διεπέρασεν, καὶ ἦλ- 1
θεν εἰς τὴν ἰδίαν πόλιν. Καὶ ἰδοὺ προσέφερον αὐτῷ παραλυ- 2
τικὸν ἐπὶ κλίνης βεβλημένον. καὶ ἰδὼν ὁ Ἰησοῦς τὴν πίστιν
αὐτῶν εἶπεν τῷ παραλυτικῷ Θάρσει, τέκνον· ἀφίενταί
σου αἱ ἁμαρτίαι. Καὶ ἰδού τινες τῶν γραμματέων εἶπαν 3
ἐν ἑαυτοῖς Οὗτος βλασφημεῖ. καὶ ⌈εἰδὼς⌉ ὁ Ἰησοῦς τὰς 4
ἐνθυμήσεις αὐτῶν εἶπεν Ἵνα τί ἐνθυμεῖσθε πονηρὰ ἐν ταῖς
καρδίαις ὑμῶν; τί γάρ ἐστιν εὐκοπώτερον, εἰπεῖν Ἀφίεν- 5
ταί σου αἱ ἁμαρτίαι, ἢ εἰπεῖν Ἔγειρε καὶ περιπάτει; ἵνα 6
δὲ εἰδῆτε ὅτι ἐξουσίαν ἔχει ὁ υἱὸς τοῦ ἀνθρώπου ἐπὶ τῆς
γῆς ἀφιέναι ἁμαρτίας– τότε λέγει τῷ παραλυτικῷ ⌈Ἔγει-
ρε⌉ ἆρόν σου τὴν κλίνην καὶ ὕπαγε εἰς τὸν οἶκόν σου.
καὶ ἐγερθεὶς ἀπῆλθεν εἰς τὸν οἶκον αὐτοῦ. Ἰδόντες δὲ οἱ 7 8
ὄχλοι ἐφοβήθησαν καὶ ἐδόξασαν τὸν θεὸν τὸν δόντα ἐξου-
σίαν τοιαύτην τοῖς ἀνθρώποις.

Καὶ παράγων ὁ Ἰησοῦς ἐκεῖθεν εἶδεν ἄνθρωπον καθήμενον 9
ἐπὶ τὸ τελώνιον, Μαθθαῖον λεγόμενον, καὶ λέγει αὐτῷ Ἀκο-
λούθει μοι· καὶ ἀναστὰς ἠκολούθησεν αὐτῷ.   Καὶ 10
ἐγένετο αὐτοῦ ἀνακειμένου ἐν τῇ οἰκίᾳ, καὶ ἰδοὺ πολλοὶ
τελῶναι καὶ ἁμαρτωλοὶ ἐλθόντες συνανέκειντο τῷ Ἰησοῦ
καὶ τοῖς μαθηταῖς αὐτοῦ. καὶ ἰδόντες οἱ Φαρισαῖοι ἔλεγον 11
τοῖς μαθηταῖς αὐτοῦ Διὰ τί μετὰ τῶν τελωνῶν καὶ ἁμαρ-
τωλῶν ἐσθίει ὁ διδάσκαλος ὑμῶν; ὁ δὲ ἀκούσας εἶπεν 12
Οὐ χρείαν ἔχουσιν οἱ ἰσχύοντες ἰατροῦ ἀλλὰ οἱ κακῶς ἔχον-
τες. πορευθέντες δὲ μάθετε τί ἐστιν Ἔλεος θέλω καὶ οὐ 13
θυσίαν· οὐ γὰρ ἦλθον καλέσαι δικαίους ἀλλὰ ἁμαρτω-
λούς.   Τότε προσέρχονται αὐτῷ οἱ μαθηταὶ Ἰω- 14
άνου λέγοντες Διὰ τί ἡμεῖς καὶ οἱ Φαρισαῖοι νηστεύομενͭ,

34 τοῦ   4 ἰδὼν   6 Ἐγερθεὶς   14 πολλά   18 εἰσελθὼν

15 οἱ δὲ μαθηταὶ σοῦ οὐ νηστεύουσιν; καὶ εἶπεν αὐτοῖς
ὁ Ἰησοῦς Μὴ δύνανται οἱ υἱοὶ τοῦ νυμφῶνος πεν-
θεῖν ἐφ᾽ ὅσον μετ᾽ αὐτῶν ἐστὶν ὁ νυμφίος; ἐλεύσονται δὲ
ἡμέραι ὅταν ἀπαρθῇ ἀπ᾽ αὐτῶν ὁ νυμφίος, καὶ τότε νη-
16 στεύσουσιν. οὐδεὶς δὲ ἐπιβάλλει ἐπίβλημα ῥάκους ἀγνά-
φου ἐπὶ ἱματίῳ παλαιῷ· αἴρει γὰρ τὸ πλήρωμα αὐτοῦ ἀπὸ
17 τοῦ ἱματίου, καὶ χεῖρον σχίσμα γίνεται. οὐδὲ βάλλουσιν
οἶνον νέον εἰς ἀσκοὺς παλαιούς· εἰ δὲ μήγε, ῥήγνυνται οἱ
ἀσκοί, καὶ ὁ οἶνος ἐκχεῖται καὶ οἱ ἀσκοὶ ἀπόλλυνται·
ἀλλὰ βάλλουσιν οἶνον νέον εἰς ἀσκοὺς καινούς, καὶ ἀμφό-
τεροι συντηροῦνται.

18 Ταῦτα αὐτοῦ λαλοῦντος αὐτοῖς ἰδοὺ ἄρχων ⌈εἷς⌉ προσελ-
θὼν⌉ προσεκύνει αὐτῷ λέγων ὅτι Ἡ θυγάτηρ μου ἄρτι ἐτε-
λεύτησεν· ἀλλὰ ἐλθὼν ἐπίθες τὴν χεῖρά σου ἐπ᾽ αὐτήν, καὶ
19 ζήσεται. καὶ ἐγερθεὶς ὁ Ἰησοῦς ⌈ἠκολούθει⌉ αὐτῷ καὶ οἱ
20 μαθηταὶ αὐτοῦ. Καὶ ἰδοὺ γυνὴ αἱμορροοῦσα δώδεκα ἔτη
προσελθοῦσα ὄπισθεν ἥψατο τοῦ κρασπέδου τοῦ ἱματίου
21 αὐτοῦ· ἔλεγεν γὰρ ἐν ἑαυτῇ Ἐὰν μόνον ἅψωμαι τοῦ ἱμα-
22 τίου αὐτοῦ σωθήσομαι. ὁ δὲ Ἰησοῦς στραφεὶς καὶ ἰδὼν
αὐτὴν εἶπεν Θάρσει, θύγατερ· ἡ πίστις σου σέσωκέν
23 σε. καὶ ἐσώθη ἡ γυνὴ ἀπὸ τῆς ὥρας ἐκείνης. Καὶ ἐλθὼν ὁ
Ἰησοῦς εἰς τὴν οἰκίαν τοῦ ἄρχοντος καὶ ἰδὼν τοὺς αὐλητὰς
24 καὶ τὸν ὄχλον θορυβούμενον ἔλεγεν Ἀναχωρεῖτε, οὐ γὰρ
ἀπέθανεν τὸ κοράσιον ἀλλὰ καθεύδει· καὶ κατεγέλων αὐτοῦ.
25 ὅτε δὲ ἐξεβλήθη ὁ ὄχλος, εἰσελθὼν ἐκράτησεν τῆς χειρὸς
26 αὐτῆς, καὶ ἠγέρθη τὸ κοράσιον. Καὶ ἐξῆλθεν ἡ φήμη ⌈αὕ-
27 τη⌉ εἰς ὅλην τὴν γῆν ἐκείνην. Καὶ παράγοντι
ἐκεῖθεν τῷ Ἰησοῦ ἠκολούθησαν ⌉ δύο τυφλοὶ κράζοντες
28 καὶ λέγοντες Ἐλέησον ἡμᾶς, ⌈υἱὲ⌉ Δαυείδ. ἐλθόντι δὲ εἰς
τὴν οἰκίαν προσῆλθαν αὐτῷ οἱ τυφλοί, καὶ λέγει αὐτοῖς
ὁ Ἰησοῦς Πιστεύετε ὅτι ⌈δύναμαι τοῦτο⌉ ποιῆσαι; λέγουσιν
29 αὐτῷ Ναί, κύριε. τότε ἥψατο τῶν ὀφθαλμῶν αὐτῶν λέγων
30 Κατὰ τὴν πίστιν ὑμῶν γενηθήτω ὑμῖν. καὶ ἠνεῴχθησαν

19 ἠκολούθησεν   26 αὐτῆς   27 αὐτῷ | υἱὸς   28 τοῦτο δύναμαι

αὐτῶν οἱ ὀφθαλμοί. Καὶ ἐνεβριμήθη αὐτοῖς ὁ Ἰησοῦς
λέγων Ὁρᾶτε μηδεὶς γινωσκέτω· οἱ δὲ ἐξελθόντες διεφήμι- 31
σαν αὐτὸν ἐν ὅλῃ τῇ γῇ ἐκείνῃ. Αὐτῶν δὲ ἐξερ- 32
χομένων ἰδοὺ προσήνεγκαν αὐτῷ κωφὸν δαιμονιζόμενον· καὶ 33
ἐκβληθέντος τοῦ δαιμονίου ἐλάλησεν ὁ κωφός. καὶ ἐθαύ-
μασαν οἱ ὄχλοι λέγοντες Οὐδέποτε ἐφάνη οὕτως ἐν τῷ
Ἰσραήλ. [οἱ δὲ Φαρισαῖοι ἔλεγον Ἐν τῷ ἄρχοντι τῶν 34
δαιμονίων ἐκβάλλει τὰ δαιμόνια.]

Καὶ περιῆγεν ὁ Ἰησοῦς τὰς πόλεις πάσας καὶ τὰς κώμας, 35
διδάσκων ἐν ταῖς συναγωγαῖς αὐτῶν καὶ κηρύσσων τὸ εὐαγ-
γέλιον τῆς βασιλείας καὶ θεραπεύων πᾶσαν νόσον καὶ
πᾶσαν μαλακίαν. Ἰδὼν δὲ τοὺς ὄχλους ἐσπλαγ- 36
χνίσθη περὶ αὐτῶν ὅτι ἦσαν ἐσκυλμένοι καὶ ἐριμμένοι
ὡσεὶ ΠΡόΒατα ΜΗ ἔχοντα ΠΟΙΜΕΝΑ. τότε λέγει τοῖς 37
μαθηταῖς αὐτοῦ Ὁ μὲν θερισμὸς πολύς, οἱ δὲ ἐργάται ὀλί-
γοι· δεήθητε οὖν τοῦ κυρίου τοῦ θερισμοῦ ὅπως ἐκβάλῃ ἐργά- 38
τας εἰς τὸν θερισμὸν αὐτοῦ. Καὶ προσκαλεσάμενος τοὺς 1
δώδεκα μαθητὰς αὐτοῦ ἔδωκεν αὐτοῖς ἐξουσίαν πνευμάτων
ἀκαθάρτων ὥστε ἐκβάλλειν αὐτὰ καὶ θεραπεύειν πᾶσαν νό-
σον καὶ πᾶσαν μαλακίαν. Τῶν δὲ δώδεκα ἀπο- 2
στόλων τὰ ὀνόματά ἐστιν ταῦτα· πρῶτος Σίμων ὁ λεγόμενος
Πέτρος καὶ Ἀνδρέας ὁ ἀδελφὸς αὐτοῦ καὶ Ἰάκωβος ὁ
τοῦ Ζεβεδαίου καὶ Ἰωάνης ὁ ἀδελφὸς αὐτοῦ, Φίλιππος 3
καὶ Βαρθολομαῖος, Θωμᾶς καὶ Μαθθαῖος ὁ τελώνης, Ἰάκω-
βος ὁ τοῦ Ἀλφαίου καὶ Θαδδαῖος, Σίμων ὁ Καναναῖος καὶ 4
Ἰούδας ὁ Ἰσκαριώτης ὁ καὶ παραδοὺς αὐτόν. Τού- 5
τους τοὺς δώδεκα ἀπέστειλεν ὁ Ἰησοῦς παραγγείλας αὐτοῖς
λέγων

Εἰς ὁδὸν ἐθνῶν μὴ ἀπέλθητε, καὶ εἰς πόλιν Σαμαρειτῶν
μὴ εἰσέλθητε· πορεύεσθε δὲ μᾶλλον πρὸς τὰ πρόβατα τα 6
ἀπολωλότα οἴκου Ἰσραήλ. πορευόμενοι δὲ κηρύσσετε λέ- 7
γοντες ὅτι Ἤγγικεν ἡ βασιλεία τῶν οὐρανῶν. ἀσθενοῦντας 8

13 πρὸς 14 ἐκ 16 ὁ ὄφις

θεραπεύετε, νεκροὺς ἐγείρετε, λεπροὺς καθαρίζετε, δαιμόνια
9 ἐκβάλλετε· δωρεὰν ἐλάβετε, δωρεὰν δότε. Μὴ κτήσησθε
χρυσὸν μηδὲ ἄργυρον μηδὲ χαλκὸν εἰς τὰς ζώνας ὑμῶν,
10 μὴ πήραν εἰς ὁδὸν μηδὲ δύο χιτῶνας μηδὲ ὑποδήματα
11 μηδὲ ῥάβδον· ἄξιος γὰρ ὁ ἐργάτης τῆς τροφῆς αὐτοῦ. εἰς
ἣν δ᾽ ἂν πόλιν ἢ κώμην εἰσέλθητε, ἐξετάσατε τίς ἐν αὐτῇ
12 ἄξιός ἐστιν· κἀκεῖ μείνατε ἕως ἂν ἐξέλθητε. εἰσερχόμενοι
13 δὲ εἰς τὴν οἰκίαν ἀσπάσασθε αὐτήν· καὶ ἐὰν μὲν ᾖ ἡ οἰκία
ἀξία, ἐλθάτω ἡ εἰρήνη ὑμῶν ἐπ᾽ αὐτήν· ἐὰν δὲ μὴ ᾖ ἀξία, ἡ
14 εἰρήνη ὑμῶν ⌜ἐφ᾽⌝ ὑμᾶς ἐπιστραφήτω. καὶ ὃς ἂν μὴ
δέξηται ὑμᾶς μηδὲ ἀκούσῃ τοὺς λόγους ὑμῶν, ἐξερχόμενοι
ἔξω τῆς οἰκίας ἢ τῆς πόλεως ἐκείνης ἐκτινάξατε τὸν κονι-
15 ορτὸν ⌐ τῶν ποδῶν ὑμῶν. ἀμὴν λέγω ὑμῖν, ἀνεκτότερον
ἔσται γῇ Σοδόμων καὶ Γομόρρων ἐν ἡμέρᾳ κρίσεως ἢ τῇ
16 πόλει ἐκείνῃ.   Ἰδοὺ ἐγὼ ἀποστέλλω ὑμᾶς ὡς
πρόβατα ἐν μέσῳ λύκων· γίνεσθε οὖν φρόνιμοι ὡς ⌜οἱ ὄφεις⌝
17 καὶ ἀκέραιοι ὡς αἱ περιστεραί. προσέχετε δὲ ἀπὸ τῶν ἀν-
θρώπων· παραδώσουσιν γὰρ ὑμᾶς εἰς συνέδρια, καὶ ἐν ταῖς
18 συναγωγαῖς αὐτῶν μαστιγώσουσιν ὑμᾶς· καὶ ἐπὶ ἡγεμόνας
δὲ καὶ βασιλεῖς ἀχθήσεσθε ἕνεκεν ἐμοῦ εἰς μαρτύριον αὐ-
19 τοῖς καὶ τοῖς ἔθνεσιν. ὅταν δὲ παραδῶσιν ὑμᾶς, μὴ μερι-
μνήσητε πῶς ἢ τί λαλήσητε· δοθήσεται γὰρ ὑμῖν ἐν ἐκείνῃ
20 τῇ ὥρᾳ τί λαλήσητε· οὐ γὰρ ὑμεῖς ἐστε οἱ λαλοῦντες
ἀλλὰ τὸ πνεῦμα τοῦ πατρὸς ὑμῶν τὸ λαλοῦν ἐν ὑμῖν.
21 παραδώσει δὲ ἀδελφὸς ἀδελφὸν εἰς θάνατον καὶ πατὴρ τέ-
κνον, καὶ ⌜ΕΠΑΝΑϹΤΗϹΟΝΤΑΙ⌝ ΤΕΚΝΑ ἐπὶ ΓΟΝΕΙϹ καὶ θανα-
22 τώσουσιν αὐτούς. καὶ ἔσεσθε μισούμενοι ὑπὸ πάντων διὰ τὸ
ὄνομά μου· ὁ δὲ ὑπομείνας εἰς τέλος οὗτος σωθήσεται.
23 ὅταν δὲ διώκωσιν ὑμᾶς ἐν τῇ πόλει ταύτῃ, φεύγετε εἰς τὴν
ἑτέραν· ἀμὴν γὰρ λέγω ὑμῖν, οὐ μὴ τελέσητε τὰς πόλεις
24 [τοῦ] Ἰσραὴλ ἕως ἔλθῃ ὁ υἱὸς τοῦ ἀνθρώπου. Οὐκ ἔστιν
μαθητὴς ὑπὲρ τὸν διδάσκαλον οὐδὲ δοῦλος ὑπὲρ τὸν κύριον
25 αὐτοῦ. ἀρκετὸν τῷ μαθητῇ ἵνα γένηται ὡς ὁ διδάσκαλος

21 ἐπαναστήσεται

αὐτοῦ, καὶ ὁ δοῦλος ὡς ὁ κύριος αὐτοῦ. εἰ ⌜τὸν οἰκοδε-
σπότην Βεεζεβοὺλ ἐπεκάλεσαν, πόσῳ μᾶλλον τοὺς οἰκιακοὺς⌝
αὐτοῦ. μὴ οὖν φοβηθῆτε αὐτούς· οὐδὲν γάρ ἐστιν κεκα- 26
λυμμένον ὃ οὐκ ἀποκαλυφθήσεται, καὶ κρυπτὸν ὃ οὐ γνω-
σθήσεται. ὃ λέγω ὑμῖν ἐν τῇ σκοτίᾳ, εἴπατε ἐν τῷ φωτί· 27
καὶ ὃ εἰς τὸ οὖς ἀκούετε, κηρύξατε ἐπὶ τῶν δωμάτων. καὶ 28
μὴ φοβηθῆτε ἀπὸ τῶν ἀποκτεινόντων τὸ σῶμα τὴν δὲ
ψυχὴν μὴ δυναμένων ἀποκτεῖναι· φοβεῖσθε δὲ μᾶλλον τὸν
δυνάμενον καὶ ψυχὴν καὶ σῶμα ἀπολέσαι ἐν γεέννῃ. οὐχὶ 29
δύο στρουθία ἀσσαρίου πωλεῖται; καὶ ἓν ἐξ αὐτῶν οὐ πε-
σεῖται ἐπὶ τὴν γῆν ἄνευ τοῦ πατρὸς ὑμῶν. ὑμῶν δὲ καὶ 30
αἱ τρίχες τῆς κεφαλῆς πᾶσαι ἠριθμημέναι εἰσίν. μὴ οὖν 31
φοβεῖσθε· πολλῶν στρουθίων διαφέρετε ὑμεῖς. Πᾶς οὖν 32
ὅστις ὁμολογήσει ἐν ἐμοὶ ἔμπροσθεν τῶν ἀνθρώπων, ὁμο-
λογήσω κἀγὼ ἐν αὐτῷ ἔμπροσθεν τοῦ πατρός μου τοῦ ἐν
τοῖς οὐρανοῖς· ὅστις ⌜δὲ⌝ ἀρνήσηταί με ἔμπροσθεν τῶν ἀν- 33
θρώπων, ἀρνήσομαι κἀγὼ αὐτὸν ἔμπροσθεν τοῦ πατρός μου
τοῦ ἐν τοῖς οὐρανοῖς. Μὴ νομίσητε ὅτι ἦλθον 34
βαλεῖν εἰρήνην ἐπὶ τὴν γῆν· οὐκ ἦλθον βαλεῖν εἰρήνην
ἀλλὰ μάχαιραν. ἦλθον γὰρ διχάσαι ἄνθρωπον κατὰ τοῦ 35
πατρὸς αὐτοῦ καὶ θυγατέρα κατὰ τῆς μητρὸς αὐτῆς
καὶ νύμφην κατὰ τῆς πενθερᾶς αὐτῆς, καὶ ἐχθροὶ τοῦ 36
ἀνθρώπου οἱ οἰκιακοὶ αὐτοῦ. Ὁ φιλῶν πατέρα ἢ μη- 37
τέρα ὑπὲρ ἐμὲ οὐκ ἔστιν μου ἄξιος· καὶ ὁ φιλῶν υἱὸν ἢ
θυγατέρα ὑπὲρ ἐμὲ οὐκ ἔστιν μου ἄξιος· καὶ ὃς οὐ λαμ- 38
βάνει τὸν σταυρὸν αὐτοῦ καὶ ἀκολουθεῖ ὀπίσω μου, οὐκ ἔ-
στιν μου ἄξιος. ὁ εὑρὼν τὴν ψυχὴν αὐτοῦ ἀπολέσει αὐτήν, 39
καὶ ὁ ἀπολέσας τὴν ψυχὴν αὐτοῦ ἕνεκεν ἐμοῦ εὑρήσει αὐ-
τήν. Ὁ δεχόμενος ὑμᾶς ἐμὲ δέχεται, καὶ ὁ ἐμὲ 40
δεχόμενος δέχεται τὸν ἀποστείλαντά με. ὁ δεχόμενος προ- 41
φήτην εἰς ὄνομα προφήτου μισθὸν προφήτου λήμψεται, καὶ
ὁ δεχόμενος δίκαιον εἰς ὄνομα δικαίου μισθὸν δικαίου λήμ-
ψεται. καὶ ὃς ἂν ποτίσῃ ἕνα τῶν μικρῶν τούτων ποτήριον 42

25 τῷ οἰκοδεσπότῃ......τοῖς οἰκιακοῖς

ψυχροῦ μόνον εἰς ὄνομα μαθητοῦ, ἀμὴν λέγω ὑμῖν, οὐ μὴ
ἀπολέσῃ τὸν μισθὸν αὐτοῦ.

1   Καὶ ἐγένετο ὅτε ἐτέλεσεν ὁ Ἰησοῦς διατάσσων τοῖς δώ-
δεκα μαθηταῖς αὐτοῦ, μετέβη ἐκεῖθεν τοῦ διδάσκειν καὶ
κηρύσσειν ἐν ταῖς πόλεσιν αὐτῶν.

2   Ὁ δὲ Ἰωάνης ἀκούσας ἐν τῷ δεσμωτηρίῳ τὰ ἔργα τοῦ
3 χριστοῦ πέμψας διὰ τῶν μαθητῶν αὐτοῦ εἶπεν αὐτῷ Σὺ
4 εἶ ὁ ἐρχόμενος ἢ ἕτερον προσδοκῶμεν; καὶ ἀποκριθεὶς ὁ
Ἰησοῦς εἶπεν αὐτοῖς Πορευθέντες ἀπαγγείλατε Ἰωάνει ἃ
5 ἀκούετε καὶ βλέπετε· τυφλοὶ ⌜ἀναβλέπουϲιν καὶ⌝ χωλοὶ
περιπατοῦσιν, λεπροὶ καθαρίζονται καὶ κωφοὶ ἀκούουσιν,
6 καὶ νεκροὶ ἐγείρονται καὶ πτωχοὶ ευαγγελιζονται· καὶ μα-
7 κάριός ἐστιν ὃς ἂν μὴ σκανδαλισθῇ ἐν ἐμοί.   Τού-
των δὲ πορευομένων ἤρξατο ὁ Ἰησοῦς λέγειν τοῖς ὄχλοις
περὶ Ἰωάνου Τί ἐξήλθατε εἰς τὴν ἔρημον θεάσασθαι; κά-
8 λαμον ὑπὸ ἀνέμου σαλευόμενον; ἀλλὰ τί ἐξήλθατε ἰδεῖν;
ἄνθρωπον ἐν μαλακοῖς ἠμφιεσμένον; ἰδοὺ οἱ τὰ μαλακὰ
9 φοροῦντες ἐν τοῖς οἴκοις τῶν βασιλέων. ἀλλὰ τί ἐξήλ-
θατε; προφήτην ἰδεῖν; ναί, λέγω ὑμῖν, καὶ περισσότερον
10 προφήτου.   οὗτός ἐστιν περὶ οὗ γέγραπται

Ἰδοὺ ἐγὼ ἀποϲτέλλω τὸν ἄγγελόν μου πρὸ προσώ-
που ϲου,

ὃϲ καταϲκεγάϲει τὴν ὁδόν ϲου ἔμπροϲθέν ϲου.

11 ἀμὴν λέγω ὑμῖν, οὐκ ἐγήγερται ἐν γεννητοῖς γυναικῶν μεί-
ζων Ἰωάνου τοῦ βαπτιστοῦ· ὁ δὲ μικρότερος ἐν τῇ βασι-
12 λείᾳ τῶν οὐρανῶν μείζων αὐτοῦ ἐστίν. ἀπὸ δὲ τῶν ἡμερῶν
Ἰωάνου τοῦ βαπτιστοῦ ἕως ἄρτι ἡ βασιλεία τῶν οὐρανῶν
13 βιάζεται, καὶ βιασταὶ ἁρπάζουσιν αὐτήν. πάντες γὰρ οἱ
14 προφῆται καὶ ὁ νόμος ἕως Ἰωάνου ἐπροφήτευσαν· καὶ εἰ
15 θέλετε δέξασθαι, αὐτός ἐστιν Ἡλείας ὁ μέλλων ἔρχεσθαι. Ὁ
16 ἔχων ὦτα ἀκουέτω.   Τίνι δὲ ὁμοιώσω τὴν γενεὰν ταύτην;

33 δ' ἂν   5 ἀναβλέπουσιν,

ὁμοία ἐστὶν παιδίοις καθημένοις ἐν ταῖς ἀγοραῖς ἃ προσφω-
νοῦντα τοῖς ἑτέροις λέγουσιν 17
Ηὐλήσαμεν ὑμῖν καὶ οὐκ ὠρχήσασθε·
ἐθρηνήσαμεν καὶ οὐκ ἐκόψασθε·
ἦλθεν γὰρ Ἰωάνης μήτε ἐσθίων μήτε πίνων, καὶ λέγουσιν 18
Δαιμόνιον ἔχει· ἦλθεν ὁ υἱὸς τοῦ ἀνθρώπου ἐσθίων καὶ 19
πίνων, καὶ λέγουσιν Ἰδοὺ ἄνθρωπος φάγος καὶ οἰνοπότης,
τελωνῶν φίλος καὶ ἁμαρτωλῶν. καὶ ἐδικαιώθη ἡ σοφία ἀπὸ
τῶν ἔργων αὐτῆς. Τότε ἤρξατο ὀνειδίζειν τὰς 20
πόλεις ἐν αἷς ἐγένοντο αἱ πλεῖσται δυνάμεις αὐτοῦ, ὅτι οὐ
μετενόησαν· Οὐαί σοι, Χοραζείν· οὐαί σοι, Βηθσαιδάν· 21
ὅτι εἰ ἐν Τύρῳ καὶ Σιδῶνι ἐγένοντο αἱ δυνάμεις αἱ γενόμε-
ναι ἐν ὑμῖν, πάλαι ἂν ἐν σάκκῳ καὶ σποδῷ μετενόησαν.
πλὴν λέγω ὑμῖν, Τύρῳ καὶ Σιδῶνι ἀνεκτότερον ἔσται ἐν 22
ἡμέρᾳ κρίσεως ἢ ὑμῖν. Καὶ σύ, Καφαρναούμ, μὴ ἕως ΟΥ- 23
ΡΑΝΟΥ ΥΨΩΘΉϹΗ; ἕως ἍΔΟΥ ΚΑΤΑΒΉϹΗ. ὅτι εἰ ἐν Σο-
δόμοις ἐγενήθησαν αἱ δυνάμεις αἱ γενόμεναι ἐν σοί, ἔμεινεν
ἂν μέχρι τῆς σήμερον. πλὴν λέγω ὑμῖν ὅτι γῇ Σοδόμων 24
ἀνεκτότερον ἔσται ἐν ἡμέρᾳ κρίσεως ἢ σοί.

Ἐν ἐκείνῳ τῷ καιρῷ ἀποκριθεὶς ὁ Ἰησοῦς εἶπεν Ἐξομο- 25
λογοῦμαί σοι, πάτερ κύριε τοῦ οὐρανοῦ καὶ τῆς γῆς, ὅτι
ἔκρυψας ταῦτα ἀπὸ σοφῶν καὶ συνετῶν, καὶ ἀπεκάλυψας
αὐτὰ νηπίοις· ναί, ὁ πατήρ, ὅτι οὕτως εὐδοκία ἐγένετο ἔμ- 26
προσθέν σου. Πάντα μοι παρεδόθη ὑπὸ τοῦ πατρός μου, 27
καὶ οὐδεὶς ἐπιγινώσκει τὸν υἱὸν εἰ μὴ ὁ πατήρ, οὐδὲ τὸν
πατέρα τις ἐπιγινώσκει εἰ μὴ ὁ υἱὸς καὶ ᾧ ἐὰν βούληται ὁ
υἱὸς ἀποκαλύψαι. Δεῦτε πρός με πάντες οἱ κοπιῶντες καὶ 28
πεφορτισμένοι, κἀγὼ ἀναπαύσω ὑμᾶς. ἄρατε τὸν ζυγόν μου 29
ἐφ᾽ ὑμᾶς καὶ μάθετε ἀπ᾽ ἐμοῦ, ὅτι πραΰς εἰμι καὶ ταπεινὸς
τῇ καρδίᾳ, καὶ ΕΥΡΉϹΕΤΕ ἈΝΆΠΑΥϹΙΝ ΤΑΙϹ ΨΥΧΑΙϹ ΥΜΩΝ· ὁ 30
γὰρ ζυγός μου χρηστὸς καὶ τὸ φορτίον μου ἐλαφρόν ἐστιν.

Ἐν ἐκείνῳ τῷ καιρῷ ἐπορεύθη ὁ Ἰησοῦς τοῖς σάββασιν 1
διὰ τῶν σπορίμων· οἱ δὲ μαθηταὶ αὐτοῦ ἐπείνασαν, καὶ

2 ἤρξαντο τίλλειν στάχυας καὶ ἐσθίειν. οἱ δὲ Φαρισαῖοι ἰ-
δόντες εἶπαν αὐτῷ Ἰδοὺ οἱ μαθηταί σου ποιοῦσιν ὃ οὐκ ἔξε-
3 στιν ποιεῖν ἐν σαββάτῳ. ὁ δὲ εἶπεν αὐτοῖς Οὐκ ἀνέγνω-
τε τί ἐποίησεν Δαυεὶδ ὅτε ἐπείνασεν καὶ οἱ μετ' αὐτοῦ;
4 πῶς εἰσῆλθεν εἰς τὸν οἶκον τοῦ θεοῦ καὶ τοὺς ἄρτους τῆς
προθέσεως ἔφαγον, ὃ οὐκ ἐξὸν ἦν αὐτῷ φαγεῖν οὐδὲ τοῖς
5 μετ' αὐτοῦ, εἰ μὴ τοῖς ἱερεῦσιν μόνοις; ἢ οὐκ ἀνέγνωτε ἐν
τῷ νόμῳ ὅτι τοῖς σάββασιν οἱ ἱερεῖς ἐν τῷ ἱερῷ τὸ σάβ-
6 βατον βεβηλοῦσιν καὶ ἀναίτιοί εἰσιν; λέγω δὲ ὑμῖν ὅτι
7 τοῦ ἱεροῦ μεῖζόν ἐστιν ὧδε. εἰ δὲ ἐγνώκειτε τί ἐστιν Ἔλεος
θέλω καὶ οὐ θυσίαν, οὐκ ἂν κατεδικάσατε τοὺς ἀναι-
8 τίους. κύριος γάρ ἐστιν τοῦ σαββάτου ὁ υἱὸς τοῦ ἀν-
9 θρώπου. Καὶ μεταβὰς ἐκεῖθεν ἦλθεν εἰς τὴν
10 συναγωγὴν αὐτῶν· καὶ ἰδοὺ ἄνθρωπος χεῖρα ἔχων ξηράν. καὶ
ἐπηρώτησαν αὐτὸν λέγοντες Εἰ ἔξεστι τοῖς σάββασιν θερα-
11 πεύειν; ἵνα κατηγορήσωσιν αὐτοῦ. ὁ δὲ εἶπεν αὐτοῖς Τίς
[ἔσται] ἐξ ὑμῶν ἄνθρωπος ὃς ἕξει πρόβατον ἕν, καὶ ἐὰν ἐμ-
πέσῃ τοῦτο τοῖς σάββασιν εἰς βόθυνον, οὐχὶ κρατήσει αὐτὸ
12 καὶ ἐγερεῖ; πόσῳ οὖν διαφέρει ἄνθρωπος προβάτου. ὥστε
13 ἔξεστιν τοῖς σάββασιν καλῶς ποιεῖν. Τότε λέγει τῷ ἀν-
θρώπῳ Ἔκτεινόν σου τὴν χεῖρα· καὶ ἐξέτεινεν, καὶ ἀπεκα-
14 τεστάθη ὑγιὴς ὡς ἡ ἄλλη. Ἐξελθόντες δὲ οἱ Φαρι-
σαῖοι συμβούλιον ἔλαβον κατ' αὐτοῦ ὅπως αὐτὸν ἀπολέσω-
15 σιν. Ὁ δὲ Ἰησοῦς γνοὺς ἀνεχώρησεν ἐκεῖθεν.
Καὶ ἠκολούθησαν αὐτῷ πολλοί, καὶ ἐθεράπευσεν αὐτοὺς
16 πάντας, καὶ ἐπετίμησεν αὐτοῖς ἵνα μὴ φανερὸν αὐτὸν
17 ποιήσωσιν· ἵνα πληρωθῇ τὸ ῥηθὲν διὰ Ἠσαίου τοῦ προ-
φήτου λέγοντος
18 Ἰδοὺ ὁ παῖς μου ὃν ᾑρέτισα,
ὁ ἀγαπητός μου ὃν εὐδόκησεν ἡ ψυχή μου·
θήσω τὸ πνεῦμά μου ἐπ' αὐτόν,
καὶ κρίσιν τοῖς ἔθνεσιν ἀπαγγελεῖ.
19 Οὐκ ἐρίσει οὐδὲ κραυγάσει,

ΟΥ̓ΔῈ ἈΚΟΎϹΕΙ ΤΙϹ ἘΝ ΤΑΙ͂Ϲ ΠΛΑΤΕΊΑΙϹ ΤῊΝ ΦΩΝῊΝ
                                        ΑΥ̓ΤΟΥ͂.

ΚΆΛΑΜΟΝ ϹΥΝΤΕΤΡΙΜΜΈΝΟΝ ΟΥ̓ ΚΑΤΕΆΞΕΙ   20
ΚΑῚ ΛΊΝΟΝ ΤΥΦΌΜΕΝΟΝ ΟΥ̓ ϹΒΈϹΕΙ,
ἜΩϹ ἊΝ ἘΚΒΆΛῌ ΕἸϹ ΝΙ͂ΚΟϹ ΤῊΝ ΚΡΊϹΙΝ.
ΚΑῚ ΤΩ͂ ὈΝΌΜΑΤΙ ΑΥ̓ΤΟΥ͂ ἜΘΝΗ ἘΛΠΙΟΥ͂ϹΙΝ.   21

Τότε ⌜προσήνεγκαν αὐτῷ δαιμονιζόμενον τυφλὸν καὶ 22
κωφόν⌝· καὶ ἐθεράπευσεν αὐτόν, ὥστε τὸν κωφὸν λαλεῖν
καὶ βλέπειν. Καὶ ἐξίσταντο πάντες οἱ ὄχλοι καὶ ἔλεγον 23
Μήτι οὗτός ἐστιν ὁ υἱὸς Δαυείδ; οἱ δὲ Φαρισαῖοι ἀκού- 24
σαντες εἶπον Οὗτος οὐκ ἐκβάλλει τὰ δαιμόνια εἰ μὴ ἐν τῷ
Βεεζεβοὺλ ἄρχοντι τῶν δαιμονίων. Εἰδὼς δὲ τὰς ἐνθυ- 25
μήσεις αὐτῶν εἶπεν αὐτοῖς Πᾶσα βασιλεία μερισθεῖσα
καθ᾽ ἑαυτῆς ἐρημοῦται, καὶ πᾶσα πόλις ἢ οἰκία μερισθεῖσα
καθ᾽ ἑαυτῆς οὐ σταθήσεται. καὶ εἰ ὁ Σατανᾶς τὸν Σατανᾶν 26
ἐκβάλλει, ἐφ᾽ ἑαυτὸν ἐμερίσθη· πῶς οὖν σταθήσεται ἡ
βασιλεία αὐτοῦ; καὶ εἰ ἐγὼ ἐν Βεεζεβοὺλ ἐκβάλλω τὰ 27
δαιμόνια, οἱ υἱοὶ ὑμῶν ἐν τίνι ἐκβάλλουσιν; διὰ τοῦτο
αὐτοὶ κριταὶ ἔσονται ὑμῶν. εἰ δὲ ἐν πνεύματι θεοῦ ἐγὼ 28
ἐκβάλλω τὰ δαιμόνια, ἄρα ἔφθασεν ἐφ᾽ ὑμᾶς ἡ βασιλεία
τοῦ θεοῦ. ἢ πῶς δύναταί τις εἰσελθεῖν εἰς τὴν οἰκίαν τοῦ 29
ἰσχυροῦ καὶ τὰ σκεύη αὐτοῦ ἁρπάσαι, ἐὰν μὴ πρῶτον δήσῃ
τὸν ἰσχυρόν; καὶ τότε τὴν οἰκίαν αὐτοῦ διαρπάσει. ὁ μὴ 30
ὢν μετ᾽ ἐμοῦ κατ᾽ ἐμοῦ ἐστίν, καὶ ὁ μὴ συνάγων μετ᾽ ἐμοῦ
σκορπίζει. Διὰ τοῦτο λέγω ὑμῖν, πᾶσα ἁμαρτία καὶ βλα- 31
σφημία ἀφεθήσεται ⊤ τοῖς ἀνθρώποις, ἡ δὲ τοῦ πνεύματος
βλασφημία οὐκ ἀφεθήσεται. καὶ ὃς ἐὰν εἴπῃ λόγον κατὰ 32
τοῦ υἱοῦ τοῦ ἀνθρώπου, ἀφεθήσεται αὐτῷ· ὃς δ᾽ ἂν εἴπῃ
κατὰ τοῦ πνεύματος τοῦ ἁγίου, ⌜οὐκ ἀφεθήσεται⌝ αὐτῷ οὔτε
ἐν τούτῳ τῷ αἰῶνι οὔτε ἐν τῷ μέλλοντι.   ⌃Η 33
ποιήσατε τὸ δένδρον καλὸν καὶ τὸν καρπὸν αὐτοῦ καλόν, ἢ
ποιήσατε τὸ δένδρον σαπρὸν καὶ τὸν καρπὸν αὐτοῦ σαπρόν·
ἐκ γὰρ τοῦ καρποῦ τὸ δένδρον γινώσκεται. γεννήματα ἐχι- 34

22 προσηνέχθη αὐτῷ δαιμονιζόμενος τυφλὸς καὶ κωφός

δνῶν, πῶς δύνασθε ἀγαθὰ λαλεῖν πονηροὶ ὄντες; ἐκ γὰρ τοῦ
35 περισσεύματος τῆς καρδίας τὸ στόμα λαλεῖ. ὁ ἀγαθὸς
ἄνθρωπος ἐκ τοῦ ἀγαθοῦ θησαυροῦ ἐκβάλλει ᵀ ἀγαθά, καὶ
ὁ πονηρὸς ἄνθρωπος ἐκ τοῦ πονηροῦ θησαυροῦ ἐκβάλ-
36 λει πονηρά. Λέγω δὲ ὑμῖν ὅτι πᾶν ῥῆμα ἀργὸν ὃ λαλή-
σουσιν οἱ ἄνθρωποι, ἀποδώσουσιν περὶ αὐτοῦ λόγον ἐν
37 ἡμέρᾳ κρίσεως· ἐκ γὰρ τῶν λόγων σου δικαιωθήσῃ, καὶ ἐκ
τῶν λόγων σου καταδικασθήσῃ.

38   Τότε ἀπεκρίθησαν αὐτῷ τινὲς τῶν γραμματέων καὶ
Φαρισαίων λέγοντες Διδάσκαλε, θέλομεν ἀπὸ σοῦ σημεῖον
39 ἰδεῖν. ὁ δὲ ἀποκριθεὶς εἶπεν αὐτοῖς Γενεὰ πονηρὰ καὶ μοι-
χαλὶς σημεῖον ἐπιζητεῖ, καὶ σημεῖον οὐ δοθήσεται αὐτῇ εἰ
ο μὴ τὸ σημεῖον Ἰωνᾶ τοῦ προφήτου. ὥσπερ γὰρ ἮΝ Ἰω-
ΝᾶΣ ἐν τῇ ΚΟΙΛΙᾼ ΤΟΥ ΚΗΤΟΥΣ ΤΡΕῖΣ ἩΜΕΡΑΣ ΚΑῚ ΤΡΕῖΣ
ΝΥΚΤΑΣ, οὕτως ἔσται ὁ υἱὸς τοῦ ἀνθρώπου ἐν τῇ καρδίᾳ τῆς
41 γῆς τρεῖς ἡμέρας καὶ τρεῖς νύκτας. ἄνδρες Νινευεῖται ἀνα-
στήσονται ἐν τῇ κρίσει μετὰ τῆς γενεᾶς ταύτης καὶ κατα-
κρινοῦσιν αὐτήν· ὅτι μετενόησαν εἰς τὸ κήρυγμα Ἰωνᾶ, καὶ
42 ἰδοὺ πλεῖον Ἰωνᾶ ὧδε. βασίλισσα νότου ἐγερθήσεται ἐν
τῇ κρίσει μετὰ τῆς γενεᾶς ταύτης καὶ κατακρινεῖ αὐτήν·
ὅτι ἦλθεν ἐκ τῶν περάτων τῆς γῆς ἀκοῦσαι τὴν σοφίαν Σο-
43 λομῶνος, καὶ ἰδοὺ πλεῖον Σολομῶνος ὧδε.   Ὅταν
δὲ τὸ ἀκάθαρτον πνεῦμα ἐξέλθῃ ἀπὸ τοῦ ἀνθρώπου, διέρ-
χεται δι᾽ ἀνύδρων τόπων ζητοῦν ἀνάπαυσιν, καὶ οὐχ εὑρί-
44 σκει. τότε λέγει Εἰς τὸν οἶκόν μου ἐπιστρέψω ὅθεν
ἐξῆλθον· καὶ ἐλθὸν εὑρίσκει σχολάζοντα [καὶ] σεσαρωμένον
45 καὶ κεκοσμημένον. τότε πορεύεται καὶ παραλαμβάνει μεθ᾽ ἑ-
αυτοῦ ἑπτὰ ἕτερα πνεύματα πονηρότερα ἑαυτοῦ, καὶ εἰσελ-
θόντα κατοικεῖ ἐκεῖ· καὶ γίνεται τὰ ἔσχατα τοῦ ἀνθρώπου
ἐκείνου χείρονα τῶν πρώτων. Οὕτως ἔσται καὶ τῇ γενεᾷ
ταύτῃ τῇ πονηρᾷ.

46   Ἔτι αὐτοῦ λαλοῦντος τοῖς ὄχλοις ἰδοὺ ἡ μήτηρ καὶ
οἱ ἀδελφοὶ αὐτοῦ ἱστήκεισαν ἔξω ζητοῦντες αὐτῷ λαλῆ-

31 ὑμῖν   32 οὐ μὴ ἀφεθῇ   35 τὰ

σαι. ^τ ὁ δὲ ἀποκριθεὶς εἶπεν τῷ λέγοντι αὐτῷ Τίς 48
ἐστιν ἡ μήτηρ μου, καὶ τίνες εἰσὶν οἱ ἀδελφοί μου;
καὶ ἐκτείνας τὴν χεῖρα [αὐτοῦ] ἐπὶ τοὺς μαθητὰς αὐ- 49
τοῦ εἶπεν Ἰδοὺ ἡ μήτηρ μου καὶ οἱ ἀδελφοί μου·
ὅστις γὰρ ἂν ποιήσῃ τὸ θέλημα τοῦ πατρός μου τοῦ 50
ἐν οὐρανοῖς, αὐτός μου ἀδελφὸς καὶ ἀδελφὴ καὶ μήτηρ
ἐστίν.

Ἐν τῇ ἡμέρᾳ ἐκείνῃ ἐξελθὼν ὁ Ἰησοῦς ^τ τῆς οἰκίας 1
ἐκάθητο παρὰ τὴν θάλασσαν· καὶ συνήχθησαν πρὸς αὐτὸν 2
ὄχλοι πολλοί, ὥστε αὐτὸν εἰς πλοῖον ἐμβάντα καθῆσθαι,
καὶ πᾶς ὁ ὄχλος ἐπὶ τὸν αἰγιαλὸν ἱστήκει. καὶ ἐλάλησεν 3
αὐτοῖς πολλὰ ἐν παραβολαῖς λέγων Ἰδοὺ ἐξῆλθεν ὁ σπείρων
τοῦ σπείρειν. καὶ ἐν τῷ σπείρειν αὐτὸν ἃ μὲν ἔπεσεν παρὰ 4
τὴν ὁδόν, καὶ ⌜ἐλθόντα τὰ πετεινὰ⌝ κατέφαγεν αὐτά. ἄλλα 5
δὲ ἔπεσεν ἐπὶ τὰ πετρώδη ὅπου οὐκ εἶχεν γῆν πολλήν, καὶ
εὐθέως ἐξανέτειλεν διὰ τὸ μὴ ἔχειν βάθος γῆς, ἡλίου δὲ 6
ἀνατείλαντος ἐκαυματίσθη καὶ διὰ τὸ μὴ ἔχειν ῥίζαν ἐ-
ξηράνθη. ἄλλα δὲ ἔπεσεν ἐπὶ τὰς ἀκάνθας, καὶ ἀνέβησαν αἱ 7
ἄκανθαι καὶ ⌜ἀπέπνιξαν⌝ αὐτά. ἄλλα δὲ ἔπεσεν ἐπὶ τὴν γῆν 8
τὴν καλὴν καὶ ἐδίδου καρπόν, ὃ μὲν ἑκατὸν ὃ δὲ ἑξήκον-
τα ὃ δὲ τριάκοντα. Ὁ ἔχων ὦτα ἀκουέτω. Καὶ 9
10
προσελθόντες οἱ μαθηταὶ εἶπαν αὐτῷ Διὰ τί ἐν παραβολαῖς
λαλεῖς αὐτοῖς; ὁ δὲ ἀποκριθεὶς εἶπεν ^τ ὅτι Ὑμῖν δέδοται 11
γνῶναι τὰ μυστήρια τῆς βασιλείας τῶν οὐρανῶν, ἐκείνοις
δὲ οὐ δέδοται. ὅστις γὰρ ἔχει, δοθήσεται αὐτῷ καὶ περισ- 12
σευθήσεται· ὅστις δὲ οὐκ ἔχει, καὶ ὃ ἔχει ἀρθήσεται ἀπ᾽ αὐ-
τοῦ. διὰ τοῦτο ἐν παραβολαῖς αὐτοῖς λαλῶ, ὅτι βλέποντες 13
οὐ βλέπουσιν καὶ ἀκούοντες οὐκ ἀκούουσιν οὐδὲ συνίουσιν·
καὶ ἀναπληροῦται αὐτοῖς ἡ προφητεία Ἡσαίου ἡ λέγουσα 14
  Ἀκοῇ ἀκούσετε καὶ οὐ μὴ συνῆτε,
  καὶ βλέποντες βλέψετε καὶ οὐ μὴ ἴδητε.

47 εἶπεν δέ τις αὐτῷ Ἰδοὺ ἡ μήτηρ σου καὶ οἱ ἀδελφοί σου ἔξω ἑστή-
κασιν ζητοῦντές σοι λαλῆσαι. 1 ἐκ

15 ἐπαχγνθη Γὰρ ἡ καρδία τοῦ λαοῦ τούτου,
   καὶ τοῖς ὠϲὶν βαρέωϲ ἤκογϲαν,
   καὶ τοὺϲ ὀφθαλμοὺϲ αὐτῶν ἐκάμμγϲαν·
   μή ποτε ἴδωϲιν τοῖϲ ὀφθαλμοῖϲ
   καὶ τοῖϲ ὠϲὶν ἀκούϲωϲιν
   καὶ τῇ καρδίᾳ ϲγνῶϲιν καὶ ἐπιϲτρέψωϲιν,
   καὶ ἰάϲομαι αὐτούϲ.

16 ὑμῶν δὲ μακάριοι οἱ ὀφθαλμοὶ ὅτι βλέπουσιν, καὶ τὰ ὦτα
17 [ὑμῶν] ὅτι ἀκούουσιν. ἀμὴν γὰρ λέγω ὑμῖν ὅτι πολλοὶ προ-
   φῆται καὶ δίκαιοι ἐπεθύμησαν ἰδεῖν ἃ βλέπετε καὶ οὐκ εἶδαν,
18 καὶ ἀκοῦσαι ἃ ἀκούετε καὶ οὐκ ἤκουσαν.   Ὑμεῖς
19 οὖν ἀκούσατε τὴν παραβολὴν τοῦ σπείραντος. Παντὸς
   ἀκούοντος τὸν λόγον τῆς βασιλείας καὶ μὴ συνιέντος, ἔρχε-
   ται ὁ πονηρὸς καὶ ἁρπάζει τὸ ἐσπαρμένον ἐν τῇ καρδίᾳ
20 αὐτοῦ· οὗτός ἐστιν ὁ παρὰ τὴν ὁδὸν σπαρείς. ὁ δὲ ἐπὶ τὰ
   πετρώδη σπαρείς, οὗτός ἐστιν ὁ τὸν λόγον ἀκούων καὶ εὐθὺς
21 μετὰ χαρᾶς λαμβάνων αὐτόν· οὐκ ἔχει δὲ ῥίζαν ἐν ἑαυτῷ
   ἀλλὰ πρόσκαιρός ἐστιν, γενομένης δὲ θλίψεως ἢ διωγμοῦ
22 διὰ τὸν λόγον εὐθὺς σκανδαλίζεται. ὁ δὲ εἰς τὰς ἀκάνθας
   σπαρείς, οὗτός ἐστιν ὁ τὸν λόγον ἀκούων καὶ ἡ μέριμνα
   τοῦ αἰῶνος καὶ ἡ ἀπάτη τοῦ πλούτου συνπνίγει τὸν λόγον,
23 καὶ ἄκαρπος γίνεται. ὁ δὲ ἐπὶ τὴν καλὴν γῆν σπαρείς,
   οὗτός ἐστιν ὁ τὸν λόγον ἀκούων καὶ συνιείς, ὃς δὴ καρπο-
   φορεῖ καὶ ποιεῖ ὃ μὲν ἑκατὸν ὃ δὲ ἑξήκοντα ὃ δὲ τριάκοντα.

24 Ἄλλην παραβολὴν παρέθηκεν αὐτοῖς λέγων Ὡμοιώ-
   θη ἡ βασιλεία τῶν οὐρανῶν ἀνθρώπῳ σπείραντι καλὸν σπέρ-
25 μα ἐν τῷ ἀγρῷ αὐτοῦ. ἐν δὲ τῷ καθεύδειν τοὺς ἀνθρώπους
   ἦλθεν αὐτοῦ ὁ ἐχθρὸς καὶ ἐπέσπειρεν ζιζάνια ἀνὰ μέσον
26 τοῦ σίτου καὶ ἀπῆλθεν. ὅτε δὲ ἐβλάστησεν ὁ χόρτος καὶ
27 καρπὸν ἐποίησεν, τότε ἐφάνη καὶ τὰ ζιζάνια. προσελ-
   θόντες δὲ οἱ δοῦλοι τοῦ οἰκοδεσπότου εἶπον αὐτῷ Κύριε,
   οὐχὶ καλὸν σπέρμα ἔσπειρας ἐν τῷ σῷ ἀγρῷ; πόθεν οὖν
28 ἔχει ζιζάνια; ὁ δὲ ἔφη αὐτοῖς Ἐχθρὸς ἄνθρωπος τοῦτο

---

4 ἦλθον τὰ πετεινὰ καί   7 ἔπνιξαν   11 αὐτοῖς

ἐποίησεν. οἱ δὲ αὐτῷ λέγουσιν Θέλεις οὖν ἀπελθόντες
συλλέξωμεν αὐτά; ὁ δέ φησιν Οὔ, μή ποτε συλλέγον- 29
τες τὰ ζιζάνια ἐκριζώσητε ἅμα αὐτοῖς τὸν σῖτον· ἄφετε 30
συναυξάνεσθαι ἀμφότερα ⌈ἕως⌉ τοῦ θερισμοῦ· καὶ ἐν καιρῷ
τοῦ θερισμοῦ ἐρῶ τοῖς θερισταῖς Συλλέξατε πρῶτον τὰ ζιζά-
νια καὶ δήσατε αὐτὰ [εἰς] δέσμας πρὸς τὸ κατακαῦσαι αὐτά,
τὸν δὲ σῖτον ⌈συνάγετε⌉ εἰς τὴν ἀποθήκην μου.   Ἄλ- 31
λην παραβολὴν παρέθηκεν αὐτοῖς λέγων Ὁμοία ἐστὶν ἡ
βασιλεία τῶν οὐρανῶν κόκκῳ σινάπεως, ὃν λαβὼν ἄνθρωπος
ἔσπειρεν ἐν τῷ ἀγρῷ αὐτοῦ· ὃ μικρότερον μέν ἐστιν πάντων 32
τῶν σπερμάτων, ὅταν δὲ αὐξηθῇ μεῖζον τῶν λαχάνων ἐστὶν
καὶ γίνεται δένδρον, ὥστε ἐλθεῖν τὰ ΠΕΤΕΙΝΑ ΤΟΥ ΟΥΡΑΝΟΥ
καὶ ΚΑΤΑΣΚΗΝΟΙΝ ΕΝ ΤΟΙϹ ΚΛΑΔΟΙϹ ΑΥΤΟΥ.   Ἄλ- 33
λην παραβολὴν [ἐλάλησεν αὐτοῖς]· Ὁμοία ἐστὶν ἡ βασι-
λεία τῶν οὐρανῶν ζύμῃ, ἣν λαβοῦσα γυνὴ ἐνέκρυψεν εἰς
ἀλεύρου σάτα τρία ἕως οὗ ἐζυμώθη ὅλον.   Ταῦτα 34
πάντα ἐλάλησεν ὁ Ἰησοῦς ἐν παραβολαῖς τοῖς ὄχλοις, καὶ
χωρὶς παραβολῆς οὐδὲν ἐλάλει αὐτοῖς· ὅπως πληρωθῇ τὸ 35
ῥηθὲν διὰ ᵀ τοῦ προφήτου λέγοντος

Ἀνοίξω ἐν παραβολαῖϲ τὸ ϲτόμα μου,
ἐρεύξομαι κεκρυμμένα ἀπὸ καταβολῆϲ.

Τότε ἀφεὶς τοὺς ὄχλους ἦλθεν εἰς τὴν οἰκίαν. Καὶ 36
προσῆλθαν αὐτῷ οἱ μαθηταὶ αὐτοῦ λέγοντες Διασάφησον
ἡμῖν τὴν παραβολὴν τῶν ζιζανίων τοῦ ἀγροῦ. ὁ δὲ ἀπο- 37
κριθεὶς εἶπεν Ὁ σπείρων τὸ καλὸν σπέρμα ἐστὶν ὁ υἱὸς
τοῦ ἀνθρώπου· ὁ δὲ ἀγρός ἐστιν ὁ κόσμος· τὸ δὲ καλὸν 38
σπέρμα, οὗτοί εἰσιν οἱ υἱοὶ τῆς βασιλείας· τὰ δὲ ζιζάνιά
εἰσιν οἱ υἱοὶ τοῦ πονηροῦ, ὁ δὲ ἐχθρὸς ὁ σπείρας αὐτά 39
ἐστιν ὁ διάβολος· ὁ δὲ θερισμὸς συντέλεια αἰῶνός ἐστιν,
οἱ δὲ θερισταὶ ἄγγελοί εἰσιν. ὥσπερ οὖν συλλέγεται τὰ 40
ζιζάνια καὶ πυρὶ κατακαίεται, οὕτως ἔσται ἐν τῇ συντε-
λείᾳ τοῦ αἰῶνος· ἀποστελεῖ ὁ υἱὸς τοῦ ἀνθρώπου τοὺς ἀγ- 41
γέλους αὐτοῦ, καὶ συλλέξουσιν ἐκ τῆς βασιλείας αὐτοῦ

30 ἄχρι *v.* μέχρι | συναγάγετε   35 Ἠσαίου

πάντα τὰ σκάνδαλα καὶ τοὺς ποιοῦντας τὴν ἀνομίαν,
42 καὶ βαλοῦσιν αὐτοὺς εἰς τὴν κάμινον τοῦ πυρός· ἐκεῖ ἔσται
43 ὁ κλαυθμὸς καὶ ὁ βρυγμὸς τῶν ὀδόντων. Τότε οἱ δίκαιοι
ἐκλάμψουσιν ὡς ὁ ἥλιος ἐν τῇ βασιλείᾳ τοῦ πατρὸς
44 αὐτῶν. Ὁ ἔχων ὦτα ἀκουέτω.   Ὁμοία ἐστὶν
ἡ βασιλεία τῶν οὐρανῶν θησαυρῷ κεκρυμμένῳ ἐν τῷ
ἀγρῷ, ὃν εὑρὼν ἄνθρωπος ἔκρυψεν, καὶ ἀπὸ τῆς χαρᾶς
αὐτοῦ ὑπάγει καὶ πωλεῖ ⊤ ὅσα ἔχει καὶ ἀγοράζει τὸν ἀγρὸν
45 ἐκεῖνον.   Πάλιν ὁμοία ἐστὶν ἡ βασιλεία τῶν
46 οὐρανῶν ⊤ ἐμπόρῳ ζητοῦντι καλοὺς μαργαρίτας· εὑρὼν δὲ
ἕνα πολύτιμον μαργαρίτην ἀπελθὼν πέπρακεν πάντα ὅσα
47 εἶχεν καὶ ἠγόρασεν αὐτόν.   Πάλιν ὁμοία ἐστὶν
ἡ βασιλεία τῶν οὐρανῶν σαγήνῃ βληθείσῃ εἰς τὴν θάλασ-
48 σαν καὶ ἐκ παντὸς γένους συναγαγούσῃ· ἣν ὅτε ἐπληρώθη
ἀναβιβάσαντες ἐπὶ τὸν αἰγιαλὸν καὶ καθίσαντες συνέλε-
49 ξαν τὰ καλὰ εἰς ἄγγη, τὰ δὲ σαπρὰ ἔξω ἔβαλον. οὕτως
ἔσται ἐν τῇ συντελείᾳ τοῦ αἰῶνος· ἐξελεύσονται οἱ ἄγγε-
λοι καὶ ἀφοριοῦσιν τοὺς πονηροὺς ἐκ μέσου τῶν δικαίων
50 καὶ βαλοῦσιν αὐτοὺς εἰς τὴν κάμινον τοῦ πυρός· ἐκεῖ ἔσται
51 ὁ κλαυθμὸς καὶ ὁ βρυγμὸς τῶν ὀδόντων.   Συν-
52 ήκατε ταῦτα πάντα; λέγουσιν αὐτῷ Ναί. ὁ δὲ ⌜εἶπεν⌝
αὐτοῖς Διὰ τοῦτο πᾶς γραμματεὺς μαθητευθεὶς τῇ βασι-
λείᾳ τῶν οὐρανῶν ὅμοιός ἐστιν ἀνθρώπῳ οἰκοδεσπότῃ ὅστις
ἐκβάλλει ἐκ τοῦ θησαυροῦ αὐτοῦ καινὰ καὶ παλαιά.

53   Καὶ ἐγένετο ὅτε ἐτέλεσεν ὁ Ἰησοῦς τὰς παραβολὰς
54 ταύτας, μετῆρεν ἐκεῖθεν. καὶ ἐλθὼν εἰς τὴν πατρίδα αὐτοῦ
ἐδίδασκεν αὐτοὺς ἐν τῇ συναγωγῇ αὐτῶν, ὥστε ἐκπλήσ-
σεσθαι αὐτοὺς καὶ λέγειν Πόθεν τούτῳ ἡ σοφία αὕτη καὶ
55 αἱ δυνάμεις; οὐχ οὗτός ἐστιν ὁ τοῦ τέκτονος υἱός; οὐχ ἡ
μήτηρ αὐτοῦ λέγεται Μαριὰμ καὶ οἱ ἀδελφοὶ αὐτοῦ Ἰάκω-
56 βος καὶ Ἰωσὴφ καὶ Σίμων καὶ Ἰούδας; καὶ αἱ ἀδελφαὶ
αὐτοῦ οὐχὶ πᾶσαι πρὸς ἡμᾶς εἰσίν; πόθεν οὖν τούτῳ ταῦτα
57 πάντα; καὶ ἐσκανδαλίζοντο ἐν αὐτῷ. ὁ δὲ Ἰησοῦς εἶπεν

44 πάντα   45 ἀνθρώπῳ   52 λέγει

D

αὐτοῖς Οὐκ ἔστιν προφήτης ἄτιμος εἰ μὴ ἐν τῇ ⌐ πατρίδι
καὶ ἐν τῇ οἰκίᾳ αὐτοῦ. Καὶ οὐκ ἐποίησεν ἐκεῖ δυνάμεις 58
πολλὰς διὰ τὴν ἀπιστίαν αὐτῶν.

Ἐν ἐκείνῳ τῷ καιρῷ ἤκουσεν Ἡρῴδης ὁ τετραάρχης 1
τὴν ἀκοὴν Ἰησοῦ, καὶ εἶπεν τοῖς παισὶν αὐτοῦ Οὗτός ἐστιν 2
Ἰωάνης ὁ βαπτιστής· αὐτὸς ἠγέρθη ἀπὸ τῶν νεκρῶν, καὶ
διὰ τοῦτο αἱ δυνάμεις ἐνεργοῦσιν ἐν αὐτῷ. Ὁ γὰρ Ἡρῴ- 3
δης κρατήσας τὸν Ἰωάνην ἔδησεν καὶ ἐν φυλακῇ ἀπέθετο
διὰ Ἡρῳδιάδα τὴν γυναῖκα Φιλίππου τοῦ ἀδελφοῦ αὐτοῦ,
ἔλεγεν γὰρ ὁ Ἰωάνης αὐτῷ Οὐκ ἔξεστίν σοι ἔχειν αὐτήν· 4
καὶ θέλων αὐτὸν ἀποκτεῖναι ἐφοβήθη τὸν ὄχλον, ὅτι ὡς προ- 5
φήτην αὐτὸν εἶχον. γενεσίοις δὲ γενομένοις τοῦ Ἡρῴδου 6
ὠρχήσατο ἡ θυγάτηρ τῆς Ἡρῳδιάδος ἐν τῷ μέσῳ καὶ
ἤρεσεν τῷ Ἡρῴδῃ, ὅθεν μετὰ ὅρκου ὡμολόγησεν αὐτῇ 7
δοῦναι ὃ ἐὰν αἰτήσηται. ἡ δὲ προβιβασθεῖσα ὑπὸ τῆς 8
μητρὸς αὐτῆς Δός μοι, φησίν, ὧδε ἐπὶ πίνακι τὴν κεφαλὴν
Ἰωάνου τοῦ βαπτιστοῦ. καὶ λυπηθεὶς ὁ βασιλεὺς διὰ 9
τοὺς ὅρκους καὶ τοὺς συνανακειμένους ἐκέλευσεν δοθῆναι,
καὶ πέμψας ἀπεκεφάλισεν Ἰωάνην ἐν τῇ φυλακῇ· καὶ ¹⁰
ἠνέχθη ἡ κεφαλὴ αὐτοῦ ἐπὶ πίνακι καὶ ἐδόθη τῷ κορασίῳ, ¹¹
καὶ ἤνεγκεν τῇ μητρὶ αὐτῆς. Καὶ προσελθόντες οἱ μαθη- 12
ταὶ αὐτοῦ ἦραν τὸ πτῶμα καὶ ἔθαψαν αὐτόν, καὶ ἐλθόντες
ἀπήγγειλαν τῷ Ἰησοῦ. Ἀκούσας δὲ ὁ Ἰησοῦς 13
ἀνεχώρησεν ἐκεῖθεν ἐν πλοίῳ εἰς ἔρημον τόπον κατ' ἰδίαν·
καὶ ἀκούσαντες οἱ ὄχλοι ἠκολούθησαν αὐτῷ ⌐πεζῇ⌐ ἀπὸ τῶν
πόλεων. Καὶ ἐξελθὼν εἶδεν πολὺν ὄχλον, καὶ ἐσπλαγ- 14
χνίσθη ἐπ' αὐτοῖς καὶ ἐθεράπευσεν τοὺς ἀρρώστους αὐτῶν.
Ὀψίας δὲ γενομένης προσῆλθαν αὐτῷ οἱ μαθηταὶ λέγοντες 15
Ἔρημός ἐστιν ὁ τόπος καὶ ἡ ὥρα ⌐ἤδη παρῆλθεν· ἀπό-
λυσον⌐ τοὺς ὄχλους, ἵνα ἀπελθόντες εἰς τὰς κώμας ἀγο-
ράσωσιν ἑαυτοῖς βρώματα. ὁ δὲ Ἰησοῦς εἶπεν αὐτοῖς 16
Οὐ χρείαν ἔχουσιν ἀπελθεῖν· δότε αὐτοῖς ὑμεῖς φαγεῖν.

57 ἰδίᾳ 13 πεζοὶ 15 παρῆλθεν ἤδη· ἀπόλυσον οὖν 19 ἐκέλευσεν τούς...

17 οἱ δὲ λέγουσιν αὐτῷ Οὐκ ἔχομεν ὧδε εἰ μὴ πέντε ἄρτους
18 καὶ δύο ἰχθύας. ὁ δὲ εἶπεν Φέρετέ μοι ὧδε αὐτούς.
19 καὶ ⌜κελεύσας τοὺς ὄχλους ἀνακλιθῆναι ἐπὶ τοῦ χόρτου,
λαβὼν⌝ τοὺς πέντε ἄρτους καὶ τοὺς δύο ἰχθύας, ἀναβλέψας
εἰς τὸν οὐρανὸν εὐλόγησεν καὶ κλάσας ἔδωκεν τοῖς μαθη-
20 ταῖς τοὺς ἄρτους οἱ δὲ μαθηταὶ τοῖς ὄχλοις. καὶ ἔφαγον
πάντες καὶ ἐχορτάσθησαν, καὶ ἦραν τὸ περισσεῦον τῶν
21 κλασμάτων δώδεκα κοφίνους πλήρεις. οἱ δὲ ἐσθίοντες
ἦσαν ἄνδρες ὡσεὶ πεντακισχίλιοι χωρὶς γυναικῶν καὶ παι-
22 δίων.   Καὶ [εὐθέως] ἠνάγκασεν τοὺς μαθητὰς ἐμ-
βῆναι εἰς ᵀ πλοῖον καὶ προάγειν αὐτὸν εἰς τὸ πέραν, ἕως
23 οὗ ἀπολύσῃ τοὺς ὄχλους. καὶ ἀπολύσας τοὺς ὄχλους
ἀνέβη εἰς τὸ ὄρος κατ' ἰδίαν προσεύξασθαι. ὀψίας δὲ γενο-
24 μένης μόνος ἦν ἐκεῖ. Τὸ δὲ πλοῖον ἤδη ⌜σταδίους πολλοὺς
ἀπὸ τῆς γῆς ἀπεῖχεν⌝, βασανιζόμενον ὑπὸ τῶν κυμάτων,
25 ἦν γὰρ ἐναντίος ὁ ἄνεμος. Τετάρτῃ δὲ φυλακῇ τῆς νυκτὸς
26 ἦλθεν πρὸς αὐτοὺς περιπατῶν ἐπὶ τὴν θάλασσαν. οἱ δὲ
μαθηταὶ ἰδόντες αὐτὸν ἐπὶ τῆς θαλάσσης περιπατοῦντα
ἐταράχθησαν λέγοντες ὅτι Φάντασμά ἐστιν, καὶ ἀπὸ τοῦ
27 φόβου ἔκραξαν. εὐθὺς δὲ ἐλάλησεν [ὁ Ἰησοῦς] αὐτοῖς λέγων
28 Θαρσεῖτε, ἐγώ εἰμι· μὴ φοβεῖσθε. ἀποκριθεὶς δὲ ὁ Πέτρος
εἶπεν αὐτῷ Κύριε, εἰ σὺ εἶ, κέλευσόν με ἐλθεῖν πρὸς σὲ
29 ἐπὶ τὰ ὕδατα· ὁ δὲ εἶπεν Ἐλθέ. καὶ καταβὰς ἀπὸ τοῦ
πλοίου Πέτρος περιεπάτησεν ἐπὶ τὰ ὕδατα ⌜καὶ ἦλθεν⌝ πρὸς
30 τὸν Ἰησοῦν. βλέπων δὲ τὸν ἄνεμον ἐφοβήθη, καὶ ἀρξά-
μενος καταποντίζεσθαι ἔκραξεν λέγων Κύριε, σῶσόν με.
31 εὐθέως δὲ ὁ Ἰησοῦς ἐκτείνας τὴν χεῖρα ἐπελάβετο αὐτοῦ
32 καὶ λέγει αὐτῷ Ὀλιγόπιστε, εἰς τί ἐδίστασας; καὶ ἀνα-
33 βάντων αὐτῶν εἰς τὸ πλοῖον ἐκόπασεν ὁ ἄνεμος. οἱ δὲ
ἐν τῷ πλοίῳ προσεκύνησαν αὐτῷ λέγοντες Ἀληθῶς θεοῦ
34 υἱὸς εἶ.   Καὶ διαπεράσαντες ἦλθαν ἐπὶ τὴν γῆν
35 εἰς Γεννησαρέτ. καὶ ἐπιγνόντες αὐτὸν οἱ ἄνδρες τοῦ τόπου
ἐκείνου ἀπέστειλαν εἰς ὅλην τὴν περίχωρον ἐκείνην, καὶ

...χόρτου καὶ λαβών   22 τὸ   24 μέσον τῆς θαλάσσης ἦν   29 ἐλθεῖν

προσήνεγκαν αὐτῷ πάντας τοὺς κακῶς ἔχοντας, καὶ παρε- 36
κάλουν [αὐτὸν] ἵνα μόνον ἅψωνται τοῦ κρασπέδου τοῦ ἱμα-
τίου αὐτοῦ· καὶ ὅσοι ἥψαντο διεσώθησαν.

Τότε προσέρχονται τῷ Ἰησοῦ ἀπὸ Ἰεροσολύμων Φαρι- 1
σαῖοι καὶ γραμματεῖς λέγοντες Διὰ τί οἱ μαθηταί σου πα- 2
ραβαίνουσιν τὴν παράδοσιν τῶν πρεσβυτέρων; οὐ γὰρ
νίπτονται τὰς χεῖρας ὅταν ἄρτον ἐσθίωσιν. ὁ δὲ ἀποκρι- 3
θεὶς εἶπεν αὐτοῖς Διὰ τί καὶ ὑμεῖς παραβαίνετε τὴν ἐντολὴν
τοῦ θεοῦ διὰ τὴν παράδοσιν ὑμῶν; ὁ γὰρ θεὸς εἶπεν 4
Τίμα τὸν πατέρα καὶ τὴν μητέρα, καί Ὁ κακολογῶν
πατέρα ἢ μητέρα θανάτῳ τελεγτάτω· ὑμεῖς δὲ λέγετε 5
Ὃς ἂν εἴπῃ τῷ πατρὶ ἢ τῇ μητρί Δῶρον ὃ ἐὰν ἐξ ἐμοῦ
ὠφεληθῇς, οὐ μὴ τιμήσει τὸν πατέρα αὐτοῦ· καὶ ἠκυρώ- 6
σατε τὸν ⌐λόγον⌐ τοῦ θεοῦ διὰ τὴν παράδοσιν ὑμῶν. ὑπο- 7
κριταί, καλῶς ἐπροφήτευσεν περὶ ὑμῶν Ἡσαίας λέγων

Ὁ λαὸς οὗτος τοῖς χείλεσίν με τιμᾷ, 8

ἡ Δὲ καρΔία αὐτῶν πόρρω ἀπέχει ἀπ' ἐμοῦ·
μάτην Δὲ σέβονταί με, 9

ΔιΔάσκοντες ΔιΔασκαλίας ἐντάλματα ἀνθρώπων.
Καὶ προσκαλεσάμενος τὸν ὄχλον εἶπεν αὐτοῖς Ἀκούετε καὶ 10
συνίετε· οὐ τὸ εἰσερχόμενον εἰς τὸ στόμα κοινοῖ τὸν ἄν- 11
θρωπον, ἀλλὰ τὸ ἐκπορευόμενον ἐκ τοῦ στόματος τοῦτο
κοινοῖ τὸν ἄνθρωπον.   Τότε προσελθόντες οἱ μα- 12
θηταὶ λέγουσιν αὐτῷ Οἶδας ὅτι οἱ Φαρισαῖοι ἀκούσαντες
τὸν λόγον ἐσκανδαλίσθησαν; ὁ δὲ ἀποκριθεὶς εἶπεν Πᾶσα 13
φυτεία ἣν οὐκ ἐφύτευσεν ὁ πατήρ μου ὁ οὐράνιος ἐκρι-
ζωθήσεται. ἄφετε αὐτούς· ⌐τυφλοί εἰσιν ὁδηγοί⌐· τυφλὸς 14
δὲ τυφλὸν ἐὰν ὁδηγῇ, ἀμφότεροι εἰς βόθυνον πεσοῦν-
ται.   Ἀποκριθεὶς δὲ ὁ Πέτρος εἶπεν αὐτῷ Φρά- 15
σον ἡμῖν τὴν παραβολήν. ὁ δὲ εἶπεν Ἀκμὴν καὶ ὑμεῖς 16
ἀσύνετοί ἐστε; οὐ νοεῖτε ὅτι πᾶν τὸ εἰσπορευόμενον εἰς 17
τὸ στόμα εἰς τὴν κοιλίαν χωρεῖ καὶ εἰς ἀφεδρῶνα ἐκβάλ-
λεται; τὰ δὲ ἐκπορευόμενα ἐκ τοῦ στόματος ἐκ τῆς καρ- 18

6 νόμον   14 ὁδηγοί εἰσιν τυφλοὶ [τυφλῶν]   22 ἔκραξεν | υἱὲ

19 δίας ἐξέρχεται, κἀκεῖνα κοινοῖ τὸν ἄνθρωπον. ἐκ γὰρ τῆς
καρδίας ἐξέρχονται διαλογισμοὶ πονηροί, φόνοι, μοιχεῖαι,
20 πορνεῖαι, κλοπαί, ψευδομαρτυρίαι, βλασφημίαι. ταῦτά
ἐστιν τὰ κοινοῦντα τὸν ἄνθρωπον, τὸ δὲ ἀνίπτοις χερσὶν
φαγεῖν οὐ κοινοῖ τὸν ἄνθρωπον.

21 Καὶ ἐξελθὼν ἐκεῖθεν ὁ Ἰησοῦς ἀνεχώρησεν εἰς τὰ μέρη
22 Τύρου καὶ Σιδῶνος. Καὶ ἰδοὺ γυνὴ Χαναναία ἀπὸ τῶν
ὁρίων ἐκείνων ἐξελθοῦσα ⌜ἔκραζεν⌝ λέγουσα Ἐλέησόν με,
κύριε ⌜υἱὸς⌝ Δαυείδ· ἡ θυγάτηρ μου κακῶς δαιμονίζεται.
23 ὁ δὲ οὐκ ἀπεκρίθη αὐτῇ λόγον. καὶ προσελθόντες οἱ μα-
θηταὶ αὐτοῦ ἠρώτουν αὐτὸν λέγοντες Ἀπόλυσον αὐτήν, ὅτι
24 κράζει ὄπισθεν ἡμῶν. ὁ δὲ ἀποκριθεὶς εἶπεν Οὐκ ἀπεστά-
λην εἰ μὴ εἰς τὰ πρόβατα τὰ ἀπολωλότα οἴκου Ἰσραήλ.
25 ἡ δὲ ἐλθοῦσα προσεκύνει αὐτῷ λέγουσα Κύριε, βοήθει μοι.
26 ὁ δὲ ἀποκριθεὶς εἶπεν Οὐκ ἔστιν καλὸν λαβεῖν τὸν ἄρτον
27 τῶν τέκνων καὶ βαλεῖν τοῖς κυναρίοις. ἡ δὲ εἶπεν Ναί,
κύριε, καὶ [γὰρ] τὰ κυνάρια ἐσθίει ἀπὸ τῶν ψιχίων τῶν
28 πιπτόντων ἀπὸ τῆς τραπέζης τῶν κυρίων αὐτῶν. τότε
ἀποκριθεὶς ὁ Ἰησοῦς εἶπεν αὐτῇ Ὦ γύναι, μεγάλη σου ἡ
πίστις· γενηθήτω σοι ὡς θέλεις. καὶ ἰάθη ἡ θυγάτηρ
αὐτῆς ἀπὸ τῆς ὥρας ἐκείνης.

29 Καὶ μεταβὰς ἐκεῖθεν ὁ Ἰησοῦς ἦλθεν παρὰ τὴν θάλασ-
30 σαν τῆς Γαλιλαίας, καὶ ἀναβὰς εἰς τὸ ὄρος ἐκάθητο ἐκεῖ. καὶ
προσῆλθον αὐτῷ ὄχλοι πολλοὶ ἔχοντες μεθ᾽ ἑαυτῶν ⌜χωλούς,
κυλλούς, τυφλούς, κωφούς,⌝ καὶ ἑτέρους πολλούς, καὶ
ἔριψαν αὐτοὺς παρὰ τοὺς πόδας αὐτοῦ, καὶ ἐθεράπευσεν
31 αὐτούς· ὥστε ⌜τὸν ὄχλον⌝ θαυμάσαι βλέποντας κωφοὺς
⌜λαλοῦντας⌝ † καὶ χωλοὺς περιπατοῦντας καὶ τυφλοὺς βλέ-
32 ποντας· καὶ ⌜ἐδόξασαν⌝ τὸν θεὸν Ἰσραήλ. Ὁ
δὲ Ἰησοῦς προσκαλεσάμενος τοὺς μαθητὰς αὐτοῦ εἶπεν
Σπλαγχνίζομαι ἐπὶ τὸν ὄχλον, ὅτι [ἤδη] ἡμέραι τρεῖς
προσμένουσίν μοι καὶ οὐκ ἔχουσιν τί φάγωσιν· καὶ ἀπο-
λῦσαι αὐτοὺς νήστεις οὐ θέλω, μή ποτε ἐκλυθῶσιν ἐν τῇ

30 †...†   31 τοὺς ὄχλους | ἀκούοντας | κυλλοὺς ὑγιεῖς | ἐδόξαζον

ὁδῷ. καὶ λέγουσιν αὐτῷ οἱ μαθηταί Πόθεν ἡμῖν ἐν ἐρημίᾳ 33
ἄρτοι τοσοῦτοι ὥστε χορτάσαι ὄχλον τοσοῦτον; καὶ λέγει 34
αὐτοῖς ὁ Ἰησοῦς Πόσους ἄρτους ἔχετε; οἱ δὲ εἶπαν Ἑπτά,
καὶ ὀλίγα ἰχθύδια. καὶ παραγγείλας τῷ ὄχλῳ ἀναπεσεῖν 35
ἐπὶ τὴν γῆν ἔλαβεν τοὺς ἑπτὰ ἄρτους καὶ τοὺς ἰχθύας καὶ 36
εὐχαριστήσας ἔκλασεν καὶ ἐδίδου τοῖς μαθηταῖς οἱ δὲ μα-
θηταὶ τοῖς ὄχλοις. καὶ ἔφαγον πάντες καὶ ἐχορτάσθησαν, 37
καὶ τὸ περισσεῦον τῶν κλασμάτων ἦραν ἑπτὰ σφυρίδας
πλήρεις. οἱ δὲ ἐσθίοντες ἦσαν ᵀ τετρακισχίλιοι ἄνδρες χω- 38
ρὶς ⌐γυναικῶν καὶ παιδίων⌐. Καὶ ἀπολύσας τοὺς ὄχλους 39
ἐνέβη εἰς τὸ πλοῖον, καὶ ἦλθεν εἰς τὰ ὅρια Μαγαδάν.

Καὶ προσελθόντες [οἱ] Φαρισαῖοι καὶ Σαδδουκαῖοι πει- 1
ράζοντες ⌐ἐπηρώτησαν⌐ αὐτὸν σημεῖον ἐκ τοῦ οὐρανοῦ ἐπι-
δεῖξαι αὐτοῖς. ὁ δὲ ἀποκριθεὶς εἶπεν αὐτοῖς 〚Ὀψίας γενο- 2
μένης λέγετε Εὐδία, πυρράζει γὰρ ὁ οὐρανός· καὶ πρωί 3
Σήμερον χειμών, πυρράζει γὰρ στυγνάζων ὁ οὐρανός. τὸ
μὲν πρόσωπον τοῦ οὐρανοῦ γινώσκετε διακρίνειν, τὰ δὲ
σημεῖα τῶν καιρῶν οὐ δύνασθε.〛 Γενεὰ πονηρὰ καὶ μοι- 4
χαλὶς σημεῖον ἐπιζητεῖ, καὶ σημεῖον οὐ δοθήσεται αὐτῇ
εἰ μὴ τὸ σημεῖον Ἰωνᾶ. καὶ καταλιπὼν αὐτοὺς ἀπῆλ-
θεν. Καὶ ἐλθόντες οἱ μαθηταὶ εἰς τὸ πέραν 5
ἐπελάθοντο ⌐ἄρτους λαβεῖν⌐. ὁ δὲ Ἰησοῦς εἶπεν αὐτοῖς 6
Ὁρᾶτε καὶ προσέχετε ἀπὸ τῆς ζύμης τῶν Φαρισαίων καὶ
Σαδδουκαίων. οἱ δὲ διελογίζοντο ἐν ἑαυτοῖς λέγοντες ὅτι 7
Ἄρτους οὐκ ἐλάβομεν. γνοὺς δὲ ὁ Ἰησοῦς εἶπεν Τί διαλο- 8
γίζεσθε ἐν ἑαυτοῖς, ὀλιγόπιστοι, ὅτι ἄρτους οὐκ ἔχετε;
οὔπω νοεῖτε, οὐδὲ μνημονεύετε τοὺς πέντε ἄρτους τῶν 9
πεντακισχιλίων καὶ πόσους κοφίνους ἐλάβετε; οὐδὲ τοὺς 10
ἑπτὰ ἄρτους τῶν τετρακισχιλίων καὶ πόσας σφυρίδας ἐλά-
βετε; πῶς οὐ νοεῖτε ὅτι οὐ περὶ ἄρτων εἶπον ὑμῖν; προσ- 11
έχετε δὲ ἀπὸ τῆς ζύμης τῶν Φαρισαίων καὶ Σαδδουκαίων.
τότε συνῆκαν ὅτι οὐκ εἶπεν προσέχειν ἀπὸ τῆς ζύμης [τῶν 12
ἄρτων] ἀλλὰ ἀπὸ τῆς διδαχῆς τῶν Φαρισαίων καὶ Σαδ-

δουκαίων.

13 Ἐλθὼν δὲ ὁ Ἰησοῦς εἰς τὰ μέρη Καισαρίας τῆς Φιλίπ-
που ἠρώτα τοὺς μαθητὰς αὐτοῦ λέγων Τίνα λέγουσιν οἱ
14 ἄνθρωποι εἶναι τὸν υἱὸν τοῦ ἀνθρώπου; οἱ δὲ εἶπαν Οἱ μὲν
Ἰωάνην τὸν βαπτιστήν, ἄλλοι δὲ Ἡλείαν, ἕτεροι δὲ Ἱερε-
15 μίαν ἢ ἕνα τῶν προφητῶν. λέγει αὐτοῖς Ὑμεῖς δὲ τίνα με
16 λέγετε εἶναι; ἀποκριθεὶς δὲ Σίμων Πέτρος εἶπεν Σὺ εἶ ὁ
17 χριστὸς ὁ υἱὸς τοῦ θεοῦ τοῦ ζῶντος. ἀποκριθεὶς δὲ ὁ
Ἰησοῦς εἶπεν αὐτῷ Μακάριος εἶ, Σίμων Βαριωνᾶ, ὅτι σὰρξ
καὶ αἷμα οὐκ ἀπεκάλυψέν σοι ἀλλ' ὁ πατήρ μου ὁ ἐν [τοῖς]
18 οὐρανοῖς· κἀγὼ δέ σοι λέγω ὅτι σὺ εἶ Πέτρος, καὶ ἐπὶ
ταύτῃ τῇ πέτρᾳ οἰκοδομήσω μου τὴν ἐκκλησίαν, καὶ πύλαι
19 ᾅδου οὐ κατισχύσουσιν αὐτῆς· δώσω σοι τὰς κλεῖδας τῆς
βασιλείας τῶν οὐρανῶν, καὶ ὃ ἐὰν δήσῃς ἐπὶ τῆς γῆς
ἔσται δεδεμένον ἐν τοῖς οὐρανοῖς, καὶ ὃ ἐὰν λύσῃς ἐπὶ τῆς
20 γῆς ἔσται λελυμένον ἐν τοῖς οὐρανοῖς. Τότε ⸆ἐπετίμησεν⸆ τοῖς
μαθηταῖς ἵνα μηδενὶ εἴπωσιν ὅτι αὐτός ἐστιν ὁ χριστός.

21 ΑΠΟ ΤΟΤΕ ἤρξατο Ἰησοῦς Χριστὸς δεικνύειν τοῖς
μαθηταῖς αὐτοῦ ὅτι δεῖ αὐτὸν εἰς Ἰεροσόλυμα ἀπελθεῖν καὶ
πολλὰ παθεῖν ἀπὸ τῶν πρεσβυτέρων καὶ ἀρχιερέων καὶ
γραμματέων καὶ ἀποκτανθῆναι καὶ τῇ τρίτῃ ἡμέρᾳ ἐγερθῆ-
22 ναι. καὶ προσλαβόμενος αὐτὸν ὁ Πέτρος ⸆ἤρξατο ἐπιτι-
μᾶν αὐτῷ λέγων⸆ Ἵλεώς σοι, κύριε· οὐ μὴ ἔσται σοι
23 τοῦτο. ὁ δὲ στραφεὶς εἶπεν τῷ Πέτρῳ Ὕπαγε ὀπίσω μου,
Σατανᾶ· σκάνδαλον εἶ ἐμοῦ, ὅτι οὐ φρονεῖς τὰ τοῦ θεοῦ
24 ἀλλὰ τὰ τῶν ἀνθρώπων. Τότε [ὁ] Ἰησοῦς
εἶπεν τοῖς μαθηταῖς αὐτοῦ Εἴ τις θέλει ὀπίσω μου ἐλθεῖν,
ἀπαρνησάσθω ἑαυτὸν καὶ ἀράτω τὸν σταυρὸν αὐτοῦ καὶ
25 ἀκολουθείτω μοι. ὃς γὰρ ἐὰν θέλῃ τὴν ψυχὴν αὐτοῦ
σῶσαι ἀπολέσει αὐτήν· ὃς δ' ἂν ἀπολέσῃ τὴν ψυχὴν
26 αὐτοῦ ἕνεκεν ἐμοῦ εὑρήσει αὐτήν. τί γὰρ ὠφεληθήσεται

20 διεστείλατο   22 λέγει αὐτῷ ἐπιτιμῶν

ἄνθρωπος ἐὰν τὸν κόσμον ὅλον κερδήσῃ τὴν δὲ ψυχὴν
αὐτοῦ ζημιωθῇ; ἢ τί δώσει ἄνθρωπος ἀντάλλαγμα τῆς
ψυχῆς αὐτοῦ; μέλλει γὰρ ὁ υἱὸς τοῦ ἀνθρώπου ἔρχεσθαι 27
ἐν τῇ δόξῃ τοῦ πατρὸς αὐτοῦ μετὰ τῶν ἀγγέλων αὐτοῦ, καὶ
τότε ἀΠΟΔώCΕΙ ἑκάCΤῳ κατὰ τὴν ΠρᾶΞΙΝ αὐΤΟΎ. ἀμὴν 28
λέγω ὑμῖν ὅτι εἰσίν τινες τῶν ὧδε ἑστώτων οἵτινες οὐ μὴ
γεύσωνται θανάτου ἕως ἂν ἴδωσιν τὸν υἱὸν τοῦ ἀνθρώπου
ἐρχόμενον ἐν τῇ βασιλείᾳ αὐτοῦ.

Καὶ μεθ' ἡμέρας ἓξ παραλαμβάνει ὁ Ἰησοῦς τὸν Πέ- 1
τρον καὶ ᵀ Ἰάκωβον καὶ Ἰωάνην τὸν ἀδελφὸν αὐτοῦ, καὶ
ἀναφέρει αὐτοὺς εἰς ὄρος ὑψηλὸν κατ' ἰδίαν. καὶ μετεμορ- 2
φώθη ἔμπροσθεν αὐτῶν, καὶ ἔλαμψεν τὸ πρόσωπον αὐτοῦ
ὡς ὁ ἥλιος, τὰ δὲ ἱμάτια αὐτοῦ ἐγένετο λευκὰ ὡς τὸ φῶς.
καὶ ἰδοὺ ὤφθη αὐτοῖς Μωυσῆς καὶ Ἡλείας συνλαλοῦντες 3
μετ' αὐτοῦ. ἀποκριθεὶς δὲ ὁ Πέτρος εἶπεν τῷ Ἰησοῦ 4
Κύριε, καλόν ἐστιν ἡμᾶς ὧδε εἶναι· εἰ θέλεις, ποιήσω ὧδε
⌜τρεῖς σκηνάς⌝, σοὶ μίαν καὶ Μωυσεῖ μίαν καὶ Ἡλείᾳ μίαν.
ἔτι αὐτοῦ λαλοῦντος ἰδοὺ νεφέλη φωτινὴ ἐπεσκίασεν 5
αὐτούς, καὶ ἰδοὺ φωνὴ ἐκ τῆς νεφέλης λέγουσα Οὗτός
ἐστιν ὁ υἱός μου ὁ ἀγαπητός, ἐν ᾧ εὐδόκησα· ἀκούετε
αὐτοῦ. καὶ ἀκούσαντες οἱ μαθηταὶ ἔπεσαν ἐπὶ πρόσωπον 6
αὐτῶν καὶ ἐφοβήθησαν σφόδρα. καὶ προσῆλθεν ὁ Ἰησοῦς 7
καὶ ἁψάμενος αὐτῶν εἶπεν Ἐγέρθητε καὶ μὴ φοβεῖσθε.
ἐπάραντες δὲ τοὺς ὀφθαλμοὺς αὐτῶν οὐδένα εἶδον εἰ μὴ 8
⌜αὐτὸν⌝ Ἰησοῦν μόνον. Καὶ καταβαινόντων αὐτῶν ἐκ τοῦ 9
ὄρους ἐνετείλατο αὐτοῖς ὁ Ἰησοῦς λέγων Μηδενὶ εἴπητε τὸ
ὅραμα ἕως οὗ ὁ υἱὸς τοῦ ἀνθρώπου ἐκ νεκρῶν ⌜ἐγερθῇ⌝.
Καὶ ἐπηρώτησαν αὐτὸν οἱ μαθηταὶ λέγοντες Τί οὖν οἱ 10
γραμματεῖς λέγουσιν ὅτι Ἡλείαν δεῖ ἐλθεῖν πρῶτον; ὁ δὲ 11
ἀποκριθεὶς εἶπεν Ἡλείας μὲν ἔρχεται καὶ ἀποκαταστήσει
πάντα· λέγω δὲ ὑμῖν ὅτι Ἡλείας ἤδη ἦλθεν, καὶ οὐκ ἐπέ- 12
γνωσαν αὐτὸν ἀλλὰ ἐποίησαν ἐν αὐτῷ ὅσα ἠθέλησαν· οὕτως
καὶ ὁ υἱὸς τοῦ ἀνθρώπου μέλλει πάσχειν ὑπ' αὐτῶν. τότε 13

1 τὸν 4 σκηνὰς τρεῖς 8 τὸν 9 ἀναστῇ 15 πάσχει 17 [τότε] ἀποκριθεὶς

συνῆκαν οἱ μαθηταὶ ὅτι περὶ Ἰωάνου τοῦ βαπτιστοῦ εἶπεν
αὐτοῖς.

14 Καὶ ἐλθόντων πρὸς τὸν ὄχλον προσῆλθεν αὐτῷ ἄνθρω-
15 πος γονυπετῶν αὐτὸν καὶ λέγων Κύριε, ἐλέησόν μου τὸν
υἱόν, ὅτι σεληνιάζεται καὶ κακῶς ⌜ἔχει⌝, πολλάκις γὰρ
16 πίπτει εἰς τὸ πῦρ καὶ πολλάκις εἰς τὸ ὕδωρ· καὶ προσ-
ήνεγκα αὐτὸν τοῖς μαθηταῖς σου, καὶ οὐκ ἠδυνήθησαν
17 αὐτὸν θεραπεῦσαι. ⌜ἀποκριθεὶς δὲ⌝ ὁ Ἰησοῦς εἶπεν Ὦ
γενεὰ ἄπιστος καὶ διεστραμμένη, ἕως πότε μεθ᾽ ὑμῶν
ἔσομαι; ἕως πότε ἀνέξομαι ὑμῶν; φέρετέ μοι αὐτὸν ὧδε.
18 καὶ ἐπετίμησεν αὐτῷ ὁ Ἰησοῦς, καὶ ἐξῆλθεν ἀπ᾽ αὐτοῦ
τὸ δαιμόνιον· καὶ ἐθεραπεύθη ὁ παῖς ἀπὸ τῆς ὥρας
19 ἐκείνης. Τότε προσελθόντες οἱ μαθηταὶ τῷ Ἰησοῦ
κατ᾽ ἰδίαν εἶπαν Διὰ τί ἡμεῖς οὐκ ἠδυνήθημεν ἐκβαλεῖν
20 αὐτό; ὁ δὲ λέγει αὐτοῖς Διὰ τὴν ὀλιγοπιστίαν ὑμῶν·
ἀμὴν γὰρ λέγω ὑμῖν, ἐὰν ἔχητε πίστιν ὡς κόκκον σινά-
πεως, ἐρεῖτε τῷ ὄρει τούτῳ Μετάβα ἔνθεν ἐκεῖ, καὶ μετα-
βήσεται, καὶ οὐδὲν ἀδυνατήσει ὑμῖν.

22 Συστρεφομένων δὲ αὐτῶν ἐν τῇ Γαλιλαίᾳ εἶπεν αὐτοῖς
ὁ Ἰησοῦς Μέλλει ὁ υἱὸς τοῦ ἀνθρώπου παραδίδοσθαι εἰς
23 χεῖρας ἀνθρώπων, καὶ ἀποκτενοῦσιν αὐτόν, καὶ τῇ τρίτῃ
ἡμέρᾳ ⌜ἐγερθήσεται⌝. καὶ ἐλυπήθησαν σφόδρα.

24 Ἐλθόντων δὲ αὐτῶν εἰς Καφαρναοὺμ προσῆλθον οἱ τὰ
δίδραχμα λαμβάνοντες τῷ Πέτρῳ καὶ εἶπαν Ὁ διδάσκαλος
25 ὑμῶν οὐ τελεῖ τὰ δίδραχμα; λέγει Ναί. καὶ ⌜ἐλθόντα⌝
εἰς τὴν οἰκίαν προέφθασεν αὐτὸν ὁ Ἰησοῦς λέγων Τί σοι
δοκεῖ, Σίμων; οἱ βασιλεῖς τῆς γῆς ἀπὸ ⌜τίνων⌝ λαμβά-
νουσιν τέλη ἢ κῆνσον; ἀπὸ τῶν υἱῶν αὐτῶν ἢ ἀπὸ τῶν
26 ἀλλοτρίων; εἰπόντος δέ Ἀπὸ τῶν ἀλλοτρίων, ἔφη αὐτῷ ὁ
27 Ἰησοῦς Ἄραγε ἐλεύθεροί εἰσιν οἱ υἱοί· ἵνα δὲ μὴ ⌜σκαν-
δαλίσωμεν⌝ αὐτούς, πορευθεὶς εἰς θάλασσαν βάλε ἄγκι-
στρον καὶ τὸν ἀναβάντα πρῶτον ἰχθὺν ἆρον, καὶ ἀνοίξας

23 ἀναστήσεται   25 εἰσελθόντα | τίνος   27 σκανδαλίζωμεν

τὸ στόμα αὐτοῦ εὑρήσεις στατῆρα· ἐκεῖνον λαβὼν δὸς
αὐτοῖς ἀντὶ ἐμοῦ καὶ σοῦ.

Ἐν ἐκείνῃ ⌐τῇ ὥρᾳ προσῆλθον οἱ μαθηταὶ τῷ Ἰησοῦ λέ- 1
γοντες Τίς ἄρα μείζων ἐστὶν ἐν τῇ βασιλείᾳ τῶν οὐρανῶν;
καὶ προσκαλεσάμενος παιδίον ἔστησεν αὐτὸ ἐν μέσῳ αὐτῶν 2
καὶ εἶπεν Ἀμὴν λέγω ὑμῖν, ἐὰν μὴ στραφῆτε καὶ γένησθε 3
ὡς τὰ παιδία, οὐ μὴ εἰσέλθητε εἰς τὴν βασιλείαν τῶν οὐρα-
νῶν. ὅστις οὖν ταπεινώσει ἑαυτὸν ὡς τὸ παιδίον τοῦτο, οὗτός 4
ἐστιν ὁ μείζων ἐν τῇ βασιλείᾳ τῶν οὐρανῶν· καὶ ὃς ἐὰν 5
δέξηται ἓν παιδίον τοιοῦτο ἐπὶ τῷ ὀνόματί μου, ἐμὲ δέ-
χεται· ὃς δ' ἂν σκανδαλίσῃ ἕνα τῶν μικρῶν τούτων τῶν 6
πιστευόντων εἰς ἐμέ, συμφέρει αὐτῷ ἵνα κρεμασθῇ μύλος
ὀνικὸς περὶ τὸν τράχηλον αὐτοῦ καὶ καταποντισθῇ ἐν τῷ
πελάγει τῆς θαλάσσης. Οὐαὶ τῷ κόσμῳ ἀπὸ τῶν σκανδά- 7
λων· ἀνάγκη γὰρ ἐλθεῖν τὰ σκάνδαλα, πλὴν οὐαὶ τῷ
ἀνθρώπῳ δι' οὗ τὸ σκάνδαλον ἔρχεται.   Εἰ δὲ 8
ἡ χείρ σου ἢ ὁ πούς σου σκανδαλίζει σε, ἔκκοψον αὐ-
τὸν καὶ βάλε ἀπὸ σοῦ· καλόν σοί ἐστιν εἰσελθεῖν εἰς
τὴν ζωὴν κυλλὸν ἢ χωλόν, ἢ δύο χεῖρας ἢ δύο πόδας
ἔχοντα βληθῆναι εἰς τὸ πῦρ τὸ αἰώνιον. καὶ εἰ ὁ ὀ- 9
φθαλμός σου σκανδαλίζει σε, ἔξελε αὐτὸν καὶ βάλε ἀπὸ
σοῦ· καλόν σοί ἐστιν μονόφθαλμον εἰς τὴν ζωὴν εἰσελ-
θεῖν, ἢ δύο ὀφθαλμοὺς ἔχοντα βληθῆναι εἰς τὴν γέενναν
τοῦ πυρός.   Ὁρᾶτε μὴ καταφρονήσητε ἑνὸς τῶν 10
μικρῶν τούτων, λέγω γὰρ ὑμῖν ὅτι οἱ ἄγγελοι αὐτῶν ⌐ἐν
οὐρανοῖς⌐ διὰ παντὸς βλέπουσι τὸ πρόσωπον τοῦ πατρός
μου τοῦ ἐν οὐρανοῖς. τί ὑμῖν δοκεῖ; ἐὰν γένηταί τινι 12
ἀνθρώπῳ ἑκατὸν πρόβατα καὶ πλανηθῇ ἓν ἐξ αὐτῶν, οὐχὶ
ἀφήσει τὰ ἐνενήκοντα ἐννέα ἐπὶ τὰ ὄρη καὶ πορευθεὶς
ζητεῖ τὸ πλανώμενον; καὶ ἐὰν γένηται εὑρεῖν αὐτό, ἀμὴν 13
λέγω ὑμῖν ὅτι χαίρει ἐπ' αὐτῷ μᾶλλον ἢ ἐπὶ τοῖς ἐνενή-
κοντα ἐννέα τοῖς μὴ πεπλανημένοις. οὕτως οὐκ ἔστιν 14
θέλημα ἔμπροσθεν ⌐τοῦ πατρός μου⌐ τοῦ ἐν οὐρανοῖς ἵνα

1 δέ   10 [ἐν τῷ οὐρανῷ]   14 τοῦ πατρὸς ὑμῶν

15 ἀπόληται ἓν τῶν μικρῶν τούτων. Ἐὰν δὲ
ἁμαρτήσῃ ὁ ἀδελφός σου, ὕπαγε ἔλεγξον αὐτὸν μεταξὺ
σοῦ καὶ αὐτοῦ μόνου. ἐάν σου ἀκούσῃ, ἐκέρδησας τὸν
16 ἀδελφόν σου· ἐὰν δὲ μὴ ἀκούσῃ, παράλαβε ⌜μετὰ σοῦ ἔτι
ἕνα ἢ δύο⌝, ἵνα ἐπὶ ϲτοματοϲ δυο μαρτυρων ἢ τριων
17 ϲταθη παν ρημα· ἐὰν δὲ παρακούσῃ αὐτῶν, εἰπὸν τῇ ἐκ-
κλησίᾳ· ἐὰν δὲ καὶ τῆς ἐκκλησίας παρακούσῃ, ἔστω σοι
18 ὥσπερ ὁ ἐθνικὸς καὶ ὁ τελώνης. Ἀμὴν λέγω
ὑμῖν, ὅσα ἐὰν δήσητε ἐπὶ τῆς γῆς ἔσται δεδεμένα ἐν
οὐρανῷ καὶ ὅσα ἐὰν λύσητε ἐπὶ τῆς γῆς ἔσται λελυμένα
19 ἐν οὐρανῷ. Πάλιν [ἀμὴν] λέγω ὑμῖν ὅτι ἐὰν δύο συμ-
φωνήσωσιν ἐξ ὑμῶν ἐπὶ τῆς γῆς περὶ παντὸς πράγματος
οὗ ἐὰν αἰτήσωνται, γενήσεται αὐτοῖς παρὰ τοῦ πατρός
20 μου τοῦ ἐν οὐρανοῖς. οὗ γάρ εἰσιν δύο ἢ τρεῖς συνηγμέ-
νοι εἰς τὸ ἐμὸν ὄνομα, ἐκεῖ εἰμὶ ἐν μέσῳ αὐτῶν.
21 Τότε προσελθὼν ὁ Πέτρος εἶπεν [αὐτῷ] Κύριε, ποσάκις
ἁμαρτήσει εἰς ἐμὲ ὁ ἀδελφός μου καὶ ἀφήσω αὐτῷ; ἕως ἑ-
22 πτάκις; λέγει αὐτῷ ὁ Ἰησοῦς Οὐ λέγω σοι ἕως ἑπτάκις ἀλλὰ
23 ἕως ἑβδομηκοντάκις ἑπτά. Διὰ τοῦτο ὡμοιώθη ἡ βασιλεία
τῶν οὐρανῶν ἀνθρώπῳ βασιλεῖ ὃς ἠθέλησεν συνᾶραι λό-
24 γον μετὰ τῶν δούλων αὐτοῦ· ἀρξαμένου δὲ αὐτοῦ συναί-
ρειν προσήχθη εἷς αὐτῷ ὀφειλέτης μυρίων ταλάντων.
25 μὴ ἔχοντος δὲ αὐτοῦ ἀποδοῦναι ἐκέλευσεν αὐτὸν ὁ κύριος
πραθῆναι καὶ τὴν γυναῖκα καὶ τὰ τέκνα καὶ πάντα ὅσα ἔχει,
26 καὶ ἀποδοθῆναι. πεσὼν οὖν ὁ δοῦλος προσεκύνει αὐτῷ
λέγων Μακροθύμησον ἐπ' ἐμοί, καὶ πάντα ἀποδώσω σοι.
27 σπλαγχνισθεὶς δὲ ὁ κύριος τοῦ δούλου [ἐκείνου] ἀπέλυσεν
28 αὐτόν, καὶ τὸ δάνιον ἀφῆκεν αὐτῷ. ἐξελθὼν δὲ ὁ δοῦλος
ἐκεῖνος εὗρεν ἕνα τῶν συνδούλων αὐτοῦ ὃς ὤφειλεν αὐτῷ
ἑκατὸν δηνάρια, καὶ κρατήσας αὐτὸν ἔπνιγεν λέγων Ἀπό-
29 δος εἴ τι ὀφείλεις. πεσὼν οὖν ὁ σύνδουλος αὐτοῦ παρεκά-
λει αὐτὸν λέγων Μακροθύμησον ἐπ' ἐμοί, καὶ ἀποδώσω
30 σοι. ὁ δὲ οὐκ ἤθελεν, ἀλλὰ ἀπελθὼν ἔβαλεν αὐτὸν εἰς

16 ἔτι ἕνα ἢ δύο μετὰ σοῦ

φυλακὴν ἕως ἀποδῷ τὸ ὀφειλόμενον. ἰδόντες οὖν οἱ σύν- 31
δουλοι αὐτοῦ τὰ γενόμενα ἐλυπήθησαν σφόδρα, καὶ ἐλ-
θόντες διεσάφησαν τῷ κυρίῳ ἑαυτῶν πάντα τὰ γενόμενα.
τότε προσκαλεσάμενος αὐτὸν ὁ κύριος αὐτοῦ λέγει αὐτῷ 32
Δοῦλε πονηρέ, πᾶσαν τὴν ὀφειλὴν ἐκείνην ἀφῆκά σοι,
ἐπεὶ παρεκάλεσάς με· οὐκ ἔδει καὶ σὲ ἐλεῆσαι τὸν σύν- 33
δουλόν σου, ὡς κἀγὼ σὲ ἠλέησα; καὶ ὀργισθεὶς ὁ κύριος 34
αὐτοῦ παρέδωκεν αὐτὸν τοῖς βασανισταῖς ἕως [οὗ] ἀποδῷ
πᾶν τὸ ὀφειλόμενον. Οὕτως καὶ ὁ πατήρ μου ὁ οὐράνιος 35
ποιήσει ὑμῖν ἐὰν μὴ ἀφῆτε ἕκαστος τῷ ἀδελφῷ αὐτοῦ ἀπὸ
τῶν καρδιῶν ὑμῶν.

Καὶ ἐγένετο ὅτε ἐτέλεσεν ὁ Ἰησοῦς τοὺς λόγους τού- 1
τους, μετῆρεν ἀπὸ τῆς Γαλιλαίας καὶ ἦλθεν εἰς τὰ ὅρια
τῆς Ἰουδαίας πέραν τοῦ Ἰορδάνου. καὶ ἠκολούθησαν αὐτῷ 2
ὄχλοι πολλοί, καὶ ἐθεράπευσεν αὐτοὺς ἐκεῖ.

Καὶ προσῆλθαν αὐτῷ Φαρισαῖοι πειράζοντες αὐτὸν καὶ 3
λέγοντες Εἰ ἔξεστιν ἀπολῦσαι τὴν γυναῖκα αὐτοῦ κατὰ
πᾶσαν αἰτίαν; ὁ δὲ ἀποκριθεὶς εἶπεν Οὐκ ἀνέγνωτε ὅτι 4
ὁ κτίσας ἀπ᾽ ἀρχῆς ἄρϲεν καὶ θῆλυ ἐποίηϲεν αὐτούϲ
καὶ εἶπεν Ἕνεκα τούτου καταλείψει ἄνθρωπος τὸν 5
πατέρα καὶ τὴν μητέρα καὶ κολληθήϲεται τῇ γυναικὶ
αὐτοῦ, καὶ ἔϲονται οἱ δύο εἰϲ ϲάρκα μίαν; ὥστε οὐκέτι 6
εἰσὶν δύο ἀλλὰ σὰρξ μία· ὃ οὖν ὁ θεὸς συνέζευξεν ἄνθρω-
πος μὴ χωριζέτω. λέγουσιν αὐτῷ Τί οὖν Μωυσῆς ἐνετείλα- 7
το δοῦναι βιβλίον ἀποϲταϲίου καὶ ἀπολῦϲαι ᵀ; λέγει 8
αὐτοῖς ὅτι Μωυσῆς πρὸς τὴν σκληροκαρδίαν ὑμῶν ἐπέ-
τρεψεν ὑμῖν ἀπολῦσαι τὰς γυναῖκας ὑμῶν, ἀπ᾽ ἀρχῆς δὲ οὐ·
γέγονεν οὕτως. ⌜λέγω δὲ ὑμῖν ὅτι ὃς ἂν ἀπολύσῃ τὴν γυ- 9
ναῖκα αὐτοῦ μὴ ἐπὶ πορνείᾳ καὶ γαμήσῃ ἄλλην μοιχᾶται.⌝
λέγουσιν αὐτῷ οἱ μαθηταί Εἰ οὕτως ἐστὶν ἡ αἰτία τοῦ ἀν- 10

7 αὐτήν   9 λέγω δὲ ὑμῖν, ὃς ἂν ἀπολύσῃ τὴν γυναῖκα αὐτοῦ παρεκτὸς
λόγου πορνείας, ποιεῖ αὐτὴν μοιχευθῆναι, καὶ ὁ ἀπολελυμένην γαμήσας
μοιχᾶται   14 αὐτοῖς   17 τήρησον   18 Ποίας; φησίν. | εἶπεν

11 θρώπου μετὰ τῆς γυναικός, οὐ συμφέρει γαμῆσαι. ὁ δὲ εἶ-
πεν αὐτοῖς Οὐ πάντες χωροῦσι τὸν λόγον, ἀλλ᾽ οἷς δέδοται.
12 εἰσὶν γὰρ εὐνοῦχοι οἵτινες ἐκ κοιλίας μητρὸς ἐγεννήθησαν
οὕτως, καὶ εἰσὶν εὐνοῦχοι οἵτινες εὐνουχίσθησαν ὑπὸ τῶν
ἀνθρώπων, καὶ εἰσὶν εὐνοῦχοι οἵτινες εὐνούχισαν ἑαυτοὺς
διὰ τὴν βασιλείαν τῶν οὐρανῶν. ὁ δυνάμενος χωρεῖν χω-
ρείτω.

13 Τότε προσηνέχθησαν αὐτῷ παιδία, ἵνα τὰς χεῖρας
ἐπιθῇ αὐτοῖς καὶ προσεύξηται· οἱ δὲ μαθηταὶ ἐπετίμησαν
14 αὐτοῖς. ὁ δὲ Ἰησοῦς εἶπεν ⌐ Ἄφετε τὰ παιδία καὶ μὴ
κωλύετε αὐτὰ ἐλθεῖν πρός με, τῶν γὰρ τοιούτων ἐστὶν
15 ἡ βασιλεία τῶν οὐρανῶν. καὶ ἐπιθεὶς τὰς χεῖρας αὐτοῖς
ἐπορεύθη ἐκεῖθεν.

16 Καὶ ἰδοὺ εἷς προσελθὼν αὐτῷ εἶπεν Διδάσκαλε, τί
17 ἀγαθὸν ποιήσω ἵνα σχῶ ζωὴν αἰώνιον; ὁ δὲ εἶπεν αὐτῷ
Τί με ἐρωτᾷς περὶ τοῦ ἀγαθοῦ; εἷς ἐστιν ὁ ἀγαθός· εἰ δὲ
18 θέλεις εἰς τὴν ζωὴν εἰσελθεῖν, ⌐τήρει⌐ τὰς ἐντολάς. ⌐λέγει
αὐτῷ Ποίας;⌐ ὁ δὲ Ἰησοῦς ⌐ἔφη⌐ Τό ΟΥ φονεΥCεις, ΟΥ
19 μοιχεΥCεις, ΟΥ κλέψεις, ΟΥ ψεΥΔομαρτΥρΗCεις, ΤΙμα
τὸν πατέρα καὶ τὴν μΗτέρα, καί Ἀγαπήσεις τὸν
20 πλΗσίον coΥ ὡς ceαΥτόν. λέγει αὐτῷ ὁ νεανίσκος
21 ⌐Ταῦτα πάντα⌐ ἐφύλαξα· τί ἔτι ὑστερῶ; ⌐ἔφη⌐ αὐτῷ ὁ Ἰη-
σοῦς Εἰ θέλεις τέλειος εἶναι, ὕπαγε πώλησόν σου τὰ ὑπάρ-
χοντα καὶ δὸς [τοῖς] πτωχοῖς, καὶ ἕξεις θησαυρὸν ἐν οὐρανοῖς,
22 καὶ δεῦρο ἀκολούθει μοι. ἀκούσας δὲ ὁ νεανίσκος τὸν
λόγον [τοῦτον] ἀπῆλθεν λυπούμενος, ἦν γὰρ ἔχων κτήματα
23 πολλά. Ὁ δὲ Ἰησοῦς εἶπεν τοῖς μαθηταῖς αὐτοῦ
Ἀμὴν λέγω ὑμῖν ὅτι πλούσιος δυσκόλως εἰσελεύσεται εἰς
24 τὴν βασιλείαν τῶν οὐρανῶν· πάλιν δὲ λέγω ⌐ὑμῖν,⌐ εὐκοπώ-
τερόν ἐστιν κάμηλον διὰ ⌐τρήματος⌐ ῥαφίδος ⌐εἰσελθεῖν ἢ
25 πλούσιον⌐ εἰς τὴν βασιλείαν τοῦ θεοῦ. ἀκούσαντες δὲ
οἱ μαθηταὶ ἐξεπλήσσοντο σφόδρα λέγοντες Τίς ἄρα δύ-
26 ναται σωθῆναι; ἐμβλέψας δὲ ὁ Ἰησοῦς εἶπεν αὐτοῖς Παρὰ

20 Πάντα ταῦτα   21 λέγει   24 ὑμῖν ὅτι | τρυπήματος | διελθεῖν ἢ πλούσιον εἰσελθεῖν

ἀνθρώποις τοῦτο ἀδύνατόν ἐστιν, παρὰ δὲ θεῷ πάντα ΔΥ-
ΝΑΤΑ.   Τότε ἀποκριθεὶς ὁ Πέτρος εἶπεν αὐτῷ 27
Ἰδοὺ ἡμεῖς ἀφήκαμεν πάντα καὶ ἠκολουθήσαμέν σοι· τί
ἄρα ἔσται ἡμῖν; ὁ δὲ Ἰησοῦς εἶπεν αὐτοῖς Ἀμὴν λέγω 28
ὑμῖν ὅτι ὑμεῖς οἱ ἀκολουθήσαντές μοι ἐν τῇ παλινγενεσίᾳ,
ὅταν καθίσῃ ὁ υἱὸς τοῦ ἀνθρώπου ἐπὶ θρόνου δόξης αὐτοῦ,
καθήσεσθε καὶ ⌜ὑμεῖς⌝ ἐπὶ δώδεκα θρόνους κρίνοντες τὰς
δώδεκα φυλὰς τοῦ Ἰσραήλ.   καὶ πᾶς ὅστις ἀφῆκεν ⌜οἰκίας 29
ἢ ἀδελφοὺς ἢ ἀδελφὰς ἢ πατέρα ἢ μητέρα ἢ τέκνα ἢ
ἀγροὺς⌝ ἕνεκεν τοῦ ἐμοῦ ὀνόματος, πολλαπλασίονα λήμ-
ψεται καὶ ζωὴν αἰώνιον κληρονομήσει.   Πολλοὶ δὲ ἔσονται 30
πρῶτοι ἔσχατοι καὶ ἔσχατοι πρῶτοι.   Ὁμοία γάρ ἐστιν 1
ἡ βασιλεία τῶν οὐρανῶν ἀνθρώπῳ οἰκοδεσπότῃ ὅστις
ἐξῆλθεν ἅμα πρωὶ μισθώσασθαι ἐργάτας εἰς τὸν ἀμπελῶνα
αὐτοῦ· συμφωνήσας δὲ μετὰ τῶν ἐργατῶν ἐκ δηναρίου 2
τὴν ἡμέραν ἀπέστειλεν αὐτοὺς εἰς τὸν ἀμπελῶνα αὐτοῦ.
καὶ ἐξελθὼν περὶ τρίτην ὥραν εἶδεν ἄλλους ἑστῶτας ἐν τῇ 3
ἀγορᾷ ἀργούς· καὶ ἐκείνοις εἶπεν Ὑπάγετε καὶ ὑμεῖς εἰς 4
τὸν ἀμπελῶνα, καὶ ὃ ἐὰν ᾖ δίκαιον δώσω ὑμῖν· οἱ δὲ 5
ἀπῆλθον.   πάλιν [δὲ] ἐξελθὼν περὶ ἕκτην καὶ ἐνάτην ὥραν
ἐποίησεν ὡσαύτως.   περὶ δὲ τὴν ἑνδεκάτην ἐξελθὼν εὗρεν 6
ἄλλους ἑστῶτας, καὶ λέγει αὐτοῖς Τί ὧδε ἑστήκατε ὅλην
τὴν ἡμέραν ἀργοί; λέγουσιν αὐτῷ Ὅτι οὐδεὶς ἡμᾶς ἐμι- 7
σθώσατο· λέγει αὐτοῖς Ὑπάγετε καὶ ὑμεῖς εἰς τὸν ἀμπε-
λῶνα.   ὀψίας δὲ γενομένης λέγει ὁ κύριος τοῦ ἀμπελῶνος 8
τῷ ἐπιτρόπῳ αὐτοῦ Κάλεσον τοὺς ἐργάτας καὶ ἀπόδος ⌐
τὸν μισθὸν ἀρξάμενος ἀπὸ τῶν ἐσχάτων ἕως τῶν πρώ-
των.   ἐλθόντες δὲ οἱ περὶ τὴν ἑνδεκάτην ὥραν ἔλαβον ἀνὰ 9
δηνάριον.   καὶ ἐλθόντες οἱ πρῶτοι ἐνόμισαν ὅτι πλεῖον λήμ- 10
ψονται· καὶ ἔλαβον [τὸ] ἀνὰ δηνάριον καὶ αὐτοί.   λαβόν- 11
τες δὲ ἐγόγγυζον κατὰ τοῦ οἰκοδεσπότου λέγοντες Οὗτοι 12
οἱ ἔσχατοι μίαν ὥραν ἐποίησαν, καὶ ἴσους ⌜αὐτοὺς ἡμῖν⌝
ἐποίησας τοῖς βαστάσασι τὸ βάρος τῆς ἡμέρας καὶ τὸν

28 αὐτοὶ   29 ἀδελφοὺς ἢ…ἀγροὺς ἢ οἰκίας   8 αὐτοῖς   12 ἡμῖν αὐτοὺς

13 καύσωνα. ὁ δὲ ἀποκριθεὶς ⌜ἑνὶ αὐτῶν εἶπεν⌝ Ἑταῖρε, οὐκ ἀ-
14 δικῶ σε· οὐχὶ δηναρίου συνεφώνησάς μοι; ἆρον τὸ σὸν
    καὶ ὕπαγε· θέλω ⌜δὲ⌝ τούτῳ τῷ ἐσχάτῳ δοῦναι ὡς καὶ σοί·
15 οὐκ ἔξεστίν μοι ὃ θέλω ποιῆσαι ἐν τοῖς ἐμοῖς; ἢ ὁ ὀφθαλ-
16 μός σου πονηρός ἐστιν ὅτι ἐγὼ ἀγαθός εἰμι; Οὕτως ἔσον-
    ται οἱ ἔσχατοι πρῶτοι καὶ οἱ πρῶτοι ἔσχατοι.

17 ⌜Μέλλων δὲ ἀναβαίνειν Ἰησοῦς⌝ εἰς Ἱεροσόλυμα παρέλα-
    βεν τοὺς δώδεκα [μαθητὰς] κατ᾽ ἰδίαν, καὶ ἐν τῇ ὁδῷ εἶπεν
18 αὐτοῖς Ἰδοὺ ἀναβαίνομεν εἰς Ἱεροσόλυμα, καὶ ὁ υἱὸς τοῦ
    ἀνθρώπου παραδοθήσεται τοῖς ἀρχιερεῦσιν καὶ γραμματεῦ-
19 σιν, καὶ κατακρινοῦσιν αὐτὸν [θανάτῳ], καὶ παραδώσουσιν
    αὐτὸν τοῖς ἔθνεσιν εἰς τὸ ἐμπαῖξαι καὶ μαστιγῶσαι καὶ
    σταυρῶσαι, καὶ τῇ τρίτῃ ἡμέρᾳ ⌜ἐγερθήσεται⌝.
20 Τότε προσῆλθεν αὐτῷ ἡ μήτηρ τῶν υἱῶν Ζεβεδαίου μετὰ
    τῶν υἱῶν αὐτῆς προσκυνοῦσα καὶ αἰτοῦσά τι ⌜ἀπ᾽⌝ αὐτοῦ.
21 ὁ δὲ εἶπεν αὐτῇ Τί θέλεις; ⌜λέγει αὐτῷ⌝ Εἰπὲ ἵνα
    καθίσωσιν οὗτοι οἱ δύο υἱοί μου εἷς ἐκ δεξιῶν καὶ εἷς ἐξ
22 εὐωνύμων σου ἐν τῇ βασιλείᾳ σου. ἀποκριθεὶς δὲ ὁ
    Ἰησοῦς εἶπεν Οὐκ οἴδατε τί αἰτεῖσθε· δύνασθε πιεῖν τὸ
    ποτήριον ὃ ἐγὼ μέλλω πίνειν; λέγουσιν αὐτῷ Δυνάμεθα.
23 λέγει αὐτοῖς Τὸ μὲν ποτήριόν μου πίεσθε, τὸ δὲ καθίσαι
    ἐκ δεξιῶν μου ⌜καὶ⌝ ἐξ εὐωνύμων οὐκ ἔστιν ἐμὸν ᵀ δοῦναι,
24 ἀλλ᾽ οἷς ἡτοίμασται ὑπὸ τοῦ πατρός μου. καὶ ἀκού-
25 σαντες οἱ δέκα ἠγανάκτησαν περὶ τῶν δύο ἀδελφῶν. ὁ δὲ
    Ἰησοῦς προσκαλεσάμενος αὐτοὺς εἶπεν Οἴδατε ὅτι οἱ ἄρ-
    χοντες τῶν ἐθνῶν κατακυριεύουσιν αὐτῶν καὶ οἱ μεγάλοι
26 κατεξουσιάζουσιν αὐτῶν. οὐχ οὕτως ἐστὶν ἐν ὑμῖν· ἀλλ᾽ ὃς
    ἂν θέλῃ ⌜ἐν ὑμῖν μέγας⌝ γενέσθαι ἔσται ὑμῶν διάκονος,
27 καὶ ὃς ἂν θέλῃ ⌜ἐν ὑμῖν εἶναι⌝ πρῶτος ἔσται ὑμῶν δοῦλος·
28 ὥσπερ ὁ υἱὸς τοῦ ἀνθρώπου οὐκ ἦλθεν διακονηθῆναι ἀλλὰ
    διακονῆσαι καὶ δοῦναι τὴν ψυχὴν αὐτοῦ λύτρον ἀντὶ πολλῶν.

13 εἶπεν ἑνὶ αὐτῶν   14 [ἐγώ]   17 Καὶ ἀναβαίνων ὁ Ἰησοῦς   19 ἀναστήσεται
20 παρ᾽   21 ἡ δὲ εἶπεν   23 ἢ | τοῦτο   26 μέγας ἐν ὑμῖν   27 εἶναι ὑμῶν

Καὶ ἐκπορευομένων αὐτῶν ἀπὸ Ἰερειχὼ ἠκολούθησεν 29
αὐτῷ ὄχλος πολύς. καὶ ἰδοὺ δύο τυφλοὶ καθήμενοι παρὰ 30
τὴν ὁδόν, ἀκούσαντες ὅτι Ἰησοῦς παράγει, ἔκραξαν λέγον-
τες Κύριε, ἐλέησον ἡμᾶς, ⌜υἱὸς⌝ Δαυείδ. ὁ δὲ ὄχλος ἐπετί- 31
μησεν αὐτοῖς ἵνα σιωπήσωσιν· οἱ δὲ μεῖζον ἔκραξαν λέ-
γοντες Κύριε, ἐλέησον ἡμᾶς, ⌜υἱὸς⌝ Δαυείδ. καὶ στὰς 32
[ὁ] Ἰησοῦς ἐφώνησεν αὐτοὺς καὶ εἶπεν Τί θέλετε ποιήσω
ὑμῖν; λέγουσιν αὐτῷ Κύριε, ἵνα ἀνοιγῶσιν οἱ ὀφθαλμοὶ 33
ἡμῶν. σπλαγχνισθεὶς δὲ ὁ Ἰησοῦς ἥψατο τῶν ὀμμάτων 34
αὐτῶν, καὶ εὐθέως ἀνέβλεψαν καὶ ἠκολούθησαν αὐτῷ.

Καὶ ὅτε ἤγγισαν εἰς Ἰεροσόλυμα καὶ ἦλθον εἰς Βηθ- 1
φαγὴ εἰς τὸ Ὄρος τῶν Ἐλαιῶν, τότε Ἰησοῦς ἀπέστειλεν
δύο μαθητὰς λέγων αὐτοῖς Πορεύεσθε εἰς τὴν κώμην τὴν 2
κατέναντι ὑμῶν, καὶ εὐθὺς εὑρήσετε ὄνον δεδεμένην καὶ
πῶλον μετ᾽ αὐτῆς· λύσαντες ⌜ἀγάγετέ⌝ μοι. καὶ ἐάν τις 3
ὑμῖν εἴπῃ τι, ἐρεῖτε ὅτι Ὁ κύριος αὐτῶν χρείαν ἔχει·
εὐθὺς δὲ ἀποστελεῖ αὐτούς. Τοῦτο δὲ γέγονεν ἵνα πλη- 4
ρωθῇ τὸ ῥηθὲν διὰ τοῦ προφήτου λέγοντος

Εἴπατε τῇ θυγατρὶ Σιών 5

Ἰδοὺ ὁ βασιλεύς σου ἔρχεταί σοι

πραῢς καὶ ἐπιβεβηκὼς ἐπὶ ὄνον

καὶ ἐπὶ πῶλον υἱὸν ὑποζυγίου.

Πορευθέντες δὲ οἱ μαθηταὶ καὶ ποιήσαντες καθὼς συνέ- 6
ταξεν αὐτοῖς ὁ Ἰησοῦς ἤγαγον τὴν ὄνον καὶ τὸν πῶλον, καὶ 7
ἐπέθηκαν ἐπ᾽ αὐτῶν τὰ ἱμάτια, καὶ ἐπεκάθισεν ἐπάνω αὐ-
τῶν. ὁ δὲ πλεῖστος ὄχλος ἔστρωσαν ἑαυτῶν τὰ ἱμάτια 8
ἐν τῇ ὁδῷ, ἄλλοι δὲ ἔκοπτον κλάδους ἀπὸ τῶν δένδρων καὶ
ἐστρώννυον ἐν τῇ ὁδῷ. οἱ δὲ ὄχλοι οἱ προάγοντες αὐτὸν 9
καὶ οἱ ἀκολουθοῦντες ἔκραζον λέγοντες

Ὡσαννὰ τῷ υἱῷ Δαυείδ·

Εὐλογημένος ὁ ἐρχόμενος ἐν ὀνόματι Κυρίου·

Ὡσαννὰ ἐν τοῖς ὑψίστοις.

καὶ εἰσελθόντος αὐτοῦ εἰς Ἰεροσόλυμα ἐσείσθη πᾶσα ἡ 10

30 υἱὲ   31 υἱὲ   2 ἄγετέ

11 πόλις λέγουσα Τίς ἐστιν οὗτος ; οἱ δὲ ὄχλοι ἔλεγον Οὗτός
ἐστιν ὁ προφήτης Ἰησοῦς ὁ ἀπὸ Ναζαρὲθ τῆς Γαλιλαίας.

12 Καὶ εἰσῆλθεν Ἰησοῦς εἰς τὸ ἱερόν, καὶ ἐξέβαλεν
πάντας τοὺς πωλοῦντας καὶ ἀγοράζοντας ἐν τῷ ἱερῷ καὶ
τὰς τραπέζας τῶν κολλυβιστῶν κατέστρεψεν καὶ τὰς κα-
13 θέδρας τῶν πωλούντων τὰς περιστεράς, καὶ λέγει αὐτοῖς
Γέγραπται Ὁ οἶκός ΜΟΥ ΟἶΚΟΣ ΠΡΟΣΕΥΧΉΣ ΚΛΗΘΉΣΕ-
14 ΤΑΙ, ὑμεῖς δὲ αὐτὸν ποιεῖτε ΣΠΉΛΑΙΟΝ ΛΗΣΤῶΝ. Καὶ προσ-
ῆλθον αὐτῷ τυφλοὶ καὶ χωλοὶ ἐν τῷ ἱερῷ, καὶ ἐθερά-
15 πευσεν αὐτούς. Ἰδόντες δὲ οἱ ἀρχιερεῖς καὶ οἱ γραμματεῖς
τὰ θαυμάσια ἃ ἐποίησεν καὶ τοὺς παῖδας τοὺς κράζοντας
ἐν τῷ ἱερῷ καὶ λέγοντας Ὡσαννὰ τῷ υἱῷ Δαυείδ
16 ἠγανάκτησαν καὶ εἶπαν αὐτῷ Ἀκούεις τί οὗτοι λέγου-
σιν ; ὁ δὲ Ἰησοῦς λέγει αὐτοῖς Ναί· οὐδέποτε ἀνέγνωτε
ὅτι Ἐκ ΣΤΌΜΑΤΟΣ ΝΗΠΊΩΝ καὶ ΘΗΛΑΖΌΝΤΩΝ ΚΑΤΗΡ-
17 ΤΊΣΩ ΑἶΝΟΝ ;   Καὶ καταλιπὼν αὐτοὺς ἐξῆλθεν
ἔξω τῆς πόλεως εἰς Βηθανίαν, καὶ ηὐλίσθη ἐκεῖ.
18
19 Πρωὶ δὲ ⌐ἐπαναγαγὼν⌐ εἰς τὴν πόλιν ἐπείνασεν. καὶ
ἰδὼν συκῆν μίαν ἐπὶ τῆς ὁδοῦ ἦλθεν ἐπ' αὐτήν, καὶ
οὐδὲν εὗρεν ἐν αὐτῇ εἰ μὴ φύλλα μόνον, καὶ λέγει αὐτῇ
Οὐ μηκέτι ἐκ σοῦ καρπὸς γένηται εἰς τὸν αἰῶνα· καὶ
20 ἐξηράνθη παραχρῆμα ἡ συκῆ. καὶ ἰδόντες οἱ μαθηταὶ
ἐθαύμασαν λέγοντες Πῶς παραχρῆμα ἐξηράνθη ἡ συκῆ ;
21 ἀποκριθεὶς δὲ ὁ Ἰησοῦς εἶπεν αὐτοῖς Ἀμὴν λέγω ὑμῖν,
ἐὰν ἔχητε πίστιν καὶ μὴ διακριθῆτε, οὐ μόνον τὸ τῆς
συκῆς ποιήσετε, ἀλλὰ κἂν τῷ ὄρει τούτῳ εἴπητε Ἄρθητι
22 καὶ βλήθητι εἰς τὴν θάλασσαν, γενήσεται· καὶ πάντα
ὅσα ἂν αἰτήσητε ἐν τῇ προσευχῇ πιστεύοντες λήμ-
ψεσθε.
23 Καὶ ἐλθόντος αὐτοῦ εἰς τὸ ἱερὸν προσῆλθαν αὐτῷ διδά-
σκοντι οἱ ἀρχιερεῖς καὶ οἱ πρεσβύτεροι τοῦ λαοῦ λέγοντες
Ἐν ποίᾳ ἐξουσίᾳ ταῦτα ποιεῖς ; καὶ τίς σοι ἔδωκεν τὴν

18 ἐπανάγων

E

ἐξουσίαν ταύτην; ἀποκριθεὶς [δὲ] ὁ Ἰησοῦς εἶπεν αὐτοῖς 24
Ἐρωτήσω ὑμᾶς κἀγὼ λόγον ἕνα, ὃν ἐὰν εἴπητέ μοι
κἀγὼ ὑμῖν ἐρῶ ἐν ποίᾳ ἐξουσίᾳ ταῦτα ποιῶ· τὸ βάπτι- 25
σμα τὸ Ἰωάνου πόθεν ἦν; ἐξ οὐρανοῦ ἢ ἐξ ἀνθρώπων; οἱ
δὲ διελογίζοντο ⌈ἐν⌉ ἑαυτοῖς λέγοντες Ἐὰν εἴπωμεν Ἐξ
οὐρανοῦ, ἐρεῖ ἡμῖν Διὰ τί οὖν οὐκ ἐπιστεύσατε αὐτῷ;
ἐὰν δὲ εἴπωμεν Ἐξ ἀνθρώπων, φοβούμεθα τὸν ὄχλον, 26
πάντες γὰρ ὡς προφήτην ἔχουσιν τὸν Ἰωάνην· καὶ ἀπο- 27
κριθέντες τῷ Ἰησοῦ εἶπαν Οὐκ οἴδαμεν. ἔφη αὐτοῖς καὶ
αὐτός Οὐδὲ ἐγὼ λέγω ὑμῖν ἐν ποίᾳ ἐξουσίᾳ ταῦτα ποιῶ.
Τί δὲ ὑμῖν δοκεῖ; ἄνθρωπος εἶχεν ⌈τέκνα δύο⌉. ⌈προσελ- 28
θὼν τῷ πρώτῳ εἶπεν Τέκνον, ὕπαγε σήμερον ἐργάζου ἐν
τῷ ⌈ἀμπελῶνι⌉· ὁ δὲ ἀποκριθεὶς εἶπεν Ἐγώ, κύριε· καὶ 29
οὐκ ἀπῆλθεν. προσελθὼν δὲ τῷ δευτέρῳ εἶπεν ὡσαύτως· ὁ 30
δὲ ἀποκριθεὶς εἶπεν Οὐ θέλω· ὕστερον μεταμεληθεὶς ἀπῆλ-
θεν. τίς ἐκ τῶν δύο ἐποίησεν τὸ θέλημα τοῦ πατρός; 31
⌈λέγουσιν Ὁ ὕστερος.⌉ λέγει αὐτοῖς ὁ Ἰησοῦς Ἀμὴν λέγω
ὑμῖν ὅτι οἱ τελῶναι καὶ αἱ πόρναι προάγουσιν ὑμᾶς εἰς τὴν
βασιλείαν τοῦ θεοῦ. ἦλθεν γὰρ Ἰωάνης πρὸς ὑμᾶς ἐν ὁ- 32
δῷ δικαιοσύνης, καὶ οὐκ ἐπιστεύσατε αὐτῷ· οἱ δὲ τελῶναι
καὶ αἱ πόρναι ἐπίστευσαν αὐτῷ· ὑμεῖς δὲ ἰδόντες οὐδὲ μετε-
μελήθητε ὕστερον τοῦ πιστεῦσαι αὐτῷ.   Ἄλ- 33
λην παραβολὴν ἀκούσατε. Ἄνθρωπος ἦν οἰκοδεσπό-
της ὅστις ἐφύτευσεν ἀμπελῶνα καὶ φραγμὸν αὐτῷ
περιέθηκεν καὶ ὤρυξεν ἐν αὐτῷ ληνὸν καὶ ᾠκο-
δόμησεν πύργον, καὶ ἐξέδετο αὐτὸν γεωργοῖς, καὶ ἀπε-
δήμησεν. ὅτε δὲ ἤγγισεν ὁ καιρὸς τῶν καρπῶν, ἀπέ- 34
στειλεν τοὺς δούλους αὐτοῦ πρὸς τοὺς γεωργοὺς λαβεῖν τοὺς
καρποὺς αὐτοῦ. καὶ λαβόντες οἱ γεωργοὶ τοὺς δούλους 35
αὐτοῦ ὃν μὲν ἔδειραν, ὃν δὲ ἀπέκτειναν, ὃν δὲ ἐλιθοβό-
λησαν. πάλιν ἀπέστειλεν ἄλλους δούλους πλείονας τῶν 36
πρώτων, καὶ ἐποίησαν αὐτοῖς ὡσαύτως. ὕστερον δὲ ἀπέ- 37
στειλεν πρὸς αὐτοὺς τὸν υἱὸν αὐτοῦ λέγων Ἐντραπήσονται

25 παρ°   •   28 δύο τέκνα | καὶ | ἀμπελῶνί μου   31 †...†

38 τὸν υἱόν μου. οἱ δὲ γεωργοὶ ἰδόντες τὸν υἱὸν εἶπον ἐν
ἑαυτοῖς Οὗτός ἐστιν ὁ κληρονόμος· δεῦτε ἀποκτείνωμεν
39 αὐτὸν καὶ σχῶμεν τὴν κληρονομίαν αὐτοῦ· καὶ λαβόντες
40 αὐτὸν ἐξέβαλον ἔξω τοῦ ἀμπελῶνος καὶ ἀπέκτειναν. ὅταν
οὖν ἔλθῃ ὁ κύριος τοῦ ἀμπελῶνος, τί ποιήσει τοῖς γεωργοῖς
41 ἐκείνοις; λέγουσιν αὐτῷ Κακοὺς κακῶς ἀπολέσει αὐτούς,
καὶ τὸν ἀμπελῶνα ἐκδώσεται ἄλλοις γεωργοῖς, οἵτινες
ἀποδώσουσιν αὐτῷ τοὺς καρποὺς ἐν τοῖς καιροῖς αὐτῶν.
42 λέγει αὐτοῖς ὁ Ἰησοῦς Οὐδέποτε ἀνέγνωτε ἐν ταῖς γρα-
φαῖς

Λίθον ὅν ἀπεδοκίμαϲαν οἱ οἰκοδομοῦντεϲ
 οὗτοϲ ἐγενήθη εἰϲ κεφαλὴν γωνίαϲ·
παρὰ Κυρίου ἐγένετο αὕτη,
καὶ ἔϲτιν θαυμαϲτὴ ἐν ὀφθαλμοῖϲ ἡμῶν;

43 διὰ τοῦτο λέγω ⌜ὑμῖν ὅτι⌝ ἀρθήσεται ἀφ᾽ ὑμῶν ἡ βασιλεία
τοῦ θεοῦ καὶ δοθήσεται ἔθνει ποιοῦντι τοὺς καρποὺς αὐτῆς.
44 [Καὶ ὁ πεσὼν ἐπὶ τὸν λίθον τοῦτον συνθλασθήσεται· ἐφ᾽ ὃν
45 δ᾽ ἂν πέσῃ λικμήσει αὐτόν.]   ⌜Καὶ ἀκούσαντες⌝
οἱ ἀρχιερεῖς καὶ οἱ Φαρισαῖοι τὰς παραβολὰς αὐτοῦ ἔγνω-
46 σαν ὅτι περὶ αὐτῶν λέγει· καὶ ζητοῦντες αὐτὸν κρατῆ-
σαι ἐφοβήθησαν τοὺς ὄχλους, ἐπεὶ εἰς προφήτην αὐτὸν
1 εἶχον.   Καὶ ἀποκριθεὶς ὁ Ἰησοῦς πάλιν εἶπεν ἐν
2 παραβολαῖς αὐτοῖς λέγων Ὡμοιώθη ἡ βασιλεία τῶν οὐρα-
νῶν ἀνθρώπῳ βασιλεῖ, ὅστις ἐποίησεν γάμους τῷ υἱῷ
3 αὐτοῦ. καὶ ἀπέστειλεν τοὺς δούλους αὐτοῦ καλέσαι τοὺς
4 κεκλημένους εἰς τοὺς γάμους, καὶ οὐκ ἤθελον ἐλθεῖν. πάλιν
ἀπέστειλεν ἄλλους δούλους λέγων Εἴπατε τοῖς κεκλη-
μένοις Ἰδοὺ τὸ ἄριστόν μου ἡτοίμακα, οἱ ταῦροί μου
καὶ τὰ σιτιστὰ τεθυμένα, καὶ πάντα ἕτοιμα· δεῦτε εἰς
5 τοὺς γάμους. οἱ δὲ ἀμελήσαντες ἀπῆλθον, ὃς μὲν εἰς τὸν
6 ἴδιον ἀγρόν, ὃς δὲ ἐπὶ τὴν ἐμπορίαν αὐτοῦ· οἱ δὲ λοιποὶ
κρατήσαντες τοὺς δούλους αὐτοῦ ὕβρισαν καὶ ἀπέκτειναν.
7 ὁ δὲ βασιλεὺς ὠργίσθη. καὶ πέμψας τὰ στρατεύματα

43 ὑμῖν,   45 Ἀκούσαντες δὲ

E 2

αὐτοῦ ἀπώλεσεν τοὺς φονεῖς ἐκείνους καὶ τὴν πόλιν αὐτῶν
ἐνέπρησεν. τότε λέγει τοῖς δούλοις αὐτοῦ Ὁ μὲν γάμος 8
ἕτοιμός ἐστιν, οἱ δὲ κεκλημένοι οὐκ ἦσαν ἄξιοι· πορεύεσθε 9
οὖν ἐπὶ τὰς διεξόδους τῶν ὁδῶν, καὶ ὅσους ἐὰν εὕρητε
καλέσατε εἰς τοὺς γάμους. καὶ ἐξελθόντες οἱ δοῦλοι 10
ἐκεῖνοι εἰς τὰς ὁδοὺς συνήγαγον πάντας οὓς εὗρον, πονη-
ρούς τε καὶ ἀγαθούς· καὶ ἐπλήσθη ὁ νυμφὼν ἀνακειμένων.
εἰσελθὼν δὲ ὁ βασιλεὺς θεάσασθαι τοὺς ἀνακειμένους εἶδεν 11
ἐκεῖ ἄνθρωπον οὐκ ἐνδεδυμένον ἔνδυμα γάμου· καὶ λέγει 12
αὐτῷ Ἑταῖρε, πῶς εἰσῆλθες ὧδε μὴ ἔχων ἔνδυμα γάμου;
ὁ δὲ ἐφιμώθη. τότε ὁ βασιλεὺς εἶπεν τοῖς διακόνοις Δή- 13
σαντες αὐτοῦ πόδας καὶ χεῖρας ἐκβάλετε αὐτὸν εἰς τὸ
σκότος τὸ ἐξώτερον· ἐκεῖ ἔσται ὁ κλαυθμὸς καὶ ὁ βρυγ-
μὸς τῶν ὀδόντων. πολλοὶ γάρ εἰσιν κλητοὶ ὀλίγοι δὲ 14
ἐκλεκτοί.

Τότε πορευθέντες οἱ Φαρισαῖοι συμβούλιον ἔλαβον 15
ὅπως αὐτὸν παγιδεύσωσιν ἐν λόγῳ. καὶ ἀποστέλλουσιν 16
αὐτῷ τοὺς μαθητὰς αὐτῶν μετὰ τῶν Ἡρῳδιανῶν λέγοντας
Διδάσκαλε, οἴδαμεν ὅτι ἀληθὴς εἶ καὶ τὴν ὁδὸν τοῦ θεοῦ ἐν
ἀληθείᾳ διδάσκεις, καὶ οὐ μέλει σοι περὶ οὐδενός, οὐ γὰρ
βλέπεις εἰς πρόσωπον ἀνθρώπων· εἰπὸν οὖν ἡμῖν τί σοι 17
δοκεῖ· ἔξεστιν δοῦναι κῆνσον Καίσαρι ἢ οὔ; γνοὺς δὲ 18
ὁ Ἰησοῦς τὴν πονηρίαν αὐτῶν εἶπεν Τί με πειράζετε,
ὑποκριταί; ἐπιδείξατέ μοι τὸ νόμισμα τοῦ κήνσου. οἱ 19
δὲ προσήνεγκαν αὐτῷ δηνάριον. καὶ λέγει αὐτοῖς ᵀ Τίνος 20
ἡ εἰκὼν αὕτη καὶ ἡ ἐπιγραφή; λέγουσιν Καίσαρος. τότε 21
λέγει αὐτοῖς Ἀπόδοτε οὖν τὰ Καίσαρος Καίσαρι καὶ τὰ
τοῦ θεοῦ τῷ θεῷ. καὶ ἀκούσαντες ἐθαύμασαν, καὶ ἀφέντες 22
αὐτὸν ἀπῆλθαν.

Ἐν ἐκείνῃ τῇ ἡμέρᾳ προσῆλθον αὐτῷ Σαδδουκαῖοι, λέ- 23
γοντες μὴ εἶναι ἀνάστασιν, καὶ ἐπηρώτησαν αὐτὸν λέγον- 24
τες Διδάσκαλε, Μωυσῆς εἶπεν Ἐάν τις ἀποθάνῃ μὴ
ἔχων τέκνα, ἐπιγαμβρεύσει ὁ ἀδελφὸς αὐτοῦ τὴν

20 ὁ Ἰησοῦς

ΓΥΝΑῖΚΑ ΑΥΤΟῦ καὶ ἀΝΑCΤΉCΕΙ CΠΈΡΜΑ Τῷ ἀΔΕΛΦῷ
25 ΑΥΤΟῦ. ἦσαν δὲ παρ᾽ ἡμῖν ἑπτὰ ἀδελφοί· καὶ ὁ πρῶτος
γήμας ἐτελεύτησεν, καὶ μὴ ἔχων σπέρμα ἀφῆκεν τὴν
26 γυναῖκα αὐτοῦ τῷ ἀδελφῷ αὐτοῦ· ὁμοίως καὶ ὁ δεύτερος
27 καὶ ὁ τρίτος, ἕως τῶν ἑπτά· ὕστερον δὲ πάντων ἀπέθανεν
28 ἡ γυνή. ἐν τῇ ἀναστάσει οὖν τίνος τῶν ἑπτὰ ἔσται γυ-
29 νή; πάντες γὰρ ἔσχον αὐτήν. ἀποκριθεὶς δὲ ὁ Ἰησοῦς
εἶπεν αὐτοῖς Πλανᾶσθε μὴ εἰδότες τὰς γραφὰς μηδὲ τὴν
30 δύναμιν τοῦ θεοῦ· ἐν γὰρ τῇ ἀναστάσει οὔτε γαμοῦσι
οὔτε γαμίζονται, ἀλλ᾽ ὡς ἄγγελοι ἐν τῷ οὐρανῷ εἰσίν·
31 περὶ δὲ τῆς ἀναστάσεως τῶν νεκρῶν οὐκ ἀνέγνωτε τὸ ῥη-
32 θὲν ὑμῖν ὑπὸ τοῦ θεοῦ λέγοντος Ἐγώ εἰμι ὁ θεὸς
Ἀβραὰμ καὶ ὁ θεὸς Ἰσαὰκ καὶ ὁ θεὸς Ἰακώβ;
33 οὐκ ἔστιν [ὁ] θεὸς νεκρῶν ἀλλὰ ζώντων. Καὶ ἀκούσαντες
οἱ ὄχλοι ἐξεπλήσσοντο ἐπὶ τῇ διδαχῇ αὐτοῦ.

34   Οἱ δὲ Φαρισαῖοι ἀκούσαντες ὅτι ἐφίμωσεν τοὺς Σαδ-
35 δουκαίους συνήχθησαν ἐπὶ τὸ αὐτό. καὶ ἐπηρώτησεν εἷς
36 ἐξ αὐτῶν νομικὸς πειράζων αὐτόν Διδάσκαλε, ποία ἐντολὴ
37 μεγάλη ἐν τῷ νόμῳ; ὁ δὲ ἔφη αὐτῷ Ἀγαπήσεις Κύριον
τὸν θεόν σου ἐν ὅλῃ καρδίᾳ σου καὶ ἐν ὅλῃ τῇ
38 ψυχῇ σου καὶ ἐν ὅλῃ τῇ Διανοίᾳ σου· αὕτη ἐστὶν ἡ
39 μεγάλη καὶ πρώτη ἐντολή. δευτέρα ⌜ὁμοία ⌜αὕτη⌝ Ἀγα-
40 πήσεις τὸν πλησίον σου ὡς σεαυτόν. ἐν ταύταις ταῖς
δυσὶν ἐντολαῖς ὅλος ὁ νόμος κρέμαται καὶ οἱ προφῆ-
41 ται.   Συνηγμένων δὲ τῶν Φαρισαίων ἐπηρώτησεν
42 αὐτοὺς ὁ Ἰησοῦς λέγων Τί ὑμῖν δοκεῖ περὶ τοῦ χριστοῦ;
43 τίνος υἱός ἐστιν; λέγουσιν αὐτῷ Τοῦ Δαυείδ. λέγει αὐτοῖς
Πῶς οὖν Δαυεὶδ ἐν πνεύματι καλεῖ ⌜αὐτὸν κύριον⌝ λέγων
44   Εἶπεν Κύριος τῷ κυρίῳ μου Κάθου ἐκ δεξιῶν μου
ἕως ἂν θῶ τοὺς ἐχθρούς σου ὑποκάτω τῶν ποδῶν
           σου;
45 εἰ οὖν Δαυεὶδ καλεῖ αὐτὸν κύριον, πῶς υἱὸς αὐτοῦ ἐστιν:
46 καὶ οὐδεὶς ἐδύνατο ἀποκριθῆναι αὐτῷ λόγον, οὐδὲ ἐτόλ-

μησέν τις ἀπ᾽ ἐκείνης τῆς ἡμέρας ἐπερωτῆσαι αὐτὸν οὐκέτι.

Τότε [ὁ] Ἰησοῦς ἐλάλησεν τοῖς ὄχλοις καὶ τοῖς μαθη- 1
ταῖς αὐτοῦ λέγων Ἐπὶ τῆς Μωυσέως καθέδρας ἐκάθισαν 2
οἱ γραμματεῖς καὶ οἱ Φαρισαῖοι. πάντα οὖν ὅσα ἐὰν εἴπω- 3
σιν ὑμῖν ποιήσατε καὶ τηρεῖτε, κατὰ δὲ τὰ ἔργα αὐτῶν μὴ
ποιεῖτε, λέγουσιν γὰρ καὶ οὐ ποιοῦσιν. δεσμεύουσιν δὲ 4
φορτία βαρέα ᵀ καὶ ἐπιτιθέασιν ἐπὶ τοὺς ὤμους τῶν ἀνθρώ-
πων, αὐτοὶ δὲ τῷ δακτύλῳ αὐτῶν οὐ θέλουσιν κινῆσαι
αὐτά. πάντα δὲ τὰ ἔργα αὐτῶν ποιοῦσιν πρὸς τὸ θεαθῆναι 5
τοῖς ἀνθρώποις· πλατύνουσι γὰρ τὰ φυλακτήρια αὐτῶν καὶ
μεγαλύνουσι τὰ κράσπεδα, φιλοῦσι δὲ τὴν πρωτοκλισίαν 6
ἐν τοῖς δείπνοις καὶ τὰς πρωτοκαθεδρίας ἐν ταῖς συναγω-
γαῖς καὶ τοὺς ἀσπασμοὺς ἐν ταῖς ἀγοραῖς καὶ καλεῖσθαι 7
ὑπὸ τῶν ἀνθρώπων Ραββεί. ὑμεῖς δὲ μὴ κληθῆτε 8
Ραββεί, εἷς γάρ ἐστιν ὑμῶν ὁ διδάσκαλος, πάντες δὲ
ὑμεῖς ἀδελφοί ἐστε· καὶ πατέρα μὴ καλέσητε ὑμῶν ἐπὶ 9
τῆς γῆς, εἷς γάρ ἐστιν ὑμῶν ὁ πατὴρ ὁ οὐράνιος· μηδὲ 10
κληθῆτε καθηγηταί, ὅτι καθηγητὴς ὑμῶν ἐστιν εἷς ὁ χρι-
στός· ὁ δὲ μείζων ὑμῶν ἔσται ὑμῶν διάκονος. Ὅστις δὲ 11
ὑψώσει ἑαυτὸν ταπεινωθήσεται, καὶ ὅστις ταπεινώσει ἑαυ- 12
τὸν ὑψωθήσεται.   Οὐαὶ δὲ ὑμῖν, γραμματεῖς καὶ 14
Φαρισαῖοι ὑποκριταί, ὅτι κλείετε τὴν βασιλείαν τῶν οὐρα-
νῶν ἔμπροσθεν τῶν ἀνθρώπων· ὑμεῖς γὰρ οὐκ εἰσέρχεσθε,
οὐδὲ τοὺς εἰσερχομένους ἀφίετε εἰσελθεῖν. Οὐαὶ ὑμῖν, 15
γραμματεῖς καὶ Φαρισαῖοι ὑποκριταί, ὅτι περιάγετε τὴν
θάλασσαν καὶ τὴν ξηρὰν ποιῆσαι ἕνα προσήλυτον, καὶ
ὅταν γένηται ποιεῖτε αὐτὸν υἱὸν γεέννης διπλότερον ὑμῶν.
Οὐαὶ ὑμῖν, ὁδηγοὶ τυφλοὶ οἱ λέγοντες Ὃς ἂν ὀμόσῃ ἐν 16
τῷ ναῷ, οὐδέν ἐστιν, ὃς δ᾽ ἂν ὀμόσῃ ἐν τῷ χρυσῷ τοῦ
ναοῦ ὀφείλει· μωροὶ καὶ τυφλοί, τίς γὰρ μείζων ἐστίν, ὁ 17
χρυσὸς ἢ ὁ ναὸς ὁ ἁγιάσας τὸν χρυσόν; καί Ὃς ἂν 18
ὀμόσῃ ἐν τῷ θυσιαστηρίῳ, οὐδέν ἐστιν, ὃς δ᾽ ἂν ὀμόσῃ ἐν
τῷ δώρῳ τῷ ἐπάνω αὐτοῦ ὀφείλει· ᵀ τυφλοί, τί γὰρ μεῖζον, 19

4 καὶ δυσβάστακτα   19 μωροὶ καὶ

20 τὸ δῶρον ἢ τὸ θυσιαστήριον τὸ ἁγιάζον τὸ δῶρον; ὁ οὖν
ὀμόσας ἐν τῷ θυσιαστηρίῳ ὀμνύει ἐν αὐτῷ καὶ ἐν πᾶσι
21 τοῖς ἐπάνω αὐτοῦ· καὶ ὁ ὀμόσας ἐν τῷ ναῷ ὀμνύει ἐν αὐ-
22 τῷ καὶ ἐν τῷ ⌜κατοικοῦντι⌝ αὐτόν· καὶ ὁ ὀμόσας ἐν τῷ
οὐρανῷ ὀμνύει ἐν τῷ θρόνῳ τοῦ θεοῦ καὶ ἐν τῷ καθημένῳ
23 ἐπάνω αὐτοῦ. Οὐαὶ ὑμῖν, γραμματεῖς καὶ Φαρισαῖοι ὑπο-
κριταί, ὅτι ἀποδεκατοῦτε τὸ ἡδύοσμον καὶ τὸ ἄνηθον καὶ τὸ
κύμινον, καὶ ἀφήκατε τὰ βαρύτερα τοῦ νόμου, τὴν κρίσιν
καὶ τὸ ἔλεος καὶ τὴν πίστιν· ταῦτα δὲ ἔδει ποιῆσαι κἀκεῖνα
24 μὴ ἀφεῖναι. ὁδηγοὶ τυφλοί, διυλίζοντες τὸν κώνωπα τὴν
25 δὲ κάμηλον καταπίνοντες. Οὐαὶ ὑμῖν, γραμματεῖς καὶ
Φαρισαῖοι ὑποκριταί, ὅτι καθαρίζετε τὸ ἔξωθεν τοῦ ποτη-
ρίου καὶ τῆς παροψίδος, ἔσωθεν δὲ γέμουσιν ἐξ ἁρπαγῆς
26 καὶ ἀκρασίας. Φαρισαῖε τυφλέ, καθάρισον πρῶτον τὸ
ἐντὸς τοῦ ποτηρίου [καὶ τῆς παροψίδος], ἵνα γένηται καὶ
27 τὸ ἐκτὸς αὐτοῦ καθαρόν. Οὐαὶ ὑμῖν, γραμματεῖς καὶ
Φαρισαῖοι ὑποκριταί, ὅτι ⌜παρομοιάζετε⌝ τάφοις κεκονιαμέ-
νοις, οἵτινες ἔξωθεν μὲν φαίνονται ὡραῖοι ἔσωθεν δὲ γέ-
28 μουσιν ὀστέων νεκρῶν καὶ πάσης ἀκαθαρσίας· οὕτως καὶ
ὑμεῖς ἔξωθεν μὲν φαίνεσθε τοῖς ἀνθρώποις δίκαιοι, ἔσωθεν
29 δέ ἐστε μεστοὶ ὑποκρίσεως καὶ ἀνομίας. Οὐαὶ ὑμῖν,
γραμματεῖς καὶ Φαρισαῖοι ὑποκριταί, ὅτι οἰκοδομεῖτε τοὺς
τάφους τῶν προφητῶν καὶ κοσμεῖτε τὰ μνημεῖα τῶν
30 δικαίων, καὶ λέγετε Εἰ ἤμεθα ἐν ταῖς ἡμέραις τῶν πατέ-
ρων ἡμῶν, οὐκ ἂν ἤμεθα αὐτῶν κοινωνοὶ ἐν τῷ αἵματι τῶν
31 προφητῶν· ὥστε μαρτυρεῖτε ἑαυτοῖς ὅτι υἱοί ἐστε τῶν
32 φονευσάντων τοὺς προφήτας. καὶ ὑμεῖς ⌜πληρώσατε⌝ τὸ
33 μέτρον τῶν πατέρων ὑμῶν. ὄφεις γεννήματα ἐχιδνῶν,
34 πῶς φύγητε ἀπὸ τῆς κρίσεως τῆς γεέννης; διὰ τοῦτο ⌜ἰδοὺ⌝
ἐγὼ ἀποστέλλω πρὸς ὑμᾶς προφήτας καὶ σοφοὺς καὶ
γραμματεῖς· ἐξ αὐτῶν ἀποκτενεῖτε καὶ σταυρώσετε, καὶ
ἐξ αὐτῶν μαστιγώσετε ἐν ταῖς συναγωγαῖς ὑμῶν καὶ
35 διώξετε ἀπὸ πόλεως εἰς πόλιν· ὅπως ἔλθῃ ἐφ' ὑμᾶς πᾶν

21 κατοικήσαντι   27 ὁμοιάζετε   32 πληρώσετε   34 Ἰδού

αἷμα δίκαιον ἐκχυννόμενον ἐπὶ τῆς γῆς ἀπὸ τοῦ αἵματος
Ἄβελ τοῦ δικαίου ἕως τοῦ αἵματος Ζαχαρίου υἱοῦ Βαρα-
χίου, ὃν ἐφονεύσατε μεταξὺ τοῦ ναοῦ καὶ τοῦ θυσιαστη-
ρίου. ἀμὴν λέγω ὑμῖν, ἥξει ⌜ταῦτα πάντα⌝ ἐπὶ τὴν γενεὰν 36
ταύτην.   Ἰερουσαλὴμ Ἰερουσαλήμ, ἡ ἀποκτεί- 37
νουσα τοὺς προφήτας καὶ λιθοβολοῦσα τοὺς ἀπεσταλμέ-
νους πρὸς αὐτήν, – ποσάκις ἠθέλησα ἐπισυναγαγεῖν τὰ
τέκνα σου, ὃν τρόπον ὄρνις ἐπισυνάγει τὰ νοσσία [αὐτῆς]
ὑπὸ τὰς πτέρυγας, καὶ οὐκ ἠθελήσατε; ἰδοὺ ἀφίεται ὙΜῖΝ ὁ 38
ΟἶΚΟΣ ὙΜῶΝ ᵀ. λέγω γὰρ ὑμῖν, οὐ μή με ἴδητε ἀπ᾽ ἄρτι 39
ἕως ἂν εἴπητε

ΕὐΛΟΓΗΜΈΝΟΣ ὁ ἐρχόμενος ἐν ὀνόματι Κγρίογ.

Καὶ ἐξελθὼν ὁ Ἰησοῦς ἀπὸ τοῦ ἱεροῦ ἐπορεύετο, καὶ 1
προσῆλθον οἱ μαθηταὶ αὐτοῦ ἐπιδεῖξαι αὐτῷ τὰς οἰκοδομὰς
τοῦ ἱεροῦ· ὁ δὲ ἀποκριθεὶς εἶπεν αὐτοῖς Οὐ βλέπετε 2
ταῦτα πάντα; ἀμὴν λέγω ὑμῖν, οὐ μὴ ἀφεθῇ ὧδε λίθος
ἐπὶ λίθον ὃς οὐ καταλυθήσεται. Καθημένου δὲ αὐτοῦ 3
ἐπὶ τοῦ Ὄρους τῶν Ἐλαιῶν προσῆλθον αὐτῷ οἱ μαθηταὶ
κατ᾽ ἰδίαν λέγοντες Εἰπὸν ἡμῖν πότε ταῦτα ἔσται, καὶ τί
τὸ σημεῖον τῆς σῆς παρουσίας καὶ συντελείας τοῦ αἰῶνος.
καὶ ἀποκριθεὶς ὁ Ἰησοῦς εἶπεν αὐτοῖς Βλέπετε μή τις 4
ὑμᾶς πλανήσῃ· πολλοὶ γὰρ ἐλεύσονται ἐπὶ τῷ ὀνόματί 5
μου λέγοντες Ἐγώ εἰμι ὁ χριστός, καὶ πολλοὺς πλανή-
σουσιν. μελλήσετε δὲ ἀκούειν πολέμους καὶ ἀκοὰς πολέ- 6
μων· ὁρᾶτε, μὴ θροεῖσθε· ΔΕῖ γὰρ ΓΕΝΈΣΘΑΙ, ἀλλ᾽ οὔπω
ἐστὶν τὸ τέλος. ἐΓΕΡΘΉΣΕΤΑΙ γὰρ ἔθΝΟΣ ἐπὶ ἔθΝΟΣ καὶ 7
ΒΑΣΙΛΕΊΑ ἐπὶ ΒΑΣΙΛΕΊΑΝ, καὶ ἔσονται λιμοὶ καὶ σεισμοὶ
κατὰ τόπους· πάντα δὲ ταῦτα ἀρχὴ ὠδίνων. τότε παρα-   8
δώσουσιν ὑμᾶς εἰς θλῖψιν καὶ ἀποκτενοῦσιν ὑμᾶς, καὶ   9
ἔσεσθε μισούμενοι ὑπὸ πάντων τῶν ἐθνῶν διὰ τὸ ὄνομά
μου. καὶ τότε ΣΚΑΝΔΑΛΙΣΘΉΣΟΝΤΑΙ πολλοὶ καὶ ἀλλήλους 10
παραδώσουσιν καὶ μισήσουσιν ἀλλήλους· καὶ πολλοὶ ψευ- 11

36 πάντα ταῦτα   38 ἔρημος

12 δοπροφῆται ἐγερθήσονται καὶ πλανήσουσιν πολλούς· καὶ
διὰ τὸ πληθυνθῆναι τὴν ἀνομίαν ψυγήσεται ἡ ἀγάπη τῶν
13 πολλῶν. ὁ δὲ ὑπομείνας εἰς τέλος οὗτος σωθήσεται. καὶ
14 κηρυχθήσεται τοῦτο τὸ εὐαγγέλιον τῆς βασιλείας ἐν ὅλῃ
τῇ οἰκουμένῃ εἰς μαρτύριον πᾶσιν τοῖς ἔθνεσιν, καὶ τότε
15 ἥξει τὸ τέλος. Ὅταν οὖν ἴδητε τὸ ΒΔΕΛΥΓΜΑ ΤΗϹ
ἐρημώϲεωϲ τὸ ῥηθὲν διὰ Δανιὴλ τοῦ προφήτου ἑστὸς
16 ἐν τόπῳ ἁγίῳ, ὁ ἀναγινώσκων νοείτω, τότε· οἱ ἐν τῇ
17 Ἰουδαίᾳ φευγέτωσαν ⌐εἰς⌐ τὰ ὄρη, ὁ ἐπὶ τοῦ δώματος μὴ
18 καταβάτω ἆραι τὰ ἐκ τῆς οἰκίας αὐτοῦ, καὶ ὁ ἐν τῷ ἀγρῷ
19 μὴ ἐπιστρεψάτω ὀπίσω ἆραι τὸ ἱμάτιον αὐτοῦ. οὐαὶ δὲ
ταῖς ἐν γαστρὶ ἐχούσαις καὶ ταῖς θηλαζούσαις ἐν ἐκείναις
20 ταῖς ἡμέραις. προσεύχεσθε δὲ ἵνα μὴ γένηται ἡ φυγὴ
21 ὑμῶν χειμῶνος μηδὲ σαββάτῳ· ἔσται γὰρ τότε θλίψιϲ
μεγάλη οἵα ΟΥ ΓΕΓΟΝΕΝ ΑΠ᾽ ΑΡΧΗϹ ΚΟϹΜΟΥ ΕωϹ ΤΟΥ
22 ΝΥΝ οὐδ᾽ οὐ μὴ γένηται. καὶ εἰ μὴ ἐκολοβώθησαν αἱ
ἡμέραι ἐκεῖναι, οὐκ ἂν ἐσώθη πᾶσα σάρξ· διὰ δὲ τοὺς
23 ἐκλεκτοὺς κολοβωθήσονται αἱ ἡμέραι ἐκεῖναι. Τότε ἐάν
τις ὑμῖν εἴπῃ Ἰδοὺ ὧδε ὁ χριστός ἤ ⌐Ὧδε, μὴ πιστεύσητε·
24 ἐγερθήσονται γὰρ ψευδόχριστοι καὶ ψευδοπροφῆται, καὶ
Δώϲουϲιν ϹΗΜΕῖΑ μεγάλα καὶ τέρατα ὥστε ⌐πλανᾶσθαι⌐
25 εἰ δυνατὸν καὶ τοὺς ἐκλεκτούς· ἰδοὺ προείρηκα ὑμῖν.
26 ἐὰν οὖν εἴπωσιν ὑμῖν Ἰδοὺ ἐν τῇ ἐρήμῳ ἐστίν, μὴ ἐξ-
27 έλθητε· Ἰδοὺ ἐν τοῖς ταμείοις, μὴ πιστεύσητε· ὥσπερ
γὰρ ἡ ἀστραπὴ ἐξέρχεται ἀπὸ ἀνατολῶν καὶ φαίνεται ἕως
δυσμῶν, οὕτως ἔσται ἡ παρουσία τοῦ υἱοῦ τοῦ ἀνθρώπου·
28 ὅπου ἐὰν ᾖ τὸ πτῶμα, ἐκεῖ συναχθήσονται οἱ ἀετοί.
29 Εὐθέως δὲ μετὰ τὴν θλίψιν τῶν ἡμερῶν ἐκείνων ὁ ΗΛΙΟϹ
ϹΚΟΤΙϹΘΗϹΕΤΑΙ, καὶ Η ϹΕΛΗΝΗ ΟΥ ΔώϹΕΙ ΤΟ ΦΕΓΓΟϹ
ΑΥΤΗϹ, καὶ οἱ ΑϹΤΕΡΕϹ ΠΕϹΟΥΝΤΑΙ ΑΠΟ ΤΟΥ ΟΥΡΑΝΟΥ,
30 καὶ ΑΙ ΔΥΝΑΜΕΙϹ ΤωΝ ΟΥΡΑΝωΝ ϹΑΛΕΥΘΗϹΟΝΤΑΙ. καὶ
τότε φανήσεται τὸ σημεῖον τοῦ υἱοῦ τοῦ ἀνθρώπου ἐν
οὐρανῷ, καὶ τότε ΚΟΨΟΝΤΑΙ ΠΑϹΑΙ ΑΙ ΦΥΛΑΙ ΤΗϹ ΓΗϹ

16 ἐπὶ   24 πλανῆσαι

καὶ ὄψονται τὸν γίον τοῦ ἀνθρώπου ἐρχόμενον ἐπὶ
τῶν νεφελῶν τοῦ ογρανοῦ μετὰ δυνάμεως καὶ δόξης
πολλῆς· καὶ ἀποστελεῖ τοὺς ἀγγέλους αὐτοῦ μετὰ cάλ- 31
πιγγος ┬ μεγάληc, καὶ ἐπιcγνάζογcιν τοὺς ἐκλεκτοὺς αὐ-
τοῦ ἐκ τῶν τεccάρων ἀνέμων ἀπ᾽ ἄκρων ογρανῶν
ἕωc [τῶν] ἄκρων αγτῶν.   Ἀπὸ δὲ τῆς συκῆς 32
μάθετε τὴν παραβολήν· ὅταν ἤδη ὁ κλάδος αὐτῆς γένηται
ἁπαλὸς καὶ τὰ φύλλα ἐκφύῃ, γινώσκετε ὅτι ἐγγὺς τὸ
θέρος· οὕτως καὶ ὑμεῖς, ὅταν ἴδητε πάντα ταῦτα, γινώσκετε 33
ὅτι ἐγγύς ἐστιν ἐπὶ θύραις. ἀμὴν λέγω ὑμῖν ὅτι οὐ μὴ 34
παρέλθῃ ἡ γενεὰ αὕτη ἕως [ἂν] πάντα ταῦτα γένηται. ὁ 35
οὐρανὸς καὶ ἡ γῆ παρελεύσεται, οἱ δὲ λόγοι μου οὐ μὴ
παρέλθωσιν. Περὶ δὲ τῆς ἡμέρας ἐκείνης καὶ ὥρας 36
οὐδεὶς οἶδεν, οὐδὲ οἱ ἄγγελοι τῶν οὐρανῶν οὐδὲ ὁ υἱός,
εἰ μὴ ὁ πατὴρ μόνος. ὥσπερ γὰρ αἱ ἡμέραι τοῦ Νῶε, 37
οὕτως ἔσται ἡ παρουσία τοῦ υἱοῦ τοῦ ἀνθρώπου· ὡς γὰρ 38
ἦσαν ἐν ταῖς ἡμέραις [ἐκείναις] ταῖς πρὸ τοῦ κατακλυσμοῦ
τρώγοντες καὶ πίνοντες, γαμοῦντες καὶ γαμίζοντες, ἄχρι ἧς
ἡμέρας εἰcᾱλθεν Νῶε εἰc τὴν κιβωτόν, καὶ οὐκ ἔγνωσαν 39
ἕως ἦλθεν ὁ κατακλυσμὸς καὶ ἦρεν ἅπαντας, οὕτως ἔσται ἡ
παρουσία τοῦ υἱοῦ τοῦ ἀνθρώπου. τότε ἔσονται δύο ἐν τῷ 40
ἀγρῷ, εἷς παραλαμβάνεται καὶ εἷς ἀφίεται· δύο ἀλήθουσαι 41
ἐν τῷ μυλῳ, μία παραλαμβάνεται καὶ μία ἀφίεται. γρη- 42
γορεῖτε οὖν, ὅτι οὐκ οἴδατε ποίᾳ ἡμέρᾳ ὁ κύριος ὑμῶν
ἔρχεται. ἐκεῖνο δὲ γινώσκετε ὅτι εἰ ᾔδει ὁ οἰκοδεσπότης 43
ποίᾳ φυλακῇ ὁ κλέπτης ἔρχεται, ἐγρηγόρησεν ἂν καὶ οὐκ ἂν
εἴασεν διορυχθῆναι τὴν οἰκίαν αὐτοῦ. διὰ τοῦτο καὶ ὑμεῖς 44
γίνεσθε ἕτοιμοι, ὅτι ᾗ οὐ δοκεῖτε ὥρα ὁ υἱὸς τοῦ ἀνθρώπου
ἔρχεται. Τίς ἄρα ἐστὶν ὁ πιστὸς δοῦλος καὶ φρόνιμος ὃν 45
κατέστησεν ὁ κύριος ἐπὶ τῆς οἰκετείας αὐτοῦ τοῦ δοῦναι
αὐτοῖς τὴν τροφὴν ἐν καιρῷ; μακάριος ὁ δοῦλος ἐκεῖνος 46
ὃν ἐλθὼν ὁ κύριος αὐτοῦ εὑρήσει οὕτως ποιοῦντα· ἀμὴν 47
λέγω ὑμῖν ὅτι ἐπὶ πᾶσιν τοῖς ὑπάρχουσιν αὐτοῦ καταστή-

31 φωνῆς

48 σει αὐτόν. ἐὰν δὲ εἴπῃ ὁ κακὸς δοῦλος ἐκεῖνος ἐν τῇ
49 καρδίᾳ αὐτοῦ Χρονίζει μου ὁ κύριος, καὶ ἄρξηται τύπτειν
τοὺς συνδούλους αὐτοῦ, ἐσθίῃ δὲ καὶ πίνῃ μετὰ τῶν με-
50 θυόντων, ἥξει ὁ κύριος τοῦ δούλου ἐκείνου ἐν ἡμέρᾳ ᾗ οὐ
51 προσδοκᾷ καὶ ἐν ὥρᾳ ᾗ οὐ γινώσκει, καὶ διχοτομήσει αὐτὸν
καὶ τὸ μέρος αὐτοῦ μετὰ τῶν ὑποκριτῶν θήσει· ἐκεῖ ἔσται
1 ὁ κλαυθμὸς καὶ ὁ βρυγμὸς τῶν ὀδόντων.   Τότε
ὁμοιωθήσεται ἡ βασιλεία τῶν οὐρανῶν δέκα παρθένοις,
αἵτινες λαβοῦσαι τὰς λαμπάδας ἑαυτῶν ἐξῆλθον εἰς ὑπάν-
2 τησιν τοῦ νυμφίου. πέντε δὲ ἐξ αὐτῶν ἦσαν μωραὶ καὶ
3 πέντε φρόνιμοι· αἱ γὰρ μωραὶ λαβοῦσαι τὰς λαμπάδας
4 [αὐτῶν] οὐκ ἔλαβον μεθ᾽ ἑαυτῶν ἔλαιον· αἱ δὲ φρόνιμοι
ἔλαβον ἔλαιον ἐν τοῖς ἀγγείοις μετὰ τῶν λαμπάδων
5 ἑαυτῶν. χρονίζοντος δὲ τοῦ νυμφίου ἐνύσταξαν πᾶσαι
6 καὶ ἐκάθευδον. μέσης δὲ νυκτὸς κραυγὴ γέγονεν Ἰδοὺ ὁ
7 νυμφίος, ἐξέρχεσθε εἰς ἀπάντησιν. τότε ἠγέρθησαν πᾶσαι
αἱ παρθένοι ἐκεῖναι καὶ ἐκόσμησαν τὰς λαμπάδας ἑαυτῶν.
8 αἱ δὲ μωραὶ ταῖς φρονίμοις εἶπαν Δότε ἡμῖν ἐκ τοῦ ἐλαίου
9 ὑμῶν, ὅτι αἱ λαμπάδες ἡμῶν σβέννυνται. ἀπεκρίθησαν δὲ
αἱ φρόνιμοι λέγουσαι Μήποτε ⸂οὐ μὴ⸃ ἀρκέσῃ ἡμῖν καὶ
ὑμῖν· πορεύεσθε μᾶλλον πρὸς τοὺς πωλοῦντας καὶ ἀγορά-
10 σατε ἑαυταῖς. ἀπερχομένων δὲ αὐτῶν ἀγοράσαι ἦλθεν ὁ
νυμφίος, καὶ αἱ ἕτοιμοι εἰσῆλθον μετ᾽ αὐτοῦ εἰς τοὺς γάμους,
11 καὶ ἐκλείσθη ἡ θύρα. ὕστερον δὲ ἔρχονται καὶ αἱ λοιπαὶ
12 παρθένοι λέγουσαι Κύριε κύριε, ἄνοιξον ἡμῖν· ὁ δὲ ἀποκρι-
13 θεὶς εἶπεν Ἀμὴν λέγω ὑμῖν, οὐκ οἶδα ὑμᾶς. Γρηγορεῖτε οὖν,
14 ὅτι οὐκ οἴδατε τὴν ἡμέραν οὐδὲ τὴν ὥραν.   Ὥσπερ
γὰρ ἄνθρωπος ἀποδημῶν ἐκάλεσεν τοὺς ἰδίους δούλους καὶ
15 παρέδωκεν αὐτοῖς τὰ ὑπάρχοντα αὐτοῦ, καὶ ᾧ μὲν ἔδωκεν
πέντε τάλαντα ᾧ δὲ δύο ᾧ δὲ ἕν, ἑκάστῳ κατὰ τὴν ἰδίαν
16 δύναμιν, καὶ ἀπεδήμησεν. εὐθέως πορευθεὶς ὁ τὰ πέντε
τάλαντα λαβὼν ἠργάσατο ἐν αὐτοῖς καὶ ἐκέρδησεν ἄλλα
17
18 πέντε· ὡσαύτως ᵀ ὁ τὰ δύο ἐκέρδησεν ἄλλα δύο· ὁ δὲ τὸ

9 οὐκ   17 καὶ

ἐν λαβὼν ἀπελθὼν ὤρυξεν γῆν καὶ ἔκρυψεν τὸ ἀργύριον
τοῦ κυρίου αὐτοῦ. μετὰ δὲ πολὺν χρόνον ἔρχεται ὁ κύριος 19
τῶν δούλων ἐκείνων καὶ συναίρει λόγον μετ᾽ αὐτῶν καὶ 20
προσελθὼν ὁ τὰ πέντε τάλαντα λαβὼν προσήνεγκεν ἄλλα
πέντε τάλαντα λέγων Κύριε, πέντε τάλαντά μοι παρέ-
δωκας· ἴδε ἄλλα πέντε τάλαντα ἐκέρδησα. ἔφη αὐτῷ ὁ 21
κύριος αὐτοῦ Εὖ, δοῦλε ἀγαθὲ καὶ πιστέ, ἐπὶ ὀλίγα ἦς
πιστός, ἐπὶ πολλῶν σε καταστήσω· εἴσελθε εἰς τὴν χαρὰν
τοῦ κυρίου σου. προσελθὼν καὶ ὁ τὰ δύο τάλαντα εἶπεν 22
Κύριε, δύο τάλαντά μοι παρέδωκας· ἴδε ἄλλα δύο τάλαντα
ἐκέρδησα. ἔφη αὐτῷ ὁ κύριος αὐτοῦ Εὖ, δοῦλε ἀγαθὲ καὶ 23
πιστέ, ἐπὶ ὀλίγα ⌜ἦς πιστός⌝, ἐπὶ πολλῶν σε καταστήσω·
εἴσελθε εἰς τὴν χαρὰν τοῦ κυρίου σου. προσελθὼν δὲ καὶ 24
ὁ τὸ ἓν τάλαντον εἰληφὼς εἶπεν Κύριε, ἔγνων σε ὅτι
σκληρὸς εἶ ἄνθρωπος, θερίζων ὅπου οὐκ ἔσπειρας καὶ συνά-
γων ὅθεν οὐ διεσκόρπισας· καὶ φοβηθεὶς ἀπελθὼν ἔκρυψα 25
τὸ τάλαντόν σου ἐν τῇ γῇ· ἴδε ἔχεις τὸ σόν. ἀποκριθεὶς 26
δὲ ὁ κύριος αὐτοῦ εἶπεν αὐτῷ Πονηρὲ δοῦλε καὶ ὀκνηρέ,
ᾔδεις ὅτι θερίζω ὅπου οὐκ ἔσπειρα καὶ συνάγω ὅθεν οὐ
διεσκόρπισα; ἔδει σε οὖν βαλεῖν τὰ ἀργύριά μου τοῖς 27
τραπεζείταις, καὶ ἐλθὼν ἐγὼ ἐκομισάμην ἂν τὸ ἐμὸν σὺν
τόκῳ. ἄρατε οὖν ἀπ᾽ αὐτοῦ τὸ τάλαντον καὶ δότε τῷ 28
ἔχοντι τὰ δέκα τάλαντα· τῷ γὰρ ἔχοντι παντὶ δοθήσεται 29
καὶ περισσευθήσεται· τοῦ δὲ μὴ ἔχοντος καὶ ὃ ἔχει ἀρθή-
σεται ἀπ᾽ αὐτοῦ. καὶ τὸν ἀχρεῖον δοῦλον ἐκβάλετε εἰς τὸ 30
σκότος τὸ ἐξώτερον· ἐκεῖ ἔσται ὁ κλαυθμὸς καὶ ὁ βρυγμὸς
τῶν ὀδόντων. Ὅταν δὲ ἔλθῃ ὁ υἱὸς τοῦ ἀνθρώ- 31
που ἐν τῇ δόξῃ αὐτοῦ καὶ ΠΑΝΤΕϹ οἱ ἌΓΓΕΛΟΙ ΜΕΤ᾽ ΑΥ̓ΤΟΥ̓,
τότε καθίσει ἐπὶ θρόνου δόξης αὐτοῦ, καὶ συναχθήσονται 32
ἔμπροσθεν αὐτοῦ πάντα τὰ ἔθνη, καὶ ἀφορίσει αὐτοὺς
ἀπ᾽ ἀλλήλων, ὥσπερ ὁ ποιμὴν ἀφορίζει τὰ πρόβατα ἀπὸ
τῶν ἐρίφων, καὶ στήσει τὰ μὲν πρόβατα ἐκ δεξιῶν 33
αὐτοῦ τὰ δὲ ἐρίφια ἐξ εὐωνύμων. τότε ἐρεῖ ὁ βα- 34

23 πιστὸς ἦς

σιλεὺς τοῖς ἐκ δεξιῶν αὐτοῦ Δεῦτε, οἱ εὐλογημένοι τοῦ
πατρός μου, κληρονομήσατε τὴν ἡτοιμασμένην ὑμῖν βα-
35 σιλείαν ἀπὸ καταβολῆς κόσμου· ἐπείνασα γὰρ καὶ ἐδώκατέ
μοι φαγεῖν, ἐδίψησα καὶ ἐποτίσατέ με, ξένος ἤμην καὶ
36 συνηγάγετέ με, γυμνὸς καὶ περιεβάλετέ με, ἠσθένησα καὶ
ἐπεσκέψασθέ με, ἐν φυλακῇ ἤμην καὶ ἤλθατε πρός με.
37 τότε ἀποκριθήσονται αὐτῷ οἱ δίκαιοι λέγοντες Κύριε, πότε
σε εἴδαμεν πεινῶντα καὶ ἐθρέψαμεν, ἢ διψῶντα καὶ ἐποτί-
38 σαμεν; πότε δέ σε εἴδαμεν ξένον καὶ συνηγάγομεν, ἢ
39 γυμνὸν καὶ περιεβάλομεν; πότε δέ σε εἴδομεν ἀσθενοῦντα
40 ἢ ἐν φυλακῇ καὶ ἤλθομεν πρός σε; καὶ ἀποκριθεὶς ὁ βα-
σιλεὺς ἐρεῖ αὐτοῖς Ἀμὴν λέγω ὑμῖν, ἐφ' ὅσον ἐποιήσατε
ἑνὶ τούτων τῶν ἀδελφῶν μου τῶν ἐλαχίστων, ἐμοὶ ἐποιή-
41 σατε. τότε ἐρεῖ καὶ τοῖς ἐξ εὐωνύμων Πορεύεσθε ἀπ' ἐμοῦ
κατηραμένοι εἰς τὸ πῦρ τὸ αἰώνιον τὸ ἡτοιμασμένον τῷ
42 διαβόλῳ καὶ τοῖς ἀγγέλοις αὐτοῦ· ἐπείνασα γὰρ καὶ
οὐκ ἐδώκατέ μοι φαγεῖν, [καὶ] ἐδίψησα καὶ οὐκ ἐποτίσατέ
43 με, ξένος ἤμην καὶ οὐ συνηγάγετέ με, γυμνὸς καὶ οὐ περι-
εβάλετέ με, ἀσθενὴς καὶ ἐν φυλακῇ καὶ οὐκ ἐπεσκέψασθέ
44 με. τότε ἀποκριθήσονται καὶ αὐτοὶ λέγοντες Κύριε, πότε
σε εἴδομεν πεινῶντα ἢ διψῶντα ἢ ξένον ἢ γυμνὸν ἢ ἀσθενῆ
45 ἢ ἐν φυλακῇ καὶ οὐ διηκονήσαμέν σοι; τότε ἀποκριθήσεται
αὐτοῖς λέγων Ἀμὴν λέγω ὑμῖν, ἐφ' ὅσον οὐκ ἐποιήσατε
46 ἑνὶ τούτων τῶν ἐλαχίστων, οὐδὲ ἐμοὶ ἐποιήσατε. καὶ ἀπε-
λεύσονται ΟΥΤΟΙ ΕΙΣ ΚΟΛΑΣΙΝ ΑΙΩΝΙΟΝ, ΟΙ ΔΕ ΔΙΚΑΙΟΙ ΕΙΣ
ΖΩΗΝ ΑΙΩΝΙΟΝ.

1 ΚΑΙ ΕΓΕΝΕΤΟ ὅτε ἐτέλεσεν ὁ Ἰησοῦς πάντας τοὺς
2 λόγους τούτους, εἶπεν τοῖς μαθηταῖς αὐτοῦ Οἴδατε ὅτι
μετὰ δύο ἡμέρας τὸ πάσχα γίνεται, καὶ ὁ υἱὸς τοῦ ἀνθρώ-
3 που παραδίδοται εἰς τὸ σταυρωθῆναι. Τότε συνή-

χθησαν οἱ ἀρχιερεῖς καὶ οἱ πρεσβύτεροι τοῦ λαοῦ εἰς τὴν
αὐλὴν τοῦ ἀρχιερέως τοῦ λεγομένου Καιάφα, καὶ συνεβου- 4
λεύσαντο ἵνα τὸν Ἰησοῦν δόλῳ κρατήσωσιν καὶ ἀποκτεί-
νωσιν· ἔλεγον δέ Μὴ ἐν τῇ ἑορτῇ, ἵνα μὴ θόρυβος γένη- 5
ται ἐν τῷ λαῷ.

Τοῦ δὲ Ἰησοῦ γενομένου ἐν Βηθανίᾳ ἐν οἰκίᾳ Σίμωνος 6
τοῦ λεπροῦ, προσῆλθεν αὐτῷ γυνὴ ἔχουσα ἀλάβαστρον 7
μύρου βαρυτίμου καὶ κατέχεεν ἐπὶ τῆς κεφαλῆς αὐτοῦ
ἀνακειμένου. ἰδόντες δὲ οἱ μαθηταὶ ἠγανάκτησαν λέγοντες 8
Εἰς τί ἡ ἀπώλεια αὕτη; ἐδύνατο γὰρ τοῦτο πραθῆναι πολ- 9
λοῦ καὶ δοθῆναι πτωχοῖς. γνοὺς δὲ ὁ Ἰησοῦς εἶπεν αὐτοῖς 10
Τί κόπους παρέχετε τῇ γυναικί; ἔργον γὰρ καλὸν ἠργά-
σατο εἰς ἐμέ· πάντοτε γὰρ τοὺς πτωχοὺς ἔχετε μεθ᾽ ἑαυ- 11
τῶν, ἐμὲ δὲ οὐ πάντοτε ἔχετε· βαλοῦσα γὰρ αὕτη τὸ μύρον 12
τοῦτο ἐπὶ τοῦ σώματός μου πρὸς τὸ ἐνταφιάσαι με ἐποίη-
σεν. ἀμὴν λέγω ὑμῖν, ὅπου ἐὰν κηρυχθῇ τὸ εὐαγγέλιον 13
τοῦτο ἐν ὅλῳ τῷ κόσμῳ, λαληθήσεται καὶ ὃ ἐποίησεν αὕτη
εἰς μνημόσυνον αὐτῆς.   Τότε πορευθεὶς εἰς τῶν 14
δώδεκα, ὁ λεγόμενος Ἰούδας Ἰσκαριώτης, πρὸς τοὺς ἀρχιε-
ρεῖς εἶπεν Τί θέλετέ μοι δοῦναι κἀγὼ ὑμῖν παραδώσω 15
αὐτόν; οἱ δὲ ἔστησαν αὐτῷ τριάκοντα ἀργύρια. καὶ 16
ἀπὸ τότε ἐζήτει εὐκαιρίαν ἵνα αὐτὸν παραδῷ.

Τῇ δὲ πρώτῃ τῶν ἀζύμων προσῆλθον οἱ μαθηταὶ τῷ 17
Ἰησοῦ λέγοντες Ποῦ θέλεις ἑτοιμάσωμέν σοι φαγεῖν τὸ
πάσχα; ὁ δὲ εἶπεν Ὑπάγετε εἰς τὴν πόλιν πρὸς τὸν δεῖνα 18
καὶ εἴπατε αὐτῷ Ὁ διδάσκαλος λέγει Ὁ καιρός μου
ἐγγύς ἐστιν· πρὸς σὲ ποιῶ τὸ πάσχα μετὰ τῶν μαθητῶν
μου. καὶ ἐποίησαν οἱ μαθηταὶ ὡς συνέταξεν αὐτοῖς ὁ 19
Ἰησοῦς, καὶ ἡτοίμασαν τὸ πάσχα.   Ὀψίας δὲ 20
γενομένης ἀνέκειτο μετὰ τῶν δώδεκα [μαθητῶν]. καὶ 21
ἐσθιόντων αὐτῶν εἶπεν Ἀμὴν λέγω ὑμῖν ὅτι εἷς ἐξ ὑμῶν
παραδώσει με. καὶ λυπούμενοι σφόδρα ἤρξαντο λέγειν 22
αὐτῷ εἷς ἕκαστος Μήτι ἐγώ εἰμι, κύριε; ὁ δὲ ἀποκριθεὶς 23

εἶπεν Ὁ ἐμβάψας μετ' ἐμοῦ τὴν χεῖρα ἐν τῷ τρυβλίῳ
24 οὗτός με παραδώσει· ὁ μὲν υἱὸς τοῦ ἀνθρώπου ὑπάγει
καθὼς γέγραπται περὶ αὐτοῦ, οὐαὶ δὲ τῷ ἀνθρώπῳ ἐκείνῳ
δι' οὗ ὁ υἱὸς τοῦ ἀνθρώπου παραδίδοται· καλὸν ἦν αὐτῷ εἰ
25 οὐκ ἐγεννήθη ὁ ἄνθρωπος ἐκεῖνος. ἀποκριθεὶς δὲ Ἰούδας ὁ
παραδιδοὺς αὐτὸν εἶπεν Μήτι ἐγώ εἰμι, ῥαββεί; λέγει
26 αὐτῷ Σὺ εἶπας.   Ἐσθιόντων δὲ αὐτῶν λαβὼν
ὁ Ἰησοῦς ἄρτον καὶ εὐλογήσας ἔκλασεν καὶ δοὺς τοῖς
μαθηταῖς εἶπεν Λάβετε φάγετε, τοῦτό ἐστιν τὸ σῶμά
27 μου. καὶ λαβὼν ποτήριον [καὶ] εὐχαριστήσας ἔδωκεν αὐ-
28 τοῖς λέγων Πίετε ἐξ αὐτοῦ πάντες, τοῦτο γάρ ἐστιν τὸ
αἷμά μου τῆς διαθήκης τὸ περὶ πολλῶν ἐκχυννόμενον
29 εἰς ἄφεσιν ἁμαρτιῶν· λέγω δὲ ὑμῖν, οὐ μὴ πίω ἀπ' ἄρτι ἐκ
τούτου τοῦ γενήματος τῆς ἀμπέλου ἕως τῆς ἡμέρας ἐκεί-
νης ὅταν αὐτὸ πίνω μεθ' ὑμῶν καινὸν ἐν τῇ βασιλείᾳ τοῦ
30 πατρός μου.   Καὶ ὑμνήσαντες ἐξῆλθον εἰς τὸ
31 Ὄρος τῶν Ἐλαιῶν.   Τότε λέγει αὐτοῖς ὁ Ἰησοῦς
Πάντες ὑμεῖς σκανδαλισθήσεσθε ἐν ἐμοὶ ἐν τῇ νυκτὶ ταύ-
τῃ, γέγραπται γάρ Πατάξω τὸν ποιμένα, καὶ διασκορ-
32 πισθήσονται τὰ πρόβατα τῆς ποίμνης· μετὰ δὲ τὸ
33 ἐγερθῆναί με προάξω ὑμᾶς εἰς τὴν Γαλιλαίαν. ἀποκριθεὶς
δὲ ὁ Πέτρος εἶπεν αὐτῷ Εἰ πάντες σκανδαλισθήσονται ἐν
34 σοί, ἐγὼ οὐδέποτε σκανδαλισθήσομαι. ἔφη αὐτῷ ὁ Ἰησοῦς
Ἀμὴν λέγω σοι ὅτι ἐν ταύτῃ τῇ νυκτὶ πρὶν ἀλέκτορα φωνῆ-
35 σαι τρὶς ἀπαρνήσῃ με. λέγει αὐτῷ ὁ Πέτρος Κἂν δέῃ
με σὺν σοὶ ἀποθανεῖν, οὐ μή σε ἀπαρνήσομαι. ὁμοίως
καὶ πάντες οἱ μαθηταὶ εἶπαν.

36   Τότε ἔρχεται μετ' αὐτῶν ὁ Ἰησοῦς εἰς χωρίον λεγόμενον
Γεθσημανεί, καὶ λέγει τοῖς μαθηταῖς Καθίσατε αὐτοῦ ἕως
37 [οὗ] ἀπελθὼν ἐκεῖ προσεύξωμαι. καὶ παραλαβὼν τὸν
Πέτρον καὶ τοὺς δύο υἱοὺς Ζεβεδαίου ἤρξατο λυπεῖσθαι καὶ
38 ἀδημονεῖν. τότε λέγει αὐτοῖς Περίλυπός ἐστιν ἡ ψυχή
μου ἕως θανάτου· μείνατε ὧδε καὶ γρηγορεῖτε μετ' ἐμοῦ.

καὶ ⌜προελθὼν⌝ μικρὸν ἔπεσεν ἐπὶ πρόσωπον αὐτοῦ 39
προσευχόμενος καὶ λέγων Πάτερ μου, εἰ δυνατόν ἐστιν,
παρελθάτω ἀπ᾽ ἐμοῦ τὸ ποτήριον τοῦτο· πλὴν οὐχ ὡς ἐγὼ
θέλω ἀλλ᾽ ὡς σύ. καὶ ἔρχεται πρὸς τοὺς μαθητὰς καὶ 40
εὑρίσκει αὐτοὺς καθεύδοντας, καὶ λέγει τῷ Πέτρῳ Οὕτως
οὐκ ἰσχύσατε μίαν ὥραν γρηγορῆσαι μετ᾽ ἐμοῦ; γρηγορεῖτε 41
καὶ προσεύχεσθε, ἵνα μὴ εἰσέλθητε εἰς πειρασμόν· τὸ μὲν
πνεῦμα πρόθυμον ἡ δὲ σὰρξ ἀσθενής. πάλιν ἐκ δευτέρου 42
ἀπελθὼν προσηύξατο [λέγων] Πάτερ μου, εἰ οὐ δύναται
τοῦτο παρελθεῖν ἐὰν μὴ αὐτὸ πίω, γενηθήτω τὸ θέλημά
σου. καὶ ἐλθὼν πάλιν εὗρεν αὐτοὺς καθεύδοντας, ἦσαν 43
γὰρ αὐτῶν οἱ ὀφθαλμοὶ βεβαρημένοι. καὶ ἀφεὶς αὐτοὺς 44
πάλιν ἀπελθὼν προσηύξατο ἐκ τρίτου τὸν αὐτὸν λόγον
⌜εἰπὼν πάλιν. τότε⌝ ἔρχεται πρὸς τοὺς μαθητὰς καὶ λέγει 45
αὐτοῖς Καθεύδετε λοιπὸν καὶ ἀναπαύεσθε· ἰδοὺ ᵀ ἤγγι-
κεν ἡ ὥρα καὶ ὁ υἱὸς τοῦ ἀνθρώπου παραδίδοται εἰς χεῖρας
ἁμαρτωλῶν. ἐγείρεσθε ἄγωμεν· ἰδοὺ ἤγγικεν ὁ παραδι- 46
δούς με.   Καὶ ἔτι αὐτοῦ λαλοῦντος ἰδοὺ Ἰούδας 47
εἷς τῶν δώδεκα ἦλθεν καὶ μετ᾽ αὐτοῦ ὄχλος πολὺς μετὰ
μαχαιρῶν καὶ ξύλων ἀπὸ τῶν ἀρχιερέων καὶ πρεσβυτέρων
τοῦ λαοῦ. ὁ δὲ παραδιδοὺς αὐτὸν ἔδωκεν αὐτοῖς σημεῖον 48
λέγων ᵒΟν ἂν φιλήσω αὐτός ἐστιν· κρατήσατε αὐτόν.
καὶ εὐθέως προσελθὼν τῷ Ἰησοῦ εἶπεν Χαῖρε, ῥαββεί· 49
καὶ κατεφίλησεν αὐτόν. ὁ δὲ Ἰησοῦς εἶπεν αὐτῷ Ἑταῖρε, 50
ἐφ᾽ ὃ πάρει. τότε προσελθόντες ἐπέβαλον τὰς χεῖρας ἐπὶ
τὸν Ἰησοῦν καὶ ἐκράτησαν αὐτόν. καὶ ἰδοὺ εἷς τῶν μετὰ 51
Ἰησοῦ ἐκτείνας τὴν χεῖρα ἀπέσπασεν τὴν μάχαιραν αὐτοῦ
καὶ πατάξας τὸν δοῦλον τοῦ ἀρχιερέως ἀφεῖλεν αὐτοῦ τὸ
ὠτίον. τότε λέγει αὐτῷ ὁ Ἰησοῦς Ἀπόστρεψον τὴν 52
μάχαιράν σου εἰς τὸν τόπον αὐτῆς, πάντες γὰρ οἱ λαβόντες
μάχαιραν ἐν μαχαίρῃ ἀπολοῦνται· ἢ δοκεῖς ὅτι οὐ δύναμαι 53
παρακαλέσαι τὸν πατέρα μου, καὶ παραστήσει μοι ἄρτι
πλείω δώδεκα λεγιῶνας ἀγγέλων; πῶς οὖν πληρωθῶσιν αἱ 54

39 προσελθών   44 εἰπών. πάλιν τότε   45 γὰρ

55 γραφαὶ ὅτι οὕτως δεῖ γενέσθαι; Ἐν ἐκείνῃ τῇ ὥρᾳ εἶπεν
ὁ Ἰησοῦς τοῖς ὄχλοις Ὡς ἐπὶ λῃστὴν ἐξήλθατε μετὰ
μαχαιρῶν καὶ ξύλων συλλαβεῖν με; καθ᾽ ἡμέραν ἐν τῷ
56 ἱερῷ ἐκαθεζόμην διδάσκων καὶ οὐκ ἐκρατήσατέ με. Τοῦτο
δὲ ὅλον γέγονεν ἵνα πληρωθῶσιν αἱ γραφαὶ τῶν προφητῶν.
Τότε οἱ μαθηταὶ ᵀ πάντες ἀφέντες αὐτὸν ἔφυγον.

57 Οἱ δὲ κρατήσαντες τὸν Ἰησοῦν ἀπήγαγον πρὸς Καιά-
φαν τὸν ἀρχιερέα, ὅπου οἱ γραμματεῖς καὶ οἱ πρεσβύτεροι
58 συνήχθησαν. ὁ δὲ Πέτρος ἠκολούθει αὐτῷ [ἀπὸ] μακρόθεν
ἕως τῆς αὐλῆς τοῦ ἀρχιερέως, καὶ εἰσελθὼν ἔσω ἐκάθητο
59 μετὰ τῶν ὑπηρετῶν ἰδεῖν τὸ τέλος. οἱ δὲ ἀρχιερεῖς καὶ τὸ
συνέδριον ὅλον ἐζήτουν ψευδομαρτυρίαν κατὰ τοῦ Ἰησοῦ
60 ὅπως αὐτὸν θανατώσωσιν, καὶ οὐχ εὗρον πολλῶν προσελ-
θόντων ψευδομαρτύρων. ὕστερον δὲ προσελθόντες δύο
61 εἶπαν Οὗτος ἔφη Δύναμαι καταλῦσαι τὸν ναὸν τοῦ θεοῦ
62 καὶ διὰ τριῶν ἡμερῶν οἰκοδομῆσαι. καὶ ἀναστὰς ὁ ἀρχιε-
ρεὺς εἶπεν αὐτῷ Οὐδὲν ἀποκρίνῃ; τί οὗτοί σου καταμαρ-
63 τυροῦσιν; ὁ δὲ Ἰησοῦς ἐσιώπα. καὶ ὁ ἀρχιερεὺς εἶπεν
αὐτῷ Ἐξορκίζω σε κατὰ τοῦ θεοῦ τοῦ ζῶντος ἵνα ἡμῖν
64 εἴπῃς εἰ σὺ εἶ ὁ χριστὸς ὁ υἱὸς τοῦ θεοῦ. λέγει αὐτῷ
ὁ Ἰησοῦς Σὺ ⌜εἶπας⌝ πλὴν λέγω ὑμῖν, ἀπ᾽ ἄρτι ὄψεσθε
ΤΟΝ ΥΙΟΝ ΤΟΥ ΑΝΘΡΩΠΟΥ ΚΑΘΗΜΕΝΟΝ ΕΚ ΔΕΞΙΩΝ
ΤΗΣ ΔΥΝΑΜΕΩΣ ΚΑΙ ΕΡΧΟΜΕΝΟΝ ΕΠΙ ΤΩΝ ΝΕΦΕΛΩΝ
65 ΤΟΥ ΟΥΡΑΝΟΥ. τότε ὁ ἀρχιερεὺς διέρηξεν τὰ ἱμάτια
αὐτοῦ λέγων Ἐβλασφήμησεν· τί ἔτι χρείαν ἔχομεν μαρ-
66 τύρων; ἴδε νῦν ἠκούσατε τὴν βλασφημίαν· τί ὑμῖν δοκεῖ;
67 οἱ δὲ ἀποκριθέντες εἶπαν Ἔνοχος θανάτου ἐστίν. Τότε
ἐνέπτυσαν εἰς τὸ πρόσωπον αὐτοῦ καὶ ἐκολάφισαν αὐτόν,
68 οἱ δὲ ἐράπισαν λέγοντες Προφήτευσον ἡμῖν, χριστέ, τίς
69 ἐστιν ὁ παίσας σε;   Ὁ δὲ Πέτρος ἐκάθητο ἔξω
ἐν τῇ αὐλῇ· καὶ προσῆλθεν αὐτῷ μία παιδίσκη λέγουσα
70 Καὶ σὺ ἦσθα μετὰ Ἰησοῦ τοῦ Γαλιλαίου· ὁ δὲ ἠρνήσατο
71 ἔμπροσθεν πάντων λέγων Οὐκ οἶδα τί λέγεις. ἐξελθόντα

δὲ εἰς τὸν πυλῶνα εἶδεν αὐτὸν ἄλλη καὶ λέγει τοῖς ἐκεῖ
Οὗτος ἦν μετὰ Ἰησοῦ τοῦ Ναζωραίου· καὶ πάλιν ἠρνή- 72
σατο μετὰ ὅρκου ὅτι Οὐκ οἶδα τὸν ἄνθρωπον. μετὰ μι- 73
κρὸν δὲ προσελθόντες οἱ ἑστῶτες εἶπον τῷ Πέτρῳ Ἀλη-
θῶς καὶ σὺ ἐξ αὐτῶν εἶ, καὶ γὰρ ἡ λαλιά σου δῆλόν
σε ποιεῖ· τότε ἤρξατο καταθεματίζειν καὶ ὀμνύειν ὅτι 74
Οὐκ οἶδα τὸν ἄνθρωπον. καὶ εὐθὺς ἀλέκτωρ ἐφώνησεν·
καὶ ἐμνήσθη ὁ Πέτρος τοῦ ῥήματος Ἰησοῦ εἰρηκότος ὅτι 75
Πρὶν ἀλέκτορα φωνῆσαι τρὶς ἀπαρνήσῃ με, καὶ ἐξελθὼν
ἔξω ἔκλαυσεν πικρῶς.

Πρωίας δὲ γενομένης συμβούλιον ἔλαβον πάντες οἱ 1
ἀρχιερεῖς καὶ οἱ πρεσβύτεροι τοῦ λαοῦ κατὰ τοῦ Ἰησοῦ
ὥστε θανατῶσαι αὐτόν· καὶ δήσαντες αὐτὸν ἀπήγαγον καὶ 2
παρέδωκαν Πειλάτῳ τῷ ἡγεμόνι.   Τότε ἰδὼν 3
Ἰούδας ὁ ⌜παραδοὺς⌝ αὐτὸν ὅτι κατεκρίθη μεταμεληθεὶς
ἔστρεψεν τὰ τριάκοντα ἀργύρια τοῖς ἀρχιερεῦσιν καὶ πρε-
σβυτέροις λέγων Ἥμαρτον παραδοὺς αἷμα ⌜δίκαιον⌝. οἱ 4
δὲ εἶπαν Τί πρὸς ἡμᾶς; σὺ ὄψῃ. καὶ ῥίψας τὰ ἀργύρια 5
εἰς τὸν ναὸν ἀνεχώρησεν, καὶ ἀπελθὼν ἀπήγξατο. Οἱ 6
δὲ ἀρχιερεῖς λαβόντες τὰ ἀργύρια εἶπαν Οὐκ ἔξεστιν
βαλεῖν αὐτὰ εἰς τὸν κορβανᾶν, ἐπεὶ τιμὴ αἵματός ἐστιν·
συμβούλιον δὲ λαβόντες ἠγόρασαν ἐξ αὐτῶν τὸν Ἀγρὸν 7
τοῦ Κεραμέως εἰς ταφὴν τοῖς ξένοις. διὸ ἐκλήθη ὁ ἀγρὸς 8
ἐκεῖνος Ἀγρὸς Αἵματος ἕως τῆς σήμερον. Τότε ἐπλη- 9
ρώθη τὸ ῥηθὲν διὰ Ἰερεμίου τοῦ προφήτου λέγοντος
Καὶ ἔλαβον τὰ τριάκοντα ἀργύρια, τὴν τιμὴν τοῦ
τετιμημένου ὃν ἐτιμήσαντο ἀπὸ υἱῶν Ἰσραήλ, καὶ 10
⌜ἔδωκαν⌝ αὐτὰ εἰς τὸν ἀγρὸν τοῦ κεραμέως, καθὰ
συνέταξέν μοι Κύριος.   Ὁ δὲ Ἰησοῦς ἐστάθη 11
ἔμπροσθεν τοῦ ἡγεμόνος· καὶ ἐπηρώτησεν αὐτὸν ὁ ἡγεμὼν
λέγων Σὺ εἶ ὁ βασιλεὺς τῶν Ἰουδαίων; ὁ δὲ Ἰησοῦς
ἔφη ⌜ Σὺ ⌜λέγεις.⌝ καὶ ἐν τῷ κατηγορεῖσθαι αὐτὸν ὑπὸ 12
τῶν ἀρχιερέων καὶ πρεσβυτέρων οὐδὲν ἀπεκρίνατο. τότε 13

3 παραδιδοὺς | ἀθῷον   10 ἔδωκα   11 αὐτῷ | λέγεις;

λέγει αὐτῷ ὁ Πειλᾶτος Οὐκ ἀκούεις πόσα σου καταμαρ-
14 τυροῦσιν; καὶ οὐκ ἀπεκρίθη αὐτῷ πρὸς οὐδὲ ἓν ῥῆμα, ὥστε
15 θαυμάζειν τὸν ἡγεμόνα λίαν. Κατὰ δὲ ἑορτὴν εἰώθει
16 ὁ ἡγεμὼν ἀπολύειν ἕνα τῷ ὄχλῳ δέσμιον ὃν ἤθελον. εἶχον
17 δὲ τότε δέσμιον ἐπίσημον λεγόμενον Βαραββᾶν. συνη-
γμένων οὖν αὐτῶν εἶπεν αὐτοῖς ὁ Πειλᾶτος Τίνα θέλετε
ἀπολύσω ὑμῖν, [τὸν] Βαραββᾶν ἢ Ἰησοῦν τὸν λεγόμενον
18 Χριστόν; ᾔδει γὰρ ὅτι διὰ φθόνον παρέδωκαν αὐτόν.
19 Καθημένου δὲ αὐτοῦ ἐπὶ τοῦ βήματος ἀπέστειλεν πρὸς
αὐτὸν ἡ γυνὴ αὐτοῦ λέγουσα Μηδὲν σοὶ καὶ τῷ δικαίῳ
ἐκείνῳ, πολλὰ γὰρ ἔπαθον σήμερον κατ' ὄναρ δι' αὐτόν.
20 Οἱ δὲ ἀρχιερεῖς καὶ οἱ πρεσβύτεροι ἔπεισαν τοὺς ὄχλους
ἵνα αἰτήσωνται τὸν Βαραββᾶν τὸν δὲ Ἰησοῦν ἀπολέσωσιν.
21 ἀποκριθεὶς δὲ ὁ ἡγεμὼν εἶπεν αὐτοῖς Τίνα θέλετε ἀπὸ
τῶν δύο ἀπολύσω ὑμῖν; οἱ δὲ εἶπαν Τὸν Βαραββᾶν.
22 λέγει αὐτοῖς ὁ Πειλᾶτος Τί οὖν ποιήσω Ἰησοῦν τὸν λεγό-
23 μενον Χριστόν; λέγουσιν πάντες Σταυρωθήτω. ὁ δὲ ἔφη
Τί γὰρ κακὸν ἐποίησεν; οἱ δὲ περισσῶς ἔκραζον λέγοντες
24 Σταυρωθήτω. ἰδὼν δὲ ὁ Πειλᾶτος ὅτι οὐδὲν ὠφελεῖ ἀλλὰ
μᾶλλον θόρυβος γίνεται λαβὼν ὕδωρ ἀπενίψατο τὰς χεῖρας
⌜κατέναντι⌝ τοῦ ὄχλου λέγων Ἀθῷός εἰμι ἀπὸ τοῦ αἵμα-
25 τος ⌜ τούτου· ὑμεῖς ὄψεσθε. καὶ ἀποκριθεὶς πᾶς ὁ λαὸς
εἶπεν Τὸ αἷμα αὐτοῦ ἐφ' ἡμᾶς καὶ ἐπὶ τὰ τέκνα ἡμῶν.
26 τότε ἀπέλυσεν αὐτοῖς τὸν Βαραββᾶν, τὸν δὲ Ἰησοῦν φρα-
γελλώσας παρέδωκεν ἵνα σταυρωθῇ.

27 Τότε οἱ στρατιῶται τοῦ ἡγεμόνος παραλαβόντες τὸν
Ἰησοῦν εἰς τὸ πραιτώριον συνήγαγον ἐπ' αὐτὸν ὅλην τὴν
28 σπεῖραν. καὶ ⌜ἐκδύσαντες⌝ αὐτὸν χλαμύδα κοκκίνην περιέ-
29 θηκαν αὐτῷ, καὶ πλέξαντες στέφανον ἐξ ἀκανθῶν ἐπέθηκαν
ἐπὶ τῆς κεφαλῆς αὐτοῦ καὶ κάλαμον ἐν τῇ δεξιᾷ αὐτοῦ, καὶ
γονυπετήσαντες ἔμπροσθεν αὐτοῦ ἐνέπαιξαν αὐτῷ λέγον-
30 τες Χαῖρε, ⌜βασιλεῦ⌝ τῶν Ἰουδαίων, καὶ ἐμπτύσαντες εἰς
αὐτὸν ἔλαβον τον κάλαμον καὶ ἔτυπτον εἰς τὴν κεφαλὴν

24 ἀπέναντι | τοῦ δικαίου   28 ἐνδύσαντες   29 ὁ βασιλεὺς

αὐτοῦ. καὶ ὅτε ἐνέπαιξαν αὐτῷ, ἐξέδυσαν αὐτὸν τὴν 31
χλαμύδα καὶ ἐνέδυσαν αὐτὸν τὰ ἱμάτια αὐτοῦ, καὶ ἀπήγα-
γον αὐτὸν εἰς τὸ σταυρῶσαι. Ἐξερχόμενοι δὲ 32
εὗρον ἄνθρωπον Κυρηναῖον ὀνόματι Σίμωνα· τοῦτον ἠγγά-
ρευσαν ἵνα ἄρῃ τὸν σταυρὸν αὐτοῦ. Καὶ ἐλθόντες εἰς τόπον 33
λεγόμενον Γολγοθά, ὅ ἐστιν Κρανίου Τόπος λεγόμενος,
ἔδωκαν αὐτῷ ΠΙΕῖΝ ΟῖΝΟΝ μετὰ χολῆϲ μεμιγμένον· καὶ 34
γευσάμενος οὐκ ἠθέλησεν πιεῖν. σταυρώσαντες δὲ αὐτὸν 35
ΔΙΕΜΕΡΊϹΑΝΤΟ ΤᾺ ἹΜΆΤΙΑ αὐτοῦ ⌜ΒΆΛΛΟΝΤΕϹ⌝ ΚΛῆΡΟΝ,
καὶ καθήμενοι ἐτήρουν αὐτὸν ἐκεῖ. καὶ ἐπέθηκαν ἐπάνω 36
37
τῆς κεφαλῆς αὐτοῦ τὴν αἰτίαν αὐτοῦ γεγραμμένην ΟΥΤΟΣ
ΕΣΤΙΝ ΙΗΣΟΥΣ Ο ΒΑΣΙΛΕΥΣ ΤΩΝ ΙΟΥΔΑΙΩΝ.
Τότε σταυροῦνται σὺν αὐτῷ δύο λῃσταί, εἷς ἐκ δεξιῶν καὶ 38
εἷς ἐξ εὐωνύμων. Οἱ δὲ παραπορευόμενοι ἐβλασφήμουν 39
αὐτὸν ΚΙΝΟῦΝΤΕϹ ΤᾺϹ ΚΕΦΑΛᾺϹ ΑῩΤῶΝ καὶ λέγοντες Ὁ 40
καταλύων τὸν ναὸν καὶ ἐν τρισὶν ἡμέραις οἰκοδομῶν, σῶσον
σεαυτόν· εἰ υἱὸς ⌜εἶ τοῦ θεοῦ⌝, κατάβηθι ἀπὸ τοῦ σταυροῦ.
ὁμοίως [καὶ] οἱ ἀρχιερεῖς ἐμπαίζοντες μετὰ τῶν γραμματέων 41
καὶ πρεσβυτέρων ἔλεγον Ἄλλους ἔσωσεν, ἑαυτὸν οὐ δύνα- 42
ται σῶσαι· βασιλεὺς Ἰσραὴλ ἐστιν, καταβάτω νῦν ἀπὸ
τοῦ σταυροῦ καὶ πιστεύσομεν ἐπ᾽ αὐτόν. ΠΈΠΟΙΘΕΝ ἐΠΙ 43
⌜ΤὸΝ ΘΕόΝ⌝, ῥΥϹΆϹΘΩ νῦν εἰ θέλει ΑῩΤόΝ· εἶπεν γὰρ ὅτι
Θεοῦ εἰμὶ υἱός. τὸ δ᾽ αὐτὸ καὶ οἱ λῃσταὶ οἱ συνσταυρω- 44
θέντες σὺν αὐτῷ ὠνείδιζον αὐτόν. Ἀπὸ δὲ 45
ἕκτης ὥρας σκότος ἐγένετο ἐπὶ πᾶσαν τὴν γῆν ἕως ὥρας
ἐνάτης. περὶ δὲ τὴν ἐνάτην ὥραν ἐβόησεν ὁ Ἰησοῦς φωνῇ 46
μεγάλῃ λέγων Ἐλωί ἐλωί λεμὰ ϲαβαχθανεί;
τοῦτ᾽ ἔστιν Θεέ ΜΟΥ Θεέ ΜΟΥ, ἵΝΑ ΤΊ ΜΕ ἐΓΚΑΤΈΛΙΠΕϲ;
τινὲς δὲ τῶν ἐκεῖ ἑστηκότων ἀκούσαντες ἔλεγον ὅτι 47
Ἠλείαν φωνεῖ οὗτος. καὶ εὐθέως δραμὼν εἷς ἐξ αὐτῶν καὶ 48
λαβὼν σπόγγον πλήσας τε ὄξουϲ καὶ περιθεὶς καλάμῳ
ἐπότιζεν αὐτόν. οἱ δὲ λοιποὶ ⌜εἶπαν⌝ Ἄφες ἴδωμεν εἰ 49
ἔρχεται Ἠ. είας σώσων αὐτόν. [ἄλλος δὲ λαβὼν λόγχην

35 βαλόντες   40 θεοῦ εἶ   43 τῷ θεῷ   49 ἔλεγον

ἔνυξεν αὐτοῦ τὴν πλευράν, καὶ ἐξῆλθεν ὕδωρ καὶ αἷμα.]]
50 ὁ δὲ Ἰησοῦς πάλιν κράξας φωνῇ μεγάλῃ ἀφῆκεν τὸ πνεῦμα.
51 Καὶ ἰδοὺ τὸ καταπέτασμα τοῦ ναοῦ ἐσχίσθη [ἀπ'] ἄνωθεν
ἕως κάτω εἰς δύο, καὶ ἡ γῆ ἐσείσθη, καὶ αἱ πέτραι ἐσχίσθη-
52 σαν, καὶ τὰ μνημεῖα ἀνεῴχθησαν καὶ πολλὰ σώματα τῶν
53 κεκοιμημένων ἁγίων ἠγέρθησαν, καὶ ἐξελθόντες ἐκ τῶν
μνημείων μετὰ τὴν ἔγερσιν αὐτοῦ εἰσῆλθον εἰς τὴν ἁγίαν
54 πόλιν καὶ ἐνεφανίσθησαν πολλοῖς. Ὁ δὲ ἑκατόνταρχος
καὶ οἱ μετ' αὐτοῦ τηροῦντες τὸν Ἰησοῦν ἰδόντες τὸν σεισμὸν
καὶ τὰ γινόμενα ἐφοβήθησαν σφόδρα, λέγοντες Ἀληθῶς
55 ⌈θεοῦ υἱὸς⌉ ἦν οὗτος. Ἦσαν δὲ ἐκεῖ γυναῖκες πολλαὶ ἀπὸ
μακρόθεν θεωροῦσαι, αἵτινες ἠκολούθησαν τῷ Ἰησοῦ ἀπὸ
56 τῆς Γαλιλαίας διακονοῦσαι αὐτῷ· ἐν αἷς ἦν ⌈Μαρία⌉ ἡ
Μαγδαληνὴ καὶ Μαρία ἡ τοῦ Ἰακώβου καὶ ⌈Ἰωσὴφ⌉ μήτηρ
καὶ ἡ μήτηρ τῶν υἱῶν Ζεβεδαίου.

57   Ὀψίας δὲ γενομένης ἦλθεν ἄνθρωπος πλούσιος ἀπὸ
Ἀριμαθαίας, τοὔνομα Ἰωσήφ, ὃς καὶ αὐτὸς ⌈ἐμαθητεύθη⌉ τῷ
58 Ἰησοῦ· οὗτος προσελθὼν τῷ Πειλάτῳ ᾐτήσατο τὸ σῶμα
59 τοῦ Ἰησοῦ. τότε ὁ Πειλᾶτος ἐκέλευσεν ἀποδοθῆναι. καὶ
λαβὼν τὸ σῶμα ὁ Ἰωσὴφ ἐνετύλιξεν αὐτὸ [ἐν] σινδόνι
60 καθαρᾷ, καὶ ἔθηκεν αὐτὸ ἐν τῷ καινῷ αὐτοῦ μνημείῳ ὃ ἐλα-
τόμησεν ἐν τῇ πέτρᾳ, καὶ προσκυλίσας λίθον μέγαν τῇ
61 θύρᾳ τοῦ μνημείου ἀπῆλθεν. Ἦν δὲ ἐκεῖ Μαριὰμ ἡ
Μαγδαληνὴ καὶ ἡ ἄλλη Μαρία καθήμεναι ἀπέναντι τοῦ
62 τάφου.   Τῇ δὲ ἐπαύριον, ἥτις ἐστὶν μετὰ τὴν
παρασκευήν, συνήχθησαν οἱ ἀρχιερεῖς καὶ οἱ Φαρισαῖοι
63 πρὸς Πειλᾶτον λέγοντες Κύριε, ἐμνήσθημεν ὅτι ἐκεῖνος
ὁ πλάνος εἶπεν ἔτι ζῶν Μετὰ τρεῖς ἡμέρας ἐγείρομαι·
64 κέλευσον οὖν ἀσφαλισθῆναι τὸν τάφον ἕως τῆς τρίτης
ἡμέρας, μή ποτε ἐλθόντες οἱ μαθηταὶ ᵀ κλέψωσιν αὐτὸν
καὶ εἴπωσιν τῷ λαῷ Ἠγέρθη ἀπὸ τῶν νεκρῶν, καὶ ἔσται
65 ἡ ἐσχάτη πλάνη χείρων τῆς πρώτης. ἔφη ᵀ αὐτοῖς ὁ
Πειλᾶτος Ἔχετε κουστωδίαν· ὑπάγετε ἀσφαλίσασθε ὡς

54 υἱὸς θεοῦ   56 Μαριὰμ | Ἰωσῆ   57 ἐμαθήτευσεν   64 αὐτοῦ   65 δὲ

οἴδατε. οἱ δὲ πορευθέντες ἠσφαλίσαντο τὸν τάφον σφρα- 66
γίσαντες τὸν λίθον μετὰ τῆς κουστωδίας.

Ὀψὲ δὲ σαββάτων, τῇ ἐπιφωσκούσῃ εἰς μίαν σαββάτων, 1
ἦλθεν ⌜Μαρία⌝ ἡ Μαγδαληνὴ καὶ ἡ ἄλλη Μαρία θεωρῆσαι
τὸν τάφον. καὶ ἰδοὺ σεισμὸς ἐγένετο μέγας· ἄγγελος γὰρ 2
Κυρίου καταβὰς ἐξ οὐρανοῦ καὶ προσελθὼν ἀπεκύλισε τὸν
λίθον καὶ ἐκάθητο ἐπάνω αὐτοῦ. ἦν δὲ ἡ εἰδέα αὐτοῦ ὡς 3
ἀστραπὴ καὶ τὸ ἔνδυμα αὐτοῦ λευκὸν ὡς χιών. ἀπὸ δὲ τοῦ 4
φόβου αὐτοῦ ἐσείσθησαν οἱ τηροῦντες καὶ ἐγενήθησαν ὡς
νεκροί. ἀποκριθεὶς δὲ ὁ ἄγγελος εἶπεν ταῖς γυναιξίν Μὴ 5
φοβεῖσθε ὑμεῖς, οἶδα γὰρ ὅτι Ἰησοῦν τὸν ἐσταυρωμένον
ζητεῖτε· οὐκ ἔστιν ὧδε, ἠγέρθη γὰρ καθὼς εἶπεν· δεῦτε 6
ἴδετε τὸν τόπον ὅπου ἔκειτο· καὶ ταχὺ πορευθεῖσαι εἴπατε 7
τοῖς μαθηταῖς αὐτοῦ ὅτι Ἠγέρθη ἀπὸ τῶν νεκρῶν, καὶ
ἰδοὺ προάγει ὑμᾶς εἰς τὴν Γαλιλαίαν, ἐκεῖ αὐτὸν ὄψεσθε·
ἰδοὺ ⌜εἶπον⌝ ὑμῖν. καὶ ἀπελθοῦσαι ταχὺ ἀπὸ τοῦ μνημείου 8
μετὰ φόβου καὶ χαρᾶς μεγάλης ἔδραμον ἀπαγγεῖλαι τοῖς
μαθηταῖς αὐτοῦ. καὶ ἰδοὺ Ἰησοῦς ὑπήντησεν αὐταῖς λέγων 9
Χαίρετε· αἱ δὲ προσελθοῦσαι ἐκράτησαν αὐτοῦ τοὺς πόδας
καὶ προσεκύνησαν αὐτῷ. τότε λέγει αὐταῖς ὁ Ἰησοῦς Μὴ 10
φοβεῖσθε· ὑπάγετε ἀπαγγείλατε τοῖς ἀδελφοῖς μου ἵνα ἀπέλ-
θωσιν εἰς τὴν Γαλιλαίαν, κἀκεῖ με ὄψονται.   Πο- 11
ρευομένων δὲ αὐτῶν ἰδού τινες τῆς κουστωδίας ἐλθόντες εἰς
τὴν πόλιν ἀπήγγειλαν τοῖς ἀρχιερεῦσιν ἅπαντα τὰ γενό-
μενα. καὶ συναχθέντες μετὰ τῶν πρεσβυτέρων συμβούλιόν 12
τε λαβόντες ἀργύρια ἱκανὰ ἔδωκαν τοῖς στρατιώταις λέγον- 13
τες Εἴπατε ὅτι Οἱ μαθηταὶ αὐτοῦ νυκτὸς ἐλθόντες
ἔκλεψαν αὐτὸν ἡμῶν κοιμωμένων· καὶ ἐὰν ἀκουσθῇ τοῦτο 14
⌜ἐπὶ⌝ τοῦ ἡγεμόνος, ἡμεῖς πείσομεν καὶ ὑμᾶς ἀμερίμνους
ποιήσομεν. οἱ δὲ λαβόντες ⌐ ἀργύρια ἐποίησαν ὡς ἐδι- 15
δάχθησαν. Καὶ ⌜διεφημίσθη⌝ ὁ λόγος οὗτος παρὰ Ἰουδαίοις
μέχρι τῆς σήμερον [ἡμέρας].   Οἱ δὲ ἕνδεκα 16
μαθηταὶ ἐπορεύθησαν εἰς τὴν Γαλιλαίαν εἰς τὸ ὄρος οὗ

1 Μαριάμ   7 †...†   14 ὑπὸ   15 τὰ | ἐφημίσθη

17 ἐτάξατο αὐτοῖς ὁ Ἰησοῦς, καὶ ἰδόντες αὐτὸν προσεκύ-
18 νησαν, οἱ δὲ ἐδίστασαν. καὶ προσελθὼν ὁ Ἰησοῦς ἐλά-
λησεν αὐτοῖς λέγων Ἐδόθη μοι πᾶσα ἐξουσία ἐν οὐ-
19 ρανῷ καὶ ἐπὶ [τῆς] γῆς· πορευθέντες οὖν μαθητεύσατε
πάντα τὰ ἔθνη, ⌜βαπτίζοντες⌝ αὐτοὺς εἰς τὸ ὄνομα τοῦ πα-
20 τρὸς καὶ τοῦ υἱοῦ καὶ τοῦ ἁγίου πνεύματος, διδάσκοντες
αὐτοὺς τηρεῖν πάντα ὅσα ἐνετειλάμην ὑμῖν· καὶ ἰδοὺ ἐγὼ
μεθ᾽ ὑμῶν εἰμὶ πάσας τὰς ἡμέρας ἕως τῆς συντελείας τοῦ
αἰῶνος.

19 βαπτίσαντες

ΚΑΤΑ ΜΑΡΚΟΝ

ΑΡΧΗ τοῦ εὐαγγελίου Ἰησοῦ Χριστοῦ ᵀ.   1

Καθὼς γέγραπται ἐν τῷ Ἠσαίᾳ τῷ προφήτῃ   2
Ἰδοῦ ἀποστέλλω τὸν ἄγγελόν μογ πρὸ προςώπογ
                                                        ϲογ,
ὃϲ καταϲκεγάϲει τὴν ὁδόν ϲογ·
   Φωνὴ Βοῶντοϲ ἐν τῇ ἐρήμῳ   3
Ἑτοιμάϲατε τὴν ὁδὸν Κγρίογ,
εὐθείαϲ ποιεῖτε τὰϲ τρίβογϲ αὐτοῦ,
ἐγένετο Ἰωάνης ὁ βαπτίζων ἐν τῇ ἐρήμῳ κηρύσσων βά- 4
πτισμα μετανοίας εἰς ἄφεσιν ἁμαρτιῶν. καὶ ἐξεπορεύ- 5
ετο πρὸς αὐτὸν πᾶσα ἡ Ἰουδαία χώρα καὶ οἱ Ἱεροσολυ-
μεῖται πάντες, καὶ ἐβαπτίζοντο ὑπ᾽ αὐτοῦ ἐν τῷ Ἰορδάνῃ
ποταμῷ ἐξομολογούμενοι τὰς ἁμαρτίας αὐτῶν. καὶ ἦν ὁ 6
Ἰωάνης ἐνδεδυμένος τρίχας καμήλου καὶ ζώνην δερματίνην
περὶ τὴν ὀσφὺν αὐτοῦ, καὶ ἔσθων ἀκρίδας καὶ μέλι ἄγριον.
καὶ ἐκήρυσσεν λέγων Ἔρχεται ὁ ἰσχυρότερός μου ὀπίσω 7
[μου], οὗ οὐκ εἰμὶ ἱκανὸς κύψας λῦσαι τὸν ἱμάντα τῶν
ὑποδημάτων αὐτοῦ· ἐγὼ ἐβάπτισα ὑμᾶς ὕδατι, αὐτὸς δὲ 8
βαπτίσει ὑμᾶς πνεύματι ἁγίῳ.

⌜ΚΑΙ ΕΓΕΝΕΤΟ⌝ ἐν ἐκείναις ταῖς ἡμέραις ἦλθεν 9
Ἰησοῦς ἀπὸ Ναζαρὲτ τῆς Γαλιλαίας καὶ ἐβαπτίσθη εἰς

1 υἱοῦ θεοῦ   9 Ἐγένετο

10 τὸν Ἰορδάνην ὑπὸ Ἰωάνου. καὶ εὐθὺς ἀναβαίνων ἐκ τοῦ
ὕδατος εἶδεν σχιζομένους τοὺς οὐρανοὺς καὶ τὸ πνεῦμα ὡς
11 περιστερὰν καταβαῖνον εἰς αὐτόν· καὶ φωνὴ [ἐγένετο] ἐκ
τῶν οὐρανῶν Σὺ εἶ ὁ υἱός μου ὁ ἀγαπητός, ἐν σοὶ εὐδό-
12 κησα.   Καὶ εὐθὺς τὸ πνεῦμα αὐτὸν ἐκβάλλει
13 εἰς τὴν ἔρημον. καὶ ἦν ἐν τῇ ἐρήμῳ τεσσεράκοντα ἡμέ-
ρας πειραζόμενος ὑπὸ τοῦ Σατανᾶ, καὶ ἦν μετὰ τῶν θηρί-
ων, καὶ οἱ ἄγγελοι διηκόνουν αὐτῷ.

14   Καὶ μετὰ τὸ παραδοθῆναι τὸν Ἰωάνην ἦλθεν ὁ
Ἰησοῦς εἰς τὴν Γαλιλαίαν κηρύσσων τὸ εὐαγγέλιον
15 τοῦ θεοῦ [καὶ λέγων] ὅτι Πεπλήρωται ὁ καιρὸς καὶ
ἤγγικεν ἡ βασιλεία τοῦ θεοῦ· μετανοεῖτε καὶ πιστεύ-
16 ετε ἐν τῷ εὐαγγελίῳ.   Καὶ παράγων παρὰ
τὴν θάλασσαν τῆς Γαλιλαίας εἶδεν Σίμωνα καὶ Ἀν-
δρέαν τὸν ἀδελφὸν Σίμωνος ἀμφιβάλλοντας ἐν τῇ θα-
17 λάσσῃ, ἦσαν γὰρ ἀλεεῖς· καὶ εἶπεν αὐτοῖς ὁ Ἰησοῦς
Δεῦτε ὀπίσω μου, καὶ ποιήσω ὑμᾶς γενέσθαι ἀλεεῖς
18 ἀνθρώπων. καὶ εὐθὺς ἀφέντες τὰ δίκτυα ἠκολούθησαν
19 αὐτῷ. Καὶ προβὰς ὀλίγον εἶδεν Ἰάκωβον τὸν τοῦ Ζεβε-
δαίου καὶ Ἰωάνην τὸν ἀδελφὸν αὐτοῦ, καὶ αὐτοὺς ἐν τῷ
20 πλοίῳ καταρτίζοντας τὰ δίκτυα, καὶ εὐθὺς ἐκάλεσεν αὐτούς.
καὶ ἀφέντες τὸν πατέρα αὐτῶν Ζεβεδαῖον ἐν τῷ πλοίῳ
μετὰ τῶν μισθωτῶν ἀπῆλθον ὀπίσω αὐτοῦ.

21   Καὶ εἰσπορεύονται εἰς Καφαρναουμ. Καὶ εὐθὺς τοῖς
22 σάββασιν ⌜εἰσελθὼν εἰς τὴν συναγωγὴν ἐδίδασκεν⌝. καὶ
ἐξεπλήσσοντο ἐπὶ τῇ διδαχῇ αὐτοῦ, ἦν γὰρ διδάσκων
23 αὐτοὺς ὡς ἐξουσίαν ἔχων καὶ οὐχ ὡς οἱ γραμματεῖς. καὶ
εὐθὺς ἦν ἐν τῇ συναγωγῇ αὐτῶν ἄνθρωπος ἐν πνεύματι
24 ἀκαθάρτῳ, καὶ ἀνέκραξεν λέγων Τί ἡμῖν καὶ σοί, Ἰησοῦ
Ναζαρηνέ; ἦλθες ἀπολέσαι ἡμᾶς; ⌜οἶδά⌝ σε τίς εἶ, ὁ ἅγιος
25 τοῦ θεοῦ. καὶ ἐπετίμησεν αὐτῷ ὁ Ἰησοῦς [λέγων] Φιμώ-
26 θητι καὶ ἔξελθε ἐξ αὐτοῦ. καὶ σπαράξαν αὐτὸν τὸ πνεῦμα
τὸ ἀκάθαρτον καὶ φωνῆσαν φωνῇ μεγάλῃ ἐξῆλθεν ἐξ αὐτοῦ.

21 ἐδίδασκεν εἰς τὴν συναγωγήν   24 οἴδαμέν

καὶ ἐθαμβήθησαν ἅπαντες, ὥστε συνζητεῖν ⌜αὐτοὺς⌝ λέγον- 27
τας Τί ἐστιν τοῦτο; διδαχὴ καινή· κατ᾽ ἐξουσίαν καὶ τοῖς
πνεύμασι τοῖς ἀκαθάρτοις ἐπιτάσσει, καὶ ὑπακούουσιν αὐτῷ.
Καὶ ἐξῆλθεν ἡ ἀκοὴ αὐτοῦ εὐθὺς πανταχοῦ εἰς ὅλην τὴν 28
περίχωρον τῆς Γαλιλαίας.   Καὶ εὐθὺς ἐκ τῆς 29
συναγωγῆς ⌜ἐξελθόντες ἦλθαν⌝ εἰς τὴν οἰκίαν Σίμωνος καὶ
Ἀνδρέου μετὰ Ἰακώβου καὶ Ἰωάνου. ἡ δὲ πενθερὰ Σίμωνος 30
κατέκειτο πυρέσσουσα, καὶ εὐθὺς λέγουσιν αὐτῷ περὶ αὐτῆς.
καὶ προσελθὼν ἤγειρεν αὐτὴν κρατήσας τῆς χειρός· καὶ ἀ- 31
φῆκεν αὐτὴν ὁ πυρετός, καὶ διηκόνει αὐτοῖς.   Ὀ- 32
ψίας δὲ γενομένης, ὅτε ἔδυσεν ὁ ἥλιος, ἔφερον πρὸς αὐτὸν
πάντας τοὺς κακῶς ἔχοντας καὶ τοὺς δαιμονιζομένους· καὶ 33
ἦν ὅλη ἡ πόλις ἐπισυνηγμένη πρὸς τὴν θύραν. καὶ ἐθερά- 34
πευσεν πολλοὺς κακῶς ἔχοντας ποικίλαις νόσοις, καὶ δαι-
μόνια πολλὰ ἐξέβαλεν, καὶ οὐκ ἤφιεν λαλεῖν τὰ δαιμόνια,
ὅτι ᾔδεισαν αὐτὸν [Χριστὸν εἶναι].   Καὶ 35
πρωὶ ἔννυχα λίαν ἀναστὰς ἐξῆλθεν [καὶ ἀπῆλθεν] εἰς ἔρη-
μον τόπον κἀκεῖ προσηύχετο. καὶ κατεδίωξεν αὐτὸν Σίμων 36
καὶ οἱ μετ᾽ αὐτοῦ, καὶ εὗρον αὐτὸν καὶ λέγουσιν αὐτῷ 37
ὅτι Πάντες ζητοῦσίν σε. καὶ λέγει αὐτοῖς Ἄγωμεν 38
ἀλλαχοῦ εἰς τὰς ἐχομένας κωμοπόλεις, ἵνα καὶ ἐκεῖ κηρύξω,
εἰς τοῦτο γὰρ ἐξῆλθον. καὶ ἦλθεν κηρύσσων εἰς τὰς 39
συναγωγὰς αὐτῶν εἰς ὅλην τὴν Γαλιλαίαν καὶ τὰ δαιμόνια
ἐκβάλλων.

Καὶ ἔρχεται πρὸς αὐτὸν λεπρὸς παρακαλῶν αὐτὸν 40
[καὶ γονυπετῶν] λέγων αὐτῷ ὅτι Ἐὰν θέλῃς δύνασαί
με καθαρίσαι. καὶ σπλαγχνισθεὶς ἐκτείνας τὴν χεῖρα 41
αὐτοῦ ἥψατο καὶ λέγει αὐτῷ Θέλω, καθαρίσθητι· καὶ 42
εὐθὺς ἀπῆλθεν ἀπ᾽ αὐτοῦ ἡ λέπρα, καὶ ἐκαθερίσθη. καὶ 43
ἐμβριμησάμενος αὐτῷ εὐθὺς ἐξέβαλεν αὐτόν, καὶ λέγει 44
αὐτῷ Ὅρα μηδενὶ μηδὲν εἴπῃς, ἀλλὰ ὕπαγε σεαυτὸν
δεῖξον τῷ ἱερεῖ καὶ προσένεγκε περὶ τοῦ καθαρισμοῦ σου
ἃ προσέταξεν Μωυσῆς εἰς μαρτύριον αὐτοῖς. ὁ δὲ ἐξελθὼν 45

27 πρὸς ἑαυτοὺς   29 ἐξελθὼν ἦλθεν   45 εἰς πόλιν φανερῶς

ἤρξατο κηρύσσειν πολλὰ καὶ διαφημίζειν τὸν λόγον, ὥστε
μηκέτι αὐτὸν δύνασθαι ⌜φανερῶς εἰς πόλιν⌝ εἰσελθεῖν, ἀλλὰ
ἔξω ἐπ' ἐρήμοις τόποις [ἦν]· καὶ ἤρχοντο πρὸς αὐτὸν
πάντοθεν.

1 Καὶ εἰσελθὼν πάλιν εἰς Καφαρναοὺμ δι' ἡμερῶν ἠκού-
2 σθη ὅτι ⌜ἐν οἴκῳ ἐστίν⌝· καὶ συνήχθησαν πολλοὶ ὥστε
μηκέτι χωρεῖν μηδὲ τὰ πρὸς τὴν θύραν, καὶ ἐλάλει αὐτοῖς
3 τὸν λόγον. καὶ ἔρχονται φέροντες πρὸς αὐτὸν παραλυτικὸν
4 αἰρόμενον ὑπὸ τεσσάρων. καὶ μὴ δυνάμενοι προσενέγκαι
αὐτῷ διὰ τὸν ὄχλον ἀπεστέγασαν τὴν στέγην ὅπου ἦν, καὶ
ἐξορύξαντες χαλῶσι τὸν κράβαττον ὅπου ὁ παραλυτικὸς
5 κατέκειτο. καὶ ἰδὼν ὁ Ἰησοῦς τὴν πίστιν αὐτῶν λέγει τῷ
6 παραλυτικῷ Τέκνον, ἀφίενταί σου αἱ ἁμαρτίαι. ἦσαν δέ
τινες τῶν γραμματέων ἐκεῖ καθήμενοι καὶ διαλογιζόμενοι ἐν
7 ταῖς καρδίαις αὐτῶν ⌜Τί⌝ οὗτος οὕτω λαλεῖ; βλασφημεῖ·
8 τίς δύναται ἀφιέναι ἁμαρτίας εἰ μὴ εἷς ὁ θεός; καὶ εὐθὺς
ἐπιγνοὺς ὁ Ἰησοῦς τῷ πνεύματι αὐτοῦ ὅτι [οὕτως] διαλογί-
ζονται ἐν ἑαυτοῖς λέγει [αὐτοῖς] Τί ταῦτα διαλογίζεσθε ἐν
9 ταῖς καρδίαις ὑμῶν; τί ἐστιν εὐκοπώτερον, εἰπεῖν τῷ παρα-
λυτικῷ Ἀφίενταί σου αἱ ἁμαρτίαι, ἢ εἰπεῖν Ἐγείρου
10 [καὶ] ἆρον τὸν κράβαττόν σου καὶ περιπάτει; ἵνα δὲ εἰδῆτε
ὅτι ἐξουσίαν ἔχει ὁ υἱὸς τοῦ ἀνθρώπου ⌜ἀφιέναι ἁμαρτίας
11 ἐπὶ τῆς γῆς⌝— λέγει τῷ παραλυτικῷ Σοὶ λέγω, ἔγειρε
12 ἆρον τὸν κράβαττόν σου καὶ ὕπαγε εἰς τὸν οἶκόν σου. καὶ
ἠγέρθη καὶ εὐθὺς ἄρας τὸν κράβαττον ἐξῆλθεν ἔμπροσθεν
πάντων, ὥστε ἐξίστασθαι πάντας καὶ δοξάζειν τὸν θεὸν
[λέγοντας] ὅτι Οὕτως οὐδέποτε εἴδαμεν.

13 Καὶ ἐξῆλθεν πάλιν παρὰ τὴν θάλασσαν· καὶ πᾶς
14 ὁ ὄχλος ἤρχετο πρὸς αὐτόν, καὶ ἐδίδασκεν αὐτούς. Καὶ
παράγων εἶδεν Λευεὶν τὸν τοῦ Ἀλφαίου καθήμενον ἐπὶ
τὸ τελώνιον, καὶ λέγει αὐτῷ Ἀκολούθει μοι. καὶ ἀναστὰς
15 ἠκολούθησεν αὐτῷ. Καὶ γίνεται κατακεῖσθαι
αὐτὸν ἐν τῇ οἰκίᾳ αὐτοῦ, καὶ πολλοὶ τελῶναι καὶ ἁμαρτω-

1 εἰς οἶκόν ἐστιν   7 Ὅτι   10 ἐπὶ τῆς γῆς ἀφιέναι ἁμαρτίας

λοὶ συνανέκειντο τῷ Ἰησοῦ καὶ τοῖς μαθηταῖς αὐτοῦ,
ἦσαν γὰρ πολλοὶ καὶ ἠκολούθουν αὐτῷ. καὶ οἱ γραμμα- 16
τεῖς τῶν Φαρισαίων ἰδόντες ὅτι ἐσθίει μετὰ τῶν ἁμαρ-
τωλῶν καὶ τελωνῶν ἔλεγον τοῖς μαθηταῖς αὐτοῦ Ὅτι
μετὰ τῶν τελωνῶν καὶ ἁμαρτωλῶν ἐσθίει⸆; καὶ ἀκούσας 17
ὁ Ἰησοῦς λέγει αὐτοῖς [ὅτι] Οὐ χρείαν ἔχουσιν οἱ ἰσχύ-
οντες ἰατροῦ ἀλλ᾽ οἱ κακῶς ἔχοντες· οὐκ ἦλθον καλέσαι
δικαίους ἀλλὰ ἁμαρτωλούς. Καὶ ἦσαν οἱ μα- 18
θηταὶ Ἰωάνου καὶ οἱ Φαρισαῖοι νηστεύοντες. καὶ ἔρχονται
καὶ λέγουσιν αὐτῷ Διὰ τί οἱ μαθηταὶ Ἰωάνου καὶ οἱ μα-
θηταὶ τῶν Φαρισαίων νηστεύουσιν, οἱ δὲ σοὶ [μαθηταὶ] οὐ
νηστεύουσιν; καὶ εἶπεν αὐτοῖς ὁ Ἰησοῦς Μὴ δύνανται 19
οἱ υἱοὶ τοῦ νυμφῶνος ἐν ᾧ ὁ νυμφίος μετ᾽ αὐτῶν ἐστὶν
νηστεύειν; ὅσον χρόνον ἔχουσιν τὸν νυμφίον μετ᾽ αὐτῶν
οὐ δύνανται νηστεύειν· ἐλεύσονται δὲ ἡμέραι ὅταν ἀπαρθῇ 20
ἀπ᾽ αὐτῶν ὁ νυμφίος, καὶ τότε νηστεύσουσιν ἐν ἐκείνῃ τῇ
ἡμέρᾳ. οὐδεὶς ἐπίβλημα ῥάκους ἀγνάφου ἐπιράπτει ἐπὶ 21
ἱμάτιον παλαιόν· εἰ δὲ μή, αἴρει τὸ πλήρωμα ἀπ᾽ αὐτοῦ
τὸ καινὸν τοῦ παλαιοῦ, καὶ χεῖρον σχίσμα γίνεται. καὶ 22
οὐδεὶς βάλλει οἶνον νέον εἰς ἀσκοὺς παλαιούς· εἰ δὲ μή,
ῥήξει ὁ οἶνος τοὺς ἀσκούς, καὶ ὁ οἶνος ἀπόλλυται καὶ
οἱ ἀσκοί. [ἀλλὰ οἶνον νέον εἰς ἀσκοὺς καινούς.]

Καὶ ἐγένετο αὐτὸν ἐν τοῖς σάββασιν ⸀διαπορεύε- 23
σθαι⸀ διὰ τῶν σπορίμων, καὶ οἱ μαθηταὶ αὐτοῦ ἤρξαντο
⸀ὁδὸν ποιεῖν⸀ τίλλοντες τοὺς στάχυας. καὶ οἱ Φαρισαῖοι 24
ἔλεγον αὐτῷ Ἴδε τί ποιοῦσιν τοῖς σάββασιν ὃ οὐκ ἔξε-
στιν; καὶ λέγει αὐτοῖς Οὐδέποτε ἀνέγνωτε τί ἐποίησεν 25
Δαυεὶδ ὅτε χρείαν ἔσχεν καὶ ἐπείνασεν αὐτὸς καὶ
οἱ μετ᾽ αὐτοῦ; [πῶς] εἰσῆλθεν εἰς τὸν οἶκον τοῦ θεοῦ 26
ἐπὶ Ἀβιάθαρ ἀρχιερέως καὶ ΤΟΥϹ ἌΡΤΟΥϹ ΤΗϹ ΠΡΟΘΈϹΕΩϹ
ἔφαγεν, οὓς οὐκ ἔξεστιν φαγεῖν εἰ μὴ τοὺς ἱερεῖς, καὶ
ἔδωκεν καὶ τοῖς σὺν αὐτῷ οὖσιν; καὶ ἔλεγεν αὐτοῖς Τὸ 27
σάββατον διὰ τὸν ἄνθρωπον ἐγένετο καὶ οὐχ ὁ ἄνθρωπος

16 καὶ πίνει   23 παραπορεύεσθαι | ὁδοποιεῖν   5 χεῖρα   6 ἐποίησαν

28 διὰ τὸ σάββατον· ὥστε κύριός ἐστιν ὁ υἱὸς τοῦ ἀνθρώπου
1 καὶ τοῦ σαββάτου.   Καὶ εἰσῆλθεν πάλιν εἰς
συναγωγήν, καὶ ἦν ἐκεῖ ἄνθρωπος ἐξηραμμένην ἔχων τὴν
2 χεῖρα· καὶ παρετήρουν αὐτὸν εἰ τοῖς σάββασιν θεραπεύσει
3 αὐτόν, ἵνα κατηγορήσωσιν αὐτοῦ. καὶ λέγει τῷ ἀνθρώπῳ
4 τῷ τὴν χεῖρα ἔχοντι ξηράν Ἔγειρε εἰς τὸ μέσον. καὶ
λέγει αὐτοῖς Ἔξεστιν τοῖς σάββασιν ἀγαθοποιῆσαι ἢ
κακοποιῆσαι, ψυχὴν σῶσαι ἢ ἀποκτεῖναι; οἱ δὲ ἐσιώπων.
5 καὶ περιβλεψάμενος αὐτοὺς μετ᾽ ὀργῆς, συνλυπούμενος ἐπὶ
τῇ πωρώσει τῆς καρδίας αὐτῶν, λέγει τῷ ἀνθρώπῳ Ἔκτει-
νον τὴν ⌈χεῖρά σου·⌉ καὶ ἐξέτεινεν, καὶ ἀπεκατεστάθη ἡ
6 χεὶρ αὐτοῦ. Καὶ ἐξελθόντες οἱ Φαρισαῖοι εὐθὺς μετὰ τῶν
Ἡρῳδιανῶν συμβούλιον ⌈ἐδίδουν⌉ κατ᾽ αὐτοῦ ὅπως αὐτὸν
ἀπολέσωσιν.

7   Καὶ ὁ Ἰησοῦς μετὰ τῶν μαθητῶν αὐτοῦ ἀνεχώρησεν
πρὸς τὴν θάλασσαν· καὶ πολὺ πλῆθος ἀπὸ τῆς Γαλιλαίας
8 ⌈ἠκολούθησεν, καὶ ἀπὸ τῆς Ἰουδαίας⌉ καὶ ἀπὸ Ἱεροσολύμων
καὶ ἀπὸ τῆς Ἰδουμαίας καὶ πέραν τοῦ Ἰορδάνου καὶ περὶ
Τύρον καὶ ⌈Σιδῶνα,⌉ πλῆθος πολύ, ἀκούοντες ὅσα ⌈ποιεῖ⌉
9 ἦλθαν πρὸς αὐτόν. καὶ εἶπεν τοῖς μαθηταῖς αὐτοῦ ἵνα
πλοιάριον προσκαρτερῇ αὐτῷ διὰ τὸν ὄχλον ἵνα μὴ θλί-
10 βωσιν αὐτόν· πολλοὺς γὰρ ἐθεράπευσεν, ὥστε ἐπιπίπτειν
11 αὐτῷ ἵνα αὐτοῦ ἅψωνται ὅσοι εἶχον μάστιγας. καὶ τὰ
πνεύματα τὰ ἀκάθαρτα, ὅταν αὐτὸν ἐθεώρουν, προσέπιπτον
αὐτῷ καὶ ἔκραζον ⌈λέγοντα⌉ ὅτι Σὺ εἶ ὁ υἱὸς τοῦ θεοῦ.
12 καὶ πολλὰ ἐπετίμα αὐτοῖς ἵνα μὴ αὐτὸν φανερὸν ποιήσω-
13 σιν.   Καὶ ἀναβαίνει εἰς τὸ ὄρος καὶ προσκα-
14 λεῖται οὓς ἤθελεν αὐτός, καὶ ἀπῆλθον πρὸς αὐτόν. καὶ
ἐποίησεν δώδεκα, οὓς καὶ ἀποστόλους ὠνόμασεν, ἵνα ὦσιν
15 μετ᾽ αὐτοῦ καὶ ἵνα ἀποστέλλῃ αὐτοὺς κηρύσσειν καὶ ἔχειν
ἐξουσίαν ἐκβάλλειν τὰ δαιμόνια· καὶ ἐποίησεν τοὺς δώ-
16
17 δεκα (καὶ ἐπέθηκεν ὄνομα τῷ Σίμωνι) Πέτρον, καὶ Ἰάκωβον
τὸν τοῦ Ζεβεδαίου καὶ Ἰωάνην τὸν ἀδελφὸν τοῦ Ἰακώβου

7 καὶ ἀπὸ τῆς Ἰουδαίας ἠκολούθησεν,   8 Σιδῶνα,— | ἐποίει   11 λέγοντες

(καὶ ἐπέθηκεν αὐτοῖς ⌈ὄνομα⌉ Βοανηργές, ὅ ἐστιν Υἱοὶ
Βροντῆς), καὶ Ἀνδρέαν καὶ Φίλιππον καὶ Βαρθολομαῖον 18
καὶ Μαθθαῖον καὶ Θωμᾶν καὶ Ἰάκωβον τὸν τοῦ Ἀλφαίου
καὶ Θαδδαῖον καὶ Σίμωνα τὸν Καναναῖον καὶ Ἰούδαν Ἰσκα- 19
ριώθ, ὃς καὶ παρέδωκεν αὐτόν.

Καὶ ἔρχεται εἰς οἶκον· καὶ συνέρχεται πάλιν [ὁ] ὄχλος, 20
ὥστε μὴ δύνασθαι αὐτοὺς μηδὲ ἄρτον φαγεῖν. καὶ ἀκού- 21
σαντες οἱ παρ᾽ αὐτοῦ ἐξῆλθον κρατῆσαι αὐτόν, ἔλεγον γὰρ
ὅτι ἐξέστη. καὶ οἱ γραμματεῖς οἱ ἀπὸ Ἱεροσολύμων κατα- 22
βάντες ἔλεγον ὅτι Βεεζεβοὺλ ἔχει, καὶ ὅτι ἐν τῷ ἄρχοντι
τῶν δαιμονίων ἐκβάλλει τὰ δαιμόνια. καὶ προσκαλεσάμενος 23
αὐτοὺς ἐν παραβολαῖς ἔλεγεν αὐτοῖς Πῶς δύναται Σατανᾶς
Σατανᾶν ἐκβάλλειν; καὶ ἐὰν βασιλεία ἐφ᾽ ἑαυτὴν μερισθῇ, 24
οὐ δύναται σταθῆναι ἡ βασιλεία ἐκείνη· καὶ ἐὰν οἰκία 25
ἐφ᾽ ἑαυτὴν μερισθῇ, οὐ δυνήσεται ἡ οἰκία ἐκείνη στῆναι·
καὶ εἰ ὁ Σατανᾶς ἀνέστη ἐφ᾽ ἑαυτὸν καὶ ἐμερίσθη, οὐ δύ- 26
ναται στῆναι ἀλλὰ τέλος ἔχει. ἀλλ᾽ οὐ δύναται οὐδεὶς 27
εἰς τὴν οἰκίαν τοῦ ἰσχυροῦ εἰσελθὼν τὰ σκεύη αὐτοῦ διαρ-
πάσαι ἐὰν μὴ πρῶτον τὸν ἰσχυρὸν δήσῃ, καὶ τότε τὴν
οἰκίαν αὐτοῦ διαρπάσει. Ἀμὴν λέγω ὑμῖν ὅτι πάντα 28
ἀφεθήσεται τοῖς υἱοῖς τῶν ἀνθρώπων, τὰ ἁμαρτήματα καὶ
αἱ βλασφημίαι ὅσα ἐὰν βλασφημήσωσιν· ὃς δ᾽ ἂν βλα- 29
σφημήσῃ εἰς τὸ πνεῦμα τὸ ἅγιον, οὐκ ἔχει ἄφεσιν εἰς τὸν
αἰῶνα, ἀλλὰ ἔνοχός ἐστιν αἰωνίου ἁμαρτήματος. ὅτι 30
ἔλεγον Πνεῦμα ἀκάθαρτον ἔχει. Καὶ ἔρχονται 31
ἡ μήτηρ αὐτοῦ καὶ οἱ ἀδελφοὶ αὐτοῦ καὶ ἔξω στήκοντες
ἀπέστειλαν πρὸς αὐτὸν καλοῦντες αὐτόν. καὶ ἐκάθητο 32
περὶ αὐτὸν ὄχλος, καὶ λέγουσιν αὐτῷ Ἰδοὺ ἡ μήτηρ σου
καὶ οἱ ἀδελφοί σου ἔξω ζητοῦσίν σε. καὶ ἀποκριθεὶς 33
αὐτοῖς λέγει Τίς ἐστιν ἡ μήτηρ μου καὶ οἱ ἀδελφοί; καὶ 34
περιβλεψάμενος τοὺς περὶ αὐτὸν κύκλῳ καθημένους λέ-
γει Ἴδε ἡ μήτηρ μου καὶ οἱ ἀδελφοί μου· ὃς ᵀ ἂν ποι- 35
ήσῃ ⌈τὸ θέλημα⌉ τοῦ θεοῦ, οὗτος ἀδελφός μου καὶ ἀδελφὴ

17 ὀνόματα   35 γὰρ | τὰ θελήματα

καὶ μήτηρ ἐστίν.

1   Καὶ πάλιν ἤρξατο διδάσκειν παρὰ τὴν θάλασσαν. καὶ
συνάγεται πρὸς αὐτὸν ὄχλος πλεῖστος, ὥστε αὐτὸν εἰς
πλοῖον ἐμβάντα καθῆσθαι ἐν τῇ θαλάσσῃ, καὶ πᾶς ὁ ὄ-
2 χλος πρὸς τὴν θάλασσαν ἐπὶ τῆς γῆς ἦσαν. καὶ ἐδίδασκεν
αὐτοὺς ἐν παραβολαῖς πολλά, καὶ ἔλεγεν αὐτοῖς ἐν τῇ
3 διδαχῇ αὐτοῦ Ἀκούετε. ἰδοὺ ἐξῆλθεν ὁ σπείρων σπεῖ-
4 ραι. καὶ ἐγένετο ἐν τῷ σπείρειν ὃ μὲν ἔπεσεν παρὰ τὴν
5 ὁδόν, καὶ ἦλθεν τὰ πετεινὰ καὶ κατέφαγεν αὐτό. καὶ ἄλλο
ἔπεσεν ἐπὶ τὸ πετρῶδες [καὶ] ὅπου οὐκ εἶχεν γῆν πολλήν,
6 καὶ εὐθὺς ἐξανέτειλεν διὰ τὸ μὴ ἔχειν βάθος γῆς· καὶ ὅτε
ἀνέτειλεν ὁ ἥλιος ⌐ἐκαυματίσθη⌐ καὶ διὰ τὸ μὴ ἔχειν
7 ῥίζαν ἐξηράνθη. καὶ ἄλλο ἔπεσεν εἰς τὰς ἀκάνθας, καὶ
ἀνέβησαν αἱ ἄκανθαι καὶ συνέπνιξαν αὐτό, καὶ καρπὸν
8 οὐκ ἔδωκεν. καὶ ἄλλα ἔπεσεν εἰς τὴν γῆν τὴν καλήν, καὶ
ἐδίδου καρπὸν ἀναβαίνοντα καὶ αὐξανόμενα, καὶ ἔφερεν
9 εἰς τριάκοντα καὶ ⌐ἐν ἑξήκοντα καὶ ἐν⌐ ἑκατόν. Καὶ ἔλε-
10 γεν ˅Ος ἔχει ὦτα ἀκούειν ἀκουέτω.   Καὶ ὅτε
ἐγένετο κατὰ μόνας, ἠρώτων αὐτὸν οἱ περὶ αὐτὸν σὺν τοῖς
11 δώδεκα τὰς παραβολάς. καὶ ἔλεγεν αὐτοῖς Ὑμῖν τὸ
μυστήριον δέδοται τῆς βασιλείας τοῦ θεοῦ· ἐκείνοις δὲ
12 τοῖς ⌐ἔξω⌐ ἐν παραβολαῖς τὰ πάντα γίνεται, ἵνα

Βλέποντεϲ Βλέπωϲι καὶ Μὴ ἴδωϲιν,

καὶ ἀκούοντεϲ ἀκούωϲι καὶ Μὴ ϲυνίωϲιν,

Μή ποτε ἐπιϲτρέψωϲιν καὶ ἀφεθῇ αὐτοῖϲ.

13 καὶ λέγει αὐτοῖς Οὐκ οἴδατε τὴν παραβολὴν ταύτην,
14 καὶ πῶς πάσας τὰς παραβολὰς γνώσεσθε; Ὁ σπείρων τὸν
15 λόγον σπείρει. οὗτοι δέ εἰσιν οἱ παρὰ τὴν ὁδὸν ὅπου
σπείρεται ὁ λόγος, καὶ ὅταν ἀκούσωσιν εὐθὺς ἔρχεται ὁ
Σατανᾶς καὶ αἴρει τὸν λόγον τὸν ἐσπαρμένον εἰς αὐτούς.
16 καὶ οὗτοί εἰσιν ὁμοίως οἱ ἐπὶ τὰ πετρώδη σπειρόμενοι,
οἳ ὅταν ἀκούσωσιν τὸν λόγον εὐθὺς μετὰ χαρᾶς λαμβά-
17 νουσιν αὐτόν, καὶ οὐκ ἔχουσιν ῥίζαν ἐν ἑαυτοῖς ἀλλὰ

6 ἐκαυματίσθησαν   8 εἰς...εἰς v. ἐν...ἐν   11 ἔξωθεν

πρόσκαιροί εἰσιν, εἶτα γενομένης θλίψεως ἢ διωγμοῦ διὰ
τὸν λόγον εὐθὺς σκανδαλίζονται. καὶ ἄλλοι εἰσὶν οἱ εἰς 18
τὰς ἀκάνθας σπειρόμενοι· οὗτοί εἰσιν οἱ τὸν λόγον ἀκού-
σαντες, καὶ αἱ μέριμναι τοῦ αἰῶνος καὶ ἡ ἀπάτη τοῦ πλού- 19
του καὶ αἱ περὶ τὰ λοιπὰ ἐπιθυμίαι εἰσπορευόμεναι συνπνί-
γουσιν τὸν λόγον, καὶ ἄκαρπος γίνεται. καὶ ἐκεῖνοί εἰσιν 20
οἱ ἐπὶ τὴν γῆν τὴν καλὴν σπαρέντες, οἵτινες ἀκούουσιν τὸν
λόγον καὶ παραδέχονται καὶ καρποφοροῦσιν ⌜ἐν τριάκοντα
καὶ [ἐν] ἑξήκοντα καὶ [ἐν]⌝ ἑκατόν. Καὶ ἔλεγεν 21
αὐτοῖς ὅτι Μήτι ἔρχεται ὁ λύχνος ἵνα ὑπὸ τὸν μόδιον
τεθῇ ἢ ὑπὸ τὴν κλίνην, οὐχ ἵνα †ἐπὶ† τὴν λυχνίαν τεθῇ; οὐ 22
⌜γὰρ ἔστιν⌝ κρυπτὸν ἐὰν μὴ ἵνα φανερωθῇ, οὐδὲ ἐγένετο
ἀπόκρυφον ἀλλ’ ἵνα ἔλθῃ εἰς φανερόν. Εἴ τις ἔχει ὦτα 23
ἀκούειν ἀκουέτω. Καὶ ἔλεγεν αὐτοῖς Βλέπετε 24
τί ἀκούετε. ἐν ᾧ μέτρῳ μετρεῖτε μετρηθήσεται ὑμῖν καὶ
προστεθήσεται ὑμῖν. ὃς γὰρ ἔχει, δοθήσεται αὐτῷ· καὶ ὃς 25
οὐκ ἔχει, καὶ ὃ ἔχει ἀρθήσεται ἀπ’ αὐτοῦ. Καὶ 26
ἔλεγεν Οὕτως ἐστὶν ἡ βασιλεία τοῦ θεοῦ ὡς ἄνθρωπος
βάλῃ τὸν σπόρον ἐπὶ τῆς γῆς καὶ καθεύδῃ καὶ ἐγείρηται 27
νύκτα καὶ ἡμέραν, καὶ ὁ σπόρος βλαστᾷ καὶ μηκύνηται ὡς
οὐκ οἶδεν αὐτός. αὐτομάτη ἡ γῆ καρποφορεῖ, πρῶτον 28
χόρτον, εἶτεν στάχυν, εἶτεν ⌜πλήρη σῖτον⌝ ἐν τῷ στάχυϊ.
ὅταν δὲ παραδοῖ ὁ καρπός, εὐθὺς ἀποστέλλει τὸ δρέ- 29
πανον, ὅτι παρέϲτηκεν ὁ θεριϲμόϲ. Καὶ 30
ἔλεγεν Πῶς ὁμοιώσωμεν τὴν βασιλείαν τοῦ θεοῦ, ἢ ἐν
τίνι αὐτὴν παραβολῇ θῶμεν; ὡς κόκκῳ σινάπεως, ὃς ὅταν 31
σπαρῇ ἐπὶ τῆς γῆς, μικρότερον ὂν πάντων τῶν σπερμάτων
τῶν ἐπὶ τῆς γῆς—καὶ ὅταν σπαρῇ, ἀναβαίνει καὶ γίνεται 32
μεῖζον πάντων τῶν λαχάνων καὶ ποιεῖ κλάδους μεγάλους,
ὥστε δύνασθαι ὑπὸ τὴν ϲκιὰν αὐτοῦ τὰ πετεινὰ τοῦ
οὐρανοῦ κατασκηνοῖν. Καὶ τοιαύταις παρα- 33
βολαῖς πολλαῖς ἐλάλει αὐτοῖς τὸν λόγον, καθὼς ἠδύναντο
ἀκούειν· χωρὶς δὲ παραβολῆς οὐκ ἐλάλει αὐτοῖς, κατ’ ἰδίαν 34

20 ἐν...[ἐν]...[ἐν]   21 MSS ὑπὸ   22 γάρ ἐστίν τι   28 †...†

δὲ τοῖς ἰδίοις μαθηταῖς ἐπέλυεν πάντα.

35   Καὶ λέγει αὐτοῖς ἐν ἐκείνῃ τῇ ἡμέρᾳ ὀψίας γενομένης
36 Διέλθωμεν εἰς τὸ πέραν. καὶ ἀφέντες τὸν ὄχλον παραλαμ-
βάνουσιν αὐτὸν ὡς ἦν ἐν τῷ πλοίῳ, καὶ ἄλλα πλοῖα ἦν
37 μετ' αὐτοῦ. καὶ γίνεται λαῖλαψ μεγάλη ἀνέμου, καὶ τὰ
κύματα ἐπέβαλλεν εἰς τὸ πλοῖον, ὥστε ἤδη γεμίζεσθαι τὸ
38 πλοῖον. καὶ αὐτὸς ἦν ἐν τῇ πρύμνῃ ἐπὶ τὸ προσκεφάλαιον
καθεύδων· καὶ ἐγείρουσιν αὐτὸν καὶ λέγουσιν αὐτῷ Διδά-
39 σκαλε, οὐ μέλει σοι ὅτι ἀπολλύμεθα; καὶ διεγερθεὶς ἐπε-
τίμησεν τῷ ἀνέμῳ καὶ εἶπεν τῇ θαλάσσῃ Σιώπα, πεφίμωσο.
40 καὶ ἐκόπασεν ὁ ἄνεμος, καὶ ἐγένετο γαλήνη μεγάλη. καὶ
41 εἶπεν αὐτοῖς Τί δειλοί ἐστε; οὔπω ἔχετε πίστιν; καὶ ἐφο-
βήθησαν φόβον μέγαν, καὶ ἔλεγον πρὸς ἀλλήλους Τίς
ἄρα οὗτός ἐστιν ὅτι καὶ ὁ ἄνεμος καὶ ἡ θάλασσα ὑπακούει
1 αὐτῷ;   Καὶ ἦλθον εἰς τὸ πέραν τῆς θαλάσσης
2 εἰς τὴν χώραν τῶν Γερασηνῶν. καὶ ἐξελθόντος αὐτοῦ ἐκ
τοῦ πλοίου [εὐθὺς] ὑπήντησεν αὐτῷ ἐκ τῶν μνημείων
3 ἄνθρωπος ἐν πνεύματι ἀκαθάρτῳ, ὃς τὴν κατοίκησιν εἶχεν
ἐν τοῖς μνήμασιν, καὶ οὐδὲ ἁλύσει οὐκέτι οὐδεὶς ἐδύνατο
4 αὐτὸν δῆσαι διὰ τὸ αὐτὸν πολλάκις πέδαις καὶ ἁλύσεσι
δεδέσθαι καὶ διεσπάσθαι ὑπ' αὐτοῦ τὰς ἁλύσεις καὶ τὰς
5 πέδας συντετρίφθαι, καὶ οὐδεὶς ἴσχυεν αὐτὸν δαμάσαι· καὶ
διὰ παντὸς νυκτὸς καὶ ἡμέρας ἐν τοῖς μνήμασιν καὶ ἐν τοῖς
6 ὄρεσιν ἦν κράζων καὶ κατακόπτων ἑαυτὸν λίθοις. καὶ ἰδὼν
τὸν Ἰησοῦν ἀπὸ μακρόθεν ἔδραμεν καὶ προσεκύνησεν αὐτόν,
7 καὶ κράξας φωνῇ μεγάλῃ λέγει Τί ἐμοὶ καὶ σοί, Ἰησοῦ υἱὲ
τοῦ θεοῦ τοῦ ὑψίστου; ὁρκίζω σε τὸν θεόν, μή με βασανί-
8 σῃς. ἔλεγεν γὰρ αὐτῷ Ἔξελθε τὸ πνεῦμα τὸ ἀκάθαρτον
9 ἐκ τοῦ ἀνθρώπου. καὶ ἐπηρώτα αὐτόν Τί ὄνομά σοι; καὶ
10 λέγει αὐτῷ Λεγιὼν ὄνομά ⌐μοι⌐, ὅτι πολλοί ἐσμεν· καὶ
παρεκάλει αὐτὸν πολλὰ ἵνα μὴ αὐτὰ ἀποστείλῃ ἔξω τῆς
11 χώρας. Ἦν δὲ ἐκεῖ πρὸς τῷ ὄρει ἀγέλη χοίρων μεγάλη
12 βοσκομένη· καὶ παρεκάλεσαν αὐτὸν λέγοντες Πέμψον

9 μοί ἐστιν

G

ἡμᾶς εἰς τοὺς χοίρους, ἵνα εἰς αὐτοὺς εἰσέλθωμεν. καὶ ἐπέ- 13
τρεψεν αὐτοῖς. καὶ ἐξελθόντα τὰ πνεύματα τὰ ἀκάθαρτα
εἰσῆλθον εἰς τοὺς χοίρους, καὶ ὥρμησεν ἡ ἀγέλη κατὰ τοῦ
κρημνοῦ εἰς τὴν θάλασσαν, ὡς δισχίλιοι, καὶ ἐπνίγοντο ἐν
τῇ θαλάσσῃ. Καὶ οἱ βόσκοντες αὐτοὺς ἔφυγον καὶ ἀπήγ- 14
γειλαν εἰς τὴν πόλιν καὶ εἰς τοὺς ἀγρούς· καὶ ἦλθον ἰδεῖν
τί ἐστιν τὸ γεγονός. καὶ ἔρχονται πρὸς τὸν Ἰησοῦν, καὶ 15
θεωροῦσιν τὸν δαιμονιζόμενον καθήμενον ἱματισμένον καὶ
σωφρονοῦντα, τὸν ἐσχηκότα τὸν λεγιῶνα, καὶ ἐφοβήθησαν.
καὶ διηγήσαντο αὐτοῖς οἱ ἰδόντες πῶς ἐγένετο τῷ δαιμονι- 16
ζομένῳ καὶ περὶ τῶν χοίρων. καὶ ἤρξαντο παρακαλεῖν 17
αὐτὸν ἀπελθεῖν ἀπὸ τῶν ὁρίων αὐτῶν. Καὶ ἐμβαίνοντος 18
αὐτοῦ εἰς τὸ πλοῖον παρεκάλει αὐτὸν ὁ δαιμονισθεὶς ἵνα
μετ᾽ αὐτοῦ ᾖ. καὶ οὐκ ἀφῆκεν αὐτόν, ἀλλὰ λέγει αὐτῷ 19
Ὕπαγε εἰς τὸν οἶκόν σου πρὸς τοὺς σούς, καὶ ἀπάγγειλον
αὐτοῖς ὅσα ὁ κύριός σοι πεποίηκεν καὶ ἠλέησέν σε. καὶ 20
ἀπῆλθεν καὶ ἤρξατο κηρύσσειν ἐν τῇ Δεκαπόλει ὅσα ἐποίη-
σεν αὐτῷ ὁ Ἰησοῦς, καὶ πάντες ἐθαύμαζον.

Καὶ διαπεράσαντος τοῦ Ἰησοῦ ἐν τῷ πλοίῳ πάλιν εἰς 21
τὸ πέραν συνήχθη ὄχλος πολὺς ἐπ᾽ αὐτόν, καὶ ἦν παρὰ τὴν
θάλασσαν. Καὶ ἔρχεται εἷς τῶν ἀρχισυναγώγων, ὀνόματι 22
Ἰάειρος, καὶ ἰδὼν αὐτὸν πίπτει πρὸς τοὺς πόδας αὐτοῦ καὶ 23
⌜παρακαλεῖ⌝ αὐτὸν πολλὰ λέγων ὅτι Τὸ θυγάτριόν μου
ἐσχάτως ἔχει, ἵνα ἐλθὼν ἐπιθῇς τὰς χεῖρας αὐτῇ ἵνα σωθῇ
καὶ ζήσῃ. καὶ ἀπῆλθεν μετ᾽ αὐτοῦ. Καὶ ἠκολούθει αὐτῷ 24
ὄχλος πολύς, καὶ συνέθλιβον αὐτόν. καὶ γυνὴ οὖσα ἐν 25
ῥύσει αἵματος δώδεκα ἔτη καὶ πολλὰ παθοῦσα ὑπὸ πολλῶν 26
ἰατρῶν καὶ δαπανήσασα τὰ παρ᾽ ⌜αὐτῆς⌝ πάντα καὶ μηδὲν
ὠφεληθεῖσα ἀλλὰ μᾶλλον εἰς τὸ χεῖρον ἐλθοῦσα, ἀκού- 27
σασα τὰ περὶ τοῦ Ἰησοῦ, ἐλθοῦσα ἐν τῷ ὄχλῳ ὄπισθεν
ἥψατο τοῦ ἱματίου αὐτοῦ· ἔλεγεν γὰρ ὅτι Ἐὰν ἅψωμαι 28
κἂν τῶν ἱματίων αὐτοῦ σωθήσομαι. καὶ εὐθὺς ἐξηράνθη 29
ἡ πηγὴ τοῦ αἵματος αὐτῆς, καὶ ἔγνω τῷ σώματι ὅτι ἴαται

30 ἀπὸ τῆς μάστιγος. καὶ εὐθὺς ὁ Ἰησοῦς ἐπιγνοὺς ἐν ἑαυτῷ
τὴν ἐξ αὐτοῦ δύναμιν ἐξελθοῦσαν ἐπιστραφεὶς ἐν τῷ ὄχλῳ
31 ἔλεγεν Τίς μου ἥψατο τῶν ἱματίων; καὶ ἔλεγον αὐτῷ οἱ
μαθηταὶ αὐτοῦ Βλέπεις τὸν ὄχλον συνθλίβοντά σε, καὶ
32 λέγεις Τίς μου ἥψατο; καὶ περιεβλέπετο ἰδεῖν τὴν τοῦτο
33 ποιήσασαν. ἡ δὲ γυνὴ φοβηθεῖσα καὶ τρέμουσα, εἰδυῖα
ὃ γέγονεν αὐτῇ, ἦλθεν καὶ προσέπεσεν αὐτῷ καὶ εἶπεν
34 αὐτῷ πᾶσαν τὴν ἀλήθειαν. ὁ δὲ εἶπεν αὐτῇ Θυγάτηρ, ἡ
πίστις σου σέσωκέν σε· ὕπαγε εἰς εἰρήνην, καὶ ἴσθι ὑγιὴς
35 ἀπὸ τῆς μάστιγός σου. Ἔτι αὐτοῦ λαλοῦντος ἔρχονται
ἀπὸ τοῦ ἀρχισυναγώγου λέγοντες ὅτι Ἡ θυγάτηρ σου
36 ἀπέθανεν· τί ἔτι σκύλλεις τὸν διδάσκαλον; ὁ δὲ Ἰησοῦς
παρακούσας τὸν λόγον λαλούμενον λέγει τῷ ἀρχισυναγώ-
37 γῳ Μὴ φοβοῦ, μόνον πίστευε. καὶ οὐκ ἀφῆκεν οὐδένα
μετ᾽ αὐτοῦ συνακολουθῆσαι εἰ μὴ τὸν Πέτρον καὶ Ἰάκωβον
38 καὶ Ἰωάνην τὸν ἀδελφὸν Ἰακώβου. καὶ ἔρχονται εἰς τὸν
οἶκον τοῦ ἀρχισυναγώγου, καὶ θεωρεῖ θόρυβον καὶ κλαίον-
39 τας καὶ ἀλαλάζοντας πολλά, καὶ εἰσελθὼν λέγει αὐτοῖς
Τί θορυβεῖσθε καὶ κλαίετε; τὸ παιδίον οὐκ ἀπέθανεν ἀλλὰ
40 καθεύδει. καὶ κατεγέλων αὐτοῦ. αὐτὸς δὲ ἐκβαλὼν πάν-
τας παραλαμβάνει τὸν πατέρα τοῦ παιδίου καὶ τὴν μητέρα
καὶ τοὺς μετ᾽ αὐτοῦ, καὶ εἰσπορεύεται ὅπου ἦν τὸ παιδίον·
41 καὶ κρατήσας τῆς χειρὸς τοῦ παιδίου λέγει αὐτῇ Ταλειθά
κούμ, ὅ ἐστιν μεθερμηνευόμενον Τὸ κοράσιον, σοὶ λέγω,
42 ἔγειρε. καὶ εὐθὺς ἀνέστη τὸ κοράσιον καὶ περιεπάτει, ἦν
γὰρ ἐτῶν δώδεκα. καὶ ἐξέστησαν εὐθὺς ἐκστάσει μεγάλῃ.
43 καὶ διεστείλατο αὐτοῖς πολλὰ ἵνα μηδεὶς γνοῖ τοῦτο, καὶ
εἶπεν δοθῆναι αὐτῇ φαγεῖν.

1   Καὶ ἐξῆλθεν ἐκεῖθεν, καὶ ἔρχεται εἰς τὴν πατρίδα αὐτοῦ,
2 καὶ ἀκολουθοῦσιν αὐτῷ οἱ μαθηταὶ αὐτοῦ. Καὶ γενομένου
σαββάτου ἤρξατο διδάσκειν ἐν τῇ συναγωγῇ· καὶ οἱ πολλοὶ
ἀκούοντες ἐξεπλήσσοντο λέγοντες Πόθεν τούτῳ ταῦτα,
καὶ τίς ἡ σοφία ἡ δοθεῖσα τούτῳ, καὶ αἱ δυνάμεις τοιαῦται

26 ἑαυτῆς

διὰ τῶν χειρῶν αὐτοῦ γινόμεναι; οὐχ οὗτός ἐστιν ὁ τέκτων, 3
ὁ υἱὸς τῆς Μαρίας καὶ ἀδελφὸς Ἰακώβου καὶ Ἰωσῆτος καὶ
Ἰούδα καὶ Σίμωνος; καὶ οὐκ εἰσὶν αἱ ἀδελφαὶ αὐτοῦ ὧδε
πρὸς ἡμᾶς; καὶ ἐσκανδαλίζοντο ἐν αὐτῷ. καὶ ἔλεγεν 4
αὐτοῖς ὁ Ἰησοῦς ὅτι Οὐκ ἔστιν προφήτης ἄτιμος εἰ μὴ ἐν
τῇ πατρίδι αὐτοῦ καὶ ἐν τοῖς συγγενεῦσιν αὐτοῦ καὶ ἐν τῇ
οἰκίᾳ αὐτοῦ. Καὶ οὐκ ἐδύνατο ἐκεῖ ποιῆσαι οὐδεμίαν 5
δύναμιν, εἰ μὴ ὀλίγοις ἀρρώστοις ἐπιθεὶς τὰς χεῖρας ἐθερά-
πευσεν· καὶ ⌜ἐθαύμασεν⌝ διὰ τὴν ἀπιστίαν αὐτῶν. 6

Καὶ περιῆγεν τὰς κώμας κύκλῳ διδάσκων. Καὶ προσ- 7
καλεῖται τοὺς δώδεκα, καὶ ἤρξατο αὐτοὺς ἀποστέλλειν δύο
δύο, καὶ ἐδίδου αὐτοῖς ἐξουσίαν τῶν πνευμάτων τῶν ἀκαθάρ-
των, καὶ παρήγγειλεν αὐτοῖς ἵνα μηδὲν αἴρωσιν εἰς ὁδὸν εἰ 8
μὴ ῥάβδον μόνον, μὴ ἄρτον, μὴ πήραν, μὴ εἰς τὴν ζώνην
χαλκόν, ἀλλὰ ὑποδεδεμένους σανδάλια, καὶ ⌜μὴ ἐνδύσα- 9
σθαι⌝ δύο χιτῶνας. καὶ ἔλεγεν αὐτοῖς Ὅπου ἐὰν εἰσέλ- 10
θητε εἰς οἰκίαν, ἐκεῖ μένετε ἕως ἂν ἐξέλθητε ἐκεῖθεν. καὶ ὃς 11
ἂν τόπος μὴ δέξηται ὑμᾶς μηδὲ ἀκούσωσιν ὑμῶν, ἐκπορευό-
μενοι ἐκεῖθεν ἐκτινάξατε τὸν χοῦν τὸν ὑποκάτω τῶν ποδῶν
ὑμῶν εἰς μαρτύριον αὐτοῖς. Καὶ ἐξελθόντες ἐκήρυξαν ἵνα 12
μετανοῶσιν, καὶ δαιμόνια πολλὰ ἐξέβαλλον, καὶ ἤλειφον 13
ἐλαίῳ πολλοὺς ἀρρώστους καὶ ἐθεράπευον.

Καὶ ἤκουσεν ὁ βασιλεὺς Ἡρῴδης, φανερὸν γὰρ ἐγένετο 14
τὸ ὄνομα αὐτοῦ, καὶ ⌜ἔλεγον⌝ ὅτι Ἰωάνης ὁ βαπτίζων ἐγή-
γερται ἐκ νεκρῶν, καὶ διὰ τοῦτο ἐνεργοῦσιν αἱ δυνάμεις ἐν
αὐτῷ· ἄλλοι δὲ ἔλεγον ὅτι Ἡλείας ἐστίν· ἄλλοι δὲ ἔλεγον 15
ὅτι προφήτης ὡς εἷς τῶν προφητῶν. ἀκούσας δὲ ὁ Ἡρῴ- 16
δης ἔλεγεν Ὃν ἐγὼ ἀπεκεφάλισα Ἰωάνην, οὗτος ἠγέρθη.
Αὐτὸς γὰρ ὁ Ἡρῴδης ἀποστείλας ἐκράτησεν τὸν Ἰωά- 17
νην καὶ ἔδησεν αὐτὸν ἐν φυλακῇ διὰ Ἡρῳδιάδα τὴν γυ-
ναῖκα Φιλίππου τοῦ ἀδελφοῦ αὐτοῦ, ὅτι αὐτὴν ἐγάμησεν·
ἔλεγεν γὰρ ὁ Ἰωάνης τῷ Ἡρῴδῃ ὅτι Οὐκ ἔξεστίν σοι 18
ἔχειν τὴν γυναῖκα τοῦ ἀδελφοῦ σου. ἡ δὲ Ἡρῳδιὰς ἐνεῖχεν 19

6 ἐθαύμαζεν   9 Μὴ ἐνδύσησθε   14 ἔλεγεν

20 αὐτῷ καὶ ἤθελεν αὐτὸν ἀποκτεῖναι, καὶ οὐκ ἠδύνατο· ὁ γὰρ
Ἡρῴδης ἐφοβεῖτο τὸν Ἰωάνην, εἰδὼς αὐτὸν ἄνδρα δίκαιον
καὶ ἅγιον, καὶ συνετήρει αὐτόν, καὶ ἀκούσας αὐτοῦ πολλὰ
21 ἠπόρει, καὶ ἡδέως αὐτοῦ ἤκουεν. Καὶ γενομένης ἡμέρας
εὐκαίρου ὅτε Ἡρῴδης τοῖς γενεσίοις αὐτοῦ δεῖπνον ἐποίησεν
τοῖς μεγιστᾶσιν αὐτοῦ καὶ τοῖς χιλιάρχοις καὶ τοῖς πρώτοις
22 τῆς Γαλιλαίας, καὶ εἰσελθούσης τῆς θυγατρὸς αὐτοῦ Ἡρῳ-
διάδος καὶ ὀρχησαμένης, ἤρεσεν τῷ Ἡρῴδῃ καὶ τοῖς συ-
νανακειμένοις. ὁ δὲ βασιλεὺς εἶπεν τῷ κορασίῳ Αἴτησόν
23 με ὃ ἐὰν θέλῃς, καὶ δώσω σοι· καὶ ὤμοσεν αὐτῇ ⌜Ὅτι⌝
⌜ἐάν με⌝ αἰτήσῃς δώσω σοι ἕως ἡμίσους τῆς βασιλείας μου.
24 καὶ ἐξελθοῦσα εἶπεν τῇ μητρὶ αὐτῆς Τί αἰτήσωμαι; ἡ δὲ
25 εἶπεν Τὴν κεφαλὴν Ἰωάνου τοῦ βαπτίζοντος. καὶ εἰσελ-
θοῦσα εὐθὺς μετὰ σπουδῆς πρὸς τὸν βασιλέα ᾐτήσατο
λέγουσα Θέλω ἵνα ἐξαυτῆς δῷς μοι ἐπὶ πίνακι τὴν κεφα-
26 λὴν Ἰωάνου τοῦ βαπτιστοῦ. καὶ περίλυπος γενόμενος
ὁ βασιλεὺς διὰ τοὺς ὅρκους καὶ τοὺς ἀνακειμένους οὐκ ἠθέ-
27 λησεν ἀθετῆσαι αὐτήν· καὶ εὐθὺς ἀποστείλας ὁ βασιλεὺς
σπεκουλάτορα ἐπέταξεν ἐνέγκαι τὴν κεφαλὴν αὐτοῦ. καὶ
28 ἀπελθὼν ἀπεκεφάλισεν αὐτὸν ἐν τῇ φυλακῇ καὶ ἤνεγκεν
τὴν κεφαλὴν αὐτοῦ ἐπὶ πίνακι καὶ ἔδωκεν αὐτὴν τῷ κο-
ρασίῳ, καὶ τὸ κοράσιον ἔδωκεν αὐτὴν τῇ μητρὶ αὐτῆς.
29 καὶ ἀκούσαντες οἱ μαθηταὶ αὐτοῦ ἦλθαν καὶ ἦραν τὸ πτῶμα
αὐτοῦ καὶ ἔθηκαν αὐτὸ ἐν μνημείῳ.

30 Καὶ συνάγονται οἱ ἀπόστολοι πρὸς τὸν Ἰησοῦν, καὶ
ἀπήγγειλαν αὐτῷ πάντα ὅσα ἐποίησαν καὶ ὅσα ἐδίδαξαν.
31 καὶ λέγει αὐτοῖς Δεῦτε ὑμεῖς αὐτοὶ κατ᾽ ἰδίαν εἰς ἔρημον
τόπον καὶ ἀναπαύσασθε ὀλίγον. ἦσαν γὰρ οἱ ἐρχόμενοι
32 καὶ οἱ ὑπάγοντες πολλοί, καὶ οὐδὲ φαγεῖν εὐκαίρουν. καὶ
33 ἀπῆλθον ἐν τῷ πλοίῳ εἰς ἔρημον τόπον κατ᾽ ἰδίαν. καὶ
εἶδαν αὐτοὺς ὑπάγοντας καὶ ⌜ἔγνωσαν⌝ πολλοί, καὶ πεζῇ
ἀπὸ πασῶν τῶν πόλεων συνέδραμον ἐκεῖ καὶ προῆλθον

23 ὅτι ²Ο | ἐάν   33 ἐπέγνωσαν

αὐτούς. Καὶ ἐξελθὼν εἶδεν πολὺν ὄχλον, καὶ ἐσπλαγ- 34
χνίσθη ἐπ᾿ αὐτοὺς ὅτι ἦσαν ὡς ΠΡΌΒΑΤΑ ΜΉ ἔΧΟΝΤΑ ΠΟΙ-
ΜΈΝΑ, καὶ ἤρξατο διδάσκειν αὐτοὺς πολλά. Καὶ ἤδη 35
ὥρας πολλῆς ⌜γενομένης⌝ προσελθόντες αὐτῷ οἱ μαθηταὶ
αὐτοῦ ἔλεγον ὅτι Ἔρημός ἐστιν ὁ τόπος, καὶ ἤδη ὥρα
πολλή· ἀπόλυσον αὐτούς, ἵνα ἀπελθόντες εἰς τοὺς κύκλῳ 36
ἀγροὺς καὶ κώμας ἀγοράσωσιν ἑαυτοῖς τί φάγωσιν. ὁ δὲ 37
ἀποκριθεὶς εἶπεν αὐτοῖς Δότε αὐτοῖς ὑμεῖς φαγεῖν. καὶ
λέγουσιν αὐτῷ Ἀπελθόντες ἀγοράσωμεν δηναρίων δια-
κοσίων ἄρτους καὶ δώσομεν αὐτοῖς φαγεῖν; ὁ δὲ λέγει 38
αὐτοῖς Πόσους ἔχετε ἄρτους; ὑπάγετε ἴδετε. καὶ γνόν-
τες λέγουσιν Πέντε, καὶ δύο ἰχθύας. καὶ ἐπέταξεν αὐτοῖς 39
⌜ἀνακλιθῆναι⌝ πάντας συμπόσια συμπόσια ἐπὶ τῷ χλωρῷ
χόρτῳ. καὶ ἀνέπεσαν πρασιαὶ πρασιαὶ κατὰ ἑκατὸν καὶ 40
κατὰ πεντήκοντα. καὶ λαβὼν τοὺς πέντε ἄρτους καὶ 41
τοὺς δύο ἰχθύας ἀναβλέψας εἰς τὸν οὐρανὸν εὐλόγησεν
καὶ κατέκλασεν τοὺς ἄρτους καὶ ἐδίδου τοῖς μαθηταῖς
ἵνα παρατιθῶσιν αὐτοῖς, καὶ τοὺς δύο ἰχθύας ἐμέρισεν
πᾶσιν. καὶ ἔφαγον πάντες καὶ ἐχορτάσθησαν· καὶ ἦραν 42
43
κλάσματα δώδεκα κοφίνων πληρώματα καὶ ἀπὸ τῶν
ἰχθύων. καὶ ἦσαν οἱ φαγόντες τοὺς ἄρτους πεντακισχί- 44
λιοι ἄνδρες. Καὶ εὐθὺς ἠνάγκασεν τοὺς μα- 45
θητὰς αὐτοῦ ἐμβῆναι εἰς τὸ πλοῖον καὶ προάγειν εἰς τὸ
πέραν πρὸς Βηθσαιδάν, ἕως αὐτὸς ἀπολύει τὸν ὄχλον. καὶ 46
ἀποταξάμενος αὐτοῖς ἀπῆλθεν εἰς τὸ ὄρος προσεύξα-
σθαι. καὶ ὀψίας γενομένης ἦν τὸ πλοῖον ἐν μέσῳ τῆς 47
θαλάσσης, καὶ αὐτὸς μόνος ἐπὶ τῆς γῆς. καὶ ἰδὼν αὐτοὺς 48
βασανιζομένους ἐν τῷ ἐλαύνειν, ἦν γὰρ ὁ ἄνεμος ἐναντίος
αὐτοῖς, περὶ τετάρτην φυλακὴν τῆς νυκτὸς ἔρχεται πρὸς
αὐτοὺς περιπατῶν ἐπὶ τῆς θαλάσσης· καὶ ἤθελεν παρελ-
θεῖν αὐτούς. οἱ δὲ ἰδόντες αὐτὸν ἐπὶ τῆς θαλάσσης περι- 49
πατοῦντα ἔδοξαν ὅτι φάντασμά ἐστιν καὶ ἀνέκραξαν, πάν- 50
τες γὰρ αὐτὸν εἶδαν καὶ ἐταράχθησαν. ὁ δὲ εὐθὺς ἐλάλησεν

35 γινομένης   39 ἀνακλῖναι

μετ᾽ αὐτῶν, καὶ λέγει αὐτοῖς Θαρσεῖτε, ἐγώ εἰμι, μὴ
51 φοβεῖσθε. καὶ ἀνέβη πρὸς αὐτοὺς εἰς τὸ πλοῖον, καὶ
52 ἐκόπασεν ὁ ἄνεμος. καὶ λίαν ἐν ἑαυτοῖς ἐξίσταντο, οὐ γὰρ
συνῆκαν ἐπὶ τοῖς ἄρτοις, ἀλλ᾽ ἦν αὐτῶν ἡ καρδία πεπω-
53 ρωμένη. Καὶ διαπεράσαντες ἐπὶ τὴν γῆν ἦλθον
54 εἰς Γεννησαρὲτ καὶ προσωρμίσθησαν. καὶ ἐξελθόντων
55 αὐτῶν ἐκ τοῦ πλοίου εὐθὺς ἐπιγνόντες αὐτὸν περιέδραμον
ὅλην τὴν χώραν ἐκείνην καὶ ἤρξαντο ἐπὶ τοῖς κραβάττοις
56 τοὺς κακῶς ἔχοντας περιφέρειν ὅπου ἤκουον ὅτι ἔστιν. καὶ
ὅπου ἂν εἰσεπορεύετο εἰς κώμας ἢ εἰς πόλεις ἢ εἰς ἀγροὺς
ἐν ταῖς ἀγοραῖς ἐτίθεσαν τοὺς ἀσθενοῦντας, καὶ παρεκά-
λουν αὐτὸν ἵνα κἂν τοῦ κρασπέδου τοῦ ἱματίου αὐτοῦ
ἅψωνται· καὶ ὅσοι ἂν ἥψαντο αὐτοῦ ἐσώζοντο.

1 Καὶ συνάγονται πρὸς αὐτὸν οἱ Φαρισαῖοι καί τινες τῶν
2 γραμματέων ἐλθόντες ἀπὸ Ἱεροσολύμων καὶ ἰδόντες τινὰς
τῶν μαθητῶν αὐτοῦ ὅτι κοιναῖς χερσίν, τοῦτ᾽ ἔστιν ἀνί-
3 πτοις, ἐσθίουσιν τοὺς ἄρτους. – οἱ γὰρ Φαρισαῖοι καὶ πάν-
τες οἱ Ἰουδαῖοι ἐὰν μὴ πυγμῇ νίψωνται τὰς χεῖρας οὐκ ἐ-
σθίουσιν, κρατοῦντες τὴν παράδοσιν τῶν πρεσβυτέρων,
4 καὶ ἀπ᾽ ἀγορᾶς ἐὰν μὴ ⌜ῥαντίσωνται⌝ οὐκ ἐσθίουσιν, καὶ
ἄλλα πολλά ἐστιν ἃ παρέλαβον κρατεῖν, βαπτισμοὺς
5 ποτηρίων καὶ ξεστῶν καὶ χαλκίων. – καὶ ἐπερωτῶσιν
αὐτὸν οἱ Φαρισαῖοι καὶ οἱ γραμματεῖς Διὰ τί οὐ περιπα-
τοῦσιν οἱ μαθηταί σου κατὰ τὴν παράδοσιν τῶν πρεσβυ-
6 τέρων, ἀλλὰ κοιναῖς χερσὶν ἐσθίουσιν τὸν ἄρτον; ὁ δὲ
εἶπεν αὐτοῖς Καλῶς ἐπροφήτευσεν Ἡσαίας περὶ ὑμῶν
τῶν ὑποκριτῶν, ὡς γέγραπται ὅτι

⌜Οὗτος ὁ λαὸς⌝ τοῖς χείλεσίν με τιμᾷ,
ἡ δὲ καρδία αὐτῶν πόρρω ἀπέχει ἀπ᾽ ἐμοῦ·
7 μάτην δὲ σέβονταί με,
διδάσκοντες διδασκαλίας ἐντάλματα ἀνθρώπων·
8 ἀφέντες τὴν ἐντολὴν τοῦ θεοῦ κρατεῖτε τὴν παράδοσιν
9 τῶν ἀνθρώπων. καὶ ἔλεγεν αὐτοῖς Καλῶς ἀθετεῖτε τὴν

4 βαπτίσωνται   6 Ὁ λαὸς οὗτος

ἐντολὴν τοῦ θεοῦ, ἵνα τὴν παράδοσιν ὑμῶν τηρήσητε·
Μωυσῆς γὰρ εἶπεν Τίμα τὸν πατέρα coy καὶ τὴν 10
μητέρα coy, καί Ὁ κακολογῶν πατέρα ἢ μητέρα
θανάτῳ τελεγτάτω· ὑμεῖς δὲ λέγετε Ἐὰν εἴπῃ ἄνθρω- 11
πος τῷ πατρὶ ἢ τῇ μητρί Κορβάν, ὅ ἐστιν Δῶρον, ὃ ἐὰν
ἐξ ἐμοῦ ὠφεληθῇς, οὐκέτι ἀφίετε αὐτὸν οὐδὲν ποιῆσαι τῷ 12
πατρὶ ἢ τῇ μητρί, ἀκυροῦντες τὸν λόγον τοῦ θεοῦ τῇ παρα- 13
δόσει ὑμῶν ᾗ παρεδώκατε· καὶ παρόμοια τοιαῦτα πολλὰ
ποιεῖτε. Καὶ προσκαλεσάμενος πάλιν τὸν ὄχλον ἔλεγεν 14
αὐτοῖς Ἀκούσατέ μου πάντες καὶ σύνετε. οὐδὲν ἔστιν 15
ἔξωθεν τοῦ ἀνθρώπου εἰσπορευόμενον εἰς αὐτὸν ὃ δύναται
κοινῶσαι αὐτόν· ἀλλὰ τὰ ἐκ τοῦ ἀνθρώπου ἐκπορευόμενά
ἐστιν τὰ κοινοῦντα τὸν ἄνθρωπον. Καὶ ὅτε εἰσῆλθεν εἰς 17
οἶκον ἀπὸ τοῦ ὄχλου, ἐπηρώτων αὐτὸν οἱ μαθηταὶ αὐτοῦ
τὴν παραβολήν. καὶ λέγει αὐτοῖς Οὕτως καὶ ὑμεῖς ἀσύ- 18
νετοί ἐστε; οὐ νοεῖτε ὅτι πᾶν τὸ ἔξωθεν εἰσπορευόμενον εἰς
τὸν ἄνθρωπον οὐ δύναται αὐτὸν κοινῶσαι, ὅτι οὐκ εἰσπο- 19
ρεύεται αὐτοῦ εἰς τὴν καρδίαν ἀλλ᾽ εἰς τὴν κοιλίαν, καὶ
εἰς τὸν ἀφεδρῶνα ἐκπορεύεται; – καθαρίζων πάντα τὰ
βρώματα. ἔλεγεν δὲ ὅτι Τὸ ἐκ τοῦ ἀνθρώπου ἐκπορευό- 20
μενον ἐκεῖνο κοινοῖ τὸν ἄνθρωπον· ἔσωθεν γὰρ ἐκ τῆς 21
καρδίας τῶν ἀνθρώπων οἱ διαλογισμοὶ οἱ κακοὶ ἐκπορεύ-
ονται, πορνεῖαι, κλοπαί, φόνοι, μοιχεῖαι, πλεονεξίαι, πονη- 22
ρίαι, δόλος, ἀσέλγεια, ὀφθαλμὸς πονηρός, βλασφημία,
ὑπερηφανία, ἀφροσύνη· πάντα ταῦτα τὰ πονηρὰ ἔσωθεν 23
ἐκπορεύεται καὶ κοινοῖ τὸν ἄνθρωπον.

Ἐκεῖθεν δὲ ἀναστὰς ἀπῆλθεν εἰς τὰ ὅρια Τύρου [καὶ 24
Σιδῶνος]. Καὶ εἰσελθὼν εἰς οἰκίαν οὐδένα ἤθελεν γνῶναι,
καὶ οὐκ ἠδυνάσθη λαθεῖν· ἀλλ᾽ εὐθὺς ἀκούσασα γυνὴ περὶ 25
αὐτοῦ, ἧς εἶχεν τὸ θυγάτριον αὐτῆς πνεῦμα ἀκάθαρτον,
ἐλθοῦσα προσέπεσεν πρὸς τοὺς πόδας αὐτοῦ· ἡ δὲ γυνὴ 26
ἦν Ἑλληνίς, ⌜Συροφοινίκισσα⌝ τῷ γένει· καὶ ἠρώτα αὐτὸν
ἵνα τὸ δαιμόνιον ἐκβάλῃ ἐκ τῆς θυγατρὸς αὐτῆς. καὶ 27

26 Σύρα Φοινίκισσα

ἔλεγεν αὐτῇ Ἄφες πρῶτον χορτασθῆναι τὰ τέκνα, οὐ
γάρ ἐστιν καλὸν λαβεῖν τὸν ἄρτον τῶν τέκνων καὶ τοῖς
28 κυναρίοις βαλεῖν. ἡ δὲ ἀπεκρίθη καὶ λέγει αὐτῷ Ναί,
κύριε, καὶ τὰ κυνάρια ὑποκάτω τῆς τραπέζης ἐσθίουσιν
29 ἀπὸ τῶν ψιχίων τῶν παιδίων. καὶ εἶπεν αὐτῇ Διὰ τοῦ-
τον τὸν λόγον ὕπαγε, ἐξελήλυθεν ἐκ τῆς θυγατρός σου τὸ
30 δαιμόνιον. καὶ ἀπελθοῦσα εἰς τὸν οἶκον αὐτῆς εὗρεν τὸ
παιδίον βεβλημένον ἐπὶ τὴν κλίνην καὶ τὸ δαιμόνιον ἐξε-
31 ληλυθός. Καὶ πάλιν ἐξελθὼν ἐκ τῶν ὁρίων
Τύρου ἦλθεν διὰ Σιδῶνος εἰς τὴν θάλασσαν τῆς Γαλιλαίας
32 ἀνὰ μέσον τῶν ὁρίων Δεκαπόλεως. Καὶ φέρουσιν αὐτῷ κω-
φὸν καὶ μογιλάλον, καὶ παρακαλοῦσιν αὐτὸν ἵνα ἐπιθῇ αὐ-
33 τῷ τὴν χεῖρα. καὶ ἀπολαβόμενος αὐτὸν ἀπὸ τοῦ ὄχλου κα-
τ᾽ ἰδίαν ἔβαλεν τοὺς δακτύλους αὐτοῦ εἰς τὰ ὦτα αὐτοῦ καὶ
34 πτύσας ἥψατο τῆς γλώσσης αὐτοῦ, καὶ ἀναβλέψας εἰς τὸν οὐ-
ρανὸν ἐστέναξεν, καὶ λέγει αὐτῷ Ἐφφαθά, ὅ ἐστιν Δια-
35 νοίχθητι· καὶ ἠνοίγησαν αὐτοῦ αἱ ἀκοαί, καὶ ἐλύθη ὁ
36 δεσμὸς τῆς γλώσσης αὐτοῦ, καὶ ἐλάλει· ὀρθῶς· καὶ διε-
στείλατο αὐτοῖς ἵνα μηδενὶ λέγωσιν· ὅσον δὲ αὐτοῖς διε-
37 στέλλετο, αὐτοὶ μᾶλλον περισσότερον ἐκήρυσσον. καὶ
ὑπερπερισσῶς ἐξεπλήσσοντο λέγοντες Καλῶς πάντα πε-
ποίηκεν, ⸆ καὶ τοὺς κωφοὺς ποιεῖ ἀκούειν καὶ ἀλάλους λα-
λεῖν.

1 Ἐν ἐκείναις ταῖς ἡμέραις πάλιν πολλοῦ ὄχλου ὄντος
καὶ μὴ ἐχόντων τί φάγωσιν, προσκαλεσάμενος τοὺς μαθη-
2 τὰς λέγει αὐτοῖς Σπλαγχνίζομαι ἐπὶ τὸν ὄχλον ὅτι ἤδη
⸂ἡμέραι τρεῖς⸃ ⸂προσμένουσίν μοι⸃ καὶ οὐκ ἔχουσιν τί
3 φάγωσιν· καὶ ἐὰν ἀπολύσω αὐτοὺς νήστεις εἰς οἶκον αὐτῶν,
ἐκλυθήσονται ἐν τῇ ὁδῷ· καί τινες αὐτῶν ἀπὸ μακρόθεν
4 εἰσίν. καὶ ἀπεκρίθησαν αὐτῷ οἱ μαθηταὶ αὐτοῦ ὅτι Πό-
θεν τούτους δυνήσεταί τις ὧδε χορτάσαι ἄρτων ἐπ᾽ ἐρημίας;
5 καὶ ἠρώτα αὐτούς Πόσους ἔχετε ἄρτους; οἱ δὲ εἶπαν
6 Ἑπτά. καὶ παραγγέλλει τῷ ὄχλῳ ἀναπεσεῖν ἐπὶ τῆς γῆς·

καὶ λαβὼν τοὺς ἑπτὰ ἄρτους εὐχαριστήσας· ἔκλασεν καὶ
ἐδίδου τοῖς μαθηταῖς αὐτοῦ ἵνα παρατιθῶσιν καὶ παρέθη-
καν τῷ ὄχλῳ. καὶ εἶχαν ἰχθύδια ὀλίγα· καὶ εὐλογήσας 7
αὐτὰ εἶπεν καὶ ταῦτα παρατιθέναι. καὶ ἔφαγον καὶ ἐχορτά- 8
σθησαν, καὶ ἦραν περισσεύματα κλασμάτων ἑπτὰ σφυρί-
δας. ἦσαν δὲ ὡς τετρακισχίλιοι. καὶ ἀπέλυσεν αὐτούς. 9
Καὶ εὐθὺς ἐμβὰς ᵀ εἰς τὸ πλοῖον μετὰ τῶν μαθητῶν αὐτοῦ 10
ἦλθεν εἰς τὰ μέρη Δαλμανουθά.

Καὶ ἐξῆλθον οἱ Φαρισαῖοι καὶ ἤρξαντο συνζητεῖν αὐτῷ, 11
ζητοῦντες παρ᾽ αὐτοῦ σημεῖον ἀπὸ τοῦ οὐρανοῦ, πειράζον-
τες αὐτόν. καὶ ἀναστενάξας τῷ πνεύματι αὐτοῦ λέγει 12
Τί ἡ γενεὰ αὕτη ζητεῖ σημεῖον; ἀμὴν λέγωᵀ, εἰ δοθή-
σεται τῇ γενεᾷ ταύτῃ σημεῖον. καὶ ἀφεὶς αὐτοὺς πά- 13
λιν ἐμβὰς ἀπῆλθεν εἰς τὸ πέραν. Καὶ ἐπε- 14
λάθοντο λαβεῖν ἄρτους, καὶ εἰ μὴ ἕνα ἄρτον οὐκ εἶχον
μεθ᾽ ἑαυτῶν ἐν τῷ πλοίῳ. καὶ διεστέλλετο αὐτοῖς λέγων 15
Ὁρᾶτε, βλέπετε ἀπὸ τῆς ζύμης τῶν Φαρισαίων καὶ τῆς
ζύμης Ἡρῴδου. καὶ διελογίζοντο πρὸς ἀλλήλους ὅτι 16
ἄρτους οὐκ ἔχουσιν. καὶ γνοὺς λέγει αὐτοῖς Τί διαλογί- 17
ζεσθε ὅτι ἄρτους οὐκ ἔχετε; οὔπω νοεῖτε οὐδὲ συνίετε;
πεπωρωμένην ἔχετε τὴν καρδίαν ὑμῶν; ὀφθαλμοὺς ἔχον- 18
τες ΟΥ ΒλΕπετε καὶ ὦτα ἔχοντες ΟΥΚ ἀκΟΥΕτε; καὶ
οὐ μνημονεύετε ὅτε τοὺς πέντε ἄρτους ἔκλασα εἰς τοὺς 19
πεντακισχιλίους, πόσους κοφίνους κλασμάτων πλήρεις
ἤρατε; λέγουσιν αὐτῷ Δώδεκα. ὅτε ᵀ τοὺς ἑπτὰ εἰς τοὺς 20
τετρακισχιλίους, πόσων σφυρίδων πληρώματα κλασμάτων
ἤρατε; καὶ λέγουσιν αὐτῷ Ἑπτά. καὶ ἔλεγεν αὐτοῖς 21
Οὔπω συνίετε;

Καὶ ἔρχονται εἰς Βηθσαιδάν. Καὶ φέρουσιν αὐτῷ 22
τυφλὸν καὶ παρακαλοῦσιν αὐτὸν ἵνα αὐτοῦ ἅψηται. καὶ 23
ἐπιλαβόμενος τῆς χειρὸς τοῦ τυφλοῦ ἐξήνεγκεν αὐτὸν ἔξω
τῆς κώμης, καὶ πτύσας εἰς τὰ ὄμματα αὐτοῦ, ἐπιθεὶς τὰς
χεῖρας αὐτῷ, ἐπηρώτα ⌐αὐτόν Εἴ τι βλέπεις;⌐ καὶ ἀναβλέ- 24

10 αὐτὸς   12 ὑμῖν   20 καὶ   23 αὐτὸν εἴ τι βλέπει.

ψας ἔλεγεν Βλέπω τοὺς ἀνθρώπους ὅτι ὡς δένδρα ὁρῶ
25 περιπατοῦντας. εἶτα πάλιν ἔθηκεν τὰς χεῖρας ἐπὶ τοὺς
ὀφθαλμοὺς αὐτοῦ, καὶ διέβλεψεν, καὶ ἀπεκατέστη, καὶ ἐνέ-
26 βλεπεν ⌜τηλαυγῶς⌝ ἅπαντα. καὶ ἀπέστειλεν αὐτὸν εἰς
οἶκον αὐτοῦ λέγων Μηδὲ εἰς τὴν κώμην εἰσέλθῃς.

27 Καὶ ἐξῆλθεν ὁ Ἰησοῦς καὶ οἱ μαθηταὶ αὐτοῦ εἰς τὰς
κώμας Καισαρίας τῆς Φιλίππου· καὶ ἐν τῇ ὁδῷ ἐπηρώτα
τοὺς μαθητὰς αὐτοῦ λέγων αὐτοῖς Τίνα με λέγουσιν οἱ
28 ἄνθρωποι εἶναι; οἱ δὲ εἶπαν αὐτῷ λέγοντες ὅτι Ἰωάνην
τὸν βαπτιστήν, καὶ ἄλλοι Ἠλείαν, ἄλλοι δὲ ὅτι εἷς τῶν
29 προφητῶν. καὶ αὐτὸς ἐπηρώτα αὐτούς Ὑμεῖς δὲ τίνα με
λέγετε εἶναι; ἀποκριθεὶς ὁ Πέτρος λέγει αὐτῷ Σὺ εἶ ὁ
30 χριστός. καὶ ἐπετίμησεν αὐτοῖς ἵνα μηδενὶ λέγωσιν περὶ
31 αὐτοῦ. Καὶ ἤρξατο διδάσκειν αὐτοὺς ὅτι δεῖ
τὸν υἱὸν τοῦ ἀνθρώπου πολλὰ παθεῖν καὶ ἀποδοκιμα-
σθῆναι ὑπὸ τῶν πρεσβυτέρων καὶ τῶν ἀρχιερέων καὶ τῶν
γραμματέων καὶ ἀποκτανθῆναι καὶ μετὰ τρεῖς ἡμέρας ἀνα-
32 στῆναι· καὶ παρρησίᾳ τὸν λόγον ἐλάλει. καὶ προσλαβό-
33 μενος ὁ Πέτρος αὐτὸν ἤρξατο ἐπιτιμᾶν αὐτῷ. ὁ δὲ
ἐπιστραφεὶς καὶ ἰδὼν τοὺς μαθητὰς αὐτοῦ ἐπετίμησεν
Πέτρῳ καὶ λέγει Ὕπαγε ὀπίσω μου, Σατανᾶ, ὅτι οὐ φρο-
34 νεῖς τὰ τοῦ θεοῦ ἀλλὰ τὰ τῶν ἀνθρώπων. Καὶ
προσκαλεσάμενος τὸν ὄχλον σὺν τοῖς μαθηταῖς αὐτοῦ
εἶπεν αὐτοῖς Εἴ τις θέλει ὀπίσω μου ἐλθεῖν, ἀπαρνη-
σάσθω ἑαυτὸν καὶ ἀράτω τὸν σταυρὸν αὐτοῦ καὶ ἀκολου-
35 θείτω μοι. ὃς γὰρ ἐὰν θέλῃ τὴν ⌜ἑαυτοῦ ψυχὴν⌝ σῶσαι
ἀπολέσει αὐτήν· ὃς δ' ἂν ἀπολέσει τὴν ψυχὴν αὐτοῦ ἕνεκεν
36 [ἐμοῦ καὶ] τοῦ εὐαγγελίου σώσει αὐτήν. τί γὰρ ⌜ὠφελεῖ
ἄνθρωπον⌝ κερδῆσαι τὸν κόσμον ὅλον καὶ ζημιωθῆναι
37 τὴν ψυχὴν αὐτοῦ; τί γὰρ δοῖ ἄνθρωπος ἀντάλλαγμα τῆς
38 ψυχῆς αὐτοῦ; ὃς γὰρ ἐὰν ἐπαισχυνθῇ με καὶ τοὺς ἐμοὺς
λόγους ἐν τῇ γενεᾷ ταύτῃ τῇ μοιχαλίδι καὶ ἁμαρτωλῷ, καὶ
ὁ υἱὸς τοῦ ἀνθρώπου ἐπαισχυνθήσεται αὐτὸν ὅταν ἔλθῃ ἐν

25 δηλαυγῶς   35 ψυχὴν αὐτοῦ   36 ὠφελήσει τὸν ἄνθρωπον

τῇ δόξῃ τοῦ πατρὸς αὐτοῦ μετὰ τῶν ἀγγέλων τῶν ἁγίων.
καὶ ἔλεγεν αὐτοῖς Ἀμὴν λέγω ὑμῖν ὅτι εἰσίν τινες ὧδε 1
τῶν ἑστηκότων οἵτινες οὐ μὴ γεύσωνται θανάτου ἕως ἂν
ἴδωσιν τὴν βασιλείαν τοῦ θεοῦ ἐληλυθυῖαν ἐν δυνάμει.

Καὶ μετὰ ἡμέρας ἓξ παραλαμβάνει ὁ Ἰησοῦς τὸν 2
Πέτρον καὶ τὸν Ἰάκωβον καὶ ⌐ Ἰωάνην, καὶ ἀναφέρει αὐ-
τοὺς εἰς ὄρος ὑψηλὸν κατ᾽ ἰδίαν μόνους. καὶ μετεμορφώθη
ἔμπροσθεν αὐτῶν, καὶ τὰ ἱμάτια αὐτοῦ ἐγένετο στίλβοντα 3
λευκὰ λίαν οἷα γναφεὺς ἐπὶ τῆς γῆς οὐ δύναται οὕτως
λευκᾶναι. καὶ ὤφθη αὐτοῖς Ἡλείας σὺν Μωυσεῖ, καὶ ἦσαν 4
συνλαλοῦντες τῷ Ἰησοῦ. καὶ ἀποκριθεὶς ὁ Πέτρος λέγει 5
τῷ Ἰησοῦ Ῥαββεί, καλόν ἐστιν ἡμᾶς ὧδε εἶναι, καὶ
ποιήσωμεν τρεῖς σκηνάς, σοὶ μίαν καὶ Μωυσεῖ μίαν καὶ
Ἡλείᾳ μίαν. οὐ γὰρ ᾔδει τί ἀποκριθῇ, ἔκφοβοι γὰρ 6
ἐγένοντο. καὶ ἐγένετο νεφέλη ἐπισκιάζουσα αὐτοῖς, καὶ 7
ἐγένετο φωνὴ ἐκ τῆς νεφέλης Οὗτός ἐστιν ὁ υἱός μου ὁ
ἀγαπητός, ἀκούετε αὐτοῦ. καὶ ἐξάπινα περιβλεψάμενοι 8
οὐκέτι οὐδένα εἶδον ⌐μεθ᾽ ἑαυτῶν εἰ μὴ τὸν Ἰησοῦν μόνον⌐.
Καὶ καταβαινόντων αὐτῶν ⌐ἐκ⌐ τοῦ ὄρους διεστείλατο 9
αὐτοῖς ἵνα μηδενὶ ἃ εἶδον διηγήσωνται, εἰ μὴ ὅταν ὁ υἱὸς
τοῦ ἀνθρώπου ἐκ νεκρῶν ἀναστῇ. καὶ τὸν λόγον ἐκρά- 10
τησαν πρὸς ἑαυτοὺς συνζητοῦντες τί ἐστιν τὸ ἐκ νεκρῶν
ἀναστῆναι. καὶ ἐπηρώτων αὐτὸν λέγοντες Ὅτι λέγουσιν οἱ 11
γραμματεῖς ὅτι Ἡλείαν δεῖ ἐλθεῖν πρῶτον; ὁ δὲ ἔφη αὐτοῖς 12
Ἡλείας μὲν ἐλθὼν πρῶτον ἀποκατιστάνει πάντα, καὶ
πῶς γέγραπται ἐπὶ τὸν υἱὸν τοῦ ἀνθρώπου ἵνα πολλὰ πάθῃ
καὶ ἐξουδενηθῇ; ἀλλὰ λέγω ὑμῖν ὅτι καὶ Ἡλείας ἐλήλυθεν, 13
καὶ ἐποίησαν αὐτῷ ὅσα ἤθελον, καθὼς γέγραπται ἐπ᾽ αὐτόν.

Καὶ ἐλθόντες πρὸς τοὺς μαθητὰς εἶδαν ὄχλον πολὺν 14
περὶ αὐτοὺς καὶ γραμματεῖς συνζητοῦντας πρὸς αὐτούς.
καὶ εὐθὺς πᾶς ὁ ὄχλος ἰδόντες αὐτὸν ἐξεθαμβήθησαν, καὶ 15
προστρέχοντες ἠσπάζοντο αὐτόν. καὶ ἐπηρώτησεν αὐτούς 16
Τί συνζητεῖτε πρὸς αὐτούς; καὶ ἀπεκρίθη αὐτῷ εἷς ἐκ τοῦ 17

2 τον   8 ἀλλὰ τὸν Ἰησοῦν μόνον μεθ᾽ ἑαυτῶν   9 ἀπὸ

ὄχλου Διδάσκαλε, ἤνεγκα τὸν υἱόν μου πρὸς σέ, ἔχοντα
18 πνεῦμα ἄλαλον· καὶ ὅπου ἐὰν αὐτὸν καταλάβῃ ῥήσσει αὐτόν,
καὶ ἀφρίζει καὶ τρίζει τοὺς ὀδόντας καὶ ξηραίνεται· καὶ εἶπα
τοῖς μαθηταῖς σου ἵνα αὐτὸ ἐκβάλωσιν, καὶ οὐκ ἴσχυσαν.
19 ὁ δὲ ἀποκριθεὶς αὐτοῖς λέγει Ὦ γενεὰ ἄπιστος, ἕως
πότε πρὸς ὑμᾶς ἔσομαι; ἕως πότε ἀνέξομαι ὑμῶν; φέρετε
20 αὐτὸν πρός με. καὶ ἤνεγκαν αὐτὸν πρὸς αὐτόν. καὶ ἰδὼν
αὐτὸν τὸ πνεῦμα εὐθὺς συνεσπάραξεν αὐτόν, καὶ πεσὼν
21 ἐπὶ τῆς γῆς ἐκυλίετο ἀφρίζων. καὶ ἐπηρώτησεν τὸν
πατέρα αὐτοῦ Πόσος χρόνος ἐστὶν ὡς τοῦτο γέγονεν
22 αὐτῷ; ὁ δὲ εἶπεν Ἐκ παιδιόθεν· καὶ πολλάκις καὶ εἰς
πῦρ αὐτὸν ἔβαλεν καὶ εἰς ὕδατα ἵνα ἀπολέσῃ αὐτόν·
ἀλλ᾽ εἴ τι δύνῃ, βοήθησον ἡμῖν σπλαγχνισθεὶς ἐφ᾽ ἡμᾶς.
23 ὁ δὲ Ἰησοῦς εἶπεν αὐτῷ ⌜Τό⌝ Εἰ δύνῃ, πάντα δυνατὰ τῷ
24 πιστεύοντι. εὐθὺς κράξας ὁ πατὴρ τοῦ παιδίου ἔλεγεν
25 Πιστεύω· βοήθει μου τῇ ἀπιστίᾳ. ἰδὼν δὲ ὁ Ἰησοῦς
ὅτι ἐπισυντρέχει ὄχλος ἐπετίμησεν τῷ πνεύματι τῷ ἀκα-
θάρτῳ λέγων αὐτῷ Τὸ ἄλαλον καὶ κωφὸν πνεῦμα, ἐγὼ
ἐπιτάσσω σοι, ἔξελθε ἐξ αὐτοῦ καὶ μηκέτι εἰσέλθῃς εἰς
26 αὐτόν. καὶ κράξας καὶ πολλὰ σπαράξας ἐξῆλθεν· καὶ
ἐγένετο ὡσεὶ νεκρὸς ὥστε τοὺς πολλοὺς λέγειν ὅτι ἀπέ-
27 θανεν. ὁ δὲ Ἰησοῦς κρατήσας τῆς χειρὸς αὐτοῦ ἤγειρεν
28 αὐτόν, καὶ ἀνέστη. καὶ εἰσελθόντος αὐτοῦ εἰς οἶκον οἱ
μαθηταὶ αὐτοῦ κατ᾽ ἰδίαν ἐπηρώτων αὐτόν Ὅτι ἡμεῖς
29 οὐκ ἠδυνήθημεν ἐκβαλεῖν αὐτό; καὶ εἶπεν αὐτοῖς Τοῦτο
τὸ γένος ἐν οὐδενὶ δύναται ἐξελθεῖν εἰ μὴ ἐν προσευχῇ.
30   Κἀκεῖθεν ἐξελθόντες ⌜ἐπορεύοντο⌝ διὰ τῆς Γαλιλαίας,
31 καὶ οὐκ ἤθελεν ἵνα τις γνοῖ· ἐδίδασκεν γὰρ τοὺς μαθη-
τὰς αὐτοῦ καὶ ἔλεγεν [αὐτοῖς] ὅτι Ὁ υἱὸς τοῦ ἀνθρώ-
που παραδίδοται εἰς χεῖρας ἀνθρώπων, καὶ ἀποκτενοῦσιν
αὐτόν, καὶ ἀποκτανθεὶς μετὰ τρεῖς ἡμέρας ἀναστήσεται.
32 οἱ δὲ ἠγνόουν τὸ ῥῆμα, καὶ ἐφοβοῦντο αὐτὸν ἐπερωτῆσαι.
33   Καὶ ἦλθον εἰς Καφαρναούμ. Καὶ ἐν τῇ οἰκίᾳ γενόμε-

νος ἐπηρώτα αὐτούς Τί ἐν τῇ ὁδῷ διελογίζεσθε; οἱ δὲ 34
ἐσιώπων, πρὸς ἀλλήλους γὰρ διελέχθησαν ἐν τῇ ὁδῷ τίς
μείζων. καὶ καθίσας ἐφώνησεν τοὺς δώδεκα καὶ λέγει 35
αὐτοῖς Εἴ τις θέλει πρῶτος εἶναι ἔσται πάντων ἔσχατος
καὶ πάντων διάκονος. καὶ λαβὼν παιδίον ἔστησεν αὐτὸ ἐν 36
μέσῳ αὐτῶν καὶ ἐναγκαλισάμενος αὐτὸ εἶπεν αὐτοῖς Ὃς 37
ἂν [ἐν] τῶν τοιούτων παιδίων δέξηται ἐπὶ τῷ ὀνόματί μου,
ἐμὲ δέχεται· καὶ ὃς ἂν ἐμὲ δέχηται, οὐκ ἐμὲ δέχεται ἀλλὰ
τὸν ἀποστείλαντά με.   Ἔφη αὐτῷ ὁ Ἰωάνης 38
Διδάσκαλε, εἴδαμέν τινα ἐν τῷ ὀνόματί σου ἐκβάλλοντα
δαιμόνια, καὶ ἐκωλύομεν αὐτόν, ὅτι οὐκ ἠκολούθει ἡμῖν.
ὁ δὲ Ἰησοῦς εἶπεν Μὴ κωλύετε αὐτόν, οὐδεὶς γὰρ ἔστιν ὃς 39
ποιήσει δύναμιν ἐπὶ τῷ ὀνόματί μου καὶ δυνήσεται ταχὺ
κακολογῆσαί με· ὃς γὰρ οὐκ ἔστιν καθ᾽ ἡμῶν, ὑπὲρ ἡμῶν 40
ἐστίν. Ὃς γὰρ ἂν ποτίσῃ ὑμᾶς ποτήριον ὕδατος ἐν ὀνό- 41
ματι ὅτι Χριστοῦ ἐστέ, ἀμὴν λέγω ὑμῖν ὅτι οὐ μὴ ἀπολέσῃ
τὸν μισθὸν αὐτοῦ. Καὶ ὃς ἂν σκανδαλίσῃ ἕνα τῶν μικρῶν 42
τούτων τῶν πιστευόντων, καλόν ἐστιν αὐτῷ μᾶλλον εἰ
περίκειται μύλος ὀνικὸς περὶ τὸν τράχηλον αὐτοῦ καὶ
βέβληται εἰς τὴν θάλασσαν. Καὶ ἐὰν ⌈σκανδαλίσῃ⌉ σε ἡ 43
χείρ σου, ἀπόκοψον αὐτήν· καλόν ἐστίν σε κυλλὸν εἰσελ-
θεῖν εἰς τὴν ζωὴν ἢ τὰς δύο χεῖρας ἔχοντα ἀπελθεῖν εἰς τὴν
γέενναν, εἰς τὸ πῦρ τὸ ἄσβεστον. καὶ ἐὰν ὁ πούς σου 45
σκανδαλίζῃ σε, ἀπόκοψον αὐτόν· καλόν ἐστίν σε εἰσελθεῖν
εἰς τὴν ζωὴν χωλὸν ἢ τοὺς δύο πόδας ἔχοντα βληθῆναι εἰς
τὴν γέενναν. καὶ ἐὰν ὁ ὀφθαλμός σου σκανδαλίζῃ σε, 47
ἔκβαλε αὐτόν· καλόν σέ ἐστιν μονόφθαλμον εἰσελθεῖν εἰς
τὴν βασιλείαν τοῦ θεοῦ ἢ δύο ὀφθαλμοὺς ἔχοντα βληθῆναι
εἰς ᵀ γέενναν, ὅπου ὁ ϹΚΩΛΗΞ ΑΥΤΩΝ ΟΥ ΤΕΛΕΥΤᾼ καὶ 48
τὸ ΠΥ̅Ρ ΟΥ ϹΒΕΝΝΥΤΑΙ· πᾶς γὰρ πυρὶ ἁλισθήσεται. 49
Καλὸν τὸ ἅλας· ἐὰν δὲ τὸ ἅλας ἄναλον γένηται, ἐν τίνι 50
αὐτὸ ἀρτύσετε; ἔχετε ἐν ἑαυτοῖς ἅλα, καὶ εἰρηνεύετε ἐν
ἀλλήλοις.

43 σκανδαλίζῃ

1 Καὶ ἐκεῖθεν ἀναστὰς ἔρχεται εἰς τὰ ὅρια τῆς Ἰουδαίας
καὶ πέραν τοῦ Ἰορδάνου, καὶ συνπορεύονται πάλιν ὄχλοι
2 πρὸς αὐτόν, καὶ ὡς εἰώθει πάλιν ἐδίδασκεν αὐτούς. Καὶ
[προσελθόντες Φαρισαῖοι] ἐπηρώτων αὐτὸν εἰ ἔξεστιν ἀνδρὶ
3 γυναῖκα ἀπολῦσαι, πειράζοντες αὐτόν. ὁ δὲ ἀποκριθεὶς
4 εἶπεν αὐτοῖς Τί ὑμῖν ἐνετείλατο Μωυσῆς; οἱ δὲ εἶπαν
Ἐπέτρεψεν Μωυσῆς ΒΙΒΛΙΟΝ ἀποϲΤαϲιογ Γράψαι καὶ
5 ἀπολῦϲαι. ὁ δὲ Ἰησοῦς εἶπεν αὐτοῖς Πρὸς τὴν σκλη-
6 ροκαρδίαν ὑμῶν ἔγραψεν ὑμῖν τὴν ἐντολὴν ταύτην· ἀπὸ δὲ
7 ἀρχῆς κτίσεως ἄρϲεν καὶ θῆλγ ἐποίηϲεν [αὐτογϲ]· ἔνε-
κεν τογτογ καταλείψει ἄνθρωποϲ τὸν πατέρα αὐτοῦ
8 καὶ τὴν μητέρα, καὶ ἔϲονται οἱ δγο εἰϲ ϲάρκα μίαν·
9 ὥστε οὐκέτι εἰσὶν δύο ἀλλὰ μία σάρξ· ὃ οὖν ὁ θεὸς συνέ-
10 ζευξεν ἄνθρωπος μὴ χωριζέτω. Καὶ εἰς τὴν οἰκίαν πάλιν
11 οἱ μαθηταὶ περὶ τούτου ἐπηρώτων αὐτόν. καὶ λέγει αὐ-
τοῖς Ὃς ἂν ἀπολύσῃ τὴν γυναῖκα αὐτοῦ καὶ γαμήσῃ
12 ἄλλην μοιχᾶται ἐπ᾽ αὐτήν, καὶ ἐὰν αὐτὴ ἀπολύσασα τὸν
ἄνδρα αὐτῆς γαμήσῃ ἄλλον μοιχᾶται.

13 Καὶ προσέφερον αὐτῷ παιδία ἵνα αὐτῶν ἅψηται· οἱ δὲ
14 μαθηταὶ ἐπετίμησαν αὐτοῖς. ἰδὼν δὲ ὁ Ἰησοῦς ἠγα-
νάκτησεν καὶ εἶπεν αὐτοῖς Ἄφετε τὰ παιδία ἔρχεσθαι
πρός με, μὴ κωλύετε αὐτά, τῶν γὰρ τοιούτων ἐστὶν ἡ
15 βασιλεία τοῦ θεοῦ. ἀμὴν λέγω ὑμῖν, ὃς ἂν μὴ δέξηται τὴν
βασιλείαν τοῦ θεοῦ ὡς παιδίον, οὐ μὴ εἰσέλθῃ εἰς αὐτήν.
16 καὶ ἐναγκαλισάμενος αὐτὰ κατευλόγει τιθεὶς τὰς χεῖρας
ἐπ᾽ αὐτά.

17 Καὶ ἐκπορευομένου αὐτοῦ εἰς ὁδὸν προσδραμὼν εἷς καὶ
γονυπετήσας αὐτὸν ἐπηρώτα αὐτόν Διδάσκαλε ἀγαθέ, τί
18 ποιήσω ἵνα ζωὴν αἰώνιον κληρονομήσω; ὁ δὲ Ἰησοῦς εἶπεν
αὐτῷ Τί με λέγεις ἀγαθόν; οὐδεὶς ἀγαθὸς εἰ μὴ εἷς ὁ θεός.
19 τὰς ἐντολὰς οἶδας Μὴ φονεγϲηϲ, Μὴ μοιχεγϲηϲ,
Μὴ κλέψηϲ, Μὴ ψεγδομαρτγρήϲηϲ, Μὴ ἀποστερήσῃς,
20 Τίμα τὸν πατέρα ϲογ καὶ τὴν μητέρα. ὁ δὲ ἔφη αὐτῷ

Διδάσκαλε, ταῦτα πάντα ἐφυλαξάμην ἐκ νεότητός μου.
ὁ δὲ Ἰησοῦς ἐμβλέψας αὐτῷ ἠγάπησεν αὐτὸν καὶ εἶπεν 21
αὐτῷ Ἕν σε ὑστερεῖ· ὕπαγε ὅσα ἔχεις πώλησον καὶ δὸς
[τοῖς] πτωχοῖς, καὶ ἕξεις θησαυρὸν ἐν οὐρανῷ, καὶ δεῦρο
ἀκολούθει μοι. ὁ δὲ στυγνάσας ἐπὶ τῷ λόγῳ ἀπῆλθεν 22
λυπούμενος, ἦν γὰρ ἔχων κτήματα πολλά. Καὶ 23
περιβλεψάμενος ὁ Ἰησοῦς λέγει τοῖς μαθηταῖς αὐτοῦ
Πῶς δυσκόλως οἱ τὰ χρήματα ἔχοντες εἰς τὴν βασι-
λείαν τοῦ θεοῦ εἰσελεύσονται. οἱ δὲ μαθηταὶ ἐθαμ- 24
βοῦντο ἐπὶ τοῖς λόγοις αὐτοῦ. ὁ δὲ Ἰησοῦς πάλιν
ἀποκριθεὶς λέγει αὐτοῖς Τέκνα, πῶς δύσκολόν ἐστιν
εἰς τὴν βασιλείαν τοῦ θεοῦ εἰσελθεῖν· εὐκοπώτερόν ἐστιν 25
κάμηλον διὰ ⌐τρυμαλιᾶς⌐ ῥαφίδος διελθεῖν ἢ πλού-
σιον εἰς τὴν βασιλείαν τοῦ θεοῦ εἰσελθεῖν. οἱ δὲ 26
περισσῶς ἐξεπλήσσοντο λέγοντες πρὸς αὐτόν Καὶ τίς
δύναται σωθῆναι; ἐμβλέψας αὐτοῖς ὁ Ἰησοῦς λέγει 27
Παρὰ ἀνθρώποις ἀδύνατον ἀλλ' οὐ παρὰ θεῷ, πάντα γὰρ
δυνατὰ παρὰ [τῷ] θεῷ. Ἥρξατο λέγειν ὁ 28
Πέτρος αὐτῷ Ἰδοὺ ἡμεῖς ἀφήκαμεν πάντα καὶ ἠκολου-
θήκαμέν σοι. ἔφη ὁ Ἰησοῦς Ἀμὴν λέγω ὑμῖν, οὐδεὶς 29
ἔστιν ὃς ἀφῆκεν οἰκίαν ἢ ἀδελφοὺς ἢ ἀδελφὰς ἢ μητέρα ἢ
πατέρα ἢ τέκνα ἢ ἀγροὺς ἕνεκεν ἐμοῦ καὶ [ἕνεκεν] τοῦ
εὐαγγελίου, ἐὰν μὴ λάβῃ ἑκατονταπλασίονα νῦν ἐν τῷ 30
καιρῷ τούτῳ οἰκίας καὶ ἀδελφοὺς καὶ ἀδελφὰς καὶ
⌐μητέρας⌐ καὶ τέκνα καὶ ἀγροὺς μετὰ διωγμῶν, καὶ ἐν τῷ
αἰῶνι τῷ ἐρχομένῳ ζωὴν αἰώνιον. πολλοὶ δὲ ἔσονται 31
πρῶτοι ἔσχατοι καὶ [οἱ] ἔσχατοι πρῶτοι.

Ἦσαν δὲ ἐν τῇ ὁδῷ ἀναβαίνοντες εἰς Ἱεροσόλυμα, καὶ 32
ἦν προάγων αὐτοὺς ὁ Ἰησοῦς, καὶ ἐθαμβοῦντο, οἱ δὲ
ἀκολουθοῦντες ἐφοβοῦντο. καὶ παραλαβὼν πάλιν τοὺς
δώδεκα ἤρξατο αὐτοῖς λέγειν τὰ μέλλοντα αὐτῷ συμβαίνειν

25 τῆς τρυμαλιᾶς τῆς   30 μητέρα   36 θέλετέ με

33 ὅτι Ἰδε ἀναβαίνομεν εἰς Ἱεροσόλυμα, καὶ ὁ υἱὸς τοῦ
ἀνθρώπου παραδοθήσεται τοῖς ἀρχιερεῦσιν καὶ τοῖς γραμ-
ματεῦσιν, καὶ κατακρινοῦσιν αὐτὸν θανάτῳ, καὶ παραδώ-
34 σουσιν αὐτὸν τοῖς ἔθνεσιν καὶ ἐμπαίξουσιν αὐτῷ καὶ ἐμπτύ-
σουσιν αὐτῷ καὶ μαστιγώσουσιν αὐτὸν καὶ ἀποκτενοῦ-
σιν, καὶ μετὰ τρεῖς ἡμέρας ἀναστήσεται.

35 Καὶ προσπορεύονται αὐτῷ Ἰάκωβος καὶ Ἰωάνης οἱ
[δύο] υἱοὶ Ζεβεδαίου λέγοντες αὐτῷ Διδάσκαλε, θέλομεν
36 ἵνα ὃ ἐὰν αἰτήσωμέν σε ποιήσῃς ἡμῖν. ὁ δὲ εἶπεν αὐτοῖς
37 Τί ⌜θέλετε⌝ ποιήσω ὑμῖν; οἱ δὲ εἶπαν αὐτῷ Δὸς ἡμῖν
ἵνα εἷς σου ἐκ δεξιῶν καὶ εἷς ἐξ ἀριστερῶν καθίσωμεν ἐν
38 τῇ δόξῃ σου. ὁ δὲ Ἰησοῦς εἶπεν αὐτοῖς Οὐκ οἴδατε τί
αἰτεῖσθε· δύνασθε πιεῖν τὸ ποτήριον ὃ ἐγὼ πίνω, ἢ τὸ
39 βάπτισμα ὃ ἐγὼ βαπτίζομαι βαπτισθῆναι; οἱ δὲ εἶπαν
αὐτῷ Δυνάμεθα. ὁ δὲ Ἰησοῦς εἶπεν αὐτοῖς Τὸ ποτή-
ριον ὃ ἐγὼ πίνω πίεσθε καὶ τὸ βάπτισμα ὃ ἐγὼ βαπτί-
40 ζομαι βαπτισθήσεσθε, τὸ δὲ καθίσαι ἐκ δεξιῶν μου ἢ
ἐξ εὐωνύμων οὐκ ἔστιν ἐμὸν δοῦναι, ἀλλ᾽ οἷς ἡτοίμασται.
41 καὶ ἀκούσαντες οἱ δέκα ἤρξαντο ἀγανακτεῖν περὶ Ἰακώ-
42 βου καὶ Ἰωάνου. καὶ προσκαλεσάμενος αὐτοὺς ὁ Ἰησοῦς
λέγει αὐτοῖς Οἴδατε ὅτι οἱ δοκοῦντες ἄρχειν τῶν ἐθνῶν
κατακυριεύουσιν αὐτῶν καὶ οἱ μεγάλοι αὐτῶν κατεξουσιά-
43 ζουσιν αὐτῶν. οὐχ οὕτως δέ ἐστιν ἐν ὑμῖν· ἀλλ᾽ ὃς ἂν
θέλῃ μέγας γενέσθαι ἐν ὑμῖν, ⌜ἔσται⌝ ὑμῶν διάκονος,
44 καὶ ὃς ἂν θέλῃ ἐν ὑμῖν εἶναι πρῶτος, ἔσται πάντων
45 δοῦλος· καὶ γὰρ ὁ υἱὸς τοῦ ἀνθρώπου οὐκ ἦλθεν διακο-
νηθῆναι ἀλλὰ διακονῆσαι καὶ δοῦναι τὴν ψυχὴν αὐτοῦ
λύτρον ἀντὶ πολλῶν.

46 Καὶ ἔρχονται εἰς Ἱερειχώ. Καὶ ἐκπορευομένου αὐτοῦ
ἀπὸ Ἱερειχὼ καὶ τῶν μαθητῶν αὐτοῦ καὶ ὄχλου ἱκανοῦ
ὁ υἱὸς Τιμαίου Βαρτίμαιος τυφλὸς προσαίτης ἐκάθητο
47 παρὰ τὴν ὁδόν. καὶ ἀκούσας ὅτι Ἰησοῦς ⌜ὁ Ναζαρηνός⌝

43 ἔστω   47 ἐστιν ὁ Ναζαρηνὸς

Η

ἐστιν⌐ ἤρξατο κράζειν καὶ λέγειν Υἱὲ Δαυεὶδ Ἰησοῦ, ἐλέη-
σόν με. καὶ ἐπετίμων αὐτῷ πολλοὶ ἵνα σιωπήσῃ· ὁ δὲ 48
πολλῷ μᾶλλον ἔκραζεν Υἱὲ Δαυείδ, ἐλέησόν με. καὶ 49
στὰς ὁ Ἰησοῦς εἶπεν Φωνήσατε αὐτόν. καὶ φωνοῦσι τὸν
τυφλὸν λέγοντες αὐτῷ Θάρσει, ἔγειρε, φωνεῖ σε. ὁ δὲ 50
ἀποβαλὼν τὸ ἱμάτιον αὐτοῦ ἀναπηδήσας ἦλθεν πρὸς
τὸν Ἰησοῦν. καὶ ἀποκριθεὶς αὐτῷ ὁ Ἰησοῦς εἶπεν Τί 51
σοι θέλεις ποιήσω; ὁ δὲ τυφλὸς εἶπεν αὐτῷ Ῥαββου-
νεί, ἵνα ἀναβλέψω. καὶ ὁ Ἰησοῦς εἶπεν αὐτῷ Ὕπαγε, 52
ἡ πίστις σου σέσωκέν σε. καὶ εὐθὺς ἀνέβλεψεν, καὶ
ἠκολούθει αὐτῷ ἐν τῇ ὁδῷ.

Καὶ ὅτε ἐγγίζουσιν εἰς Ἰεροσόλυμα ⌐εἰς Βηθφαγὴ 1
καὶ⌐ Βηθανίαν πρὸς τὸ Ὄρος ⌐τῶν⌐ Ἐλαιῶν, ἀποστέλλει
δύο τῶν μαθητῶν αὐτοῦ καὶ λέγει αὐτοῖς Ὑπάγετε εἰς 2
τὴν κώμην τὴν κατέναντι ὑμῶν, καὶ εὐθὺς εἰσπορευόμενοι
εἰς αὐτὴν εὑρήσετε πῶλον δεδεμένον ἐφ᾽ ὃν οὐδεὶς οὔπω
ἀνθρώπων ἐκάθισεν· λύσατε αὐτὸν καὶ φέρετε. καὶ ἐάν 3
τις ὑμῖν εἴπῃ Τί ποιεῖτε τοῦτο; εἴπατε Ὁ κύριος αὐτοῦ
χρείαν ἔχει· καὶ εὐθὺς ⌐αὐτὸν ἀποστέλλει πάλιν⌐ ὧδε.
καὶ ἀπῆλθον καὶ εὗρον πῶλον δεδεμένον πρὸς θύραν ἔξω 4
ἐπὶ τοῦ ἀμφόδου, καὶ λύουσιν αὐτόν. καί τινες τῶν ἐκεῖ 5
ἑστηκότων ἔλεγον αὐτοῖς Τί ποιεῖτε λύοντες τὸν πῶλον;
οἱ δὲ εἶπαν αὐτοῖς καθὼς εἶπεν ὁ Ἰησοῦς· καὶ ἀφῆκαν 6
αὐτούς. καὶ φέρουσιν τὸν πῶλον πρὸς τὸν Ἰησοῦν, καὶ 7
ἐπιβάλλουσιν αὐτῷ τὰ ἱμάτια ⌐αὐτῶν⌐, καὶ ἐκάθισεν ἐπ᾽ αὐ-
τόν. καὶ πολλοὶ τὰ ἱμάτια αὐτῶν ἔστρωσαν εἰς τὴν 8
ὁδόν, ἄλλοι δὲ στιβάδας κόψαντες ἐκ τῶν ἀγρῶν. καὶ οἱ 9
προάγοντες καὶ οἱ ἀκολουθοῦντες ἔκραζον

Ὡσαννά·
ΕὐλοΓΗμένοϲ ὁ ἐρχόμενοϲ ἐν ὀνόματι Κγρίογ·
Εὐλογημένη ἡ ἐρχομένη βασιλεία τοῦ πατρὸς ἡμῶν 10
                                                      Δαυείδ·
Ὡϲαννὰ ἐν τοῖς ὑψίστοις.

1 καὶ εἰς | τὸ   3 ἀποστέλλει πάλιν αὐτὸν   7 ἑαυτῶν

11 Καὶ εἰσῆλθεν εἰς Ἱεροσόλυμα εἰς τὸ ἱερόν· καὶ περιβλε-
ψάμενος πάντα ⌜ὀψὲ ἤδη οὔσης τῆς ὥρας⌝ ἐξῆλθεν εἰς
Βηθανίαν μετὰ τῶν δώδεκα.

12 Καὶ τῇ ἐπαύριον ἐξελθόντων αὐτῶν ἀπὸ Βηθανίας
13 ἐπείνασεν. καὶ ἰδὼν συκῆν ἀπὸ μακρόθεν ἔχουσαν φύλλα
ἦλθεν εἰ ἄρα τι εὑρήσει ἐν αὐτῇ, καὶ ἐλθὼν ἐπ᾽ αὐτὴν
οὐδὲν εὗρεν εἰ μὴ φύλλα, ὁ γὰρ καιρὸς οὐκ ἦν σύκων.
14 καὶ ἀποκριθεὶς εἶπεν αὐτῇ   Μηκέτι εἰς τὸν αἰῶνα ἐκ
σοῦ μηδεὶς καρπὸν φάγοι.   καὶ ἤκουον οἱ μαθηταὶ αὐ-
15 τοῦ.   Καὶ ἔρχονται εἰς Ἱεροσόλυμα.   Καὶ εἰσελ-
θὼν εἰς τὸ ἱερὸν ἤρξατο ἐκβάλλειν τοὺς πωλοῦντας καὶ τοὺς
ἀγοράζοντας ἐν τῷ ἱερῷ, καὶ τὰς τραπέζας τῶν κολλυβι-
στῶν καὶ τὰς καθέδρας τῶν πωλούντων τὰς περιστερὰς
16 κατέστρεψεν καὶ οὐκ ἤφιεν ἵνα τις διενέγκῃ σκεῦος διὰ
17 τοῦ ἱεροῦ, καὶ ἐδίδασκεν καὶ ἔλεγεν ᵀ   Οὐ γέγραπται ὅτι
Ὁ οἶκόϲ μογ οἶκοϲ προϲεγχῆϲ κληθήϲεται πᾶϲιν τοῖϲ
ἔθνεϲιν; ὑμεῖς δὲ πεποιήκατε αὐτὸν ϲπήλαιον ληϲτῶν.
18 καὶ ἤκουσαν οἱ ἀρχιερεῖς καὶ οἱ γραμματεῖς, καὶ ἐζήτουν
πῶς αὐτὸν ἀπολέσωσιν· ἐφοβοῦντο γὰρ αὐτόν, πᾶς γὰρ ὁ
19 ὄχλος ἐξεπλήσσετο ἐπὶ τῇ διδαχῇ αὐτοῦ. Καὶ ὅταν ὀψὲ
20 ἐγένετο, ⌜ἐξεπορεύοντο⌝ ἔξω τῆς πόλεως.   Καὶ
παραπορευόμενοι πρωὶ εἶδον τὴν συκῆν ἐξηραμμένην ἐκ
21 ῥιζῶν.   καὶ ἀναμνησθεὶς ὁ Πέτρος λέγει αὐτῷ   Ῥαββεί,
22 ἴδε ἡ συκῆ ἣν κατηράσω ἐξήρανται.   καὶ ἀποκριθεὶς ὁ
23 Ἰησοῦς λέγει αὐτοῖς   Ἔχετε πίστιν θεοῦ· ἀμὴν λέγω ὑμῖν
ὅτι ὃς ἂν εἴπῃ τῷ ὄρει τούτῳ   Ἄρθητι καὶ βλήθητι εἰς
τὴν θάλασσαν, καὶ μὴ διακριθῇ ἐν τῇ καρδίᾳ αὐτοῦ ἀλλὰ
24 πιστεύῃ ὅτι ὃ λαλεῖ γίνεται, ἔσται αὐτῷ.   διὰ τοῦτο λέγω
ὑμῖν, πάντα ὅσα προσεύχεσθε καὶ αἰτεῖσθε, πιστεύετε
25 ὅτι ἐλάβετε, καὶ ἔσται ὑμῖν.   καὶ ὅταν στήκετε προσευ-
χόμενοι, ἀφίετε εἴ τι ἔχετε κατά τινος, ἵνα καὶ ὁ πα-
τὴρ ὑμῶν ὁ ἐν τοῖς οὐρανοῖς ἀφῇ ὑμῖν τὰ παραπτώματα
ὑμῶν.

11 ὀψίας ἤδη οὔσης [τῆς ὥρας]   17 αὐτοῖς   19 ἐξεπορεύετο

Καὶ ἔρχονται πάλιν εἰς Ἱεροσόλυμα. Καὶ ἐν τῷ 27
ἱερῷ περιπατοῦντος αὐτοῦ ἔρχονται πρὸς αὐτὸν οἱ ἀρχι-
ερεῖς καὶ οἱ γραμματεῖς καὶ οἱ πρεσβύτεροι καὶ ἔλεγον 28
αὐτῷ Ἐν ποίᾳ ἐξουσίᾳ ταῦτα ποιεῖς; ἢ τίς σοι ἔδωκεν
τὴν ἐξουσίαν ταύτην ἵνα ταῦτα ποιῇς; ὁ δὲ Ἰησοῦς εἶπεν 29
αὐτοῖς Ἐπερωτήσω ὑμᾶς ἕνα λόγον, καὶ ἀποκρίθητέ μοι,
καὶ ἐρῶ ὑμῖν ἐν ποίᾳ ἐξουσίᾳ ταῦτα ποιῶ· τὸ βάπτισμα 30
τὸ Ἰωάνου ἐξ οὐρανοῦ ἦν ἢ ἐξ ἀνθρώπων; ἀποκρίθητέ
μοι. καὶ διελογίζοντο πρὸς ἑαυτοὺς λέγοντες Ἐὰν εἴπω- 31
μεν Ἐξ οὐρανοῦ, ἐρεῖ Διὰ τί [οὖν] οὐκ ἐπιστεύσατε
αὐτῷ; ἀλλὰ εἴπωμεν Ἐξ ἀνθρώπων; — ἐφοβοῦντο τὸν 32
ὄχλον, ἅπαντες γὰρ εἶχον τὸν Ἰωάνην ὄντως ὅτι προφή-
της ἦν. καὶ ἀποκριθέντες τῷ Ἰησοῦ λέγουσιν Οὐκ οἴ- 33
δαμεν. καὶ ὁ Ἰησοῦς λέγει αὐτοῖς Οὐδὲ ἐγὼ λέγω ὑμῖν
ἐν ποίᾳ ἐξουσίᾳ ταῦτα ποιῶ. Καὶ ἤρξατο 1
αὐτοῖς ἐν παραβολαῖς λαλεῖν Ἀμπελῶνα ἄνθρωπος
ἐφύτευςεν, καὶ περιέθηκεν φραγμὸν καὶ ὤρυξεν
ὑπολήνιον καὶ ᾠκοδόμησεν πύργον, καὶ ἐξέδετο
αὐτὸν γεωργοῖς, καὶ ἀπεδήμησεν. καὶ ἀπέστειλεν πρὸς 2
τοὺς γεωργοὺς τῷ καιρῷ δοῦλον, ἵνα παρὰ τῶν γεωρ-
γῶν λάβῃ ἀπὸ τῶν καρπῶν τοῦ ἀμπελῶνος· καὶ λα- 3
βόντες αὐτὸν ἔδειραν καὶ ἀπέστειλαν κενόν. καὶ πάλιν 4
ἀπέστειλεν πρὸς αὐτοὺς ἄλλον δοῦλον· κἀκεῖνον ἐκεφα-
λίωσαν καὶ ἠτίμασαν. καὶ ἄλλον ἀπέστειλεν· κἀκεῖνον 5
ἀπέκτειναν, καὶ πολλοὺς ἄλλους, οὓς μὲν δέροντες οὓς δὲ
ἀποκτεννύντες. ἔτι ἕνα εἶχεν, υἱὸν ἀγαπητόν· ἀπέστειλεν 6
αὐτὸν ἔσχατον πρὸς αὐτοὺς λέγων ὅτι Ἐντραπήσονται
τὸν υἱόν μου. ἐκεῖνοι δὲ οἱ γεωργοὶ πρὸς ἑαυτοὺς εἶπαν 7
ὅτι Οὗτός ἐστιν ὁ κληρονόμος· δεῦτε ἀποκτείνωμεν
αὐτόν, καὶ ἡμῶν ἔσται ἡ κληρονομία. καὶ λαβόντες 8
ἀπέκτειναν αὐτόν, καὶ ἐξέβαλον αὐτὸν ἔξω τοῦ ἀμπελῶνος.
τί ποιήσει ὁ κύριος τοῦ ἀμπελῶνος; ἐλεύσεται καὶ ἀπο- 9
λέσει τοὺς γεωργούς, καὶ δώσει τὸν ἀμπελῶνα ἄλλοις.

10 Οὐδὲ τὴν γραφὴν ταύτην ἀνέγνωτε
   Λίθον ὃν ἀπεδοκίμασαν οἱ οἰκοδομοῦντcc,
   οὗτοc ἐγενήθη εἰc κεφαλὴν γωνίαc·
11 παρὰ Κυρίου ἐγένετο αὕτη,
   καὶ ἔcτιν θαυμαcτὴ ἐν ὀφθαλμοῖc ἡμῶν;
12 Καὶ ἐζήτουν αὐτὸν κρατῆσαι, καὶ ἐφοβήθησαν τὸν ὄχλον,
   ἔγνωσαν γὰρ ὅτι πρὸς αὐτοὺς τὴν παραβολὴν εἶπεν. καὶ
   ἀφέντες αὐτὸν ἀπῆλθαν.
13   Καὶ ἀποστέλλουσιν πρὸς αὐτόν τινας τῶν Φαρισαίων
14 καὶ τῶν Ἡρῳδιανῶν ἵνα αὐτὸν ἀγρεύσωσιν λόγῳ. καὶ
   ἐλθόντες λέγουσιν αὐτῷ Διδάσκαλε, οἴδαμεν ὅτι ἀληθὴς
   εἶ καὶ οὐ μέλει σοι περὶ οὐδενός, οὐ γὰρ βλέπεις εἰς πρόσ-
   ωπον ἀνθρώπων, ἀλλ' ἐπ' ἀληθείας τὴν ὁδὸν τοῦ θεοῦ
   διδάσκεις· ἔξεστιν δοῦναι κῆνσον Καίσαρι ἢ οὔ; δῶμεν
15 ἢ μὴ δῶμεν; ὁ δὲ εἰδὼς αὐτῶν τὴν ὑπόκρισιν εἶπεν αὐ-
16 τοῖς Τί με πειράζετε; φέρετέ μοι δηνάριον ἵνα ἴδω. οἱ
   δὲ ἤνεγκαν. καὶ λέγει αὐτοῖς Τίνος ἡ εἰκὼν αὕτη καὶ ἡ
17 ἐπιγραφή; οἱ δὲ εἶπαν αὐτῷ Καίσαρος. ὁ δὲ Ἰησοῦς
   εἶπεν Τὰ Καίσαρος ἀπόδοτε Καίσαρι καὶ τὰ τοῦ θεοῦ
   τῷ θεῷ. καὶ ἐξεθαύμαζον ἐπ' αὐτῷ.
18   Καὶ ἔρχονται Σαδδουκαῖοι πρὸς αὐτόν, οἵτινες λέ-
   γουσιν ἀνάστασιν μὴ εἶναι, καὶ ἐπηρώτων αὐτὸν λέγοντες
19 Διδάσκαλε, Μωυσῆς ἔγραψεν ἡμῖν ὅτι ἐάν τινος ἀδελ-
   φὸc ἀποθάνῃ καὶ καταλίπῃ γυναῖκα καὶ μὴ ἀφῇ
   τέκνον, ἵνα λάβῃ ὁ ἀδελφὸc αὐτοῦ τὴν γυναῖκα καὶ
20 ἐξαναστήcῃ cπέρμα τῷ ἀδελφῷ αὐτοῦ. ἑπτὰ ἀδελφοὶ
   ἦσαν· καὶ ὁ πρῶτος ἔλαβεν γυναῖκα, καὶ ἀποθνήσκων
21 οὐκ ἀφῆκεν σπέρμα· καὶ ὁ δεύτερος ἔλαβεν αὐτήν, καὶ
   ἀπέθανεν μὴ καταλιπὼν σπέρμα, καὶ ὁ τρίτος ὡσαύτως·
22 καὶ οἱ ἑπτὰ οὐκ ἀφῆκαν σπέρμα· ἔσχατον πάντων καὶ
23 ἡ γυνὴ ἀπέθανεν. ἐν τῇ ἀναστάσει τίνος αὐτῶν ἔσται
24 γυνή; οἱ γὰρ ἑπτὰ ἔσχον αὐτὴν γυναῖκα. ἔφη αὐτοῖς ὁ
   Ἰησοῦς Οὐ διὰ τοῦτο πλανᾶσθε μὴ εἰδότες τὰς γραφὰς

μηδὲ τὴν δύναμιν τοῦ θεοῦ; ὅταν γὰρ ἐκ νεκρῶν ἀνα- 25
στῶσιν, οὔτε γαμοῦσιν οὔτε γαμίζονται, ἀλλ' εἰσὶν ὡς
⌈ἄγγελοι⌉ ἐν τοῖς οὐρανοῖς· περὶ δὲ τῶν νεκρῶν ὅτι 26
ἐγείρονται οὐκ ἀνέγνωτε ἐν τῇ βίβλῳ Μωυσέως ἐπὶ τοῦ
βάτου πῶς εἶπεν αὐτῷ ὁ θεὸς λέγων Ἐγὼ ὁ θεὸς
Ἀβραὰμ καὶ θεὸς Ἰσαὰκ καὶ θεὸς Ἰακώβ; οὐκ ἔ- 27
στιν ᵀ θεὸς νεκρῶν ἀλλὰ ζώντων· πολὺ πλανᾶσθε.

Καὶ προσελθὼν εἷς τῶν γραμματέων ἀκούσας αὐτῶν 28
συνζητούντων, εἰδὼς ὅτι καλῶς ἀπεκρίθη αὐτοῖς, ἐπηρώτη-
σεν αὐτόν Ποία ἐστὶν ἐντολὴ πρώτη πάντων; ἀπεκρίθη 29
ὁ Ἰησοῦς ὅτι Πρώτη ἐστίν Ἄκογε, ἸϲρΑΗλ, ΚΥριοϲ ὁ
θεὸϲ ⌈ΗΜῶΝ ΚΥριοϲ⌉ εἷϲ ἐϲτίΝ, καὶ ἀΓΑπΗϲειϲ ΚΥριοΝ 30
τὸΝ θεόΝ ϲοΥ ἐἐ ὅλΗϲ ᵀ καρΔίαϲ ϲοΥ καὶ ἐἐ ὅλΗϲ
τῆϲ ΨΥΧῆϲ ϲοΥ καὶ ἐἐ ὅλΗϲ τῆϲ ΔιαΝοίαϲ ϲοΥ καὶ
ἐἐ ὅλΗϲ τῆϲ ἰϲΧΥοϲ ϲοΥ. δευτέρα αὕτη ἈΓΑπΗϲειϲ 31
τὸΝ πλΗϲίοΝ ϲοΥ ὡϲ ϲεΑΥτόΝ. μείζων τούτων ἄλλη
ἐντολὴ οὐκ ἔστιν. ⌈Εἶπεν⌉ αὐτῷ ὁ γραμματεύς Καλῶϲ, 32
διδάσκαλε, ἐπ' ἀληθείας εἶπες ὅτι εἷϲ ἐϲτὶΝ καὶ ΟΥΚ ἔϲτιΝ
ἄλλοϲ πλΗΝ ΑΥτοΥ· καὶ τὸ ἀΓΑπᾶΝ ΑΥτὸΝ ἐἐ ὅλΗϲ ᵀ 33
καρΔίαϲ καὶ ἐἐ ὅλΗϲ τῆϲ ϲΥΝέϲεωϲ καὶ ἐἐ ὅλΗϲ τῆϲ
ἰϲΧΥοϲ καὶ τὸ ἀΓΑπᾶΝ τὸΝ πλΗϲίοΝ ὡϲ ἑΑΥτὸΝ περισ-
σότερόν ἐστιν πάντων τῶν ὁλοκαυτωμάτων καὶ θΥϲιῶΝ.
καὶ ὁ Ἰησοῦς ἰδὼν αὐτὸν ὅτι νουνεχῶς ἀπεκρίθη εἶπεν 34
αὐτῷ Οὐ μακρὰν [εἶ] ἀπὸ τῆς βασιλείας τοῦ θεοῦ. Καὶ
οὐδεὶς οὐκέτι ἐτόλμα αὐτὸν ἐπερωτῆσαι.   Καὶ 35
ἀποκριθεὶς ὁ Ἰησοῦς ἔλεγεν διδάσκων ἐν τῷ ἱερῷ Πῶς
λέγουσιν οἱ γραμματεῖς ὅτι ὁ χριστὸς υἱὸς Δαυεὶδ ἐστιν;
αὐτὸς Δαυεὶδ εἶπεν ἐν τῷ πνεύματι τῷ ἁγίῳ   36

    ΕἶπεΝ ΚΥριοϲ τῷ ΚΥρίῳ ΜοΥ ⌈ΚάθοΥ⌉ ἐκ ΔεἐιῶΝ ΜοΥ
    ἕωϲ ἂΝ θῶ τοΥϲ ἐχθροΥϲ ϲοΥ ὑποκάτω τῶΝ ποΔῶΝ
    ϲοΥ·

αὐτὸς Δαυεὶδ λέγει αὐτὸν κύριον, καὶ πόθεν αὐτοῦ ἐστὶν υἱός; 37
    Καὶ ὁ πολὺς ὄχλος ἤκουεν αὐτοῦ ἡδέως. Καὶ ἐν τῇ 38

διδαχῇ αὐτοῦ ἔλεγεν Βλέπετε ἀπὸ τῶν γραμματέων τῶν
θελόντων ἐν στολαῖς περιπατεῖν καὶ ἀσπασμοὺς ἐν ταῖς
39 ἀγοραῖς καὶ πρωτοκαθεδρίας ἐν ταῖς συναγωγαῖς καὶ πρω-
40 τοκλισίας ἐν τοῖς ⌜δείπνοις, οἱ κατέσθοντες τὰς οἰκίας
τῶν χηρῶν καὶ προφάσει μακρὰ προσευχόμενοι·⌝ οὗτοι
41 λήμψονται περισσότερον κρίμα.   Καὶ καθί-
σας ⌜κατέναντι⌝ τοῦ γαζοφυλακίου ἐθεώρει πῶς ὁ ὄχλος
βάλλει χαλκὸν εἰς τὸ γαζοφυλάκιον· καὶ πολλοὶ πλούσιοι
42 ἔβαλλον πολλά· καὶ ἐλθοῦσα μία χήρα πτωχὴ ἔβαλεν
43 λεπτὰ δύο, ὅ ἐστιν κοδράντης. καὶ προσκαλεσάμενος
τοὺς μαθητὰς αὐτοῦ εἶπεν αὐτοῖς Ἀμὴν λέγω ὑμῖν ὅτι ἡ
χήρα αὕτη ἡ πτωχὴ πλεῖον πάντων ἔβαλεν τῶν βαλλόν-
44 των εἰς τὸ γαζοφυλάκιον· πάντες γὰρ ἐκ τοῦ περισσεύ-
οντος αὐτοῖς ἔβαλον, αὕτη δὲ ἐκ τῆς ὑστερήσεως αὐτῆς
πάντα ὅσα εἶχεν ἔβαλεν, ὅλον τὸν βίον αὐτῆς.

1   Καὶ ἐκπορευομένου αὐτοῦ ἐκ τοῦ ἱεροῦ λέγει αὐτῷ
εἷς τῶν μαθητῶν αὐτοῦ Διδάσκαλε, ἴδε ποταποὶ λίθοι
2 καὶ ποταπαὶ οἰκοδομαί. καὶ ὁ Ἰησοῦς εἶπεν αὐτῷ Βλέ-
πεις ταύτας τὰς μεγάλας οἰκοδομάς; οὐ μὴ ἀφεθῇ ὧδε
3 λίθος ἐπὶ λίθον ὃς οὐ μὴ καταλυθῇ. Καὶ καθημένου
αὐτοῦ εἰς τὸ Ὄρος τῶν Ἐλαιῶν κατέναντι τοῦ ἱεροῦ
ἐπηρώτα αὐτὸν κατ᾽ ἰδίαν Πέτρος καὶ Ἰάκωβος καὶ Ἰωά-
4 νης καὶ Ἀνδρέας Εἰπὸν ἡμῖν πότε ταῦτα ἔσται, καὶ τί
5 τὸ σημεῖον ὅταν μέλλῃ ταῦτα συντελεῖσθαι πάντα. ὁ δὲ
Ἰησοῦς ἤρξατο λέγειν αὐτοῖς Βλέπετε μή τις ὑμᾶς
6 πλανήσῃ· πολλοὶ ἐλεύσονται ἐπὶ τῷ ὀνόματί μου λέ-
7 γοντες ὅτι Ἐγώ εἰμι, καὶ πολλοὺς πλανήσουσιν. ὅταν δὲ
⌜ἀκούσητε⌝ πολέμους καὶ ἀκοὰς πολέμων, μὴ θροεῖσθε·
8 ΔΕΙ ΓΕΝΕΣΘΑΙ, ἀλλ᾽ οὔπω τὸ τέλος. ἐγερθήσεται γὰρ
ἔθνος ἐπ᾽ ἔθνος καὶ βασιλεία ἐπὶ βασιλείαν, ἔσονται
σεισμοὶ κατὰ τόπους, ἔσονται λιμοί· ἀρχὴ ὠδίνων ταῦτα.
9 βλέπετε δὲ ὑμεῖς ἑαυτούς· παραδώσουσιν ὑμᾶς εἰς συνέδρια
καὶ εἰς συναγωγὰς δαρήσεσθε καὶ ἐπὶ ἡγεμόνων καὶ βα-

36 Κάθισον   39, 40 δείπνοις· οἱ...προσευχόμενοι,   41 ἀπέναντι   7 ἀκούητε

σιλέων σταθήσεσθε ἕνεκεν ἐμοῦ εἰς μαρτύριον αὐτοῖς.
καὶ εἰς πάντα τὰ ἔθνη πρῶτον δεῖ κηρυχθῆναι τὸ εὐαγγέ- 10
λιον. καὶ ὅταν ἄγωσιν ὑμᾶς παραδιδόντες, μὴ προ- 11
μεριμνᾶτε τί λαλήσητε, ἀλλ᾽ ὃ ἐὰν δοθῇ ὑμῖν ἐν ἐκείνῃ
τῇ ὥρᾳ τοῦτο λαλεῖτε, οὐ γάρ ἐστε ὑμεῖς οἱ λαλοῦντες ἀλλὰ
τὸ πνεῦμα τὸ ἅγιον. καὶ παραδώσει ἀδελφὸς ἀδελφὸν εἰς 12
θάνατον καὶ πατὴρ τέκνον, καὶ ἐπαναϲτήϲονται τέκνα
ἐπὶ ΓΟΝΕῖϲ καὶ θανατώσουσιν αὐτούς· καὶ ἔσεσθε μισού- 13
μενοι ὑπὸ πάντων διὰ τὸ ὄνομά μου. ὁ δὲ ὑπομείνας εἰς
τέλος οὗτος σωθήσεται. Ὅταν δὲ ἴδητε τὸ ΒΔέλΥΓΜΑ 14
ΤΗϲ ἐρημώϲεωϲ ἑστηκότα ὅπου οὐ δεῖ, ὁ ἀναγινώσκων
νοείτω, τότε οἱ ἐν τῇ Ἰουδαίᾳ φευγέτωσαν εἰς τὰ ὄρη,
ὁ ᵀ ἐπὶ τοῦ δώματος μὴ καταβάτω μηδὲ εἰσελθάτω τι 15
ἆραι ἐκ τῆς οἰκίας αὐτοῦ, καὶ ὁ εἰς τὸν ἀγρὸν μὴ ἐπιστρε- 16
ψάτω εἰς τὰ ὀπίσω ἆραι τὸ ἱμάτιον αὐτοῦ. οὐαὶ δὲ ταῖς 17
ἐν γαστρὶ ἐχούσαις καὶ ταῖς θηλαζούσαις ἐν ἐκείναις ταῖς
ἡμέραις. προσεύχεσθε δὲ ἵνα μὴ γένηται χειμῶνος· 18
ἔσονται γὰρ αἱ ἡμέραι ἐκεῖναι θλίψιϲ οἵα οΫ ΓέΓονεν 19
ΤΟΙΑΫΤΗ ἀπ᾽ ἀρχῆϲ κτίϲεωϲ ἣν ἔκτισεν ὁ θεὸς ἕωϲ τοΫ
ΝῪΝ καὶ οὐ μὴ γένηται. καὶ εἰ μὴ ἐκολόβωσεν Κύριος 20
τὰς ἡμέρας, οὐκ ἂν ἐσώθη πᾶσα σάρξ. ἀλλὰ διὰ τοὺς
ἐκλεκτοὺς οὓς ἐξελέξατο ἐκολόβωσεν τὰς ἡμέρας. Καὶ 21
τότε ἐάν τις ὑμῖν εἴπῃ Ἴδε ὧδε ὁ χριστός Ἴδε ἐκεῖ,
μὴ πιστεύετε· ἐγερθήσονται γὰρ ψευδόχριστοι καὶ ΨεΥ- 22
ΔοπροφῆΤΑΙ καὶ ΔώϲοΥϲΙΝ ϲΗΜεῖΑ καὶ ΤέρΑΤΑ πρὸς 23
τὸ ἀποπλανᾶν εἰ δυνατὸν τοὺς ἐκλεκτούς· ὑμεῖς δὲ βλέ-
πετε· προείρηκα ὑμῖν πάντα. Ἀλλὰ ἐν ἐκείναις ταῖς 24
ἡμέραις μετὰ τὴν θλῖψιν ἐκείνην ὁ ΗλΙοϲ ϲκοΤΙϲθήϲεΤΑΙ,
καὶ Η ϲεληΝΗ οΫ Δώϲει τὸ φέΓΓοϲ ΑΫΤῆϲ, καὶ οἱ 25
ἀϲΤέρεϲ ἔϲονΤΑΙ ἐκ ΤοΫ οΫρΑΝοΫ πίπΤονΤεϲ, καὶ Αἱ
ΔΥΝάΜειϲ Αἱ ἐΝ Τοῖϲ οΫρΑΝοῖϲ ϲΑλεΥθήϲονΤΑΙ. καὶ 26
τότε ὄψονται ΤὸΝ ΥἱὸΝ ΤοΫ ἀΝθρώποΥ ἐρχόΜεΝοΝ ἐΝ
ΝεφέλΑΙϲ μετὰ δυνάμεως πολλῆς καὶ δόξης· καὶ τότε 27

ἀποστελεῖ τοὺς ἀγγέλους καὶ ἐπισγνάξει τοὺς ἐκλεκτοὺς
[αὐτοῦ] ἐκ τῶν τεϲϲάρων ἀνέμων ἀπ' ἄκρογ γῆς ἕωϲ
28 ἄκρογ ογρανογ.   Ἀπὸ δὲ τῆς συκῆς μάθετε
τὴν παραβολήν· ὅταν ἤδη ὁ κλάδος αὐτῆς ἁπαλὸς γένη-
ται καὶ ἐκφύῃ τὰ φύλλα, γινώσκετε ὅτι ἐγγὺς τὸ θέρος
29 ἐστίν· οὕτως καὶ ὑμεῖς, ὅταν ἴδητε ταῦτα γινόμενα, γινώ-
30 σκετε ὅτι ἐγγύς ἐστιν ἐπὶ θύραις. ἀμὴν λέγω ὑμῖν ὅτι
οὐ μὴ παρέλθῃ ἡ γενεὰ αὕτη μέχρις οὗ ταῦτα πάντα
31 γένηται. ὁ οὐρανὸς καὶ ἡ γῆ παρελεύσονται, οἱ δὲ λόγοι
32 μου οὐ ᵀ παρελεύσονται. Περὶ δὲ τῆς ἡμέρας ἐκείνης ἢ
τῆς ὥρας οὐδεὶς οἶδεν, οὐδὲ ⌜οἱ ἄγγελοι⌝ ἐν οὐρανῷ οὐδὲ ὁ
33 υἱός, εἰ μὴ ὁ πατήρ. βλέπετε ἀγρυπνεῖτε, οὐκ οἴδατε γὰρ
34 πότε ὁ καιρός [ἐστιν]· ὡς ἄνθρωπος ἀπόδημος ἀφεὶς τὴν
οἰκίαν αὐτοῦ καὶ δοὺς τοῖς δούλοις αὐτοῦ τὴν ἐξουσίαν,
ἑκάστῳ τὸ ἔργον αὐτοῦ, καὶ τῷ θυρωρῷ ἐνετείλατο ἵνα
35 γρηγορῇ. γρηγορεῖτε οὖν, οὐκ οἴδατε γὰρ πότε ὁ κύριος
τῆς οἰκίας ἔρχεται, ἢ ὀψὲ ἢ μεσονύκτιον ἢ ἀλεκτορο-
36 φωνίας ἢ πρωί, μὴ ἐλθὼν ἐξέφνης εὕρῃ ὑμᾶς καθεύδοντας·
37 ὃ δὲ ὑμῖν λέγω πᾶσιν λέγω, γρηγορεῖτε.

1   ΗΝ ΔΕ ΤΟ ΠΑΣΧΑ καὶ τὰ ἄζυμα μετὰ δύο ἡμέρας.
Καὶ ἐζήτουν οἱ ἀρχιερεῖς καὶ οἱ γραμματεῖς πῶς αὐτὸν ἐν
2 δόλῳ κρατήσαντες ἀποκτείνωσιν, ἔλεγον γάρ   Μὴ ἐν τῇ
ἑορτῇ, μή ποτε ἔσται θόρυβος τοῦ λαοῦ.
3   Καὶ ὄντος αὐτοῦ ἐν Βηθανίᾳ ἐν τῇ οἰκίᾳ Σίμωνος τοῦ
λεπροῦ κατακειμένου αὐτοῦ ἦλθεν γυνὴ ἔχουσα ἀλάβα-
στρον μύρου νάρδου πιστικῆς ⌜πολυτελοῦς⌝ συντρίψασα τὴν
4 ἀλάβαστρον κατέχεεν αὐτοῦ τῆς κεφαλῆς. ἦσαν δὲ
τινες ἀγανακτοῦντες πρὸς ἑαυτούς Εἰς τί ἡ ἀπώλεια
5 αὕτη τοῦ μύρου γέγονεν; ἠδύνατο γὰρ τοῦτο τὸ μύρον
πραθῆναι ἐπάνω ⌜δηναρίων τριακοσίων⌝ καὶ δοθῆναι τοῖς

3 πολυτελοῦς,—   5 τριακοσίων δηναρίων

πτωχοῖς· καὶ ἐνεβριμῶντο αὐτῇ. ὁ δὲ Ἰησοῦς εἶπεν 6
Ἄφετε αὐτήν· τί αὐτῇ κόπους παρέχετε; καλὸν ἔργον
ἠργάσατο ἐν ἐμοί· πάντοτε γὰρ τοὺς πτωχοὺς ἔχετε 7
μεθ' ἑαυτῶν, καὶ ὅταν θέλητε δύνασθε αὐτοῖς [πάντοτε] εὖ
ποιῆσαι, ἐμὲ δὲ οὐ πάντοτε ἔχετε· ὃ ἔσχεν ἐποίησεν, προ- 8
έλαβεν μυρίσαι τὸ σῶμά μου εἰς τὸν ἐνταφιασμόν. ἀμὴν 9
δὲ λέγω ὑμῖν, ὅπου ἐὰν κηρυχθῇ τὸ εὐαγγέλιον εἰς ὅλον
τὸν κόσμον, καὶ ὃ ἐποίησεν αὕτη λαληθήσεται εἰς μνημό-
συνον αὐτῆς.   Καὶ Ἰούδας Ἰσκαριὼθ ὁ εἶς τῶν 10
δώδεκα ἀπῆλθεν πρὸς τοὺς ἀρχιερεῖς ἵνα αὐτὸν παραδοῖ
αὐτοῖς. οἱ δὲ ἀκούσαντες ἐχάρησαν καὶ ἐπηγγείλαντο αὐτῷ 11
ἀργύριον δοῦναι. καὶ ἐζήτει πῶς αὐτὸν εὐκαίρως παραδοῖ.

Καὶ τῇ πρώτῃ ἡμέρᾳ τῶν ἀζύμων, ὅτε τὸ πάσχα ἔθυον, 12
λέγουσιν αὐτῷ οἱ μαθηταὶ αὐτοῦ Ποῦ θέλεις ἀπελθόντες
ἑτοιμάσωμεν ἵνα φάγῃς τὸ πάσχα; καὶ ἀποστέλλει δύο 13
τῶν μαθητῶν αὐτοῦ καὶ λέγει αὐτοῖς Ὑπάγετε εἰς τὴν
πόλιν, καὶ ἀπαντήσει ὑμῖν ἄνθρωπος κεράμιον ὕδατος
βαστάζων· ἀκολουθήσατε αὐτῷ, καὶ ὅπου ἐὰν εἰσέλθῃ 14
εἴπατε τῷ οἰκοδεσπότῃ ὅτι Ὁ διδάσκαλος λέγει Ποῦ
ἐστὶν τὸ κατάλυμά μου ὅπου τὸ πάσχα μετὰ τῶν μαθητῶν
μου φάγω; καὶ αὐτὸς ὑμῖν δείξει ἀνάγαιον μέγα ἐστρωμέ- 15
νον ἕτοιμον· καὶ ἐκεῖ ἑτοιμάσατε ἡμῖν. καὶ ἐξῆλθον οἱ 16
μαθηταὶ καὶ ἦλθον εἰς τὴν πόλιν καὶ εὗρον καθὼς εἶπεν
αὐτοῖς, καὶ ἡτοίμασαν τὸ πάσχα.   Καὶ ὀψί- 17
ας γενομένης ἔρχεται μετὰ τῶν δώδεκα. καὶ ἀνακειμέ- 18
νων αὐτῶν καὶ ἐσθιόντων ὁ Ἰησοῦς εἶπεν Ἀμὴν λέγω
ὑμῖν ὅτι εἶς ἐξ ὑμῶν παραδώσει με ⌈ὁ ἐσθίων⌉ μετ' ἐ-
μοῦ. ἤρξαντο λυπεῖσθαι καὶ λέγειν αὐτῷ εἶς κατὰ 19
εἶς Μήτι ἐγώ; ὁ δὲ εἶπεν αὐτοῖς Εἶς τῶν δώδεκα, ὁ 20
ἐμβαπτόμενος μετ' ἐμοῦ εἰς τὸ [ἓν] τρύβλιον· ὅτι ὁ 21
μὲν υἱὸς τοῦ ἀνθρώπου ὑπάγει καθὼς γέγραπται περὶ
αὐτοῦ, οὐαὶ δὲ τῷ ἀνθρώπῳ ἐκείνῳ δι' οὗ ὁ υἱὸς τοῦ
ἀνθρώπου παραδίδοται· καλὸν αὐτῷ εἰ οὐκ ἐγεννήθη ὁ ἄν-

18 τῶν ἐσθιόντων

22 θρωπος ἐκεῖνος.   Καὶ ἐσθιόντων αὐτῶν λαβὼν
ἄρτον εὐλογήσας ἔκλασεν καὶ ἔδωκεν αὐτοῖς καὶ εἶπεν
23 Λάβετε, τοῦτό ἐστιν τὸ σῶμά μου.   καὶ λαβὼν ποτή-
ριον εὐχαριστήσας ἔδωκεν αὐτοῖς, καὶ ἔπιον ἐξ αὐτοῦ
24 πάντες.   καὶ εἶπεν αὐτοῖς Τοῦτό ἐστιν τὸ αἷμά μου
25 τῆς Διαθήκης τὸ ἐκχυννόμενον ὑπὲρ πολλῶν· ἀμὴν
λέγω ὑμῖν ὅτι οὐκέτι οὐ μὴ πίω ἐκ τοῦ γενήματος τῆς
ἀμπέλου ἕως τῆς ἡμέρας ἐκείνης ὅταν αὐτὸ πίνω καινὸν
26 ἐν τῇ βασιλείᾳ τοῦ θεοῦ.   Καὶ ὑμνήσαντες
27 ἐξῆλθον εἰς τὸ Ὄρος τῶν Ἐλαιῶν.   Καὶ λέγει
αὐτοῖς ὁ Ἰησοῦς ὅτι Πάντες σκανδαλισθήσεσθε, ὅτι γέγρα-
πται Πατάξω τὸν ποιμένα, καὶ τὰ πρόβατα διασκορ-
28 πισθήσονται· ἀλλὰ μετὰ τὸ ἐγερθῆναί με προάξω ὑμᾶς
29 εἰς τὴν Γαλιλαίαν.   ὁ δὲ Πέτρος ἔφη αὐτῷ Εἰ καὶ πάν-
30 τες σκανδαλισθήσονται, ἀλλ' οὐκ ἐγώ.   καὶ λέγει αὐτῷ
ὁ Ἰησοῦς Ἀμὴν λέγω σοι ὅτι σὺ σήμερον ταύτῃ τῇ νυκτὶ
31 πρὶν ἢ δὶς ἀλέκτορα φωνῆσαι τρίς με ἀπαρνήσῃ.   ὁ δὲ
ἐκπερισσῶς ἐλάλει Ἐὰν δέῃ με συναποθανεῖν σοι, οὐ
μή σε ἀπαρνήσομαι.   ὡσαύτως [δὲ] καὶ πάντες ἔλεγον.

32   Καὶ ἔρχονται εἰς χωρίον οὗ τὸ ὄνομα Γεθσημανεί, καὶ
λέγει τοῖς μαθηταῖς αὐτοῦ Καθίσατε ὧδε ἕως προσεύξω-
33 μαι.   καὶ παραλαμβάνει τὸν Πέτρον καὶ ⌈τὸν Ἰάκωβον καὶ
τὸν⌉ Ἰωάνην μετ' αὐτοῦ, καὶ ἤρξατο ἐκθαμβεῖσθαι καὶ ἀδη-
34 μονεῖν, καὶ λέγει αὐτοῖς Περίλυπός ἐστιν ἡ ψυχή μου
35 ἕως θανάτου· μείνατε ὧδε καὶ γρηγορεῖτε.   καὶ ⌈προελθὼν⌉
μικρὸν ἔπιπτεν ἐπὶ τῆς γῆς, καὶ προσηύχετο ἵνα εἰ δυνατόν
36 ἐστιν παρέλθῃ ἀπ' αὐτοῦ ἡ ὥρα, καὶ ἔλεγεν Ἀββά ὁ
πατήρ, πάντα δυνατά σοι· παρένεγκε τὸ ποτήριον τοῦτο
37 ἀπ' ἐμοῦ· ἀλλ' οὐ τί ἐγὼ θέλω ἀλλὰ τί σύ.   καὶ ἔρχεται
καὶ εὑρίσκει αὐτοὺς καθεύδοντας, καὶ λέγει τῷ Πέτρῳ
Σίμων, καθεύδεις; οὐκ ἴσχυσας μίαν ὥραν γρηγορῆσαι;
38 γρηγορεῖτε καὶ προσεύχεσθε, ἵνα μὴ ἔλθητε εἰς πειρασμόν·
39 τὸ μὲν πνεῦμα πρόθυμον ἡ δὲ σὰρξ ἀσθενής.   καὶ πάλιν

33 Ἰάκωβον καὶ   35 προσελθὼν

ἀπελθὼν προσηύξατο [τὸν αὐτὸν λόγον εἰπών]. καὶ πάλιν 40
ἐλθὼν εὗρεν αὐτοὺς καθεύδοντας, ἦσαν γὰρ αὐτῶν οἱ
ὀφθαλμοὶ καταβαρυνόμενοι, καὶ οὐκ ᾔδεισαν τί ἀπο-
κριθῶσιν αὐτῷ. καὶ ἔρχεται τὸ τρίτον καὶ λέγει αὐτοῖς 41
Καθεύδετε [τὸ] λοιπὸν καὶ ἀναπαύεσθε· ἀπέχει· ἦλθεν ἡ
ὥρα, ἰδοὺ παραδίδοται ὁ υἱὸς τοῦ ἀνθρώπου εἰς τὰς χεῖρας
τῶν ἁμαρτωλῶν. ἐγείρεσθε ἄγωμεν· ἰδοὺ ὁ παραδιδούς 42
με ἤγγικεν.   Καὶ εὐθὺς ἔτι αὐτοῦ λαλοῦντος 43
παραγίνεται [ὁ] Ἰούδας εἷς τῶν δώδεκα καὶ μετ᾽ αὐτοῦ
ὄχλος μετὰ μαχαιρῶν καὶ ξύλων παρὰ τῶν ἀρχιερέων καὶ
τῶν γραμματέων καὶ τῶν πρεσβυτέρων. δεδώκει δὲ ὁ 44
παραδιδοὺς αὐτὸν σύσσημον αὐτοῖς λέγων Ὃν ἂν φιλήσω
αὐτός ἐστιν· κρατήσατε αὐτὸν καὶ ἀπάγετε ἀσφαλῶς. καὶ 45
ἐλθὼν εὐθὺς προσελθὼν αὐτῷ λέγει Ῥαββεί, καὶ κατε-
φίλησεν αὐτόν. οἱ δὲ ἐπέβαλαν τὰς χεῖρας αὐτῷ καὶ ἐκρά- 46
τησαν αὐτόν. εἷς δέ [τις] τῶν παρεστηκότων σπασάμενος 47
τὴν μάχαιραν ἔπαισεν τὸν δοῦλον τοῦ ἀρχιερέως καὶ ἀφεῖ-
λεν αὐτοῦ τὸ ὠτάριον. καὶ ἀποκριθεὶς ὁ Ἰησοῦς εἶπεν 48
αὐτοῖς Ὡς ἐπὶ λῃστὴν ἐξήλθατε μετὰ μαχαιρῶν καὶ ξύλων
συλλαβεῖν με; καθ᾽ ἡμέραν ἤμην πρὸς ὑμᾶς ἐν τῷ ἱερῷ 49
διδάσκων καὶ οὐκ ⌜ἐκρατήσατέ⌝ με· ἀλλ᾽ ἵνα πληρωθῶσιν
αἱ γραφαί. καὶ ἀφέντες αὐτὸν ἔφυγον πάντες. Καὶ 50
                                                                     51
νεανίσκος τις συνηκολούθει αὐτῷ περιβεβλημένος σινδόνα
ἐπὶ γυμνοῦ, καὶ κρατοῦσιν αὐτόν, ὁ δὲ καταλιπὼν τὴν 52
σινδόνα γυμνὸς ἔφυγεν.

Καὶ ἀπήγαγον τὸν Ἰησοῦν πρὸς τὸν ἀρχιερέα, καὶ 53
συνέρχονται ⌐ πάντες οἱ ἀρχιερεῖς καὶ οἱ πρεσβύτεροι
καὶ οἱ γραμματεῖς. καὶ ὁ Πέτρος ἀπὸ μακρόθεν ἠκολού- 54
θησεν αὐτῷ ἕως ἔσω εἰς τὴν αὐλὴν τοῦ ἀρχιερέως, καὶ ἦν
συνκαθήμενος μετὰ τῶν ὑπηρετῶν καὶ θερμαινόμενος πρὸς
τὸ φῶς. οἱ δὲ ἀρχιερεῖς καὶ ὅλον τὸ συνέδριον ἐζήτουν 55
κατὰ τοῦ Ἰησοῦ μαρτυρίαν εἰς τὸ θανατῶσαι αὐτόν, καὶ
οὐχ ηὕρισκον· πολλοὶ γὰρ ἐψευδομαρτύρουν κατ᾽ αὐτοῦ, 56

49 ἐκρατεῖτέ   53 αὐτῷ

57 καὶ ἴσαι αἱ μαρτυρίαι οὐκ ἦσαν. καί τινες ἀναστάντες
58 ἐψευδομαρτύρουν κατ᾽ αὐτοῦ λέγοντες ὅτι Ἡμεῖς ἠκούσα-
μεν αὐτοῦ λέγοντος ὅτι Ἐγὼ καταλύσω τὸν ναὸν τοῦτον
τὸν χειροποίητον καὶ διὰ τριῶν ἡμερῶν ἄλλον ἀχειροποίη-
59 τον οἰκοδομήσω· καὶ οὐδὲ οὕτως ἴση ἦν ἡ μαρτυρία αὐτῶν.
60 καὶ ἀναστὰς ὁ ἀρχιερεὺς εἰς μέσον ἐπηρώτησεν τὸν Ἰησοῦν
λέγων Οὐκ ἀποκρίνη οὐδέν; ⌜τί⌝ οὗτοί σου καταμαρτυ-
61 ροῦσιν; ὁ δὲ ἐσιώπα καὶ οὐκ ἀπεκρίνατο οὐδέν. πάλιν
ὁ ἀρχιερεὺς ἐπηρώτα αὐτὸν καὶ λέγει αὐτῷ Σὺ εἶ ὁ χριστὸς
62 ὁ υἱὸς τοῦ εὐλογητοῦ; ὁ δὲ Ἰησοῦς εἶπεν Ἐγώ εἰμι, καὶ
ὄψεσθε τὸν γίὸν τοῦ ἀνθρώπου ἐκ δεξιῶν καθήμενον
τῆς δυνάμεως καὶ ἐρχόμενον μετὰ τῶν νεφελῶν τοῦ
63 οὐρανοῦ. ὁ δὲ ἀρχιερεὺς διαρήξας τοὺς χιτῶνας αὐτοῦ
64 λέγει Τί ἔτι χρείαν ἔχομεν μαρτύρων; ἠκούσατε τῆς
βλασφημίας; τί ὑμῖν φαίνεται; οἱ δὲ πάντες κατέκριναν
65 αὐτὸν ἔνοχον εἶναι θανάτου. Καὶ ἤρξαντό τινες ἐμπτύειν
αὐτῷ καὶ περικαλύπτειν αὐτοῦ τὸ πρόσωπον καὶ κολαφίζειν
αὐτὸν καὶ λέγειν αὐτῷ Προφήτευσον, καὶ οἱ ὑπηρέται
66 ῥαπίσμασιν αὐτὸν ἔλαβον. Καὶ ὄντος τοῦ
Πέτρου κάτω ἐν τῇ αὐλῇ ἔρχεται μία τῶν παιδισκῶν τοῦ
67 ἀρχιερέως, καὶ ἰδοῦσα τὸν Πέτρον θερμαινόμενον ἐμβλέ-
ψασα αὐτῷ λέγει Καὶ σὺ μετὰ τοῦ Ναζαρηνοῦ ἦσθα τοῦ
68 Ἰησοῦ· ὁ δὲ ἠρνήσατο λέγων Οὔτε οἶδα οὔτε ⌜ἐπίσταμαι
69 σὺ τί λέγεις,⌝ καὶ ἐξῆλθεν ἔξω εἰς τὸ προαύλιον. καὶ ἡ
παιδίσκη ἰδοῦσα αὐτὸν ⌜ἤρξατο πάλιν λέγειν⌝ τοῖς παρε-
70 στῶσιν ὅτι Οὗτος ἐξ αὐτῶν ἐστίν. ὁ δὲ πάλιν ἠρνεῖτο.
καὶ μετὰ μικρὸν πάλιν οἱ παρεστῶτες ἔλεγον τῷ Πέτρῳ
71 Ἀληθῶς ἐξ αὐτῶν εἶ, καὶ γὰρ Γαλιλαῖος εἶ· ὁ δὲ ἤρξατο
ἀναθεματίζειν καὶ ὀμνύναι ὅτι Οὐκ οἶδα τὸν ἄνθρωπον
72 τοῦτον ὃν λέγετε. καὶ εὐθὺς ἐκ δευτέρου ἀλέκτωρ ἐφώνη-
σεν· καὶ ἀνεμνήσθη ὁ Πέτρος τὸ ῥῆμα ὡς εἶπεν αὐτῷ
ὁ Ἰησοῦς ὅτι Πρὶν ἀλέκτορα δὶς φωνῆσαι τρίς με ἀπαρ-
νήσῃ, καὶ ἐπιβαλὼν ἔκλαιεν.

60 ὅτι   68 ἐπίσταμαι· σὺ τί λέγεις;   69 εἶπεν

Καὶ εὐθὺς πρωὶ συμβούλιον ⌜ποιήσαντες⌝ οἱ ἀρχιερεῖς 1
μετὰ τῶν πρεσβυτέρων καὶ γραμματέων καὶ ὅλον τὸ συνέ-
δριον δήσαντες τὸν Ἰησοῦν ἀπήνεγκαν καὶ παρέδωκαν
Πειλάτῳ. καὶ ἐπηρώτησεν αὐτὸν ὁ Πειλᾶτος Σὺ εἶ ὁ 2
βασιλεὺς τῶν Ἰουδαίων; ὁ δὲ ἀποκριθεὶς αὐτῷ λέγει Σὺ
⌜λέγεις.⌝ καὶ κατηγόρουν αὐτοῦ οἱ ἀρχιερεῖς πολλά. ὁ δὲ 3
                                                          4
Πειλᾶτος πάλιν ἐπηρώτα αὐτὸν [λέγων] Οὐκ ἀποκρίνῃ
οὐδέν; ἴδε πόσα σου κατηγοροῦσιν. ὁ δὲ Ἰησοῦς οὐκέτι 5
οὐδὲν ἀπεκρίθη, ὥστε θαυμάζειν τὸν Πειλᾶτον. Κατὰ δὲ 6
ἑορτὴν ἀπέλυεν αὐτοῖς ἕνα δέσμιον ὃν παρῃτοῦντο. ἦν δὲ 7
ὁ λεγόμενος Βαραββᾶς μετὰ τῶν στασιαστῶν δεδεμένος
οἵτινες ἐν τῇ στάσει φόνον πεποιήκεισαν. καὶ ἀναβὰς 8
ὁ ὄχλος ἤρξατο αἰτεῖσθαι καθὼς ἐποίει αὐτοῖς. ὁ δὲ 9
Πειλᾶτος ἀπεκρίθη αὐτοῖς λέγων Θέλετε ἀπολύσω ὑμῖν
τὸν βασιλέα τῶν Ἰουδαίων; ἐγίνωσκεν γὰρ ὅτι διὰ φθόνον 10
παραδεδώκεισαν αὐτὸν [οἱ ἀρχιερεῖς]. οἱ δὲ ἀρχιερεῖς 11
ἀνέσεισαν τὸν ὄχλον ἵνα μᾶλλον τὸν Βαραββᾶν ἀπολύσῃ
αὐτοῖς. ὁ δὲ Πειλᾶτος πάλιν ἀποκριθεὶς ἔλεγεν αὐτοῖς 12
Τί οὖν ποιήσω [ὃν] λέγετε τὸν βασιλέα τῶν Ἰουδαίων; οἱ δὲ 13
πάλιν ἔκραξαν Σταύρωσον αὐτόν. ὁ δὲ Πειλᾶτος ἔλεγεν 14
αὐτοῖς Τί γὰρ ἐποίησεν κακόν; οἱ δὲ περισσῶς ἔκραξαν
Σταύρωσον αὐτόν. ὁ δὲ Πειλᾶτος βουλόμενος τῷ ὄχλῳ τὸ 15
ἱκανὸν ποιῆσαι ἀπέλυσεν αὐτοῖς τὸν Βαραββᾶν, καὶ παρέ-
δωκεν τὸν Ἰησοῦν φραγελλώσας ἵνα σταυρωθῇ.

Οἱ δὲ στρατιῶται ἀπήγαγον αὐτὸν ἔσω τῆς αὐλῆς, 16
ὅ ἐστιν πραιτώριον, καὶ συνκαλοῦσιν ὅλην τὴν σπεῖραν.
καὶ ἐνδιδύσκουσιν αὐτὸν πορφύραν καὶ περιτιθέασιν αὐτῷ 17
πλέξαντες ἀκάνθινον στέφανον· καὶ ἤρξαντο ἀσπάζεσθαι 18
αὐτόν Χαῖρε, βασιλεῦ τῶν Ἰουδαίων· καὶ ἔτυπτον αὐτοῦ 19
τὴν κεφαλὴν καλάμῳ καὶ ἐνέπτυον αὐτῷ, καὶ τιθέντες τὰ
γόνατα προσεκύνουν αὐτῷ. καὶ ὅτε ἐνέπαιξαν αὐτῷ, ἐξέδυ- 20
σαν αὐτὸν τὴν πορφύραν καὶ ἐνέδυσαν αὐτὸν τὰ ἱμάτια αὐ-
τοῦ. Καὶ ἐξάγουσιν αὐτὸν ἵνα σταυρώσωσιν

1 ἑτοιμάσαντες   2 λέγεις;

21 αὐτόν· καὶ ἀγγαρεύουσιν παράγοντά τινα Σίμωνα Κυρη-
ναῖον ἐρχόμενον ἀπ᾽ ἀγροῦ, τὸν πατέρα Ἀλεξάνδρου καὶ
22 Ῥούφου, ἵνα ἄρῃ τὸν σταυρὸν αὐτοῦ. καὶ φέρουσιν αὐτὸν
ἐπὶ τὸν Γολγοθᾶν τόπον, ὅ ἐστιν ⌈μεθερμηνευόμενος⌉ Κρα-
23 νίου Τόπος. καὶ ἐδίδουν αὐτῷ ἐσμυρνισμένον οἶνον, ὃς δὲ
24 οὐκ ἔλαβεν. καὶ σταυροῦσιν αὐτὸν καὶ ΔΙΑΜΕΡΙΖΟΝΤΑΙ ΤΑ
ἸΜΑΤΙΑ αὐτοῦ, ΒΑΛΛΟΝΤΕΣ ΚΛΗΡΟΝ ἐπ᾽ ΑΥΤΑ τίς τί
25
26 ἄρῃ. ἦν δὲ ὥρα τρίτη καὶ ἐσταύρωσαν αὐτόν. καὶ ἦν
ἡ ἐπιγραφὴ τῆς αἰτίας αὐτοῦ ἐπιγεγραμμένη Ο ΒΑΣΙ-
27 ΛΕΥΣ ΤΩΝ ΙΟΥΔΑΙΩΝ. Καὶ σὺν αὐτῷ σταυροῦσιν
δύο λῃστάς, ἕνα ἐκ δεξιῶν καὶ ἕνα ἐξ εὐωνύμων αὐτοῦ.
29 Καὶ οἱ παραπορευόμενοι ἐβλασφήμουν αὐτὸν ΚΙΝΟΥΝΤΕΣ
ΤΑΣ ΚΕΦΑΛΑΣ αὐτῶν καὶ λέγοντες Οὐὰ ὁ καταλύων τὸν
30 ναὸν καὶ οἰκοδομῶν [ἐν] τρισὶν ἡμέραις, σῶσον σεαυτὸν
31 καταβὰς ἀπὸ τοῦ σταυροῦ. ὁμοίως καὶ οἱ ἀρχιερεῖς
ἐμπαίζοντες πρὸς ἀλλήλους μετὰ τῶν γραμματέων ἔλεγον
32 Ἄλλους ἔσωσεν, ἑαυτὸν οὐ δύναται σῶσαι· ὁ χριστὸς
ὁ βασιλεὺς Ἰσραὴλ καταβάτω νῦν ἀπὸ τοῦ σταυροῦ, ἵνα
ἴδωμεν καὶ πιστεύσωμεν. καὶ οἱ συνεσταυρωμένοι σὺν
33 αὐτῷ ὠνείδιζον αὐτόν.   Καὶ γενομένης ὥρας
ἕκτης σκότος ἐγένετο ἐφ᾽ ὅλην τὴν γῆν ἕως ὥρας ἐνάτης.
34 καὶ τῇ ἐνάτῃ ὥρᾳ ἐβόησεν ὁ Ἰησοῦς φωνῇ μεγάλῃ
Ἐλωί ἐλωί λαμὰ ϲαβαχθανεί ; ὅ ἐστιν μεθερμη-
νευόμενον Ὁ θεόϲ μου [ὁ θεόϲ μου], εἰς τί ἐγκατέ-
35 λιπέϲ με; καί τινες τῶν ⌈παρεστηκότων⌉ ἀκούσαντες ἔλε-
36 γον Ἴδε Ἡλείαν φωνεῖ. δραμὼν δέ τις γεμίσας σπόγγον
ὄξουϲ περιθεὶς καλάμῳ ἐπότιζεν αὐτόν, λέγων Ἄφετε
37 ἴδωμεν εἰ ἔρχεται Ἡλείας καθελεῖν αὐτόν. ὁ δὲ Ἰησοῦς
38 ἀφεὶς φωνὴν μεγάλην ἐξέπνευσεν. Καὶ τὸ καταπέτασμα
39 τοῦ ναοῦ ἐσχίσθη εἰς δύο ἀπ᾽ ἄνωθεν ἕως κάτω. Ἰδὼν δὲ
ὁ κεντυρίων ὁ παρεστηκὼς ἐξ ἐναντίας αὐτοῦ ὅτι οὕτως
ἐξέπνευσεν εἶπεν Ἀληθῶς οὗτος ὁ ἄνθρωπος υἱὸς θεοῦ
40 ἦν. Ἦσαν δὲ καὶ γυναῖκες ἀπὸ μακρόθεν θεωροῦσαι, ἐν

22 μεθερμηνευόμενον   35 ἑστηκότων

αἷς καὶ Μαριὰμ ἡ Μαγδαληνὴ καὶ Μαρία ἡ Ἰακώβου τοῦ
μικροῦ καὶ Ἰωσῆτος μήτηρ καὶ Σαλώμη, αἳ ὅτε ἦν ἐν τῇ 41
Γαλιλαίᾳ ἠκολούθουν αὐτῷ καὶ διηκόνουν αὐτῷ, καὶ ἄλλαι
πολλαὶ αἱ συναναβᾶσαι αὐτῷ εἰς Ἱεροσόλυμα.

Καὶ ἤδη ὀψίας γενομένης, ἐπεὶ ἦν παρασκευή, ὅ ἐστιν 42
προσάββατον, ἐλθὼν Ἰωσὴφ ⌐ ἀπὸ Ἀριμαθαίας εὐσχήμων 43
βουλευτής, ὃς καὶ αὐτὸς ἦν προσδεχόμενος τὴν βασιλείαν
τοῦ θεοῦ, τολμήσας εἰσῆλθεν πρὸς τὸν Πειλᾶτον καὶ ᾐτή-
σατο τὸ σῶμα τοῦ Ἰησοῦ. ὁ δὲ Πειλᾶτος ἐθαύμασεν εἰ 44
ἤδη τέθνηκεν, καὶ προσκαλεσάμενος τὸν κεντυρίωνα ἐπη-
ρώτησεν αὐτὸν εἰ ⌐ἤδη⌐ ἀπέθανεν· καὶ γνοὺς ἀπὸ τοῦ κεν- 45
τυρίωνος ἐδωρήσατο τὸ πτῶμα τῷ Ἰωσήφ. καὶ ἀγορά- 46
σας σινδόνα καθελὼν αὐτὸν ἐνείλησεν τῇ σινδόνι καὶ ἔθη-
κεν αὐτὸν ἐν μνήματι ὃ ἦν λελατομημένον ἐκ πέτρας, καὶ
προσεκύλισεν λίθον ἐπὶ τὴν θύραν τοῦ μνημείου. Ἡ δὲ Μαρία 47
ἡ Μαγδαληνὴ καὶ Μαρία ἡ Ἰωσῆτος ἐθεώρουν ποῦ τέθειται.

Καὶ διαγενομένου τοῦ σαββάτου [ἡ] Μαρία ἡ Μαγδα- 1
ληνὴ καὶ Μαρία ἡ [τοῦ] Ἰακώβου καὶ Σαλώμη ἠγόρασαν ἀρώ-
ματα ἵνα ἐλθοῦσαι ἀλείψωσιν αὐτόν. καὶ λίαν πρωὶ [τῇ] 2
μιᾷ τῶν σαββάτων ἔρχονται ἐπὶ τὸ μνημεῖον ⌐ἀνατείλαντος⌐
τοῦ ἡλίου. καὶ ἔλεγον πρὸς ἑαυτάς Τίς ἀποκυλίσει ἡμῖν 3
τὸν λίθον ἐκ τῆς θύρας τοῦ μνημείου; καὶ ἀναβλέψασαι 4
θεωροῦσιν ὅτι ἀνακεκύλισται ὁ λίθος, ἦν γὰρ μέγας σφόδρα.
καὶ ⌐εἰσελθοῦσαι⌐ εἰς τὸ μνημεῖον εἶδον νεανίσκον καθή- 5
μενον ἐν τοῖς δεξιοῖς περιβεβλημένον στολὴν λευκήν, καὶ
ἐξεθαμβήθησαν. ὁ δὲ λέγει αὐταῖς Μὴ ἐκθαμβεῖσθε· 6
Ἰησοῦν ζητεῖτε τὸν Ναζαρηνὸν τὸν ἐσταυρωμένον· ἠγέρθη,
οὐκ ἔστιν ὧδε· ἴδε ὁ τόπος ὅπου ἔθηκαν αὐτόν· ἀλλὰ 7
ὑπάγετε εἴπατε τοῖς μαθηταῖς αὐτοῦ καὶ τῷ Πέτρῳ ὅτι
Προάγει ὑμᾶς εἰς τὴν Γαλιλαίαν· ἐκεῖ αὐτὸν ὄψεσθε, καθὼς
εἶπεν ὑμῖν. καὶ ἐξελθοῦσαι ἔφυγον ἀπὸ τοῦ μνημείου, 8
εἶχεν γὰρ αὐτὰς τρόμος καὶ ἔκστασις· καὶ οὐδενὶ οὐδὲν
εἶπαν, ἐφοβοῦντο γάρ·   *   *   *   *   *   *

43 ὁ   44 παλαι   2 ἀνατέλλοντος   5 ἐλθοῦσαι

9 ⌈Ἀναστὰς δὲ πρωὶ πρώτῃ σαββάτου ἐφάνη πρῶτον
Μαρίᾳ τῇ Μαγδαληνῇ, παρ' ἧς ἐκβεβλήκει ἑπτὰ δαιμόνια.
10 ἐκείνη πορευθεῖσα ἀπήγγειλεν τοῖς μετ' αὐτοῦ γενομένοις
11 πενθοῦσι καὶ κλαίουσιν· κἀκεῖνοι ἀκούσαντες ὅτι ζῇ καὶ
12 ἐθεάθη ὑπ' αὐτῆς ἠπίστησαν. Μετὰ δὲ ταῦτα δυσὶν ἐξ
αὐτῶν περιπατοῦσιν ἐφανερώθη ἐν ἑτέρᾳ μορφῇ πορευομέ-
13 νοις εἰς ἀγρόν· κἀκεῖνοι ἀπελθόντες ἀπήγγειλαν τοῖς
14 λοιποῖς· οὐδὲ ἐκείνοις ἐπίστευσαν. Ὕστερον [δὲ] ἀνακει-
μένοις αὐτοῖς τοῖς ἕνδεκα ἐφανερώθη, καὶ ὠνείδισεν τὴν
ἀπιστίαν αὐτῶν καὶ σκληροκαρδίαν ὅτι τοῖς θεασαμένοις
15 αὐτὸν ἐγηγερμένον [ἐκ νεκρῶν] οὐκ ἐπίστευσαν. καὶ εἶπεν
αὐτοῖς Πορευθέντες εἰς τὸν κόσμον ἅπαντα κηρύξατε τὸ
16 εὐαγγέλιον πάσῃ τῇ κτίσει. ὁ πιστεύσας καὶ βαπτισθεὶς
17 σωθήσεται, ὁ δὲ ἀπιστήσας κατακριθήσεται. σημεῖα δὲ
τοῖς πιστεύσασιν ⌈ἀκολουθήσει ταῦτα⌉, ἐν τῷ ὀνόματί μου
18 δαιμόνια ἐκβαλοῦσιν, γλώσσαις λαλήσουσιν ⊤, [καὶ ἐν ταῖς
χερσὶν] ὄφεις ἀροῦσιν κἂν θανάσιμόν τι πίωσιν οὐ μὴ
αὐτοὺς βλάψῃ, ἐπὶ ἀρρώστους χεῖρας ἐπιθήσουσιν καὶ
19 καλῶς ἕξουσιν. Ὁ μὲν οὖν κύριος [Ἰησοῦς] μετὰ τὸ
λαλῆσαι αὐτοῖς ἀνελήμφθη εἰς τὸν οὐρανὸν καὶ ἐκά-
20 θισεν ἐκ δεξιῶν τοῦ θεοῦ. ἐκεῖνοι δὲ ἐξελθόντες ἐκή-
ρυξαν πανταχοῦ, τοῦ κυρίου συνεργοῦντος καὶ τὸν λόγον
βεβαιοῦντος διὰ τῶν ἐπακολουθούντων σημείων.⊤]

ΑΛΛΩΣ

[Πάντα δὲ τὰ παρηγγελμένα τοῖς περὶ τὸν Πέτρον
συντόμως ἐξήγγειλαν. Μετὰ δὲ ταῦτα καὶ αὐτὸς ὁ Ἰη-
σοῦς ἀπὸ ἀνατολῆς καὶ ἄχρι δύσεως ἐξαπέστειλεν δι' αὐ-
τῶν τὸ ἱερὸν καὶ ἄφθαρτον κήρυγμα τῆς αἰωνίου σωτηρίας.]

17 ταῦτα παρακολουθήσει | καιναῖς   20 Ἀμήν.

I

ΚΑΤΑ ΛΟΥΚΑΝ

ΕΠΕΙΔΗΠΕΡ ΠΟΛΛΟΙ ἐπεχείρησαν ἀνατάξασθαι 1
διήγησιν περὶ τῶν πεπληροφορημένων ἐν ἡμῖν πραγμάτων,
καθὼς παρέδοσαν ἡμῖν οἱ ἀπ᾽ ἀρχῆς αὐτόπται καὶ ὑπηρέ- 2
ται γενόμενοι τοῦ λόγου, ἔδοξε κἀμοὶ παρηκολουθηκότι 3
ἄνωθεν πᾶσιν ἀκριβῶς καθεξῆς σοι γράψαι, κράτιστε Θεό-
φιλε, ἵνα ἐπιγνῷς περὶ ὧν κατηχήθης λόγων τὴν ἀσφά- 4
λειαν.

ΕΓΕΝΕΤΟ ἐν ταῖς ἡμέραις Ἡρῴδου βασιλέως τῆς 5
Ἰουδαίας ἱερεύς τις ὀνόματι Ζαχαρίας ἐξ ἐφημερίας Ἀβιά,
καὶ γυνὴ αὐτῷ ἐκ τῶν θυγατέρων Ἀαρών, καὶ τὸ ὄνομα
αὐτῆς Ἐλεισάβετ. ἦσαν δὲ δίκαιοι ἀμφότεροι ἐναντίον τοῦ 6
θεοῦ, πορευόμενοι ἐν πάσαις ταῖς ἐντολαῖς καὶ δικαιώμασιν
τοῦ κυρίου ἄμεμπτοι. καὶ οὐκ ἦν αὐτοῖς τέκνον, καθότι 7
ἦν [ἡ] Ἐλεισάβετ στεῖρα, καὶ ἀμφότεροι προβεβηκότες
ἐν ταῖς ἡμέραις αὐτῶν ἦσαν. Ἐγένετο δὲ ἐν 8
τῷ ἱερατεύειν αὐτὸν ἐν τῇ τάξει τῆς ἐφημερίας αὐτοῦ
ἔναντι τοῦ θεοῦ κατὰ τὸ ἔθος τῆς ἱερατίας ἔλαχε τοῦ θυ- 9
μιᾶσαι εἰσελθὼν εἰς τὸν ναὸν τοῦ κυρίου, καὶ πᾶν τὸ 10
πλῆθος ἦν τοῦ λαοῦ προσευχόμενον ἔξω τῇ ὥρᾳ τοῦ θυ-
μιάματος· ὤφθη δὲ αὐτῷ ἄγγελος Κυρίου ἑστὼς ἐκ δεξιῶν 11
τοῦ θυσιαστηρίου τοῦ θυμιάματος. καὶ ἐταράχθη Ζαχα- 12
ρίας ἰδών, καὶ φόβος ἐπέπεσεν ἐπ᾽ αὐτόν. εἶπεν δὲ πρὸς 13

15 τοῦ κυρίου

αὐτὸν ὁ ἄγγελος   Μὴ φοβοῦ, Ζαχαρία, διότι εἰσηκούσθη
ἡ δέησίς σου, καὶ ἡ γυνή σου Ἐλεισάβετ γεννήσει υἱόν
14 σοι, καὶ καλέσεις τὸ ὄνομα αὐτοῦ Ἰωάνην· καὶ ἔσται χαρά
σοι καὶ ἀγαλλίασις, καὶ πολλοὶ ἐπὶ τῇ γενέσει αὐτοῦ χα-
15 ρήσονται· ἔσται γὰρ μέγας ἐνώπιον ⌜Κυρίου⌝, καὶ ΟἶΝΟΝ
καὶ ϹΊΚΕΡΑ ΟΫ̓ ΜῊ ΠΊῌ, καὶ πνεύματος ἁγίου πλησθήσεται
16 ἔτι ἐκ κοιλίας μητρὸς αὐτοῦ, καὶ πολλοὺς τῶν υἱῶν Ἰσραὴλ
17 ἐπιστρέψει ἐπὶ Κύριον τὸν θεὸν αὐτῶν· καὶ αὐτὸς ⌜προελεύ-
σεται⌝ ἐνώπιον αὐτοῦ ἐν πνεύματι καὶ δυνάμει Ἡλείᾳ,
ἐπιϹΤΡΈΨΑΙ ΚΑΡΔΊΑϹ ΠΑΤΈΡωΝ ἐπὶ ΤΈΚΝΑ καὶ ἀπειθεῖϹ ἐν
φρονήσει δικαίων, ἑτοιμάσαι Κυρίῳ λαὸν κατεσκευασμένον.
18 καὶ εἶπεν Ζαχαρίας πρὸς τὸν ἄγγελον   Κατὰ τί γνώσομαι
τοῦτο; ἐγὼ γάρ εἰμι πρεσβύτης καὶ ἡ γυνή μου προβεβη-
19 κυῖα ἐν ταῖς ἡμέραις αὐτῆς.   καὶ ἀποκριθεὶς ὁ ἄγγελος
εἶπεν αὐτῷ   Ἐγώ εἰμι Γαβριὴλ ὁ παρεστηκὼς ἐνώπιον
τοῦ θεοῦ, καὶ ἀπεστάλην λαλῆσαι πρὸς σὲ καὶ εὐαγγελί-
20 σασθαί σοι ταῦτα· καὶ ἰδοὺ ἔσῃ σιωπῶν καὶ μὴ δυνάμενος
λαλῆσαι ἄχρι ἧς ἡμέρας γένηται ταῦτα, ἀνθ᾽ ὧν οὐκ ἐπί-
στευσας τοῖς λόγοις μου, οἵτινες πληρωθήσονται εἰς τὸν
21 καιρὸν αὐτῶν.   καὶ ἦν ὁ λαὸς προσδοκῶν τὸν Ζαχαρίαν,
22 καὶ ἐθαύμαζον ἐν τῷ χρονίζειν ἐν τῷ ναῷ αὐτόν. ἐξελθὼν
δὲ οὐκ ἐδύνατο λαλῆσαι αὐτοῖς, καὶ ἐπέγνωσαν ὅτι ὀπτα-
σίαν ἑώρακεν ἐν τῷ ναῷ· καὶ αὐτὸς ἦν διανεύων αὐτοῖς,
23 καὶ διέμενεν κωφός.   Καὶ ἐγένετο ὡς ἐπλήσθησαν αἱ
ἡμέραι τῆς λειτουργίας αὐτοῦ, ἀπῆλθεν εἰς τὸν οἶκον αὐ-
24 τοῦ.   Μετὰ δὲ ταύτας τὰς ἡμέρας συνέλαβεν
Ἐλεισάβετ ἡ γυνὴ αὐτοῦ· καὶ περιέκρυβεν ἑαυτὴν μῆνας
25 πέντε, λέγουσα ὅτι   Οὕτως μοι πεποίηκεν ⌜Κύριος⌝ ἐν ἡμέ-
ραις αἷς ἐπεῖδεν ἀφελεῖν ὄνειδός μου ἐν ⌜ἀνθρώποις.

26   Ἐν δὲ τῷ μηνὶ τῷ ἕκτῳ ἀπεστάλη ὁ ἄγγελος Γαβριὴλ
ἀπὸ τοῦ θεοῦ εἰς πόλιν τῆς Γαλιλαίας ᾗ ὄνομα Ναζαρὲτ
27 πρὸς παρθένον ἐμνηστευμένην ἀνδρὶ ᾧ ὄνομα Ἰωσὴφ ἐξ
28 οἴκου Δαυείδ, καὶ τὸ ὄνομα τῆς παρθένου Μαριάμ.   καὶ

εἰσελθὼν πρὸς αὐτὴν εἶπεν Χαῖρε, κεχαριτωμένη, ὁ κύριος
μετὰ σοῦ. ἡ δὲ ἐπὶ τῷ λόγῳ διεταράχθη καὶ διελογίζετο 29
ποταπὸς εἴη ὁ ἀσπασμὸς οὗτος. καὶ εἶπεν ὁ ἄγγελος 30
αὐτῇ Μὴ φοβοῦ, Μαριάμ, εὗρες γὰρ χάριν παρὰ τῷ θεῷ·
καὶ ἰδοὺ συλλήμψῃ ἐν γαστρὶ καὶ τέξῃ υἱόν, καὶ καλέσεις 31
τὸ ὄνομα αὐτοῦ Ἰησοῦν. οὗτος ἔσται μέγας καὶ υἱὸς 32
Ὑψίστου κληθήσεται, καὶ δώσει αὐτῷ Κύριος ὁ θεὸς ΤΟΝ
ΘΡΟΝΟΝ Δαγειδ τοῦ πατρὸς αὐτοῦ, καὶ βαϲιλεγϲει ἐπὶ τὸν 33
οἶκον Ἰακὼβ εἰϲ τογϲ αἰῶναϲ, καὶ τῆς βασιλείας αὐτοῦ
οὐκ ἔσται τέλος. εἶπεν δὲ Μαριὰμ πρὸς τὸν ἄγγελον Πῶς 34
ἔσται τοῦτο, ἐπεὶ ἄνδρα οὐ γινώσκω; καὶ ἀποκριθεὶς ὁ 35
ἄγγελος εἶπεν αὐτῇ Πνεῦμα ἅγιον ἐπελεύσεται ἐπὶ σέ,
καὶ δύναμις Ὑψίστου ἐπισκιάσει σοι· διὸ καὶ τὸ γεννώ-
μενον ἅγιον κληθήϲεται, υἱὸς θεοῦ· καὶ ἰδοὺ Ἐλεισάβετ 36
ἡ συγγενίς σου καὶ αὐτὴ συνείληφεν υἱὸν ἐν γήρει αὐτῆς,
καὶ οὗτος μὴν ἕκτος ἐστὶν αὐτῇ τῇ καλουμένῃ στείρᾳ· ὅτι 37
ογκ ἀδγνατήϲει παρὰ τογ θεογ πᾶν ῥῆμα. εἶπεν δὲ 38
Μαριάμ Ἰδοὺ ἡ δούλη Κυρίου· γένοιτό μοι κατὰ τὸ ῥῆμά
σου. καὶ ἀπῆλθεν ἀπ᾽ αὐτῆς ὁ ἄγγελος. Ἀνα- 39
στᾶσα δὲ Μαριὰμ ἐν ταῖς ἡμέραις ταύταις ἐπορεύθη εἰς
τὴν ὀρινὴν μετὰ σπουδῆς εἰς πόλιν Ἰούδα, καὶ εἰσῆλθεν 40
εἰς τὸν οἶκον Ζαχαρίου καὶ ἠσπάσατο τὴν Ἐλεισάβετ.
καὶ ἐγένετο, ὡς ἤκουσεν τὸν ἀσπασμὸν τῆς Μαρίας ἡ 41
Ἐλεισάβετ, ἐσκίρτησεν τὸ βρέφος ἐν τῇ κοιλίᾳ αὐτῆς, καὶ
ἐπλήσθη πνεύματος ἁγίου ἡ Ἐλεισάβετ, καὶ ἀνεφώνησεν 42
κραυγῇ μεγάλῃ καὶ εἶπεν Εὐλογημένη σὺ ἐν γυναιξίν,
καὶ εὐλογημένος ὁ καρπὸς τῆς κοιλίας σου. καὶ πόθεν 43
μοι τοῦτο ἵνα ἔλθῃ ἡ μήτηρ τοῦ κυρίου μου πρὸς ἐμέ;
ἰδοὺ γὰρ ὡς ἐγένετο ἡ φωνὴ τοῦ ἀσπασμοῦ σου εἰς τὰ 44
ὦτά μου, ἐσκίρτησεν ἐν ἀγαλλιάσει τὸ βρέφος ἐν τῇ
κοιλίᾳ μου. καὶ μακαρία ἡ πιστεύσασα ὅτι ἔσται τελείω- 45
σις τοῖς λελαλημένοις αὐτῇ παρὰ Κυρίου. Καὶ εἶπεν 46
Μαριάμ

Μεγαλύνει ἡ ψυχή μου τὸν κύριον,   [τῆρί μου·

47   καὶ ἠγαλλίασεν τὸ πνεῦμά μου ἐπὶ τῷ θεῷ τῷ σω-
48 ὅτι ἐπέβλεψεν ἐπὶ τὴν ταπείνωσιν τῆς δούλης αὐτοῦ,
   ἰδοὺ γὰρ ἀπὸ τοῦ νῦν μακαριοῦσίν με πᾶσαι αἱ γενεαί·

49 ὅτι ἐποίησέν μοι μεγάλα ὁ δυνατός,
   καὶ ἅγιον τὸ ὄνομα αὐτοῦ,
50 καὶ τὸ ἔλεος αὐτοῦ εἰς γενεὰς καὶ γενεάς
   τοῖς φοβουμένοις αὐτόν.

51 Ἐποίησεν κράτος ἐν βραχίονι αὐτοῦ,
   διεσκόρπισεν ὑπερηφάνους διανοίᾳ καρδίας αὐτῶν·
52 καθεῖλεν δυνάστας ἀπὸ θρόνων καὶ ὕψωσεν ταπεινούς,
53   πεινῶντας ἐνέπλησεν ἀγαθῶν καὶ πλουτοῦντας
       ἐξαπέστειλεν κενούς.
54 ἀντελάβετο Ἰσραὴλ παιδὸς αὐτοῦ,
   μνησθῆναι ἐλέους,
55 καθὼς ἐλάλησεν πρὸς τοὺς πατέρας ἡμῶν,
   τῷ Ἀβραὰμ καὶ τῷ σπέρματι αὐτοῦ εἰς τὸν αἰῶνα.

56 Ἔμεινεν δὲ Μαριὰμ σὺν αὐτῇ ὡς μῆνας τρεῖς, καὶ ὑπέ-
   στρεψεν εἰς τὸν οἶκον αὐτῆς.
57   Τῇ δὲ Ἐλεισάβετ ἐπλήσθη ὁ χρόνος τοῦ τεκεῖν αὐτήν,
58 καὶ ἐγέννησεν υἱόν. καὶ ἤκουσαν οἱ περίοικοι καὶ οἱ συγ-
   γενεῖς αὐτῆς ὅτι ἐμεγάλυνεν Κύριος τὸ ἔλεος αὐτοῦ μετ᾽ αὐ-
59 τῆς, καὶ συνέχαιρον αὐτῇ. Καὶ ἐγένετο ἐν τῇ ἡμέρᾳ τῇ
   ὀγδόῃ ἦλθαν περιτεμεῖν τὸ παιδίον, καὶ ἐκάλουν αὐτὸ ἐπὶ
60 τῷ ὀνόματι τοῦ πατρὸς αὐτοῦ Ζαχαρίαν. καὶ ἀποκριθεῖσα
   ἡ μήτηρ αὐτοῦ εἶπεν   Οὐχί, ἀλλὰ κληθήσεται Ἰωάνης.
61 καὶ εἶπαν πρὸς αὐτὴν ὅτι   Οὐδείς ἐστιν ἐκ τῆς συγγε-
62 νείας σου ὃς καλεῖται τῷ ὀνόματι τούτῳ. ἐνένευον δὲ τῷ
63 πατρὶ αὐτοῦ τὸ τί ἂν θέλοι καλεῖσθαι αὐτό. καὶ αἰτή-
   σας πινακίδιον ἔγραψεν λέγων   Ἰωάνης ἐστὶν ὄνομα αὐτοῦ.
64 καὶ ἐθαύμασαν πάντες. ἀνεῴχθη δὲ τὸ στόμα αὐτοῦ παρα-

χρῆμα καὶ ἡ γλῶσσα αὐτοῦ, καὶ ἐλάλει εὐλογῶν τὸν θεόν.
Καὶ ἐγένετο ἐπὶ πάντας φόβος τοὺς περιοικοῦντας αὐ- 65
τούς, καὶ ἐν ὅλῃ τῇ ὀρινῇ τῆς Ἰουδαίας διελαλεῖτο πάντα
τὰ ῥήματα ταῦτα, καὶ ἔθεντο πάντες οἱ ἀκούσαντες ἐν τῇ 66
καρδίᾳ αὐτῶν, λέγοντες Τί ἄρα τὸ παιδίον τοῦτο ἔσται;
καὶ γὰρ χεὶρ Κυρίου ἦν μετ' αὐτοῦ.　　　　　　Καὶ 67
Ζαχαρίας ὁ πατὴρ αὐτοῦ ἐπλήσθη πνεύματος ἁγίου καὶ
ἐπροφήτευσεν λέγων

Εὐλογητὸς Κύριος ὁ θεὸς τοῦ Ἰсραήλ,　　　　　　68
　　ὅτι ἐπεσκέψατο καὶ ἐποίησεν λύτρωсιν τῷ λαῷ αὐτοῦ,
καὶ ἤγειρεν κέρας σωτηρίας ἡμῖν　　　　　　69
　　ἐν οἴκῳ Δαγεὶδ παιδὸς αὐτοῦ,

καθὼς ἐλάλησεν διὰ στόματος τῶν ἁγίων ἀπ' αἰῶνος προ- 70
　　　　　　　　　　φητῶν αὐτοῦ,
　　сωτηρίαν ἐϡ ἐχθρῶν ἡμῶν καὶ ἐκ χειρὸς πάντων 71
　　　　　　τῶν μιсούντων ἡμᾶс,
ποιῆσαι ἔλεος μετὰ τῶν πατέρων ἡμῶν　　　　　　72
　　καὶ μνηсθῆναι διαθήκης ἁγίας αὐτοῦ,

ὅρκον ὃν ὤμοсεν πρὸς Ἀβραὰμ τὸν πατέρα ἡμῶν, 73
　　τοῦ δοῦναι ἡμῖν ἀφόβως ἐκ χειρὸς ἐχθρῶν ῥυσθέντας 74
λατρεύειν αὐτῷ ἐν ὁσιότητι καὶ δικαιοσύνῃ　　　　　75
　　ἐνώπιον αὐτοῦ ⌜πάσαις ταῖς ἡμέραις⌝ ἡμῶν.

Καὶ σὺ δέ, παιδίον, προφήτης Ὑψίστου κληθήσῃ,　　76
　　προπορεύσῃ γὰρ ἐνώπιον Κυρίου ἑτοιμάсαι ὁδούс
　　　　　　　　　　αὐτοῦ,

τοῦ δοῦναι γνῶσιν σωτηρίας τῷ λαῷ αὐτοῦ　　　　77
　　ἐν ἀφέσει ἁμαρτιῶν αὐτῶν,

διὰ σπλάγχνα ἐλέους θεοῦ ἡμῶν,　　　　　　78
　　ἐν οἷς ἐπισκέψεται ἡμᾶς ἀνατολὴ ἐξ ὕψους,
ἐπιφᾶναι τοῖс ἐν σκότει καὶ σκιᾷ θανάτου καθημένοιс, 79
　　τοῦ κατευθῦναι τοὺς πόδας ἡμῶν εἰς ὁδὸν εἰρήνης.

75 πάσας τὰς ἡμέρας

80 Τὸ δὲ παιδίον ηὔξανε καὶ ἐκραταιοῦτο πνεύματι, καὶ ἦν ἐν ταῖς ἐρήμοις ἕως ἡμέρας ἀναδείξεως αὐτοῦ πρὸς τὸν Ἰσραήλ.

1 Ἐγένετο δὲ ἐν ταῖς ἡμέραις ἐκείναις ἐξῆλθεν δόγμα παρὰ Καίσαρος Αὐγούστου ἀπογράφεσθαι πᾶσαν τὴν οἰ-
2 κουμένην· (αὕτη ἀπογραφὴ πρώτη ἐγένετο ἡγεμονεύοντος
3 τῆς Συρίας ⌜Κυρηνίου⌝·) καὶ ἐπορεύοντο πάντες ἀπογρά-
4 φεσθαι, ἕκαστος εἰς τὴν ἑαυτοῦ πόλιν. Ἀνέβη δὲ καὶ Ἰωσὴφ ἀπὸ τῆς Γαλιλαίας ἐκ πόλεως Ναζαρὲτ εἰς τὴν Ἰουδαίαν εἰς πόλιν Δαυεὶδ ἥτις καλεῖται Βηθλεέμ, διὰ τὸ
5 εἶναι αὐτὸν ἐξ οἴκου καὶ πατριᾶς Δαυείδ, ἀπογράψασθαι
6 σὺν Μαριὰμ τῇ ἐμνηστευμένῃ αὐτῷ, οὔσῃ ἐνκύῳ. Ἐγένε-
το δὲ ἐν τῷ εἶναι αὐτοὺς ἐκεῖ ἐπλήσθησαν αἱ ἡμέραι τοῦ τε-
7 κεῖν αὐτήν, καὶ ἔτεκεν τὸν υἱὸν αὐτῆς τὸν πρωτότοκον, καὶ ἐσπαργάνωσεν αὐτὸν καὶ ἀνέκλινεν αὐτὸν ἐν φάτνῃ, διό-
8 τι οὐκ ἦν αὐτοῖς τόπος ἐν τῷ καταλύματι.   Καὶ ποιμένες ἦσαν ἐν τῇ χώρᾳ τῇ αὐτῇ ἀγραυλοῦντες καὶ φυ-
λάσσοντες φυλακὰς τῆς νυκτὸς ἐπὶ τὴν ποίμνην αὐτῶν.
9 καὶ ἄγγελος Κυρίου ἐπέστη αὐτοῖς καὶ δόξα Κυρίου
10 περιέλαμψεν αὐτούς, καὶ ἐφοβήθησαν φόβον μέγαν· καὶ εἶπεν αὐτοῖς ὁ ἄγγελος Μὴ φοβεῖσθε, ἰδοὺ γὰρ εὐαγγε-
11 λίζομαι ὑμῖν χαρὰν μεγάλην ἥτις ἔσται παντὶ τῷ λαῷ, ὅτι ἐτέχθη ὑμῖν σήμερον σωτὴρ ὅς ἐστιν χριστὸς κύριος ἐν
12 πόλει Δαυείδ· καὶ τοῦτο ὑμῖν ⌐ σημεῖον, εὑρήσετε βρέφος
13 ἐσπαργανωμένον καὶ κείμενον ἐν φάτνῃ. καὶ ἐξέφνης ἐγέ-
νετο σὺν τῷ ἀγγέλῳ πλῆθος στρατιᾶς ⌜οὐρανίου⌝ αἰνούντων τὸν θεὸν καὶ λεγόντων
14 Δόξα ἐν ὑψίστοις θεῷ καὶ ἐπὶ γῆς εἰρήνη ἐν ἀν-
θρώποις ⌜εὐδοκίας⌝.
15 Καὶ ἐγένετο ὡς ἀπῆλθον ἀπ' αὐτῶν εἰς τὸν οὐρανὸν οἱ ἄγ-
γελοι, οἱ ποιμένες ἐλάλουν πρὸς ἀλλήλους Διέλθωμεν

2 Κυρείνου   12 τὸ   13 οὐρανοῦ   14 εὐδοκία

δὴ ἕως Βηθλεὲμ καὶ ἴδωμεν τὸ ῥῆμα τοῦτο τὸ γεγονὸς ὃ ὁ
κύριος ἐγνώρισεν ἡμῖν. καὶ ἦλθαν σπεύσαντες καὶ ἀνεῦραν 16
τήν τε Μαριὰμ καὶ τὸν Ἰωσὴφ καὶ τὸ βρέφος κείμενον ἐν
τῇ φάτνῃ· ἰδόντες δὲ ἐγνώρισαν περὶ τοῦ ῥήματος τοῦ 17
λαληθέντος αὐτοῖς περὶ τοῦ παιδίου τούτου. καὶ πάντες 18
οἱ ἀκούσαντες ἐθαύμασαν περὶ τῶν λαληθέντων ὑπὸ τῶν
ποιμένων πρὸς αὐτούς, ἡ δὲ ⌜Μαρία⌝ πάντα συνετήρει τὰ 19
ῥήματα ταῦτα συνβάλλουσα ἐν τῇ καρδίᾳ αὐτῆς. καὶ 20
ὑπέστρεψαν οἱ ποιμένες δοξάζοντες καὶ αἰνοῦντες τὸν θεὸν
ἐπὶ πᾶσιν οἷς ἤκουσαν καὶ εἶδον καθὼς ἐλαλήθη πρὸς
αὐτούς.

Καὶ ὅτε ἐπλήσθησαν ἡμέραι ὀκτὼ τοῦ περιτεμεῖν αὐ- 21
τόν, καὶ ἐκλήθη τὸ ὄνομα αὐτοῦ Ἰησοῦς, τὸ κληθὲν ὑπὸ
τοῦ ἀγγέλου πρὸ τοῦ συλλημφθῆναι αὐτὸν ἐν τῇ κοιλίᾳ.

Καὶ ὅτε ἐπλήϲθηϲαν αἱ ἡμέραι τοῦ καθαριϲμοῦ 22
αὐτῶν κατὰ τὸν νόμον Μωυσέως, ἀνήγαγον αὐτὸν εἰς Ἱερο-
σόλυμα παραστῆσαι τῷ κυρίῳ, καθὼς γέγραπται ἐν νόμῳ 23
Κυρίου ὅτι Πᾶν ἄρϲεν Διανοῖγον μήτραν ἅγιον τῷ
κυρίῳ κληθήϲεται, καὶ τοῦ δοῦναι θυσίαν κατὰ τὸ εἰρη- 24
μένον ἐν τῷ νόμῳ Κυρίου, ζεῦγοϲ τρυγόνων ἢ δύο
νοϲϲοὺϲ περιϲτερῶν. Καὶ ἰδοὺ ἄνθρωπος ἦν 25
ἐν Ἱερουσαλὴμ ᾧ ὄνομα Συμεών, καὶ ὁ ἄνθρωπος οὗτος
δίκαιος καὶ εὐλαβής, προσδεχόμενος παράκλησιν τοῦ
Ἰσραήλ, καὶ πνεῦμα ἦν ἅγιον ἐπ᾽ αὐτόν· καὶ ἦν αὐτῷ 26
κεχρηματισμένον ὑπὸ τοῦ πνεύματος τοῦ ἁγίου μὴ ἰδεῖν
θάνατον πρὶν [ἢ] ἂν ἴδῃ τὸν χριστὸν Κυρίου. καὶ ἦλθεν ἐν 27
τῷ πνεύματι εἰς τὸ ἱερόν· καὶ ἐν τῷ εἰσαγαγεῖν τοὺς γονεῖς
τὸ παιδίον Ἰησοῦν τοῦ ποιῆσαι αὐτοὺς κατὰ τὸ εἰθισμένον
τοῦ νόμου περὶ αὐτοῦ καὶ αὐτὸς ἐδέξατο αὐτὸ εἰς τὰς 28
ἀγκάλας καὶ εὐλόγησεν τὸν θεὸν καὶ εἶπεν

Νῦν ἀπολύεις τὸν δοῦλόν σου, δέσποτα, 29
  κατὰ τὸ ῥῆμά σου ἐν εἰρήνῃ·

19 Μαριάμ

30 ὅτι εἶδον οἱ ὀφθαλμοί μου τὸ cωτήριόν cογ
31   ὃ ἡτοίμασας κατὰ πρόcωπον πάντων τῶν λαῶν,
32 φῶc εἰc ἀποκάλγψιν ἐθνῶν
    καὶ Δόξαν λαοῦ cου Ἰcραήλ.

33 καὶ ἦν ὁ πατὴρ αὐτοῦ καὶ ἡ μήτηρ θαυμάζοντες ἐπὶ τοῖς
34 λαλουμένοις περὶ αὐτοῦ. καὶ εὐλόγησεν αὐτοὺς Συμεὼν
καὶ εἶπεν πρὸς Μαριὰμ τὴν μητέρα αὐτοῦ Ἰδοὺ οὗτος
κεῖται εἰς πτῶσιν καὶ ἀνάστασιν πολλῶν ἐν τῷ Ἰσραὴλ
35 καὶ εἰς σημεῖον ἀντιλεγόμενον, καὶ σοῦ ᵀ αὐτῆς τὴν ψυχὴν
διελεύσεται ῥομφαία, ὅπως ἂν ἀποκαλυφθῶσιν ἐκ πολλῶν
36 καρδιῶν διαλογισμοί.   Καὶ ἦν Ἄννα προφῆ-
τις, θυγάτηρ Φανουήλ, ἐκ φυλῆς Ἀσήρ, (αὕτη προβεβηκυῖα
ἐν ἡμέραις πολλαῖς, ζήσασα μετὰ ἀνδρὸς ἔτη ἑπτὰ ἀπὸ
37 τῆς παρθενίας αὐτῆς, καὶ αὐτὴ χήρα ἕως ἐτῶν ὀγδοήκοντα
τεσσάρων,) ἣ οὐκ ἀφίστατο τοῦ ἱεροῦ νηστείαις καὶ δεή-
38 σεσιν λατρεύουσα νύκτα καὶ ἡμέραν. καὶ αὐτῇ τῇ ὥρᾳ
ἐπιστᾶσα ἀνθωμολογεῖτο τῷ θεῷ καὶ ἐλάλει περὶ αὐτοῦ
πᾶσιν τοῖς προσδεχομένοις λύτρωσιν Ἰερουσαλήμ.

39   Καὶ ὡς ἐτέλεσαν πάντα τὰ κατὰ τὸν νόμον Κυρίου,
ἐπέστρεψαν εἰς τὴν Γαλιλαίαν εἰς πόλιν ἑαυτῶν Ναζαρέτ.
40   Τὸ δὲ παιδίον ηὔξανεν καὶ ἐκραταιοῦτο πληρούμενον
σοφίᾳ, καὶ χάρις θεοῦ ἦν ἐπ' αὐτό.

41   Καὶ ἐπορεύοντο οἱ γονεῖς αὐτοῦ κατ' ἔτος εἰς Ἰερουσα-
42 λὴμ τῇ ἑορτῇ τοῦ πάσχα. Καὶ ὅτε ἐγένετο ἐτῶν δώδεκα,
43 ἀναβαινόντων αὐτῶν κατὰ τὸ ἔθος τῆς ἑορτῆς καὶ τελειω-
σάντων τὰς ἡμέρας, ἐν τῷ ὑποστρέφειν αὐτοὺς ὑπέμεινεν
Ἰησοῦς ὁ παῖς ἐν Ἰερουσαλήμ, καὶ οὐκ ἔγνωσαν οἱ γονεῖς
44 αὐτοῦ. νομίσαντες δὲ αὐτὸν εἶναι ἐν τῇ συνοδίᾳ ἦλθον
ἡμέρας ὁδὸν καὶ ἀνεζήτουν αὐτὸν ἐν τοῖς συγγενεῦσιν καὶ
45 τοῖς γνωστοῖς, καὶ μὴ εὑρόντες ὑπέστρεψαν εἰς Ἰερουσαλημ
46 ἀναζητοῦντες αὐτόν. καὶ ἐγένετο μετὰ ἡμέρας τρεῖς εὗρον
αὐτὸν ἐν τῷ ἱερῷ καθεζόμενον ἐν μέσῳ τῶν διδασκάλων καὶ
47 ἀκούοντα αὐτῶν καὶ ἐπερωτῶντα αὐτούς· ἐξίσταντο δὲ

35 δὲ

πάντες οἱ ἀκούοντες αὐτοῦ ἐπὶ τῇ συνέσει καὶ ταῖς ἀποκρί-
σεσιν αὐτοῦ. καὶ ἰδόντες αὐτὸν ἐξεπλάγησαν, καὶ εἶπεν 48
πρὸς αὐτὸν ἡ μήτηρ αὐτοῦ Τέκνον, τί ἐποίησας ἡμῖν
οὕτως; ἰδοὺ ὁ πατήρ σου καὶ ἐγὼ ὀδυνώμενοι ζητοῦμέν
σε. καὶ εἶπεν πρὸς αὐτούς Τί ὅτι ἐζητεῖτέ με; οὐκ ᾔδειτε 49
ὅτι ἐν τοῖς τοῦ πατρός μου δεῖ εἶναί με; καὶ αὐτοὶ οὐ 50
συνῆκαν τὸ ῥῆμα ὃ ἐλάλησεν αὐτοῖς. καὶ κατέβη μετ᾽ αὐ- 51
τῶν καὶ ἦλθεν εἰς Ναζαρέτ, καὶ ἦν ὑποτασσόμενος αὐτοῖς.
καὶ ἡ μήτηρ αὐτοῦ διετήρει πάντα τὰ ῥήματα ἐν τῇ καρ-
δίᾳ αὐτῆς. Καὶ Ἰησοῦς προέκοπτεν τῇ σοφίᾳ 52
καὶ ἡλικίᾳ καὶ χάριτι παρὰ θεῷ καὶ ἀνθρώποις.

ΕΝ ΕΤΕΙ δὲ πεντεκαιδεκάτῳ τῆς ἡγεμονίας Τιβερίου 1
Καίσαρος, ἡγεμονεύοντος Ποντίου Πειλάτου τῆς Ἰουδαίας,
καὶ τετρααρχοῦντος τῆς Γαλιλαίας Ἡρῴδου, Φιλίππου δὲ
τοῦ ἀδελφοῦ αὐτοῦ τετρααρχοῦντος τῆς Ἰτουραίας καὶ
Τραχωνίτιδος χώρας, καὶ Λυσανίου τῆς Ἀβειληνῆς τετρα-
αρχοῦντος, ἐπὶ ἀρχιερέως Ἅννα καὶ Καιάφα, ἐγένετο ῥῆμα 2
θεοῦ ἐπὶ Ἰωάνην τὸν Ζαχαρίου υἱὸν ἐν τῇ ἐρήμῳ. καὶ 3
ἦλθεν εἰς πᾶσαν περίχωρον τοῦ Ἰορδάνου κηρύσσων βά-
πτισμα μετανοίας εἰς ἄφεσιν ἁμαρτιῶν, ὡς γέγραπται ἐν 4
βίβλῳ λόγων Ἡσαίου τοῦ προφήτου

Φωνὴ Βοῶντοс ἐν τῇ ἐρήμω
Ἑτοιμάсατε τὴν ὁδὸν Κγρίογ,
εγθείαс ποιεῖτε τὰс τρίΒογс αγτογ.
πᾶсα φάραΓΞ πληρωθήсεται 5
καὶ πᾶν ὄροс καὶ Βογνὸс ταπεινωθήсεται,
καὶ ἔсται τὰ сκολιὰ εἰс εγθείαс
καὶ αἱ τραχεῖαι εἰс ὁδογс λείαс·
καὶ ὄψεται πᾶсα сὰρΞ τὸ сωτήριον τογ θεογ. 6

7 Ἔλεγεν οὖν τοῖς ἐκπορευομένοις ὄχλοις βαπτισθῆναι ὑπ' αὐτοῦ Γεννήματα ἐχιδνῶν, τίς ὑπέδειξεν ὑμῖν φυγεῖν ἀπὸ
8 τῆς μελλούσης ὀργῆς; ποιήσατε οὖν ⌜καρποὺς ἀξίους⌝ τῆς μετανοίας· καὶ μὴ ἄρξησθε λέγειν ἐν ἑαυτοῖς Πατέρα ἔχομεν τὸν Ἀβραάμ, λέγω γὰρ ὑμῖν ὅτι δύναται ὁ θεὸς
9 ἐκ τῶν λίθων τούτων ἐγεῖραι τέκνα τῷ Ἀβραάμ. ἤδη δὲ καὶ ἡ ἀξίνη πρὸς τὴν ῥίζαν τῶν δένδρων κεῖται· πᾶν οὖν δένδρον μὴ ποιοῦν καρπὸν [καλὸν] ἐκκόπτεται καὶ εἰς πῦρ
10 βάλλεται. καὶ ἐπηρώτων αὐτὸν οἱ ὄχλοι λέγοντες Τί
11 οὖν ποιήσωμεν; ἀποκριθεὶς δὲ ἔλεγεν αὐτοῖς Ὁ ἔχων δύο χιτῶνας μεταδότω τῷ μὴ ἔχοντι, καὶ ὁ ἔχων βρώματα
12 ὁμοίως ποιείτω. ἦλθον δὲ καὶ τελῶναι βαπτισθῆναι καὶ
13 εἶπαν πρὸς αὐτόν Διδάσκαλε, τί ποιήσωμεν; ὁ δὲ εἶπεν πρὸς αὐτούς Μηδὲν πλέον παρὰ τὸ διατεταγμένον ὑμῖν
14 πράσσετε. ἐπηρώτων δὲ αὐτὸν καὶ στρατευόμενοι λέγοντες Τί ποιήσωμεν καὶ ἡμεῖς; καὶ εἶπεν αὐτοῖς Μηδένα διασείσητε μηδὲ συκοφαντήσητε, καὶ ἀρκεῖσθε
15 τοῖς ὀψωνίοις ὑμῶν. Προσδοκῶντος δὲ τοῦ λαοῦ καὶ διαλογιζομένων πάντων ἐν ταῖς καρδίαις αὐτῶν
16 περὶ τοῦ Ἰωάνου, μή ποτε αὐτὸς εἴη ὁ χριστός, ἀπεκρίνατο λέγων πᾶσιν ὁ Ἰωάνης Ἐγὼ μὲν ὕδατι βαπτίζω ὑμᾶς· ἔρχεται δὲ ὁ ἰσχυρότερός μου, οὗ οὐκ εἰμὶ ἱκανὸς λῦσαι τὸν ἱμάντα τῶν ὑποδημάτων αὐτοῦ· αὐτὸς ὑμᾶς
17 βαπτίσει ἐν πνεύματι ἁγίῳ καὶ πυρί· οὗ τὸ πτύον ἐν τῇ χειρὶ αὐτοῦ διακαθᾶραι τὴν ἅλωνα αὐτοῦ καὶ συναγαγεῖν τὸν σῖτον εἰς τὴν ἀποθήκην αὐτοῦ, τὸ δὲ ἄχυρον κατα-
18 καύσει πυρὶ ἀσβέστῳ. Πολλὰ μὲν οὖν καὶ
19 ἕτερα παρακαλῶν εὐηγγελίζετο τὸν λαόν· ὁ δὲ Ἡρῴδης ὁ τετραάρχης, ἐλεγχόμενος ὑπ' αὐτοῦ περὶ Ἡρῳδιάδος τῆς γυναικὸς τοῦ ἀδελφοῦ αὐτοῦ καὶ περὶ πάντων ὧν ἐποί-
20 ησεν πονηρῶν ὁ Ἡρῴδης, προσέθηκεν καὶ τοῦτο ἐπὶ πᾶσιν, κατέκλεισεν τὸν Ἰωάνην ἐν φυλακῇ.
21 Ἐγένετο δὲ ἐν τῷ βαπτισθῆναι ἅπαντα τὸν λαὸν καὶ Ἰη-

8 ἀξίους καρποὺς

σοῦ βαπτισθέντος καὶ προσευχομένου ἀνεῳχθῆναι τὸν οὐ-
ρανὸν καὶ καταβῆναι τὸ πνεῦμα τὸ ἅγιον σωματικῷ εἴδει ὡς 22
περιστερὰν ἐπ' αὐτόν, καὶ φωνὴν ἐξ οὐρανοῦ γενέσθαι Σὺ
εἶ ὁ υἱός μου ὁ ἀγαπητός, ἐν σοὶ εὐδόκησα.   Καὶ 23
αὐτὸς ἦν Ἰησοῦς ἀρχόμενος ὡσεὶ ἐτῶν τριάκοντα, ὢν υἱός,
ὡς ἐνομίζετο, Ἰωσήφ

τοῦ Ἡλεί	τοῦ Ἐλιέζερ
24 τοῦ Ματθάτ	τοῦ Ἰωρείμ
τοῦ Λευεί	τοῦ Μαθθάτ
τοῦ Μελχεί	τοῦ Λευεί
τοῦ Ἰανναί	30 τοῦ Συμεών
τοῦ Ἰωσήφ	τοῦ Ἰούδα
25 τοῦ Ματταθίου	τοῦ Ἰωσήφ
τοῦ Ἀμώς	τοῦ Ἰωνάμ
τοῦ Ναούμ	τοῦ Ἐλιακείμ
τοῦ Ἐσλεί	31 τοῦ Μελεά
τοῦ Ναγγαί	τοῦ Μεννά
26 τοῦ Μαάθ	τοῦ Ματταθά
τοῦ Ματταθίου	τοῦ Ναθάμ
τοῦ Σεμεείν	τοῦ Δαυείδ
τοῦ Ἰωσήχ	32 τοῦ Ἰεσσαί
τοῦ Ἰωδά	τοῦ Ἰωβήλ
27 τοῦ Ἰωανάν	τοῦ Βοός
τοῦ Ῥησά	τοῦ Σαλά
τοῦ Ζοροβάβελ	τοῦ Ναασσών
τοῦ Σαλαθιήλ	33 τοῦ ⌜Ἀδμείν⌝
τοῦ Νηρεί	τοῦ Ἀρνεί
28 τοῦ Μελχεί	τοῦ Ἑσρών
τοῦ Ἀδδεί	τοῦ Φαρές
τοῦ Κωσάμ	τοῦ Ἰούδα
τοῦ Ἐλμαδάμ	34 τοῦ Ἰακώβ
τοῦ Ἤρ	τοῦ Ἰσαάκ
29 τοῦ Ἰησοῦ	τοῦ Ἀβραάμ

33 Ἀδαμ

τοῦ Θαρά   τοῦ Λάμεχ
τοῦ Ναχώρ   37 τοῦ Μαθουσαλά
35 τοῦ Σερούχ   τοῦ Ἐνώχ
τοῦ Ῥαγαύ   τοῦ Ἰάρετ
τοῦ Φάλεκ   τοῦ Μαλελεήλ
τοῦ Ἕβερ   τοῦ Καινάμ
τοῦ Σαλά   38 τοῦ Ἐνώς
36 τοῦ Καινάμ   τοῦ Σήθ
τοῦ Ἀρφαξάδ   τοῦ Ἀδάμ
τοῦ Σήμ   τοῦ θεοῦ.
τοῦ Νῶε

1 Ἰησοῦς δὲ πλήρης πνεύματος ἁγίου ὑπέστρεψεν ἀπὸ
τοῦ Ἰορδάνου, καὶ ἤγετο ἐν τῷ. πνεύματι ἐν τῇ ἐρήμῳ
2 ἡμέρας τεσσεράκοντα πειραζόμενος ὑπὸ τοῦ διαβόλου.
Καὶ οὐκ ἔφαγεν οὐδὲν ἐν ταῖς ἡμέραις ἐκείναις, καὶ συν-
3 τελεσθεισῶν αὐτῶν ἐπείνασεν. εἶπεν δὲ αὐτῷ ὁ διά-
βολος Εἰ υἱὸς εἶ τοῦ θεοῦ, εἰπὲ τῷ λίθῳ τούτῳ ἵνα
4 γένηται ἄρτος. καὶ ἀπεκρίθη πρὸς αὐτὸν ὁ Ἰησοῦς Γέ-
γραπται ὅτι Οὐκ ἐπ' ἄρτῳ μόνῳ ζήσεται ὁ ἄνθρω-
5 πος. Καὶ ἀναγαγὼν αὐτὸν ἔδειξεν αὐτῷ πάσας τὰς
6 βασιλείας τῆς οἰκουμένης ἐν στιγμῇ χρόνου· καὶ εἶπεν
αὐτῷ ὁ διάβολος Σοὶ δώσω τὴν ἐξουσίαν ταύτην ἅπασαν
καὶ τὴν δόξαν αὐτῶν, ὅτι ἐμοὶ παραδέδοται καὶ ᾧ ἂν θέλω
7 δίδωμι αὐτήν· σὺ οὖν ἐὰν προσκυνήσῃς ἐνώπιον ἐμοῦ,
8 ἔσται σοῦ πᾶσα. καὶ ἀποκριθεὶς ⌜ὁ Ἰησοῦς εἶπεν αὐτῷ⌝
Γέγραπται Κύριον τὸν θεόν σου προσκυνήσεις
9 καὶ αὐτῷ μόνῳ λατρεύσεις. Ἤγαγεν δὲ αὐτὸν εἰς
Ἰερουσαλὴμ καὶ ἔστησεν ἐπὶ τὸ πτερύγιον τοῦ ἱεροῦ, καὶ
εἶπεν [αὐτῷ] Εἰ υἱὸς εἶ τοῦ θεοῦ, βάλε σεαυτὸν ἐντεῦθεν
10 κάτω· γέγραπται γὰρ ὅτι τοῖς ἀγγέλοις αὐτοῦ ἐντε-
11 λεῖται περὶ σοῦ τοῦ διαφυλάξαι σε, καὶ ὅτι ἐπὶ χειρῶν
ἀροῦσίν σε μή ποτε προσκόψῃς πρὸς λίθον τὸν πόδα
12 σου. καὶ ἀποκριθεὶς εἶπεν αὐτῷ ὁ Ἰησοῦς ὅτι Εἴρηται

8 αὐτῷ εἶπεν [ὁ] Ἰησοῦς

Οὐκ ἐκπειράσεις Κύριον τὸν θεόν σου. Καὶ συντε- 13
λέσας πάντα πειρασμὸν ὁ διάβολος ἀπέστη ἀπ᾽ αὐτοῦ
ἄχρι καιροῦ.

Καὶ ὑπέστρεψεν ὁ Ἰησοῦς ἐν τῇ δυνάμει τοῦ πνεύματος 14
εἰς τὴν Γαλιλαίαν. καὶ φήμη ἐξῆλθεν καθ᾽ ὅλης τῆς περι-
χώρου περὶ αὐτοῦ. καὶ αὐτὸς ἐδίδασκεν ἐν ταῖς συναγω- 15
γαῖς αὐτῶν, δοξαζόμενος ὑπὸ πάντων.

Καὶ ἦλθεν εἰς Ναζαρά, οὗ ἦν ⌜τεθραμμένος⌝, καὶ εἰσῆλ- 16
θεν κατὰ τὸ εἰωθὸς αὐτῷ ἐν τῇ ἡμέρᾳ τῶν σαββάτων
εἰς τὴν συναγωγήν, καὶ ἀνέστη ἀναγνῶναι. καὶ ἐπεδόθη 17
αὐτῷ βιβλίον τοῦ προφήτου Ἡσαίου, καὶ ἀνοίξας τὸ βι-
βλίον εὗρεν [τὸν] τόπον οὗ ἦν γεγραμμένον

Πνεῦμα Κυρίου ἐπ᾽ ἐμέ, 18
οὗ εἵνεκεν ἔχρισέν με εὐαγγελίσασθαι πτωχοῖς,
ἀπέσταλκέν με κηρύξαι αἰχμαλώτοις ἄφεσιν καὶ
τυφλοῖς ἀνάβλεψιν,
ἀποστεῖλαι τεθραυσμένους ἐν ἀφέσει,
κηρύξαι ἐνιαυτὸν Κυρίου δεκτόν. 19

καὶ πτύξας τὸ βιβλίον ἀποδοὺς τῷ ὑπηρέτῃ ἐκάθισεν· καὶ 20
πάντων οἱ ὀφθαλμοὶ ἐν τῇ συναγωγῇ ἦσαν ἀτενίζοντες
αὐτῷ. ἤρξατο δὲ λέγειν πρὸς αὐτοὺς ὅτι Σήμερον πε- 21
πλήρωται ἡ γραφὴ αὕτη ἐν τοῖς ὠσὶν ὑμῶν. καὶ πάντες 22
ἐμαρτύρουν αὐτῷ καὶ ἐθαύμαζον ἐπὶ τοῖς λόγοις τῆς χά-
ριτος τοῖς ἐκπορευομένοις ἐκ τοῦ στόματος αὐτοῦ, καὶ
ἔλεγον Οὐχὶ υἱός ἐστιν Ἰωσὴφ οὗτος; καὶ εἶπεν πρὸς 23
αὐτούς Πάντως ἐρεῖτέ μοι τὴν παραβολὴν ταύτην Ἰα-
τρέ, θεράπευσον σεαυτόν· ὅσα ἠκούσαμεν γενόμενα εἰς
τὴν Καφαρναοὺμ ποίησον καὶ ὧδε ἐν τῇ πατρίδι σου.
εἶπεν δέ Ἀμὴν λέγω ὑμῖν ὅτι οὐδεὶς προφήτης δεκτός 24
ἐστιν ἐν τῇ πατρίδι αὐτοῦ. ἐπ᾽ ἀληθείας δὲ λέγω ὑμῖν, 25
πολλαὶ χῆραι ἦσαν ἐν ταῖς ἡμέραις Ἡλείου ἐν τῷ Ἰσραήλ,
ὅτε ἐκλείσθη ὁ οὐρανὸς ⌐ ἔτη τρία καὶ μῆνας ἕξ, ὡς ἐγένετο
λιμὸς μέγας ἐπὶ πᾶσαν τὴν γῆν, καὶ πρὸς οὐδεμίαν αὐτῶν 26

16 ἀνατεθραμμένος   25 ἐπὶ

ἐπέμφθη Ἠλείας εἰ μὴ εἰc Σάρεπτα τῆc Σιδωνίαc πρὸc
27 γυναῖκα χήραν. καὶ πολλοὶ λεπροὶ ἦσαν ἐν τῷ Ἰσραὴλ
ἐπὶ Ἐλισαίου τοῦ προφήτου, καὶ οὐδεὶς αὐτῶν ἐκαθαρίσθη,
28 εἰ μὴ Ναιμὰν ὁ Σύρος. καὶ ἐπλήσθησαν πάντες θυμοῦ
29 ἐν τῇ συναγωγῇ ἀκούοντες ταῦτα, καὶ ἀναστάντες ἐξέβαλον
αὐτὸν ἔξω τῆς πόλεως, καὶ ἤγαγον αὐτὸν ἕως ὀφρύος τοῦ
ὄρους ἐφ' οὗ ἡ πόλις ᾠκοδόμητο αὐτῶν, ὥστε κατακρη-
30 μνίσαι αὐτόν· αὐτὸς δὲ διελθὼν διὰ μέσου αὐτῶν ἐπο-
ρεύετο.
31   Καὶ κατῆλθεν εἰς Καφαρναοὺμ πόλιν τῆς Γαλιλαίας.
32 Καὶ ἦν διδάσκων αὐτοὺς ἐν τοῖς σάββασιν· καὶ ἐξεπλήσ-
σοντο ἐπὶ τῇ διδαχῇ αὐτοῦ, ὅτι ἐν ἐξουσίᾳ ἦν ὁ λόγος
33 αὐτοῦ. καὶ ἐν τῇ συναγωγῇ ἦν ἄνθρωπος ἔχων πνεῦμα
34 δαιμονίου ἀκαθάρτου, καὶ ἀνέκραξεν φωνῇ μεγάλῃ Ἔα, τί
ἡμῖν καὶ σοί, Ἰησοῦ Ναζαρηνέ; ἦλθες ἀπολέσαι ἡμᾶς;
35 οἶδά σε τίς εἶ, ὁ ἅγιος τοῦ θεοῦ. καὶ ἐπετίμησεν αὐτῷ
ὁ Ἰησοῦς λέγων Φιμώθητι καὶ ἔξελθε ἀπ' αὐτοῦ. καὶ
ῥίψαν αὐτὸν τὸ δαιμόνιον εἰς τὸ μέσον ἐξῆλθεν ἀπ' αὐτοῦ
36 μηδὲν βλάψαν αὐτόν. καὶ ἐγένετο θάμβος ἐπὶ πάντας,
καὶ συνελάλουν πρὸς ἀλλήλους λέγοντες Τίς ὁ λόγος οὗ-
τος ὅτι ἐν ἐξουσίᾳ καὶ δυνάμει ἐπιτάσσει τοῖς ἀκαθάρτοις
37 πνεύμασιν, καὶ ἐξέρχονται; Καὶ ἐξεπορεύετο ἦχος περὶ
38 αὐτοῦ εἰς πάντα τόπον τῆς περιχώρου.   Ἀνα-
στὰς δὲ ἀπὸ τῆς συναγωγῆς εἰσῆλθεν εἰς τὴν οἰκίαν Σίμω-
νος. πενθερὰ δὲ τοῦ Σίμωνος ἦν συνεχομένη πυρετῷ με-
39 γάλῳ, καὶ ἠρώτησαν αὐτὸν περὶ αὐτῆς. καὶ ἐπιστὰς ἐπάνω
αὐτῆς ἐπετίμησεν τῷ πυρετῷ, καὶ ἀφῆκεν αὐτήν· παρα-
40 χρῆμα δὲ ἀναστᾶσα διηκόνει αὐτοῖς.   Δύνον-
τος δὲ τοῦ ἡλίου ⌜ἅπαντες⌝ ὅσοι εἶχον ἀσθενοῦντας νόσοις
ποικίλαις ἤγαγον αὐτοὺς πρὸς αὐτόν· ὁ δὲ ἑνὶ ἑκάστῳ
41 αὐτῶν τὰς χεῖρας ἐπιτιθεὶς ⌜ἐθεράπευεν⌝ αὐτούς. ⌜ἐξήρχε-
το⌝ δὲ καὶ δαιμόνια ἀπὸ πολλῶν, κράζοντα καὶ λέγοντα ὅτι
Σὺ εἶ ὁ υἱὸς τοῦ θεοῦ· καὶ ἐπιτιμῶν οὐκ εἴα αὐτὰ λα-

40 πάντες | ἐθεράπευσεν   41 ἐξήρχοντο

λεῖν, ὅτι ᾔδεισαν τὸν χριστὸν αὐτὸν εἶναι. Γε- 42
νομένης δὲ ἡμέρας ἐξελθὼν ἐπορεύθη εἰς ἔρημον τόπον·
καὶ οἱ ὄχλοι ἐπεζήτουν αὐτόν, καὶ ἦλθον ἕως αὐτοῦ, καὶ
κατεῖχον αὐτὸν τοῦ μὴ πορεύεσθαι ἀπ᾽ αὐτῶν. ὁ δὲ 43
εἶπεν πρὸς αὐτοὺς ὅτι Καὶ ταῖς ἑτέραις πόλεσιν ⌜εὐαγ-
γελίσασθαί με δεῖ⌝ τὴν βασιλείαν τοῦ θεοῦ, ὅτι ἐπὶ τοῦτο
ἀπεστάλην. Καὶ ἦν κηρύσσων εἰς τὰς συναγωγὰς τῆς 44
Ἰουδαίας.

Ἐγένετο δὲ ἐν τῷ τὸν ὄχλον ἐπικεῖσθαι αὐτῷ καὶ 1
ἀκούειν τὸν λόγον τοῦ θεοῦ καὶ αὐτὸς ἦν ἑστὼς παρὰ τὴν
λίμνην Γεννησαρέτ, καὶ εἶδεν ⌜πλοῖα δύο⌝ ἑστῶτα παρὰ 2
τὴν λίμνην, οἱ δὲ ἁλεεῖς ἀπ᾽ αὐτῶν ἀποβάντες ⌜ἔπλυνον⌝
τὰ δίκτυα. ἐμβὰς δὲ εἰς ἓν τῶν πλοίων, ὃ ἦν Σίμωνος, 3
ἠρώτησεν αὐτὸν ἀπὸ τῆς γῆς ἐπαναγαγεῖν ὀλίγον, καθίσας
δὲ ἐκ τοῦ πλοίου ἐδίδασκεν τοὺς ὄχλους. ὡς δὲ ἐπαύσατο 4
λαλῶν, εἶπεν πρὸς τὸν Σίμωνα Ἐπανάγαγε εἰς τὸ βάθος
καὶ χαλάσατε τὰ δίκτυα ὑμῶν εἰς ἄγραν. καὶ ἀποκριθεὶς 5
Σίμων εἶπεν Ἐπιστάτα, δι᾽ ὅλης νυκτὸς κοπιάσαντες
οὐδὲν ἐλάβομεν, ἐπὶ δὲ τῷ ῥήματί σου χαλάσω τὰ δίκτυα.
καὶ τοῦτο ποιήσαντες συνέκλεισαν πλῆθος ἰχθύων πολύ, 6
διερήσσετο δὲ τὰ δίκτυα αὐτῶν. καὶ κατένευσαν τοῖς 7
μετόχοις ἐν τῷ ἑτέρῳ πλοίῳ τοῦ ἐλθόντας συλλαβέσθαι
αὐτοῖς· καὶ ἦλθαν, καὶ ἔπλησαν ἀμφότερα τὰ πλοῖα
ὥστε βυθίζεσθαι αὐτά. ἰδὼν δὲ Σίμων Πέτρος προσέ- 8
πεσεν τοῖς γόνασιν Ἰησοῦ λέγων Ἔξελθε ἀπ᾽ ἐμοῦ, ὅτι
ἀνὴρ ἁμαρτωλός εἰμι, κύριε· θάμβος γὰρ περιέσχεν αὐτὸν 9
καὶ πάντας τοὺς σὺν αὐτῷ ἐπὶ τῇ ἄγρᾳ τῶν ἰχθύων ⌜ὧν⌝
συνέλαβον, ὁμοίως δὲ καὶ Ἰάκωβον καὶ Ἰωάνην υἱοὺς 10
Ζεβεδαίου, οἳ ἦσαν κοινωνοὶ τῷ Σίμωνι. καὶ εἶπεν πρὸς
τὸν Σίμωνα Ἰησοῦς Μὴ φοβοῦ· ἀπὸ τοῦ νῦν ἀνθρώπους
ἔσῃ ζωγρῶν. καὶ καταγαγόντες τὰ πλοῖα ἐπὶ τὴν γῆν 11
ἀφέντες πάντα ἠκολούθησαν αὐτῷ.

43 εὐαγγελίσασθαι δεῖ με 2 δύο πλοιάρια

12 Καὶ ἐγένετο ἐν τῷ εἶναι αὐτὸν ἐν μιᾷ τῶν πόλεων καὶ
ἰδοὺ ἀνὴρ πλήρης λέπρας· ἰδὼν δὲ τὸν Ἰησοῦν πεσὼν ἐπὶ
πρόσωπον ἐδεήθη αὐτοῦ λέγων Κύριε, ἐὰν θέλῃς δύνασαί
13 με καθαρίσαι. καὶ ἐκτείνας τὴν χεῖρα ἥψατο αὐτοῦ λέ-
γων Θέλω, καθαρίσθητι· καὶ εὐθέως ἡ λέπρα ἀπῆλθεν
14 ἀπ᾽ αὐτοῦ. καὶ αὐτὸς παρήγγειλεν αὐτῷ μηδενὶ εἰπεῖν,
ἀλλὰ ἀπελθὼν ΔΕΙ͂ΖΟΝ σεαυτὸν τῷ ἱερεῖ, καὶ προσένεγκε
περὶ τοῦ καθαρισμοῦ σου καθὼς προσέταξεν Μωυσῆς εἰς
15 μαρτύριον αὐτοῖς. διήρχετο δὲ μᾶλλον ὁ λόγος περὶ
αὐτοῦ, καὶ συνήρχοντο ὄχλοι πολλοὶ ἀκούειν καὶ θεραπεύε-
16 σθαι ἀπὸ τῶν ἀσθενειῶν αὐτῶν· αὐτὸς δὲ ἦν ὑποχωρῶν ἐν
ταῖς ἐρήμοις καὶ προσευχόμενος.

17 Καὶ ἐγένετο ἐν μιᾷ τῶν ἡμερῶν καὶ αὐτὸς ἦν διδάσκων,
καὶ ἦσαν καθήμενοι Φαρισαῖοι καὶ νομοδιδάσκαλοι οἳ ἦσαν
ἐληλυθότες ἐκ πάσης κώμης τῆς Γαλιλαίας καὶ Ἰουδαίας
καὶ Ἰερουσαλήμ· καὶ δύναμις Κυρίου ἦν εἰς τὸ ἰᾶσθαι
18 αὐτόν. καὶ ἰδοὺ ἄνδρες φέροντες ἐπὶ κλίνης ἄνθρωπον ὃς
ἦν παραλελυμένος, καὶ ἐζήτουν αὐτὸν εἰσενεγκεῖν καὶ
19 θεῖναι [αὐτὸν] ἐνώπιον αὐτοῦ. καὶ μὴ εὑρόντες ποίας
εἰσενέγκωσιν αὐτὸν διὰ τὸν ὄχλον ἀναβάντες ἐπὶ τὸ δῶμα
διὰ τῶν κεράμων καθῆκαν αὐτὸν σὺν τῷ κλινιδίῳ εἰς τὸ
20 μέσον ἔμπροσθεν τοῦ Ἰησοῦ. καὶ ἰδὼν τὴν πίστιν αὐτῶν
21 εἶπεν Ἄνθρωπε, ἀφέωνταί σοι αἱ ἁμαρτίαι σου. καὶ
ἤρξαντο διαλογίζεσθαι οἱ γραμματεῖς καὶ οἱ Φαρισαῖοι
λέγοντες Τίς ἐστιν οὗτος ὃς λαλεῖ βλασφημίας; τίς δύ-
22 ναται ἁμαρτίας ἀφεῖναι εἰ μὴ μόνος ὁ θεός; ἐπιγνοὺς δὲ
ὁ Ἰησοῦς τοὺς διαλογισμοὺς αὐτῶν ἀποκριθεὶς εἶπεν πρὸς
23 αὐτούς Τί διαλογίζεσθε ἐν ταῖς καρδίαις ὑμῶν; τί ἐστιν
εὐκοπώτερον, εἰπεῖν Ἀφέωνταί σοι αἱ ἁμαρτίαι σου, ἢ
24 εἰπεῖν Ἔγειρε καὶ περιπάτει; ἵνα δὲ εἰδῆτε ὅτι ὁ υἱὸς
τοῦ ἀνθρώπου ἐξουσίαν ἔχει ἐπὶ τῆς γῆς ἀφιέναι ἁμαρ-
τίας— εἶπεν τῷ ⌜παραλελυμένῳ⌝ Σοὶ λέγω, ἔγειρε καὶ
25 ἄρας τὸ κλινίδιόν σου πορεύου εἰς τὸν οἶκόν σου. καὶ

2 ἔπλυναν   9 ἦ   24 παραλυτικῷ

K

παραχρῆμα ἀναστὰς ἐνώπιον αὐτῶν, ἄρας ἐφ᾽ ὃ κατέκειτο,
ἀπῆλθεν εἰς τὸν οἶκον αὐτοῦ δοξάζων τὸν θεόν. Καὶ ἔκ- 26
στασις ἔλαβεν ἅπαντας καὶ ἐδόξαζον τὸν θεόν, καὶ ἐπλή-
σθησαν φόβου λέγοντες ὅτι Εἴδαμεν παράδοξα σήμερον.

Καὶ μετὰ ταῦτα ἐξῆλθεν καὶ ἐθεάσατο τελώνην ὀνό- 27
ματι Λευεὶν καθήμενον ἐπὶ τὸ τελώνιον, καὶ εἶπεν αὐτῷ
Ἀκολούθει μοι. καὶ καταλιπὼν πάντα ἀναστὰς ἠκο- 28
λούθει αὐτῷ. Καὶ ἐποίησεν δοχὴν μεγάλην Λευεὶς αὐτῷ 29
ἐν τῇ οἰκίᾳ αὐτοῦ· καὶ ἦν ὄχλος πολὺς τελωνῶν καὶ
ἄλλων οἳ ἦσαν μετ᾽ ⌈αὐτῶν⌉ κατακείμενοι. καὶ ἐγόγγυζον 30
οἱ Φαρισαῖοι καὶ οἱ γραμματεῖς αὐτῶν πρὸς τοὺς μαθητὰς
αὐτοῦ λέγοντες Διὰ τί μετὰ τῶν τελωνῶν καὶ ἁμαρτω-
λῶν ἐσθίετε καὶ πίνετε; καὶ ἀποκριθεὶς [ὁ] Ἰησοῦς εἶπεν 31
πρὸς αὐτούς Οὐ χρείαν ἔχουσιν οἱ ὑγιαίνοντες ἰατροῦ
ἀλλὰ οἱ κακῶς ἔχοντες· οὐκ ἐλήλυθα καλέσαι δικαίους 32
ἀλλὰ ἁμαρτωλοὺς εἰς μετάνοιαν. Οἱ δὲ εἶπαν πρὸς αὐ- 33
τόν Οἱ μαθηταὶ Ἰωάνου νηστεύουσιν πυκνὰ καὶ δεήσεις
ποιοῦνται, ὁμοίως καὶ οἱ τῶν Φαρισαίων, οἱ δὲ σοὶ ἐσθίου-
σιν καὶ πίνουσιν. ὁ δὲ Ἰησοῦς εἶπεν πρὸς αὐτούς Μὴ 34
δύνασθε τοὺς υἱοὺς τοῦ νυμφῶνος ἐν ᾧ ὁ νυμφίος μετ᾽ αὐ-
τῶν ἐστὶν ποιῆσαι νηστεῦσαι; ἐλεύσονται δὲ ἡμέραι, καὶ 35
ὅταν ἀπαρθῇ ἀπ᾽ αὐτῶν ὁ νυμφίος τότε νηστεύσουσιν ἐν
ἐκείναις ταῖς ἡμέραις. Ἔλεγεν δὲ καὶ παραβολὴν πρὸς 36
αὐτοὺς ὅτι Οὐδεὶς ἐπίβλημα ἀπὸ ἱματίου καινοῦ σχίσας
ἐπιβάλλει ἐπὶ ἱμάτιον παλαιόν· εἰ δὲ μήγε, καὶ τὸ καινὸν
σχίσει καὶ τῷ παλαιῷ οὐ συμφωνήσει τὸ ἐπίβλημα τὸ
ἀπὸ τοῦ καινοῦ. καὶ οὐδεὶς βάλλει οἶνον νέον εἰς ἀσκοὺς 37
παλαιούς· εἰ δὲ μήγε, ῥήξει ὁ οἶνος ὁ νέος τοὺς ἀσκούς,
καὶ αὐτὸς ἐκχυθήσεται καὶ οἱ ἀσκοὶ ἀπολοῦνται· ἀλλὰ οἶ- 38
νον νέον εἰς ἀσκοὺς καινοὺς βλητέον. ⌈Οὐδεὶς⌉ πιὼν 39
παλαιὸν θέλει νέον· λέγει γάρ Ὁ παλαιὸς χρηστός ἐστιν.]

Ἐγένετο δὲ ἐν σαββάτῳ διαπορεύεσθαι αὐτὸν διὰ 1
σπορίμων, καὶ ἔτιλλον οἱ μαθηταὶ αὐτοῦ καὶ ἤσθιον τοὺς

29 αὐτοῦ   39 Καὶ οὐδεὶς

2 στάχυας ψώχοντες ταῖς χερσίν. τινὲς δὲ τῶν Φαρισαίων
3 εἶπαν Τί ποιεῖτε ὃ οὐκ ἔξεστιν τοῖς σάββασιν; καὶ
ἀποκριθεὶς πρὸς αὐτοὺς εἶπεν [ὁ] Ἰησοῦς Οὐδὲ τοῦτο
ἀνέγνωτε ὃ ἐποίησεν Δαυεὶδ ὅτε ἐπείνασεν αὐτὸς καὶ οἱ
4 μετ᾽ αὐτοῦ; [ὡς] εἰσῆλθεν εἰς τὸν οἶκον τοῦ θεοῦ καὶ
ΤΟΥϹ ἄρτους ΤΗϹ ΠΡΟΘΕϹΕΩϹ λαβὼν ἔφαγεν καὶ ἔδωκεν
τοῖς μετ᾽ αὐτοῦ, οὓς οὐκ ἔξεστιν φαγεῖν εἰ μὴ μόνους τοὺς
5 ἱερεῖς; καὶ ἔλεγεν αὐτοῖς Κύριός ἐστιν ⌐τοῦ σαββάτου
6 ὁ υἱὸς τοῦ ἀνθρώπου⌐.   Ἐγένετο δὲ ἐν ἑτέρῳ
σαββάτῳ εἰσελθεῖν αὐτὸν εἰς τὴν συναγωγὴν καὶ διδάσκειν·
καὶ ἦν ἄνθρωπος ἐκεῖ καὶ ἡ χεὶρ αὐτοῦ ἡ δεξιὰ ἦν ξηρά·
7 παρετηροῦντο δὲ αὐτὸν οἱ γραμματεῖς καὶ οἱ Φαρισαῖοι εἰ
ἐν τῷ σαββάτῳ ⌐θεραπεύει⌐, ἵνα εὕρωσιν κατηγορεῖν αὐτοῦ.
8 αὐτὸς δὲ ᾔδει τοὺς διαλογισμοὺς αὐτῶν, εἶπεν δὲ τῷ ἀνδρὶ
τῷ ξηρὰν ἔχοντι τὴν χεῖρα Ἔγειρε καὶ στῆθι εἰς τὸ
9 μέσον· καὶ ἀναστὰς ἔστη. εἶπεν δὲ [ὁ] Ἰησοῦς πρὸς
αὐτούς Ἐπερωτῶ ὑμᾶς, εἰ ἔξεστιν τῷ σαββάτῳ ἀγαθο-
10 ποιῆσαι ἢ κακοποιῆσαι, ψυχὴν σῶσαι ἢ ἀπολέσαι; καὶ
περιβλεψάμενος πάντας αὐτοὺς εἶπεν αὐτῷ Ἔκτεινον τὴν
χεῖρά σου· ὁ δὲ ἐποίησεν, καὶ ἀπεκατεστάθη ἡ χεὶρ αὐ-
11 τοῦ. Αὐτοὶ δὲ ἐπλήσθησαν ἀνοίας, καὶ διελάλουν πρὸς
ἀλλήλους τί ἂν ποιήσαιεν τῷ Ἰησοῦ.

12 Ἐγένετο δὲ ἐν ταῖς ἡμέραις ταύταις ἐξελθεῖν αὐτὸν εἰς
τὸ ὄρος προσεύξασθαι, καὶ ἦν διανυκτερεύων ἐν τῇ προσ-
13 ευχῇ τοῦ θεοῦ. καὶ ὅτε ἐγένετο ἡμέρα, προσεφώνησεν
τοὺς μαθητὰς αὐτοῦ, καὶ ἐκλεξάμενος ἀπ᾽ αὐτῶν δώδεκα,
14 οὓς καὶ ἀποστόλους ὠνόμασεν, Σίμωνα ὃν καὶ ὠνόμασεν
Πέτρον καὶ Ἀνδρέαν τὸν ἀδελφὸν αὐτοῦ καὶ Ἰάκωβον καὶ
15 Ἰωάνην καὶ Φίλιππον καὶ Βαρθολομαῖον καὶ Μαθθαῖον
καὶ Θωμᾶν [καὶ] Ἰάκωβον Ἀλφαίου καὶ Σίμωνα τὸν καλού-
16 μενον Ζηλωτὴν καὶ Ἰούδαν Ἰακώβου καὶ Ἰούδαν Ἰσκαριὼθ
17 ὃς ἐγένετο προδότης, καὶ καταβὰς μετ᾽ αὐτῶν ἔστη ἐπὶ

5 ὁ υἱὸς τοῦ ἀνθρώπου καὶ τοῦ σαββάτου   7 θεραπεύσει

τόπου πεδινοῦ, καὶ ὄχλος πολὺς μαθητῶν αὐτοῦ, καὶ πλῆθος
πολὺ τοῦ λαοῦ ἀπὸ πάσης τῆς Ἰουδαίας καὶ Ἰερουσαλὴμ
καὶ τῆς παραλίου Τύρου καὶ Σιδῶνος, οἳ ἦλθαν ἀκοῦσαι 18
αὐτοῦ καὶ ἰαθῆναι ἀπὸ τῶν νόσων αὐτῶν· καὶ οἱ ἐνοχλού-
μενοι ἀπὸ πνευμάτων ἀκαθάρτων ἐθεραπεύοντο· καὶ πᾶς ὁ 19
ὄχλος ἐζήτουν ἅπτεσθαι αὐτοῦ, ὅτι δύναμις παρ᾽ αὐτοῦ
ἐξήρχετο καὶ ἰᾶτο πάντας. Καὶ αὐτὸς ἐπάρας τοὺς ὀφθαλ- 20
μοὺς αὐτοῦ εἰς τοὺς μαθητὰς αὐτοῦ ἔλεγεν

Μακάριοι οἱ πτωχοί, ὅτι ὑμετέρα ἐστὶν ἡ βασιλεία τοῦ
θεοῦ.

μακάριοι οἱ πεινῶντες νῦν, ὅτι χορτασθήσεσθε.　　　　　　21

μακάριοι οἱ κλαίοντες νῦν, ὅτ γελάσετε.

μακάριοί ἐστε ὅταν μισήσωσιν ὑμᾶς οἱ ἄνθρωποι, καὶ ὅταν 22
ἀφορίσωσιν ὑμᾶς καὶ ὀνειδίσωσιν καὶ ἐκβάλωσιν τὸ
ὄνομα ὑμῶν ὡς πονηρὸν ἕνεκα τοῦ υἱοῦ τοῦ ἀνθρώπου·
χάρητε ἐν ἐκείνῃ τῇ ἡμέρᾳ καὶ σκιρτήσατε, ἰδοὺ γὰρ ὁ 23
μισθὸς ὑμῶν πολὺς ἐν τῷ οὐρανῷ· κατὰ τὰ αὐτὰ γὰρ
ἐποίουν τοῖς προφήταις οἱ πατέρες αὐτῶν.

Πλὴν οὐαὶ ὑμῖν τοῖς πλουσίοις, ὅτι ἀπέχετε τὴν παράκλη- 24
σιν ὑμῶν.

οὐαὶ ὑμῖν, οἱ ἐμπεπλησμένοι νῦν, ὅτι πεινάσετε.　　　　　25

οὐαί, οἱ γελῶντες νῦν, ὅτι πενθήσετε καὶ κλαύσετε.

　　　ὅταν καλῶς ὑμᾶς εἴπωσιν πάντες οἱ ἄνθρωποι, κατὰ 26
τὰ αὐτὰ γὰρ ἐποίουν τοῖς ψευδοπροφήταις οἱ πατέρες
αὐτῶν.

Ἀλλὰ ὑμῖν λέγω τοῖς ἀκούουσιν, ἀγαπᾶτε τοὺς ἐχθροὺς 27
ὑμῶν, καλῶς ποιεῖτε τοῖς μισοῦσιν ὑμᾶς, εὐλογεῖτε τοὺς 28
καταρωμένους ὑμᾶς, προσεύχεσθε περὶ τῶν ἐπηρεαζόντων
ὑμᾶς. τῷ τύπτοντί σε ἐπὶ τὴν σιαγόνα πάρεχε καὶ τὴν 29
ἄλλην, καὶ ἀπὸ τοῦ αἴροντός σου τὸ ἱμάτιον καὶ τὸν
χιτῶνα μὴ κωλύσῃς. παντὶ αἰτοῦντί σε δίδου, καὶ ἀπὸ 30
τοῦ αἴροντος τὰ σὰ μὴ ἀπαίτει. καὶ καθὼς θέλετε ἵνα 31
ποιῶσιν ὑμῖν οἱ ἄνθρωποι, ᵀ ποιεῖτε αὐτοῖς ὁμοίως. καὶ 32

31 καὶ ὑμεῖς

εἰ ἀγαπᾶτε τοὺς ἀγαπῶντας ὑμᾶς, ποία ὑμῖν χάρις ἐστίν;
καὶ γὰρ οἱ ἁμαρτωλοὶ τοὺς ἀγαπῶντας αὐτοὺς ἀγαπῶσιν.
33 καὶ [γὰρ] ἐὰν ἀγαθοποιῆτε τοὺς ἀγαθοποιοῦντας ὑμᾶς,
ποία ὑμῖν χάρις ἐστίν; καὶ οἱ ἁμαρτωλοὶ τὸ αὐτὸ ποιοῦσιν.
34 καὶ ἐὰν δανίσητε παρ᾽ ὧν ἐλπίζετε λαβεῖν, ποία ὑμῖν χάρις
[ἐστίν]; καὶ ἁμαρτωλοὶ ἁμαρτωλοῖς δανίζουσιν ἵνα ἀπολά-
35 βωσιν τὰ ἴσα. πλὴν ἀγαπᾶτε τοὺς ἐχθροὺς ὑμῶν καὶ
ἀγαθοποιεῖτε καὶ δανίζετε ⌜μηδὲν⌝ ἀπελπίζοντες· καὶ ἔσται
ὁ μισθὸς ὑμῶν πολύς, καὶ ἔσεσθε υἱοὶ Ὑψίστου, ὅτι αὐτὸς
36 χρηστός ἐστιν ἐπὶ τοὺς ἀχαρίστους καὶ πονηρούς. Γίνε-
σθε οἰκτίρμονες καθὼς ὁ πατὴρ ὑμῶν οἰκτίρμων ἐστίν·
37 καὶ μὴ κρίνετε, καὶ οὐ μὴ κριθῆτε· καὶ μὴ καταδικάζετε,
καὶ οὐ μὴ καταδικασθῆτε. ἀπολύετε, καὶ ἀπολυθήσεσθε·
38 δίδοτε, καὶ δοθήσεται ὑμῖν· μέτρον καλὸν πεπιεσμένον
σεσαλευμένον ὑπερεκχυννόμενον δώσουσιν εἰς τὸν κόλ-
πον ὑμῶν· ᾧ γὰρ μέτρῳ μετρεῖτε ⌜ἀντιμετρηθήσεται⌝
39 ὑμῖν. Εἶπεν δὲ καὶ παραβολὴν αὐτοῖς Μήτι
δύναται τυφλὸς τυφλὸν ὁδηγεῖν; οὐχὶ ἀμφότεροι εἰς βό-
40 θυνον ἐμπεσοῦνται; οὐκ ἔστιν μαθητὴς ὑπὲρ τὸν διδάσκα-
λον, κατηρτισμένος δὲ πᾶς ἔσται ὡς ὁ διδάσκαλος αὐτοῦ.
41 Τί δὲ βλέπεις τὸ κάρφος τὸ ἐν τῷ ὀφθαλμῷ τοῦ ἀδελ-
φοῦ σου, τὴν δὲ δοκὸν τὴν ἐν τῷ ἰδίῳ ὀφθαλμῷ οὐ κατα-
42 νοεῖς; πῶς δύνασαι λέγειν τῷ ἀδελφῷ σου Ἀδελφέ, ἄφες
ἐκβάλω τὸ κάρφος τὸ ἐν τῷ ὀφθαλμῷ σου, αὐτὸς τὴν
ἐν τῷ ὀφθαλμῷ σοῦ δοκὸν οὐ βλέπων; ὑποκριτά, ἔκβαλε
πρῶτον τὴν δοκὸν ἐκ τοῦ ὀφθαλμοῦ σοῦ, καὶ τότε διαβλέ-
ψεις τὸ κάρφος τὸ ἐν τῷ ὀφθαλμῷ τοῦ ἀδελφοῦ σου ἐκ-
43 βαλεῖν. Οὐ γὰρ ἔστιν δένδρον καλὸν ποιοῦν καρπὸν
σαπρόν, οὐδὲ πάλιν δένδρον σαπρὸν ποιοῦν καρπὸν καλόν.
44 ἕκαστον γὰρ δένδρον ἐκ τοῦ ἰδίου καρποῦ γινώσκεται· οὐ
γὰρ ἐξ ἀκανθῶν συλλέγουσιν σῦκα, οὐδὲ ἐκ βάτου σταφυ-
45 λὴν τρυγῶσιν. ὁ ἀγαθὸς ἄνθρωπος ἐκ τοῦ ἀγαθοῦ θησαυ-
ροῦ τῆς καρδίας προφέρει τὸ ἀγαθόν, καὶ ὁ πονηρὸς ἐκ τοῦ

35 μηδένα   38 μετρηθήσεται

πονηροῦ προφέρει τὸ πονηρόν· ἐκ γὰρ περισσεύματος
καρδίας λαλεῖ τὸ στόμα αὐτοῦ. Τί δέ με καλεῖτε Κύ- 46
ριε κύριε, καὶ οὐ ποιεῖτε ⌈ἃ⌉ λέγω; πᾶς ὁ ἐρχόμενος πρός 47
με καὶ ἀκούων μου τῶν λόγων καὶ ποιῶν αὐτούς, ὑποδείξω
ὑμῖν τίνι ἐστὶν ὅμοιος· ὅμοιός ἐστιν ἀνθρώπῳ οἰκοδομοῦντι 48
οἰκίαν ὃς ἔσκαψεν καὶ ἐβάθυνεν καὶ ἔθηκεν θεμέλιον ἐπὶ
τὴν πέτραν· πλημμύρης δὲ γενομένης προσέρηξεν ὁ ποτα-
μὸς τῇ οἰκίᾳ ἐκείνῃ, καὶ οὐκ ἴσχυσεν σαλεῦσαι αὐτὴν διὰ
τὸ καλῶς οἰκοδομῆσθαι αὐτήν. ὁ δὲ ἀκούσας καὶ μὴ 49
ποιήσας ὅμοιός ἐστιν ἀνθρώπῳ οἰκοδομήσαντι οἰκίαν ἐπὶ
τὴν γῆν χωρὶς θεμελίου, ᾗ προσέρηξεν ὁ ποταμός, καὶ
εὐθὺς συνέπεσεν, καὶ ἐγένετο τὸ ῥῆγμα τῆς οἰκίας ἐκείνης
μέγα.   ⌈Ἐπειδὴ⌉ ἐπλήρωσεν πάντα τὰ ῥήματα 1
αὐτοῦ εἰς τὰς ἀκοὰς τοῦ λαοῦ, εἰσῆλθεν εἰς Καφαρναούμ.

Ἑκατοντάρχου δέ τινος δοῦλος κακῶς ἔχων ἤμελλεν 2
τελευτᾶν, ὃς ἦν αὐτῷ ἔντιμος. ἀκούσας δὲ περὶ τοῦ Ἰησοῦ 3
ἀπέστειλεν πρὸς αὐτὸν πρεσβυτέρους τῶν Ἰουδαίων, ἐρω-
τῶν αὐτὸν ὅπως ἐλθὼν διασώσῃ τὸν δοῦλον αὐτοῦ. οἱ δὲ 4
παραγενόμενοι πρὸς τὸν Ἰησοῦν παρεκάλουν αὐτὸν σπου-
δαίως λέγοντες ὅτι ἄξιός ἐστιν ᾧ παρέξῃ τοῦτο, ἀγαπᾷ 5
γὰρ τὸ ἔθνος ἡμῶν καὶ τὴν συναγωγὴν αὐτὸς ᾠκοδόμησεν
ἡμῖν. ὁ δὲ Ἰησοῦς ἐπορεύετο σὺν αὐτοῖς. ἤδη δὲ αὐτοῦ 6
οὐ μακρὰν ἀπέχοντος ἀπὸ τῆς οἰκίας ἔπεμψεν φίλους ὁ
ἑκατοντάρχης λέγων αὐτῷ   Κύριε, μὴ σκύλλου, οὐ γὰρ
ἱκανός εἰμι ἵνα ὑπὸ τὴν στέγην μου εἰσέλθῃς· διὸ οὐδὲ 7
ἐμαυτὸν ἠξίωσα πρὸς σὲ ἐλθεῖν· ἀλλὰ εἰπὲ λόγῳ, καὶ
ἰαθήτω ὁ παῖς μου· καὶ γὰρ ἐγὼ ἄνθρωπός εἰμι ὑπὸ ἐξου- 8
σίαν τασσόμενος, ἔχων ὑπ' ἐμαυτὸν στρατιώτας, καὶ λέγω
τούτῳ   Πορεύθητι, καὶ πορεύεται, καὶ ἄλλῳ   Ἔρχου, καὶ
ἔρχεται, καὶ τῷ δούλῳ μου   Ποίησον τοῦτο, καὶ ποιεῖ.
ἀκούσας δὲ ταῦτα ὁ Ἰησοῦς ἐθαύμασεν αὐτόν, καὶ στρα- 9
φεὶς τῷ ἀκολουθοῦντι αὐτῷ ὄχλῳ εἶπεν   Λέγω ὑμῖν, οὐδὲ
ἐν τῷ Ἰσραὴλ τοσαύτην πίστιν εὗρον.   καὶ ὑποστρέψαν- 10

τες εἰς τὸν οἶκον οἱ πεμφθέντες εὗρον τὸν δοῦλον ὑγιαί-
11 νοντα. Καὶ ἐγένετο ἐν ⌈τῷ⌉ ἑξῆς ἐπορεύθη εἰς
πόλιν καλουμένην Ναΐν, καὶ συνεπορεύοντο αὐτῷ οἱ μαθη-
12 ταὶ αὐτοῦ καὶ ὄχλος πολύς. ὡς δὲ ἤγγισεν τῇ πύλῃ τῆς
πόλεως, καὶ ἰδοὺ ἐξεκομίζετο τεθνηκὼς μονογενὴς υἱὸς τῇ
μητρὶ αὐτοῦ, καὶ αὐτὴ ἦν χήρα, καὶ ὄχλος τῆς πόλεως
13 ἱκανὸς ἦν σὺν αὐτῇ. καὶ ἰδὼν αὐτὴν ὁ κύριος ἐσπλαγ-
14 χνίσθη ἐπ᾽ αὐτῇ καὶ εἶπεν αὐτῇ Μὴ κλαῖε. καὶ προσελ-
θὼν ἥψατο τῆς σοροῦ, οἱ δὲ βαστάζοντες ἔστησαν, καὶ
15 εἶπεν Νεανίσκε, σοὶ λέγω, ἐγέρθητι. καὶ ⌈ἀνεκάθισεν⌉
ὁ νεκρὸς καὶ ἤρξατο λαλεῖν, καὶ ἔδωκεν αὐτὸν τῇ μητρὶ
16 αὐτοῦ. Ἔλαβεν δὲ φόβος ⌈πάντας⌉, καὶ ἐδόξαζον τὸν
θεὸν λέγοντες ὅτι Προφήτης μέγας ἠγέρθη ἐν ἡμῖν, καὶ
17 ὅτι Ἐπεσκέψατο ὁ θεὸς τὸν λαὸν αὐτοῦ. καὶ ἐξῆλθεν ὁ
λόγος οὗτος ἐν ὅλῃ τῇ Ἰουδαίᾳ περὶ αὐτοῦ καὶ πάσῃ τῇ
περιχώρῳ.

18 Καὶ ἀπήγγειλαν Ἰωάνει οἱ μαθηταὶ αὐτοῦ περὶ πάντων
τούτων. καὶ προσκαλεσάμενος δύο τινὰς τῶν μαθητῶν
19 αὐτοῦ ὁ Ἰωάνης ἔπεμψεν πρὸς τὸν κύριον λέγων Σὺ εἶ ὁ
20 ἐρχόμενος ἢ ἕτερον προσδοκῶμεν; παραγενόμενοι δὲ πρὸς
αὐτὸν οἱ ἄνδρες εἶπαν Ἰωάνης ὁ βαπτιστὴς ἀπέστειλεν
ἡμᾶς πρὸς σὲ λέγων Σὺ εἶ ὁ ἐρχόμενος ἢ ⌈ἄλλον⌉ προσδο-
21 κῶμεν; ἐν ἐκείνῃ τῇ ὥρᾳ ἐθεράπευσεν πολλοὺς ἀπὸ
νόσων καὶ μαστίγων καὶ πνευμάτων πονηρῶν, καὶ τυφλοῖς
22 πολλοῖς ἐχαρίσατο βλέπειν. καὶ ἀποκριθεὶς εἶπεν αὐτοῖς
Πορευθέντες ἀπαγγείλατε Ἰωάνει ἃ εἴδετε καὶ ἠκούσατε·
ΤΥΦΛΟΙ ΑΝΑΒΛΕΠΟΥΣΙΝ, χωλοὶ περιπατοῦσιν, λεπροὶ καθα-
ρίζονται καὶ κωφοὶ ἀκούουσιν, νεκροὶ ἐγείρονται, πτωχοὶ
23 ΕΥΑΓΓΕΛΙΖΟΝΤΑΙ· καὶ μακάριός ἐστιν ὃς ἐὰν μὴ σκανδα-
24 λισθῇ ἐν ἐμοί. Ἀπελθόντων δὲ τῶν ἀγγέλων
Ἰωάνου ἤρξατο λέγειν πρὸς τοὺς ὄχλους περὶ Ἰωάνου Τί
ἐξήλθατε εἰς τὴν ἔρημον θεάσασθαι; κάλαμον ὑπὸ ἀνέμου
25 σαλευόμενον; ἀλλὰ τί ἐξήλθατε ἰδεῖν; ἄνθρωπον ἐν μαλα-

11 τῇ   15 ἐκάθισεν   16 ἅπαντας   20 ἕτερον

κοῖς ἱματίοις ἠμφιεσμένον; ἰδοὺ οἱ ἐν ἱματισμῷ ἐνδόξῳ καὶ
τρυφῇ ὑπάρχοντες ἐν τοῖς βασιλείοις εἰσίν. ἀλλὰ τί 26
ἐξήλθατε ἰδεῖν; προφήτην; ναί, λέγω ὑμῖν, καὶ περισσότε-
ρον προφήτου. οὗτός ἐστιν περὶ οὗ γέγραπται 27

Ἰδοὺ ἀποστέλλω τὸν ἄγγελόν μου πρὸ προσώπου
σου,

ὃς κατασκεγάσει τὴν ὁδόν σου ἔμπροσθέν σου.
λέγω ὑμῖν, μείζων ἐν γεννητοῖς γυναικῶν Ἰωάνου οὐδεὶς 28
ἔστιν· ὁ δὲ μικρότερος ἐν τῇ βασιλείᾳ τοῦ θεοῦ μείζων
αὐτοῦ ἐστίν. – Καὶ πᾶς ὁ λαὸς ἀκούσας καὶ οἱ τελῶναι 29
ἐδικαίωσαν τὸν θεόν, βαπτισθέντες τὸ βάπτισμα Ἰωάνου·
οἱ δὲ Φαρισαῖοι καὶ οἱ νομικοὶ τὴν βουλὴν τοῦ θεοῦ ἠθέ- 30
τησαν εἰς ἑαυτούς, μὴ βαπτισθέντες ὑπ᾽ αὐτοῦ. – Τίνι οὖν 31
ὁμοιώσω τοὺς ἀνθρώπους τῆς γενεᾶς ταύτης, καὶ τίνι εἰσὶν
ὅμοιοι; ὅμοιοί εἰσιν παιδίοις τοῖς ἐν ἀγορᾷ καθημένοις καὶ 32
προσφωνοῦσιν ἀλλήλοις, ἃ λέγει

Ηὐλήσαμεν ὑμῖν καὶ οὐκ ὠρχήσασθε·

ἐθρηνήσαμεν καὶ οὐκ ἐκλαύσατε·

ἐλήλυθεν γὰρ Ἰωάνης ὁ βαπτιστὴς μὴ ἔσθων ἄρτον μήτε 33
πίνων οἶνον, καὶ λέγετε Δαιμόνιον ἔχει· ἐλήλυθεν ὁ υἱὸς 34
τοῦ ἀνθρώπου ἔσθων καὶ πίνων, καὶ λέγετε Ἰδοὺ ἄνθρω-
πος φάγος καὶ οἰνοπότης, φίλος τελωνῶν καὶ ἁμαρτωλῶν.
καὶ ἐδικαιώθη ἡ σοφία ἀπὸ ⌈πάντων τῶν τέκνων αὐτῆς⌉. 35

Ἠρώτα δέ τις αὐτὸν τῶν Φαρισαίων ἵνα φάγῃ μετ᾽ αὐ- 36
τοῦ· καὶ εἰσελθὼν εἰς τὸν οἶκον τοῦ Φαρισαίου κατεκλί-
θη. Καὶ ἰδοὺ γυνὴ ἥτις ἦν ἐν τῇ πόλει ἁμαρτωλός, καὶ 37
ἐπιγνοῦσα ὅτι κατάκειται ἐν τῇ οἰκίᾳ τοῦ Φαρισαίου, κομί-
σασα ἀλάβαστρον μύρου καὶ στᾶσα ὀπίσω παρὰ τοὺς 38
πόδας αὐτοῦ κλαίουσα, τοῖς δάκρυσιν ἤρξατο βρέχειν τοὺς
πόδας αὐτοῦ καὶ ταῖς θριξὶν τῆς κεφαλῆς αὐτῆς ἐξέμασ-
σεν, καὶ κατεφίλει τοὺς πόδας αὐτοῦ καὶ ἤλειφεν τῷ
μύρῳ. Ἰδὼν δὲ ὁ Φαρισαῖος ὁ καλέσας αὐτὸν εἶπεν ἐν 39
ἑαυτῷ λέγων Οὗτος εἰ ἦν [ὁ] προφήτης, ἐγίνωσκεν ἂν

35 τῶν τέκνων αὐτῆς πάντων

τίς καὶ ποταπὴ ἡ γυνὴ ἥτις ἅπτεται αὐτοῦ, ὅτι ἁμαρτωλός
40 ἐστιν. καὶ ἀποκριθεὶς ὁ Ἰησοῦς εἶπεν πρὸς αὐτόν Σί-
μων, ἔχω σοί τι εἰπεῖν. ὁ δέ Διδάσκαλε, εἰπέ, φησίν.
41 δύο χρεοφιλέται ἦσαν δανιστῇ τινί· ὁ εἷς ὤφειλεν δηνάρια
42 πεντακόσια, ὁ δὲ ἕτερος πεντήκοντα. μὴ ἐχόντων αὐτῶν
ἀποδοῦναι ἀμφοτέροις ἐχαρίσατο. τίς οὖν αὐτῶν πλεῖον
43 ἀγαπήσει αὐτόν; ἀποκριθεὶς Σίμων εἶπεν Ὑπολαμ-
βάνω ὅτι ᾧ τὸ πλεῖον ἐχαρίσατο. ὁ δὲ εἶπεν αὐτῷ Ὀρ-
44 θῶς ἔκρινας. καὶ στραφεὶς πρὸς τὴν γυναῖκα τῷ Σίμωνι
ἔφη Βλέπεις ταύτην τὴν γυναῖκα; εἰσῆλθόν σου εἰς τὴν
οἰκίαν, ὕδωρ ⌈μοι ἐπὶ⌉ πόδας οὐκ ἔδωκας· αὕτη δὲ τοῖς
δάκρυσιν ἔβρεξέν μου τοὺς πόδας καὶ ταῖς θριξὶν αὐτῆς
45 ἐξέμαξεν. φίλημά μοι οὐκ ἔδωκας· αὕτη δὲ ἀφ᾽ ἧς εἰσῆλ-
46 θον οὐ ⌈διέλιπεν⌉ καταφιλοῦσά μου τοὺς πόδας. ἐλαίῳ τὴν
κεφαλήν μου οὐκ ἤλειψας· αὕτη δὲ μύρῳ ἤλειψεν τοὺς
47 πόδας μου. οὗ χάριν, λέγω σοι, ἀφέωνται αἱ ἁμαρτίαι αὐ-
τῆς αἱ πολλαί, ὅτι ἠγάπησεν πολύ· ᾧ δὲ ὀλίγον ἀφίεται,
48 ὀλίγον ἀγαπᾷ. εἶπεν δὲ αὐτῇ Ἀφέωνταί σου αἱ ἁμαρτίαι.
49 καὶ ἤρξαντο οἱ συνανακείμενοι λέγειν ἐν ἑαυτοῖς Τίς
50 οὗτός ἐστιν ὃς καὶ ἁμαρτίας ἀφίησιν; εἶπεν δὲ πρὸς τὴν
γυναῖκα Ἡ πίστις σου σέσωκέν σε· πορεύου εἰς εἰρήνην.

1 Καὶ ἐγένετο ἐν τῷ καθεξῆς καὶ αὐτὸς διώδευεν κατὰ
πόλιν καὶ κώμην κηρύσσων καὶ εὐαγγελιζόμενος τὴν βασι-
2 λείαν τοῦ θεοῦ, καὶ οἱ δώδεκα σὺν αὐτῷ, καὶ γυναῖκές τινες
αἳ ἦσαν τεθεραπευμέναι ἀπὸ πνευμάτων πονηρῶν καὶ
ἀσθενειῶν, Μαρία ἡ καλουμένη Μαγδαληνή, ἀφ᾽ ἧς δαι-
3 μόνια ἑπτὰ ἐξεληλύθει, καὶ Ἰωάνα γυνὴ Χουζᾶ ἐπιτρόπου
Ἡρῴδου καὶ Σουσάννα καὶ ἕτεραι πολλαί, αἵτινες διηκό-
4 νουν αὐτοῖς ἐκ τῶν ὑπαρχόντων αὐταῖς. Συνι-
όντος δὲ ὄχλου πολλοῦ καὶ τῶν κατὰ πόλιν ἐπιπορευομέ-
5 νων πρὸς αὐτὸν εἶπεν διὰ παραβολῆς Ἐξῆλθεν ὁ σπείρων
τοῦ σπεῖραι τὸν σπόρον αὐτοῦ. καὶ ἐν τῷ σπείρειν αὐτὸν
ὃ μὲν ἔπεσεν παρὰ τὴν ὁδόν, καὶ κατεπατήθη καὶ τὰ πε-

44 μου ἐπὶ τοὺς   45 διέλειπεν

τεινὰ τοῦ οὐρανοῦ κατέφαγεν αὐτό. καὶ ἕτερον κατέπεσεν 6
ἐπὶ τὴν πέτραν, καὶ φυὲν ἐξηράνθη διὰ τὸ μὴ ἔχειν ἰκμάδα.
καὶ ἕτερον ἔπεσεν ἐν μέσῳ τῶν ἀκανθῶν, καὶ συνφυεῖσαι 7
αἱ ἄκανθαι ἀπέπνιξαν αὐτό. καὶ ἕτερον ἔπεσεν εἰς τὴν 8
γῆν τὴν ἀγαθήν, καὶ φυὲν ἐποίησεν καρπὸν ἑκατονταπλα-
σίονα. Ταῦτα λέγων ἐφώνει Ὁ ἔχων ὦτα ἀκούειν ἀκου-
έτω. Ἐπηρώτων δὲ αὐτὸν οἱ μαθηταὶ αὐτοῦ 9
τίς αὕτη εἴη ἡ παραβολή. ὁ δὲ εἶπεν Ὑμῖν δέδοται 10
γνῶναι τὰ μυστήρια τῆς βασιλείας τοῦ θεοῦ, τοῖς δὲ λοι-
ποῖς ἐν παραβολαῖς, ἵνα ΒλέΠΟΝΤΕϹ ΜΗ ΒλέΠΩϹΙΝ κΑὶ
ἀκΟΎΟΝΤΕϹ ΜΗ ϹΥΝΙΩϹΙΝ. ἔστιν δὲ αὕτη ἡ παραβολή. Ὁ 11
σπόρος ἐστὶν ὁ λόγος τοῦ θεοῦ. οἱ δὲ παρὰ τὴν ὁδὸν 12
εἰσιν οἱ ἀκούσαντες, εἶτα ἔρχεται ὁ διάβολος καὶ αἴρει τὸν
λόγον ἀπὸ τῆς καρδίας αὐτῶν, ἵνα μὴ πιστεύσαντες σωθῶ-
σιν. οἱ δὲ ἐπὶ ⌜τῆς πέτρας⌝ οἳ ὅταν ἀκούσωσιν μετὰ χαρᾶς 13
δέχονται τὸν λόγον, καὶ ⌜οὗτοι⌝ ῥίζαν οὐκ ἔχουσιν, οἳ πρὸς
καιρὸν πιστεύουσιν καὶ ἐν καιρῷ πειρασμοῦ ἀφίστανται.
τὸ δὲ εἰς τὰς ἀκάνθας πεσόν, οὗτοί εἰσιν οἱ ἀκούσαντες, 14
καὶ ὑπὸ μεριμνῶν καὶ πλούτου καὶ ἡδονῶν τοῦ βίου πορευό-
μενοι συνπνίγονται καὶ οὐ τελεσφοροῦσιν. τὸ δὲ ἐν τῇ 15
καλῇ γῇ, οὗτοί εἰσιν οἵτινες ἐν καρδίᾳ καλῇ καὶ ἀγαθῇ
ἀκούσαντες τὸν λόγον κατέχουσιν καὶ καρποφοροῦσιν ἐν
ὑπομονῇ. Οὐδεὶς δὲ λύχνον ἅψας καλύπτει 16
αὐτὸν σκεύει ἢ ὑποκάτω κλίνης τίθησιν, ἀλλ᾽ ἐπὶ λυχνίας
τίθησιν, ἵνα οἱ εἰσπορευόμενοι βλέπωσιν τὸ φῶς. οὐ γὰρ 17
ἔστιν κρυπτὸν ὃ οὐ φανερὸν γενήσεται, οὐδὲ ἀπόκρυφον ὃ
οὐ μὴ γνωσθῇ καὶ εἰς φανερὸν ἔλθῃ. Βλέπετε οὖν πῶς 18
ἀκούετε· ὃς ἂν γὰρ ἔχῃ, δοθήσεται αὐτῷ, καὶ ὃς ἂν μὴ ἔχῃ,
καὶ ὃ δοκεῖ ἔχειν ἀρθήσεται ἀπ᾽ αὐτοῦ.

Παρεγένετο δὲ πρὸς αὐτὸν ἡ μήτηρ καὶ οἱ ἀδελφοὶ 19
αὐτοῦ, καὶ οὐκ ἠδύναντο συντυχεῖν αὐτῷ διὰ τὸν ὄχλον.
ἀπηγγέλη δὲ αὐτῷ Ἡ μήτηρ σου καὶ οἱ ἀδελφοί σου 20
ἑστήκασιν ἔξω ἰδεῖν θέλοντές σε. ὁ δὲ ἀποκριθεὶς εἶπεν 21

13 τὴν πέτραν | αὐτοί   23 εἰς τὴν λίμνην ἀνέμου

πρὸς αὐτούς   Μήτηρ μου καὶ ἀδελφοί μου οὗτοί εἰσιν οἱ
τὸν λόγον τοῦ θεοῦ ἀκούοντες καὶ ποιοῦντες.

22 Ἐγένετο δὲ ἐν μιᾷ τῶν ἡμερῶν καὶ αὐτὸς ἐνέβη εἰς
πλοῖον καὶ οἱ μαθηταὶ αὐτοῦ, καὶ εἶπεν πρὸς αὐτούς Διέλ-
23 θωμεν εἰς τὸ πέραν τῆς λίμνης, καὶ ἀνήχθησαν. πλεόν-
των δὲ αὐτῶν ἀφύπνωσεν. καὶ κατέβη λαῖλαψ ⌜ἀνέμου εἰς
24 τὴν λίμνην⌝, καὶ συνεπληροῦντο καὶ ἐκινδύνευον. προσελ-
θόντες δὲ διήγειραν αὐτὸν λέγοντες Ἐπιστάτα ἐπιστάτα,
ἀπολλύμεθα· ὁ δὲ διεγερθεὶς ἐπετίμησεν τῷ ἀνέμῳ
καὶ τῷ κλύδωνι τοῦ ὕδατος, καὶ ἐπαύσαντο, καὶ ἐγένετο
25 γαλήνη. εἶπεν δὲ αὐτοῖς Ποῦ ἡ πίστις ὑμῶν; φοβη-
θέντες δὲ ἐθαύμασαν, λέγοντες πρὸς ἀλλήλους Τίς ἄρα
οὗτός ἐστιν ὅτι καὶ τοῖς ἀνέμοις ἐπιτάσσει καὶ τῷ ὕδατι,
26 καὶ ὑπακούουσιν αὐτῷ;   Καὶ κατέπλευσαν εἰς
τὴν χώραν τῶν Γερασηνῶν, ἥτις ἐστὶν ἀντίπερα τῆς Γαλι-
27 λαίας. ἐξελθόντι δὲ αὐτῷ ἐπὶ τὴν γῆν ⌜ὑπήντησεν ἀνήρ
τις⌝ ἐκ τῆς πόλεως ἔχων δαιμόνια· καὶ χρόνῳ ἱκανῷ οὐκ ἐνε-
δύσατο ἱμάτιον, καὶ ἐν οἰκίᾳ οὐκ ἔμενεν ἀλλ' ἐν τοῖς μνή-
28 μασιν. ἰδὼν δὲ τὸν Ἰησοῦν ἀνακράξας προσέπεσεν αὐτῷ
καὶ φωνῇ μεγάλῃ εἶπεν Τί ἐμοὶ καὶ σοί, Ἰησοῦ υἱὲ [τοῦ
29 θεοῦ] τοῦ ὑψίστου; δέομαί σου, μή με βασανίσῃς· ⌜πα-
ρήγγελλεν⌝ γὰρ τῷ πνεύματι τῷ ἀκαθάρτῳ ἐξελθεῖν ἀπὸ
τοῦ ἀνθρώπου. πολλοῖς γὰρ χρόνοις συνηρπάκει αὐτόν,
καὶ ἐδεσμεύετο ἁλύσεσιν καὶ πέδαις φυλασσόμενος, καὶ
διαρήσσων τὰ δεσμὰ ἠλαύνετο ⌜ἀπὸ⌝ τοῦ δαιμονίου εἰς τὰς
30 ἐρήμους. ἐπηρώτησεν δὲ αὐτὸν ὁ Ἰησοῦς Τί σοι ὄνομά
ἐστιν; ὁ δὲ εἶπεν Λεγιών, ὅτι εἰσῆλθεν δαιμόνια πολλὰ
31 εἰς αὐτόν. καὶ παρεκάλουν αὐτὸν ἵνα μὴ ἐπιτάξῃ αὐτοῖς
32 εἰς τὴν ἄβυσσον ἀπελθεῖν. Ἦν δὲ ἐκεῖ ἀγέλη χοίρων
ἱκανῶν ⌜βοσκομένη⌝ ἐν τῷ ὄρει· καὶ παρεκάλεσαν αὐτὸν
ἵνα ἐπιτρέψῃ αὐτοῖς εἰς ἐκείνους εἰσελθεῖν· καὶ ἐπέτρεψεν
33 αὐτοῖς. ἐξελθόντα δὲ τὰ δαιμόνια ἀπὸ τοῦ ἀνθρώπου
εἰσῆλθον εἰς τοὺς χοίρους, καὶ ὥρμησεν ἡ ἀγέλη κατὰ τοῦ

27 ὑπήντησέν [τις] ἀνὴρ   29 παρήγγειλεν | ὑπὸ   32 βοσκομένων

κρημνοῦ εἰς τὴν λίμνην καὶ ἀπεπνίγη. Ἰδόντες δὲ οἱ 34
βόσκοντες τὸ γεγονὸς ἔφυγον καὶ ἀπήγγειλαν εἰς τὴν
πόλιν καὶ εἰς τοὺς ἀγρούς. ἐξῆλθον δὲ ἰδεῖν τὸ γεγονὸς 35
καὶ ἦλθαν πρὸς τὸν Ἰησοῦν, καὶ εὗραν καθήμενον τὸν ἄν-
θρωπον ἀφ᾽ οὗ τὰ δαιμόνια ἐξῆλθεν ἱματισμένον καὶ σω-
φρονοῦντα παρὰ τοὺς πόδας [τοῦ] Ἰησοῦ, καὶ ἐφοβήθησαν.
ἀπήγγειλαν δὲ αὐτοῖς οἱ ἰδόντες πῶς ἐσώθη ὁ δαιμονι- 36
σθείς. καὶ ἠρώτησεν αὐτὸν ἅπαν τὸ πλῆθος τῆς περι- 37
χώρου τῶν Γερασηνῶν ἀπελθεῖν ἀπ᾽ αὐτῶν, ὅτι φόβῳ
μεγάλῳ συνείχοντο· αὐτὸς δὲ ἐμβὰς εἰς πλοῖον ὑπέ-
στρεψεν. ἐδεῖτο δὲ αὐτοῦ ὁ ἀνὴρ ἀφ᾽ οὗ ἐξεληλύθει 38
τὰ δαιμόνια εἶναι σὺν αὐτῷ· ἀπέλυσεν δὲ αὐτὸν λέγων
Ὑπόστρεφε εἰς τὸν οἶκόν σου, καὶ διηγοῦ ὅσα σοι ἐποίησεν 39
ὁ θεός. καὶ ἀπῆλθεν καθ᾽ ὅλην τὴν πόλιν κηρύσσων ὅσα
ἐποίησεν αὐτῷ ὁ Ἰησοῦς.

Ἐν δὲ τῷ ὑποστρέφειν τὸν Ἰησοῦν ἀπεδέξατο 40
αὐτὸν ὁ ὄχλος, ἦσαν γὰρ πάντες προσδοκῶντες αὐτόν.
Καὶ ἰδοὺ ἦλθεν ἀνὴρ ᾧ ὄνομα Ἰάειρος, καὶ ⌜οὗτος⌝ 41
ἄρχων τῆς συναγωγῆς ὑπῆρχεν, καὶ πεσὼν παρὰ τοὺς
πόδας Ἰησοῦ παρεκάλει αὐτὸν εἰσελθεῖν εἰς τὸν οἶκον
αὐτοῦ, ὅτι θυγάτηρ μονογενὴς ἦν αὐτῷ ὡς ἐτῶν 42
δώδεκα καὶ αὐτὴ ἀπέθνησκεν. Ἐν δὲ τῷ ὑπάγειν
αὐτὸν οἱ ὄχλοι συνέπνιγον αὐτόν. καὶ γυνὴ οὖσα 43
ἐν ῥύσει αἵματος ἀπὸ ἐτῶν δώδεκα, ἥτις οὐκ ἴσχυσεν
ἀπ᾽ οὐδενὸς θεραπευθῆναι, προσελθοῦσα ὄπισθεν ἥψατο 44
τοῦ κρασπέδου τοῦ ἱματίου αὐτοῦ, καὶ παραχρῆμα
ἔστη ἡ ῥύσις τοῦ αἵματος αὐτῆς. καὶ εἶπεν ὁ Ἰησοῦς 45
Τίς ὁ ἁψάμενός μου; ἀρνουμένων δὲ πάντων εἶπεν ὁ
Πέτρος Ἐπιστάτα, οἱ ὄχλοι συνέχουσίν σε καὶ ἀποθλί-
βουσιν. ὁ δὲ Ἰησοῦς εἶπεν Ἥψατό μού τις, ἐγὼ 46
γὰρ ἔγνων δύναμιν ἐξεληλυθυῖαν ἀπ᾽ ἐμοῦ. ἰδοῦσα δὲ ἡ 47
γυνὴ ὅτι οὐκ ἔλαθεν τρέμουσα ἦλθεν καὶ προσπε-
σοῦσα αὐτῷ δι᾽ ἣν αἰτίαν ἥψατο αὐτοῦ ἀπήγγειλεν ἐνώ-

41 αὐτὸς

48 πιον παντὸς τοῦ λαοῦ καὶ ὡς ἰάθη παραχρῆμα. ὁ δὲ
εἶπεν αὐτῇ Θυγάτηρ, ἡ πίστις σου σέσωκέν σε· πορεύου
49 εἰς εἰρήνην. Ἔτι αὐτοῦ λαλοῦντος ἔρχεταί τις παρὰ τοῦ
ἀρχισυναγώγου λέγων ὅτι Τέθνηκεν ἡ θυγάτηρ σου,
50 μηκέτι σκύλλε τὸν διδάσκαλον. ὁ δὲ Ἰησοῦς ἀκούσας
ἀπεκρίθη αὐτῷ Μὴ φοβοῦ, μόνον πίστευσον, καὶ σωθή-
51 σεται. ἐλθὼν δὲ εἰς τὴν οἰκίαν οὐκ ἀφῆκεν εἰσελθεῖν τινὰ
σὺν αὐτῷ εἰ μὴ Πέτρον καὶ Ἰωάνην καὶ Ἰάκωβον καὶ τὸν
52 πατέρα τῆς παιδὸς καὶ τὴν μητέρα. ἔκλαιον δὲ πάντες καὶ
ἐκόπτοντο αὐτήν. ὁ δὲ εἶπεν Μὴ κλαίετε, οὐ γὰρ ἀπέ-
53 θανεν ἀλλὰ καθεύδει. καὶ κατεγέλων αὐτοῦ, εἰδότες ὅτι
54 ἀπέθανεν. αὐτὸς δὲ κρατήσας τῆς χειρὸς αὐτῆς ἐφώνησεν
55 λέγων Ἡ παῖς, ἔγειρε. καὶ ἐπέστρεψεν τὸ πνεῦμα αὐ-
τῆς, καὶ ἀνέστη παραχρῆμα, καὶ διέταξεν αὐτῇ δοθῆναι
56 φαγεῖν. καὶ ἐξέστησαν οἱ γονεῖς αὐτῆς· ὁ δὲ παρήγγειλεν
αὐτοῖς μηδενὶ εἰπεῖν τὸ γεγονός.

1 Συνκαλεσάμενος δὲ τοὺς δώδεκα ἔδωκεν ⌜αὐτοῖς δύ-
ναμιν⌝ καὶ ἐξουσίαν ἐπὶ πάντα τὰ δαιμόνια καὶ νόσους
2 θεραπεύειν, καὶ ἀπέστειλεν αὐτοὺς κηρύσσειν τὴν βασι-
3 λείαν τοῦ θεοῦ καὶ ἰᾶσθαι, καὶ εἶπεν πρὸς αὐτούς
Μηδὲν αἴρετε εἰς τὴν ὁδόν, μήτε ῥάβδον μήτε πήραν
μήτε ἄρτον μήτε ἀργύριον, μήτε δύο χιτῶνας ἔχειν.
4 καὶ εἰς ἣν ἂν οἰκίαν εἰσέλθητε, ἐκεῖ μένετε καὶ ἐκεῖθεν
5 ἐξέρχεσθε. καὶ ὅσοι ἂν μὴ δέχωνται ὑμᾶς, ἐξερχόμενοι
ἀπὸ τῆς πόλεως ἐκείνης τὸν κονιορτὸν ἀπὸ τῶν ποδῶν
6 ὑμῶν ἀποτινάσσετε εἰς μαρτύριον ἐπ᾽ αὐτούς. Ἐξερχό-
μενοι δὲ διήρχοντο κατὰ τὰς κώμας εὐαγγελιζόμενοι καὶ θε-
7 ραπεύοντες πανταχοῦ. Ἤκουσεν δὲ Ἡρῴδης
ὁ τετραάρχης τὰ γινόμενα πάντα, καὶ διηπόρει διὰ τὸ λέ-
8 γεσθαι ὑπὸ τινῶν ὅτι Ἰωάνης ἠγέρθη ἐκ νεκρῶν, ὑπὸ
τινῶν δὲ ὅτι Ἡλείας ἐφάνη, ἄλλων δὲ ὅτι προφήτης τις
9 τῶν ἀρχαίων ἀνέστη. εἶπεν δὲ [ὁ] Ἡρῴδης Ἰωάνην ἐγὼ

1 δύναμιν αὐτοῖς

ἀπεκεφάλισα· τίς δέ ἐστιν οὗτος περὶ οὗ ἀκούω τοιαῦ-
τα; καὶ ἐζήτει ἰδεῖν αὐτόν.   Καὶ ὑποστρέψαν- 10
τες οἱ ἀπόστολοι διηγήσαντο αὐτῷ ὅσα ἐποίησαν. Καὶ
παραλαβὼν αὐτοὺς ὑπεχώρησεν κατ' ἰδίαν εἰς πόλιν καλου-
μένην Βηθσαιδά. οἱ δὲ ὄχλοι γνόντες ἠκολούθησαν αὐτῷ. 11
καὶ ἀποδεξάμενος αὐτοὺς ἐλάλει αὐτοῖς περὶ τῆς βασιλείας
τοῦ θεοῦ, καὶ τοὺς χρείαν ἔχοντας θεραπείας ἰᾶτο. Ἡ δὲ 12
ἡμέρα ἤρξατο κλίνειν· προσελθόντες δὲ οἱ δώδεκα εἶπαν
αὐτῷ Ἀπόλυσον τὸν ὄχλον, ἵνα πορευθέντες εἰς τὰς κύ-
κλῳ κώμας καὶ ἀγροὺς καταλύσωσιν καὶ εὕρωσιν ἐπισι-
τισμόν, ὅτι ὧδε ἐν ἐρήμῳ τόπῳ ἐσμέν. εἶπεν δὲ πρὸς 13
αὐτοὺς Δότε αὐτοῖς ⌜φαγεῖν ὑμεῖς⌝. οἱ δὲ εἶπαν Οὐκ εἰ-
σὶν ἡμῖν πλεῖον ἢ ⌜ἄρτοι πέντε⌝ καὶ ἰχθύες δύο, εἰ μήτι
πορευθέντες ἡμεῖς ἀγοράσωμεν εἰς πάντα τὸν λαὸν τοῦτον
βρώματα. ἦσαν γὰρ ὡσεὶ ἄνδρες πεντακισχίλιοι. εἶπεν 14
δὲ πρὸς τοὺς μαθητὰς αὐτοῦ Κατακλίνατε αὐτοὺς κλισίας
ὡσεὶ ἀνὰ πεντήκοντα. καὶ ἐποίησαν οὕτως καὶ κατέκλιναν 15
⌜ἅπαντας⌝. λαβὼν δὲ τοὺς πέντε ἄρτους καὶ τοὺς δύο 16
ἰχθύας ἀναβλέψας εἰς τὸν οὐρανὸν εὐλόγησεν αὐτοὺς καὶ
κατέκλασεν καὶ ἐδίδου τοῖς μαθηταῖς παραθεῖναι τῷ ὄχλῳ.
καὶ ἔφαγον καὶ ἐχορτάσθησαν πάντες, καὶ ἤρθη τὸ περισ- 17
σεῦσαν αὐτοῖς κλασμάτων κόφινοι δώδεκα.

Καὶ ἐγένετο ἐν τῷ εἶναι αὐτὸν προσευχόμενον κατὰ 18
μόνας ⌜συνῆσαν⌝ αὐτῷ οἱ μαθηταί, καὶ ἐπηρώτησεν αὐτοὺς
λέγων Τίνα με οἱ ὄχλοι λέγουσιν εἶναι; οἱ δὲ ἀποκρι- 19
θέντες εἶπαν Ἰωάνην τὸν βαπτιστήν, ἄλλοι δὲ Ἠλείαν,
ἄλλοι δὲ ὅτι προφήτης τις τῶν ἀρχαίων ἀνέστη. εἶπεν 20
δὲ αὐτοῖς Ὑμεῖς δὲ τίνα με λέγετε εἶναι; Πέτρος δὲ
ἀποκριθεὶς εἶπεν Τὸν χριστὸν τοῦ θεοῦ. ὁ δὲ ἐπιτιμή- 21
σας αὐτοῖς παρήγγειλεν μηδενὶ λέγειν τοῦτο, εἰπὼν ὅτι 22
Δεῖ τὸν υἱὸν τοῦ ἀνθρώπου πολλὰ παθεῖν καὶ ἀποδοκιμα-
σθῆναι ἀπὸ τῶν πρεσβυτέρων καὶ ἀρχιερέων καὶ γραμ-
ματέων καὶ ἀποκτανθῆναι καὶ τῇ τρίτῃ ἡμέρᾳ ⌜ἐγερ-

13 ὑμεῖς φαγεῖν | πέντε ἄρτοι   15 πάντας   18 συνήντησαν

23 θῆναι⌐. Ἔλεγεν δὲ πρὸς πάντας Εἴ τις θέλει ὀπίσω
μου ἔρχεσθαι, ⌐ἀρνησάσθω⌐ ἑαυτὸν καὶ ἀράτω τὸν σταυρὸν
24 αὐτοῦ καθ᾽ ἡμέραν, καὶ ἀκολουθείτω μοι. ὃς γὰρ ἂν
θέλῃ τὴν ψυχὴν αὐτοῦ σῶσαι, ἀπολέσει αὐτήν· ὃς δ᾽ ἂν
ἀπολέσῃ τὴν ψυχὴν αὐτοῦ ἕνεκεν ἐμοῦ, οὗτος σώσει αὐτήν.
25 τί γὰρ ⌐ὠφελεῖται⌐ ἄνθρωπος κερδήσας τὸν κόσμον ὅλον
26 ἑαυτὸν δὲ ἀπολέσας ἢ ζημιωθείς; ὃς γὰρ ἂν ἐπαισχυνθῇ
με καὶ τοὺς ἐμοὺς λόγους, τοῦτον ὁ υἱὸς τοῦ ἀνθρώπου
ἐπαισχυνθήσεται, ὅταν ἔλθῃ ἐν τῇ δόξῃ αὐτοῦ καὶ τοῦ
27 πατρὸς καὶ τῶν ἁγίων ἀγγέλων. Λέγω δὲ ὑμῖν ἀληθῶς,
εἰσίν τινες τῶν αὐτοῦ ἑστηκότων οἳ οὐ μὴ γεύσωνται θανά-
του ἕως ἂν ἴδωσιν τὴν βασιλείαν τοῦ θεοῦ.

28 Ἐγένετο δὲ μετὰ τοὺς λόγους τούτους ὡσεὶ ἡμέραι
ὀκτὼ ⌐ παραλαβὼν Πέτρον καὶ Ἰωάνην καὶ Ἰάκωβον ἀνέ-
29 βη εἰς τὸ ὄρος προσεύξασθαι. καὶ ἐγένετο ἐν τῷ προσ-
εύχεσθαι αὐτὸν τὸ εἶδος τοῦ προσώπου αὐτοῦ ἕτερον καὶ
30 ὁ ἱματισμὸς αὐτοῦ λευκὸς ἐξαστράπτων. καὶ ἰδοὺ ἄν-
δρες δύο συνελάλουν αὐτῷ, οἵτινες ἦσαν Μωυσῆς καὶ
31 Ἡλείας, οἳ ὀφθέντες ἐν δόξῃ ἔλεγον τὴν ἔξοδον αὐτοῦ ἣν
32 ἤμελλεν πληροῦν ἐν Ἰερουσαλήμ. ὁ δὲ Πέτρος καὶ οἱ
σὺν αὐτῷ ἦσαν βεβαρημένοι ὕπνῳ· διαγρηγορήσαντες δὲ
εἶδαν τὴν δόξαν αὐτοῦ καὶ τοὺς δύο ἄνδρας τοὺς συνε-
33 στῶτας αὐτῷ. καὶ ἐγένετο ἐν τῷ διαχωρίζεσθαι αὐτοὺς
ἀπ᾽ αὐτοῦ εἶπεν ὁ Πέτρος πρὸς τὸν Ἰησοῦν Ἐπιστάτα,
καλόν ἐστιν ἡμᾶς ὧδε εἶναι, καὶ ποιήσωμεν σκηνὰς τρεῖς,
μίαν σοὶ καὶ μίαν Μωυσεῖ καὶ μίαν Ἡλείᾳ, μὴ εἰδὼς ὃ
34 λέγει. ταῦτα δὲ αὐτοῦ λέγοντος ἐγένετο νεφέλη καὶ ἐπε-
σκίαζεν αὐτούς· ἐφοβήθησαν δὲ ἐν τῷ εἰσελθεῖν αὐτοὺς
35 εἰς τὴν νεφέλην. καὶ φωνὴ ἐγένετο ἐκ τῆς νεφέλης λέ-
γουσα Οὗτός ἐστιν ὁ υἱός μου ὁ ἐκλελεγμένος, αὐτοῦ
36 ἀκούετε. καὶ ἐν τῷ γενέσθαι τὴν φωνὴν εὑρέθη Ἰησοῦς
μόνος. καὶ αὐτοὶ ἐσίγησαν καὶ οὐδενὶ ἀπήγγειλαν ἐν ἐκεί-
ναις ταῖς ἡμέραις οὐδὲν ὧν ἑώρακαν.

22 ἀναστῆναι   23 ἀπαρνησάσθω   25 ὠφελεῖ   28 καὶ

Ἐγένετο δὲ τῇ ἑξῆς ἡμέρᾳ κατελθόντων αὐτῶν ἀπὸ 37
τοῦ ὄρους συνήντησεν αὐτῷ ὄχλος πολύς. καὶ ἰδοὺ ἀνὴρ 38
ἀπὸ τοῦ ὄχλου ἐβόησεν λέγων Διδάσκαλε, δέομαί σου
ἐπιβλέψαι ἐπὶ τὸν υἱόν μου, ὅτι μονογενής μοί ἐστιν,
καὶ ἰδοὺ πνεῦμα λαμβάνει αὐτόν, καὶ ἐξέφνης κράζει, 39
καὶ σπαράσσει αὐτὸν μετὰ ἀφροῦ καὶ μόλις ἀποχωρεῖ
ἀπ᾽ αὐτοῦ συντρῖβον αὐτόν· καὶ ἐδεήθην τῶν μαθητῶν 40
σου ἵνα ἐκβάλωσιν αὐτό, καὶ οὐκ ἠδυνήθησαν. ἀπο- 41
κριθεὶς δὲ ὁ Ἰησοῦς εἶπεν Ὦ γενεὰ ἄπιστος καὶ διε-
στραμμένη, ἕως πότε ἔσομαι πρὸς ὑμᾶς καὶ ἀνέξομαι
ὑμῶν; προσάγαγε ὧδε τὸν υἱόν σου. ἔτι δὲ προσερχο- 42
μένου αὐτοῦ ἔρρηξεν αὐτὸν τὸ δαιμόνιον καὶ συνεσπάρα-
ξεν· ἐπετίμησεν δὲ ὁ Ἰησοῦς τῷ πνεύματι τῷ ἀκαθάρτῳ,
καὶ ἰάσατο τὸν παῖδα καὶ ἀπέδωκεν αὐτὸν τῷ πατρὶ
αὐτοῦ. ἐξεπλήσσοντο δὲ πάντες ἐπὶ τῇ μεγαλειότητι τοῦ 43
θεοῦ.

Πάντων δὲ θαυμαζόντων ἐπὶ πᾶσιν οἷς ἐποίει εἶπεν
πρὸς τοὺς μαθητὰς αὐτοῦ Θέσθε ὑμεῖς εἰς τὰ ὦτα ὑμῶν 44
τοὺς λόγους τούτους, ὁ γὰρ υἱὸς τοῦ ἀνθρώπου μέλλει
παραδίδοσθαι εἰς χεῖρας ἀνθρώπων. οἱ δὲ ἠγνόουν τὸ 45
ῥῆμα τοῦτο, καὶ ἦν παρακεκαλυμμένον ἀπ᾽ αὐτῶν ἵνα μὴ
αἴσθωνται αὐτό, καὶ ἐφοβοῦντο ἐρωτῆσαι αὐτὸν περὶ τοῦ
ῥήματος τούτου. Εἰσῆλθεν δὲ διαλογισμὸς ἐν 46
αὐτοῖς, τὸ τίς ἂν εἴη μείζων αὐτῶν. ὁ δὲ Ἰησοῦς ⌜εἰδὼς⌝ 47
τὸν διαλογισμὸν τῆς καρδίας αὐτῶν ἐπιλαβόμενος παι-
δίον ἔστησεν αὐτὸ παρ᾽ ἑαυτῷ, καὶ εἶπεν αὐτοῖς Ὃς ἂν 48
δέξηται τοῦτο τὸ παιδίον ἐπὶ τῷ ὀνόματί μου ἐμὲ δέχε-
ται, καὶ ὃς ἂν ἐμὲ δέξηται δέχεται τὸν ἀποστείλαντά με·
ὁ γὰρ μικρότερος ἐν πᾶσιν ὑμῖν ὑπάρχων οὗτός ἐστιν
μέγας. Ἀποκριθεὶς δὲ Ἰωάνης εἶπεν Ἐπι- 49
στάτα, εἴδαμέν τινα ἐν τῷ ὀνόματί σου ἐκβάλλοντα δαι-
μόνια, καὶ ἐκωλύομεν αὐτὸν ὅτι οὐκ ἀκολουθεῖ μεθ᾽ ἡμῶν.

47 ἰδὼν

50 εἶπεν δὲ πρὸς αὐτὸν Ἰησοῦς   Μὴ κωλύετε, ὃς γὰρ οὐκ ἔ-
στιν καθ᾽ ὑμῶν ὑπὲρ ὑμῶν ἐστίν.

51   Ἐγένετο δὲ ἐν τῷ συμπληροῦσθαι τὰς ἡμέρας τῆς ἀνα-
λήμψεως αὐτοῦ καὶ αὐτὸς τὸ πρόσωπον ἐστήρισεν τοῦ
52 πορεύεσθαι εἰς Ἰερουσαλήμ, καὶ ἀπέστειλεν ἀγγέλους πρὸ
προσώπου αὐτοῦ.   Καὶ πορευθέντες εἰσῆλθον εἰς κώμην
53 Σαμαρειτῶν, ὡς ἑτοιμάσαι αὐτῷ· καὶ οὐκ ἐδέξαντο αὐτόν,
ὅτι τὸ πρόσωπον αὐτοῦ ἦν πορευόμενον εἰς Ἰερουσαλήμ.
54 ἰδόντες δὲ οἱ μαθηταὶ Ἰάκωβος καὶ Ἰωάνης εἶπαν Κύριε,
θέλεις εἴπωμεν πῦρ καταβῆναι ἀπὸ τοῦ οὐρανοῦ καὶ
55 ἀναλῶσαι αὐτούς; στραφεὶς δὲ ἐπετίμησεν αὐτοῖς. καὶ
56 ἐπορεύθησαν εἰς ἑτέραν κώμην.

57   Καὶ πορευομένων αὐτῶν ἐν τῇ ὁδῷ εἶπέν τις πρὸς
58 αὐτόν Ἀκολουθήσω σοι ὅπου ἐὰν ἀπέρχῃ. καὶ εἶπεν
αὐτῷ [ὁ] Ἰησοῦς Αἱ ἀλώπεκες φωλεοὺς ἔχουσιν καὶ τὰ
πετεινὰ τοῦ οὐρανοῦ κατασκηνώσεις, ὁ δὲ υἱὸς τοῦ ἀνθρώ-
59 που οὐκ ἔχει ποῦ τὴν κεφαλὴν κλίνῃ. Εἶπεν δὲ πρὸς
ἕτερον Ἀκολούθει μοι. ὁ δὲ εἶπεν ⌜Ἐπίτρεψόν⌝ μοι πρῶ-
60 τον ἀπελθόντι θάψαι τὸν πατέρα μου. εἶπεν δὲ αὐτῷ
Ἄφες τοὺς νεκροὺς θάψαι τοὺς ἑαυτῶν νεκρούς, σὺ δὲ ἀπελ-
61 θὼν διάγγελλε τὴν βασιλείαν τοῦ θεοῦ. εἶπεν δὲ καὶ ἕτε-
ρος Ἀκολουθήσω σοι, κύριε· πρῶτον δὲ ἐπίτρεψόν μοι ἀπο-
62 τάξασθαι τοῖς εἰς τὸν οἶκόν μου. εἶπεν δὲ [πρὸς αὐτὸν]
ὁ Ἰησοῦς Οὐδεὶς ἐπιβαλὼν τὴν χεῖρα ἐπ᾽ ἄροτρον καὶ
βλέπων εἰς τὰ ὀπίσω εὔθετός ἐστιν τῇ βασιλείᾳ τοῦ θεοῦ.

1   Μετὰ δὲ ταῦτα ἀνέδειξεν ὁ κύριος ἑτέρους ἑβδομήκοντα
[δύο] καὶ ἀπέστειλεν αὐτοὺς ἀνὰ δύο [δύο] πρὸ προσώπου
αὐτοῦ εἰς πᾶσαν πόλιν καὶ τόπον οὗ ἤμελλεν αὐτὸς ἔρχε-
2 σθαι. ἔλεγεν δὲ πρὸς αὐτούς Ὁ μὲν θερισμὸς πολύς, οἱ
δὲ ἐργάται ὀλίγοι· δεήθητε οὖν τοῦ κυρίου τοῦ θερισμοῦ

59 Κύριε, ἐπίτρεψόν

ὅπως ἐργάτας ἐκβάλῃ εἰς τὸν θερισμὸν αὐτοῦ. ὑπάγετε· 3
ἰδοὺ ἀποστέλλω ὑμᾶς ὡς ἄρνας ἐν μέσῳ λύκων. μὴ βα- 4
στάζετε βαλλάντιον, μὴ πήραν, μὴ ὑποδήματα, καὶ μηδέ-
να κατὰ τὴν ὁδὸν ἀσπάσησθε. εἰς ἣν δ᾽ ἂν εἰσέλθητε 5
οἰκίαν πρῶτον λέγετε Εἰρήνη τῷ οἴκῳ τούτῳ. καὶ ἐὰν 6
⌜ἐκεῖ ᾖ⌝ υἱὸς εἰρήνης, ἐπαναπαήσεται ἐπ᾽ αὐτὸν ἡ εἰρή-
νη ὑμῶν· εἰ δὲ μήγε, ἐφ᾽ ὑμᾶς ἀνακάμψει. ἐν αὐτῇ δὲ 7
τῇ οἰκίᾳ μένετε, ἔσθοντες καὶ πίνοντες τὰ παρ᾽ αὐτῶν,
ἄξιος γὰρ ὁ ἐργάτης τοῦ μισθοῦ αὐτοῦ. μὴ μεταβαίνετε ἐξ
οἰκίας εἰς οἰκίαν. καὶ εἰς ἣν ἂν πόλιν εἰσέρχησθε καὶ 8
δέχωνται ὑμᾶς, ἐσθίετε τὰ παρατιθέμενα ὑμῖν, καὶ θερα- 9
πεύετε τοὺς ἐν αὐτῇ ἀσθενεῖς, καὶ λέγετε αὐτοῖς Ἤγγικεν
ἐφ᾽ ὑμᾶς ἡ βασιλεία τοῦ θεοῦ. εἰς ἣν δ᾽ ἂν πόλιν εἰσέλ- 10
θητε καὶ μὴ δέχωνται ὑμᾶς, ἐξελθόντες εἰς τὰς πλατείας
αὐτῆς εἴπατε Καὶ τὸν κονιορτὸν τὸν κολληθέντα ἡμῖν 11
ἐκ τῆς πόλεως ὑμῶν εἰς τοὺς πόδας ἀπομασσόμεθα ὑμῖν·
πλὴν τοῦτο γινώσκετε ὅτι ἤγγικεν ἡ βασιλεία τοῦ θεοῦ.
λέγω ὑμῖν ὅτι Σοδόμοις ἐν τῇ ἡμέρᾳ ἐκείνῃ ἀνεκτότερον 12
ἔσται ἢ τῇ πόλει ἐκείνῃ. Οὐαί σοι, Χοραζείν· οὐαί σοι, 13
Βηθσαιδά· ὅτι εἰ ἐν Τύρῳ καὶ Σιδῶνι ἐγενήθησαν αἱ
δυνάμεις αἱ γενόμεναι ἐν ὑμῖν, πάλαι ἂν ἐν σάκκῳ καὶ
σποδῷ καθήμενοι μετενόησαν. πλὴν Τύρῳ καὶ Σιδῶνι 14
ἀνεκτότερον ἔσται ἐν τῇ κρίσει ἢ ὑμῖν. Καὶ σύ, Καφαρ- 15
ναούμ, μὴ ἕως οὐρανοῦ ὑψωθήσῃ; ἕως τοῦ ᾅδου
⌜καταβήσῃ⌝. Ὁ ἀκούων ὑμῶν ἐμοῦ ἀκούει, καὶ ὁ ἀθε- 16
τῶν ὑμᾶς ἐμὲ ἀθετεῖ· ὁ δὲ ἐμὲ ἀθετῶν ἀθετεῖ τὸν ἀπο-
στείλαντά με.   Ὑπέστρεψαν δὲ οἱ ἑβδομήκον- 17
τα [δύο] μετὰ χαρᾶς λέγοντες Κύριε, καὶ τὰ δαιμόνια
ὑποτάσσεται ἡμῖν ἐν τῷ ὀνόματί σου. εἶπεν δὲ αὐ- 18
τοῖς Ἐθεώρουν τὸν Σατανᾶν ⌜ὡς ἀστραπὴν ἐκ τοῦ οὐ-
ρανοῦ⌝ πεσόντα. ἰδοὺ δέδωκα ὑμῖν τὴν ἐξουσίαν τοῦ 19
πατεῖν ἐπάνω ὄφεων καὶ σκορπίων, καὶ ἐπὶ πᾶσαν τὴν
δύναμιν τοῦ ἐχθροῦ, καὶ οὐδὲν ὑμᾶς οὐ μὴ ⌜ἀδικήσει⌝.

6 ἢ ἐκεῖ   15 καταβιβασθήσῃ   18 ἐκ τοῦ οὐρανοῦ ὡς ἀστραπὴν

20 πλὴν ἐν τούτῳ μὴ χαίρετε ὅτι τὰ πνεύματα ὑμῖν ὑποτάσ-
σεται, χαίρετε δὲ ὅτι τὰ ὀνόματα ὑμῶν ἐνγέγραπται ἐν
21 τοῖς οὐρανοῖς.   Ἐν αὐτῇ τῇ ὥρᾳ ἠγαλλιάσατο
τῷ πνεύματι τῷ ἁγίῳ καὶ εἶπεν Ἐξομολογοῦμαί σοι,
πάτερ κύριε τοῦ οὐρανοῦ καὶ τῆς γῆς, ὅτι ἀπέκρυψας
ταῦτα ἀπὸ σοφῶν καὶ συνετῶν, καὶ ἀπεκάλυψας αὐτὰ νη-
πίοις· ναί, ὁ πατήρ, ὅτι οὕτως εὐδοκία ἐγένετο ἔμπροσθέν
22 σου.   Πάντα μοι παρεδόθη ὑπὸ τοῦ πατρός μου, καὶ
οὐδεὶς γινώσκει τίς ἐστιν ὁ υἱὸς εἰ μὴ ὁ πατήρ, καὶ τίς
ἐστιν ὁ πατὴρ εἰ μὴ ὁ υἱὸς καὶ ᾧ ἂν βούληται ὁ υἱὸς
23 ἀποκαλύψαι. Καὶ στραφεὶς πρὸς τοὺς μαθητὰς κατ᾽ ἰδίαν
εἶπεν Μακάριοι οἱ ὀφθαλμοὶ οἱ βλέποντες ἃ βλέπετε.
24 λέγω γὰρ ὑμῖν ὅτι πολλοὶ προφῆται καὶ βασιλεῖς ἠθέ-
λησαν ἰδεῖν ἃ ὑμεῖς βλέπετε καὶ οὐκ εἶδαν, καὶ ἀκοῦσαι ἃ
ἀκούετε καὶ οὐκ ἤκουσαν.

25   Καὶ ἰδοὺ νομικός τις ἀνέστη ἐκπειράζων αὐτὸν λέ-
γων Διδάσκαλε, τί ποιήσας ζωὴν αἰώνιον κληρονομήσω;
26 ὁ δὲ εἶπεν πρὸς αὐτόν Ἐν τῷ νόμῳ τί γέγραπται; πῶς
27 ἀναγινώσκεις; ὁ δὲ ἀποκριθεὶς εἶπεν ἈΓΑΠΗϹΕΙϹ ΚΎΡΙΟΝ
ΤΟΝ ⌐ΘΕΌΝ ϹΟΥ⌐ ἐΖ ὍΛΗϹ ⊤ ΚΑΡΔΊΑϹ ϹΟΥ ΚΑΙ ἐΝ ὍΛΗ Τῆ
ΨΥΧῆ ϹΟΥ ΚΑΙ ἐΝ ὍΛΗ Τῆ ἸϹΧΎΙ ϹΟΥ ΚΑΙ ἐΝ ὍΛΗ Τῆ ΔΙΑ-
28 ΝΟΊᾳ ϹΟΥ, ΚΑΙ ΤΟΝ ΠΛΗϹΊΟΝ ϹΟΥ ὩϹ ϹΕΑΥΤΌΝ. εἶπεν δὲ
29 αὐτῷ Ὀρθῶς ἀπεκρίθης· ΤΟῦΤΟ ΠΟΊΕΙ ΚΑΙ ΖΉϹῌ. Ὁ δὲ
θέλων δικαιῶσαι ἑαυτὸν εἶπεν πρὸς τὸν Ἰησοῦν Καὶ τίς
30 ἐστίν μου πλησίον; ὑπολαβὼν ὁ Ἰησοῦς εἶπεν Ἄνθρω-
πός τις κατέβαινεν ἀπὸ Ἰερουσαλὴμ εἰς Ἰερειχὼ καὶ λῃ-
σταῖς περιέπεσεν, οἳ καὶ ἐκδύσαντες αὐτὸν καὶ πληγὰς
31 ἐπιθέντες ἀπῆλθον ἀφέντες ἡμιθανῆ. κατὰ συγκυρίαν δὲ
ἱερεύς τις κατέβαινεν [ἐν] τῇ ὁδῷ ἐκείνῃ, καὶ ἰδὼν αὐτὸν
32 ἀντιπαρῆλθεν· ὁμοίως δὲ καὶ Λευείτης κατὰ τὸν τόπον
33 ἐλθὼν καὶ ἰδὼν ἀντιπαρῆλθεν. Σαμαρείτης δέ τις ὁδεύων
34 ἦλθεν κατ᾽ αὐτὸν καὶ ἰδὼν ἐσπλαγχνίσθη, καὶ προσελθὼν
κατέδησεν τὰ τραύματα αὐτοῦ ἐπιχέων ἔλαιον καὶ οἶνον,

19 ἀδικήσῃ   27 θεὸν τῆς

L 2

ἐπιβιβάσας δὲ αὐτὸν ἐπὶ τὸ ἴδιον κτῆνος ἤγαγεν αὐτὸν εἰς
πανδοχεῖον καὶ ἐπεμελήθη αὐτοῦ. καὶ ἐπὶ τὴν αὔριον ἐκ- 35
βαλὼν ⸂δύο δηνάρια ἔδωκεν⸃ τῷ πανδοχεῖ καὶ εἶπεν Ἐπι-
μελήθητι αὐτοῦ, καὶ ὅτι ἂν προσδαπανήσῃς ἐγὼ ἐν τῷ
ἐπανέρχεσθαί με ἀποδώσω σοι. τίς τούτων τῶν τριῶν 36
πλησίον δοκεῖ σοι γεγονέναι τοῦ ἐμπεσόντος εἰς τοὺς λῃ-
στάς; ὁ δὲ εἶπεν Ὁ ποιήσας τὸ ἔλεος μετ᾽ αὐτοῦ. εἶπεν 37
δὲ αὐτῷ [ὁ] Ἰησοῦς Πορεύου καὶ σὺ ποίει ὁμοίως.

Ἐν δὲ τῷ πορεύεσθαι αὐτοὺς αὐτὸς εἰσῆλθεν εἰς κώμην 38
τινά· γυνὴ δέ τις ὀνόματι Μάρθα ὑπεδέξατο αὐτὸν ⸂εἰς τὴν
οἰκίαν⸃. καὶ τῇδε ἦν ἀδελφὴ καλουμένη Μαριάμ, [ἣ] καὶ 39
παρακαθεσθεῖσα πρὸς τοὺς πόδας τοῦ κυρίου ἤκουεν τὸν λό-
γον αὐτοῦ. ἡ δὲ Μάρθα περιεσπᾶτο περὶ πολλὴν διακονί- 40
αν· ἐπιστᾶσα δὲ εἶπεν Κύριε, οὐ μέλει σοι ὅτι ἡ ἀδελφή
μου μόνην με κατέλειπεν διακονεῖν; εἰπὸν οὖν αὐτῇ ἵνα
μοι συναντιλάβηται. ἀποκριθεὶς δὲ εἶπεν αὐτῇ ὁ κύριος 41
Μάρθα Μάρθα, ⸂μεριμνᾷς καὶ θορυβάζῃ περὶ πολλά, ὀλί-
γων δέ ἐστιν χρεία ἢ ἑνός· Μαριὰμ γὰρ⸃ τὴν ἀγαθὴν 42
μερίδα ἐξελέξατο ἥτις οὐκ ἀφαιρεθήσεται αὐτῆς.

Καὶ ἐγένετο ἐν τῷ εἶναι αὐτὸν ἐν τόπῳ τινὶ προσευχό- 1
μενον, ὡς ἐπαύσατο, εἶπέν τις τῶν μαθητῶν αὐτοῦ πρὸς
αὐτόν Κύριε, δίδαξον ἡμᾶς προσεύχεσθαι, καθὼς καὶ
Ἰωάνης ἐδίδαξεν τοὺς μαθητὰς αὐτοῦ. εἶπεν δὲ αὐτοῖς 2
Ὅταν προσεύχησθε, λέγετε Πάτερ, ἁγιασθήτω τὸ ὄνομά
σου· ἐλθάτω ἡ βασιλεία σου· τὸν ἄρτον ἡμῶν τὸν ἐπιού- 3
σιον δίδου ἡμῖν τὸ καθ᾽ ἡμέραν· καὶ ἄφες ἡμῖν τὰς ἁμαρ- 4
τίας ἡμῶν, καὶ γὰρ αὐτοὶ ἀφίομεν παντὶ ὀφείλοντι ἡμῖν·
καὶ μὴ εἰσενέγκῃς ἡμᾶς εἰς πειρασμόν.   Καὶ 5
εἶπεν πρὸς αὐτούς Τίς ἐξ ὑμῶν ἕξει φίλον καὶ πορεύσε-
ται πρὸς αὐτὸν μεσονυκτίου καὶ εἴπῃ αὐτῷ Φίλε, χρῆσόν
μοι τρεῖς ἄρτους, ἐπειδὴ φίλος μου παρεγένετο ἐξ ὁδοῦ 6
πρός με καὶ οὐκ ἔχω ὃ παραθήσω αὐτῷ· κἀκεῖνος ἔσωθεν 7

35 ἔδωκεν δύο δηνάρια   38 [εἰς τὸν οἶκον αὐτῆς]   41 θορυβάζῃ· Μαριὰμ

ἀποκριθεὶς εἴπῃ Μή μοι κόπους πάρεχε· ἤδη ἡ θύρα
κέκλεισται, καὶ τὰ παιδία μου μετ' ἐμοῦ εἰς τὴν κοίτην
8 εἰσίν· οὐ δύναμαι ἀναστὰς δοῦναί σοι. λέγω ὑμῖν, εἰ καὶ
οὐ δώσει αὐτῷ ἀναστὰς διὰ τὸ εἶναι φίλον αὐτοῦ, διά γε
τὴν ἀναιδίαν αὐτοῦ ἐγερθεὶς δώσει αὐτῷ ὅσων χρή-
9 ζει. Κἀγὼ ὑμῖν λέγω, αἰτεῖτε, καὶ δοθήσεται ὑμῖν· ζητεῖ-
10 τε, καὶ εὑρήσετε· κρούετε, καὶ ἀνοιγήσεται ὑμῖν. πᾶς γὰρ
ὁ αἰτῶν λαμβάνει, καὶ ὁ ζητῶν εὑρίσκει, καὶ τῷ κρούοντι
11 ⌜ἀνοιγήσεται⌝. τίνα δὲ ἐξ ὑμῶν ⌜τὸν πατέρα αἰτήσει⌝ ὁ
12 υἱὸς ⊤ ἰχθύν, μὴ ἀντὶ ἰχθύος ὄφιν αὐτῷ ἐπιδώσει; ἢ καὶ
13 αἰτήσει ᾠόν, ἐπιδώσει αὐτῷ σκορπίον; εἰ οὖν ὑμεῖς πονη-
ροὶ ὑπάρχοντες οἴδατε δόματα ἀγαθὰ διδόναι τοῖς τέκνοις
ὑμῶν, πόσῳ μᾶλλον ὁ πατὴρ [ὁ] ἐξ οὐρανοῦ δώσει πνεῦμα
ἅγιον τοῖς αἰτοῦσιν αὐτόν.

14 Καὶ ἦν ἐκβάλλων δαιμόνιον κωφόν· ἐγένετο δὲ τοῦ
δαιμονίου ἐξελθόντος ἐλάλησεν ὁ κωφός. Καὶ ἐθαύμασαν
15 οἱ ὄχλοι· τινὲς δὲ ἐξ αὐτῶν εἶπαν Ἐν Βεεζεβοὺλ τῷ
16 ἄρχοντι τῶν δαιμονίων ἐκβάλλει τὰ δαιμόνια· ἕτεροι δὲ
17 πειράζοντες σημεῖον ἐξ οὐρανοῦ ἐζήτουν παρ' αὐτοῦ. αὐ-
τὸς δὲ εἰδὼς αὐτῶν τὰ διανοήματα εἶπεν αὐτοῖς Πᾶσα
βασιλεία ⌜ἐφ' ἑαυτὴν διαμερισθεῖσα⌝ ἐρημοῦται, καὶ οἶκος
18 ἐπὶ οἶκον πίπτει. εἰ δὲ καὶ ὁ Σατανᾶς ἐφ' ἑαυτὸν διεμερί-
σθη, πῶς σταθήσεται ἡ βασιλεία αὐτοῦ; ὅτι λέγετε ἐν
19 Βεεζεβοὺλ ἐκβάλλειν με τὰ δαιμόνια. εἰ δὲ ἐγὼ ἐν Βεεζε-
βοὺλ ἐκβάλλω τὰ δαιμόνια, οἱ υἱοὶ ὑμῶν ἐν τίνι ἐκβάλ-
20 λουσιν; διὰ τοῦτο αὐτοὶ ⌜ὑμῶν κριταὶ⌝ ἔσονται. εἰ δὲ ἐν
δακτύλῳ θεοῦ [ἐγὼ] ἐκβάλλω τὰ δαιμόνια, ἄρα ἔφθασεν
21 ἐφ' ὑμᾶς ἡ βασιλεία τοῦ θεοῦ. ὅταν ὁ ἰσχυρὸς καθωπλι-
σμένος φυλάσσῃ τὴν ἑαυτοῦ αὐλήν, ἐν εἰρήνῃ ἐστὶν τὰ
22 ὑπάρχοντα αὐτοῦ· ἐπὰν δὲ ἰσχυρότερος αὐτοῦ ἐπελθὼν
νικήσῃ αὐτόν, τὴν πανοπλίαν αὐτοῦ αἴρει ἐφ' ᾗ ἐπεποίθει,
23 καὶ τὰ σκῦλα αὐτοῦ διαδίδωσιν. ὁ μὴ ὢν μετ' ἐμοῦ

10 ἀνοίγεται   11 αἰτήσει τὸν πατέρα | ἄρτον, μὴ λίθον ἐπιδώσει αὐτῷ; ἢ [καὶ]
17 διαμερισθεῖσα ἐφ' ἑαυτὴν   19 κριταὶ ὑμῶν

κατ᾽ ἐμοῦ ἐστίν, καὶ ὁ μὴ συνάγων μετ᾽ ἐμοῦ σκορπί-
ζει. Ὅταν τὸ ἀκάθαρτον πνεῦμα ἐξέλθῃ ἀπὸ τοῦ ἀν- 24
θρώπου, διέρχεται δι᾽ ἀνύδρων τόπων ζητοῦν ⌐ἀνάπαυσιν,
καὶ μὴ εὑρίσκον [τότε]⌐ λέγει Ὑποστρέψω εἰς τὸν οἶκόν
μου ὅθεν ἐξῆλθον· καὶ ἐλθὸν εὑρίσκει [σχολάζοντα,] σεσα- 25
ρωμένον καὶ κεκοσμημένον. τότε πορεύεται καὶ παραλαμ- 26
βάνει ἕτερα πνεύματα πονηρότερα ἑαυτοῦ ἑπτά, καὶ εἰσελ-
θόντα κατοικεῖ ἐκεῖ, καὶ γίνεται τὰ ἔσχατα τοῦ ἀνθρώπου
ἐκείνου χείρονα τῶν πρώτων.   Ἐγένετο δὲ ἐν τῷ 27
λέγειν αὐτὸν ταῦτα ἐπάρασά τις φωνὴν γυνὴ ἐκ τοῦ ὄχλου
εἶπεν αὐτῷ Μακαρία ἡ κοιλία ἡ βαστάσασά σε καὶ
μαστοὶ οὓς ἐθήλασας· αὐτὸς δὲ εἶπεν Μενοῦν μακάριοι 28
οἱ ἀκούοντες τὸν λόγον τοῦ θεοῦ καὶ φυλάσσοντες.

Τῶν δὲ ὄχλων ἐπαθροιζομένων ἤρξατο λέγειν Ἡ 29
γενεὰ αὕτη γενεὰ πονηρά ἐστιν· σημεῖον ζητεῖ, καὶ σημεῖ-
ον οὐ δοθήσεται αὐτῇ εἰ μὴ τὸ σημεῖον Ἰωνᾶ. καθὼς γὰρ 30
ἐγένετο [ὁ] Ἰωνᾶς τοῖς Νινευείταις σημεῖον, οὕτως ἔσται
καὶ ὁ υἱὸς τοῦ ἀνθρώπου τῇ γενεᾷ ταύτῃ. βασίλισσα 31
νότου ἐγερθήσεται ἐν τῇ κρίσει μετὰ τῶν ἀνδρῶν τῆς
γενεᾶς ταύτης καὶ κατακρινεῖ αὐτούς· ὅτι ἦλθεν ἐκ τῶν
περάτων τῆς γῆς ἀκοῦσαι τὴν σοφίαν Σολομῶνος, καὶ ἰδοὺ
πλεῖον Σολομῶνος ὧδε. ἄνδρες Νινευεῖται ἀναστήσονται 32
ἐν τῇ κρίσει μετὰ τῆς γενεᾶς ταύτης καὶ κατακρινοῦσιν
αὐτήν· ὅτι μετενόησαν εἰς τὸ κήρυγμα Ἰωνᾶ, καὶ ἰδοὺ
πλεῖον Ἰωνᾶ ὧδε. Οὐδεὶς λύχνον ἅψας εἰς κρύπτην τίθη- 33
σιν οὐδὲ ὑπὸ τὸν μόδιον ἀλλ᾽ ἐπὶ τὴν λυχνίαν, ἵνα οἱ
εἰσπορευόμενοι τὸ φῶς βλέπωσιν. Ὁ λύχνος τοῦ σώμα- 34
τός ἐστιν ὁ ὀφθαλμός σου. ὅταν ὁ ὀφθαλμός σου ἁπλοῦς
ᾖ, καὶ ὅλον τὸ σῶμά σου φωτινόν ἐστιν· ἐπὰν δὲ πονηρὸς
ᾖ, καὶ τὸ σῶμά σου σκοτινόν. ⌐σκόπει οὖν μὴ τὸ φῶς τὸ 35
ἐν σοὶ σκότος ἐστίν. εἰ οὖν τὸ σῶμά σου ὅλον φωτινόν, 36
μὴ ἔχον ⌐μέρος τι⌐ σκοτινόν, ἔσται φωτινὸν ὅλον ὡς ὅταν
ὁ λύχνος⌐ τῇ ἀστραπῇ φωτίζῃ σε.⌐

24 ἀνάπαυσιν καὶ μὴ εὑρίσκον. τότε   35,36 †...†   36 [τι] μέρος | ἐν

37 Ἐν δὲ τῷ λαλῆσαι ἐρωτᾷ αὐτὸν Φαρισαῖος ὅπως ἀρι-
38 στήσῃ παρ' αὐτῷ· εἰσελθὼν δὲ ἀνέπεσεν. ὁ δὲ Φαρισαῖος
ἰδὼν ἐθαύμασεν ὅτι οὐ πρῶτον ἐβαπτίσθη πρὸ τοῦ ἀρί-
39 στου. εἶπεν δὲ ὁ κύριος πρὸς αὐτόν Νῦν ὑμεῖς οἱ Φαρι-
σαῖοι τὸ ἔξωθεν τοῦ ποτηρίου καὶ τοῦ πίνακος καθαρίζετε,
40 τὸ δὲ ἔσωθεν ὑμῶν γέμει ἁρπαγῆς καὶ πονηρίας. ἄφρονες,
41 οὐχ ὁ ποιήσας τὸ ἔξωθεν καὶ τὸ ἔσωθεν ἐποίησεν; πλὴν
τὰ ἐνόντα δότε ἐλεημοσύνην, καὶ ἰδοὺ πάντα καθαρὰ ὑμῖν
42 ἐστίν. ἀλλὰ οὐαὶ ὑμῖν τοῖς Φαρισαίοις, ὅτι ἀποδεκατοῦτε
τὸ ἡδύοσμον καὶ τὸ πήγανον καὶ πᾶν λάχανον, καὶ παρέρ-
χεσθε τὴν κρίσιν καὶ τὴν ἀγάπην τοῦ θεοῦ· ταῦτα δὲ ἔδει
43 ποιῆσαι κἀκεῖνα μὴ παρεῖναι. οὐαὶ ὑμῖν τοῖς Φαρισαίοις,
ὅτι ἀγαπᾶτε τὴν πρωτοκαθεδρίαν ἐν ταῖς συναγωγαῖς καὶ
44 τοὺς ἀσπασμοὺς ἐν ταῖς ἀγοραῖς. οὐαὶ ὑμῖν, ὅτι ἐστὲ ὡς
τὰ μνημεῖα τὰ ἄδηλα, καὶ οἱ ἄνθρωποι οἱ περιπατοῦντες
45 ἐπάνω οὐκ οἴδασιν. Ἀποκριθεὶς δέ τις τῶν νομικῶν λέγει
46 αὐτῷ Διδάσκαλε, ταῦτα λέγων καὶ ἡμᾶς ὑβρίζεις. ὁ δὲ
εἶπεν Καὶ ὑμῖν τοῖς νομικοῖς οὐαί, ὅτι φορτίζετε τοὺς
ἀνθρώπους φορτία δυσβάστακτα, καὶ αὐτοὶ ἑνὶ τῶν δακτύ-
47 λων ὑμῶν οὐ προσψαύετε τοῖς φορτίοις. οὐαὶ ὑμῖν, ὅτι
οἰκοδομεῖτε τὰ μνημεῖα τῶν προφητῶν οἱ δὲ πατέρες ὑμῶν
48 ἀπέκτειναν αὐτούς. ἄρα μάρτυρές ἐστε καὶ συνευδοκεῖτε
τοῖς ἔργοις τῶν πατέρων ὑμῶν, ὅτι αὐτοὶ μὲν ἀπέκτειναν
49 αὐτοὺς ὑμεῖς δὲ οἰκοδομεῖτε. διὰ τοῦτο καὶ ἡ σοφία τοῦ
θεοῦ εἶπεν Ἀποστελῶ εἰς αὐτοὺς προφήτας καὶ ἀποστό-
50 λους, καὶ ἐξ αὐτῶν ἀποκτενοῦσιν καὶ διώξουσιν, ἵνα ἐκζη-
τηθῇ τὸ αἷμα πάντων τῶν προφητῶν τὸ ⌜ἐκκεχυμένον⌝ ἀπὸ
51 καταβολῆς κόσμου ἀπὸ τῆς γενεᾶς ταύτης, ἀπὸ αἵματος
Ἅβελ ἕως αἵματος Ζαχαρίου τοῦ ἀπολομένου μεταξὺ τοῦ
θυσιαστηρίου καὶ τοῦ οἴκου· ναί, λέγω ὑμῖν, ἐκζητηθήσεται
52 ἀπὸ τῆς γενεᾶς ταύτης. οὐαὶ ὑμῖν τοῖς νομικοῖς, ὅτι
ἤρατε τὴν κλεῖδα τῆς γνώσεως· αὐτοὶ οὐκ εἰσήλθατε
53 καὶ τοὺς εἰσερχομένους ἐκωλύσατε.   Κἀκεῖθεν

50 ἐκχυννόμενον

ἐξελθόντος αὐτοῦ ἤρξαντο οἱ γραμματεῖς καὶ οἱ Φαρισαῖοι
δεινῶς ἐνέχειν καὶ ἀποστοματίζειν αὐτὸν περὶ πλειόνων,
ἐνεδρεύοντες αὐτὸν θηρεῦσαί τι ἐκ τοῦ στόματος αὐτοῦ.

54

Ἐν οἷς ἐπισυναχθεισῶν τῶν μυριάδων τοῦ ὄχλου, ὥστε 1
καταπατεῖν ἀλλήλους, ἤρξατο λέγειν πρὸς τοὺς μαθητὰς
αὐτοῦ πρῶτον Προσέχετε ἑαυτοῖς ἀπὸ τῆς ζύμης, ἥτις
ἐστὶν ὑπόκρισις, τῶν Φαρισαίων. Οὐδὲν δὲ συγκεκαλυμ- 2
μένον ἐστὶν ὃ οὐκ ἀποκαλυφθήσεται, καὶ κρυπτὸν ὃ οὐ
γνωσθήσεται. ἀνθ᾽ ὧν ὅσα ἐν τῇ σκοτίᾳ εἴπατε ἐν τῷ 3
φωτὶ ἀκουσθήσεται, καὶ ὃ πρὸς τὸ οὖς ἐλαλήσατε ἐν τοῖς
ταμείοις κηρυχθήσεται ἐπὶ τῶν δωμάτων. Λέγω δὲ ὑμῖν 4
τοῖς φίλοις μου, μὴ φοβηθῆτε ἀπὸ τῶν ἀποκτεινόντων τὸ
σῶμα καὶ μετὰ ταῦτα μὴ ἐχόντων περισσότερόν τι ποιῆ-
σαι. ὑποδείξω δὲ ὑμῖν τίνα φοβηθῆτε· φοβήθητε τὸν 5
μετὰ τὸ ἀποκτεῖναι ἔχοντα ἐξουσίαν ἐμβαλεῖν εἰς τὴν
γέενναν· ναί, λέγω ὑμῖν, τοῦτον φοβήθητε. οὐχὶ πέντε 6
στρουθία πωλοῦνται ἀσσαρίων δύο; καὶ ἓν ἐξ αὐτῶν
οὐκ ἔστιν ἐπιλελησμένον ἐνώπιον τοῦ θεοῦ. ἀλλὰ καὶ αἱ 7
τρίχες τῆς κεφαλῆς ὑμῶν πᾶσαι ἠρίθμηνται· μὴ φοβεῖ-
σθε· πολλῶν στρουθίων διαφέρετε. Λέγω δὲ ὑμῖν, πᾶς 8
ὃς ἂν ὁμολογήσει ἐν ἐμοὶ ἔμπροσθεν τῶν ἀνθρώπων, καὶ ὁ
υἱὸς τοῦ ἀνθρώπου ὁμολογήσει ἐν αὐτῷ ἔμπροσθεν τῶν
ἀγγέλων τοῦ θεοῦ· ὁ δὲ ἀρνησάμενός με ἐνώπιον τῶν 9
ἀνθρώπων ἀπαρνηθήσεται ἐνώπιον τῶν ἀγγέλων τοῦ
θεοῦ. Καὶ πᾶς ὃς ἐρεῖ λόγον εἰς τὸν υἱὸν τοῦ ἀνθρώπου, 10
ἀφεθήσεται αὐτῷ· τῷ δὲ εἰς τὸ ἅγιον πνεῦμα βλασφημή-
σαντι οὐκ ἀφεθήσεται. Ὅταν δὲ εἰσφέρωσιν ὑμᾶς ἐπὶ 11
τὰς συναγωγὰς καὶ τὰς ἀρχὰς καὶ τὰς ἐξουσίας, μὴ μερι-
μνήσητε πῶς [ἢ τί] ἀπολογήσησθε ἢ τί εἴπητε· τὸ 12
γὰρ ἅγιον πνεῦμα διδάξει ὑμᾶς ἐν αὐτῇ τῇ ὥρᾳ ἃ δεῖ εἰ-
πεῖν. Εἶπεν δέ τις ἐκ τοῦ ὄχλου αὐτῷ Διδά- 13
σκαλε, εἰπὲ τῷ ἀδελφῷ μου μερίσασθαι μετ᾽ ἐμοῦ τὴν
κληρονομίαν. ὁ δὲ εἶπεν αὐτῷ Ἄνθρωπε, τίς με κατέ- 14

22 ὑμῖν λέγω   24 οὔτε σπείρουσιν οὔτε

15 στησεν κριτὴν ἢ μεριστὴν ἐφ᾽ ὑμᾶς; εἶπεν δὲ πρὸς αὐ-
τοὺς Ὁρᾶτε καὶ φυλάσσεσθε ἀπὸ πάσης πλεονεξίας, ὅτι
οὐκ ἐν τῷ περισσεύειν τινὶ ἡ ζωὴ αὐτοῦ ἐστιν ἐκ τῶν
16 ὑπαρχόντων αὐτῷ. Εἶπεν δὲ παραβολὴν πρὸς αὐτοὺς
λέγων Ἀνθρώπου τινὸς πλουσίου εὐφόρησεν ἡ χώρα.
17 καὶ διελογίζετο ἐν αὐτῷ λέγων Τί ποιήσω, ὅτι οὐκ ἔχω
18 ποῦ συνάξω τοὺς καρπούς μου; καὶ εἶπεν Τοῦτο ποιήσω·
καθελῶ μου τὰς ἀποθήκας καὶ μείζονας οἰκοδομήσω, καὶ
19 συνάξω ἐκεῖ πάντα τὸν σῖτον καὶ τὰ ἀγαθά μου, καὶ
ἐρῶ τῇ ψυχῇ μου Ψυχή, ἔχεις πολλὰ ἀγαθὰ [κείμενα εἰς
20 ἔτη πολλά· ἀναπαύου, φάγε, πίε], εὐφραίνου. εἶπεν δὲ
αὐτῷ ὁ θεός Ἄφρων, ταύτῃ τῇ νυκτὶ τὴν ψυχήν σου αἰ-
21 τοῦσιν ἀπὸ σοῦ· ἃ δὲ ἡτοίμασας, τίνι ἔσται; [Οὕτως ὁ θη-
22 σαυρίζων αὐτῷ καὶ μὴ εἰς θεὸν πλουτῶν.] Εἶ-
πεν δὲ πρὸς τοὺς μαθητὰς [αὐτοῦ] Διὰ τοῦτο ⌈λέγω ὑμῖν⌉,
μὴ μεριμνᾶτε τῇ ψυχῇ τί φάγητε, μηδὲ τῷ σώματι [ὑμῶν]
23 τί ἐνδύσησθε. ἡ γὰρ ψυχὴ πλεῖόν ἐστιν τῆς τροφῆς καὶ
24 τὸ σῶμα τοῦ ἐνδύματος. κατανοήσατε τοὺς κόρακας ὅτι
⌈οὐ σπείρουσιν οὐδὲ⌉ θερίζουσιν, οἷς οὐκ ἔστιν ταμεῖον
οὐδὲ ἀποθήκη, καὶ ὁ θεὸς τρέφει αὐτούς· πόσῳ μᾶλλον
25 ὑμεῖς διαφέρετε τῶν πετεινῶν. τίς δὲ ἐξ ὑμῶν μεριμνῶν
26 δύναται ⌈ἐπὶ τὴν ἡλικίαν αὐτοῦ προσθεῖναι⌉ πῆχυν; εἰ οὖν
οὐδὲ ἐλάχιστον δύνασθε, τί περὶ τῶν λοιπῶν μεριμνᾶτε;
27 κατανοήσατε τὰ κρίνα πῶς αὐξάνει· οὐ κοπιᾷ οὐδὲ νήθει·
λέγω δὲ ὑμῖν, οὐδὲ Σολομὼν ἐν πάσῃ τῇ δόξῃ αὐτοῦ περιε-
28 βάλετο ὡς ἓν τούτων. εἰ δὲ ἐν ἀγρῷ τὸν χόρτον ὄντα
σήμερον καὶ αὔριον εἰς κλίβανον βαλλόμενον ὁ θεὸς οὕτως
29 ἀμφιάζει, πόσῳ μᾶλλον ὑμᾶς, ὀλιγόπιστοι. καὶ ὑμεῖς μὴ
30 ζητεῖτε τί φάγητε καὶ τί πίητε, καὶ μὴ μετεωρίζεσθε, ταῦ-
τα γὰρ πάντα τὰ ἔθνη τοῦ κόσμου ἐπιζητοῦσιν, ὑμῶν δὲ ὁ
31 πατὴρ οἶδεν ὅτι χρῄζετε τούτων· πλὴν ζητεῖτε τὴν βασι-
32 λείαν αὐτοῦ, καὶ ταῦτα προστεθήσεται ὑμῖν. μὴ φοβοῦ,
τὸ μικρὸν ποίμνιον, ὅτι εὐδόκησεν ὁ πατὴρ ὑμῶν δοῦναι

25 προσθεῖναι ἐπὶ τὴν ἡλικίαν αὐτοῦ

ὑμῖν τὴν βασιλείαν. Πωλήσατε τὰ ὑπάρχοντα ὑμῶν 33
καὶ δότε ἐλεημοσύνην· ποιήσατε ἑαυτοῖς βαλλάντια μὴ
παλαιούμενα, θησαυρὸν ἀνέκλειπτον ἐν τοῖς οὐρανοῖς,
ὅπου κλέπτης οὐκ ἐγγίζει οὐδὲ σὴς διαφθείρει· ὅπου γάρ 34
ἐστιν ὁ θησαυρὸς ὑμῶν, ἐκεῖ καὶ ἡ καρδία ὑμῶν ἔσται.
Ἔστωσαν ὑμῶν αἱ ὀσφύες περιεζωσμέναι καὶ οἱ λύχνοι 35
καιόμενοι, καὶ ὑμεῖς ὅμοιοι ἀνθρώποις προσδεχομένοις 36
τὸν κύριον ἑαυτῶν πότε ἀναλύσῃ ἐκ τῶν γάμων, ἵνα ἐλθόν-
τος καὶ κρούσαντος εὐθέως ἀνοίξωσιν αὐτῷ. μακάριοι οἱ 37
δοῦλοι ἐκεῖνοι, οὓς ἐλθὼν ὁ κύριος εὑρήσει γρηγοροῦντας·
ἀμὴν λέγω ὑμῖν ὅτι περιζώσεται καὶ ἀνακλινεῖ αὐτοὺς καὶ
παρελθὼν διακονήσει αὐτοῖς. κἂν ἐν τῇ δευτέρᾳ κἂν ἐν 38
τῇ τρίτῃ φυλακῇ ἔλθῃ καὶ εὕρῃ οὕτως, μακάριοί εἰσιν
ἐκεῖνοι. τοῦτο δὲ γινώσκετε ὅτι εἰ ᾔδει ὁ οἰκοδεσπότης 39
ποίᾳ ὥρᾳ ὁ κλέπτης ἔρχεται, ⌜ἐγρηγόρησεν ἂν καὶ οὐκ⌝ ἀ-
φῆκεν διορυχθῆναι τὸν οἶκον αὐτοῦ. καὶ ὑμεῖς γίνεσθε 40
ἕτοιμοι, ὅτι ᾗ ὥρᾳ οὐ δοκεῖτε ὁ υἱὸς τοῦ ἀνθρώπου ἔρχε-
ται. Εἶπεν δὲ ὁ Πέτρος Κύριε, πρὸς ἡμᾶς τὴν παρα- 41
βολὴν ταύτην λέγεις ἢ καὶ πρὸς πάντας; καὶ εἶπεν ὁ 42
κύριος Τίς ἄρα ἐστὶν ὁ πιστὸς οἰκονόμος, ὁ φρόνιμος, ὃν
καταστήσει ὁ κύριος ἐπὶ τῆς θεραπείας αὐτοῦ τοῦ διδόναι
ἐν καιρῷ [τὸ] σιτομέτριον; μακάριος ὁ δοῦλος ἐκεῖνος, ὃν 43
ἐλθὼν ὁ κύριος αὐτοῦ εὑρήσει ποιοῦντα οὕτως· ἀληθῶς 44
λέγω ὑμῖν ὅτι ἐπὶ πᾶσιν τοῖς ὑπάρχουσιν αὐτοῦ καταττή-
σει αὐτόν. ἐὰν δὲ εἴπῃ ὁ δοῦλος ἐκεῖνος ἐν τῇ καρδίᾳ 45
αὐτοῦ Χρονίζει ὁ κύριός μου ἔρχεσθαι, καὶ ἄρξηται τύ-
πτειν τοὺς παῖδας καὶ τὰς παιδίσκας, ἐσθίειν τε καὶ πίνειν
καὶ μεθύσκεσθαι, ἥξει ὁ κύριος τοῦ δούλου ἐκείνου ἐν 46
ἡμέρᾳ ᾗ οὐ προσδοκᾷ καὶ ἐν ὥρᾳ ᾗ οὐ γινώσκει, καὶ διχο-
τομήσει αὐτὸν καὶ τὸ μέρος αὐτοῦ μετὰ τῶν ἀπίστων
θήσει. ἐκεῖνος δὲ ὁ δοῦλος ὁ γνοὺς τὸ θέλημα τοῦ κυρίου 47
αὐτοῦ καὶ μὴ ἑτοιμάσας ἢ ποιήσας πρὸς τὸ θέλημα αὐ-

39 οὐκ ἂν

48 τοῦ δαρήσεται πολλάς· ὁ δὲ μὴ γνοὺς ποιήσας δὲ ἄξια
πληγῶν δαρήσεται ὀλίγας. παντὶ δὲ ᾧ ἐδόθη πολύ, πολὺ
ζητηθήσεται παρ' αὐτοῦ, καὶ ᾧ παρέθεντο πολύ, περισσό-
49 τερον αἰτήσουσιν αὐτόν. Πῦρ ἦλθον βαλεῖν ἐπὶ τὴν γῆν,
50 καὶ τί θέλω εἰ ἤδη ἀνήφθη; βάπτισμα δὲ ἔχω βαπτισθῆ-
51 ναι, καὶ πῶς συνέχομαι ἕως ὅτου τελεσθῇ. δοκεῖτε ὅτι
εἰρήνην παρεγενόμην δοῦναι ἐν τῇ γῇ; οὐχί, λέγω ὑμῖν,
52 ἀλλ' ἢ διαμερισμόν. ἔσονται γὰρ ἀπὸ τοῦ νῦν πέντε ἐν
ἑνὶ οἴκῳ διαμεμερισμένοι, τρεῖς ἐπὶ δυσὶν καὶ δύο ἐπὶ
53 τρισίν, διαμερισθήσονται πατὴρ ἐπὶ υἱῷ καὶ γίὸς ἐπὶ
πατρί, μήτηρ ἐπὶ θυγατέρα καὶ θυγάτηρ ἐπὶ τὴν μητέ-
ρα, πενθερὰ ἐπὶ τὴν νύμφην αὐτῆς καὶ νύμφη ἐπὶ τὴν
54 πενθεράν.   Ἔλεγεν δὲ καὶ τοῖς ὄχλοις Ὅταν
ἴδητε νεφέλην ἀνατέλλουσαν ἐπὶ δυσμῶν, εὐθέως λέ-
55 γετε ὅτι Ὄμβρος ἔρχεται, καὶ γίνεται οὕτως· καὶ ὅταν
νότον πνέοντα, λέγετε ὅτι Καύσων ἔσται, καὶ γίνεται.
56 ὑποκριταί, τὸ πρόσωπον τῆς γῆς καὶ τοῦ οὐρανοῦ οἴδατε
δοκιμάζειν, τὸν ⌜καιρὸν δὲ⌝ τοῦτον πῶς οὐκ οἴδατε δοκιμά-
57
58 ζειν; Τί δὲ καὶ ἀφ' ἑαυτῶν οὐ κρίνετε τὸ δίκαιον; ὡς
γὰρ ὑπάγεις μετὰ τοῦ ἀντιδίκου σου ἐπ' ἄρχοντα, ἐν τῇ
ὁδῷ δὸς ἐργασίαν ἀπηλλάχθαι [ἀπ'] αὐτοῦ, μή ποτε κατα-
σύρῃ σε πρὸς τὸν κριτήν, καὶ ὁ κριτής σε παραδώσει τῷ
59 πράκτορι, καὶ ὁ πράκτωρ σε βαλεῖ εἰς φυλακήν. λέγω
σοι, οὐ μὴ ἐξέλθῃς ἐκεῖθεν ἕως καὶ τὸ ἔσχατον λεπτὸν
ἀποδῷς.

1   Παρῆσαν δέ τινες ἐν αὐτῷ τῷ καιρῷ ἀπαγγέλλοντες
αὐτῷ περὶ τῶν Γαλιλαίων ὧν τὸ αἷμα Πειλᾶτος ἔμιξεν
2 μετὰ τῶν θυσιῶν αὐτῶν. καὶ ἀποκριθεὶς εἶπεν αὐτοῖς
Δοκεῖτε ὅτι οἱ Γαλιλαῖοι οὗτοι ἁμαρτωλοὶ παρὰ πάν-
τας τοὺς Γαλιλαίους ἐγένοντο, ὅτι ταῦτα πεπόνθασιν;
3 οὐχί, λέγω ὑμῖν, ἀλλ' ἐὰν μὴ μετανοῆτε πάντες ὁμοίως
4 ἀπολεῖσθε. ἢ ἐκεῖνοι οἱ δέκα ὀκτὼ ἐφ' οὓς ἔπεσεν ὁ
πύργος ἐν τῷ Σιλωὰμ καὶ ἀπέκτεινεν αὐτούς, δοκεῖτε ὅτι αὐ-

56 δὲ καιρὸν

τοὶ ὀφειλέται ἐγένοντο παρὰ πάντας τοὺς ἀνθρώπους τοὺς
κατοικοῦντας Ἰερουσαλήμ; οὐχί, λέγω ὑμῖν, ἀλλ᾽ ἐὰν μὴ 5
⌜μετανοήσητε⌝ πάντες ὡσαύτως ἀπολεῖσθε.   Ἔ- 6
λεγεν δὲ ταύτην τὴν παραβολήν. Συκῆν εἶχέν τις πεφυ-
τευμένην ἐν τῷ ἀμπελῶνι αὐτοῦ, καὶ ἦλθεν ζητῶν καρπὸν
ἐν αὐτῇ καὶ οὐχ εὗρεν. εἶπεν δὲ πρὸς τὸν ἀμπελουρ- 7
γόν Ἰδοὺ τρία ἔτη ἀφ᾽ οὗ ἔρχομαι ζητῶν καρπὸν ἐν τῇ
συκῇ ταύτῃ καὶ οὐχ εὑρίσκω· ἔκκοψον αὐτήν· ἵνα τί καὶ
τὴν γῆν καταργεῖ; ὁ δὲ ἀποκριθεὶς λέγει αὐτῷ Κύριε, 8
ἄφες αὐτὴν καὶ τοῦτο τὸ ἔτος, ἕως ὅτου σκάψω περὶ αὐτὴν
καὶ βάλω κόπρια· κἂν μὲν ποιήσῃ καρπὸν εἰς τὸ μέλλον— 9
εἰ δὲ μήγε, ἐκκόψεις αὐτήν.

Ἦν δὲ διδάσκων ἐν μιᾷ τῶν συναγωγῶν ἐν τοῖς σάββα- 10
σιν. καὶ ἰδοὺ γυνὴ πνεῦμα ἔχουσα ἀσθενείας ἔτη δέκα 11
ὀκτώ, καὶ ἦν συνκύπτουσα καὶ μὴ δυναμένη ἀνακύψαι εἰς
τὸ παντελές. ἰδὼν δὲ αὐτὴν ὁ Ἰησοῦς προσεφώνησεν καὶ 12
εἶπεν αὐτῇ Γύναι, ἀπολέλυσαι τῆς ἀσθενείας σου, καὶ 13
ἐπέθηκεν αὐτῇ τὰς χεῖρας· καὶ παραχρῆμα ἀνωρθώθη, καὶ
ἐδόξαζεν τὸν θεόν. ἀποκριθεὶς δὲ ὁ ἀρχισυνάγωγος, ἀγα- 14
νακτῶν ὅτι τῷ σαββάτῳ ἐθεράπευσεν ὁ Ἰησοῦς, ἔλεγεν τῷ
ὄχλῳ ὅτι Ἓξ ἡμέραι εἰσὶν ἐν αἷς δεῖ ἐργάζεσθαι· ἐν αὐταῖς
οὖν ἐρχόμενοι θεραπεύεσθε καὶ μὴ τῇ ἡμέρᾳ τοῦ σαββά-
του. ἀπεκρίθη δὲ αὐτῷ ὁ κύριος καὶ εἶπεν Ὑποκριταί, 15
ἕκαστος ὑμῶν τῷ σαββάτῳ οὐ λύει τὸν βοῦν αὐτοῦ ἢ τὸν
ὄνον ἀπὸ τῆς φάτνης καὶ ⌜ἀπάγων⌝ ποτίζει; ταύτην δὲ 16
θυγατέρα Ἀβραὰμ οὖσαν, ἣν ἔδησεν ὁ Σατανᾶς ἰδοὺ δέκα
καὶ ὀκτὼ ἔτη, οὐκ ἔδει λυθῆναι ἀπὸ τοῦ δεσμοῦ τούτου τῇ
ἡμέρᾳ τοῦ σαββάτου; Καὶ ταῦτα λέγοντος αὐτοῦ κατη- 17
σχύνοντο πάντες οἱ ἀντικείμενοι αὐτῷ, καὶ πᾶς ὁ ὄχλος
ἔχαιρεν ἐπὶ πᾶσιν τοῖς ἐνδόξοις τοῖς γινομένοις ὑπ᾽ αὐ-
τοῦ.   Ἔλεγεν οὖν Τίνι ὁμοία ἐστὶν ἡ βασι- 18
λεία τοῦ θεοῦ, καὶ τίνι ὁμοιώσω αὐτήν; ὁμοία ἐστὶν κόκκῳ 19
σινάπεως, ὃν λαβὼν ἄνθρωπος ἔβαλεν εἰς κῆπον ἑαυτοῦ,

5 μετανοῆτε   15 ἀπαγαγών

καὶ ηὔξησεν καὶ ἐγένετο εἰς δένδρον, καὶ τὰ πετεινὰ
τοῦ οὐρανοῦ κατεσκήνωσεν ἐν τοῖς κλάδοις αὐτοῦ.
20 Καὶ πάλιν εἶπεν Τίνι ὁμοιώσω τὴν βασιλείαν τοῦ θεοῦ;
21 ὁμοία ἐστὶν ζύμῃ, ἣν λαβοῦσα γυνὴ ἔκρυψεν εἰς ἀλεύρου
σάτα τρία ἕως οὗ ἐζυμώθη ὅλον.

22 Καὶ διεπορεύετο κατὰ πόλεις καὶ κώμας διδάσκων καὶ
23 πορείαν ποιούμενος εἰς Ἱεροσόλυμα. Εἶπεν δέ τις αὐτῷ
Κύριε, εἰ ὀλίγοι οἱ σωζόμενοι; ὁ δὲ εἶπεν πρὸς αὐτούς
24 Ἀγωνίζεσθε εἰσελθεῖν διὰ τῆς στενῆς θύρας, ὅτι πολλοί,
λέγω ὑμῖν, ζητήσουσιν εἰσελθεῖν καὶ οὐκ ἰσχύσουσιν,
25 ἀφ' οὗ ἂν ἐγερθῇ ὁ οἰκοδεσπότης καὶ ἀποκλείσῃ τὴν θύραν,
καὶ ἄρξησθε ἔξω ἑστάναι καὶ κρούειν τὴν θύραν λέγοντες
Κύριε, ἄνοιξον ἡμῖν· καὶ ἀποκριθεὶς ἐρεῖ ὑμῖν Οὐκ οἶδα
26 ὑμᾶς πόθεν ἐστέ. τότε ⌜ἄρξεσθε⌝ λέγειν Ἐφάγομεν
ἐνώπιόν σου καὶ ἐπίομεν, καὶ ἐν ταῖς πλατείαις ἡμῶν ἐδί-
27 δαξας· καὶ ἐρεῖ λέγων ὑμῖν Οὐκ οἶδα πόθεν ἐστέ· ἀπό-
28 στητε ἀπ' ἐμοῦ, πάντες ἐργάται ἀδικίας. Ἐκεῖ ἔσται
ὁ κλαυθμὸς καὶ ὁ βρυγμὸς τῶν ὀδόντων, ὅταν ⌜ὄψησθε⌝
Ἀβραὰμ καὶ Ἰσαὰκ καὶ Ἰακὼβ καὶ πάντας τοὺς προφήτας
ἐν τῇ βασιλείᾳ τοῦ θεοῦ, ὑμᾶς δὲ ἐκβαλλομένους ἔξω.
29 καὶ ἥξουσιν ἀπὸ ἀνατολῶν καὶ δυσμῶν καὶ ἀπὸ βορρᾶ
30 καὶ νότου καὶ ἀνακλιθήσονται ἐν τῇ βασιλείᾳ τοῦ θεοῦ. καὶ
ἰδοὺ εἰσὶν ἔσχατοι οἳ ἔσονται πρῶτοι, καὶ εἰσὶν πρῶτοι οἳ
31 ἔσονται ἔσχατοι. Ἐν αὐτῇ τῇ ὥρᾳ προσῆλθάν
τινες Φαρισαῖοι λέγοντες αὐτῷ Ἔξελθε καὶ πορεύου
32 ἐντεῦθεν, ὅτι Ἡρῴδης θέλει σε ἀποκτεῖναι. καὶ εἶπεν
αὐτοῖς Πορευθέντες εἴπατε τῇ ἀλώπεκι ταύτῃ Ἰδοὺ
ἐκβάλλω δαιμόνια καὶ ἰάσεις ἀποτελῶ σήμερον καὶ αὔριον,
33 καὶ τῇ τρίτῃ τελειοῦμαι. πλὴν δεῖ με σήμερον καὶ αὔριον
καὶ τῇ ἐχομένῃ πορεύεσθαι, ὅτι οὐκ ἐνδέχεται προφήτην
34 ἀπολέσθαι ἔξω Ἱερουσαλήμ. Ἱερουσαλὴμ Ἱερουσαλήμ,
ἡ ἀποκτείνουσα τοὺς προφήτας καὶ λιθοβολοῦσα τοὺς
ἀπεσταλμένους πρὸς αὐτήν, — ποσάκις ἠθέλησα ἐπισυνάξαι

26 ἀρξησθε   28 ὄψεσθε

τὰ τέκνα σου ὃν τρόπον ὄρνις τὴν ἑαυτῆς νοσσιὰν ὑπὸ τὰς
πτέρυγας, καὶ οὐκ ἠθελήσατε. ἰδοὺ ἀφίεται ὑμῖν ὁ οἶκος 35
ὑμῶν. λέγω [δὲ] ὑμῖν, οὐ μὴ ἴδητέ με ἕως εἴπητε
Εὐλογημένος ὁ ἐρχόμενος ἐν ὀνόματι Κυρίου.

Καὶ ἐγένετο ἐν τῷ ἐλθεῖν αὐτὸν εἰς οἶκόν τινος τῶν ἀρχον- 1
των [τῶν] Φαρισαίων σαββάτῳ φαγεῖν ἄρτον καὶ αὐτοὶ ἦσαν
παρατηρούμενοι αὐτόν. καὶ ἰδοὺ ἄνθρωπός τις ἦν ὑδρωπικὸς 2
ἔμπροσθεν αὐτοῦ. καὶ ἀποκριθεὶς ὁ Ἰησοῦς εἶπεν πρὸς τοὺς 3
νομικοὺς καὶ Φαρισαίους λέγων Ἔξεστιν τῷ σαββάτῳ
θεραπεῦσαι ἢ οὔ; οἱ δὲ ἡσύχασαν. καὶ ἐπιλαβόμενος 4
ἰάσατο αὐτὸν καὶ ἀπέλυσεν. καὶ πρὸς αὐτοὺς εἶπεν Τί- 5
νος ὑμῶν υἱὸς ἢ βοῦς εἰς φρέαρ πεσεῖται, καὶ οὐκ εὐθέως
ἀνασπάσει αὐτὸν ἐν ἡμέρᾳ τοῦ σαββάτου; καὶ οὐκ ἴσχυ- 6
σαν ἀνταποκριθῆναι πρὸς ταῦτα. Ἔλεγεν δὲ 7
πρὸς τοὺς κεκλημένους παραβολήν, ἐπέχων πῶς τὰς πρω-
τοκλισίας ἐξελέγοντο, λέγων πρὸς αὐτούς Ὅταν κληθῇς 8
ὑπό τινος εἰς γάμους, μὴ κατακλιθῇς εἰς τὴν πρωτοκλισίαν,
μή ποτε ἐντιμότερός σου ᾖ κεκλημένος ὑπ᾽ αὐτοῦ, καὶ 9
ἐλθὼν ὁ σὲ καὶ αὐτὸν καλέσας ἐρεῖ σοι Δὸς τούτῳ τόπον,
καὶ τότε ἄρξῃ μετὰ αἰσχύνης τὸν ἔσχατον τόπον κατέχειν.
ἀλλ᾽ ὅταν κληθῇς πορευθεὶς ἀνάπεσε εἰς τὸν ἔσχατον τό- 10
πον, ἵνα ὅταν ἔλθῃ ὁ κεκληκώς σε ἐρεῖ σοι Φίλε, προσ-
ανάβηθι ἀνώτερον· τότε ἔσται σοι δόξα ἐνώπιον πάντων
τῶν συνανακειμένων σοι. ὅτι πᾶς ὁ ὑψῶν ἑαυτὸν ταπεινω- 11
θήσεται καὶ ὁ ταπεινῶν ἑαυτὸν ὑψωθήσεται. Ἔ- 12
λεγεν δὲ καὶ τῷ κεκληκότι αὐτόν Ὅταν ποιῇς ἄριστον
ἢ δεῖπνον, μὴ φώνει τοὺς φίλους σου μηδὲ τοὺς ἀδελφούς
σου μηδὲ τοὺς συγγενεῖς σου μηδὲ γείτονας πλουσίους, μή
ποτε καὶ αὐτοὶ ἀντικαλέσωσίν σε καὶ γένηται ἀνταπό-
δομά σοι. ἀλλ᾽ ὅταν δοχὴν ποιῇς, κάλει πτωχούς, ἀναπεί- 13
ρους, χωλούς, τυφλούς· καὶ μακάριος ἔσῃ, ὅτι οὐκ ἔχουσιν 14
ἀνταποδοῦναί σοι, ἀνταποδοθήσεται γάρ σοι ἐν τῇ ἀναστά-

17 ἔρχεσθαι

15 σει τῶν δικαίων.   Ἀκούσας δέ τις τῶν συνανα-
κειμένων ταῦτα εἶπεν αὐτῷ Μακάριος ὅστις φάγεται
16 ἄρτον ἐν τῇ βασιλείᾳ τοῦ θεοῦ. ὁ δὲ εἶπεν αὐτῷ Ἄν-
θρωπός τις ἐποίει δεῖπνον μέγα, καὶ ἐκάλεσεν πολλούς,
17 καὶ ἀπέστειλεν τὸν δοῦλον αὐτοῦ τῇ ὥρᾳ τοῦ δείπνου εἰ-
πεῖν τοῖς κεκλημένοις ⌜Ἔρχεσθε⌝ ὅτι ἤδη ἕτοιμά ⌜ἐστιν⌝.
18 καὶ ἤρξαντο ἀπὸ μιᾶς πάντες παραιτεῖσθαι. ὁ πρῶτος
εἶπεν αὐτῷ Ἀγρὸν ἠγόρασα καὶ ἔχω ἀνάγκην ἐξελθὼν
19 ἰδεῖν αὐτόν· ἐρωτῶ σε, ἔχε με παρῃτημένον. καὶ ἕτερος
εἶπεν Ζεύγη βοῶν ἠγόρασα πέντε καὶ πορεύομαι δοκιμά-
20 σαι αὐτά· ἐρωτῶ σε, ἔχε με παρῃτημένον. καὶ ἕτερος
εἶπεν Γυναῖκα ἔγημα καὶ διὰ τοῦτο οὐ δύναμαι ἐλθεῖν.
21 καὶ παραγενόμενος ὁ δοῦλος ἀπήγγειλεν τῷ κυρίῳ αὐτοῦ
ταῦτα. τότε ὀργισθεὶς ὁ οἰκοδεσπότης εἶπεν τῷ δούλῳ
αὐτοῦ Ἔξελθε ταχέως εἰς τὰς πλατείας καὶ ῥύμας τῆς
πόλεως, καὶ τοὺς πτωχοὺς καὶ ἀναπείρους καὶ τυφλοὺς καὶ
22 χωλοὺς εἰσάγαγε ὧδε. καὶ εἶπεν ὁ δοῦλος Κύριε, γέ-
23 γονεν ὃ ἐπέταξας, καὶ ἔτι τόπος ἐστίν. καὶ εἶπεν ὁ κύριος
πρὸς τὸν δοῦλον Ἔξελθε εἰς τὰς ὁδοὺς καὶ φραγμοὺς καὶ
24 ἀνάγκασον εἰσελθεῖν, ἵνα γεμισθῇ μου ὁ οἶκος· λέγω γὰρ
ὑμῖν ὅτι οὐδεὶς τῶν ἀνδρῶν ἐκείνων τῶν κεκλημένων γεύσε-
ταί μου τοῦ δείπνου.

25   Συνεπορεύοντο δὲ αὐτῷ ὄχλοι πολλοί, καὶ στραφεὶς
26 εἶπεν πρὸς αὐτούς Εἴ τις ἔρχεται πρός με καὶ οὐ μισεῖ
τὸν πατέρα ἑαυτοῦ καὶ τὴν μητέρα καὶ τὴν γυναῖκα καὶ τὰ
τέκνα καὶ τοὺς ἀδελφοὺς καὶ τὰς ἀδελφάς, ἔτι τε καὶ τὴν
27 ψυχὴν ἑαυτοῦ, οὐ δύναται εἶναί μου μαθητής. ὅστις
οὐ βαστάζει τὸν σταυρὸν ἑαυτοῦ καὶ ἔρχεται ὀπίσω μου,
28 οὐ δύναται εἶναί μου μαθητής. τίς γὰρ ἐξ ὑμῶν θέλων
πύργον οἰκοδομῆσαι οὐχὶ πρῶτον καθίσας ψηφίζει τὴν
29 δαπάνην, εἰ ἔχει εἰς ἀπαρτισμόν; ἵνα μή ποτε θέντος αὐτοῦ
θεμέλιον καὶ μὴ ἰσχύοντος ἐκτελέσαι πάντες οἱ θεωροῦντες
30 ἄρξωνται αὐτῷ ἐμπαίζειν λέγοντες ὅτι Οὗτος ὁ ἄνθρω-

17 εἰσιν

πος ἤρξατο οἰκοδομεῖν καὶ οὐκ ἴσχυσεν ἐκτελέσαι. ἢ τίς 31
βασιλεὺς πορευόμενος ἑτέρῳ βασιλεῖ συνβαλεῖν εἰς πόλε-
μον οὐχὶ καθίσας πρῶτον βουλεύσεται εἰ δυνατός ἐστιν ἐν
δέκα χιλιάσιν ὑπαντῆσαι τῷ μετὰ εἴκοσι χιλιάδων ἐρχο-
μένῳ ἐπ᾽ αὐτόν; εἰ δὲ μήγε, ἔτι αὐτοῦ πόρρω ὄντος πρε- 32
σβείαν ἀποστείλας ἐρωτᾷ ⌜πρὸς⌝ εἰρήνην. οὕτως οὖν πᾶς ἐξ 33
ὑμῶν ὃς οὐκ ἀποτάσσεται πᾶσιν τοῖς ἑαυτοῦ ὑπάρχουσιν
οὐ δύναται εἶναί μου μαθητής. Καλὸν οὖν τὸ ἅλας· ἐὰν 34
δὲ καὶ τὸ ἅλας μωρανθῇ, ἐν τίνι ἀρτυθήσεται; οὔτε εἰς γῆν 35
οὔτε εἰς κοπρίαν εὔθετόν ἐστιν· ἔξω βάλλουσιν αὐτό. Ὁ
ἔχων ὦτα ἀκούειν ἀκουέτω.

Ἦσαν δὲ αὐτῷ ἐγγίζοντες πάντες οἱ τελῶναι καὶ οἱ ἁμαρ- 1
τωλοὶ ἀκούειν αὐτοῦ. καὶ διεγόγγυζον οἵ τε Φαρισαῖοι καὶ 2
οἱ γραμματεῖς λέγοντες ὅτι Οὗτος ἁμαρτωλοὺς προσδέ-
χεται καὶ συνεσθίει αὐτοῖς. εἶπεν δὲ πρὸς αὐτοὺς τὴν 3
παραβολὴν ταύτην λέγων Τίς ἄνθρωπος ἐξ ὑμῶν ἔχων 4
ἑκατὸν πρόβατα καὶ ἀπολέσας ἐξ αὐτῶν ἓν οὐ καταλείπει
τὰ ἐνενήκοντα ἐννέα ἐν τῇ ἐρήμῳ καὶ πορεύεται ἐπὶ τὸ
ἀπολωλὸς ἕως εὕρῃ αὐτό; καὶ εὑρὼν ἐπιτίθησιν ἐπὶ τοὺς 5
ὤμους αὐτοῦ χαίρων, καὶ ἐλθὼν εἰς τὸν οἶκον συνκαλεῖ 6
τοὺς φίλους καὶ τοὺς γείτονας, λέγων αὐτοῖς Συνχάρητέ
μοι ὅτι εὗρον τὸ πρόβατόν μου τὸ ἀπολωλός. λέγω ὑμῖν 7
ὅτι οὕτως χαρὰ ἐν τῷ οὐρανῷ ἔσται ἐπὶ ἑνὶ ἁμαρτωλῷ
μετανοοῦντι ἢ ἐπὶ ἐνενήκοντα ἐννέα δικαίοις οἵτινες οὐ χρείαν
ἔχουσιν μετανοίας. Ἢ τίς γυνὴ δραχμὰς ἔχουσα δέκα, ἐὰν 8
ἀπολέσῃ δραχμὴν μίαν, οὐχὶ ἅπτει λύχνον καὶ σαροῖ τὴν
οἰκίαν καὶ ζητεῖ ἐπιμελῶς ἕως οὗ εὕρῃ; καὶ εὑροῦσα συν- 9
καλεῖ τὰς φίλας καὶ γείτονας λέγουσα Συνχάρητέ μοι
ὅτι εὗρον τὴν δραχμὴν ἣν ἀπώλεσα. οὕτως, λέγω ὑμῖν, 10
γίνεται χαρὰ ἐνώπιον τῶν ἀγγέλων τοῦ θεοῦ ἐπὶ ἑνὶ ἁμαρ-
τωλῷ μετανοοῦντι. Εἶπεν δέ Ἄνθρωπός τις 11
εἶχεν δύο υἱούς. καὶ εἶπεν ὁ νεώτερος αὐτῶν τῷ πατρί 12
Πάτερ, δός μοι τὸ ἐπιβάλλον μέρος τῆς οὐσίας· ὁ δὲ διεῖ-

32 εἰς v. τὰ πρὸς

13 λεν αὐτοῖς τὸν βίον. καὶ μετ᾽ οὐ πολλὰς ἡμέρας συναγαγὼν
⌜πάντα⌝ ὁ νεώτερος υἱὸς ἀπεδήμησεν εἰς χώραν μακράν, καὶ
14 ἐκεῖ διεσκόρπισεν τὴν οὐσίαν αὐτοῦ ζῶν ἀσώτως. δαπανή-
σαντος δὲ αὐτοῦ πάντα ἐγένετο λιμὸς ἰσχυρὰ κατὰ τὴν
15 χώραν ἐκείνην, καὶ αὐτὸς ἤρξατο ὑστερεῖσθαι. καὶ πορευ-
θεὶς ἐκολλήθη ἑνὶ τῶν πολιτῶν τῆς χώρας ἐκείνης, καὶ
16 ἔπεμψεν αὐτὸν εἰς τοὺς ἀγροὺς αὐτοῦ βόσκειν χοίρους· καὶ
ἐπεθύμει χορτασθῆναι ἐκ τῶν κερατίων ὧν ἤσθιον οἱ χοῖροι,
17 καὶ οὐδεὶς ἐδίδου αὐτῷ. εἰς ἑαυτὸν δὲ ἐλθὼν ἔφη Πόσοι
μίσθιοι τοῦ πατρός μου περισσεύονται ἄρτων, ἐγὼ δὲ λιμῷ
18 ὧδε ἀπόλλυμαι· ἀναστὰς πορεύσομαι πρὸς τὸν πατέρα
μου καὶ ἐρῶ αὐτῷ Πάτερ, ἥμαρτον εἰς τὸν οὐρανὸν καὶ
19 ἐνώπιόν σου, οὐκέτι εἰμὶ ἄξιος κληθῆναι υἱός σου· ποίησόν
20 με ὡς ἕνα τῶν μισθίων σου. Καὶ ἀναστὰς ἦλθεν πρὸς τὸν
πατέρα ἑαυτοῦ. ἔτι δὲ αὐτοῦ μακρὰν ἀπέχοντος εἶδεν
αὐτὸν ὁ πατὴρ αὐτοῦ καὶ ἐσπλαγχνίσθη καὶ δραμὼν ἐπέ-
πεσεν ἐπὶ τὸν τράχηλον αὐτοῦ καὶ κατεφίλησεν αὐτόν.
21 εἶπεν δὲ ὁ υἱὸς αὐτῷ Πάτερ, ἥμαρτον εἰς τὸν οὐρανὸν
καὶ ἐνώπιόν σου, οὐκέτι εἰμὶ ἄξιος κληθῆναι υἱός σου [· ποί-
22 ησόν με ὡς ἕνα τῶν μισθίων σου]. εἶπεν δὲ ὁ πατὴρ
πρὸς τοὺς δούλους αὐτοῦ Ταχὺ ἐξενέγκατε στολὴν τὴν
πρώτην καὶ ἐνδύσατε αὐτόν, καὶ δότε δακτύλιον εἰς τὴν
23 χεῖρα αὐτοῦ καὶ ὑποδήματα εἰς τοὺς πόδας, καὶ φέρετε τὸν
μόσχον τὸν σιτευτόν, θύσατε καὶ φαγόντες εὐφρανθῶμεν,
24 ὅτι οὗτος ὁ υἱός μου νεκρὸς ἦν καὶ ⌜ἀνέζησεν⌝, ἦν ἀπολωλὼς
25 καὶ εὑρέθη. Καὶ ἤρξαντο εὐφραίνεσθαι. ἦν δὲ ὁ υἱὸς αὐτοῦ
ὁ πρεσβύτερος ἐν ἀγρῷ· καὶ ὡς ἐρχόμενος ἤγγισεν τῇ οἰκίᾳ,
26 ἤκουσεν συμφωνίας καὶ χορῶν, καὶ προσκαλεσάμενος ἕνα
27 τῶν παίδων ἐπυνθάνετο τί ἂν εἴη ταῦτα· ὁ δὲ εἶπεν αὐτῷ
ὅτι Ὁ ἀδελφός σου ἥκει, καὶ ἔθυσεν ὁ πατήρ σου τὸν
μόσχον τὸν σιτευτόν, ὅτι ὑγιαίνοντα αὐτὸν ἀπέλαβεν.
28 ὠργίσθη δὲ καὶ οὐκ ἤθελεν εἰσελθεῖν. ὁ δὲ πατὴρ αὐτοῦ
29 ἐξελθὼν παρεκάλει αὐτόν. ὁ δὲ ἀποκριθεὶς εἶπεν τῷ πατρὶ

13 ἅπαντα   24 ἔζησεν

M

αὐτοῦ Ἰδοὺ τοσαῦτα ἔτη δουλεύω σοι καὶ οὐδέποτε ἐν-
τολήν σου παρῆλθον, καὶ ἐμοὶ οὐδέποτε ἔδωκας ⌜ἔριφον⌝
ἵνα μετὰ τῶν φίλων μου εὐφρανθῶ· ὅτε δὲ ὁ υἱός σου 30
οὗτος ὁ καταφαγών σου τὸν βίον μετὰ ⌝ πορνῶν ἦλθεν,
ἔθυσας αὐτῷ τὸν σιτευτὸν μόσχον. ὁ δὲ εἶπεν αὐτῷ 31
Τέκνον, σὺ πάντοτε μετ᾽ ἐμοῦ εἶ, καὶ πάντα τὰ ἐμὰ σά
ἐστιν· εὐφρανθῆναι δὲ καὶ χαρῆναι ἔδει, ὅτι ὁ ἀδελφός 32
σου οὗτος νεκρὸς ἦν καὶ ἔζησεν, καὶ ἀπολωλὼς καὶ εὑρέ-
θη.

Ἔλεγεν δὲ καὶ πρὸς τοὺς μαθητάς Ἄνθρωπός τις ἦν 1
πλούσιος ὃς εἶχεν οἰκονόμον, καὶ οὗτος διεβλήθη αὐτῷ ὡς
διασκορπίζων τὰ ὑπάρχοντα αὐτοῦ. καὶ φωνήσας αὐτὸν 2
εἶπεν αὐτῷ Τί τοῦτο ἀκούω περὶ σοῦ; ἀπόδος τὸν λόγον
τῆς οἰκονομίας σου, οὐ γὰρ δύνῃ ἔτι οἰκονομεῖν. εἶπεν 3
δὲ ἐν ἑαυτῷ ὁ οἰκονόμος Τί ποιήσω ὅτι ὁ κύριός μου
ἀφαιρεῖται τὴν οἰκονομίαν ἀπ᾽ ἐμοῦ; σκάπτειν οὐκ ἰσχύω,
ἐπαιτεῖν αἰσχύνομαι· ἔγνων τί ποιήσω, ἵνα ὅταν μεταστα- 4
θῶ ἐκ τῆς οἰκονομίας δέξωνταί με εἰς τοὺς οἴκους ἑαυτῶν.
καὶ προσκαλεσάμενος ἕνα ἕκαστον τῶν χρεοφιλετῶν τοῦ 5
κυρίου ἑαυτοῦ ἔλεγεν τῷ πρώτῳ Πόσον ὀφείλεις τῷ
κυρίῳ μου; ὁ δὲ εἶπεν Ἑκατὸν βάτους ἐλαίου· ὁ δὲ 6
εἶπεν αὐτῷ Δέξαι σου τὰ γράμματα καὶ καθίσας ⌜ταχέως
γράψον⌝ πεντήκοντα. ἔπειτα ἑτέρῳ εἶπεν Σὺ δὲ πόσον 7
ὀφείλεις; ὁ δὲ εἶπεν Ἑκατὸν κόρους σίτου· λέγει αὐ-
τῷ Δέξαι σου τὰ γράμματα καὶ γράψον ὀγδοήκοντα.
καὶ ἐπῄνεσεν ὁ κύριος τὸν οἰκονόμον τῆς ἀδικίας ὅτι φρονί- 8
μως ἐποίησεν· ὅτι οἱ υἱοὶ τοῦ αἰῶνος τούτου φρονιμώτεροι
ὑπὲρ τοὺς υἱοὺς τοῦ φωτὸς εἰς τὴν γενεὰν τὴν ἑαυτῶν
εἰσίν. Καὶ ἐγὼ ὑμῖν λέγω, ἑαυτοῖς ποιήσατε φίλους 9
ἐκ τοῦ μαμωνᾶ τῆς ἀδικίας, ἵνα ὅταν ἐκλίπῃ δέξωνται ὑμᾶς
εἰς τὰς αἰωνίους σκηνάς. ὁ πιστὸς ἐν ἐλαχίστῳ καὶ ἐν 10
πολλῷ πιστός ἐστιν, καὶ ὁ ἐν ἐλαχίστῳ ἄδικος καὶ ἐν πολ-
λῷ ἄδικός ἐστιν. εἰ οὖν ἐν τῷ ἀδίκῳ μαμωνᾷ πιστοὶ 11

29 ἐρίφιον   30 τῶν   6 γράψον ταχέως

12 οὐκ ἐγένεσθε, τὸ ἀληθινὸν τίς ὑμῖν πιστεύσει; καὶ εἰ ἐν
τῷ ἀλλοτρίῳ πιστοὶ οὐκ ἐγένεσθε, τὸ ⌈ἡμέτερον⌉ τίς ⌈δώσει
13 ὑμῖν⌉; Οὐδεὶς οἰκέτης δύναται δυσὶ κυρίοις δουλεύειν· ἢ
γὰρ τὸν ἕνα μισήσει καὶ τὸν ἕτερον ἀγαπήσει, ἢ ἑνὸς
ἀνθέξεται καὶ τοῦ ἑτέρου καταφρονήσει. οὐ δύνασθε θεῷ
14 δουλεύειν καὶ μαμωνᾷ. Ἤκουον δὲ ταῦτα πάν-
τα οἱ Φαρισαῖοι φιλάργυροι ὑπάρχοντες, καὶ ἐξεμυκτήρι-
15 ζον αὐτόν. καὶ εἶπεν αὐτοῖς Ὑμεῖς ἐστε οἱ δικαιοῦντες
ἑαυτοὺς ἐνώπιον τῶν ἀνθρώπων, ὁ δὲ θεὸς γινώσκει τὰς
καρδίας ὑμῶν· ὅτι τὸ ἐν ἀνθρώποις ὑψηλὸν βδέλυγμα ἐνώ-
16 πιον τοῦ θεοῦ. Ὁ νόμος καὶ οἱ προφῆται μέχρι Ἰωάνου·
ἀπὸ τότε ἡ βασιλεία τοῦ θεοῦ εὐαγγελίζεται καὶ πᾶς εἰς
17 αὐτὴν βιάζεται. Εὐκοπώτερον δέ ἐστιν τὸν οὐρανὸν καὶ
τὴν γῆν παρελθεῖν ἢ τοῦ νόμου ⌈μίαν κερέαν⌉ πεσεῖν.
18 Πᾶς ὁ ἀπολύων τὴν γυναῖκα αὐτοῦ καὶ γαμῶν ἑτέραν
μοιχεύει, καὶ ὁ ἀπολελυμένην ἀπὸ ἀνδρὸς γαμῶν μοι-
19 χεύει. Ἄνθρωπος δέ τις ἦν πλούσιος, καὶ ἐνε-
διδύσκετο πορφύραν καὶ βύσσον εὐφραινόμενος καθ᾽ ἡμέ-
20 ραν λαμπρῶς. πτωχὸς δέ τις ὀνόματι Λάζαρος ἐβέβλητο
21 πρὸς τὸν πυλῶνα αὐτοῦ εἱλκωμένος καὶ ἐπιθυμῶν χορτα-
σθῆναι ἀπὸ τῶν πιπτόντων ἀπὸ τῆς τραπέζης τοῦ πλου-
σίου· ἀλλὰ καὶ οἱ κύνες ἐρχόμενοι ἐπέλειχον τὰ ἕλκη
22 αὐτοῦ. ἐγένετο δὲ ἀποθανεῖν τὸν πτωχὸν καὶ ἀπενεχθῆναι
αὐτὸν ὑπὸ τῶν ἀγγέλων εἰς τὸν κόλπον Ἀβραάμ· ἀπέ-
23 θανεν δὲ καὶ ὁ πλούσιος καὶ ἐτάφη. καὶ ἐν τῷ ᾅδῃ
ἐπάρας τοὺς ὀφθαλμοὺς αὐτοῦ, ὑπάρχων ἐν βασάνοις,
ὁρᾷ Ἀβραὰμ ἀπὸ μακρόθεν καὶ Λάζαρον ἐν τοῖς κόλ-
24 ποις αὐτοῦ. καὶ αὐτὸς φωνήσας εἶπεν Πάτερ Ἀβραάμ,
ἐλέησόν με καὶ πέμψον Λάζαρον ἵνα βάψῃ τὸ ἄκρον τοῦ
δακτύλου αὐτοῦ ὕδατος καὶ καταψύξῃ τὴν γλῶσσάν μου,
25 ὅτι ὀδυνῶμαι ἐν τῇ φλογὶ ταύτῃ. εἶπεν δὲ Ἀβραὰμ Τέ-
κνον, μνήσθητι ὅτι ἀπέλαβες τὰ ἀγαθά σου ἐν τῇ ζωῇ
σου, καὶ Λάζαρος ὁμοίως τὰ κακά· νῦν δὲ ὧδε παρακαλεῖ-

12 ὑμέτερον | ὑμῖν δώσει   17 κερέαν μίαν

ται σὺ δὲ ὀδυνᾶσαι. καὶ ἐν πᾶσι τούτοις μεταξὺ ἡμῶν 26
καὶ ὑμῶν χάσμα μέγα ἐστήρικται, ὅπως οἱ θέλοντες δια-
βῆναι ἔνθεν πρὸς ὑμᾶς μὴ δύνωνται, μηδὲ ἐκεῖθεν πρὸς
ἡμᾶς διαπερῶσιν. εἶπεν δέ Ἐρωτῶ σε οὖν, πάτερ, ἵνα 27
πέμψῃς αὐτὸν εἰς τὸν οἶκον τοῦ πατρός μου, ἔχω γὰρ πέντε 28
ἀδελφούς, ὅπως διαμαρτύρηται αὐτοῖς, ἵνα μὴ καὶ αὐτοὶ
ἔλθωσιν εἰς τὸν τόπον τοῦτον τῆς βασάνου. λέγει δὲ 29
Ἀβραάμ Ἔχουσι Μωυσέα καὶ τοὺς προφήτας· ἀκου-
σάτωσαν αὐτῶν. ὁ δὲ εἶπεν Οὐχί, πάτερ Ἀβραάμ, 30
ἀλλ᾽ ἐάν τις ἀπὸ νεκρῶν πορευθῇ πρὸς αὐτοὺς μετανοή-
σουσιν. εἶπεν δὲ αὐτῷ Εἰ Μωυσέως καὶ τῶν προφητῶν 31
οὐκ ἀκούουσιν, οὐδ᾽ ἐάν τις ἐκ νεκρῶν ἀναστῇ πεισθήσον-
ται.

Εἶπεν δὲ πρὸς τοὺς μαθητὰς αὐτοῦ Ἀνένδεκτόν ἐστιν 1
τοῦ τὰ σκάνδαλα μὴ ἐλθεῖν, πλὴν οὐαὶ δι᾽ οὗ ἔρχεται·
λυσιτελεῖ αὐτῷ εἰ λίθος μυλικὸς περίκειται περὶ τὸν τρά- 2
χηλον αὐτοῦ καὶ ἔρριπται εἰς τὴν θάλασσαν ἢ ἵνα σκανδα-
λίσῃ τῶν μικρῶν τούτων ἕνα. προσέχετε ἑαυτοῖς. ἐὰν 3
ἁμάρτῃ ὁ ἀδελφός σου ἐπιτίμησον αὐτῷ, καὶ ἐὰν μετανοή-
σῃ ἄφες αὐτῷ· καὶ ἐὰν ἑπτάκις τῆς ἡμέρας ἁμαρτήσῃ εἰς 4
σὲ καὶ ἑπτάκις ἐπιστρέψῃ πρὸς σὲ λέγων Μετανοῶ, ἀφή-
σεις αὐτῷ. Καὶ εἶπαν οἱ ἀπόστολοι τῷ κυρίῳ 5
Πρόσθες ἡμῖν πίστιν. εἶπεν δὲ ὁ κύριος Εἰ ἔχετε πίστιν ὡς 6
κόκκον σινάπεως, ἐλέγετε ἂν τῇ συκαμίνῳ [ταύτῃ] Ἐκρι-
ζώθητι καὶ φυτεύθητι ἐν τῇ θαλάσσῃ· καὶ ὑπήκουσεν ἂν
ὑμῖν. Τίς δὲ ἐξ ὑμῶν δοῦλον ἔχων ἀροτριῶντα 7
ἢ ποιμαίνοντα, ὃς εἰσελθόντι ἐκ τοῦ ἀγροῦ ἐρεῖ αὐτῷ Εὐ-
θέως παρελθὼν ἀνάπεσε, ἀλλ᾽ οὐχὶ ἐρεῖ αὐτῷ Ἑτοίμα- 8
σον τί δειπνήσω, καὶ περιζωσάμενος διακόνει μοι ἕως
φάγω καὶ πίω, καὶ μετὰ ταῦτα φάγεσαι καὶ πίεσαι σύ;
μὴ ἔχει χάριν τῷ δούλῳ ὅτι ἐποίησεν τὰ διαταχθέντα; 9
οὕτως καὶ ὑμεῖς, ὅταν ποιήσητε πάντα τὰ διαταχθέντα 10
ὑμῖν, λέγετε ὅτι Δοῦλοι ἀχρεῖοί ἐσμεν, ὃ ὠφείλομεν

12 ὑπήντησαν | ἔστησαν

ποιῆσαι πεποιήκαμεν.

11 Καὶ ἐγένετο ἐν τῷ πορεύεσθαι εἰς Ἰερουσαλὴμ καὶ
12 αὐτὸς διήρχετο διὰ μέσον Σαμαρίας καὶ Γαλιλαίας. Καὶ
εἰσερχομένου αὐτοῦ εἴς τινα κώμην ⌜ἀπήντησαν⌝ δέκα
13 λεπροὶ ἄνδρες, οἳ ⌜ἀνέστησαν⌝ πόρρωθεν, καὶ αὐτοὶ ἦραν
14 φωνὴν λέγοντες Ἰησοῦ ἐπιστάτα, ἐλέησον ἡμᾶς. καὶ
ἰδὼν εἶπεν αὐτοῖς Πορευθέντες ἐπιδείξατε ἑαυτοὺς τοῖϲ
ἱερεῦϲιν. καὶ ἐγένετο ἐν τῷ ὑπάγειν αὐτοὺς ἐκαθαρίσθη-
15 σαν. εἷς δὲ ἐξ αὐτῶν, ἰδὼν ὅτι ἰάθη, ὑπέστρεψεν μετὰ
16 φωνῆς μεγάλης δοξάζων τὸν θεόν, καὶ ἔπεσεν ἐπὶ πρόσωπον
παρὰ τοὺς πόδας αὐτοῦ εὐχαριστῶν αὐτῷ· καὶ αὐτὸς ἦν
17 Σαμαρείτης. ἀποκριθεὶς δὲ ὁ Ἰησοῦς εἶπεν Οὐχ οἱ δέκα
18 ἐκαθαρίσθησαν; οἱ [δὲ] ἐννέα ποῦ; οὐχ εὑρέθησαν ὑποστρέ-
ψαντες δοῦναι δόξαν τῷ θεῷ εἰ μὴ ὁ ἀλλογενὴς οὗτος;
19 καὶ εἶπεν αὐτῷ Ἀναστὰς πορεύου· ἡ πίστις σου σέσω-
κέν σε.

20 Ἐπερωτηθεὶς δὲ ὑπὸ τῶν Φαρισαίων πότε ἔρχεται ἡ
βασιλεία τοῦ θεοῦ ἀπεκρίθη αὐτοῖς καὶ εἶπεν Οὐκ ἔρχε-
21 ται ἡ βασιλεία τοῦ θεοῦ μετὰ παρατηρήσεως, οὐδὲ ἐροῦ-
σιν Ἰδοὺ ὧδε ἢ Ἐκεῖ· ἰδοὺ γὰρ ἡ βασιλεία τοῦ θεοῦ
22 ἐντὸς ὑμῶν ἐστίν. Εἶπεν δὲ πρὸς τοὺς μαθητάς
Ἐλεύσονται ἡμέραι ὅτε ἐπιθυμήσετε μίαν τῶν ἡμερῶν τοῦ
23 υἱοῦ τοῦ ἀνθρώπου ἰδεῖν καὶ οὐκ ὄψεσθε. καὶ ἐροῦσιν ὑμῖν
Ἰδοὺ ⌜ἐκεῖ ἤ⌝ Ἰδοὺ ὧδε· μὴ [ἀπέλθητε μηδὲ] διώξητε.
24 ὥσπερ γὰρ ἡ ἀστραπὴ ἀστράπτουσα ἐκ τῆς ὑπὸ τὸν οὐρα-
νὸν εἰς τὴν ὑπ' οὐρανὸν λάμπει, οὕτως ἔσται ὁ υἱὸς τοῦ
25 ἀνθρώπου ⌐. πρῶτον δὲ δεῖ αὐτὸν πολλὰ παθεῖν καὶ ἀπο-
26 δοκιμασθῆναι ἀπὸ τῆς γενεᾶς ταύτης. καὶ καθὼς ἐγένετο
ἐν ταῖς ἡμέραις Νῶε, οὕτως ἔσται καὶ ἐν ταῖς ἡμέραις τοῦ
27 υἱοῦ τοῦ ἀνθρώπου· ἤσθιον, ἔπινον, ἐγάμουν, ἐγαμίζοντο,
ἄχρι ἧς ἡμέρας εἰϲῆλθεν Νῶε εἰϲ τὴν κιβωτόν, καὶ
28 ἦλθεν ὁ κατακλυσμὸς καὶ ἀπώλεσεν ⌜πάντας⌝. ὁμοίως

23 ἐκεῖ,   24 ἐν τῇ ἡμέρᾳ αὐτοῦ   27 ἅπαντας

καθὼς ἐγένετο ἐν ταῖς ἡμέραις Λώτ· ἤσθιον, ἔπινον, ἠγό-
ραζον, ἐπώλουν, ἐφύτευον, ᾠκοδόμουν· ᾗ δὲ ἡμέρᾳ ἐξῆλθεν 29
Λὼτ ἀπὸ Σοδόμων, ἔβρεξεν πῦρ καὶ θεῖον ἀπ᾽ οὐρανοῦ
καὶ ἀπώλεσεν ⌜πάντας⌝. κατὰ τὰ αὐτὰ ἔσται ᾗ ἡμέρᾳ ὁ 30
υἱὸς τοῦ ἀνθρώπου ἀποκαλύπτεται. ἐν ἐκείνῃ τῇ ἡμέρᾳ 31
ὃς ἔσται ἐπὶ τοῦ δώματος καὶ τὰ σκεύη αὐτοῦ ἐν τῇ οἰκίᾳ,
μὴ καταβάτω ἆραι αὐτά, καὶ ὁ ἐν ἀγρῷ ὁμοίως μὴ ἐπι-
στρεψάτω εἰς τὰ ὀπίσω. μνημονεύετε τῆς γυναικὸς Λώτ. 32
ὃς ἐὰν ζητήσῃ τὴν ψυχὴν αὐτοῦ περιποιήσασθαι ἀπολέσει 33
αὐτήν, ὃς δ᾽ ἂν ἀπολέσει ζωογονήσει αὐτήν. λέγω ὑμῖν, 34
ταύτῃ τῇ νυκτὶ ἔσονται δύο ἐπὶ κλίνης [μιᾶς], ὁ εἷς παρα-
λημφθήσεται καὶ ὁ ἕτερος ἀφεθήσεται· ἔσονται δύο ἀλή- 35
θουσαι ἐπὶ τὸ αὐτό, ἡ μία παραλημφθήσεται ἡ δὲ ἑτέρα
ἀφεθήσεται. καὶ ἀποκριθέντες λέγουσιν αὐτῷ Ποῦ, κύ- 37
ριε; ὁ δὲ εἶπεν αὐτοῖς Ὅπου τὸ σῶμα, ἐκεῖ καὶ οἱ ἀετοὶ
ἐπισυναχθήσονται.

Ἔλεγεν δὲ παραβολὴν αὐτοῖς πρὸς τὸ δεῖν πάντοτε 1
προσεύχεσθαι αὐτοὺς καὶ μὴ ἐνκακεῖν, λέγων Κριτής τις 2
ἦν ἔν τινι πόλει τὸν θεὸν μὴ φοβούμενος καὶ ἄνθρωπον
μὴ ἐντρεπόμενος. χήρα δὲ ἦν ἐν τῇ πόλει ἐκείνῃ καὶ 3
ἤρχετο πρὸς αὐτὸν λέγουσα Ἐκδίκησόν με ἀπὸ τοῦ ἀν-
τιδίκου μου. καὶ οὐκ ἤθελεν ἐπὶ χρόνον, μετὰ ταῦτα δὲ 4
εἶπεν ἐν ἑαυτῷ Εἰ καὶ τὸν θεὸν οὐ φοβοῦμαι οὐδὲ ἄν-
θρωπον ἐντρέπομαι, διά γε τὸ παρέχειν μοι κόπον τὴν 5
χήραν ταύτην ἐκδικήσω αὐτήν, ἵνα μὴ εἰς τέλος ἐρχομένη
ὑπωπιάζῃ με. Εἶπεν δὲ ὁ κύριος Ἀκούσατε τί ὁ κριτὴς 6
τῆς ἀδικίας λέγει· ὁ δὲ θεὸς οὐ μὴ ποιήσῃ τὴν ἐκδίκησιν 7
τῶν ἐκλεκτῶν αὐτοῦ τῶν βοώντων αὐτῷ ἡμέρας καὶ νυκτός,
καὶ μακροθυμεῖ ἐπ᾽ αὐτοῖς; λέγω ὑμῖν ὅτι ποιήσει τὴν ἐκ- 8
δίκησιν αὐτῶν ἐν τάχει. πλὴν ὁ υἱὸς τοῦ ἀνθρώπου ἐλ-
θὼν ἆρα εὑρήσει τὴν πίστιν ἐπὶ τῆς γῆς;

Εἶπεν δὲ καὶ πρός τινας τοὺς πεποιθότας ἐφ᾽ ἑαυτοῖς 9
ὅτι εἰσὶν δίκαιοι καὶ ἐξουθενοῦντας τοὺς λοιποὺς τὴν παρα-

29 ἅπαντας

10 βολὴν ταύτην. Ἄνθρωποι δύο ἀνέβησαν εἰς τὸ ἱερὸν
11 προσεύξασθαι, ⌐ εἷς Φαρισαῖος καὶ ὁ ἕτερος τελώνης. ὁ
Φαρισαῖος σταθεὶς ⌐ταῦτα πρὸς ἑαυτὸν⌐ προσηύχετο Ὁ
θεός, εὐχαριστῶ σοι ὅτι οὐκ εἰμὶ ⌐ὥσπερ⌐ οἱ λοιποὶ τῶν
ἀνθρώπων, ἅρπαγες, ἄδικοι, μοιχοί, ἢ καὶ ὡς οὗτος ὁ τε-
12 λώνης· νηστεύω δὶς τοῦ σαββάτου, ἀποδεκατεύω πάντα
13 ὅσα κτῶμαι. ὁ δὲ τελώνης μακρόθεν ἑστὼς οὐκ ἤθελεν
οὐδὲ τοὺς ὀφθαλμοὺς ἐπᾶραι εἰς τὸν οὐρανόν, ἀλλ' ἔτυπτε
τὸ στῆθος ἑαυτοῦ λέγων Ὁ θεός, ἱλάσθητί μοι τῷ ἁμαρ-
14 τωλῷ. λέγω ὑμῖν, κατέβη οὗτος δεδικαιωμένος εἰς τὸν
οἶκον αὐτοῦ παρ' ἐκεῖνον· ὅτι πᾶς ὁ ὑψῶν ἑαυτὸν ταπει-
νωθήσεται, ὁ δὲ ταπεινῶν ἑαυτὸν ὑψωθήσεται.

15 Προσέφερον δὲ αὐτῷ καὶ τὰ βρέφη ἵνα αὐτῶν ἅπτηται·
16 ἰδόντες δὲ οἱ μαθηταὶ ἐπετίμων αὐτοῖς. ὁ δὲ Ἰησοῦς προσ-
εκαλέσατο [αὐτὰ] λέγων Ἄφετε τὰ παιδία ἔρχεσθαι πρός
με καὶ μὴ κωλύετε αὐτά, τῶν γὰρ τοιούτων ἐστὶν ἡ βασι-
17 λεία τοῦ θεοῦ. ἀμὴν λέγω ὑμῖν, ὃς ἂν μὴ δέξηται τὴν
βασιλείαν τοῦ θεοῦ ὡς παιδίον, οὐ μὴ εἰσέλθῃ εἰς αὐτήν.

18 Καὶ ἐπηρώτησέν τις αὐτὸν ἄρχων λέγων Διδάσκαλε
19 ἀγαθέ, τί ποιήσας ζωὴν αἰώνιον κληρονομήσω; εἶπεν δὲ
αὐτῷ ὁ Ἰησοῦς Τί με λέγεις ἀγαθόν; οὐδεὶς ἀγαθὸς εἰ
20 μὴ εἷς [ὁ] θεός. τὰς ἐντολὰς οἶδας Μὴ μοιχεύϲηϲ, Μὴ
φονεύϲηϲ, Μὴ κλέψηϲ, Μὴ ψευδομαρτυρή-
21 ϲηϲ, Τίμα τὸν πατέρα ϲου καὶ τὴν μητέρα. ὁ δὲ
22 εἶπεν Ταῦτα πάντα ἐφύλαξα ἐκ νεότητος. ἀκούσας δὲ ὁ
Ἰησοῦς εἶπεν αὐτῷ Ἔτι ἕν σοι λείπει· πάντα ὅσα ἔχεις
πώλησον καὶ διάδος πτωχοῖς, καὶ ἕξεις θησαυρὸν ἐν [τοῖς]
23 οὐρανοῖς, καὶ δεῦρο ἀκολούθει μοι. ὁ δὲ ἀκούσας ταῦτα
24 περίλυπος ἐγενήθη, ἦν γὰρ πλούσιος σφόδρα. Ἰδὼν δὲ
αὐτὸν [ὁ] Ἰησοῦς εἶπεν Πῶς δυσκόλως οἱ τὰ χρήματα
25 ἔχοντες εἰς τὴν βασιλείαν τοῦ θεοῦ εἰσπορεύονται· εὐκο-
πώτερον γάρ ἐστιν κάμηλον διὰ τρήματος βελόνης εἰσελ-
θεῖν ἢ πλούσιον εἰς τὴν βασιλείαν τοῦ θεοῦ εἰσελθεῖν.

10 ὁ   11 πρὸς ἑαυτὸν ταῦτα | ὡς

εἶπαν δὲ οἱ ἀκούσαντες Καὶ τίς δύναται σωθῆναι; ὁ δὲ 26 27
εἶπεν Τὰ ἀδύνατα παρὰ ἀνθρώποις δυνατὰ παρὰ τῷ θεῷ
ἐστίν.   Εἶπεν δὲ ὁ Πέτρος Ἰδοὺ ἡμεῖς ἀφέν- 28
τες τὰ ἴδια ἠκολουθήσαμέν σοι. ὁ δὲ εἶπεν αὐτοῖς Ἀμὴν 29
λέγω ὑμῖν ὅτι οὐδεὶς ἔστιν ὃς ἀφῆκεν οἰκίαν ἢ γυναῖκα ἢ
ἀδελφοὺς ἢ γονεῖς ἢ τέκνα εἵνεκεν τῆς βασιλείας τοῦ θεοῦ,
ὃς οὐχὶ μὴ ⌜λάβῃ⌝ πολλαπλασίονα ἐν τῷ καιρῷ τούτῳ 30
καὶ ἐν τῷ αἰῶνι τῷ ἐρχομένῳ ζωὴν αἰώνιον.

Παραλαβὼν δὲ τοὺς δώδεκα εἶπεν πρὸς αὐτούς Ἰδοὺ 31
ἀναβαίνομεν εἰς Ἰερουσαλήμ, καὶ τελεσθήσεται πάντα τὰ
γεγραμμένα διὰ τῶν προφητῶν τῷ υἱῷ τοῦ ἀνθρώπου·
παραδοθήσεται γὰρ τοῖς ἔθνεσιν καὶ ἐμπαιχθήσεται καὶ 32
ὑβρισθήσεται καὶ ἐμπτυσθήσεται, καὶ μαστιγώσαντες 33
ἀποκτενοῦσιν αὐτόν, καὶ τῇ ἡμέρᾳ τῇ τρίτῃ ἀναστήσε-
ται. Καὶ αὐτοὶ οὐδὲν τούτων συνῆκαν, καὶ ἦν τὸ ῥῆμα 34
τοῦτο κεκρυμμένον ἀπ' αὐτῶν, καὶ οὐκ ἐγίνωσκον τὰ λεγό-
μενα.

Ἐγένετο δὲ ἐν τῷ ἐγγίζειν αὐτὸν εἰς Ἰερειχὼ τυφλός 35
τις ἐκάθητο παρὰ τὴν ὁδὸν ἐπαιτῶν. ἀκούσας δὲ ὄχλου 36
διαπορευομένου ἐπυνθάνετο τί ᵀ εἴη τοῦτο· ἀπήγγειλαν δὲ 37
αὐτῷ ὅτι Ἰησοῦς ὁ Ναζωραῖος παρέρχεται. καὶ ἐβόησεν 38
λέγων Ἰησοῦ υἱὲ Δαυείδ, ἐλέησόν με. καὶ οἱ προάγοντες 39
ἐπετίμων αὐτῷ ἵνα σιγήσῃ· αὐτὸς δὲ πολλῷ μᾶλλον ἔκρα-
ζεν Υἱὲ Δαυείδ, ἐλέησόν με. σταθεὶς δὲ Ἰησοῦς ἐκέ- 40
λευσεν αὐτὸν ἀχθῆναι πρὸς αὐτόν. ἐγγίσαντος δὲ αὐτοῦ
ἐπηρώτησεν αὐτόν Τί σοι θέλεις ποιήσω; ὁ δὲ εἶ- 41
πεν Κύριε, ἵνα ἀναβλέψω. καὶ ὁ Ἰησοῦς εἶπεν αὐτῷ 42
Ἀνάβλεψον· ἡ πίστις σου σέσωκέν σε. καὶ παραχρῆ- 43
μα ἀνέβλεψεν, καὶ ἠκολούθει αὐτῷ δοξάζων τὸν θεόν.
Καὶ πᾶς ὁ λαὸς ἰδὼν ἔδωκεν αἶνον τῷ θεῷ.

Καὶ εἰσελθὼν διήρχετο τὴν Ἰερειχώ. Καὶ ἰδοὺ ἀνὴρ 1 2
ὀνόματι καλούμενος Ζακχαῖος, καὶ αὐτὸς ἦν ἀρχιτελώνης
⌜καὶ αὐτὸς⌝ πλούσιος· καὶ ἐζήτει ἰδεῖν τὸν Ἰησοῦν τίς ἐστιν, 3

30 ἀπολάβῃ   36 ἄν   2 καὶ ἦν

καὶ οὐκ ἠδύνατο ἀπὸ τοῦ ὄχλου ὅτι τῇ ἡλικίᾳ μικρὸς ἦν.
4 καὶ προδραμὼν εἰς τὸ ἔμπροσθεν ἀνέβη ἐπὶ συκομορέαν
5 ἵνα ἴδῃ αὐτόν, ὅτι ἐκείνης ἤμελλεν διέρχεσθαι. καὶ ὡς
ἦλθεν ἐπὶ τὸν τόπον, ἀναβλέψας [ὁ] Ἰησοῦς εἶπεν πρὸς
αὐτόν Ζακχαῖε, σπεύσας κατάβηθι, σήμερον γὰρ ἐν τῷ
6 οἴκῳ σου δεῖ με μεῖναι. καὶ σπεύσας κατέβη, καὶ ὑπεδέ-
7 ξατο αὐτὸν χαίρων. καὶ ἰδόντες πάντες διεγόγγυζον λέ-
γοντες ὅτι Παρὰ ἁμαρτωλῷ ἀνδρὶ εἰσῆλθεν καταλῦσαι.
8 σταθεὶς δὲ Ζακχαῖος εἶπεν πρὸς τὸν κύριον Ἰδοὺ τὰ
ἡμίσιά μου τῶν ὑπαρχόντων, κύριε, [τοῖς] πτωχοῖς δίδωμι,
9 καὶ εἴ τινός τι ἐσυκοφάντησα ἀποδίδωμι τετραπλοῦν. εἶπεν
δὲ πρὸς αὐτὸν [ὁ] Ἰησοῦς ὅτι Σήμερον σωτηρία τῷ οἴκῳ
τούτῳ ἐγένετο, καθότι καὶ αὐτὸς υἱὸς Ἀβραάμ [ἐστιν]·
10 ἦλθεν γὰρ ὁ υἱὸς τοῦ ἀνθρώπου ΖΗΤΗϹΑΙ καὶ σῶσαι τὸ
ἀπολωλόϹ.

11   Ἀκουόντων δὲ αὐτῶν ταῦτα προσθεὶς εἶπεν παραβολὴν
διὰ τὸ ἐγγὺς εἶναι Ἰερουσαλὴμ αὐτὸν καὶ δοκεῖν αὐτοὺς ὅτι
παραχρῆμα μέλλει ἡ βασιλεία τοῦ θεοῦ ἀναφαίνεσθαι·
12 εἶπεν οὖν Ἄνθρωπός τις εὐγενὴς ἐπορεύθη εἰς χώραν
13 μακρὰν λαβεῖν ἑαυτῷ βασιλείαν καὶ ὑποστρέψαι. καλέσας
δὲ δέκα δούλους ἑαυτοῦ ἔδωκεν αὐτοῖς δέκα μνᾶς καὶ εἶπεν
14 πρὸς ⌜αὐτοὺς πραγματεύσασθαι⌝ ἐν ᾧ ἔρχομαι. Οἱ δὲ πο-
λῖται αὐτοῦ ἐμίσουν αὐτόν, καὶ ἀπέστειλαν πρεσβείαν
ὀπίσω αὐτοῦ λέγοντες Οὐ θέλομεν τοῦτον βασιλεῦσαι
15 ἐφ' ἡμᾶς. Καὶ ἐγένετο ἐν τῷ ἐπανελθεῖν αὐτὸν λαβόντα
τὴν βασιλείαν καὶ εἶπεν φωνηθῆναι αὐτῷ τοὺς δούλους
τούτους οἷς δεδώκει τὸ ἀργύριον, ἵνα γνοῖ τί διεπραγματεύ-
16 σαντο. παρεγένετο δὲ ὁ πρῶτος λέγων Κύριε, ἡ μνᾶ
17 σου δέκα προσηργάσατο μνᾶς. καὶ εἶπεν αὐτῷ ⌜Εὖγε⌝,
ἀγαθὲ δοῦλε, ὅτι ἐν ἐλαχίστῳ πιστὸς ἐγένου, ἴσθι ἐξουσίαν
18 ἔχων ἐπάνω δέκα πόλεων. καὶ ἦλθεν ὁ δεύτερος λέγων Ἡ
19 μνᾶ σου, κύριε, ἐποίησεν πέντε μνᾶς. εἶπεν δὲ καὶ τού-
20 τῳ Καὶ σὺ ἐπάνω γίνου πέντε πόλεων. καὶ ὁ ἕτερος

13 αὐτούς Πραγματεύσασθε   17 Εὖ

ἦλθεν λέγων   Κύριε, ἰδοὺ ἡ μνᾶ σου ἣν εἶχον ἀποκειμέ-
νην ἐν σουδαρίῳ· ἐφοβούμην γάρ σε ὅτι ἄνθρωπος αὐ- 21
στηρὸς εἶ, αἴρεις ὃ οὐκ ἔθηκας καὶ θερίζεις ὃ οὐκ ἔσπει-
ρας.   λέγει αὐτῷ   Ἐκ τοῦ στόματός σου κρίνω σε, 22
πονηρὲ δοῦλε· ᾔδεις ὅτι ἐγὼ ἄνθρωπος αὐστηρός εἰμι,
αἴρων ὃ οὐκ ἔθηκα καὶ θερίζων ὃ οὐκ ἔσπειρα; καὶ διὰ τί 23
οὐκ ἔδωκάς μου τὸ ἀργύριον ἐπὶ τράπεζαν; κἀγὼ ἐλθὼν
σὺν τόκῳ ἂν αὐτὸ ἔπραξα.   καὶ τοῖς παρεστῶσιν εἶπεν 24
Ἄρατε ἀπ᾽ αὐτοῦ τὴν μνᾶν καὶ δότε τῷ τὰς δέκα μνᾶς
ἔχοντι – καὶ εἶπαν αὐτῷ   Κύριε, ἔχει δέκα μνᾶς· – λέγω 25
                                                     26
ὑμῖν ὅτι παντὶ τῷ ἔχοντι δοθήσεται, ἀπὸ δὲ τοῦ μὴ
ἔχοντος καὶ ὃ ἔχει ἀρθήσεται.   Πλὴν τοὺς ἐχθρούς μου 27
τούτους τοὺς μὴ θελήσαντάς με βασιλεῦσαι ἐπ᾽ αὐτοὺς
ἀγάγετε ὧδε καὶ κατασφάξατε αὐτοὺς ἔμπροσθέν μου. Καὶ 28
εἰπὼν ταῦτα ἐπορεύετο ἔμπροσθεν ἀναβαίνων εἰς Ἱεροσό-
λυμα.

     Καὶ ἐγένετο ὡς ἤγγισεν εἰς Βηθφαγὴ καὶ Βηθανιὰ 29
πρὸς τὸ ὄρος τὸ καλούμενον Ἐλαιῶν, ἀπέστειλεν δύο τῶν
μαθητῶν λέγων   Ὑπάγετε εἰς τὴν κατέναντι κώμην, ἐν ᾗ 30
εἰσπορευόμενοι εὑρήσετε πῶλον δεδεμένον, ἐφ᾽ ὃν οὐδεὶς
πώποτε ἀνθρώπων ἐκάθισεν, καὶ λύσαντες αὐτὸν ἀγάγετε.
καὶ ἐάν τις ὑμᾶς ἐρωτᾷ   Διὰ τί λύετε; οὕτως ἐρεῖτε 31
ὅτι   Ὁ κύριος αὐτοῦ χρείαν ἔχει. ἀπελθόντες δὲ οἱ ἀπε- 32
σταλμένοι εὗρον καθὼς εἶπεν αὐτοῖς. λυόντων δὲ αὐτῶν 33
τὸν πῶλον εἶπαν οἱ κύριοι αὐτοῦ πρὸς αὐτούς   Τί λύετε
τὸν πῶλον; οἱ δὲ εἶπαν ὅτι   Ὁ κύριος αὐτοῦ χρείαν ἔχει. 34
καὶ ἤγαγον αὐτὸν πρὸς τὸν Ἰησοῦν, καὶ ἐπιρίψαντες αὐτῶν 35
τὰ ἱμάτια ἐπὶ τὸν πῶλον ἐπεβίβασαν τὸν Ἰησοῦν· πορευο- 36
μένου δὲ αὐτοῦ ὑπεστρώννυον τὰ ἱμάτια ἑαυτῶν ἐν τῇ
ὁδῷ. ἐγγίζοντος δὲ αὐτοῦ ἤδη πρὸς τῇ καταβάσει τοῦ 37
Ὄρους τῶν Ἐλαιῶν ἤρξαντο ἅπαν τὸ πλῆθος τῶν μαθητῶν
χαίροντες αἰνεῖν τὸν θεὸν φωνῇ μεγάλῃ περὶ πασῶν ὧν
εἶδον δυνάμεων, λέγοντες
                                                           38

38 ὁ v. ὁ ἐρχόμενος

Εὐλογημένος ⌜ὁ ἐρχόμενος,
ὁ⌝ βασιλεύς, ἐν ὀνόματι Κυρίογ·
ἐν οὐρανῷ εἰρήνη
καὶ δόξα ἐν ὑψίστοις.

39 Καί τινες τῶν Φαρισαίων ἀπὸ τοῦ ὄχλου εἶπαν πρὸς αὐ-
40 τόν Διδάσκαλε, ἐπιτίμησον τοῖς μαθηταῖς σου. καὶ
ἀποκριθεὶς εἶπεν Λέγω ⌜ὑμῖν,⌝ ἐὰν οὗτοι σιωπήσουσιν,
41 οἱ λίθοι κράξουσιν.   Καὶ ὡς ἤγγισεν, ἰδὼν τὴν
42 πόλιν ἔκλαυσεν ἐπ᾽ αὐτήν, λέγων ὅτι Εἰ ἔγνως ἐν τῇ
ἡμέρᾳ ταύτῃ καὶ σὺ τὰ πρὸς εἰρήνην— νῦν δὲ ἐκρύ-
43 βη ἀπὸ ὀφθαλμῶν σου. ὅτι ἥξουσιν ἡμέραι ἐπὶ σὲ καὶ
⌜παρεμβαλοῦσιν⌝ οἱ ἐχθροί σου χάρακά σοι καὶ περικυκλώ-
44 σουσίν σε καὶ συνέξουσίν σε πάντοθεν, καὶ ἐΔΑφιοῦϹΊΝ σε
καὶ τὰ ΤΈΚΝΑ ϹΟΥ ἐν σοί, καὶ οὐκ ἀφήσουσιν λίθον ἐπὶ
λίθον ἐν σοί, ἀνθ᾽ ὧν οὐκ ἔγνως τὸν καιρὸν τῆς ἐπισκοπῆς
45 σου.   Καὶ εἰσελθὼν εἰς τὸ ἱερὸν ἤρξατο ἐκβάλ-
46 λειν τοὺς πωλοῦντας, λέγων αὐτοῖς Γέγραπται Καὶ ἔϹΤΑΙ
ὁ οἶκός ΜΟΥ οἶκος ΠΡΟϹΕΥΧῆϹ, ὑμεῖς δὲ αὐτὸν ἐποιή-
σατε ϹΠΉΛΑΙΟΝ ΛῃϹΤῶΝ.

47   Καὶ ἦν διδάσκων τὸ καθ᾽ ἡμέραν ἐν τῷ ἱερῷ· οἱ δὲ
ἀρχιερεῖς καὶ οἱ γραμματεῖς ἐζήτουν αὐτὸν ἀπολέσαι καὶ οἱ
48 πρῶτοι τοῦ λαοῦ, καὶ οὐχ ηὕρισκον τὸ τί ποιήσωσιν, ὁ
λαὸς γὰρ ἅπας ἐξεκρέμετο αὐτοῦ ἀκούων.

1   Καὶ ἐγένετο ἐν μιᾷ τῶν ἡμερῶν διδάσκοντος αὐτοῦ τὸν
λαὸν ἐν τῷ ἱερῷ καὶ εὐαγγελιζομένου ἐπέστησαν οἱ ἀρχιε-
2 ρεῖς καὶ οἱ γραμματεῖς σὺν τοῖς πρεσβυτέροις, καὶ εἶπαν λέ-
γοντες πρὸς αὐτόν Εἰπὸν ἡμῖν ἐν ποίᾳ ἐξουσίᾳ ταῦτα ποι-
3 εῖς, ἢ τίς ἐστιν ὁ δούς σοι τὴν ἐξουσίαν ταύτην. ἀποκριθεὶς
δὲ εἶπεν πρὸς αὐτούς Ἐρωτήσω ὑμᾶς κἀγὼ λόγον, καὶ
4 εἴπατέ μοι Τὸ βάπτισμα Ἰωάνου ἐξ οὐρανοῦ ἦν ἢ ἐξ
5 ἀνθρώπων; οἱ δὲ συνελογίσαντο πρὸς ἑαυτοὺς λέγοντες
ὅτι Ἐὰν εἴπωμεν Ἐξ οὐρανοῦ, ἐρεῖ Διὰ τί οὐκ ἐπι-

στεύσατε αὐτῷ; ἐὰν δὲ εἴπωμεν Ἐξ ἀνθρώπων, ὁ λαὸς 6
ἅπας καταλιθάσει ἡμᾶς, πεπεισμένος γάρ ἐστιν Ἰωάνην
προφήτην εἶναι· καὶ ἀπεκρίθησαν μὴ εἰδέναι πόθεν. καὶ 7,8
ὁ Ἰησοῦς εἶπεν αὐτοῖς Οὐδὲ ἐγὼ λέγω ὑμῖν ἐν ποίᾳ ἐξου-
σίᾳ ταῦτα ποιῶ.   Ἤρξατο δὲ πρὸς τὸν λαὸν 9
λέγειν τὴν παραβολὴν ταύτην Ἄνθρωπος ἐφύτευσεν
ἀμπελῶνα, καὶ ἐξέδετο αὐτὸν γεωργοῖς, καὶ ἀπεδήμησεν
χρόνους ἱκανούς. καὶ καιρῷ ἀπέστειλεν πρὸς τοὺς γεωργοὺς 10
δοῦλον, ἵνα ἀπὸ τοῦ καρποῦ τοῦ ἀμπελῶνος δώσουσιν αὐτῷ·
οἱ δὲ γεωργοὶ ἐξαπέστειλαν αὐτὸν δείραντες κενόν. καὶ 11
προσέθετο ἕτερον πέμψαι δοῦλον· οἱ δὲ κἀκεῖνον δείραντες
καὶ ἀτιμάσαντες ἐξαπέστειλαν κενόν. καὶ προσέθετο τρίτον 12
πέμψαι· οἱ δὲ καὶ τοῦτον τραυματίσαντες ἐξέβαλον. εἶπεν 13
δὲ ὁ κύριος τοῦ ἀμπελῶνος Τί ποιήσω; πέμψω τὸν υἱόν
μου τὸν ἀγαπητόν· ἴσως τοῦτον ἐντραπήσονται. ἰδόντες 14
δὲ αὐτὸν οἱ γεωργοὶ διελογίζοντο πρὸς ἀλλήλους λέγον-
τες Οὗτός ἐστιν ὁ κληρονόμος· ἀποκτείνωμεν αὐτόν, ἵνα
ἡμῶν γένηται ἡ κληρονομία· καὶ ἐκβαλόντες αὐτὸν ἔξω 15
τοῦ ἀμπελῶνος ἀπέκτειναν. τί οὖν ποιήσει αὐτοῖς ὁ κύρι-
ος τοῦ ἀμπελῶνος; ἐλεύσεται καὶ ἀπολέσει τοὺς γεωργοὺς 16
τούτους, καὶ δώσει τὸν ἀμπελῶνα ἄλλοις. ἀκούσαντες δὲ
εἶπαν Μὴ γένοιτο. ὁ δὲ ἐμβλέψας αὐτοῖς εἶπεν Τί 17
οὖν ἐστὶν τὸ γεγραμμένον τοῦτο

Λίθον ὃν ἀπεδοκίμασαν οἱ οἰκοδομοῦντες,
οὗτος ἐγενήθη εἰς κεφαλὴν γωνίας;

πᾶς ὁ πεσὼν ἐπ᾽ ἐκεῖνον τὸν λίθον συνθλασθήσεται· ἐφ᾽ ὃν 18
δ᾽ ἂν πέσῃ, λικμήσει αὐτόν.   Καὶ ἐζήτησαν 19
οἱ γραμματεῖς καὶ οἱ ἀρχιερεῖς ἐπιβαλεῖν ἐπ᾽ αὐτὸν τὰς
χεῖρας ἐν αὐτῇ τῇ ὥρᾳ, καὶ ἐφοβήθησαν τὸν λαόν, ἔγνω-
σαν γὰρ ὅτι πρὸς αὐτοὺς εἶπεν τὴν παραβολὴν ταύτην.
Καὶ παρατηρήσαντες ἀπέστειλαν ἐνκαθέτους ὑποκρινομέ- 20
νους ἑαυτοὺς δικαίους εἶναι, ἵνα ἐπιλάβωνται αὐτοῦ λόγου,
ὥστε παραδοῦναι αὐτὸν τῇ ἀρχῇ καὶ τῇ ἐξουσίᾳ τοῦ

27 ἐπηρώτων

21 ἡγεμόνος. καὶ ἐπηρώτησαν αὐτὸν λέγοντες Διδάσκαλε,
οἴδαμεν ὅτι ὀρθῶς λέγεις καὶ διδάσκεις καὶ οὐ λαμβάνεις
πρόσωπον, ἀλλ᾽ ἐπ᾽ ἀληθείας τὴν ὁδὸν τοῦ θεοῦ διδάσκεις·
22 ἔξεστιν ἡμᾶς Καίσαρι φόρον δοῦναι ἢ οὔ; κατανοήσας δὲ
23
24 αὐτῶν τὴν πανουργίαν εἶπεν πρὸς αὐτούς Δείξατέ μοι δηνά-
ριον· τίνος ἔχει εἰκονα καὶ ἐπιγραφήν; οἱ δὲ εἶπαν Καί-
25 σαρος. ὁ δὲ εἶπεν πρὸς αὐτούς Τοίνυν ἀπόδοτε τὰ Καί-
26 σαρος Καίσαρι καὶ τὰ τοῦ θεοῦ τῷ θεῷ. καὶ οὐκ ἴσχυσαν
ἐπιλαβέσθαι τοῦ ῥήματος ἐναντίον τοῦ λαοῦ, καὶ θαυμά-
σαντες ἐπὶ τῇ ἀποκρίσει αὐτοῦ ἐσίγησαν.

27 Προσελθόντες δέ τινες τῶν Σαδδουκαίων, οἱ λέγοντες
28 ἀνάστασιν μὴ εἶναι, ⌈ἐπηρώτησαν⌉ αὐτὸν λέγοντες Διδά-
σκαλε, Μωυσῆς ἔγραψεν ἡμῖν, ἐάν τινοϲ ἀδελφὸϲ ἀπο-
θάνῃ ἔχων γυναῖκα, καὶ οὗτοϲ ἄτεκνοϲ ᾖ, ἵνα λάβῃ ὁ
ἀδελφὸϲ αὐτοῦ τὴν γυναῖκα καὶ ἐξαναϲτήϲῃ ϲπέρμα
29 τῷ ἀδελφῷ αὐτοῦ. ἑπτὰ οὖν ἀδελφοὶ ἦσαν· καὶ ὁ πρῶ-
30 τος λαβὼν γυναῖκα ἀπέθανεν ἄτεκνος· καὶ ὁ δεύτερος
31 καὶ ὁ τρίτος ἔλαβεν αὐτήν, ὡσ ὑτωσ δὲ καὶ οἱ ἑπτὰ οὐ
32 κατέλιπον τέκνα καὶ ἀπέθανον· ὕστερον καὶ ἡ γυνὴ ἀπέ-
33 θανεν. ἡ γυνὴ οὖν ἐν τῇ ἀναστάσει τίνος αὐτῶν γίνεται
34 γυνή; οἱ γὰρ ἑπτὰ ἔσχον αὐτὴν γυναῖκα. καὶ εἶπεν αὐ-
τοῖς ὁ Ἰησοῦς Οἱ υἱοὶ τοῦ αἰῶνος τούτου γαμοῦσιν καὶ
35 γαμίσκονται, οἱ δὲ καταξιωθέντες τοῦ αἰῶνος ἐκείνου τυχεῖν
καὶ τῆς ἀναστάσεως τῆς ἐκ νεκρῶν οὔτε γαμοῦσιν οὔτε
36 ⌈γαμίζονται⌉· οὐδὲ γὰρ ἀποθανεῖν ἔτι δύνανται, ἰσάγγελοι
γάρ εἰσιν, καὶ υἱοί εἰσιν θεοῦ τῆς ἀναστάσεως υἱοὶ ὄντες.
37 ὅτι δὲ ἐγείρονται οἱ νεκροὶ καὶ Μωυσῆς ἐμήνυσεν ἐπὶ τῆς
βάτου, ὡς λέγει Κύριον τὸν θεὸν Ἀβραὰμ καὶ θεὸν
38 Ἰϲαὰκ καὶ θεὸν Ἰακώβ· θεὸς δὲ οὐκ ἔστιν νεκρῶν ἀλλὰ
39 ζώντων, πάντες γὰρ αὐτῷ ζῶσιν. ἀποκριθέντες δέ τινες
40 τῶν γραμματέων εἶπαν Διδάσκαλε, καλῶς εἶπας· οὐκέτι
41 γὰρ ἐτόλμων ἐπερωτᾶν αὐτὸν οὐδέν. Εἶπεν δὲ
πρὸς αὐτούς Πῶς λέγουσιν τὸν χριστὸν εἶναι Δαυεὶδ

35 γαμίσκονται

υἱόν; αὐτὸς γὰρ Δαυεὶδ λέγει ἐν Βίβλῳ Ψαλμῶν   42
ΕἶπΕΝ ΚΎΡΙΟϹ τῷ ΚΥΡΊῳ ΜΟΥ ΚΆΘΟΥ ἐκ ΔΕΞΙῶΝ ΜΟΥ
ἕωϹ ἂΝ θῶ τοὺϹ ἐχθροὺϹ ϹΟΥ ὑποπόΔΙΟΝ τῶΝ πο- 43
ΔῶΝ ϹΟΥ·
Δαυεὶδ οὖν αὐτὸν κύριον καλεῖ, καὶ πῶς αὐτοῦ υἱός ἐστιν;   44
Ἀκούοντος δὲ παντὸς τοῦ λαοῦ εἶπεν τοῖς μαθηταῖς 45
Προσέχετε ἀπὸ τῶν γραμματέων τῶν θελόντων περιπατεῖν 46
ἐν στολαῖς καὶ φιλούντων ἀσπασμοὺς ἐν ταῖς ἀγοραῖς
καὶ πρωτοκαθεδρίας ἐν ταῖς συναγωγαῖς καὶ πρωτοκλισί-
ας ἐν τοῖς δείπνοις, οἳ κατεσθίουσιν τὰς οἰκίας τῶν χη- 47
ρῶν καὶ προφάσει μακρὰ προσεύχονται· οὗτοι λήμψονται
περισσότερον κρίμα.   Ἀναβλέψας δὲ εἶδεν τοὺς 1
βάλλοντας εἰς τὸ γαζοφυλάκιον τὰ δῶρα αὐτῶν πλουσίους.
εἶδεν δέ τινα χήραν πενιχρὰν βάλλουσαν ἐκεῖ λεπτὰ δύο, 2
καὶ εἶπεν Ἀληθῶς λέγω ὑμῖν ὅτι ἡ χήρα αὕτη ἡ πτωχὴ 3
πλεῖον πάντων ἔβαλεν· πάντες γὰρ οὗτοι ἐκ τοῦ περισ- 4
σεύοντος αὐτοῖς ἔβαλον εἰς τὰ δῶρα, αὕτη δὲ ἐκ τοῦ ὑστερή-
ματος αὐτῆς πάντα τὸν βίον ὃν εἶχεν ἔβαλεν.

Καί τινων λεγόντων περὶ τοῦ ἱεροῦ, ὅτι λίθοις καλοῖς 5
καὶ ἀναθήμασιν κεκόσμηται, εἶπεν   Ταῦτα ἃ θεωρεῖτε, 6
ἐλεύσονται ἡμέραι ἐν αἷς οὐκ ἀφεθήσεται λίθος ἐπὶ λίθῳ
ὧδε ὃς οὐ καταλυθήσεται. ἐπηρώτησαν δὲ αὐτὸν λέγον- 7
τες   Διδάσκαλε, πότε οὖν ταῦτα ἔσται, καὶ τί τὸ σημεῖ-
ον ὅταν μέλλῃ ταῦτα γίνεσθαι; ὁ δὲ εἶπεν Βλέπετε 8
μὴ πλανηθῆτε· πολλοὶ γὰρ ἐλεύσονται ἐπὶ τῷ ὀνόματί
μου λέγοντες Ἐγώ εἰμι καί Ὁ καιρὸς ἤγγικεν· μὴ πο-
ρευθῆτε ὀπίσω αὐτῶν. ὅταν δὲ ἀκούσητε πολέμους καὶ 9
ἀκαταστασίας, μὴ πτοηθῆτε· δεῖ γὰρ ταῦτα ΓΕΝΈϹΘΑΙ
πρῶτον, ἀλλ᾽ οὐκ εὐθέως τὸ τέλος. Τότε ἔλεγεν αὐ- 10
τοῖς ἘγερθήϹεται ἔθΝΟϹ ἐπ᾽ ἔθΝΟϹ κΑὶ ΒΑϹΙΛΕΊΑ ἐπὶ
ΒΑϹΙΛΕΊΑΝ, σεισμοί τε μεγάλοι καὶ κατὰ τόπους ⌜λοιμοὶ καὶ 11
λιμοὶ⌝ ἔσονται, φόβηθρά τε καὶ ⌜ἀπ᾽ οὐρανοῦ σημεῖα με-
γάλα⌝ ἔσται. πρὸ δὲ τούτων πάντων ἐπιβαλοῦσιν ἐφ᾽ ὑμᾶς 12

11 λιμοὶ καὶ λοιμοὶ | σημεῖα μεγάλα ἀπ᾽ οὐρανοῦ

τὰς χεῖρας αὐτῶν καὶ διώξουσιν, παραδιδόντες εἰς τὰς συνα-
γωγὰς καὶ φυλακάς, ἀπαγομένους ἐπὶ βασιλεῖς καὶ ἡγε-
13 μόνας ἕνεκεν τοῦ ὀνόματός μου· ἀποβήσεται ὑμῖν εἰς
14 μαρτύριον. θέτε οὖν ἐν ταῖς καρδίαις ὑμῶν μὴ προμελετᾶν
15 ἀπολογηθῆναι, ἐγὼ γὰρ δώσω ὑμῖν στόμα καὶ σοφίαν ᾗ οὐ
δυνήσονται ἀντιστῆναι ἢ ἀντειπεῖν ⌜ἅπαντες⌝ οἱ ἀντικεί-
16 μενοι ὑμῖν. παραδοθήσεσθε δὲ καὶ ὑπὸ γονέων καὶ ἀδελ-
φῶν καὶ συγγενῶν καὶ φίλων, καὶ θανατώσουσιν ἐξ ὑμῶν,
17
18 καὶ ἔσεσθε μισούμενοι ὑπὸ πάντων διὰ τὸ ὄνομά μου. καὶ
19 θρὶξ ἐκ τῆς κεφαλῆς ὑμῶν οὐ μὴ ἀπόληται. ἐν τῇ ὑπο-
20 μονῇ ὑμῶν κτήσεσθε τὰς ψυχὰς ὑμῶν. Ὅταν δὲ ἴδητε
κυκλουμένην ὑπὸ στρατοπέδων Ἰερουσαλήμ, τότε γνῶτε
21 ὅτι ἤγγικεν ἡ ἐρήμωσις αὐτῆς. τότε οἱ ἐν τῇ Ἰουδαίᾳ
φευγέτωσαν εἰς τὰ ὄρη, καὶ οἱ ἐν μέσῳ αὐτῆς ἐκχωρείτω-
σαν, καὶ οἱ ἐν ταῖς χώραις μὴ εἰσερχέσθωσαν εἰς αὐτήν,
22 ὅτι ΗΜΕΡΑΙ ΕΚΔΙΚΗCΕΩC αὐταί εἰσιν τοῦ πλησθῆναι πάντα
23 τὰ γεγραμμένα. οὐαὶ ταῖς ἐν γαστρὶ ἐχούσαις καὶ ταῖς
θηλαζούσαις ἐν ἐκείναις ταῖς ἡμέραις· ἔσται γὰρ ἀνάγκη
24 μεγάλη ἐπὶ τῆς γῆς καὶ ὀργὴ τῷ λαῷ τούτῳ, καὶ πεσοῦνται
στόματι μαχαίρης καὶ αἰχμαλωτισθήσονται εἰς τὰ ἔθνη
πάντα, καὶ Ἰερουσαλὴμ ἔσται ΠΑΤΟΥΜΕΝΗ ΥΠΟ ἐθνῶν,
25 ἄχρι οὗ πληρωθῶσιν [καὶ ἔσονται] καιροὶ ἐθνῶν. καὶ
ἔσονται σημεῖα ἐν ἡλίῳ καὶ σελήνῃ καὶ ἄστροις, καὶ ἐπὶ
τῆς γῆς συνοχὴ ἐθνῶν ἐν ἀπορίᾳ ΗΧΟΥC ΘΑΛΑCCΗC καὶ
26 σάλου, ἀποψυχόντων ἀνθρώπων ἀπὸ φόβου καὶ προσδοκίας
τῶν ἐπερχομένων τῇ οἰκουμένῃ, αἱ γὰρ ΔΥΝΑΜΕΙC ΤΩΝ
27 ΟΥΡΑΝΩΝ CΑΛΕΥΘΗCΟΝΤΑΙ. καὶ τότε ὄψονται ΤΟΝ ΥΙΟΝ ΤΟΥ
ἀνθρώπου ἐρχόμενον ΕΝ ΝΕΦΕΛΗ μετὰ δυνάμεως καὶ δό-
28 ξης πολλῆς. Ἀρχομένων δὲ τούτων γίνεσθαι ἀνακύψατε καὶ
ἐπάρατε τὰς κεφαλὰς ὑμῶν, διότι ἐγγίζει ἡ ἀπολύτρωσις
29 ὑμῶν. Καὶ εἶπεν παραβολὴν αὐτοῖς Ἴδετε
30 τὴν συκῆν καὶ πάντα τὰ δένδρα· ὅταν προβάλωσιν ἤδη,
βλέποντες ἀφ' ἑαυτῶν γινώσκετε ὅτι ἤδη ἐγγὺς τὸ θέρος

15 πάντες

ἐστίν· οὕτως καὶ ὑμεῖς, ὅταν ἴδητε ταῦτα γινόμενα, γινώ- 31
σκετε ὅτι ἐγγύς ἐστιν ἡ βασιλεία τοῦ θεοῦ. ἀμὴν λέγω 32
ὑμῖν ὅτι οὐ μὴ παρέλθῃ ἡ γενεὰ αὕτη ἕως [ἂν] πάντα γένη-
ται. ὁ οὐρανὸς καὶ ἡ γῆ παρελεύσονται, οἱ δὲ λόγοι μου 33
οὐ μὴ παρελεύσονται. Προσέχετε δὲ ἑαυτοῖς μή ποτε 34
βαρηθῶσιν αἱ καρδίαι ὑμῶν ἐν κρεπάλῃ καὶ μέθῃ καὶ μερί-
μναις βιωτικαῖς, καὶ ἐπιστῇ ἐφ᾽ ὑμᾶς ἐφνίδιος ἡ ἡμέρα
ἐκείνη ὡς παγίϲ· ἐπεισελεύσεται γὰρ ἐπὶ πάντας τοὺϲ 35
καθημένουϲ ἐπὶ πρόσωπον πάσης τῆϲ γῆϲ. ἀγρυπνεῖτε 36
δὲ ἐν παντὶ καιρῷ δεόμενοι ἵνα κατισχύσητε ἐκφυγεῖν ταῦτα
πάντα τὰ μέλλοντα γίνεσθαι, καὶ σταθῆναι ἔμπροσθεν τοῦ
υἱοῦ τοῦ ἀνθρώπου.

Ἦν δὲ τὰς ἡμέρας ⌜ἐν τῷ ἱερῷ διδάσκων⌝, τὰς δὲ νύκτας 37
ἐξερχόμενος ηὐλίζετο εἰς τὸ ὄρος τὸ καλούμενον Ἐλαιῶν·
καὶ πᾶς ὁ λαὸς ὤρθριζεν πρὸς αὐτὸν ἐν τῷ ἱερῷ ἀκούειν 38
αὐτοῦ.

ΗΓΓΙΖΕΝ δὲ ἡ ἑορτὴ τῶν ἀζύμων ἡ λεγομένη Πά- 1
σχα. Καὶ ἐζήτουν οἱ ἀρχιερεῖς καὶ οἱ γραμματεῖς τὸ πῶς 2
ἀνέλωσιν αὐτόν, ἐφοβοῦντο γὰρ τὸν λαόν. Εἰσ- 3
ῆλθεν δὲ Σατανᾶς εἰς Ἰούδαν τὸν καλούμενον Ἰσκαριώτην,
ὄντα ἐκ τοῦ ἀριθμοῦ τῶν δώδεκα· καὶ ἀπελθὼν συνελάλη- 4
σεν τοῖς ἀρχιερεῦσιν καὶ στρατηγοῖς τὸ πῶς αὐτοῖς παραδῷ
αὐτόν. καὶ ἐχάρησαν καὶ συνέθεντο αὐτῷ ἀργύριον δοῦναι. 5
καὶ ἐξωμολόγησεν, καὶ ἐζήτει εὐκαιρίαν τοῦ παραδοῦναι 6
αὐτὸν ἄτερ ὄχλου αὐτοῖς.

Ἦλθεν δὲ ἡ ἡμέρα τῶν ἀζύμων, ᾗ ἔδει θύεσθαι τὸ 7
πάσχα· καὶ ἀπέστειλεν Πέτρον καὶ Ἰωάνην εἰπών Πο- 8
ρευθέντες ἑτοιμάσατε ἡμῖν τὸ πάσχα ἵνα φάγωμεν. οἱ δὲ 9
εἶπαν αὐτῷ Ποῦ θέλεις ἑτοιμάσωμεν; ὁ δὲ εἶπεν αὐ- 10
τοῖς Ἰδοὺ εἰσελθόντων ὑμῶν εἰς τὴν πόλιν συναντήσει

37 διδάσκων ἐν τῷ ἱερῷ

ὑμῖν ἄνθρωπος κεράμιον ὕδατος βαστάζων· ἀκολουθήσατε
11 αὐτῷ εἰς τὴν οἰκίαν εἰς ἣν εἰσπορεύεται. καὶ ἐρεῖτε τῷ οἰκο-
δεσπότῃ τῆς οἰκίας ᵀ Λέγει σοι ὁ διδάσκαλος Ποῦ ἐστὶν
τὸ κατάλυμα ὅπου τὸ πάσχα μετὰ τῶν μαθητῶν μου φάγω ;
12 κἀκεῖνος ὑμῖν δείξει ἀνάγαιον μέγα ἐστρωμένον· ἐκεῖ ἑτοι-
13 μάσατε. ἀπελθόντες δὲ εὗρον καθὼς εἰρήκει αὐτοῖς, καὶ
14 ἡτοίμασαν τὸ πάσχα. Καὶ ὅτε ἐγένετο ἡ ὥρα,
15 ἀνέπεσεν καὶ οἱ ἀπόστολοι σὺν αὐτῷ. καὶ εἶπεν πρὸς
αὐτούς Ἐπιθυμίᾳ ἐπεθύμησα τοῦτο τὸ πάσχα φαγεῖν
16 μεθ᾽ ὑμῶν πρὸ τοῦ με παθεῖν· λέγω γὰρ ὑμῖν ὅτι οὐ
μὴ φάγω αὐτὸ ἕως ὅτου πληρωθῇ ἐν τῇ βασιλείᾳ τοῦ θε-
17 οῦ. καὶ δεξάμενος ποτήριον εὐχαριστήσας εἶπεν Λάβετε
18 τοῦτο καὶ διαμερίσατε εἰς ἑαυτούς· λέγω γὰρ ὑμῖν, οὐ μὴ
πίω ἀπὸ τοῦ νῦν ἀπὸ τοῦ γενήματος τῆς ἀμπέλου ἕως οὗ ἡ
19 βασιλεία τοῦ θεοῦ ἔλθῃ. καὶ λαβὼν ἄρτον εὐχαριστήσας
ἔκλασεν καὶ ἔδωκεν αὐτοῖς λέγων Τοῦτό ἐστιν τὸ σῶμά
μου ⟦τὸ ὑπὲρ ὑμῶν διδόμενον· τοῦτο ποιεῖτε εἰς τὴν ἐμὴν
20 ἀνάμνησιν. καὶ τὸ ποτήριον ὡσαύτως μετὰ τὸ δειπνῆσαι,
λέγων Τοῦτο τὸ ποτήριον ἡ καινὴ ΔΙΑΘΗΚΗ ἐν τῷ ΑΙΜΑΤΙ
21 μου, τὸ ὑπὲρ ὑμῶν ἐκχυννόμενον⟧. πλὴν ἰδοὺ ἡ χεὶρ τοῦ
22 παραδιδόντος με μετ᾽ ἐμοῦ ἐπὶ τῆς τραπέζης· ὅτι ὁ υἱὸς
μὲν τοῦ ἀνθρώπου κατὰ τὸ ὡρισμένον πορεύεται, πλὴν οὐαὶ
23 τῷ ἀνθρώπῳ ἐκείνῳ δι᾽ οὗ παραδίδοται. καὶ αὐτοὶ ἤρξαντο
συνζητεῖν πρὸς ἑαυτοὺς τὸ τίς ἄρα εἴη ἐξ αὐτῶν ὁ τοῦτο
24 μέλλων πράσσειν. Ἐγένετο δὲ καὶ φιλονεικία
25 ἐν αὐτοῖς, τὸ τίς αὐτῶν δοκεῖ εἶναι μείζων. ὁ δὲ εἶπεν αὐ-
τοῖς Οἱ βασιλεῖς τῶν ἐθνῶν κυριεύουσιν αὐτῶν καὶ οἱ
26 ἐξουσιάζοντες αὐτῶν εὐεργέται καλοῦνται. ὑμεῖς δὲ οὐχ οὕ-
τως, ἀλλ᾽ ὁ μείζων ἐν ὑμῖν γινέσθω ὡς ὁ νεώτερος, καὶ ὁ
27 ἡγούμενος ὡς ὁ διακονῶν· τίς γὰρ μείζων, ὁ ἀνακείμενος ἢ
ὁ διακονῶν; οὐχὶ ὁ ἀνακείμενος; ἐγὼ δὲ ἐν μέσῳ ὑμῶν
28 εἰμὶ ὡς ὁ διακονῶν. Ὑμεῖς δέ ἐστε οἱ διαμεμενηκότες
29 μετ᾽ ἐμοῦ ἐν τοῖς πειρασμοῖς μου· κἀγὼ διατίθεμαι ὑμῖν,

11 λέγοντες

N

καθὼς διέθετό μοι ὁ πατήρ ⌜μου⌝ βασιλείαν, ἵνα ἔσθητε καὶ 30
πίνητε ἐπὶ τῆς τραπέζης μου ἐν τῇ βασιλείᾳ μου, καὶ
⌜καθῆσθε⌝ ἐπὶ θρόνων τὰς δώδεκα φυλὰς κρίνοντες τοῦ
Ἰσραήλ. Σίμων Σίμων, ἰδοὺ ὁ Σατανᾶς ἐξῃτήσατο ὑμᾶς 31
τοῦ σινιάσαι ὡς τὸν σῖτον· ἐγὼ δὲ ἐδεήθην περὶ σοῦ ἵνα 32
μὴ ἐκλίπῃ ἡ πίστις σου· καὶ σύ ποτε ἐπιστρέψας στήρισον
τοὺς ἀδελφούς σου. ὁ δὲ εἶπεν αὐτῷ Κύριε, μετὰ σοῦ 33
ἕτοιμός εἰμι καὶ εἰς φυλακὴν καὶ εἰς θάνατον πορεύεσθαι.
ὁ δὲ εἶπεν Λέγω σοι, Πέτρε, οὐ φωνήσει σήμερον ἀλέ- 34
κτωρ ἕως τρίς με ἀπαρνήσῃ εἰδέναι. Καὶ 35
εἶπεν αὐτοῖς Ὅτε ἀπέστειλα ὑμᾶς ἄτερ βαλλαντίου καὶ
πήρας καὶ ὑποδημάτων, μή τινος ὑστερήσατε; οἱ δὲ εἶπαν
Οὐθενός. εἶπεν δὲ αὐτοῖς Ἀλλὰ νῦν ὁ ἔχων βαλλάντιον 36
ἀράτω, ὁμοίως καὶ πήραν, καὶ ὁ μὴ ἔχων πωλησάτω τὸ
ἱμάτιον αὐτοῦ καὶ ἀγορασάτω μάχαιραν. λέγω γὰρ ὑμῖν 37
ὅτι τοῦτο τὸ γεγραμμένον δεῖ τελεσθῆναι ἐν ἐμοί, τό
Καὶ μετὰ ἀνόμων ἐλογίϲθη· καὶ γὰρ τὸ περὶ ἐμοῦ
τέλος ἔχει. οἱ δὲ εἶπαν Κύριε, ἰδοὺ μάχαιραι ὧδε δύο. ὁ 38
δὲ εἶπεν αὐτοῖς Ἱκανόν ἐστιν.

Καὶ ἐξελθὼν ἐπορεύθη κατὰ τὸ ἔθος εἰς τὸ Ὄρος τῶν 39
Ἐλαιῶν· ἠκολούθησαν δὲ αὐτῷ [καὶ] οἱ μαθηταί. γενό- 40
μενος δὲ ἐπὶ τοῦ τόπου εἶπεν αὐτοῖς Προσεύχεσθε μὴ
εἰσελθεῖν εἰς πειρασμόν. καὶ αὐτὸς ἀπεσπάσθη ἀπ᾽ αὐ- 41
τῶν ὡσεὶ λίθου βολήν, καὶ θεὶς τὰ γόνατα προσηύχετο
λέγων Πάτερ, εἰ βούλει παρένεγκε τοῦτο τὸ ποτήριον 42
ἀπ᾽ ἐμοῦ· πλὴν μὴ τὸ θέλημά μου ἀλλὰ τὸ σὸν γινέσθω.
[ὤφθη δὲ αὐτῷ ἄγγελος ⌜ἀπὸ τοῦ⌝ οὐρανοῦ ἐνισχύων αὐτόν. 43
καὶ γενόμενος ἐν ἀγωνίᾳ ἐκτενέστερον προσηύχετο· ⌜καὶ 44
ἐγένετο⌝ ὁ ἱδρὼς αὐτοῦ ὡσεὶ θρόμβοι αἵματος καταβαί-
νοντες ἐπὶ τὴν γῆν.] καὶ ἀναστὰς ἀπὸ τῆς προσευχῆς ἐλ- 45
θὼν πρὸς τοὺς μαθητὰς εὗρεν κοιμωμένους αὐτοὺς ἀπὸ τῆς
λύπης, καὶ εἶπεν αὐτοῖς Τί καθεύδετε; ἀναστάντες προσ- 46

29 μου,   30 καθήσεσθε   43 ἀπ᾽   44 ἐγένετο δὲ

47 εὔχεσθε, ἵνα μὴ εἰσέλθητε εἰς πειρασμόν. Ἔτι
αὐτοῦ λαλοῦντος ἰδοὺ ὄχλος, καὶ ὁ λεγόμενος Ἰούδας εἷς
τῶν δώδεκα προήρχετο αὐτούς, καὶ ἤγγισεν τῷ Ἰησοῦ
48 φιλῆσαι αὐτόν. Ἰησοῦς δὲ εἶπεν αὐτῷ Ἰούδα, φιλήματι
49 τὸν υἱὸν τοῦ ἀνθρώπου παραδίδως; ἰδόντες δὲ οἱ περὶ αὐ-
τὸν τὸ ἐσόμενον εἶπαν Κύριε, εἰ πατάξομεν ἐν μαχαίρῃ;
50 καὶ ἐπάταξεν εἷς τις ἐξ αὐτῶν τοῦ ἀρχιερέως τὸν δοῦλον καὶ
51 ἀφεῖλεν τὸ οὖς αὐτοῦ τὸ δεξιόν. ἀποκριθεὶς δὲ [ὁ] Ἰησοῦς
εἶπεν Ἐᾶτε ἕως τούτου· καὶ ἁψάμενος τοῦ ὠτίου ἰάσατο
52 αὐτόν. εἶπεν δὲ Ἰησοῦς πρὸς τοὺς παραγενομένους ἐπ᾽ αὐ-
τὸν ἀρχιερεῖς καὶ στρατηγοὺς τοῦ ἱεροῦ καὶ πρεσβυτέρους
Ὡς ἐπὶ λῃστὴν ἐξήλθατε μετὰ μαχαιρῶν καὶ ξύλων;
53 καθ᾽ ἡμέραν ὄντος μου μεθ᾽ ὑμῶν ἐν τῷ ἱερῷ οὐκ ἐξε-
τείνατε τὰς χεῖρας ἐπ᾽ ἐμέ· ἀλλ᾽ αὕτη ἐστὶν ὑμῶν ἡ ὥρα
καὶ ἡ ἐξουσία τοῦ σκότους.

54 Συλλαβόντες δὲ αὐτὸν ἤγαγον καὶ εἰσήγαγον εἰς τὴν
οἰκίαν τοῦ ἀρχιερέως· ὁ δὲ Πέτρος ἠκολούθει μακρόθεν.
55 περιαψάντων δὲ πῦρ ἐν μέσῳ τῆς αὐλῆς καὶ συνκαθισάν-
56 των ἐκάθητο ὁ Πέτρος μέσος αὐτῶν. ἰδοῦσα δὲ αὐτὸν
παιδίσκη τις καθήμενον πρὸς τὸ φῶς καὶ ἀτενίσασα αὐτῷ
57 εἶπεν Καὶ οὗτος σὺν αὐτῷ ἦν· ὁ δὲ ἠρνήσατο λέ-
58 γων Οὐκ οἶδα αὐτόν, γύναι. καὶ μετὰ βραχὺ ἕτερος
ἰδὼν αὐτὸν ἔφη Καὶ σὺ ἐξ αὐτῶν εἶ· ὁ δὲ Πέτρος
59 ἔφη Ἄνθρωπε, οὐκ εἰμί. καὶ διαστάσης ὡσεὶ ὥρας μιᾶς
ἄλλος τις διισχυρίζετο λέγων Ἐπ᾽ ἀληθείας καὶ οὗτος
60 μετ᾽ αὐτοῦ ἦν, καὶ γὰρ Γαλιλαῖός ἐστιν· εἶπεν δὲ ὁ Πέ-
τρος Ἄνθρωπε, οὐκ οἶδα ὃ λέγεις. καὶ παραχρῆμα ἔτι
61 λαλοῦντος αὐτοῦ ἐφώνησεν ἀλέκτωρ. καὶ στραφεὶς ὁ
κύριος ἐνέβλεψεν τῷ Πέτρῳ, καὶ ὑπεμνήσθη ὁ Πέτρος τοῦ
ῥήματος τοῦ κυρίου ὡς εἶπεν αὐτῷ ὅτι Πρὶν ἀλέκτορα
62 φωνῆσαι σήμερον ἀπαρνήσῃ με τρίς. [καὶ ἐξελθὼν ἔξω
63 ἔκλαυσεν πικρῶς.] Καὶ οἱ ἄνδρες οἱ συνέχον-
64 τες αὐτὸν ἐνέπαιζον αὐτῷ δέροντες, καὶ περικαλύψαντες αὐ-

τὸν ἐπηρώτων λέγοντες Προφήτευσον, τίς ἐστιν ὁ παίσας
σε; καὶ ἕτερα πολλὰ βλασφημοῦντες ἔλεγον εἰς αὐτόν.   65

Καὶ ὡς ἐγένετο ἡμέρα, συνήχθη τὸ πρεσβυτέριον τοῦ 66
λαοῦ, ἀρχιερεῖς τε καὶ γραμματεῖς, καὶ ἀπήγαγον αὐτὸν εἰς
τὸ συνέδριον αὐτῶν, λέγοντες Εἰ σὺ εἶ ὁ χριστός, εἰπὸν 67
ἡμῖν. εἶπεν δὲ αὐτοῖς Ἐὰν ὑμῖν εἴπω οὐ μὴ πιστεύσητε·
ἐὰν δὲ ἐρωτήσω οὐ μὴ ἀποκριθῆτε. ἀπὸ τοῦ νῦν δὲ ἔσται 68
ὁ γίὸς τοῦ ἀνθρώπου καθήμενος ἐκ Δεξιῶν τῆς 69
Δυνάμεως τοῦ θεοῦ. εἶπαν δὲ πάντες Σὺ οὖν εἶ ὁ υἱὸς 70
τοῦ θεοῦ; ὁ δὲ πρὸς αὐτοὺς ἔφη Ὑμεῖς λέγετε ὅτι ἐγώ
⌜εἰμι.⌝ οἱ δὲ εἶπαν Τί ἔτι ἔχομεν μαρτυρίας χρείαν; αὐτοὶ 71
γὰρ ἠκούσαμεν ἀπὸ τοῦ στόματος αὐτοῦ.   Καὶ 1
ἀναστὰν ἅπαν τὸ πλῆθος αὐτῶν ἤγαγον αὐτὸν ἐπὶ τὸν
Πειλᾶτον. ἤρξαντο δὲ κατηγορεῖν αὐτοῦ λέγοντες Τοῦ- 2
τον εὕραμεν διαστρέφοντα τὸ ἔθνος ἡμῶν· καὶ κωλύοντα
φόρους Καίσαρι διδόναι καὶ λέγοντα αὐτὸν χριστὸν βα-
σιλέα εἶναι. ὁ δὲ Πειλᾶτος ἠρώτησεν αὐτὸν λέγων Σὺ 3
εἶ ὁ βασιλεὺς τῶν Ἰουδαίων; ὁ δὲ ἀποκριθεὶς αὐτῷ ἔφη
Σὺ ⌜λέγεις.⌝ ὁ δὲ Πειλᾶτος εἶπεν πρὸς τοὺς ἀρχιερεῖς 4
καὶ τοὺς ὄχλους Οὐδὲν εὑρίσκω αἴτιον ἐν τῷ ἀνθρώπῳ
τούτῳ. οἱ δὲ ἐπίσχυον λέγοντες ὅτι Ἀνασείει τὸν λαὸν 5
διδάσκων καθ᾽ ὅλης τῆς Ἰουδαίας, καὶ ἀρξάμενος ἀπὸ τῆς
Γαλιλαίας ἕως ὧδε. Πειλᾶτος δὲ ἀκούσας ἐπηρώτησεν εἰ 6
[ὁ] ἄνθρωπος Γαλιλαῖός ἐστιν, καὶ ἐπιγνοὺς ὅτι ἐκ τῆς 7
ἐξουσίας Ἡρῴδου ἐστὶν ἀνέπεμψεν αὐτὸν πρὸς Ἡρῴδην,
ὄντα καὶ αὐτὸν ἐν Ἰεροσολύμοις ἐν ταύταις ταῖς ἡμέ-
ραις. Ὁ δὲ Ἡρῴδης ἰδὼν τὸν Ἰησοῦν ἐχάρη λίαν, ἦν 8
γὰρ ἐξ ἱκανῶν χρόνων θέλων ἰδεῖν αὐτὸν διὰ τὸ ἀκούειν
περὶ αὐτοῦ, καὶ ἤλπιζέν τι σημεῖον ἰδεῖν ὑπ᾽ αὐτοῦ γινό-
μενον. ἐπηρώτα δὲ αὐτὸν ἐν λόγοις ἱκανοῖς· αὐτὸς δὲ 9
οὐδὲν ἀπεκρίνατο αὐτῷ. ἱστήκεισαν δὲ οἱ ἀρχιερεῖς καὶ 10
οἱ γραμματεῖς εὐτόνως κατηγοροῦντες αὐτοῦ. ἐξουθενήσας 11
δὲ αὐτὸν ⌜ὁ Ἡρῴδης σὺν τοῖς στρατεύμασιν αὐτοῦ καὶ ἐμ-

        70 εἰμι·   3 λέγεις·   11 καὶ

παίξας περιβαλὼν ἐσθῆτα λαμπρὰν ἀνέπεμψεν αὐτὸν τῷ
12 Πειλάτῳ. Ἐγένοντο δὲ φίλοι ὅ τε Ἡρῴδης καὶ ὁ Πειλᾶ-
τος ἐν αὐτῇ τῇ ἡμέρᾳ μετ᾽ ἀλλήλων· προϋπῆρχον γὰρ ἐν
13 ἔχθρᾳ ὄντες πρὸς αὐτούς.   Πειλᾶτος δὲ συνκα-
λεσάμενος τοὺς ἀρχιερεῖς καὶ τοὺς ἄρχοντας καὶ τὸν λαὸν
14 εἶπεν πρὸς αὐτούς Προσηνέγκατέ μοι τὸν ἄνθρωπον τοῦ-
τον ὡς ἀποστρέφοντα τὸν λαόν, καὶ ἰδοὺ ἐγὼ ἐνώπιον ὑμῶν
ἀνακρίνας οὐθὲν εὗρον ἐν τῷ ἀνθρώπῳ τούτῳ αἴτιον ὧν
15 κατηγορεῖτε κατ᾽ αὐτοῦ. ἀλλ᾽ οὐδὲ Ἡρῴδης, ἀνέπεμψεν
γὰρ αὐτὸν πρὸς ἡμᾶς· καὶ ἰδοὺ οὐδὲν ἄξιον θανάτου ἐστὶν
16
18 πεπραγμένον αὐτῷ· παιδεύσας οὖν αὐτὸν ἀπολύσω. ἀνέ-
κραγον δὲ πανπληθεὶ λέγοντες Αἶρε τοῦτον, ἀπόλυσον
19 δὲ ἡμῖν τὸν Βαραββᾶν· ὅστις ἦν διὰ στάσιν τινὰ γενο-
μένην ἐν τῇ πόλει καὶ φόνον βληθεὶς ἐν τῇ φυλακῇ.
20 πάλιν δὲ ὁ Πειλᾶτος προσεφώνησεν αὐτοῖς, θέλων ἀπολῦ-
21 σαι τὸν Ἰησοῦν. οἱ δὲ ἐπεφώνουν λέγοντες Σταύρου
22 σταύρου αὐτόν. ὁ δὲ τρίτον εἶπεν πρὸς αὐτούς Τί γὰρ
κακὸν ἐποίησεν οὗτος; οὐδὲν αἴτιον θανάτου εὗρον ἐν
23 αὐτῷ· παιδεύσας οὖν αὐτὸν ἀπολύσω. οἱ δὲ ἐπέκειντο
φωναῖς μεγάλαις αἰτούμενοι αὐτὸν ⌜σταυρωθῆναι⌝, καὶ
24 κατίσχυον αἱ φωναὶ αὐτῶν. καὶ Πειλᾶτος ἐπέκρινεν γενέ-
25 σθαι τὸ αἴτημα αὐτῶν· ἀπέλυσεν δὲ τὸν διὰ στάσιν καὶ
φόνον βεβλημένον εἰς φυλακὴν ὃν ᾐτοῦντο, τὸν δὲ Ἰησοῦν
παρέδωκεν τῷ θελήματι αὐτῶν.
26   Καὶ ὡς ⌜ἀπήγαγον⌝ αὐτόν, ἐπιλαβόμενοι Σίμωνά τινα
Κυρηναῖον ἐρχόμενον ἀπ᾽ ἀγροῦ ἐπέθηκαν αὐτῷ τὸν σταυ-
27 ρὸν φέρειν ὄπισθεν τοῦ Ἰησοῦ. Ἠκολούθει δὲ αὐτῷ πολὺ
πλῆθος τοῦ λαοῦ καὶ γυναικῶν αἳ ἐκόπτοντο καὶ ἐθρήνουν
28 αὐτόν. στραφεὶς δὲ πρὸς αὐτὰς Ἰησοῦς εἶπεν Θυγατέ-
ρες Ἰερουσαλήμ, μὴ κλαίετε ἐπ᾽ ἐμέ· πλὴν ἐφ᾽ ἑαυτὰς
29 κλαίετε καὶ ἐπὶ τὰ τέκνα ὑμῶν, ὅτι ἰδοὺ ἔρχονται ἡμέραι
ἐν αἷς ἐροῦσιν Μακάριαι αἱ στεῖραι καὶ αἱ κοιλίαι αἱ
30 οὐκ ἐγέννησαν καὶ μαστοὶ οἳ οὐκ ἔθρεψαν. τότε ἄρξονται

23 σταυρῶσαι   26 ἀπῆγον

λέγειν τοῖς ὄρεσιν Πέσατε ἐφ᾽ ἡμᾶς, καὶ τοῖς Βου-
νοῖς Καλύψατε ἡμᾶς· ὅτι εἰ ἐν ᵀ ὑγρῷ ξύλῳ ταῦτα 31
ποιοῦσιν, ἐν τῷ ξηρῷ τί γένηται; Ἤγοντο δὲ καὶ ἕτεροι 32
κακοῦργοι δύο σὺν αὐτῷ ἀναιρεθῆναι.   Καὶ ὅτε 33
ἦλθαν ἐπὶ τὸν τόπον τὸν καλούμενον Κρανίον, ἐκεῖ ἐσταύ-
ρωσαν αὐτὸν καὶ τοὺς κακούργους, ὃν μὲν ἐκ δεξιῶν ὃν δὲ
ἐξ ἀριστερῶν. [ὁ δὲ Ἰησοῦς ἔλεγεν Πάτερ, ἄφες αὐτοῖς, 34
οὐ γὰρ οἴδασιν τί ποιοῦσιν.] Διαμεριζόμενοι δὲ τὰ ἱμά-
τια αὐτοῦ ἔβαλον κλῆρον. καὶ ἱστήκει ὁ λαὸς θεω- 35
ρῶν. ἐξεμυκτήριζον δὲ καὶ οἱ ἄρχοντες λέγοντες Ἄλ-
λους ἔσωσεν, σωσάτω ἑαυτόν, εἰ οὗτός ἐστιν ὁ χριστὸς τοῦ
θεοῦ, ὁ ἐκλεκτός. ἐνέπαιξαν δὲ αὐτῷ καὶ οἱ στρατιῶται 36
προσερχόμενοι, ὄξος προσφέροντες αὐτῷ καὶ λέγοντες Εἰ 37
σὺ εἶ ὁ βασιλεὺς τῶν Ἰουδαίων, σῶσον σεαυτόν. ἦν δὲ 38
καὶ ἐπιγραφὴ ἐπ᾽ αὐτῷ Ο ΒΑΣΙΛΕΥΣ ΤΩΝ ΙΟΥ-
ΔΑΙΩΝ ΟΥΤΟΣ. Εἷς δὲ τῶν κρεμασθέντων κακούργων 39
ἐβλασφήμει αὐτόν Οὐχὶ σὺ εἶ ὁ χριστός; σῶσον σεαυ-
τὸν καὶ ἡμᾶς. ἀποκριθεὶς δὲ ὁ ἕτερος ἐπιτιμῶν αὐτῷ 40
ἔφη Οὐδὲ φοβῇ σὺ τὸν θεόν, ὅτι ἐν τῷ αὐτῷ κρίματι εἶ;
καὶ ἡμεῖς μὲν δικαίως, ἄξια γὰρ ὧν ἐπράξαμεν ἀπολαμβά- 41
νομεν· οὗτος δὲ οὐδὲν ἄτοπον ἔπραξεν. καὶ ἔλεγεν Ἰη- 42
σοῦ, μνήσθητί μου ὅταν ἔλθῃς ⌜εἰς τὴν βασιλείαν⌝ σου.
καὶ εἶπεν αὐτῷ Ἀμήν σοι λέγω, σήμερον μετ᾽ ἐμοῦ ἔσῃ 43
ἐν τῷ παραδείσῳ. Καὶ ἦν ἤδη ὡσεὶ ὥρα ἕκτη καὶ σκότος 44
ἐγένετο ἐφ᾽ ὅλην τὴν γῆν ἕως ὥρας ἐνάτης τοῦ ἡλίου ἐκλεί- 45
ποντος, ἐσχίσθη δὲ τὸ καταπέτασμα τοῦ ναοῦ μέσον. καὶ 46
φωνήσας φωνῇ μεγάλῃ ὁ Ἰησοῦς εἶπεν Πάτερ, εἰς χεῖράς
σου παρατίθεμαι τὸ πνεῦμά μου· τοῦτο δὲ εἰπὼν ἐξέ-
πνευσεν. Ἰδὼν δὲ ὁ ἑκατοντάρχης τὸ γενόμενον ἐδόξαζεν 47
τὸν θεὸν λέγων Ὄντως ὁ ἄνθρωπος οὗτος δίκαιος ἦν.
καὶ πάντες οἱ συνπαραγενόμενοι ὄχλοι ἐπὶ τὴν θεωρίαν 48
ταύτην, θεωρήσαντες τὰ γενόμενα, τύπτοντες τὰ στήθη
ὑπέστρεφον. ἱστήκεισαν δὲ πάντες οἱ γνωστοὶ αὐτῷ 49

31 τῷ   42 ἐν τῇ βασιλείᾳ

ἀπὸ μακρόθεν, καὶ ᵀ γυναῖκες αἱ συνακολουθοῦσαι αὐτῷ
ἀπὸ τῆς Γαλιλαίας, ὁρῶσαι ταῦτα.

50 Καὶ ἰδοὺ ἀνὴρ ὀνόματι Ἰωσὴφ βουλευτὴς ὑπάρχων,
51 ἀνὴρ ⌜ἀγαθὸς καὶ δίκαιος, — ⌝ οὗτος οὐκ ἦν ⌜συνκατατεθει-
μένος⌝ τῇ βουλῇ καὶ τῇ πράξει αὐτῶν,— ἀπὸ Ἀριμαθαίας
πόλεως τῶν Ἰουδαίων, ὃς προσεδέχετο τὴν βασιλείαν τοῦ
52 θεοῦ, οὗτος προσελθὼν τῷ Πειλάτῳ ᾐτήσατο τὸ σῶμα τοῦ
53 Ἰησοῦ, καὶ καθελὼν ἐνετύλιξεν αὐτὸ σινδόνι, καὶ ἔθηκεν
αὐτὸν ἐν μνήματι λαξευτῷ οὗ οὐκ ἦν οὐδεὶς οὔπω κεί-
54 μενος. Καὶ ἡμέρα ἦν παρασκευῆς, καὶ σάββατον ἐπέφω-
55 σκεν. Κατακολουθήσασαι δὲ αἱ γυναῖκες, αἵτινες ἦσαν
συνεληλυθυῖαι ἐκ τῆς Γαλιλαίας αὐτῷ, ἐθεάσαντο τὸ μνη-
56 μεῖον καὶ ὡς ἐτέθη τὸ σῶμα αὐτοῦ, ὑποστρέψασαι δὲ ἡτοί-
μασαν ἀρώματα καὶ μύρα.

Καὶ τὸ μὲν σάββατον ἡσύχασαν κατὰ τὴν ἐντολήν,
1 τῇ δὲ μιᾷ τῶν σαββάτων ὄρθρου βαθέως ἐπὶ τὸ μνῆμα
2 ἦλθαν φέρουσαι ἃ ἡτοίμασαν ἀρώματα. εὗρον δὲ τὸν
3 λίθον ἀποκεκυλισμένον ἀπὸ τοῦ μνημείου, εἰσελθοῦσαι δὲ
4 οὐχ εὗρον τὸ σῶμα [τοῦ κυρίου Ἰησοῦ]. καὶ ἐγένετο ἐν
τῷ ἀπορεῖσθαι αὐτὰς περὶ τούτου καὶ ἰδοὺ ἄνδρες δύο
5 ἐπέστησαν αὐταῖς ἐν ἐσθῆτι ἀστραπτούσῃ. ἐμφόβων δὲ
γενομένων αὐτῶν καὶ κλινουσῶν τὰ πρόσωπα εἰς τὴν γῆν
εἶπαν πρὸς αὐτάς Τί ζητεῖτε τὸν ζῶντα μετὰ τῶν
6 νεκρῶν; [οὐκ ἔστιν ὧδε, ἀλλὰ ἠγέρθη.] μνήσθητε ὡς
7 ἐλάλησεν ὑμῖν ἔτι ὢν ἐν τῇ Γαλιλαίᾳ, λέγων τὸν υἱὸν τοῦ
ἀνθρώπου ὅτι δεῖ παραδοθῆναι εἰς χεῖρας ἀνθρώπων ἁμαρ-
τωλῶν καὶ σταυρωθῆναι καὶ τῇ τρίτῃ ἡμέρᾳ ἀναστῆναι.
8
9 καὶ ἐμνήσθησαν τῶν ῥημάτων αὐτοῦ, καὶ ὑποστρέψασαι
[ἀπὸ τοῦ μνημείου] ἀπήγγειλαν ταῦτα πάντα τοῖς ἕνδεκα
10 καὶ πᾶσιν τοῖς λοιποῖς. ἦσαν δὲ ἡ Μαγδαληνὴ Μαρία
καὶ Ἰωάνα καὶ Μαρία ἡ Ἰακώβου· καὶ αἱ λοιπαὶ σὺν αὐ-
11 ταῖς ἔλεγον πρὸς τοὺς ἀποστόλους ταῦτα. καὶ ἐφάνησαν
ἐνώπιον αὐτῶν ὡσεὶ λῆρος τὰ ῥήματα ταῦτα, καὶ ἠπίστουν

49 αἱ   50 ἀγαθός,- δίκαιος   51 συνκατατιθέμενος

αὐταῖς.   [Ὁ δὲ Πέτρος ἀναστὰς ἔδραμεν ἐπὶ τὸ 12
μνημεῖον· καὶ παρακύψας βλέπει τὰ ὀθόνια μόνα· καὶ
ἀπῆλθεν πρὸς αὐτὸν θαυμάζων τὸ γεγονός.]

Καὶ ἰδοὺ δύο ἐξ αὐτῶν ἐν αὐτῇ τῇ ἡμέρᾳ ἦσαν πορευό- 13
μενοι εἰς κώμην ἀπέχουσαν σταδίους ἑξήκοντα ἀπὸ Ἰερου-
σαλήμ, ᾗ ὄνομα Ἐμμαούς, καὶ αὐτοὶ ὡμίλουν πρὸς ἀλλή- 14
λους περὶ πάντων τῶν συμβεβηκότων τούτων. καὶ ἐγένετο 15
ἐν τῷ ὁμιλεῖν αὐτοὺς καὶ συνζητεῖν [καὶ] αὐτὸς Ἰησοῦς
ἐγγίσας συνεπορεύετο αὐτοῖς, οἱ δὲ ὀφθαλμοὶ αὐτῶν ἐκρα- 16
τοῦντο τοῦ μὴ ἐπιγνῶναι αὐτόν. εἶπεν δὲ πρὸς αὐτούς 17
Τίνες οἱ λόγοι οὗτοι οὓς ἀντιβάλλετε πρὸς ἀλλήλους
περιπατοῦντες; καὶ ἐστάθησαν σκυθρωποί. ἀποκριθεὶς 18
δὲ εἷς ὀνόματι Κλεόπας εἶπεν πρὸς αὐτόν Σὺ μόνος
παροικεῖς Ἰερουσαλὴμ καὶ οὐκ ἔγνως τὰ γενόμενα ἐν
αὐτῇ ἐν ταῖς ἡμέραις ταύταις; καὶ εἶπεν αὐτοῖς Ποῖα; 19
οἱ δὲ εἶπαν αὐτῷ Τὰ περὶ Ἰησοῦ τοῦ Ναζαρηνοῦ, ὃς
ἐγένετο ἀνὴρ προφήτης δυνατὸς ἐν ἔργῳ καὶ λόγῳ ἐναντίον
τοῦ θεοῦ καὶ παντὸς τοῦ λαοῦ, ὅπως τε παρέδωκαν αὐτὸν οἱ 20
ἀρχιερεῖς καὶ οἱ ἄρχοντες ἡμῶν εἰς κρίμα θανάτου καὶ
ἐσταύρωσαν αὐτόν. ἡμεῖς δὲ ἠλπίζομεν ὅτι αὐτός ἐστιν ὁ 21
μέλλων λυτροῦσθαι τὸν Ἰσραήλ· ἀλλά γε καὶ σὺν πᾶσιν
τούτοις τρίτην ταύτην ἡμέραν ἄγει ἀφ’ οὗ ταῦτα ἐγένετο.
ἀλλὰ καὶ γυναῖκές τινες ἐξ ἡμῶν ἐξέστησαν ἡμᾶς, γενό- 22
μεναι ὀρθριναὶ ἐπὶ τὸ μνημεῖον καὶ μὴ εὑροῦσαι τὸ σῶμα 23
αὐτοῦ ἦλθαν λέγουσαι καὶ ὀπτασίαν ἀγγέλων ἑωρακέναι, οἳ
λέγουσιν αὐτὸν ζῆν. καὶ ἀπῆλθάν τινες τῶν σὺν ἡμῖν 24
ἐπὶ τὸ μνημεῖον, καὶ εὗρον οὕτως καθὼς αἱ γυναῖκες εἶπον,
αὐτὸν δὲ οὐκ εἶδον. καὶ αὐτὸς εἶπεν πρὸς αὐτούς Ὦ 25
ἀνόητοι καὶ βραδεῖς τῇ καρδίᾳ τοῦ πιστεύειν ἐπὶ πᾶσιν οἷς
ἐλάλησαν οἱ προφῆται· οὐχὶ ταῦτα ἔδει παθεῖν τὸν χρι- 26
στὸν καὶ εἰσελθεῖν εἰς τὴν δόξαν αὐτοῦ; καὶ ἀρξάμενος 27
ἀπὸ Μωυσέως καὶ ἀπὸ πάντων τῶν προφητῶν διερμήνευ-
σεν αὐτοῖς ἐν πάσαις ταῖς γραφαῖς τὰ περὶ ἑαυτοῦ. Καὶ 28

ἤγγισαν εἰς τὴν κώμην οὗ ἐπορεύοντο, καὶ αὐτὸς προσε-
29 ποιήσατο πορρώτερον πορεύεσθαι. καὶ παρεβιάσαντο
αὐτὸν λέγοντες Μεῖνον μεθ᾽ ἡμῶν, ὅτι πρὸς ἑσπέραν
ἐστὶν καὶ κέκλικεν ἤδη ἡ ἡμέρα. καὶ εἰσῆλθεν τοῦ μεῖναι
30 σὺν αὐτοῖς. Καὶ ἐγένετο ἐν τῷ κατακλιθῆναι αὐτὸν
μετ᾽ αὐτῶν λαβὼν τὸν ἄρτον εὐλόγησεν καὶ κλάσας ἐπε-
31 δίδου αὐτοῖς· αὐτῶν δὲ διηνοίχθησαν οἱ ὀφθαλμοὶ καὶ
ἐπέγνωσαν αὐτόν· καὶ αὐτὸς ἄφαντος ἐγένετο ἀπ᾽ αὐτῶν.
32 καὶ εἶπαν πρὸς ἀλλήλους Οὐχὶ ἡ καρδία ἡμῶν καιομέ-
νη ἦν ᵀ ὡς ἐλάλει ἡμῖν ἐν τῇ ὁδῷ, ὡς διήνοιγεν ἡμῖν τὰς
33 γραφάς; Καὶ ἀναστάντες αὐτῇ τῇ ὥρᾳ ὑπέ-
στρεψαν εἰς Ἰερουσαλήμ, καὶ εὗρον ἠθροισμένους τοὺς
34 ἕνδεκα καὶ τοὺς σὺν αὐτοῖς, λέγοντας ὅτι ὄντως ἠγέρθη
35 ὁ κύριος καὶ ὤφθη Σίμωνι. καὶ αὐτοὶ ἐξηγοῦντο τὰ ἐν
τῇ ὁδῷ καὶ ὡς ἐγνώσθη αὐτοῖς ἐν τῇ κλάσει τοῦ ἄρ-
36 του. Ταῦτα δὲ αὐτῶν λαλούντων αὐτὸς ἔστη ἐν
37 μέσῳ αὐτῶν ⟦καὶ λέγει αὐτοῖς Εἰρήνη ὑμῖν⟧. ⌜πτοηθέντες⌝
38 δὲ καὶ ἔμφοβοι γενόμενοι ἐδόκουν πνεῦμα θεωρεῖν. καὶ
εἶπεν αὐτοῖς Τί τεταραγμένοι ἐστέ, καὶ διὰ τί διαλο-
39 γισμοὶ ἀναβαίνουσιν ἐν τῇ καρδίᾳ ὑμῶν; ἴδετε τὰς χεῖράς
μου καὶ τοὺς πόδας μου ὅτι ἐγώ εἰμι αὐτός· ψηλαφήσατέ
με καὶ ἴδετε, ὅτι πνεῦμα σάρκα καὶ ὀστέα οὐκ ἔχει καθὼς
40 ἐμὲ θεωρεῖτε ἔχοντα. ⟦καὶ τοῦτο εἰπὼν ἔδειξεν αὐτοῖς τὰς
41 χεῖρας καὶ τοὺς πόδας.⟧ Ἔτι δὲ ἀπιστούντων αὐτῶν ἀπὸ
τῆς χαρᾶς καὶ θαυμαζόντων εἶπεν αὐτοῖς Ἔχετέ τι βρώ-
42 σιμον ἐνθάδε; οἱ δὲ ἐπέδωκαν αὐτῷ ἰχθύος ὀπτοῦ μέρος·
43
44 καὶ λαβὼν ἐνώπιον αὐτῶν ἔφαγεν. Εἶπεν δὲ
πρὸς αὐτούς Οὗτοι οἱ λόγοι μου οὓς ἐλάλησα πρὸς ὑμᾶς
ἔτι ὢν σὺν ὑμῖν, ὅτι δεῖ πληρωθῆναι πάντα τὰ γεγραμμένα
ἐν τῷ νόμῳ Μωυσέως καὶ τοῖς προφήταις καὶ Ψαλμοῖς
45 περὶ ἐμοῦ. τότε διήνοιξεν αὐτῶν τὸν νοῦν τοῦ συνιέναι
46 τὰς γραφάς. καὶ εἶπεν αὐτοῖς ὅτι οὕτως γέγραπται πα-

32 ἐν ἡμῖν   37 θροηθέντες

θεῖν τὸν χριστὸν καὶ ἀναστῆναι ἐκ νεκρῶν τῇ τρίτῃ ἡμέρᾳ,
καὶ κηρυχθῆναι ἐπὶ τῷ ὀνόματι αὐτοῦ μετάνοιαν ⌜εἰς⌝ ἄφε- 47
σιν ἁμαρτιῶν εἰς πάντα τὰ ⌜ἔθνη, – ἀρξάμενοι ἀπὸ Ἰερου-
σαλήμ· ὑμεῖς⌝ μάρτυρες τούτων. καὶ ἰδοὺ ἐγὼ ἐξαποστέλλω 48
τὴν ἐπαγγελίαν τοῦ πατρός μου ἐφ᾽ ὑμᾶς· ὑμεῖς δὲ καθί- 49
σατε ἐν τῇ πόλει ἕως οὗ ἐνδύσησθε ἐξ ὕψους δύναμιν.

Ἐξήγαγεν δὲ αὐτοὺς ἕως πρὸς Βηθανίαν, καὶ ἐπάρας 50
τὰς χεῖρας αὐτοῦ εὐλόγησεν αὐτούς. καὶ ἐγένετο ἐν τῷ 51
εὐλογεῖν αὐτὸν αὐτοὺς διέστη ἀπ᾽ αὐτῶν ⟦καὶ ἀνεφέρετο εἰς
τὸν οὐρανόν⟧. καὶ αὐτοὶ ⟦προσκυνήσαντες αὐτὸν⟧ ὑπέ- 52
στρεψαν εἰς Ἰερουσαλὴμ μετὰ χαρᾶς μεγάλης, καὶ ἦσαν 53
διὰ παντὸς ἐν τῷ ἱερῷ εὐλογοῦντες τὸν θεόν.

47 καὶ | ἔθνη· ἀρξάμενοι ἀπὸ Ἰερουσαλὴμ ὑμεῖς

ΚΑΤΑ ΙΩΑΝΗΝ

1 ΕΝ ΑΡΧΗ ἦν ὁ λόγος, καὶ ὁ λόγος ἦν πρὸς τὸν θεόν,
2 καὶ θεὸς ἦν ὁ λόγος.   Οὗτος ἦν ἐν ἀρχῇ
3 πρὸς τὸν θεόν. πάντα δι᾽ αὐτοῦ ἐγένετο, καὶ χωρὶς αὐτοῦ
4 ἐγένετο οὐδὲ ⸢ἕν. ὃ γέγονεν· ἐν⸣ αὐτῷ ζωὴ ἦν, καὶ ἡ ζωὴ
5 ἦν τὸ φῶς τῶν ἀνθρώπων· καὶ τὸ φῶς ἐν τῇ σκοτίᾳ φαίνει,
6 καὶ ἡ σκοτία αὐτὸ οὐ κατέλαβεν.   Ἐγένετο ἄνθρωπος
7 ἀπεσταλμένος παρὰ θεοῦ, ὄνομα αὐτῷ Ἰωάνης· οὗτος ἦλθεν
    εἰς μαρτυρίαν, ἵνα μαρτυρήσῃ περὶ τοῦ φωτός, ἵνα πάντες
8 πιστεύσωσιν δι᾽ αὐτοῦ. οὐκ ἦν ἐκεῖνος τὸ φῶς, ἀλλ᾽ ἵνα
9 μαρτυρήσῃ περὶ τοῦ φωτός.   Ἦν τὸ φῶς τὸ ἀληθινὸν ὃ
10 φωτίζει πάντα ἄνθρωπον ἐρχόμενον εἰς τὸν κόσμον.   ἐν
    τῷ κόσμῳ ἦν, καὶ ὁ κόσμος δι᾽ αὐτοῦ ἐγένετο, καὶ ὁ κόσμος
11 αὐτὸν οὐκ ἔγνω. ⸢Εἰς⸣ τὰ ἴδια ἦλθεν, καὶ οἱ ἴδιοι αὐτὸν οὐ
12 παρέλαβον. ὅσοι δὲ ἔλαβον αὐτόν, ἔδωκεν αὐτοῖς ἐξουσίαν
    τέκνα θεοῦ γενέσθαι, τοῖς πιστεύουσιν εἰς τὸ ὄνομα αὐτοῦ,
13 οἳ οὐκ ἐξ αἱμάτων οὐδὲ ἐκ θελήματος σαρκὸς οὐδὲ ἐκ θελή-
14 ματος ἀνδρὸς ἀλλ᾽ ἐκ θεοῦ ἐγεννήθησαν.   Καὶ
    ὁ λόγος σὰρξ ἐγένετο καὶ ἐσκήνωσεν ἐν ἡμῖν, καὶ ἐθεασά-
    μεθα τὴν δόξαν αὐτοῦ, δόξαν ὡς μονογενοῦς παρὰ πατρός,
15 πλήρης χάριτος καὶ ἀληθείας· (Ἰωάνης μαρτυρεῖ περὶ
    αὐτοῦ καὶ κέκραγεν ⸢λέγων — οὗτος ἦν ὁ εἰπών — Ὁ⸣ ὀπί-
    σω μου ἐρχόμενος ἔμπροσθέν μου γέγονεν, ὅτι πρῶτός μου

3, 4 ἐν ὃ γέγονεν. ἐν   11 εἰς   15 λέγων Οὗτος ἦν ὃν εἶπον· ὁ
v. λέγων Οὗτος ἦν ὃν εἶπον Ὁ

ἦν·) ὅτι ἐκ τοῦ πληρώματος αὐτοῦ ἡμεῖς πάντες ἐλάβο- 16
μεν, καὶ χάριν ἀντὶ χάριτος· ὅτι ὁ νόμος διὰ Μωυσέως 17
ἐδόθη, ἡ χάρις καὶ ἡ ἀλήθεια διὰ Ἰησοῦ Χριστοῦ ἐγέ-
νετο. θεὸν οὐδεὶς ἑώρακεν πώποτε· μονογενὴς θεὸς ὁ ὢν 18
εἰς τὸν κόλπον τοῦ πατρὸς ἐκεῖνος ἐξηγήσατο.

Καὶ αὕτη ἐστὶν ἡ μαρτυρία τοῦ Ἰωάνου ὅτε ἀπέστει- 19
λαν πρὸς αὐτὸν οἱ Ἰουδαῖοι ἐξ Ἱεροσολύμων ἱερεῖς καὶ
Λευείτας ἵνα ἐρωτήσωσιν αὐτόν Σὺ τίς εἶ; καὶ ὡμολόγη- 20
σεν καὶ οὐκ ἠρνήσατο, καὶ ὡμολόγησεν ὅτι Ἐγὼ οὐκ εἰμὶ
ὁ χριστός. καὶ ἠρώτησαν αὐτόν Τί ⌈οὖν⌉; [σὺ] Ἡλείας⌉ εἶ; 21
καὶ λέγει Οὐκ εἰμί. Ὁ προφήτης εἶ σύ; καὶ ἀπεκρίθη
Οὔ. εἶπαν οὖν αὐτῷ Τίς εἶ; ἵνα ἀπόκρισιν δῶμεν τοῖς 22
πέμψασιν ἡμᾶς· τί λέγεις περὶ σεαυτοῦ; ἔφη Ἐγὼ 23
φωνὴ βοῶντος ἐν τῇ ἐρήμῳ Εὐθύνατε τὴν ὁδὸν
Κυρίου, καθὼς εἶπεν Ἠσαίας ὁ προφήτης. Καὶ ἀπεσταλ- 24
μένοι ἦσαν ἐκ τῶν Φαρισαίων. καὶ ἠρώτησαν αὐτὸν καὶ 25
εἶπαν αὐτῷ Τί οὖν βαπτίζεις εἰ σὺ οὐκ εἶ ὁ χριστὸς οὐδὲ
Ἡλείας οὐδὲ ὁ προφήτης; ἀπεκρίθη αὐτοῖς ὁ Ἰωάνης 26
λέγων Ἐγὼ βαπτίζω ἐν ὕδατι· μέσος ὑμῶν στήκει ὃν
ὑμεῖς οὐκ οἴδατε, ὀπίσω μου ἐρχόμενος, οὗ οὐκ εἰμὶ [ἐγὼ] 27
ἄξιος ἵνα λύσω αὐτοῦ τὸν ἱμάντα τοῦ ὑποδήματος. Ταῦ- 28
τα ἐν Βηθανίᾳ ἐγένετο πέραν τοῦ Ἰορδάνου, ὅπου ἦν ὁ
Ἰωάνης βαπτίζων. | Τῇ ἐπαύριον βλέπει τὸν 29
Ἰησοῦν ἐρχόμενον πρὸς αὐτόν, καὶ λέγει Ἴδε ὁ ἀμνὸς
τοῦ θεοῦ ὁ αἴρων τὴν ἁμαρτίαν τοῦ κόσμου. οὗτός ἐστιν 30
ὑπὲρ οὗ ἐγὼ εἶπον Ὀπίσω μου ἔρχεται ἀνὴρ ὃς ἔμπρο-
σθέν μου γέγονεν, ὅτι πρῶτός μου ἦν· κἀγὼ οὐκ ᾔδειν 31
αὐτόν, ἀλλ᾽ ἵνα φανερωθῇ τῷ Ἰσραὴλ διὰ τοῦτο ἦλθον
ἐγὼ ἐν ὕδατι βαπτίζων. Καὶ ἐμαρτύρησεν Ἰωάνης 32
λέγων ὅτι Τεθέαμαι τὸ πνεῦμα καταβαῖνον ὡς περιστε-
ρὰν ἐξ οὐρανοῦ, καὶ ἔμεινεν ἐπ᾽ αὐτόν· κἀγὼ οὐκ ᾔδειν 33
αὐτόν, ἀλλ᾽ ὁ πέμψας με βαπτίζειν ἐν ὕδατι ἐκεῖνός μοι
εἶπεν Ἐφ᾽ ὃν ἂν ἴδῃς τὸ πνεῦμα καταβαῖνον καὶ μένον

21 οὖν σύ; Ἡλείας

ἐπ' αὐτόν, οὗτός ἐστιν ὁ βαπτίζων ἐν πνεύματι ἁγίῳ·
34 κἀγὼ ἑώρακα, καὶ μεμαρτύρηκα ὅτι οὗτός ἐστιν ὁ υἱὸς
τοῦ θεοῦ.

35 Τῇ ἐπαύριον πάλιν (ἱστήκει) Ἰωάνης καὶ ἐκ τῶν μαθη-
36 τῶν αὐτοῦ δύο, καὶ ἐμβλέψας τῷ Ἰησοῦ περιπατοῦντι
37 λέγει Ἴδε ὁ ἀμνὸς τοῦ θεοῦ. καὶ ἤκουσαν οἱ δύο ⌜μαθη-
38 ταὶ αὐτοῦ⌝ λαλοῦντος καὶ ἠκολούθησαν τῷ Ἰησοῦ. στρα-
φεὶς δὲ ὁ Ἰησοῦς καὶ θεασάμενος αὐτοὺς ἀκολουθοῦντας
λέγει αὐτοῖς Τί ζητεῖτε; οἱ δὲ εἶπαν αὐτῷ Ῥαββεί,
(ὃ λέγεται μεθερμηνευόμενον Διδάσκαλε,) ποῦ μένεις;
39 λέγει αὐτοῖς Ἔρχεσθε καὶ ὄψεσθε. ἦλθαν οὖν καὶ εἶδαν
ποῦ μένει, καὶ παρ' αὐτῷ ἔμειναν τὴν ἡμέραν ἐκείνην·
40 ὥρα ἦν ὡς δεκάτη. (Ἦν Ἀνδρέας ὁ ἀδελφὸς Σίμωνος
⌊ Πέτρου εἷς ἐκ τῶν δύο τῶν (ἀκουσάντων) παρὰ Ἰωάνου καὶ
41 (ἀκολουθησάντων) αὐτῷ. ⌊ εὑρίσκει οὗτος πρῶτον τὸν ἀδελφὸν
τὸν ἴδιον Σίμωνα καὶ λέγει αὐτῷ Εὑρήκαμεν τὸν Μεσσίαν
42 (ὅ ἐστιν μεθερμηνευόμενον Χριστός). ἤγαγεν αὐτὸν πρὸς
τὸν Ἰησοῦν. ἐμβλέψας αὐτῷ ὁ Ἰησοῦς εἶπεν Σὺ εἶ
Σίμων ὁ υἱὸς Ἰωάνου, σὺ κληθήσῃ Κηφᾶς (ὃ ἑρμηνεύεται
43 Πέτρος).   Τῇ ἐπαύριον ἠθέλησεν ἐξελθεῖν εἰς
τὴν Γαλιλαίαν. καὶ εὑρίσκει Φίλιππον καὶ λέγει αὐτῷ ὁ
44 Ἰησοῦς Ἀκολούθει μοι. ἦν δὲ ὁ Φίλιππος ἀπὸ Βηθ-
45 σαιδά, ἐκ τῆς πόλεως Ἀνδρέου καὶ Πέτρου. εὑρίσκει
Φίλιππος τὸν Ναθαναὴλ καὶ λέγει αὐτῷ Ὃν ἔγραψεν
Μωυσῆς ἐν τῷ νόμῳ καὶ οἱ προφῆται εὑρήκαμεν, Ἰησοῦν
46 υἱὸν τοῦ Ἰωσὴφ τὸν ἀπὸ Ναζαρέτ. καὶ εἶπεν αὐτῷ Να-
θαναὴλ Ἐκ Ναζαρὲτ δύναταί τι ἀγαθὸν εἶναι; λέγει
47 αὐτῷ ὁ Φίλιππος Ἔρχου καὶ ἴδε. εἶδεν Ἰησοῦς τὸν
Ναθαναὴλ ἐρχόμενον πρὸς αὐτὸν καὶ λέγει περὶ αὐτοῦ Ἴδε
48 ἀληθῶς Ἰσραηλείτης ἐν ᾧ δόλος οὐκ ἔστιν. (λέγει αὐτῷ
Ναθαναὴλ Πόθεν με γινώσκεις; ἀπεκρίθη Ἰησοῦς καὶ
εἶπεν αὐτῷ Πρὸ τοῦ σε Φίλιππον φωνῆσαι ὄντα ὑπὸ τὴν
49 συκῆν εἶδόν σε. ⌊ ἀπεκρίθη αὐτῷ Ναθαναὴλ Ῥαββεί, σὺ

37 αὐτοῦ μαθηταί

εἶ ὁ υἱὸς τοῦ θεοῦ, σὺ βασιλεὺς εἶ τοῦ Ἰσραήλ. ἀπεκρίθη 50
Ἰησοῦς καὶ εἶπεν αὐτῷ Ὅτι εἶπόν σοι ὅτι εἶδόν σε ὑπο-
κάτω τῆς συκῆς πιστεύεις; μείζω τούτων ὄψῃ. καὶ λέγει 51
αὐτῷ Ἀμὴν ἀμὴν λέγω ὑμῖν, ὄψεσθε τὸν ΟΥΡΑΝΟΝ ἀνε-
ῳγότα καὶ τοὺϲ ἀΓΓέλΟΥϲ τΟΥ θεΟΥ ἀΝΑΒΑΙΝΟΝΤΑϲ καὶ
ΚΑΤΑΒΑΙΝΟΝΤΑϲ ἐπὶ τὸν υἱὸν τοῦ ἀνθρώπου.

Καὶ τῇ ⌐ἡμέρᾳ τῇ τρίτῃ⌐ γάμος ἐγένετο ἐν Κανὰ τῆς 1
Γαλιλαίας, καὶ ἦν ἡ μήτηρ τοῦ Ἰησοῦ ἐκεῖ· ἐκλήθη δὲ καὶ 2
ὁ Ἰησοῦς καὶ οἱ μαθηταὶ αὐτοῦ εἰς τὸν γάμον. καὶ ὑστερή- 3
σαντος οἴνου λέγει ἡ μήτηρ τοῦ Ἰησοῦ πρὸς αὐτόν Οἶνον
οὐκ ἔχουσιν. καὶ λέγει αὐτῇ ὁ Ἰησοῦς Τί ἐμοὶ καὶ σοί, 4
γύναι; οὔπω ἥκει ἡ ὥρα μου. λέγει ἡ μήτηρ αὐτοῦ τοῖς 5
διακόνοις Ὅτι ἂν λέγῃ ὑμῖν ποιήσατε. ἦσαν δὲ ἐκεῖ 6
λίθιναι ὑδρίαι ἓξ κατὰ τὸν καθαρισμὸν τῶν Ἰουδαίων κεί-
μεναι, χωροῦσαι ἀνὰ μετρητὰς δύο ἢ τρεῖς. λέγει αὐτοῖς 7
ὁ Ἰησοῦς Γεμίσατε τὰς ὑδρίας ὕδατος· καὶ ἐγέμισαν
αὐτὰς ἕως ἄνω. καὶ λέγει αὐτοῖς Ἀντλήσατε νῦν καὶ 8
φέρετε τῷ ἀρχιτρικλίνῳ· οἱ δὲ ἤνεγκαν. ὡς δὲ ἐγεύσατο 9
ὁ ἀρχιτρίκλινος τὸ ὕδωρ οἶνον γεγενημένον, καὶ οὐκ ᾔδει
πόθεν ἐστίν, οἱ δὲ διάκονοι ᾔδεισαν οἱ ἠντληκότες τὸ ὕδωρ,
φωνεῖ τὸν νυμφίον ὁ ἀρχιτρίκλινος καὶ λέγει αὐτῷ Πᾶς 10
ἄνθρωπος πρῶτον τὸν καλὸν οἶνον τίθησιν, καὶ ὅταν μεθυ-
σθῶσιν τὸν ἐλάσσω· σὺ τετήρηκας τὸν καλὸν οἶνον ἕως
ἄρτι. Ταύτην ἐποίησεν ἀρχὴν τῶν σημείων ὁ Ἰησοῦς ἐν 11
Κανὰ τῆς Γαλιλαίας καὶ ἐφανέρωσεν τὴν δόξαν αὐτοῦ, καὶ
ἐπίστευσαν εἰς αὐτὸν οἱ μαθηταὶ αὐτοῦ.

ΜΕΤΑ ΤΟΥΤΟ κατέβη εἰς Καφαρναοὺμ αὐτὸς καὶ ἡ 12
μήτηρ αὐτοῦ καὶ οἱ ἀδελφοὶ καὶ οἱ μαθηταὶ αὐτοῦ, καὶ
ἐκεῖ ἔμειναν οὐ πολλὰς ἡμέρας.

Καὶ ἐγγὺς ἦν τὸ πάσχα τῶν Ἰουδαίων, καὶ ἀνέβη εἰς 13

1 τρίτη ἡμέρᾳ

14 Ἱεροσόλυμα ὁ Ἰησοῦς. καὶ εὗρεν ἐν τῷ ἱερῷ τοὺς πω-
λοῦντας βόας καὶ πρόβατα καὶ περιστερὰς καὶ τοὺς κερ-
15 ματιστὰς καθημένους, καὶ ποιήσας φραγέλλιον ἐκ σχοινίων
πάντας ἐξέβαλεν ἐκ τοῦ ἱεροῦ τά τε πρόβατα καὶ τοὺς
βόας, καὶ τῶν κολλυβιστῶν ἐξέχεεν τὰ κέρματα καὶ τὰς
16 τραπέζας ⌜ἀνέτρεψεν⌝, καὶ τοῖς τὰς περιστερὰς πωλοῦσιν
εἶπεν Ἄρατε ταῦτα ἐντεῦθεν, μὴ ποιεῖτε τὸν οἶκον τοῦ
17 πατρός μου οἶκον ἐμπορίου. Ἐμνήσθησαν οἱ μαθηταὶ
αὐτοῦ ὅτι γεγραμμένον ἐστίν Ὁ ζῆλος τοῦ οἴκου ϲου
18 καταφάγεταί με. Ἀπεκρίθησαν οὖν οἱ Ἰουδαῖοι καὶ
εἶπαν αὐτῷ Τί σημεῖον δεικνύεις ἡμῖν, ὅτι ταῦτα ποιεῖς;
19 ἀπεκρίθη Ἰησοῦς καὶ εἶπεν αὐτοῖς Λύσατε τὸν ναὸν τοῦ-
20 τον καὶ [ἐν] τρισὶν ἡμέραις ἐγερῶ αὐτόν. εἶπαν οὖν οἱ
Ἰουδαῖοι Τεσσεράκοντα καὶ ἓξ ἔτεσιν οἰκοδομήθη ὁ ναὸς
21 οὗτος, καὶ σὺ ἐν τρισὶν ἡμέραις ἐγερεῖς αὐτόν; ἐκεῖνος δὲ
22 ἔλεγεν περὶ τοῦ ναοῦ τοῦ σώματος αὐτοῦ. Ὅτε οὖν
ἠγέρθη ἐκ νεκρῶν, ἐμνήσθησαν οἱ μαθηταὶ αὐτοῦ ὅτι τοῦτο
ἔλεγεν, καὶ ἐπίστευσαν τῇ γραφῇ καὶ τῷ λόγῳ ὃν εἶπεν
ὁ Ἰησοῦς.

23 Ὡς δὲ ἦν ἐν τοῖς Ἱεροσολύμοις ἐν τῷ πάσχα ἐν τῇ
ἑορτῇ, πολλοὶ ἐπίστευσαν εἰς τὸ ὄνομα αὐτοῦ, θεωροῦντες
24 αὐτοῦ τὰ σημεῖα ἃ ἐποίει· αὐτὸς δὲ Ἰησοῦς οὐκ ἐπίστευεν
25 αὐτὸν αὐτοῖς διὰ τὸ αὐτὸν γινώσκειν πάντας καὶ ὅτι οὐ
χρείαν εἶχεν ἵνα τις μαρτυρήσῃ περὶ τοῦ ἀνθρώπου, αὐτὸς
γὰρ ἐγίνωσκεν τί ἦν ἐν τῷ ἀνθρώπῳ.

1 Ἦν δὲ ἄνθρωπος ἐκ τῶν Φαρισαίων, Νικόδημος ὄνομα
2 αὐτῷ, ἄρχων τῶν Ἰουδαίων· οὗτος ἦλθεν πρὸς αὐτὸν νυ-
κτὸς καὶ εἶπεν αὐτῷ Ῥαββεί, οἴδαμεν ὅτι ἀπὸ θεοῦ ἐλή-
λυθας διδάσκαλος· οὐδεὶς γὰρ δύναται ταῦτα τὰ σημεῖα
3 ποιεῖν ἃ σὺ ποιεῖς, ἐὰν μὴ ᾖ ὁ θεὸς μετ' αὐτοῦ. ἀπεκρίθη
Ἰησοῦς καὶ εἶπεν αὐτῷ Ἀμὴν ἀμὴν λέγω σοι, ἐὰν μή τις
γεννηθῇ ἄνωθεν, οὐ δύναται ἰδεῖν τὴν βασιλείαν τοῦ θεοῦ.
4 λέγει πρὸς αὐτὸν [ὁ] Νικόδημος Πῶς δύναται ἄνθρωπος

15 ἀνέστρεψεν

γεννηθῆναι γέρων ὤν; μὴ δύναται εἰς τὴν κοιλίαν τῆς μη-
τρὸς αὐτοῦ δεύτερον εἰσελθεῖν καὶ γεννηθῆναι; ἀπεκρί- 5
θη [ὁ] Ἰησοῦς Ἀμὴν ἀμὴν λέγω σοι, ἐὰν μή τις γεννηθῇ
ἐξ ὕδατος καὶ πνεύματος, οὐ δύναται εἰσελθεῖν εἰς τὴν βα-
σιλείαν τοῦ θεοῦ. τὸ γεγεννημένον ἐκ τῆς σαρκὸς σάρξ 6
ἐστιν, καὶ τὸ γεγεννημένον ἐκ τοῦ πνεύματος πνεῦμά ἐστιν.
μὴ θαυμάσῃς ὅτι εἶπόν σοι Δεῖ ὑμᾶς γεννηθῆναι ἄνωθεν. 7
τὸ πνεῦμα ὅπου θέλει πνεῖ, καὶ τὴν φωνὴν αὐτοῦ ἀκούεις, 8
ἀλλ' οὐκ οἶδας πόθεν ἔρχεται καὶ ποῦ ὑπάγει· οὕτως
ἐστὶν πᾶς ὁ γεγεννημένος ἐκ τοῦ πνεύματος. ἀπεκρίθη 9
Νικόδημος καὶ εἶπεν αὐτῷ Πῶς δύναται ταῦτα γενέσθαι;
ἀπεκρίθη Ἰησοῦς καὶ εἶπεν αὐτῷ Σὺ εἶ ὁ διδάσκαλος τοῦ 10
Ἰσραὴλ καὶ ταῦτα οὐ γινώσκεις; ἀμὴν ἀμὴν λέγω σοι ὅτι 11
ὃ οἴδαμεν λαλοῦμεν καὶ ὃ ἑωράκαμεν μαρτυροῦμεν, καὶ τὴν
μαρτυρίαν ἡμῶν οὐ λαμβάνετε. εἰ τὰ ἐπίγεια εἶπον ὑμῖν 12
καὶ οὐ πιστεύετε, πῶς ἐὰν εἴπω ὑμῖν τὰ ἐπουράνια πιστεύ-
σετε; καὶ οὐδεὶς ἀναβέβηκεν εἰς τὸν οὐρανὸν εἰ μὴ ὁ ἐκ 13
τοῦ οὐρανοῦ καταβάς, ὁ υἱὸς τοῦ ἀνθρώπου. καὶ καθὼς 14
Μωυσῆς ὕψωσεν τὸν ὄφιν ἐν τῇ ἐρήμῳ, οὕτως ὑψωθῆναι
δεῖ τὸν υἱὸν τοῦ ἀνθρώπου, ἵνα πᾶς ὁ πιστεύων ἐν αὐτῷ ἔχῃ 15
ζωὴν αἰώνιον.   Οὕτως γὰρ ἠγάπησεν ὁ θεὸς τὸν 16
κόσμον ὥστε τὸν υἱὸν τὸν μονογενῆ ἔδωκεν, ἵνα πᾶς ὁ
πιστεύων εἰς αὐτὸν μὴ ἀπόληται ἀλλὰ ἔχῃ ζωὴν αἰώνιον.
οὐ γὰρ ἀπέστειλεν ὁ θεὸς τὸν υἱὸν εἰς τὸν κόσμον ἵνα κρίνῃ 17
τὸν κόσμον, ἀλλ' ἵνα σωθῇ ὁ κόσμος δι' αὐτοῦ. ὁ πιστεύων 18
εἰς αὐτὸν οὐ κρίνεται. ὁ μὴ πιστεύων ἤδη κέκριται, ὅτι μὴ
πεπίστευκεν εἰς τὸ ὄνομα τοῦ μονογενοῦς υἱοῦ τοῦ θεοῦ.
αὕτη δέ ἐστιν ἡ κρίσις ὅτι τὸ φῶς ἐλήλυθεν εἰς τὸν κόσμον 19
καὶ ἠγάπησαν οἱ ἄνθρωποι μᾶλλον τὸ σκότος ἢ τὸ φῶς, ἦν
γὰρ αὐτῶν πονηρὰ τὰ ἔργα. πᾶς γὰρ ὁ φαῦλα πράσ- 20
σων μισεῖ τὸ φῶς καὶ οὐκ ἔρχεται πρὸς τὸ φῶς, ἵνα μὴ
ἐλεγχθῇ τὰ ἔργα αὐτοῦ· ὁ δὲ ποιῶν τὴν ἀλήθειαν ἔρχεται 21
πρὸς τὸ φῶς, ἵνα φανερωθῇ αὐτοῦ τὰ ἔργα ὅτι ἐν θεῷ

25 Ἰουδαίων

ἐστὶν εἰργασμένα.

22 Μετὰ ταῦτα ἦλθεν ὁ Ἰησοῦς καὶ οἱ μαθηταὶ αὐτοῦ εἰς
τὴν Ἰουδαίαν γῆν, καὶ ἐκεῖ διέτριβεν μετ' αὐτῶν καὶ ἐβά-
23 πτιζεν. ἦν δὲ καὶ [ὁ] Ἰωάνης βαπτίζων ἐν Αἰνὼν ἐγγὺς τοῦ
Σαλείμ, ὅτι ὕδατα πολλὰ ἦν ἐκεῖ, καὶ παρεγίνοντο καὶ
24 ἐβαπτίζοντο· οὔπω γὰρ ἦν βεβλημένος εἰς τὴν φυλακὴν
25 Ἰωάνης. Ἐγένετο οὖν ζήτησις ἐκ τῶν μαθητῶν Ἰωάνου
26 μετὰ Ἰουδαίου περὶ καθαρισμοῦ. καὶ ἦλθαν πρὸς τὸν
Ἰωάνην καὶ εἶπαν αὐτῷ Ῥαββεί, ὃς ἦν μετὰ σοῦ πέραν
τοῦ Ἰορδάνου, ᾧ σὺ μεμαρτύρηκας, ἴδε οὗτος βαπτίζει καὶ
27 πάντες ἔρχονται πρὸς αὐτόν. ἀπεκρίθη Ἰωάνης καὶ εἶπεν
Οὐ δύναται ἄνθρωπος λαμβάνειν οὐδὲν ἐὰν μὴ ᾖ δεδομένον
28 αὐτῷ ἐκ τοῦ οὐρανοῦ. αὐτοὶ ὑμεῖς μοι μαρτυρεῖτε ὅτι εἶπον
[ἐγὼ] Οὐκ εἰμὶ ἐγὼ ὁ χριστός, ἀλλ' ὅτι Ἀπεσταλμένος
29 εἰμὶ ἔμπροσθεν ἐκείνου. ὁ ἔχων τὴν νύμφην νυμφίος ἐστίν·
ὁ δὲ φίλος τοῦ νυμφίου, ὁ ἑστηκὼς καὶ ἀκούων αὐτοῦ, χαρᾷ
χαίρει διὰ τὴν φωνὴν τοῦ νυμφίου. αὕτη οὖν ἡ χαρὰ ἡ
30 ἐμὴ πεπλήρωται. ἐκεῖνον δεῖ αὐξάνειν, ἐμὲ δὲ ἐλαττοῦ-
31 σθαι. Ὁ ἄνωθεν ἐρχόμενος ἐπάνω πάντων
ἐστίν. ὁ ὢν ἐκ τῆς γῆς ἐκ τῆς γῆς ἐστὶν καὶ ἐκ τῆς γῆς
λαλεῖ· ὁ ἐκ τοῦ οὐρανοῦ ἐρχόμενος ⌜ἐπάνω πάντων ἐστίν·
32 ὃ ἑώρακεν καὶ ἤκουσεν τοῦτο⌝ μαρτυρεῖ, καὶ τὴν μαρτυρίαν
33 αὐτοῦ οὐδεὶς λαμβάνει. ὁ λαβὼν αὐτοῦ τὴν μαρτυρίαν
34 ἐσφράγισεν ὅτι ὁ θεὸς ἀληθής ἐστιν. ὃν γὰρ ἀπέστειλεν
ὁ θεὸς τὰ ῥήματα τοῦ θεοῦ λαλεῖ, οὐ γὰρ ἐκ μέτρου δίδωσιν
35 τὸ πνεῦμα. ὁ πατὴρ ἀγαπᾷ τὸν υἱόν, καὶ πάντα δέδωκεν
36 ἐν τῇ χειρὶ αὐτοῦ. ὁ πιστεύων εἰς τὸν υἱὸν ἔχει ζωὴν
αἰώνιον· ὁ δὲ ἀπειθῶν τῷ υἱῷ οὐκ ὄψεται ζωήν, ἀλλ' ἡ ὀργὴ
τοῦ θεοῦ μένει ἐπ' αὐτόν.

1 ⌜Ὡς οὖν ἔγνω ὁ κύριος ὅτι ἤκουσαν οἱ Φαρισαῖοι ὅτι
Ἰησοῦς πλείονας μαθητὰς ποιεῖ καὶ βαπτίζει [ἢ] Ἰωά-
2 νης,⌝ — καίτοιγε Ἰησοῦς αὐτὸς οὐκ ἐβάπτιζεν ἀλλ' οἱ μα-

31, 32 ὁ ἑώρακεν καὶ ἤκουσεν   1 †...†

θηταὶ αὐτοῦ, – ἀφῆκεν τὴν Ἰουδαίαν καὶ ἀπῆλθεν πάλιν 3
εἰς τὴν Γαλιλαίαν. Ἔδει δὲ αὐτὸν διέρχεσθαι διὰ τῆς Σα- 4
μαρίας. ἔρχεται οὖν εἰς πόλιν τῆς Σαμαρίας λεγομένην 5
Συχὰρ πλησίον τοῦ χωρίου ὃ ἔδωκεν Ἰακὼβ [τῷ] Ἰωσὴφ
τῷ υἱῷ αὐτοῦ· ἦν δὲ ἐκεῖ πηγὴ τοῦ Ἰακώβ. ὁ οὖν Ἰησοῦς 6
κεκοπιακὼς ἐκ τῆς ὁδοιπορίας ἐκαθέζετο οὕτως ἐπὶ τῇ
πηγῇ· ὥρα ἦν ὡς ἕκτη. ἔρχεται γυνὴ ἐκ τῆς Σαμαρίας ἀν- 7
τλῆσαι ὕδωρ. λέγει αὐτῇ ὁ Ἰησοῦς · Δός μοι πεῖν· οἱ γὰρ 8
μαθηταὶ αὐτοῦ ἀπεληλύθεισαν εἰς τὴν πόλιν, ἵνα τροφὰς
ἀγοράσωσιν. λέγει οὖν αὐτῷ ἡ γυνὴ ἡ Σαμαρεῖτις Πῶς 9
σὺ Ἰουδαῖος ὢν παρ' ἐμοῦ πεῖν αἰτεῖς γυναικὸς Σαμα-
ρείτιδος οὔσης; [οὐ γὰρ συνχρῶνται Ἰουδαῖοι Σαμαρείταις.]
ἀπεκρίθη Ἰησοῦς καὶ εἶπεν αὐτῇ Εἰ ᾔδεις τὴν δωρεὰν τοῦ 10
θεοῦ καὶ τίς ἐστιν ὁ λέγων σοι Δός μοι πεῖν, σὺ ἂν ᾔτη-
σας αὐτὸν καὶ ἔδωκεν ἄν σοι ὕδωρ ζῶν. λέγει αὐτῷ᾿ Κύ- 11
ριε, οὔτε ἄντλημα ἔχεις καὶ τὸ φρέαρ ἐστὶν βαθύ·
πόθεν οὖν ἔχεις τὸ ὕδωρ τὸ ζῶν; μὴ σὺ μείζων εἶ τοῦ πα- 12
τρὸς ἡμῶν Ἰακώβ, ὃς ἔδωκεν ἡμῖν τὸ φρέαρ καὶ αὐτὸς ἐξ
αὐτοῦ ἔπιεν καὶ οἱ υἱοὶ αὐτοῦ καὶ τὰ θρέμματα αὐτοῦ;
ἀπεκρίθη Ἰησοῦς καὶ εἶπεν αὐτῇ Πᾶς ὁ πίνων ἐκ τοῦ 13
ὕδατος τούτου διψήσει πάλιν· ὃς δ' ἂν πίῃ ἐκ τοῦ ὕδατος 14
οὗ ἐγὼ δώσω αὐτῷ, οὐ μὴ διψήσει εἰς τὸν αἰῶνα, ἀλλὰ τὸ
ὕδωρ ὃ δώσω αὐτῷ γενήσεται ἐν αὐτῷ πηγὴ ὕδατος ἁλλο-
μένου εἰς ζωὴν αἰώνιον. λέγει πρὸς αὐτὸν ἡ γυνὴ Κύριε, 15
δός μοι τοῦτο τὸ ὕδωρ, ἵνα μὴ διψῶ μηδὲ διέρχωμαι
ἐνθάδε ἀντλεῖν. λέγει αὐτῇ Ὕπαγε φώνησόν σου τὸν 16
ἄνδρα καὶ ἐλθὲ ἐνθάδε. ἀπεκρίθη ἡ γυνὴ καὶ εἶπεν [αὐ- 17
τῷ] Οὐκ ἔχω ἄνδρα. λέγει αὐτῇ ὁ Ἰησοῦς Καλῶς εἶπες
ὅτι Ἄνδρα οὐκ ἔχω· πέντε γὰρ ἄνδρας ἔσχες, καὶ νῦν 18
ὃν ἔχεις οὐκ ἔστιν σου ἀνήρ· τοῦτο ἀληθὲς εἴρηκας. λέγει 19
αὐτῷ ἡ γυνὴ Κύριε, θεωρῶ ὅτι προφήτης εἶ σύ. οἱ 20
πατέρες ἡμῶν ἐν τῷ ὄρει τούτῳ προσεκύνησαν· καὶ ὑμεῖς
λέγετε ὅτι ἐν Ἰεροσολύμοις ἐστὶν ὁ τόπος ὅπου προσκυ-

21 νεῖν δεῖ. λέγει αὐτῇ ὁ Ἰησοῦς Πίστευέ μοι, γύναι, ὅτι
ἔρχεται ὥρα ὅτε οὔτε ἐν τῷ ὄρει τούτῳ οὔτε ἐν Ἱεροσολύ-
22 μοις προσκυνήσετε τῷ πατρί. ὑμεῖς προσκυνεῖτε ὃ οὐκ οἴ-
δατε, ἡμεῖς προσκυνοῦμεν ὃ οἴδαμεν, ὅτι ἡ σωτηρία ἐκ
23 τῶν Ἰουδαίων ἐστίν· ἀλλὰ ἔρχεται ὥρα καὶ νῦν ἐστίν, ὅτε
οἱ ἀληθινοὶ προσκυνηταὶ προσκυνήσουσιν τῷ πατρὶ ἐν πνεύ-
ματι καὶ ἀληθείᾳ, καὶ γὰρ ὁ πατὴρ τοιούτους ζητεῖ τοὺς
24 προσκυνοῦντας αὐτόν· πνεῦμα ὁ θεός, καὶ τοὺς προσκυνοῦν-
25 τας αὐτὸν ἐν πνεύματι καὶ ἀληθείᾳ δεῖ προσκυνεῖν. λέγει
αὐτῷ ἡ γυνή Οἶδα ὅτι Μεσσίας ἔρχεται, ὁ λεγόμενος
26 Χριστός· ὅταν ἔλθῃ ἐκεῖνος, ἀναγγελεῖ ἡμῖν ἅπαντα. λέγει
27 αὐτῇ ὁ Ἰησοῦς Ἐγώ εἰμι, ὁ λαλῶν σοι.   Καὶ
ἐπὶ τούτῳ ἦλθαν οἱ μαθηταὶ αὐτοῦ, καὶ ἐθαύμαζον ὅτι
μετὰ γυναικὸς ἐλάλει· οὐδεὶς μέντοι εἶπεν Τί ζητεῖς; ἤ
28 Τί λαλεῖς μετ᾽ αὐτῆς; ἀφῆκεν οὖν τὴν ὑδρίαν αὐτῆς ἡ
γυνὴ καὶ ἀπῆλθεν εἰς τὴν πόλιν καὶ λέγει τοῖς ἀνθρώποις
29 Δεῦτε ἴδετε ἄνθρωπον ὃς εἶπέ μοι πάντα ἃ ἐποίησα·
30 μήτι οὗτός ἐστιν ὁ χριστός;   ἐξῆλθον ἐκ τῆς πόλεως καὶ
31 ἤρχοντο πρὸς αὐτόν.   Ἐν τῷ μεταξὺ ἠρώτων
32 αὐτὸν οἱ μαθηταὶ λέγοντες Ῥαββεί, φάγε. ὁ δὲ εἶπεν
αὐτοῖς Ἐγὼ βρῶσιν ἔχω φαγεῖν ἣν ὑμεῖς οὐκ οἴδατε.
33 ἔλεγον οὖν οἱ μαθηταὶ πρὸς ἀλλήλους Μή τις ἤνεγκεν
34 αὐτῷ φαγεῖν; λέγει αὐτοῖς ὁ Ἰησοῦς Ἐμὸν βρῶμά ἐστιν
ἵνα ποιήσω τὸ θέλημα τοῦ πέμψαντός με καὶ τελειώσω
35 αὐτοῦ τὸ ἔργον. οὐχ ὑμεῖς λέγετε ὅτι Ἔτι τετράμηνός
ἐστιν καὶ ὁ θερισμὸς ἔρχεται; ἰδοὺ λέγω ὑμῖν, ἐπάρατε
τοὺς ὀφθαλμοὺς ὑμῶν καὶ θεάσασθε τὰς χώρας ὅτι λευκαί
36 εἰσιν πρὸς θερισμόν· ἤδη ὁ θερίζων μισθὸν λαμβάνει
καὶ συνάγει καρπὸν εἰς ζωὴν αἰώνιον, ἵνα ὁ σπείρων ὁμοῦ
37 χαίρῃ καὶ ὁ θερίζων. ἐν γὰρ τούτῳ ὁ λόγος ἐστὶν ἀλη-
θινὸς ὅτι ἄλλος ἐστὶν ὁ σπείρων καὶ ἄλλος ὁ θερίζων·
38 ἐγὼ ἀπέστειλα ὑμᾶς θερίζειν ὃ οὐχ ὑμεῖς κεκοπιάκατε·
ἄλλοι κεκοπιάκασιν, καὶ ὑμεῖς εἰς τὸν κόπον αὐτῶν εἰσ-

ἐληλύθατε.　　　　Ἐκ δὲ τῆς πόλεως ἐκείνης πολ- 39
λοὶ ἐπίστευσαν εἰς αὐτὸν τῶν Σαμαρειτῶν διὰ τὸν λόγον
τῆς γυναικὸς μαρτυρούσης ὅτι Εἶπέν μοι πάντα ἃ ἐποί-
ησα. ὡς οὖν ἦλθον πρὸς αὐτὸν οἱ Σαμαρεῖται, ἠρώτων 40
αὐτὸν μεῖναι παρ' αὐτοῖς· καὶ ἔμεινεν ἐκεῖ δύο ἡμέρας.
καὶ πολλῷ πλείους ἐπίστευσαν διὰ τὸν λόγον αὐτοῦ, 41
τῇ τε γυναικὶ ἔλεγον [ὅτι] Οὐκέτι διὰ τὴν ⌜σὴν λαλιὰν⌝ 42
πιστεύομεν· αὐτοὶ γὰρ ἀκηκόαμεν, καὶ οἴδαμεν ὅτι οὗτός
ἐστιν ἀληθῶς ὁ σωτὴρ τοῦ κόσμου.

Μετὰ δὲ τὰς δύο ἡμέρας ἐξῆλθεν ἐκεῖθεν εἰς τὴν Γαλι- 43
λαίαν· αὐτὸς γὰρ Ἰησοῦς ἐμαρτύρησεν ὅτι προφήτης ἐν 44
τῇ ἰδίᾳ πατρίδι τιμὴν οὐκ ἔχει. ὅτε οὖν ἦλθεν εἰς τὴν 45
Γαλιλαίαν, ἐδέξαντο αὐτὸν οἱ Γαλιλαῖοι, πάντα ἑωρακότες
ὅσα ἐποίησεν ἐν Ἱεροσολύμοις ἐν τῇ ἑορτῇ, καὶ αὐτοὶ γὰρ
ἦλθον εἰς τὴν ἑορτήν.　　　Ἦλθεν οὖν πάλιν εἰς 46
τὴν Κανὰ τῆς Γαλιλαίας, ὅπου ἐποίησεν τὸ ὕδωρ
οἶνον. ⌜Καὶ ἦν⌝ τις βασιλικὸς οὗ ὁ υἱὸς ἠσθένει ἐν
Καφαρναούμ· οὗτος ἀκούσας ὅτι Ἰησοῦς ἥκει ἐκ τῆς 47
Ἰουδαίας εἰς τὴν Γαλιλαίαν ἀπῆλθεν πρὸς αὐτὸν καὶ
ἠρώτα ἵνα καταβῇ καὶ ἰάσηται αὐτοῦ τὸν υἱόν, ἤμελ-
λεν γὰρ ἀποθνήσκειν. εἶπεν οὖν ὁ Ἰησοῦς πρὸς αὐτόν 48
Ἐὰν μὴ σημεῖα καὶ τέρατα ἴδητε, οὐ μὴ ⌜πιστεύσητε.⌝
λέγει πρὸς αὐτὸν ὁ βασιλικός Κύριε, κατάβηθι πρὶν 49
ἀποθανεῖν τὸ παιδίον μου. λέγει αὐτῷ ὁ Ἰησοῦς Πο- 50
ρεύου· ὁ υἱός σου ζῇ. ἐπίστευσεν ὁ ἄνθρωπος τῷ λόγῳ
ὃν εἶπεν αὐτῷ ὁ Ἰησοῦς καὶ ἐπορεύετο. ἤδη δὲ αὐτοῦ 51
καταβαίνοντος οἱ δοῦλοι αὐτοῦ ὑπήντησαν αὐτῷ λέγοντες
ὅτι ὁ παῖς αὐτοῦ ζῇ. ἐπύθετο οὖν τὴν ὥραν παρ' αὐτῶν 52
ἐν ᾗ κομψότερον ἔσχεν· εἶπαν οὖν αὐτῷ ὅτι Ἐχθὲς
ὥραν ἑβδόμην ἀφῆκεν αὐτὸν ὁ πυρετός. ἔγνω οὖν ὁ 53
πατὴρ ὅτι ἐκείνῃ τῇ ὥρᾳ ἐν ᾗ εἶπεν αὐτῷ ὁ Ἰησοῦς Ὁ
υἱός σου ζῇ, καὶ ἐπίστευσεν αὐτὸς καὶ ἡ οἰκία αὐτοῦ ὅλη.

42 λαλιάν σου　　　46 °Ην δέ　　　48 πιστεύσητε;

54 Τοῦτο [δὲ] πάλιν δεύτερον σημεῖον ἐποίησεν ὁ Ἰησοῦς
ἐλθὼν ἐκ τῆς Ἰουδαίας εἰς τὴν Γαλιλαίαν.

1 ΜΕΤΑ ΤΑΥΤΑ ἦν ἑορτὴ τῶν Ἰουδαίων, καὶ ἀνέβη
2 Ἰησοῦς εἰς Ἱεροσόλυμα. Ἔστιν δὲ ἐν τοῖς Ἱεροσολύ-
μοις ἐπὶ τῇ προβατικῇ κολυμβήθρα ἡ ἐπιλεγομένη
3 Ἐβραϊστὶ ⌈Βηθζαθά⌉, πέντε στοὰς ἔχουσα· ἐν ταύταις
κατέκειτο πλῆθος τῶν ἀσθενούντων, τυφλῶν, χωλῶν, ξη-
5 ρῶν. ἦν δέ τις ἄνθρωπος ἐκεῖ τριάκοντα [καὶ] ὀκτὼ ἔτη
6 ἔχων ἐν τῇ ἀσθενείᾳ αὐτοῦ· τοῦτον ἰδὼν ὁ Ἰησοῦς κατα-
κείμενον, καὶ γνοὺς ὅτι πολὺν ἤδη χρόνον ἔχει, λέγει
7 αὐτῷ Θέλεις ὑγιὴς γενέσθαι; ἀπεκρίθη αὐτῷ ὁ ἀσθενῶν
Κύριε, ἄνθρωπον οὐκ ἔχω ἵνα ὅταν ταραχθῇ τὸ ὕδωρ βάλῃ
με εἰς τὴν κολυμβήθραν· ἐν ᾧ δὲ ἔρχομαι ἐγὼ ἄλλος πρὸ
8 ἐμοῦ καταβαίνει. λέγει αὐτῷ ὁ Ἰησοῦς Ἔγειρε ἆρον
9 τὸν κράβαττόν σου καὶ περιπάτει. καὶ εὐθέως ἐγένετο
ὑγιὴς ὁ ἄνθρωπος, καὶ ἦρε τὸν κράβαττον αὐτοῦ καὶ περι-
επάτει. Ἦν δὲ σάββατον ἐν ἐκείνῃ τῇ ἡμέρᾳ.
10 ἔλεγον οὖν οἱ Ἰουδαῖοι τῷ τεθεραπευμένῳ Σάββατόν
11 ἐστιν, καὶ οὐκ ἔξεστίν σοι ἆραι τὸν κράβαττον. ὃς δὲ
ἀπεκρίθη αὐτοῖς Ὁ ποιήσας με ὑγιὴ ἐκεῖνός μοι εἶπεν
12 Ἆρον τὸν κράβαττόν σου καὶ περιπάτει. ἠρώτησαν αὐ-
τόν Τίς ἐστιν ὁ ἄνθρωπος ὁ εἰπών σοι Ἆρον καὶ περι-
13 πάτει; ὁ δὲ ἰαθεὶς οὐκ ᾔδει τίς ἐστιν, ὁ γὰρ Ἰησοῦς
14 ἐξένευσεν ὄχλου ὄντος ἐν τῷ τόπῳ. Μετὰ ταῦτα εὑρί-
σκει αὐτὸν [ὁ] Ἰησοῦς ἐν τῷ ἱερῷ καὶ εἶπεν αὐτῷ Ἴδε
ὑγιὴς γέγονας μηκέτι ἁμάρτανε, ἵνα μὴ χεῖρόν σοί τι
15 γένηται. ἀπῆλθεν ὁ ἄνθρωπος καὶ ⌈εἶπεν⌉ τοῖς Ἰου-
16 δαίοις ὅτι Ἰησοῦς ἐστιν ὁ ποιήσας αὐτὸν ὑγιῆ. καὶ διὰ
τοῦτο ἐδίωκον οἱ Ἰουδαῖοι τὸν Ἰησοῦν ὅτι ταῦτα ἐποίει
17 ἐν σαββάτῳ. ὁ δὲ ἀπεκρίνατο αὐτοῖς Ὁ πατήρ μου

2 Βηθσαιδά   15 ἀνήγγειλεν

ἕως ἄρτι ἐργάζεται, κἀγὼ ἐργάζομαι. διὰ τοῦτο οὖν μᾶλ- 18
λον ἐζήτουν αὐτὸν οἱ Ἰουδαῖοι ἀποκτεῖναι ὅτι οὐ μόνον
ἔλυε τὸ σάββατον ἀλλὰ καὶ πατέρα ἴδιον ἔλεγε τὸν θεόν,
ἴσον ἑαυτὸν ποιῶν τῷ θεῷ. Ἀπεκρίνατο οὖν [ὁ Ἰησοῦς] 19
καὶ ἔλεγεν αὐτοῖς Ἀμὴν ἀμὴν λέγω ὑμῖν, οὐ δύναται ὁ
υἱὸς ποιεῖν ἀφ᾽ ἑαυτοῦ οὐδὲν ἂν μή τι βλέπῃ τὸν πατέρα
ποιοῦντα· ἃ γὰρ ἂν ἐκεῖνος ποιῇ, ταῦτα καὶ ὁ υἱὸς ὁμοίως
ποιεῖ. ὁ γὰρ πατὴρ φιλεῖ τὸν υἱὸν καὶ πάντα δείκνυσιν 20
αὐτῷ ἃ αὐτὸς ποιεῖ, καὶ μείζονα τούτων δείξει αὐτῷ ἔργα,
ἵνα ὑμεῖς θαυμάζητε. ὥσπερ γὰρ ὁ πατὴρ ἐγείρει τοὺς 21
νεκροὺς καὶ ζωοποιεῖ, οὕτως καὶ ὁ υἱὸς οὓς θέλει ζωοποιεῖ.
οὐδὲ γὰρ ὁ πατὴρ κρίνει οὐδένα, ἀλλὰ τὴν κρίσιν πᾶσαν 22
δέδωκεν τῷ υἱῷ, ἵνα πάντες τιμῶσι τὸν υἱὸν καθὼς τιμῶσι 23
τὸν πατέρα. ὁ μὴ τιμῶν τὸν υἱὸν οὐ τιμᾷ τὸν πατέρα
τὸν πέμψαντα αὐτόν. Ἀμὴν ἀμὴν λέγω ὑμῖν ὅτι ὁ τὸν 24
λόγον μου ἀκούων καὶ πιστεύων τῷ πέμψαντί με ἔχει ζωὴν
αἰώνιον, καὶ εἰς κρίσιν οὐκ ἔρχεται ἀλλὰ μεταβέβηκεν ἐκ
τοῦ θανάτου εἰς τὴν ζωήν. ἀμὴν ἀμὴν λέγω ὑμῖν ὅτι 25
ἔρχεται ὥρα καὶ νῦν ἐστιν ὅτε οἱ νεκροὶ ἀκούσουσιν τῆς
φωνῆς τοῦ υἱοῦ τοῦ θεοῦ καὶ οἱ ἀκούσαντες ζήσουσιν.
ὥσπερ γὰρ ὁ πατὴρ ἔχει ζωὴν ἐν ἑαυτῷ, οὕτως καὶ τῷ υἱῷ 26
ἔδωκεν ζωὴν ἔχειν ἐν ἑαυτῷ· καὶ ἐξουσίαν ἔδωκεν αὐτῷ 27
κρίσιν ποιεῖν, ὅτι υἱὸς ἀνθρώπου ἐστίν. μὴ θαυμάζετε 28
τοῦτο, ὅτι ἔρχεται ὥρα ἐν ᾗ πάντες οἱ ἐν τοῖς μνημείοις
ἀκούσουσιν τῆς φωνῆς αὐτοῦ καὶ ἐκπορεύσονται οἱ τὰ 29
ἀγαθὰ ποιήσαντες εἰς ἀνάστασιν ζωῆς, οἱ ᵀ τὰ φαῦλα πρά-
ξαντες εἰς ἀνάστασιν κρίσεως. Οὐ δύναμαι ἐγὼ ποιεῖν 30
ἀπ᾽ ἐμαυτοῦ οὐδέν· καθὼς ἀκούω κρίνω, καὶ ἡ κρίσις ἡ ἐμὴ
δικαία ἐστίν, ὅτι οὐ ζητῶ τὸ θέλημα τὸ ἐμὸν ἀλλὰ τὸ
θέλημα τοῦ πέμψαντός με. Ἐὰν ἐγὼ μαρτυρῶ 31
περὶ ἐμαυτοῦ, ἡ μαρτυρία μου οὐκ ἔστιν ἀληθής· ἄλλος 32
ἐστὶν ὁ μαρτυρῶν περὶ ἐμοῦ, καὶ οἶδα ὅτι ἀληθής ἐστιν
ἡ μαρτυρία ἣν μαρτυρεῖ περὶ ἐμοῦ. ὑμεῖς ἀπεστάλκατε 33

29 δὲ

34 πρὸς Ἰωάνην, καὶ μεμαρτύρηκε τῇ ἀληθείᾳ· ἐγὼ δὲ οὐ
παρὰ ἀνθρώπου τὴν μαρτυρίαν λαμβάνω, ἀλλὰ ταῦτα λέγω
35 ἵνα ὑμεῖς σωθῆτε. ἐκεῖνος ἦν ὁ λύχνος ὁ καιόμενος καὶ
φαίνων, ὑμεῖς δὲ ἠθελήσατε ἀγαλλιαθῆναι πρὸς ὥραν ἐν
36 τῷ φωτὶ αὐτοῦ· ἐγὼ δὲ ἔχω τὴν μαρτυρίαν μείζω τοῦ
Ἰωάνου, τὰ γὰρ ἔργα ἃ δέδωκέν μοι ὁ πατὴρ ἵνα τελειώσω
αὐτά, αὐτὰ τὰ ἔργα ἃ ποιῶ, μαρτυρεῖ περὶ ἐμοῦ ὅτι ὁ
37 πατήρ με ἀπέσταλκεν, καὶ ὁ πέμψας με πατὴρ ἐκεῖνος
μεμαρτύρηκεν περὶ ἐμοῦ. οὔτε φωνὴν αὐτοῦ πώποτε ἀκη-
38 κόατε οὔτε εἶδος αὐτοῦ ἑωράκατε, καὶ τὸν λόγον αὐτοῦ
οὐκ ἔχετε ἐν ὑμῖν μένοντα, ὅτι ὃν ἀπέστειλεν ἐκεῖνος τού-
39 τῳ ὑμεῖς οὐ πιστεύετε. ἐραυνᾶτε τὰς γραφάς, ὅτι ὑμεῖς
δοκεῖτε ἐν αὐταῖς ζωὴν αἰώνιον ἔχειν· καὶ ἐκεῖναί εἰσιν αἱ
40 μαρτυροῦσαι περὶ ἐμοῦ· καὶ οὐ θέλετε ἐλθεῖν πρός με
41 ἵνα ζωὴν ἔχητε. Δόξαν παρὰ ἀνθρώπων οὐ λαμβάνω,
42 ἀλλὰ ἔγνωκα ὑμᾶς ὅτι τὴν ἀγάπην τοῦ θεοῦ οὐκ ἔχετε
43 ἐν ἑαυτοῖς. ἐγὼ ἐλήλυθα ἐν τῷ ὀνόματι τοῦ πατρός μου
καὶ οὐ λαμβάνετέ με· ἐὰν ἄλλος ἔλθῃ ἐν τῷ ὀνόματι τῷ
44 ἰδίῳ, ἐκεῖνον λήμψεσθε. πῶς δύνασθε ὑμεῖς πιστεῦσαι,
δόξαν παρ᾽ ἀλλήλων λαμβάνοντες, καὶ τὴν δόξαν τὴν παρὰ
45 τοῦ μόνου [θεοῦ] οὐ ζητεῖτε; μὴ δοκεῖτε ὅτι ἐγὼ κατηγο-
ρήσω ὑμῶν πρὸς τὸν πατέρα· ἔστιν ὁ κατηγορῶν ὑμῶν
46 Μωυσῆς, εἰς ὃν ὑμεῖς ἠλπίκατε. εἰ γὰρ ἐπιστεύετε Μωυ-
σεῖ, ἐπιστεύετε ἂν ἐμοί, περὶ γὰρ ἐμοῦ ἐκεῖνος ἔγρα-
47 ψεν. εἰ δὲ τοῖς ἐκείνου γράμμασιν οὐ πιστεύετε, πῶς τοῖς
ἐμοῖς ῥήμασιν ⌜πιστεύσετε⌝;

1 Μετὰ ταῦτα ἀπῆλθεν ὁ Ἰησοῦς πέραν τῆς θαλάσσης
2 τῆς Γαλιλαίας τῆς Τιβεριάδος. ἠκολούθει δὲ αὐτῷ ὄχλος
πολύς, ὅτι ἐθεώρουν τὰ σημεῖα ἃ ἐποίει ἐπὶ τῶν ἀσθενούν-
3 των. ἀνῆλθεν δὲ εἰς τὸ ὄρος Ἰησοῦς, καὶ ἐκεῖ ἐκάθητο
4 μετὰ τῶν μαθητῶν αὐτοῦ. ἦν δὲ ἐγγὺς ⌜τὸ πάσχα,⌝ ἡ
5 ἑορτὴ τῶν Ἰουδαίων. ἐπάρας οὖν τοὺς ὀφθαλμοὺς ὁ Ἰησοῦς

47 πιστεύετε   4 †...†

καὶ θεασάμενος ὅτι πολὺς ὄχλος ἔρχεται πρὸς αὐτὸν λέγει
πρὸς Φίλιππον   Πόθεν ἀγοράσωμεν ἄρτους ἵνα φάγωσιν
οὗτοι;   τοῦτο δὲ ἔλεγεν πειράζων αὐτόν, αὐτὸς γὰρ ᾔδει 6
τί ἔμελλεν ποιεῖν. ἀπεκρίθη αὐτῷ Φίλιππος Διακοσίων 7
δηναρίων ἄρτοι οὐκ ἀρκοῦσιν αὐτοῖς ἵνα ἕκαστος βραχὺ
λάβῃ. λέγει αὐτῷ εἷς ἐκ τῶν μαθητῶν αὐτοῦ, Ἀνδρέας 8
ὁ ἀδελφὸς Σίμωνος Πέτρου   Ἔστιν παιδάριον ὧδε ὃς 9
ἔχει πέντε ἄρτους κριθίνους καὶ δύο ὀψάρια· ἀλλὰ ταῦτα
τί ἐστιν εἰς τοσούτους; εἶπεν ὁ Ἰησοῦς Ποιήσατε τοὺς 10
ἀνθρώπους ἀναπεσεῖν. ἦν δὲ χόρτος πολὺς ἐν τῷ τόπῳ.
ἀνέπεσαν ⌈οὖν οἱ ἄνδρες⌉ τὸν ἀριθμὸν ὡς πεντακισχίλιοι.
ἔλαβεν οὖν τοὺς ἄρτους ὁ Ἰησοῦς καὶ εὐχαριστήσας διέ- 11
δωκεν τοῖς ἀνακειμένοις, ὁμοίως καὶ ἐκ τῶν ὀψαρίων ὅσον
ἤθελον. ὡς δὲ ἐνεπλήσθησαν λέγει τοῖς μαθηταῖς αὐτοῦ 12
Συναγάγετε τὰ περισσεύσαντα κλάσματα, ἵνα μή τι ἀπό-
ληται. συνήγαγον οὖν, καὶ ἐγέμισαν δώδεκα κοφίνους 13
κλασμάτων ἐκ τῶν πέντε ἄρτων τῶν κριθίνων ἃ ἐπερίσ-
σευσαν τοῖς βεβρωκόσιν.   Οἱ οὖν ἄνθρωποι 14
ἰδόντες ⌈ἃ ἐποίησεν σημεῖα⌉ ἔλεγον ὅτι   Οὗτός ἐστιν
ἀληθῶς ὁ προφήτης ὁ ἐρχόμενος εἰς τὸν κόσμον. Ἰησοῦς 15
οὖν γνοὺς ὅτι μέλλουσιν ἔρχεσθαι καὶ ἁρπάζειν αὐτὸν ἵνα
ποιήσωσιν βασιλέα ἀνεχώρησεν πάλιν εἰς τὸ ὄρος αὐτὸς
μόνος.   Ὡς δὲ ὀψία ἐγένετο κατέβησαν οἱ μα- 16
θηταὶ αὐτοῦ ἐπὶ τὴν θάλασσαν, καὶ ἐμβάντες εἰς πλοῖον 17
ἤρχοντο πέραν τῆς θαλάσσης εἰς Καφαρναούμ. καὶ σκοτία
ἤδη ἐγεγόνει καὶ οὔπω ἐληλύθει ⌈πρὸς αὐτοὺς ὁ Ἰησοῦς⌉,
ἥ τε θάλασσα ἀνέμου μεγάλου πνέοντος διεγείρετο. ἐλη- 18
19
λακότες οὖν ὡς σταδίους εἴκοσι πέντε ἢ τριάκοντα θεω-
ροῦσιν τὸν Ἰησοῦν περιπατοῦντα ἐπὶ τῆς θαλάσσης καὶ
ἐγγὺς τοῦ πλοίου γινόμενον, καὶ ἐφοβήθησαν. ὁ δὲ λέγει 20
αὐτοῖς Ἐγώ εἰμι, μὴ φοβεῖσθε. ἤθελον οὖν λαβεῖν 21
αὐτὸν εἰς τὸ πλοῖον, καὶ εὐθέως ἐγένετο τὸ πλοῖον ἐπὶ τῆς
γῆς εἰς ἣν ὑπῆγον.

---

10 οὖν, ἄνδρες   14 ὃ ἐποίησεν σημεῖον   17 Ἰησοῦς πρὸς αὐτούς

22   Τῇ ἐπαύριον ὁ ὄχλος ὁ ἑστηκὼς πέραν τῆς θαλάσσης
⌜εἶδον⌝ ὅτι πλοιάριον ἄλλο οὐκ ἦν ἐκεῖ εἰ μὴ ἕν, καὶ ὅτι οὐ
συνεισῆλθεν τοῖς μαθηταῖς αὐτοῦ ὁ Ἰησοῦς εἰς τὸ πλοῖον
23 ἀλλὰ μόνοι οἱ μαθηταὶ αὐτοῦ ἀπῆλθον· ἀλλὰ ἦλθεν πλοῖα
ἐκ Τιβεριάδος ἐγγὺς τοῦ τόπου ὅπου ἔφαγον τὸν ἄρτον
24 εὐχαριστήσαντος τοῦ κυρίου. ὅτε⌝ οὖν εἶδεν ὁ ὄχλος ὅτι
ϡ Ἰησοῦς οὐκ ἔστιν ἐκεῖ οὐδὲ οἱ μαθηταὶ αὐτοῦ, ἐνέβησαν
αὐτοὶ εἰς τὰ πλοιάρια καὶ ἦλθον εἰς Καφαρναοὺμ ζητοῦν-
25 τες τὸν Ἰησοῦν. καὶ εὑρόντες αὐτὸν πέραν τῆς θαλάσσης
26 εἶπον αὐτῷ Ῥαββεί, πότε ὧδε γέγονας; ἀπεκρίθη αὐτοῖς
ὁ Ἰησοῦς καὶ εἶπεν Ἀμὴν ἀμὴν λέγω ὑμῖν, ζητεῖτέ με
οὐχ ὅτι εἴδετε σημεῖα ἀλλ' ὅτι ἐφάγετε ἐκ τῶν ἄρτων καὶ
27 ἐχορτάσθητε· ἐργάζεσθε μὴ τὴν βρῶσιν τὴν ἀπολλυμένην
ἀλλὰ τὴν βρῶσιν τὴν μένουσαν εἰς ζωὴν αἰώνιον, ἣν ὁ υἱὸς
τοῦ ἀνθρώπου ὑμῖν δώσει, τοῦτον γὰρ ὁ πατὴρ ἐσφράγι-
28 σεν ὁ θεός. εἶπον οὖν πρὸς αὐτόν Τί ποιῶμεν ἵνα ἐργα-
29 ζώμεθα τὰ ἔργα τοῦ θεοῦ; ἀπεκρίθη ὁ Ἰησοῦς καὶ εἶπεν
αὐτοῖς Τοῦτό ἐστιν τὸ ἔργον τοῦ θεοῦ ἵνα πιστεύητε εἰς
30 ὃν ἀπέστειλεν ἐκεῖνος. εἶπον οὖν αὐτῷ Τί οὖν ποιεῖς σὺ
31 σημεῖον, ἵνα ἴδωμεν καὶ πιστεύσωμέν σοι; τί ἐργάζῃ; οἱ
πατέρες ἡμῶν τὸ μάννα ἔφαγον ἐν τῇ ἐρήμῳ, καθώς ἐστιν
γεγραμμένον Ἄρτον ἐκ τοῦ οὐρανοῦ ἔδωκεν αὐτοῖς
32 φαγεῖν. εἶπεν οὖν αὐτοῖς ὁ Ἰησοῦς Ἀμὴν ἀμὴν λέγω
ὑμῖν, οὐ Μωυσῆς ⌜ἔδωκεν⌝ ὑμῖν τὸν ἄρτον ἐκ τοῦ οὐρανοῦ,
ἀλλ' ὁ πατήρ μου δίδωσιν ὑμῖν τὸν ἄρτον ἐκ τοῦ οὐρανοῦ
33 τὸν ἀληθινόν· ὁ γὰρ ἄρτος τοῦ θεοῦ ἐστιν ὁ καταβαίνων
34 ἐκ τοῦ οὐρανοῦ καὶ ζωὴν διδοὺς τῷ κόσμῳ. εἶπον οὖν πρὸς
35 αὐτόν Κύριε, πάντοτε δὸς ἡμῖν τὸν ἄρτον τοῦτον. εἶπεν
αὐτοῖς ὁ Ἰησοῦς Ἐγώ εἰμι ὁ ἄρτος τῆς ζωῆς· ὁ ἐρχόμενος
πρὸς ἐμὲ οὐ μὴ πεινάσῃ, καὶ ὁ πιστεύων εἰς ἐμὲ οὐ μὴ
36 διψήσει πώποτε. ἀλλ' εἶπον ὑμῖν ὅτι καὶ ἑωράκατέ [με]
37 καὶ οὐ πιστεύετε. Πᾶν ὃ δίδωσίν μοι ὁ πατὴρ πρὸς ἐμὲ
38 ἥξει, καὶ τὸν ἐρχόμενον πρός με οὐ μὴ ἐκβάλω ἔξω, ὅτι

22 ἰδὼν ὅτι......κυρίου·— ὅτε   32 δέδωκεν

καταβέβηκα ἀπὸ τοῦ οὐρανοῦ οὐχ ἵνα ποιῶ τὸ θέλημα τὸ
ἐμὸν ἀλλὰ τὸ θέλημα τοῦ πέμψαντός με· τοῦτο δέ ἐστιν 39
τὸ θέλημα τοῦ πέμψαντός με ἵνα πᾶν ὃ δέδωκέν μοι μὴ
ἀπολέσω ἐξ αὐτοῦ ἀλλὰ ἀναστήσω αὐτὸ τῇ ἐσχάτῃ ἡμέρα.
τοῦτο γάρ ἐστιν τὸ θέλημα τοῦ πατρός μου ἵνα πᾶς ὁ θεω- 40
ρῶν τὸν υἱὸν καὶ πιστεύων εἰς αὐτὸν ἔχῃ ζωὴν αἰώνιον, καὶ
ἀναστήσω αὐτὸν ἐγὼ τῇ ἐσχάτῃ ἡμέρα.   Ἐγόγ- 41
γυζον οὖν οἱ Ἰουδαῖοι περὶ αὐτοῦ ὅτι εἶπεν Ἐγώ εἰμι
ὁ ἄρτος ὁ καταβὰς ἐκ τοῦ οὐρανοῦ, καὶ ἔλεγον ⌈Οὐχὶ⌉ 42
οὗτός ἐστιν Ἰησοῦς ὁ υἱὸς Ἰωσήφ, οὗ ἡμεῖς οἴδαμεν τὸν
πατέρα καὶ τὴν μητέρα; πῶς νῦν λέγει ὅτι Ἐκ τοῦ οὐρα-
νοῦ καταβέβηκα; ἀπεκρίθη Ἰησοῦς καὶ εἶπεν αὐτοῖς Μὴ 43
γογγύζετε μετ᾽ ἀλλήλων. οὐδεὶς δύναται ἐλθεῖν ⌈πρός με⌉ 44
ἐὰν μὴ ὁ πατὴρ ὁ πέμψας με ἑλκύσῃ αὐτόν, κἀγὼ ἀνα-
στήσω αὐτὸν ἐν τῇ ἐσχάτῃ ἡμέρα. ἔστιν γεγραμμένον ἐν 45
τοῖς προφήταις Καὶ ἔϲονται πάντεϲ Διδακτοὶ θεοῦ·
πᾶς ὁ ἀκούσας παρὰ τοῦ πατρὸς καὶ μαθὼν ἔρχεται πρὸς
ἐμέ. οὐχ ὅτι τὸν πατέρα ἑώρακέν τις εἰ μὴ ὁ ὢν παρὰ [τοῦ] 46
θεοῦ, οὗτος ἑώρακεν τὸν πατέρα. ἀμὴν ἀμὴν λέγω ὑμῖν, 47
ὁ πιστεύων ἔχει ζωὴν αἰώνιον. ἐγώ εἰμι ὁ ἄρτος τῆς ζωῆς· 48
οἱ πατέρες ὑμῶν ἔφαγον ἐν τῇ ἐρήμῳ τὸ μάννα καὶ ἀπέ- 49
θανον· οὗτός ἐστιν ὁ ἄρτος ὁ ἐκ τοῦ οὐρανοῦ καταβαίνων 50
ἵνα τις ἐξ αὐτοῦ φάγῃ καὶ μὴ ⌈ἀποθάνῃ⌉· ἐγώ εἰμι ὁ 51
ἄρτος ὁ ζῶν ὁ ἐκ τοῦ οὐρανοῦ καταβάς· ἐάν τις φάγῃ
ἐκ τούτου τοῦ ἄρτου ζήσει εἰς τὸν αἰῶνα, καὶ ὁ ἄρτος
δὲ ὃν ἐγὼ δώσω ἡ σάρξ μου ἐστὶν ὑπὲρ τῆς τοῦ κόσμου
ζωῆς.   Ἐμάχοντο οὖν πρὸς ἀλλήλους οἱ Ἰου- 52
δαῖοι λέγοντες Πῶς δύναται οὗτος ἡμῖν δοῦναι τὴν σάρκα
[αὐτοῦ] φαγεῖν; εἶπεν οὖν αὐτοῖς [ὁ] Ἰησοῦς Ἀμὴν ἀμὴν 53
λέγω ὑμῖν, ἐὰν μὴ φάγητε τὴν σάρκα τοῦ υἱοῦ τοῦ ἀνθρώ-
που καὶ πίητε αὐτοῦ τὸ αἷμα, οὐκ ἔχετε ζωὴν ἐν ἑαυτοῖς.
ὁ τρώγων μου τὴν σάρκα καὶ πίνων μου τὸ αἷμα ἔχει ζωὴν 54
αἰώνιον, κἀγὼ ἀναστήσω αὐτὸν τῇ ἐσχάτῃ ἡμέρα· ἡ γὰρ 55

σάρξ μου ἀληθής ἐστι βρῶσις, καὶ τὸ αἷμά μου ἀληθής
56 ἐστι πόσις. ὁ τρώγων μου τὴν σάρκα καὶ πίνων μου τὸ
57 αἷμα ἐν ἐμοὶ μένει κἀγὼ ἐν αὐτῷ. καθὼς ἀπέστειλέν με
ὁ ζῶν πατὴρ κἀγὼ ζῶ διὰ τὸν πατέρα, καὶ ὁ τρώγων με
58 κἀκεῖνος ζήσει δι᾽ ἐμέ. οὗτός ἐστιν ὁ ἄρτος ὁ ἐξ οὐρανοῦ
καταβάς, οὐ καθὼς ἔφαγον οἱ πατέρες καὶ ἀπέθανον· ὁ τρώ-
59 γων τοῦτον τὸν ἄρτον ζήσει εἰς τὸν αἰῶνα. Ταῦτα εἶπεν
60 ἐν συναγωγῇ διδάσκων ἐν Καφαρναούμ. Πολ-
λοὶ οὖν ἀκούσαντες ἐκ τῶν μαθητῶν αὐτοῦ εἶπαν Σκλη-
ρός ἐστιν ὁ λόγος οὗτος· τίς δύναται αὐτοῦ ἀκούειν;
61 εἰδὼς δὲ ὁ Ἰησοῦς ἐν ἑαυτῷ ὅτι γογγύζουσιν περὶ τούτου
οἱ μαθηταὶ αὐτοῦ εἶπεν αὐτοῖς Τοῦτο ὑμᾶς σκανδαλίζει;
62 ἐὰν οὖν θεωρῆτε τὸν υἱὸν τοῦ ἀνθρώπου ἀναβαίνοντα ὅπου
63 ἦν τὸ πρότερον; τὸ πνεῦμά ἐστι τὸ ζωοποιοῦν, ἡ σὰρξ
οὐκ ὠφελεῖ οὐδέν· τὰ ῥήματα ἃ ἐγὼ λελάληκα ὑμῖν πνεῦμά
64 ἐστιν καὶ ζωή ἐστιν· ἀλλὰ εἰσὶν ἐξ ὑμῶν τινὲς οἳ οὐ πι-
στεύουσιν. Ἤιδει γὰρ ἐξ ἀρχῆς ὁ Ἰησοῦς τίνες εἰσὶν οἱ μὴ
65 πιστεύοντες καὶ τίς ἐστιν ὁ παραδώσων αὐτόν. καὶ ἔλεγεν
Διὰ τοῦτο εἴρηκα ὑμῖν ὅτι οὐδεὶς δύναται ἐλθεῖν πρός με
66 ἐὰν μὴ ᾖ δεδομένον αὐτῷ ἐκ τοῦ πατρός. Ἐκ
τούτου πολλοὶ ἐκ τῶν μαθητῶν αὐτοῦ ἀπῆλθον εἰς τὰ ὀπί-
67 σω καὶ οὐκέτι μετ᾽ αὐτοῦ περιεπάτουν. Εἶπεν οὖν ὁ Ἰησοῦς
68 τοῖς δώδεκα Μὴ καὶ ὑμεῖς θέλετε ὑπάγειν; ἀπεκρίθη αὐ-
τῷ Σίμων Πέτρος Κύριε, πρὸς τίνα ἀπελευσόμεθα; ῥήματα
69 ζωῆς αἰωνίου ἔχεις, καὶ ἡμεῖς πεπιστεύκαμεν καὶ ἐγνώκα-
70 μεν ὅτι σὺ εἶ ὁ ἅγιος τοῦ θεοῦ. ἀπεκρίθη αὐτοῖς ὁ Ἰησοῦς
Οὐκ ἐγὼ ὑμᾶς τοὺς δώδεκα ἐξελεξάμην; καὶ ἐξ ὑμῶν εἷς διά-
71 βολός ἐστιν. ἔλεγεν δὲ τὸν Ἰούδαν Σίμωνος Ἰσκαριώτου·
οὗτος γὰρ ἔμελλεν παραδιδόναι αὐτόν, εἷς ἐκ τῶν δώδεκα.

1 ΚΑΙ ΜΕΤΑ ΤΑΥΤΑ περιεπάτει [ὁ] Ἰησοῦς ἐν τῇ

50 ἀποθνήσκῃ

Γαλιλαία, οὐ γὰρ ἤθελεν ἐν τῇ Ἰουδαίᾳ περιπατεῖν, ὅτι ἐζή-
τουν αὐτὸν οἱ Ἰουδαῖοι ἀποκτεῖναι. ἦν δὲ ἐγγὺς ἡ ἑορτὴ τῶν 2
Ἰουδαίων ἡ σκηνοπηγία. εἶπον οὖν πρὸς αὐτὸν οἱ ἀδελφοὶ 3
αὐτοῦ Μετάβηθι ἐντεῦθεν καὶ ὕπαγε εἰς τὴν Ἰουδαίαν,
ἵνα καὶ οἱ μαθηταί σου θεωρήσουσιν ⌜σοῦ⌝ τὰ ἔργα⌝ ἃ ποιεῖς·
οὐδεὶς γάρ τι ἐν κρυπτῷ ποιεῖ καὶ ζητεῖ ⌜αὐτὸς⌝ ἐν παρρη- 4
σίᾳ εἶναι· εἰ ταῦτα ποιεῖς, φανέρωσον σεαυτὸν τῷ κόσμῳ.
οὐδὲ γὰρ οἱ ἀδελφοὶ αὐτοῦ ἐπίστευον εἰς αὐτόν. λέγει οὖν 5
αὐτοῖς ὁ Ἰησοῦς Ὁ καιρὸς ὁ ἐμὸς οὔπω πάρεστιν, ὁ δὲ 6
καιρὸς ὁ ὑμέτερος πάντοτέ ἐστιν ἕτοιμος. οὐ δύναται ὁ 7
κόσμος μισεῖν ὑμᾶς, ἐμὲ δὲ μισεῖ, ὅτι ἐγὼ μαρτυρῶ περὶ
αὐτοῦ ὅτι τὰ ἔργα αὐτοῦ πονηρά ἐστιν. ὑμεῖς ἀνάβητε 8
εἰς τὴν ἑορτήν· ἐγὼ ⌜οὔπω⌝ ἀναβαίνω εἰς τὴν ἑορτὴν ταύ-
την, ὅτι ὁ ἐμὸς καιρὸς οὔπω πεπλήρωται. ταῦτα δὲ 9
εἰπὼν ⌜αὐτοῖς⌝ ἔμεινεν ἐν τῇ Γαλιλαίᾳ. Ὡς 10
δὲ ἀνέβησαν οἱ ἀδελφοὶ αὐτοῦ εἰς τὴν ἑορτήν, τότε καὶ
αὐτὸς ἀνέβη, οὐ φανερῶς ἀλλὰ ὡς ἐν κρυπτῷ. οἱ οὖν 11
Ἰουδαῖοι ἐζήτουν αὐτὸν ἐν τῇ ἑορτῇ καὶ ἔλεγον Ποῦ
ἐστὶν ἐκεῖνος; καὶ γογγυσμὸς περὶ αὐτοῦ ἦν πολὺς ἐν 12
τοῖς ὄχλοις· οἱ μὲν ἔλεγον ὅτι Ἀγαθός ἐστιν, ἄλλοι [δὲ]
ἔλεγον Οὔ, ἀλλὰ πλανᾷ τὸν ὄχλον. οὐδεὶς μέντοι 13
παρρησίᾳ ἐλάλει περὶ αὐτοῦ διὰ τὸν φόβον τῶν Ἰου-
δαίων.

Ἤδη δὲ τῆς ἑορτῆς μεσούσης ἀνέβη Ἰησοῦς εἰς τὸ 14
ἱερὸν καὶ ἐδίδασκεν. ἐθαύμαζον οὖν οἱ Ἰουδαῖοι λέγον- 15
τες Πῶς οὗτος γράμματα οἶδεν μὴ μεμαθηκώς; ἀπε- 16
κρίθη οὖν αὐτοῖς Ἰησοῦς καὶ εἶπεν Ἡ ἐμὴ διδαχὴ οὐκ ἔ-
στιν ἐμὴ ἀλλὰ τοῦ πέμψαντός με· ἐάν τις θέλῃ τὸ θέ- 17
λημα αὐτοῦ ποιεῖν, γνώσεται περὶ τῆς διδαχῆς πότερον ἐκ
τοῦ θεοῦ ἐστὶν ἢ ἐγὼ ἀπ᾽ ἐμαυτοῦ λαλῶ. ὁ ἀφ᾽ ἑαυ- 18
τοῦ λαλῶν τὴν δόξαν τὴν ἰδίαν ζητεῖ· ὁ δὲ ζητῶν τὴν
δόξαν τοῦ πέμψαντος αὐτὸν οὗτος ἀληθής ἐστιν καὶ
ἀδικία ἐν αὐτῷ οὐκ ἔστιν. οὐ Μωυσῆς ⌜ἔδωκεν⌝ ὑμῖν τὸν 19

3 τὰ ἔργα σου   4 αὐτὸ   8 οὐκ   9 αὐτὸς

νόμον; καὶ οὐδεὶς ἐξ ὑμῶν ποιεῖ τὸν νόμον. τί με ζητεῖτε
20 ἀποκτεῖναι; ἀπεκρίθη ὁ ὄχλος. Δαιμόνιον ἔχεις· τίς σε
21 ζητεῖ ἀποκτεῖναι; ἀπεκρίθη Ἰησοῦς καὶ εἶπεν αὐτοῖς Ἐν
22 ἔργον ἐποίησα καὶ πάντες θαυμάζετε. διὰ τοῦτο Μωυσῆς
δέδωκεν ὑμῖν τὴν περιτομήν, — οὐχ ὅτι ἐκ τοῦ Μωυσέως
ἐστὶν ἀλλ᾽ ἐκ τῶν πατέρων, — καὶ [ἐν] σαββάτῳ περιτέμνετε
23 ἄνθρωπον. εἰ περιτομὴν λαμβάνει [ὁ] ἄνθρωπος ἐν σαβ-
βάτῳ ἵνα μὴ λυθῇ ὁ νόμος Μωυσέως, ἐμοὶ χολᾶτε ὅτι
24 ὅλον ἄνθρωπον ὑγιῆ ἐποίησα ἐν σαββάτῳ; μὴ κρίνετε
25 κατ᾽ ὄψιν, ἀλλὰ τὴν δικαίαν κρίσιν κρίνετε.   Ἔ-
λεγον οὖν τινὲς ἐκ τῶν Ἱεροσολυμειτῶν Οὐχ οὗτός ἐστιν
26 ὃν ζητοῦσιν ἀποκτεῖναι; καὶ ἴδε παρρησίᾳ λαλεῖ καὶ
οὐδὲν αὐτῷ λέγουσιν· μή ποτε ἀληθῶς ἔγνωσαν οἱ ἄρχον-
27 τες ὅτι οὗτός ἐστιν ὁ χριστός; ἀλλὰ τοῦτον οἴδαμεν πόθεν
ἐστίν· ὁ δὲ χριστὸς ὅταν ἔρχηται οὐδεὶς γινώσκει πόθεν
28 ἐστίν. Ἔκραξεν οὖν ἐν τῷ ἱερῷ διδάσκων [ὁ] Ἰησοῦς καὶ
λέγων Κἀμὲ οἴδατε καὶ οἴδατε πόθεν εἰμί· καὶ ἀπ᾽ ἐμαυ-
τοῦ οὐκ ἐλήλυθα, ἀλλ᾽ ἔστιν ἀληθινὸς ὁ πέμψας με, ὃν
29 ὑμεῖς οὐκ οἴδατε· ἐγὼ οἶδα αὐτόν, ὅτι παρ᾽ αὐτοῦ εἰμὶ κἀ-
30 κεῖνός με ἀπέστειλεν. Ἐζήτουν οὖν αὐτὸν πιάσαι, καὶ
οὐδεὶς ἐπέβαλεν ἐπ᾽ αὐτὸν τὴν χεῖρα, ὅτι οὔπω ἐληλύθει
31 ἡ ὥρα αὐτοῦ. Ἐκ τοῦ ὄχλου δὲ πολλοὶ ἐπίστευσαν εἰς
αὐτόν, καὶ ἔλεγον Ὁ χριστὸς ὅταν ἔλθῃ μὴ πλείονα ση-
32 μεῖα ποιήσει ὧν οὗτος ἐποίησεν;   Ἤκουσαν
οἱ Φαρισαῖοι τοῦ ὄχλου γογγύζοντος περὶ αὐτοῦ ταῦτα, καὶ
ἀπέστειλαν οἱ ἀρχιερεῖς καὶ οἱ Φαρισαῖοι ὑπηρέτας ἵνα
33 πιάσωσιν αὐτόν. εἶπεν οὖν ὁ Ἰησοῦς Ἔτι χρόνον μικρὸν
34 μεθ᾽ ὑμῶν εἰμὶ καὶ ὑπάγω πρὸς τὸν πέμψαντά με. ζητή-
σετέ με καὶ οὐχ εὑρήσετέ με, καὶ ὅπου εἰμὶ ἐγὼ ὑμεῖς οὐ
35 δύνασθε ἐλθεῖν. εἶπον οὖν οἱ Ἰουδαῖοι πρὸς ἑαυτούς Ποῦ
οὗτος μέλλει πορεύεσθαι ὅτι ἡμεῖς οὐχ εὑρήσομεν αὐτόν;
μὴ εἰς τὴν διασπορὰν τῶν Ἑλλήνων μέλλει πορεύεσθαι
36 καὶ διδάσκειν τοὺς Ἕλληνας; τίς ἐστιν ὁ λόγος οὗτος ὃν

εἶπε Ζητήσετέ με καὶ οὐχ εὑρήσετέ με καὶ ὅπου εἰμὶ
ἐγὼ ὑμεῖς οὐ δύνασθε ἐλθεῖν;

Ἐν δὲ τῇ ἐσχάτῃ ἡμέρᾳ τῇ μεγάλῃ τῆς ἑορτῆς ἱστή- 37
κει ὁ Ἰησοῦς, καὶ ἔκραξεν λέγων Ἐάν τις διψᾷ ἐρχέσθω
πρός με καὶ πινέτω. ὁ πιστεύων εἰς ἐμέ, καθὼς εἶπεν ἡ 38
γραφή, ποταμοὶ ἐκ τῆς κοιλίας αὐτοῦ ῥεύσουσιν ὕδα-
τος ζῶντος. Τοῦτο δὲ εἶπεν περὶ τοῦ πνεύματος ⌜οὗ⌝ 39
ἔμελλον λαμβάνειν οἱ πιστεύσαντες εἰς αὐτόν· οὔπω
γὰρ ἦν πνεῦμα, ὅτι Ἰησοῦς οὔπω ἐδοξάσθη. Ἐκ τοῦ 40
ὄχλου οὖν ἀκούσαντες τῶν λόγων τούτων ἔλεγον [ὅτι] Οὗ-
τός ἐστιν ἀληθῶς ὁ προφήτης· ἄλλοι ἔλεγον Οὗτός 41
ἐστιν ὁ χριστός· οἱ δὲ ἔλεγον Μὴ γὰρ ἐκ τῆς Γαλιλαίας
ὁ χριστὸς ἔρχεται; οὐχ ἡ γραφὴ εἶπεν ὅτι ἐκ τοῦ σπέρ- 42
ματος Δαυείδ, καὶ ἀπὸ Βηθλεὲμ τῆς κώμης ὅπου ἦν
Δαυείδ, ἔρχεται ὁ χριστός; σχίσμα οὖν ἐγένετο ἐν τῷ 43
ὄχλῳ δι᾽ αὐτόν. τινὲς δὲ ἤθελον ἐξ αὐτῶν πιάσαι αὐτόν, 44
ἀλλ᾽ οὐδεὶς ἔβαλεν ἐπ᾽ αὐτὸν τὰς χεῖρας. Ἦλ- 45
θον οὖν οἱ ὑπηρέται πρὸς τοὺς ἀρχιερεῖς καὶ Φαρισαίους,
καὶ εἶπον αὐτοῖς ἐκεῖνοι Διὰ τί οὐκ ἠγάγετε αὐτόν;
ἀπεκρίθησαν οἱ ὑπηρέται Οὐδέποτε ἐλάλησεν οὕτως 46
ἄνθρωπος. ἀπεκρίθησαν οὖν [αὐτοῖς] οἱ Φαρισαῖοι Μὴ 47
καὶ ὑμεῖς πεπλάνησθε; μή τις ἐκ τῶν ἀρχόντων ἐπίστευ- 48
σεν εἰς αὐτὸν ἢ ἐκ τῶν Φαρισαίων; ἀλλὰ ὁ ὄχλος οὗτος 49
ὁ μὴ γινώσκων τὸν νόμον ἐπάρατοί εἰσιν. λέγει Νικόδη- 50
μος πρὸς αὐτούς, ὁ ἐλθὼν πρὸς αὐτὸν πρότερον, εἷς ὢν
ἐξ αὐτῶν Μὴ ὁ νόμος ἡμῶν κρίνει τὸν ἄνθρωπον ἐὰν 51
μὴ ἀκούσῃ πρῶτον παρ᾽ αὐτοῦ καὶ γνῷ τί ποιεῖ; ἀπε- 52
κρίθησαν καὶ εἶπαν αὐτῷ Μὴ καὶ σὺ ἐκ τῆς Γαλιλαίας
εἶ; ἐραύνησον καὶ ἴδε ὅτι ἐκ τῆς Γαλιλαίας προφήτης
οὐκ ἐγείρεται.

Πάλιν οὖν αὐτοῖς ἐλάλησεν [ὁ] Ἰησοῦς λέγων Ἐγώ 12
εἰμι τὸ φῶς τοῦ κόσμου· ὁ ἀκολουθῶν μοι οὐ μὴ περι-

39 ὁ

πατήσῃ ἐν τῇ σκοτίᾳ, ἀλλ' ἕξει τὸ φῶς τῆς ζωῆς.
13 εἶπον οὖν αὐτῷ οἱ Φαρισαῖοι Σὺ περὶ σεαυτοῦ μαρτυ-
14 ρεῖς· ἡ μαρτυρία σου οὐκ ἔστιν ἀληθής. ἀπεκρίθη Ἰησοῦς
καὶ εἶπεν αὐτοῖς Κἂν ἐγὼ μαρτυρῶ περὶ ἐμαυτοῦ,
⌜ἀληθής ἐστιν ἡ μαρτυρία μου⌝, ὅτι οἶδα πόθεν ἦλθον
καὶ ποῦ ὑπάγω· ὑμεῖς δὲ οὐκ οἴδατε πόθεν ἔρχομαι
15 ἢ ποῦ ὑπάγω. ὑμεῖς κατὰ τὴν σάρκα κρίνετε, ἐγὼ οὐ
16 κρίνω οὐδένα. καὶ ἐὰν κρίνω δὲ ἐγώ, ἡ κρίσις ἡ ἐμὴ
ἀληθινή ἐστιν, ὅτι μόνος οὐκ εἰμί, ἀλλ' ἐγὼ καὶ ὁ πέμ-
17 ψας με [πατήρ]. καὶ ἐν τῷ νόμῳ δὲ τῷ ὑμετέρῳ γέγρα-
18 πται ὅτι δύο ἀνθρώπων ἡ μαρτυρία ἀληθής ἐστιν. ἐγώ
εἰμι ὁ μαρτυρῶν περὶ ἐμαυτοῦ καὶ μαρτυρεῖ περὶ ἐμοῦ
19 ὁ πέμψας με πατήρ. ἔλεγον οὖν αὐτῷ Ποῦ ἐστὶν ὁ
πατήρ σου; ἀπεκρίθη Ἰησοῦς Οὔτε ἐμὲ οἴδατε οὔτε τὸν
πατέρα μου· εἰ ἐμὲ ᾔδειτε, καὶ τὸν πατέρα μου ἂν
20 ᾔδειτε. Ταῦτα τὰ ῥήματα ἐλάλησεν ἐν τῷ γαζοφυλακίῳ
διδάσκων ἐν τῷ ἱερῷ· καὶ οὐδεὶς ἐπίασεν αὐτόν, ὅτι οὔπω
ἐληλύθει ἡ ὥρα αὐτοῦ.

21   Εἶπεν οὖν πάλιν αὐτοῖς Ἐγὼ ὑπάγω καὶ ζητήσετέ
με, καὶ ἐν τῇ ἁμαρτίᾳ ὑμῶν ἀποθανεῖσθε· ὅπου ἐγὼ
22 ὑπάγω ὑμεῖς οὐ δύνασθε ἐλθεῖν. ἔλεγον οὖν οἱ Ἰου-
δαῖοι Μήτι ἀποκτενεῖ ἑαυτὸν ὅτι λέγει Ὅπου ἐγὼ ὑπά-
23 γω ὑμεῖς οὐ δύνασθε ἐλθεῖν; καὶ ἔλεγεν αὐτοῖς Ὑμεῖς
ἐκ τῶν κάτω ἐστέ, ἐγὼ ἐκ τῶν ἄνω εἰμί· ὑμεῖς ἐκ τού-
του τοῦ κόσμου ἐστέ, ἐγὼ οὐκ εἰμὶ ἐκ τοῦ κόσμου τού-
24 του. εἶπον οὖν ὑμῖν ὅτι ἀποθανεῖσθε ἐν ταῖς ἁμαρτίαις
ὑμῶν· ἐὰν γὰρ μὴ πιστεύσητε ὅτι ⌜ἐγώ εἰμι⌝, ἀποθανεῖσθε
25 ἐν ταῖς ἁμαρτίαις ὑμῶν. ἔλεγον οὖν αὐτῷ Σὺ τίς εἶ;
εἶπεν αὐτοῖς [ὁ] Ἰησοῦς Τὴν ἀρχὴν ὅτι καὶ λαλῶ ⌜ὑμῖν;⌝
26 πολλὰ ἔχω περὶ ὑμῶν λαλεῖν καὶ κρίνειν· ἀλλ' ὁ πέμψας
με ἀληθής ἐστιν, κἀγὼ ἃ ἤκουσα παρ' αὐτοῦ ταῦτα λαλῶ
27 εἰς τὸν κόσμον. οὐκ ἔγνωσαν ὅτι τὸν πατέρα αὐτοῖς

14 ἡ μαρτυρία μου ἀληθής ἐστιν   24 ἐγώ εἰμι   25 ὑμῖν.

ἔλεγεν. εἶπεν οὖν ὁ Ἰησοῦς Ὅταν ὑψώσητε τὸν υἱὸν 28
τοῦ ἀνθρώπου, τότε γνώσεσθε ὅτι ⌈ἐγώ εἰμι⌉, καὶ ἀπ᾽ ἐ-
μαυτοῦ ποιῶ οὐδέν, ἀλλὰ καθὼς ἐδίδαξέν με ὁ πατὴρ
ταῦτα λαλῶ. καὶ ὁ πέμψας με μετ᾽ ἐμοῦ ἐστίν· οὐκ ἀ- 29
φῆκέν με μόνον, ὅτι ἐγὼ τὰ ἀρεστὰ αὐτῷ ποιῶ πάν-
τοτε. Ταῦτα αὐτοῦ λαλοῦντος πολλοὶ ἐπίστευσαν εἰς αὐ- 30
τόν. Ἔλεγεν οὖν ὁ Ἰησοῦς πρὸς τοὺς πεπι- 31
στευκότας αὐτῷ Ἰουδαίους Ἐὰν ὑμεῖς μείνητε ἐν τῷ λό-
γῳ τῷ ἐμῷ, ἀληθῶς μαθηταί μού ἐστε, καὶ γνώσεσθε 32
τὴν ἀλήθειαν, καὶ ἡ ἀλήθεια ἐλευθερώσει ὑμᾶς. ἀπεκρί- 33
θησαν πρὸς αὐτόν Σπέρμα Ἀβραάμ ἐσμεν καὶ οὐδενὶ
δεδουλεύκαμεν πώποτε· πῶς σὺ λέγεις ὅτι Ἐλεύθεροι
γενήσεσθε; ἀπεκρίθη αὐτοῖς [ὁ] Ἰησοῦς Ἀμὴν ἀμὴν 34
λέγω ὑμῖν ὅτι πᾶς ὁ ποιῶν τὴν ἁμαρτίαν δοῦλός ἐστιν
[τῆς ἁμαρτίας]· ὁ δὲ δοῦλος οὐ μένει ἐν τῇ οἰκίᾳ εἰς τὸν 35
αἰῶνα· ὁ υἱὸς μένει εἰς τὸν αἰῶνα. ἐὰν οὖν ὁ υἱὸς ὑμᾶς 36
ἐλευθερώσῃ, ὄντως ἐλεύθεροι ἔσεσθε. οἶδα ὅτι σπέρμα 37
Ἀβραάμ ἐστε· ἀλλὰ ζητεῖτέ με ἀποκτεῖναι, ὅτι ὁ λόγος
ὁ ἐμὸς οὐ χωρεῖ ἐν ὑμῖν. ἃ ἐγὼ ἑώρακα παρὰ τῷ πα- 38
τρὶ λαλῶ· καὶ ὑμεῖς οὖν ἃ ἠκούσατε παρὰ τοῦ πατρὸς
ποιεῖτε. ἀπεκρίθησαν καὶ εἶπαν αὐτῷ Ὁ πατὴρ ἡμῶν 39
Ἀβραάμ ἐστιν. λέγει αὐτοῖς [ὁ] Ἰησοῦς Εἰ τέκνα τοῦ
Ἀβραάμ ἐστε, τὰ ἔργα τοῦ Ἀβραὰμ ⌈ποιεῖτε⌉· νῦν δὲ 40
ζητεῖτέ με ἀποκτεῖναι, ἄνθρωπον ὃς τὴν ἀλήθειαν ὑμῖν
λελάληκα ἣν ἤκουσα παρὰ τοῦ θεοῦ· τοῦτο Ἀβραὰμ
οὐκ ἐποίησεν. ὑμεῖς ποιεῖτε τὰ ἔργα τοῦ πατρὸς ὑμῶν. 41
εἶπαν αὐτῷ Ἡμεῖς ἐκ πορνείας ⌈οὐκ ἐγεννήθημεν⌉· ἕνα
πατέρα ἔχομεν τὸν θεόν. εἶπεν αὐτοῖς [ὁ] Ἰησοῦς Εἰ 42
ὁ θεὸς πατὴρ ὑμῶν ἦν ἠγαπᾶτε ἂν ἐμέ, ἐγὼ γὰρ ἐκ τοῦ
θεοῦ ἐξῆλθον καὶ ἥκω· οὐδὲ γὰρ ἀπ᾽ ἐμαυτοῦ ἐλήλυθα,
ἀλλ᾽ ἐκεῖνός με ἀπέστειλεν. διὰ τί τὴν λαλιὰν τὴν ἐμὴν 43
οὐ γινώσκετε; ὅτι οὐ δύνασθε ἀκούειν τὸν λόγον τὸν ἐμόν.
ὑμεῖς ἐκ τοῦ πατρὸς τοῦ διαβόλου ἐστὲ καὶ τὰς ἐπιθυμίας 44

28 ἐγὼ εἰμί   39 ἐποιεῖτε   41 οὐ γεγεννήμεθα

τοῦ πατρὸς ὑμῶν θέλετε ποιεῖν. ἐκεῖνος ἀνθρωποκτό-
νος ἦν ἀπ᾿ ἀρχῆς, καὶ ἐν τῇ ἀληθείᾳ οὐκ ἔστηκεν, ὅτι
οὐκ ἔστιν ἀλήθεια ἐν αὐτῷ. ὅταν λαλῇ τὸ ψεῦδος, ἐκ τῶν
45 ἰδίων λαλεῖ, ὅτι ψεύστης ἐστὶν καὶ ὁ πατὴρ αὐτοῦ. ἐγὼ
46 δὲ ὅτι τὴν ἀλήθειαν λέγω, οὐ πιστεύετέ μοι. τίς ἐξ ὑμῶν
ἐλέγχει με περὶ ἁμαρτίας; εἰ ἀλήθειαν λέγω, διὰ τί
47 ὑμεῖς οὐ πιστεύετέ μοι; ὁ ὢν ἐκ τοῦ θεοῦ τὰ ῥήματα τοῦ
θεοῦ ἀκούει· διὰ τοῦτο ὑμεῖς οὐκ ἀκούετε ὅτι ἐκ τοῦ θεοῦ
48 οὐκ ἐστέ. ἀπεκρίθησαν οἱ Ἰουδαῖοι καὶ εἶπαν αὐτῷ Οὐ
καλῶς λέγομεν ἡμεῖς ὅτι Σαμαρείτης εἶ σὺ καὶ δαιμόνιον
49 ἔχεις; ἀπεκρίθη Ἰησοῦς Ἐγὼ δαιμόνιον οὐκ ἔχω, ἀλλὰ
50 τιμῶ τὸν πατέρα μου, καὶ ὑμεῖς ἀτιμάζετέ με. ἐγὼ δὲ οὐ
51 ζητῶ τὴν δόξαν μου· ἔστιν ὁ ζητῶν καὶ κρίνων. Ἀμὴν
ἀμὴν λέγω ὑμῖν, ἐάν τις τὸν ἐμὸν λόγον τηρήσῃ, θάνατον
52 οὐ μὴ θεωρήσῃ εἰς τὸν αἰῶνα. εἶπαν αὐτῷ οἱ Ἰου-
δαῖοι Νῦν ἐγνώκαμεν ὅτι δαιμόνιον ἔχεις. Ἀβραὰμ ἀπέ-
θανεν καὶ οἱ προφῆται, καὶ σὺ λέγεις Ἐάν τις τὸν
λόγον μου τηρήσῃ, οὐ μὴ γεύσηται θανάτου εἰς τὸν
53 αἰῶνα· μὴ σὺ μείζων εἶ τοῦ πατρὸς ἡμῶν Ἀβραάμ, ὅστις
ἀπέθανεν; καὶ οἱ προφῆται ἀπέθανον· τίνα σεαυτὸν
54 ποιεῖς; ἀπεκρίθη Ἰησοῦς Ἐὰν ἐγὼ δοξάσω ἐμαυτόν, ἡ
δόξα μου οὐδέν ἐστιν· ἔστιν ὁ πατήρ μου ὁ δοξάζων με,
55 ὃν ὑμεῖς λέγετε ὅτι ⌜θεὸς ὑμῶν⌝ ἐστίν, καὶ οὐκ ἐγνώκατε
αὐτόν, ἐγὼ δὲ οἶδα αὐτόν· κἂν εἴπω ὅτι οὐκ οἶδα αὐ-
τόν, ἔσομαι ὅμοιος ὑμῖν ψεύστης· ἀλλὰ οἶδα αὐτὸν καὶ
56 τὸν λόγον αὐτοῦ τηρῶ. Ἀβραὰμ ὁ πατὴρ ὑμῶν ἠγαλ-
λιάσατο ἵνα ἴδῃ τὴν ἡμέραν τὴν ἐμήν, καὶ εἶδεν καὶ
57 ἐχάρη. εἶπαν οὖν οἱ Ἰουδαῖοι πρὸς αὐτόν Πεντήκοντα
58 ἔτη οὔπω ἔχεις καὶ Ἀβραὰμ ⌜ἑώρακας⌝; εἶπεν αὐτοῖς
Ἰησοῦς Ἀμὴν ἀμὴν λέγω ὑμῖν, πρὶν Ἀβραὰμ γενέσθαι
59 ἐγὼ εἰμί. ἦραν οὖν λίθους ἵνα βάλωσιν ἐπ᾿ αὐτόν·
Ἰησοῦς δὲ ἐκρύβη καὶ ἐξῆλθεν ἐκ τοῦ ἱεροῦ.
1   Καὶ παράγων εἶδεν ἄνθρωπον τυφλὸν ἐκ γενετῆς.

54 Θεὸς ἡμῶν   57 ἑωράκεν σε

καὶ ἠρώτησαν αὐτὸν οἱ μαθηταὶ αὐτοῦ λέγοντες Ῥαββεί, 2
τίς ἥμαρτεν, οὗτος ἢ οἱ γονεῖς αὐτοῦ, ἵνα τυφλὸς γεννηθῇ;
ἀπεκρίθη Ἰησοῦς Οὔτε οὗτος ἥμαρτεν οὔτε οἱ γονεῖς 3
αὐτοῦ, ἀλλ᾽ ἵνα φανερωθῇ τὰ ἔργα τοῦ θεοῦ ἐν αὐτῷ.
ἡμᾶς δεῖ ἐργάζεσθαι τὰ ἔργα τοῦ πέμψαντός με ⌜ἕως⌝ 4
ἡμέρα ἐστίν· ἔρχεται νὺξ ὅτε οὐδεὶς δύναται ἐργάζεσθαι.
ὅταν ἐν τῷ κόσμῳ ὦ, φῶς εἰμὶ τοῦ κόσμου. ταῦτα εἰπὼν 5
ἔπτυσεν χαμαὶ καὶ ἐποίησεν πηλὸν ἐκ τοῦ πτύσματος, καὶ 6
⌜ἐπέθηκεν⌝ αὐτοῦ τὸν πηλὸν ἐπὶ τοὺς ὀφθαλμούς, καὶ 7
εἶπεν αὐτῷ Ὕπαγε νίψαι εἰς τὴν κολυμβήθραν τοῦ
Σιλωάμ (ὃ ἑρμηνεύεται Ἀπεσταλμένος). ἀπῆλθεν οὖν καὶ
ἐνίψατο, καὶ ἦλθεν βλέπων. Οἱ οὖν γείτονες καὶ 8
οἱ θεωροῦντες αὐτὸν τὸ πρότερον ὅτι προσαίτης ἦν ἔλεγον
Οὐχ οὗτός ἐστιν ὁ καθήμενος καὶ προσαιτῶν; ἄλλοι ἔλε- 9
γον ὅτι Οὗτός ἐστιν· ἄλλοι ἔλεγον Οὐχί, ἀλλὰ ὅμοιος
αὐτῷ ἐστίν. ἐκεῖνος ἔλεγεν ὅτι Ἐγώ εἰμι. ἔλεγον οὖν 10
αὐτῷ Πῶς [οὖν] ἠνεῴχθησάν σου οἱ ὀφθαλμοί; ἀπε- 11
κρίθη ἐκεῖνος Ὁ ἄνθρωπος ὁ λεγόμενος Ἰησοῦς πηλὸν
ἐποίησεν καὶ ἐπέχρισέν μου τοὺς ὀφθαλμοὺς καὶ εἶπέν μοι
ὅτι Ὕπαγε εἰς τὸν Σιλωὰμ καὶ νίψαι· ἀπελθὼν οὖν καὶ
νιψάμενος ἀνέβλεψα. καὶ εἶπαν αὐτῷ Ποῦ ἐστὶν ἐκεῖ- 12
νος; λέγει Οὐκ οἶδα. Ἄγουσιν αὐτὸν πρὸς 13
τοὺς Φαρισαίους τόν ποτε τυφλόν. ἦν δὲ σάββατον ἐν ᾗ 14
ἡμέρᾳ τὸν πηλὸν ἐποίησεν ὁ Ἰησοῦς καὶ ἀνέῳξεν αὐτοῦ
τοὺς ὀφθαλμούς. πάλιν οὖν ἠρώτων αὐτὸν καὶ οἱ Φαρι- 15
σαῖοι πῶς ἀνέβλεψεν. ὁ δὲ εἶπεν αὐτοῖς Πηλὸν ἐπέθη-
κέν μου ἐπὶ τοὺς ὀφθαλμούς, καὶ ἐνιψάμην, καὶ βλέπω.
ἔλεγον οὖν ἐκ τῶν Φαρισαίων τινές Οὐκ ἔστιν οὗτος παρὰ 16
θεοῦ ὁ ἄνθρωπος, ὅτι τὸ σάββατον οὐ τηρεῖ. ἄλλοι [δὲ]
ἔλεγον Πῶς δύναται ἄνθρωπος ἁμαρτωλὸς τοιαῦτα ση-
μεῖα ποιεῖν; καὶ σχίσμα ἦν ἐν αὐτοῖς. λέγουσιν οὖν 17
τῷ τυφλῷ πάλιν Τί σὺ λέγεις περὶ αὐτοῦ, ὅτι ἠνέῳξέν
σου τοὺς ὀφθαλμούς; ὁ δὲ εἶπεν ὅτι Προφήτης ἐστίν.

4 ὡς   6 ἐπέχρισεν

18 Οὐκ ἐπίστευσαν οὖν οἱ Ἰουδαῖοι περὶ αὐτοῦ ὅτι ἦν
τυφλὸς καὶ ἀνέβλεψεν, ἕως ὅτου ἐφώνησαν τοὺς γονεῖς
19 αὐτοῦ τοῦ ἀναβλέψαντος καὶ ἠρώτησαν αὐτοὺς λέγοντες
Οὗτός ἐστιν ὁ υἱὸς ὑμῶν, ὃν ὑμεῖς λέγετε ὅτι τυφλὸς ἐγεν-
20 νήθη; πῶς οὖν βλέπει ἄρτι; ἀπεκρίθησαν οὖν οἱ γονεῖς
αὐτοῦ καὶ εἶπαν Οἴδαμεν ὅτι οὗτός ἐστιν ὁ υἱὸς ἡμῶν
21 καὶ ὅτι τυφλὸς ἐγεννήθη· πῶς δὲ νῦν βλέπει οὐκ οἴδαμεν,
ἢ τίς ἤνοιξεν αὐτοῦ τοὺς ὀφθαλμοὺς ἡμεῖς οὐκ οἴδαμεν·
αὐτὸν ἐρωτήσατε, ἡλικίαν ἔχει, αὐτὸς περὶ ἑαυτοῦ λαλήσει.
22 ταῦτα εἶπαν οἱ γονεῖς αὐτοῦ ὅτι ἐφοβοῦντο τοὺς Ἰουδαίους,
ἤδη γὰρ συνετέθειντο οἱ Ἰουδαῖοι ἵνα ἐάν τις αὐτὸν ὁμολο-
23 γήσῃ Χριστόν, ἀποσυνάγωγος γένηται. διὰ τοῦτο οἱ
γονεῖς αὐτοῦ εἶπαν ὅτι Ἡλικίαν ἔχει, αὐτὸν ⌐ἐπερωτή-
24 σατε⌐. Ἐφώνησαν οὖν τὸν ἄνθρωπον ἐκ δευτέρου ὃς ἦν
τυφλὸς καὶ εἶπαν αὐτῷ Δὸς δόξαν τῷ θεῷ· ἡμεῖς οἴδα-
25 μεν ὅτι οὗτος ὁ ἄνθρωπος ἁμαρτωλός ἐστιν. ἀπεκρίθη
οὖν ἐκεῖνος Εἰ ἁμαρτωλός ἐστιν οὐκ οἶδα· ἓν οἶδα ὅτι
26 τυφλὸς ὢν ἄρτι βλέπω. εἶπαν οὖν αὐτῷ Τί ἐποίησέν
27 σοι; πῶς ἤνοιξέν σου τοὺς ὀφθαλμούς; ἀπεκρίθη αὐ-
τοῖς Εἶπον ὑμῖν ἤδη καὶ οὐκ ἠκούσατε· τί ᵀ πάλιν θέλετε
ἀκούειν; μὴ καὶ ὑμεῖς θέλετε αὐτοῦ μαθηταὶ γενέσθαι;
28 καὶ ἐλοιδόρησαν αὐτὸν καὶ εἶπαν Σὺ μαθητὴς εἶ ἐκείνου,
29 ἡμεῖς δὲ τοῦ Μωυσέως ἐσμὲν μαθηταί· ἡμεῖς οἴδαμεν ὅτι
Μωυσεῖ λελάληκεν ὁ θεός, τοῦτον δὲ οὐκ οἴδαμεν πόθεν
30 ἐστίν. ἀπεκρίθη ὁ ἄνθρωπος καὶ εἶπεν αὐτοῖς Ἐν τού-
τῳ γὰρ τὸ θαυμαστόν ἐστιν ὅτι ὑμεῖς οὐκ οἴδατε πόθεν
31 ἐστίν, καὶ ἤνοιξέν μου τοὺς ὀφθαλμούς. οἴδαμεν ὅτι ὁ
θεὸς ἁμαρτωλῶν οὐκ ἀκούει, ἀλλ' ἐάν τις θεοσεβὴς ᾖ καὶ
32 τὸ θέλημα αὐτοῦ ποιῇ τούτου ἀκούει. ἐκ τοῦ αἰῶνος οὐκ ἠ-
κούσθη ὅτι ἠνέῳξέν τις ὀφθαλμοὺς τυφλοῦ γεγεννημέ-
33 νου· εἰ μὴ ἦν οὗτος παρὰ θεοῦ, οὐκ ἠδύνατο ποιεῖν οὐδέν.
34 ἀπεκρίθησαν καὶ εἶπαν αὐτῷ Ἐν ἁμαρτίαις σὺ ἐγεννή-
θης ὅλος, καὶ σὺ διδάσκεις ἡμᾶς; καὶ ἐξέβαλον αὐτὸν

23 ἐρωτήσατε   27 οὖν

ἔξω.   Ἤκουσεν Ἰησοῦς ὅτι ἐξέβαλον αὐτὸν ἔξω, 35
καὶ εὑρὼν αὐτὸν εἶπεν Σὺ πιστεύεις εἰς τὸν υἱὸν τοῦ ἀνθρώ-
που; ⌜ἀπεκρίθη ἐκεῖνος [καὶ εἶπεν] Καὶ τίς ἐστιν⌝, κύριε, ἵνα 36
πιστεύσω εἰς αὐτόν; εἶπεν αὐτῷ ὁ Ἰησοῦς Καὶ ἑώρακας 37
αὐτὸν καὶ ὁ λαλῶν μετὰ σοῦ ἐκεῖνός ἐστιν. ὁ δὲ ἔφη Πι- 38
στεύω, κύριε· καὶ προσεκύνησεν αὐτῷ. καὶ εἶπεν ὁ Ἰησοῦς 39
Εἰς κρίμα ἐγὼ εἰς τὸν κόσμον τοῦτον ἦλθον, ἵνα οἱ μὴ
βλέποντες βλέπωσιν καὶ οἱ βλέποντες τυφλοὶ γένωνται. 40
Ἤκουσαν ἐκ τῶν Φαρισαίων ταῦτα οἱ μετ᾽ αὐτοῦ ὄντες, καὶ
εἶπαν αὐτῷ Μὴ καὶ ἡμεῖς τυφλοί ἐσμεν; εἶπεν αὐτοῖς [ὁ] 41
Ἰησοῦς Εἰ τυφλοὶ ἦτε, οὐκ ἂν εἴχετε ἁμαρτίαν· νῦν δὲ λέγε-
τε ὅτι Βλέπομεν· ἡ ἁμαρτία ὑμῶν μένει.   Ἀ- 1
μὴν ἀμὴν λέγω ὑμῖν, ὁ μὴ εἰσερχόμενος διὰ τῆς θύρας εἰς
τὴν αὐλὴν τῶν προβάτων ἀλλὰ ἀναβαίνων ἀλλαχόθεν
ἐκεῖνος κλέπτης ἐστὶν καὶ λῃστής· ὁ δὲ εἰσερχόμενος διὰ 2
τῆς θύρας ποιμήν ἐστιν τῶν προβάτων. τούτῳ ὁ θυρωρὸς 3
ἀνοίγει, καὶ τὰ πρόβατα τῆς φωνῆς αὐτοῦ ἀκούει, καὶ τὰ
ἴδια πρόβατα φωνεῖ κατ᾽ ὄνομα καὶ ἐξάγει αὐτά. ὅταν τὰ 4
ἴδια πάντα ἐκβάλῃ, ἔμπροσθεν αὐτῶν πορεύεται, καὶ τὰ
πρόβατα αὐτῷ ἀκολουθεῖ, ὅτι οἴδασιν τὴν φωνὴν αὐτοῦ·
ἀλλοτρίῳ δὲ οὐ μὴ ἀκολουθήσουσιν ἀλλὰ φεύξονται 5
ἀπ᾽ αὐτοῦ, ὅτι οὐκ οἴδασι τῶν ἀλλοτρίων τὴν φωνήν.
Ταύτην τὴν παροιμίαν εἶπεν αὐτοῖς ὁ Ἰησοῦς· ἐκεῖνοι δὲ 6
οὐκ ἔγνωσαν τίνα ἦν ἃ ἐλάλει αὐτοῖς.   Εἶπεν 7
οὖν πάλιν [ὁ] Ἰησοῦς Ἀμὴν ἀμὴν λέγω ὑμῖν, ἐγώ εἰμι ἡ
θύρα τῶν προβάτων. πάντες ὅσοι ἦλθον πρὸ ἐμοῦ κλέπται 8
εἰσὶν καὶ λῃσταί· ἀλλ᾽ οὐκ ἤκουσαν αὐτῶν τὰ πρόβατα.
ἐγώ εἰμι ἡ θύρα· δι᾽ ἐμοῦ ἐάν τις εἰσέλθῃ σωθήσεται καὶ 9
εἰσελεύσεται καὶ ἐξελεύσεται καὶ νομὴν εὑρήσει. ὁ κλέ- 10
πτης οὐκ ἔρχεται εἰ μὴ ἵνα κλέψῃ καὶ θύσῃ καὶ ἀπολέσῃ·
ἐγὼ ἦλθον ἵνα ζωὴν ἔχωσιν καὶ περισσὸν ἔχωσιν. Ἐγώ 11
εἰμι ὁ ποιμὴν ὁ καλός· ὁ ποιμὴν ὁ καλὸς τὴν ψυχὴν
αὐτοῦ τίθησιν ὑπὲρ τῶν προβάτων· ὁ μισθωτὸς καὶ οὐκ ὢν 12

36 Καὶ τίς ἐστιν, ἔφη

ποιμήν, οὗ οὐκ ἔστιν τὰ πρόβατα ἴδια, θεωρεῖ τὸν λύκον
ἐρχόμενον καὶ ἀφίησιν τὰ πρόβατα καὶ φεύγει,— καὶ ὁ
13 λύκος ἁρπάζει αὐτὰ καὶ σκορπίζει,— ὅτι μισθωτός ἐστιν
14 καὶ οὐ μέλει αὐτῷ περὶ τῶν προβάτων. ἐγώ εἰμι ὁ ποιμὴν
ὁ καλός, καὶ γινώσκω τὰ ἐμὰ καὶ γινώσκουσί με τὰ ἐμά,
15 καθὼς γινώσκει με ὁ πατὴρ κἀγὼ γινώσκω τὸν πατέρα, καὶ
16 τὴν ψυχήν μου τίθημι ὑπὲρ τῶν προβάτων. καὶ ἄλλα πρό-
βατα ἔχω ἃ οὐκ ἔστιν ἐκ τῆς αὐλῆς ταύτης· κἀκεῖνα δεῖ με
ἀγαγεῖν, καὶ τῆς φωνῆς μου ἀκούσουσιν, καὶ γενήσονται
17 μία ποίμνη, ΕΙC ΠΟΙΜΗΝ. διὰ τοῦτό με ὁ πατὴρ ἀγαπᾷ
ὅτι ἐγὼ τίθημι τὴν ψυχήν μου, ἵνα πάλιν λάβω αὐτήν.
18 οὐδεὶς ⌐ἦρεν⌐ αὐτὴν ἀπ᾽ ἐμοῦ, ἀλλ᾽ ἐγὼ τίθημι αὐτὴν ἀ-
π᾽ ἐμαυτοῦ. ἐξουσίαν ἔχω θεῖναι αὐτήν, καὶ ἐξουσίαν ἔχω
πάλιν λαβεῖν αὐτήν· ταύτην τὴν ἐντολὴν ἔλαβον παρὰ
19 τοῦ πατρός μου.   Σχίσμα πάλιν ἐγένετο ἐν
20 τοῖς Ἰουδαίοις διὰ τοὺς λόγους τούτους. ἔλεγον δὲ πολλοὶ
ἐξ αὐτῶν Δαιμόνιον ἔχει καὶ μαίνεται· τί αὐτοῦ ἀκούετε;
21 ἄλλοι ἔλεγον Ταῦτα τὰ ῥήματα οὐκ ἔστιν δαιμονιζομένου·
μὴ δαιμόνιον δύναται τυφλῶν ὀφθαλμοὺς ἀνοῖξαι;

22   Ἐγένετο τότε τὰ ἐνκαίνια ἐν τοῖς Ἱεροσολύμοις· χει-
23 μὼν ἦν, καὶ περιεπάτει [ὁ] Ἰησοῦς ἐν τῷ ἱερῷ ἐν τῇ
24 στοᾷ τοῦ Σολομῶνος. ⌐ἐκύκλωσαν⌐ οὖν αὐτὸν οἱ Ἰουδαῖοι
καὶ ἔλεγον αὐτῷ Ἕως πότε τὴν ψυχὴν ἡμῶν αἴρεις; εἰ
25 σὺ εἶ ὁ χριστός, εἰπὸν ἡμῖν παρρησίᾳ. ἀπεκρίθη αὐτοῖς
[ὁ] Ἰησοῦς Εἶπον ὑμῖν καὶ οὐ πιστεύετε· τὰ ἔργα ἃ ἐγὼ
ποιῶ ἐν τῷ ὀνόματι τοῦ πατρός μου ταῦτα μαρτυρεῖ περὶ
26 ἐμοῦ· ἀλλὰ ὑμεῖς οὐ πιστεύετε, ὅτι οὐκ ἐστὲ ἐκ τῶν προ-
27 βάτων τῶν ἐμῶν. τὰ πρόβατα τὰ ἐμὰ τῆς φωνῆς μου
ἀκούουσιν, κἀγὼ γινώσκω αὐτά, καὶ ἀκολουθοῦσίν μοι,
28 κἀγὼ δίδωμι αὐτοῖς ζωὴν αἰώνιον, καὶ οὐ μὴ ἀπόλωνται
εἰς τὸν αἰῶνα, καὶ οὐχ ἁρπάσει τις αὐτὰ ἐκ τῆς χειρός
29 μου. ὁ πατήρ μου ⌐ὃ δέδωκέν μοι πάντων μεῖζόν ἐστιν⌐,

18 αἴρει   24 ἐκύκλευσαν   29 ὃς...μείζων ἐστίν

καὶ οὐδεὶς δύναται ἁρπάζειν ἐκ τῆς χειρὸς τοῦ πατρός.
ἐγὼ καὶ ὁ πατὴρ ἕν ἐσμεν. Ἐβάστασαν πάλιν λίθους οἱ 30
Ἰουδαῖοι ἵνα λιθάσωσιν αὐτόν. ἀπεκρίθη αὐτοῖς ὁ Ἰη- 32
σοῦς Πολλὰ ἔργα ⌈ἔδειξα ὑμῖν καλὰ⌉ ἐκ τοῦ πατρός· διὰ
ποῖον αὐτῶν ἔργον ἐμὲ λιθάζετε; ἀπεκρίθησαν αὐτῷ οἱ 33
Ἰουδαῖοι Περὶ καλοῦ ἔργου οὐ λιθάζομέν σε ἀλλὰ περὶ
βλασφημίας, καὶ ὅτι σὺ ἄνθρωπος ὢν ποιεῖς σεαυτὸν θεόν.
ἀπεκρίθη αὐτοῖς [ὁ] Ἰησοῦς Οὐκ ἔστιν γεγραμμένον ἐν 34
τῷ νόμῳ ὑμῶν ὅτι Ἐγὼ εἶπα Θεοί ἐστε; εἰ ἐκεί- 35
νους εἶπεν θεοὺς πρὸς οὓς ὁ λόγος τοῦ θεοῦ ἐγένετο, καὶ οὐ
δύναται λυθῆναι ἡ γραφή, ὃν ὁ πατὴρ ἡγίασεν καὶ ἀπέ- 36
στειλεν εἰς τὸν κόσμον ὑμεῖς λέγετε ὅτι Βλασφημεῖς,
ὅτι εἶπον Υἱὸς τοῦ θεοῦ εἰμί; εἰ οὐ ποιῶ τὰ ἔργα τοῦ 37
πατρός μου, μὴ πιστεύετέ μοι· εἰ δὲ ποιῶ, κἂν ἐμοὶ μὴ 38
πιστεύητε τοῖς ἔργοις πιστεύετε, ἵνα γνῶτε καὶ γινώσκητε
ὅτι ἐν ἐμοὶ ὁ πατὴρ κἀγὼ ἐν τῷ πατρί. Ἐζήτουν [οὖν] 39
⌈αὐτὸν πάλιν⌉ πιάσαι· καὶ ἐξῆλθεν ἐκ τῆς χειρὸς αὐτῶν.

Καὶ ἀπῆλθεν πάλιν πέραν τοῦ Ἰορδάνου εἰς τὸν τόπον 40
ὅπου ἦν Ἰωάνης τὸ πρῶτον βαπτίζων, καὶ ⌈ἔμενεν⌉ ἐκεῖ.
καὶ πολλοὶ ἦλθον πρὸς αὐτὸν καὶ ἔλεγον ὅτι Ἰωάνης 41
μὲν σημεῖον ἐποίησεν οὐδέν, πάντα δὲ ὅσα εἶπεν Ἰωάνης
περὶ τούτου ἀληθῆ ἦν. καὶ πολλοὶ ἐπίστευσαν εἰς αὐτὸν 42
ἐκεῖ.

Ἦν δέ τις ἀσθενῶν, Λάζαρος ἀπὸ Βηθανίας ἐκ τῆς 1
κώμης Μαρίας καὶ Μάρθας τῆς ἀδελφῆς αὐτῆς. ἦν δὲ 2
Μαριὰμ ἡ ἀλείψασα τὸν κύριον μύρῳ καὶ ἐκμάξασα τοὺς
πόδας αὐτοῦ ταῖς θριξὶν αὐτῆς, ἧς ὁ ἀδελφὸς Λάζαρος
ἠσθένει. ἀπέστειλαν οὖν αἱ ἀδελφαὶ πρὸς αὐτὸν λέγου- 3
σαι Κύριε, ἴδε ὃν φιλεῖς ἀσθενεῖ. ἀκούσας δὲ ὁ Ἰη- 4
σοῦς εἶπεν Αὕτη ἡ ἀσθένεια οὐκ ἔστιν πρὸς θάνατον
ἀλλ᾽ ὑπὲρ τῆς δόξης τοῦ θεοῦ ἵνα δοξασθῇ ὁ υἱὸς τοῦ
θεοῦ δι᾽ αὐτῆς. ἠγάπα δὲ ὁ Ἰησοῦς τὴν Μάρθαν καὶ 5
τὴν ἀδελφὴν αὐτῆς καὶ τὸν Λάζαρον. ὡς οὖν ἤκουσεν 6

32 καλὰ ἔδειξα ὑμῖν   39 [πάλιν] αὐτὸν   40 ἔμεινεν

ὅτι ἀσθενεῖ, τότε μὲν ἔμεινεν ἐν ᾧ ἦν τόπῳ δύο ἡμέρας·
7 ἔπειτα μετὰ τοῦτο λέγει τοῖς μαθηταῖς Ἄγωμεν εἰς τὴν
8 Ἰουδαίαν πάλιν. λέγουσιν αὐτῷ οἱ μαθηταί Ῥαββεί,
νῦν ἐζήτουν σε λιθάσαι οἱ Ἰουδαῖοι, καὶ πάλιν ὑπάγεις
9 ἐκεῖ; ἀπεκρίθη Ἰησοῦς Οὐχὶ δώδεκα ὧραί εἰσιν τῆς ἡμέ-
ρας; ἐάν τις περιπατῇ ἐν τῇ ἡμέρᾳ, οὐ προσκόπτει, ὅτι τὸ
10 φῶς τοῦ κόσμου τούτου βλέπει· ἐὰν δέ τις περιπατῇ ἐν
τῇ νυκτί, προσκόπτει, ὅτι τὸ φῶς οὐκ ἔστιν ἐν αὐτῷ.
11 ταῦτα εἶπεν, καὶ μετὰ τοῦτο λέγει αὐτοῖς Λάζαρος ὁ φί-
λος ἡμῶν κεκοίμηται, ἀλλὰ πορεύομαι ἵνα ἐξυπνίσω αὐτόν.
12 εἶπαν οὖν οἱ μαθηταὶ αὐτῷ Κύριε, εἰ κεκοίμηται σωθή-
13 σεται. εἰρήκει δὲ ὁ Ἰησοῦς περὶ τοῦ θανάτου αὐτοῦ.
ἐκεῖνοι δὲ ἔδοξαν ὅτι περὶ τῆς κοιμήσεως τοῦ ὕπνου λέγει.
14 τότε οὖν εἶπεν αὐτοῖς ὁ Ἰησοῦς παρρησίᾳ Λάζαρος ἀπέ-
15 θανεν, καὶ χαίρω δι' ὑμᾶς, ἵνα πιστεύσητε, ὅτι οὐκ ἤμην
16 ἐκεῖ· ἀλλὰ ἄγωμεν πρὸς αὐτόν. εἶπεν οὖν Θωμᾶς ὁ λεγό-
μενος Δίδυμος τοῖς συνμαθηταῖς Ἄγωμεν καὶ ἡμεῖς ἵνα
17 ἀποθάνωμεν μετ' αὐτοῦ. Ἐλθὼν οὖν ὁ Ἰησοῦς
εὗρεν αὐτὸν τέσσαρας ἤδη ἡμέρας ἔχοντα ἐν τῷ μνημείῳ.
18 ἦν δὲ Βηθανία ἐγγὺς τῶν Ἰεροσολύμων ὡς ἀπὸ σταδίων
19 δεκαπέντε. πολλοὶ δὲ ἐκ τῶν Ἰουδαίων ἐληλύθεισαν πρὸς
τὴν Μάρθαν καὶ Μαριὰμ ἵνα παραμυθήσωνται αὐτὰς
20 περὶ τοῦ ἀδελφοῦ. ἡ οὖν Μάρθα ὡς ἤκουσεν ὅτι Ἰησοῦς
ἔρχεται ὑπήντησεν αὐτῷ· ⌜Μαριὰμ⌝ δὲ ἐν τῷ οἴκῳ ἐκαθέζετο.
21 εἶπεν οὖν ἡ Μάρθα πρὸς Ἰησοῦν ⌜Κύριε, εἰ⌝ ἦς ὧδε
22 οὐκ ἂν ἀπέθανεν ὁ ἀδελφός μου· καὶ νῦν οἶδα ὅτι ὅσα ἂν
23 αἰτήσῃ τὸν θεὸν δώσει σοι ὁ θεός. λέγει αὐτῇ ὁ Ἰησοῦς
24 Ἀναστήσεται ὁ ἀδελφός σου. λέγει αὐτῷ ἡ Μάρθα Οἶδα
ὅτι ἀναστήσεται ἐν τῇ ἀναστάσει ἐν τῇ ἐσχάτῃ ἡμέρᾳ.
25 εἶπεν αὐτῇ ὁ Ἰησοῦς Ἐγώ εἰμι ἡ ἀνάστασις καὶ ἡ ζωή·
26 ὁ πιστεύων εἰς ἐμὲ κἂν ἀποθάνῃ ζήσεται, καὶ πᾶς ὁ ζῶν
καὶ πιστεύων εἰς ἐμὲ οὐ μὴ ἀποθάνῃ εἰς τὸν αἰῶνα· πιστεύ-
27 εις τοῦτο; λέγει αὐτῷ Ναί, κύριε· ἐγὼ πεπίστευκα ὅτι

20 Μαρία   21 Εἰ

σὺ εἶ ὁ χριστὸς ὁ υἱὸς τοῦ θεοῦ ὁ εἰς τὸν κόσμον ἐρχόμενος.
καὶ τοῦτο εἰποῦσα ἀπῆλθεν καὶ ἐφώνησεν Μαριὰμ τὴν 28
ἀδελφὴν αὐτῆς λάθρα εἴπασα Ὁ διδάσκαλος πάρεστιν καὶ
φωνεῖ σε. ἐκείνη δὲ ὡς ἤκουσεν ἠγέρθη ταχὺ καὶ ἤρχετο 29
πρὸς αὐτόν· οὔπω δὲ ἐληλύθει ὁ Ἰησοῦς εἰς τὴν κώμην, 30
ἀλλ᾽ ἦν ἔτι ἐν τῷ τόπῳ ὅπου ὑπήντησεν αὐτῷ ἡ Μάρθα.
οἱ οὖν Ἰουδαῖοι οἱ ὄντες μετ᾽ αὐτῆς ἐν τῇ οἰκίᾳ καὶ παρα- 31
μυθούμενοι αὐτήν, ἰδόντες τὴν Μαριὰμ ὅτι ταχέως ἀνέστη
καὶ ἐξῆλθεν, ἠκολούθησαν αὐτῇ δόξαντες ὅτι ὑπάγει εἰς τὸ
μνημεῖον ἵνα κλαύσῃ ἐκεῖ. ἡ οὖν Μαριὰμ ὡς ἦλθεν ὅπου 32
ἦν Ἰησοῦς ἰδοῦσα αὐτὸν ἔπεσεν αὐτοῦ πρὸς τοὺς πόδας,
λέγουσα αὐτῷ Κύριε, εἰ ἦς ὧδε οὐκ ἄν μου ἀπέθανεν ὁ
ἀδελφός. Ἰησοῦς οὖν ὡς εἶδεν αὐτὴν κλαίουσαν καὶ τοὺς 33
συνελθόντας αὐτῇ Ἰουδαίους κλαίοντας ἐνεβριμήσατο τῷ
πνεύματι καὶ ἐτάραξεν ἑαυτόν, καὶ εἶπεν Ποῦ τεθείκατε 34
αὐτόν; λέγουσιν αὐτῷ Κύριε, ἔρχου καὶ ἴδε. ἐδάκρυ- 35
σεν ὁ Ἰησοῦς. ἔλεγον οὖν οἱ Ἰουδαῖοι Ἴδε πῶς ἐφίλει 36
αὐτόν. τινὲς δὲ ἐξ αὐτῶν εἶπαν Οὐκ ἐδύνατο οὗτος 37
ὁ ἀνοίξας τοὺς ὀφθαλμοὺς τοῦ τυφλοῦ ποιῆσαι ἵνα καὶ
οὗτος μὴ ἀποθάνῃ; Ἰησοῦς οὖν πάλιν ἐμβριμώμενος ἐν 38
ἑαυτῷ ἔρχεται εἰς τὸ μνημεῖον· ἦν δὲ σπήλαιον, καὶ λίθος
ἐπέκειτο ἐπ᾽ αὐτῷ. λέγει ὁ Ἰησοῦς Ἄρατε τὸν λίθον. 39
λέγει αὐτῷ ἡ ἀδελφὴ τοῦ τετελευτηκότος Μάρθα Κύ-
ριε, ἤδη ὄζει, τεταρταῖος γάρ ἐστιν. λέγει αὐτῇ ὁ Ἰη- 40
σοῦς Οὐκ εἶπόν σοι ὅτι ἐὰν πιστεύσῃς ὄψῃ τὴν δόξαν
τοῦ θεοῦ; ἦραν οὖν τὸν λίθον. ὁ δὲ Ἰησοῦς ἦρεν τοὺς 41
ὀφθαλμοὺς ἄνω καὶ εἶπεν Πάτερ, εὐχαριστῶ σοι ὅτι
ἤκουσάς μου, ἐγὼ δὲ ᾔδειν ὅτι πάντοτέ μου ἀκούεις· 42
ἀλλὰ διὰ τὸν ὄχλον τὸν περιεστῶτα εἶπον ἵνα πιστεύσωσιν
ὅτι σύ με ἀπέστειλας. καὶ ταῦτα εἰπὼν φωνῇ μεγάλῃ 43
ἐκραύγασεν Λάζαρε, δεῦρο ἔξω. ἐξῆλθεν ὁ τεθνηκὼς 44
δεδεμένος τοὺς πόδας καὶ τὰς χεῖρας κειρίαις, καὶ ἡ ὄψις
αὐτοῦ σουδαρίῳ περιεδέδετο. λέγει [ὁ] Ἰησοῦς αὐτοῖς

45 Λύσατε αὐτὸν καὶ ἄφετε αὐτὸν ὑπάγειν. Πολ-
λοὶ οὖν ἐκ τῶν Ἰουδαίων, οἱ ἐλθόντες πρὸς τὴν Μαριὰμ
46 καὶ θεασάμενοι ⌈ὃ⌉ ἐποίησεν, ἐπίστευσαν εἰς αὐτόν· τινὲς
δὲ ἐξ αὐτῶν ἀπῆλθον πρὸς τοὺς Φαρισαίους καὶ εἶπαν
47 αὐτοῖς ἃ ἐποίησεν Ἰησοῦς. Συνήγαγον οὖν οἱ
ἀρχιερεῖς καὶ οἱ Φαρισαῖοι συνέδριον, καὶ ἔλεγον Τί
48 ποιοῦμεν ὅτι οὗτος ὁ ἄνθρωπος πολλὰ ποιεῖ σημεῖα; ἐὰν
ἀφῶμεν αὐτὸν οὕτως, πάντες πιστεύσουσιν εἰς αὐτόν, καὶ
ἐλεύσονται οἱ Ῥωμαῖοι καὶ ἀροῦσιν ἡμῶν καὶ τὸν τόπον
49 καὶ τὸ ἔθνος. εἷς δέ τις ἐξ αὐτῶν Καιάφας, ἀρχιερεὺς ὢν
τοῦ ἐνιαυτοῦ ἐκείνου, εἶπεν αὐτοῖς Ὑμεῖς οὐκ οἴδατε
50 οὐδέν, οὐδὲ λογίζεσθε ὅτι συμφέρει ὑμῖν ἵνα εἷς ἄνθρωπος
ἀποθάνῃ ὑπὲρ τοῦ λαοῦ καὶ μὴ ὅλον τὸ ἔθνος ἀπόλη-
51 ται. Τοῦτο δὲ ἀφ' ἑαυτοῦ οὐκ εἶπεν, ἀλλὰ ἀρχιερεὺς ὢν
τοῦ ἐνιαυτοῦ ἐκείνου ἐπροφήτευσεν ὅτι ἔμελλεν Ἰησοῦς
52 ἀποθνήσκειν ὑπὲρ τοῦ ἔθνους, καὶ οὐχ ὑπὲρ τοῦ ἔθνους
μόνον, ἀλλ' ἵνα καὶ τὰ τέκνα τοῦ θεοῦ τὰ διεσκορπισμένα
53 συναγάγῃ εἰς ἕν. Ἀπ' ἐκείνης οὖν τῆς ἡμέρας ἐβουλεύ-
σαντο ἵνα ἀποκτείνωσιν αὐτόν.

54 Ὁ οὖν Ἰησοῦς οὐκέτι παρρησίᾳ περιεπάτει ἐν τοῖς Ἰου-
δαίοις, ἀλλὰ ἀπῆλθεν ἐκεῖθεν εἰς τὴν χώραν ἐγγὺς τῆς
ἐρήμου, εἰς Ἐφραὶμ λεγομένην πόλιν, κἀκεῖ ἔμεινεν μετὰ
55 τῶν μαθητῶν. Ἦν δὲ ἐγγὺς τὸ πάσχα τῶν Ἰουδαίων,
καὶ ἀνέβησαν πολλοὶ εἰς Ἱεροσόλυμα ἐκ τῆς χώρας
56 πρὸ τοῦ πάσχα ἵνα ἁγνίσωσιν ἑαυτούς. ἐζήτουν οὖν
τὸν Ἰησοῦν καὶ ἔλεγον μετ' ἀλλήλων ἐν τῷ ἱερῷ ἑστη-
κότες Τί δοκεῖ ὑμῖν; ὅτι οὐ μὴ ἔλθῃ εἰς τὴν ἑορτήν;
57 δεδώκεισαν δὲ οἱ ἀρχιερεῖς καὶ οἱ Φαρισαῖοι ἐντολὰς
ἵνα ἐάν τις γνῷ ποῦ ἐστὶν μηνύσῃ, ὅπως πιάσωσιν αὐ-
τόν.

1 Ὁ οὖν Ἰησοῦς πρὸ ἓξ ἡμερῶν τοῦ πάσχα ἦλθεν εἰς
Βηθανίαν, ὅπου ἦν Λάζαρος, ὃν ἤγειρεν ἐκ νεκρῶν Ἰησοῦς.
2 ἐποίησαν οὖν αὐτῷ δεῖπνον ἐκεῖ, καὶ ἡ Μάρθα διηκόνει,

ὁ δὲ Λάζαρος εἷς ἦν ἐκ τῶν ἀνακειμένων σὺν αὐτῷ· ἡ 3
οὖν Μαριὰμ λαβοῦσα λίτραν μύρου νάρδου πιστικῆς πολυ-
τίμου ἤλειψεν τοὺς πόδας [τοῦ] Ἰησοῦ καὶ ἐξέμαξεν ταῖς
θριξὶν αὐτῆς τοὺς πόδας αὐτοῦ· ἡ δὲ οἰκία ἐπληρώθη ἐκ
τῆς ὀσμῆς τοῦ μύρου. λέγει [δὲ] Ἰούδας ὁ Ἰσκαριώτης 4
εἷς τῶν μαθητῶν αὐτοῦ, ὁ μέλλων αὐτὸν παραδιδόναι Διὰ 5
τί τοῦτο τὸ μύρον οὐκ ἐπράθη τριακοσίων δηναρίων καὶ
ἐδόθη πτωχοῖς; εἶπεν δὲ τοῦτο οὐχ ὅτι περὶ τῶν πτωχῶν 6
ἔμελεν αὐτῷ ἀλλ᾽ ὅτι κλέπτης ἦν καὶ τὸ γλωσσόκο-
μον ἔχων τὰ βαλλόμενα ἐβάσταζεν. εἶπεν οὖν ὁ Ἰη- 7
σοῦς Ἄφες αὐτήν, ἵνα εἰς τὴν ἡμέραν τοῦ ἐνταφια-
σμοῦ μου τηρήσῃ αὐτό· τοὺς πτωχοὺς γὰρ πάντοτε ἔχετε 8
μεθ᾽ ἑαυτῶν, ἐμὲ δὲ οὐ πάντοτε ἔχετε. Ἔγνω 9
οὖν ὁ ὄχλος πολὺς ἐκ τῶν Ἰουδαίων ὅτι ἐκεῖ ἐστίν, καὶ
ἦλθαν οὐ διὰ τὸν Ἰησοῦν μόνον ἀλλ᾽ ἵνα καὶ τὸν Λά-
ζαρον ἴδωσιν ὃν ἤγειρεν ἐκ νεκρῶν. ἐβουλεύσαντο δὲ οἱ 10
ἀρχιερεῖς ἵνα καὶ τὸν Λάζαρον ἀποκτείνωσιν, ὅτι πολ- 11
λοὶ δι᾽ αὐτὸν ὑπῆγον τῶν Ἰουδαίων καὶ ἐπίστευον εἰς τὸν
Ἰησοῦν.

Τῇ ἐπαύριον ὁ ὄχλος πολὺς ὁ ἐλθὼν εἰς τὴν ἑορτήν, 12
ἀκούσαντες ὅτι ἔρχεται Ἰησοῦς εἰς Ἰεροσόλυμα, ἔλαβον 13
τὰ βαΐα τῶν φοινίκων καὶ ἐξῆλθον εἰς ὑπάντησιν αὐτῷ,
καὶ ἐκραύγαζον

Ὡσαννά,
εὐλογημένος ὁ ἐρχόμενος ἐν ὀνόματι Κυρίου,
καὶ ὁ βασιλεὺς τοῦ Ἰσραήλ.
εὑρὼν δὲ ὁ Ἰησοῦς ὀνάριον ἐκάθισεν ἐπ᾽ αὐτό, καθώς 14
ἐστιν γεγραμμένον

Μὴ φοβοῦ, θυγάτηρ Σιών· 15
Ἰδοὺ ὁ βασιλεύς σου ἔρχεται,
καθήμενος ἐπὶ πῶλον ὄνου.
Ταῦτα οὐκ ἔγνωσαν αὐτοῦ οἱ μαθηταὶ τὸ πρῶτον, ἀλλ᾽ ὅ- 16
τε ἐδοξάσθη Ἰησοῦς τότε ἐμνήσθησαν ὅτι ταῦτα ἦν ἐπ᾽ αὐ-

17 τῷ γεγραμμένα καὶ ταῦτα ἐποίησαν αὐτῷ. Ἐμαρτύρει
οὖν ὁ ὄχλος ὁ ὢν μετ᾽ αὐτοῦ ὅτε τὸν Λάζαρον ἐφώνησεν
18 ἐκ τοῦ μνημείου καὶ ἤγειρεν αὐτὸν ἐκ νεκρῶν. διὰ τοῦτο
καὶ ὑπήντησεν αὐτῷ ὁ ὄχλος ὅτι ἤκουσαν τοῦτο αὐτὸν
19 πεποιηκέναι τὸ σημεῖον. οἱ οὖν Φαρισαῖοι εἶπαν πρὸς
ἑαυτούς Θεωρεῖτε ὅτι οὐκ ὠφελεῖτε οὐδέν· ἴδε ὁ κόσμος
ὀπίσω αὐτοῦ ἀπῆλθεν.

20 Ἦσαν δὲ Ἕλληνές τινες ἐκ τῶν ἀναβαινόντων ἵνα
21 προσκυνήσωσιν ἐν τῇ ἑορτῇ· οὗτοι οὖν προσῆλθαν Φι-
λίππῳ τῷ ἀπὸ Βηθσαιδὰ τῆς Γαλιλαίας, καὶ ἠρώτων
22 αὐτὸν λέγοντες Κύριε, θέλομεν τὸν Ἰησοῦν ἰδεῖν. ἔρ-
χεται ὁ Φίλιππος καὶ λέγει τῷ Ἀνδρέᾳ· ἔρχεται Ἀνδρέας
23 καὶ Φίλιππος καὶ λέγουσιν τῷ Ἰησοῦ. ὁ δὲ Ἰησοῦς
ἀποκρίνεται αὐτοῖς λέγων Ἐλήλυθεν ἡ ὥρα ἵνα δοξασθῇ
24 ὁ υἱὸς τοῦ ἀνθρώπου. ἀμὴν ἀμὴν λέγω ὑμῖν, ἐὰν μὴ ὁ
κόκκος τοῦ σίτου πεσὼν εἰς τὴν γῆν ἀποθάνῃ, αὐτὸς μόνος
25 μένει· ἐὰν δὲ ἀποθάνῃ, πολὺν καρπὸν φέρει. ὁ φιλῶν
τὴν ψυχὴν αὐτοῦ ἀπολλύει αὐτήν, καὶ ὁ μισῶν τὴν ψυχὴν
αὐτοῦ ἐν τῷ κόσμῳ τούτῳ εἰς ζωὴν αἰώνιον φυλάξει αὐτήν.
26 ἐὰν ἐμοί τις. διακονῇ ἐμοὶ ἀκολουθείτω, καὶ ὅπου εἰμὶ
ἐγὼ ἐκεῖ καὶ ὁ διάκονος ὁ ἐμὸς ἔσται· ἐάν τις ἐμοὶ
27 διακονῇ τιμήσει αὐτὸν ὁ πατήρ. νῦν ἡ ΨΥΧΉ ΜΟΥ ΤΕΤΑ-
ΡΑΚΤΑΙ, καὶ τί εἴπω; πάτερ, σῶσόν με ἐκ τῆς ὥρας
ταύτης. ἀλλὰ διὰ τοῦτο ἦλθον εἰς τὴν ὥραν ταύτην.
28 πάτερ, δόξασόν σου τὸ ὄνομα. ἦλθεν οὖν φωνὴ ἐκ τοῦ
29 οὐρανοῦ Καὶ ἐδόξασα καὶ πάλιν δοξάσω. ὁ [οὖν] ὄχλος
ὁ ἑστὼς καὶ ἀκούσας ἔλεγεν βροντὴν γεγονέναι· ἄλλοι
30 ἔλεγον Ἄγγελος αὐτῷ λελάληκεν. ἀπεκρίθη καὶ εἶπεν
Ἰησοῦς Οὐ δι᾽ ἐμὲ ἡ φωνὴ αὕτη γέγονεν ἀλλὰ δι᾽ ὑμᾶς.
31 νῦν κρίσις ἐστὶν τοῦ κόσμου τούτου, νῦν ὁ ἄρχων τοῦ
32 κόσμου τούτου ἐκβληθήσεται ἔξω· κἀγὼ ἂν ὑψωθῶ ἐκ
33 τῆς γῆς, πάντας ἑλκύσω πρὸς ἐμαυτόν. τοῦτο δὲ
ἔλεγεν σημαίνων ποίῳ θανάτῳ ἤμελλεν ἀποθνήσκειν.

ἀπεκρίθη οὖν αὐτῷ ὁ ὄχλος   Ἡμεῖς ἠκούσαμεν ἐκ τοῦ 34
νόμου ὅτι ὁ χριστὸς μένει εἰς τὸν αἰῶνα, καὶ πῶς λέγεις
σὺ ὅτι δεῖ ὑψωθῆναι τὸν υἱὸν τοῦ ἀνθρώπου; τίς ἐστιν
οὗτος ὁ υἱὸς τοῦ ἀνθρώπου;   εἶπεν οὖν αὐτοῖς ὁ Ἰη- 35
σοῦς   Ἔτι μικρὸν χρόνον τὸ φῶς ἐν ὑμῖν ἐστίν. περι-
πατεῖτε ὡς τὸ φῶς ἔχετε, ἵνα μὴ σκοτία ὑμᾶς καταλάβῃ,
καὶ ὁ περιπατῶν ἐν τῇ σκοτίᾳ οὐκ οἶδεν ποῦ ὑπάγει.
ὡς τὸ φῶς ἔχετε, πιστεύετε εἰς τὸ φῶς, ἵνα υἱοὶ φωτὸς 36
γένησθε.   Ταῦτα ἐλάλησεν Ἰησοῦς, καὶ ἀπελ-
θὼν ἐκρύβη ἀπ' αὐτῶν. Τοσαῦτα δὲ αὐτοῦ σημεῖα πεποιη- 37
κότος ἔμπροσθεν αὐτῶν οὐκ ἐπίστευον εἰς αὐτόν, ἵνα ὁ 38
λόγος Ἡσαΐου τοῦ προφήτου πληρωθῇ ὃν εἶπεν

> Κύριε, τίς ἐπίϲτεγϲεν τῇ ἀκοῇ Ἡμῶν;
> καὶ ὁ Βραχίων Κγρίογ τίνι ἀπεκαλύφθΗ;

διὰ τοῦτο οὐκ ἠδύναντο πιστεύειν ὅτι πάλιν εἶπεν Ἡσαί- 39
ας

> Τετύφλωκεν αγτῶν τογϲ ὀφθαλμογϲ καὶ ἐπώ- 40
>   ρωϲεν αγτῶν τὴν καρδίαν,
> ἵνα μὴ ἴδωϲιν τοῖϲ ὀφθαλμοῖϲ καὶ νοήϲωϲιν
>   τῇ καρδίᾳ καὶ ϲτραφῶϲιν,
> καὶ ἰάϲομαι αγτούϲ.

ταῦτα εἶπεν Ἡσαΐας ὅτι εἶδεν τὴν δόξαν αὐτοῦ, καὶ ἐλά- 41
λησεν περὶ αὐτοῦ. Ὅμως μέντοι καὶ ἐκ τῶν ἀρχόντων 42
πολλοὶ ἐπίστευσαν εἰς αὐτόν, ἀλλὰ διὰ τοὺς Φαρισαίους
οὐχ ὡμολόγουν ἵνα μὴ ἀποσυνάγωγοι γένωνται, ἠγά- 43
πησαν γὰρ τὴν δόξαν τῶν ἀνθρώπων μᾶλλον ⌜ἤπερ⌝ τὴν
δόξαν τοῦ θεοῦ.   Ἰησοῦς δὲ ἔκραξεν καὶ εἶπεν 44
Ὁ πιστεύων εἰς ἐμὲ οὐ πιστεύει εἰς ἐμὲ ἀλλὰ εἰς τὸν
πέμψαντά με, καὶ ὁ θεωρῶν ἐμὲ θεωρεῖ τὸν πέμψαν- 45
τά με. ἐγὼ φῶς εἰς τὸν κόσμον ἐλήλυθα, ἵνα πᾶς ὁ 46
πιστεύων εἰς ἐμὲ ἐν τῇ σκοτίᾳ μὴ μείνῃ. καὶ ἐάν τίς 47
μου ἀκούσῃ τῶν ῥημάτων καὶ μὴ φυλάξῃ, ἐγὼ οὐ κρίνω
αὐτόν, οὐ γὰρ ἦλθον ἵνα κρίνω τὸν κόσμον ἀλλ' ἵνα

48 σώσω τὸν κόσμον. ὁ ἀθετῶν ἐμὲ καὶ μὴ λαμβάνων τὰ
ῥήματά μου ἔχει τὸν κρίνοντα αὐτόν· ὁ λόγος ὃν ἐλά-
49 λησα ἐκεῖνος κρινεῖ αὐτὸν ἐν τῇ ἐσχάτῃ ἡμέρᾳ· ὅτι ἐγὼ
ἐξ ἐμαυτοῦ οὐκ ἐλάλησα, ἀλλ᾽ ὁ πέμψας με πατὴρ αὐ-
50 τός μοι ἐντολὴν δέδωκεν τί εἴπω καὶ τί λαλήσω. καὶ
οἶδα ὅτι ἡ ἐντολὴ αὐτοῦ ζωὴ αἰώνιός ἐστιν. ἃ οὖν ἐγὼ
λαλῶ, καθὼς εἴρηκέν μοι ὁ πατήρ, οὕτως λαλῶ.

1   ΠΡΟ ΔΕ ΤΗΣ ΕΟΡΤΗΣ τοῦ πάσχα εἰδὼς ὁ Ἰησοῦς
ὅτι ἦλθεν αὐτοῦ ἡ ὥρα ἵνα μεταβῇ ἐκ τοῦ κόσμου τούτου
πρὸς τὸν ⌜πατέρα ἀγαπήσας τοὺς ἰδίους τοὺς ἐν τῷ κόσμῳ
2 εἰς τέλος ἠγάπησεν αὐτούς. Καὶ¹ δείπνου γινομένου, τοῦ δια-
βόλου ἤδη βεβληκότος εἰς τὴν καρδίαν ἵνα παραδοῖ αὐτὸν
3 Ἰούδας Σίμωνος Ἰσκαριώτης, εἰδὼς ὅτι πάντα ἔδωκεν
αὐτῷ ὁ πατὴρ εἰϚ τὰς χεῖρας, καὶ ὅτι ἀπὸ θεοῦ ἐξῆλθεν
4 καὶ πρὸς τὸν θεὸν ὑπάγει, ἐγείρεται ἐκ τοῦ δείπνου καὶ
τίθησιν τὰ ἱμάτια, καὶ λαβὼν λέντιον διέζωσεν ἑαυτόν·
5 εἶτα βάλλει ὕδωρ εἰς τὸν νιπτῆρα, καὶ ἤρξατο νίπτειν τοὺς
πόδας τῶν μαθητῶν καὶ ἐκμάσσειν τῷ λεντίῳ ᾧ ἦν
6 διεζωσμένος. ἔρχεται οὖν πρὸς Σίμωνα Πέτρον. λέγει αὐ-
7 τῷ Κύριε, σύ μου νίπτεις τοὺς πόδας; ἀπεκρίθη Ἰησοῦς
καὶ εἶπεν αὐτῷ Ὃ ἐγὼ ποιῶ σὺ οὐκ οἶδας ἄρτι, γνώσῃ
8 δὲ μετὰ ταῦτα. λέγει αὐτῷ Πέτρος Οὐ μὴ νίψῃς μου
τοὺς πόδας εἰς τὸν αἰῶνα. ἀπεκρίθη Ἰησοῦς αὐτῷ Ἐὰν
9 μὴ νίψω σε, οὐκ ἔχεις μέρος μετ᾽ ἐμοῦ. λέγει αὐτῷ
Σίμων Πέτρος Κύριε, μὴ τοὺς πόδας μου μόνον ἀλλὰ
10 καὶ τὰς χεῖρας καὶ τὴν κεφαλήν. λέγει αὐτῷ Ἰησοῦς Ὁ
λελουμένος οὐκ ἔχει χρείαν [εἰ μὴ τοὺς πόδας] νίψασθαι,
ἀλλ᾽ ἔστιν καθαρὸς ὅλος· καὶ ὑμεῖς καθαροί ἐστε, ἀλλ᾽ οὐχὶ
11 πάντες. ᾔδει γὰρ τὸν παραδιδόντα αὐτόν· διὰ τοῦτο
12 εἶπεν ὅτι Οὐχὶ πάντες καθαροί ἐστε. Ὅτε οὖν ἔνιψεν

1,2 πατέρα, — ἀγαπήσας.........αὐτούς, — καὶ

τοὺς πόδας αὐτῶν καὶ ἔλαβεν τὰ ἱμάτια αὐτοῦ καὶ ⌜ἀνέπε-
σεν, πάλιν⌝ εἶπεν αὐτοῖς Γινώσκετε τί πεποίηκα ὑμῖν;
ὑμεῖς φωνεῖτέ με Ὁ διδάσκαλος καί Ὁ κύριος, καὶ 13
καλῶς λέγετε, εἰμὶ γάρ. εἰ οὖν ἐγὼ ἔνιψα ὑμῶν τοὺς πόδας 14
ὁ κύριος καὶ ὁ διδάσκαλος, καὶ ὑμεῖς ὀφείλετε ἀλλήλων
νίπτειν τοὺς πόδας· ὑπόδειγμα γὰρ ἔδωκα ὑμῖν ἵνα καθὼς 15
ἐγὼ ἐποίησα ὑμῖν καὶ ὑμεῖς ποιῆτε. ἀμὴν ἀμὴν λέγω ὑμῖν, 16
οὐκ ἔστιν δοῦλος μείζων τοῦ κυρίου αὐτοῦ οὐδὲ ἀπόστολος
μείζων τοῦ πέμψαντος αὐτόν. εἰ ταῦτα οἴδατε, μακάριοί 17
ἐστε ἐὰν ποιῆτε αὐτά. οὐ περὶ πάντων ὑμῶν λέγω· ἐγὼ οἶδα 18
τίνας ἐξελεξάμην· ἀλλ᾽ ἵνα ἡ γραφὴ πληρωθῇ Ὁ τρώ-
ΓΩΝ ΜΟΥ ΤῸΝ ἄρτον ἐπῆρεν ἐπ᾽ ἐμὲ ΤῊΝ ΠΤΈΡΝΑΝ
ΑΥΤΟΥ̂. ἀπ᾽ ἄρτι λέγω ὑμῖν πρὸ τοῦ γενέσθαι, ἵνα πι- 19
στεύητε ὅταν γένηται ὅτι ⌜ἐγώ εἰμι⌝. ἀμὴν ἀμὴν λέγω 20
ὑμῖν, ὁ λαμβάνων ἄν τινα πέμψω ἐμὲ λαμβάνει, ὁ δὲ ἐμὲ
λαμβάνων λαμβάνει τὸν πέμψαντά με. Ταῦτα 21
εἰπὼν Ἰησοῦς ἐταράχθη τῷ πνεύματι καὶ ἐμαρτύρησεν καὶ
εἶπεν Ἀμὴν ἀμὴν λέγω ὑμῖν ὅτι εἷς ἐξ ὑμῶν παραδώσει
με. ἔβλεπον εἰς ἀλλήλους οἱ μαθηταὶ ἀπορούμενοι περὶ 22
τίνος λέγει. ἦν ἀνακείμενος εἷς ἐκ τῶν μαθητῶν αὐτοῦ ἐν 23
τῷ κόλπῳ τοῦ Ἰησοῦ, ὃν ἠγάπα [ὁ] Ἰησοῦς· νεύει οὖν 24
τούτῳ Σίμων Πέτρος καὶ λέγει αὐτῷ Εἰπὲ τίς ἐστιν περὶ
οὗ λέγει. ἀναπεσὼν ἐκεῖνος οὕτως ἐπὶ τὸ στῆθος τοῦ 25
Ἰησοῦ λέγει αὐτῷ Κύριε, τίς ἐστιν; ἀποκρίνεται οὖν 26
[ὁ] Ἰησοῦς Ἐκεῖνός ἐστιν ᾧ ἐγὼ βάψω τὸ ψωμίον καὶ δώ-
σω αὐτῷ· βάψας οὖν [τὸ] ψωμίον λαμβάνει καὶ δίδωσιν
Ἰούδᾳ Σίμωνος Ἰσκαριώτου. καὶ μετὰ τὸ ψωμίον τότε 27
εἰσῆλθεν εἰς ἐκεῖνον ὁ Σατανᾶς. λέγει οὖν αὐτῷ Ἰησοῦς
Ὁ ποιεῖς ποίησον τάχειον. τοῦτο [δὲ] οὐδεὶς ἔγνω 28
τῶν ἀνακειμένων πρὸς τί εἶπεν αὐτῷ· τινὲς γὰρ ἐδόκουν, 29
ἐπεὶ τὸ γλωσσόκομον εἶχεν Ἰούδας, ὅτι λέγει αὐτῷ
Ἰησοῦς Ἀγόρασον ὧν χρείαν ἔχομεν εἰς τὴν ἑορτήν, ἢ
τοῖς πτωχοῖς ἵνα τι δῷ. λαβὼν οὖν τὸ ψωμίον ἐκεῖνος 30

ἐξῆλθεν εὐθύς· ἦν δὲ νύξ.

31 Ὅτε οὖν ἐξῆλθεν λέγει Ἰησοῦς Νῦν ἐδοξάσθη ὁ
32 υἱὸς τοῦ ἀνθρώπου, καὶ ὁ θεὸς ἐδοξάσθη ἐν αὐτῷ· καὶ ὁ
θεὸς δοξάσει αὐτὸν ἐν αὐτῷ, καὶ εὐθὺς δοξάσει αὐτόν.
33 Τεκνία, ἔτι μικρὸν μεθ᾽ ὑμῶν εἰμί· ζητήσετέ με, καὶ καθὼς
εἶπον τοῖς Ἰουδαίοις ὅτι Ὅπου ἐγὼ ὑπάγω ὑμεῖς οὐ
34 δύνασθε ἐλθεῖν, καὶ ὑμῖν λέγω ἄρτι. ἐντολὴν καινὴν δί-
δωμι ὑμῖν ἵνα ἀγαπᾶτε ἀλλήλους, καθὼς ἠγάπησα ὑμᾶς
35 ἵνα καὶ ὑμεῖς ἀγαπᾶτε ἀλλήλους. ἐν τούτῳ γνώσονται
πάντες ὅτι ἐμοὶ μαθηταί ἐστε, ἐὰν ἀγάπην ἔχητε ἐν
36 ἀλλήλοις. Λέγει αὐτῷ Σίμων Πέτρος Κύριε,
ποῦ ὑπάγεις; ἀπεκρίθη Ἰησοῦς Ὅπου ὑπάγω οὐ δύνασαί
37 μοι νῦν ἀκολουθῆσαι, ἀκολουθήσεις δὲ ὕστερον. λέγει
αὐτῷ [ὁ] Πέτρος ⌜Κύριε, διὰ⌝ τί οὐ δύναμαί σοι ἀκολου-
38 θεῖν ἄρτι; τὴν ψυχήν μου ὑπὲρ σοῦ θήσω. ἀποκρίνεται
Ἰησοῦς Τὴν ψυχήν σου ὑπὲρ ἐμοῦ θήσεις; ἀμὴν ἀμὴν
λέγω σοι, οὐ μὴ ἀλέκτωρ φωνήσῃ ἕως οὗ ἀρνήσῃ με
1 τρίς. Μὴ ταρασσέσθω ὑμῶν ἡ καρδία· ⌜πι-
2 στεύετε εἰς τὸν θεόν, καὶ⌝ εἰς ἐμὲ πιστεύετε. ἐν τῇ οἰκίᾳ
τοῦ πατρός μου μοναὶ πολλαί εἰσιν· εἰ δὲ μή, εἶπον ἂν
3 ὑμῖν, ὅτι πορεύομαι ἑτοιμάσαι τόπον ὑμῖν· καὶ ἐὰν πορευθῶ
καὶ ἑτοιμάσω τόπον ὑμῖν, πάλιν ἔρχομαι καὶ παραλήμψο-
μαι ὑμᾶς πρὸς ἐμαυτόν, ἵνα ὅπου εἰμὶ ἐγὼ καὶ ὑμεῖς ἦτε.
4
5 καὶ ὅπου ἐγὼ ὑπάγω οἴδατε τὴν ὁδόν. Λέγει
αὐτῷ Θωμᾶς Κύριε, οὐκ οἴδαμεν ποῦ ὑπάγεις· πῶς οἴδα-
6 μεν τὴν ὁδόν; λέγει αὐτῷ Ἰησοῦς Ἐγώ εἰμι ἡ ὁδὸς καὶ ἡ
ἀλήθεια καὶ ἡ ζωή· οὐδεὶς ἔρχεται πρὸς τὸν πατέρα εἰ μὴ
7 δι᾽ ἐμοῦ. εἰ ἐγνώκειτέ με, καὶ τὸν πατέρα μου ἂν ᾔδειτε·
8 ἀπ᾽ ἄρτι γινώσκετε αὐτὸν καὶ ἑωράκατε ⊤. Λέ-
γει αὐτῷ Φίλιππος Κύριε, δεῖξον ἡμῖν τὸν πατέρα, καὶ
9 ἀρκεῖ ἡμῖν. λέγει αὐτῷ [ὁ] Ἰησοῦς ⌜Τοσοῦτον χρόνον⌝
μεθ᾽ ὑμῶν εἰμὶ καὶ οὐκ ἔγνωκάς με, Φίλιππε; ὁ ἑωρακὼς
ἐμὲ ἑώρακεν τὸν πατέρα· πῶς σὺ λέγεις Δεῖξον ἡμῖν τὸν

37 Διὰ   1 πιστεύετε, εἰς τὸν θεὸν καὶ   7 αὐτόν   9 Τοσούτῳ χρόνῳ

πατέρα ; οὐ πιστεύεις ὅτι ἐγὼ ἐν τῷ πατρὶ καὶ ὁ πατὴρ ἐν 10
ἐμοί ἐστιν; τὰ ῥήματα ἃ ἐγὼ λέγω ὑμῖν ἀπ᾽ ἐμαυτοῦ οὐ
λαλῶ· ὁ δὲ πατὴρ ἐν ἐμοὶ μένων ποιεῖ τὰ ἔργα αὐτοῦ. πι- 11
στεύετέ μοι ὅτι ἐγὼ ἐν τῷ πατρὶ καὶ ὁ πατὴρ ἐν ἐμοί· εἰ
δὲ μή, διὰ τὰ ἔργα ⌜αὐτὰ⌝ πιστεύετε⌝. Ἀμὴν ἀμὴν λέγω 12
ὑμῖν, ὁ πιστεύων εἰς ἐμὲ τὰ ἔργα ἃ ἐγὼ ποιῶ κἀκεῖνος
ποιήσει, καὶ μείζονα τούτων ποιήσει, ὅτι ἐγὼ πρὸς τὸν πα-
τέρα ⌜πορεύομαι·⌝ καὶ ὅτι ἂν ⌜αἰτήσητε⌝ ἐν τῷ ὀνόματί μου 13
τοῦτο ποιήσω, ἵνα δοξασθῇ ὁ πατὴρ ἐν τῷ υἱῷ· ἐάν τι αἰτή- 14
σητέ [με] ἐν τῷ ὀνόματί μου ⌜τοῦτο⌝ ποιήσω. Ἐὰν 15
ἀγαπᾶτέ με, τὰς ἐντολὰς τὰς ἐμὰς τηρήσετε· κἀγὼ ἐρω- 16
τήσω τὸν πατέρα καὶ ἄλλον παράκλητον δώσει ὑμῖν ἵνα
⌜ᾖ μεθ᾽ ὑμῶν εἰς τὸν αἰῶνα⌝, τὸ πνεῦμα τῆς ἀληθείας, ὃ ὁ 17
κόσμος οὐ δύναται λαβεῖν, ὅτι οὐ θεωρεῖ αὐτὸ οὐδὲ γινώ-
σκει· ὑμεῖς γινώσκετε αὐτό, ὅτι παρ᾽ ὑμῖν μένει καὶ ἐν
ὑμῖν ⌜ἐστίν⌝. Οὐκ ἀφήσω ὑμᾶς ὀρφανούς, ἔρχομαι πρὸς 18
ὑμᾶς. ἔτι μικρὸν καὶ ὁ κόσμος με οὐκέτι θεωρεῖ, ὑμεῖς 19
δὲ θεωρεῖτέ με, ὅτι ἐγὼ ζῶ καὶ ὑμεῖς ζήσετε. ἐν ἐκείνῃ 20
τῇ ἡμέρᾳ ὑμεῖς γνώσεσθε ὅτι ἐγὼ ἐν τῷ πατρί μου καὶ ὑμεῖς
ἐν ἐμοὶ κἀγὼ ἐν ὑμῖν. ὁ ἔχων τὰς ἐντολάς μου καὶ τηρῶν 21
αὐτὰς ἐκεῖνός ἐστιν ὁ ἀγαπῶν με· ὁ δὲ ἀγαπῶν με ἀγαπη-
θήσεται ὑπὸ τοῦ πατρός μου, κἀγὼ ἀγαπήσω αὐτὸν καὶ
ἐμφανίσω αὐτῷ ἐμαυτόν. Λέγει αὐτῷ Ἰούδας, 22
οὐχ ὁ Ἰσκαριώτης, Κύριε, τί γέγονεν ὅτι ἡμῖν μέλλεις
ἐμφανίζειν σεαυτὸν καὶ οὐχὶ τῷ κόσμῳ; ἀπεκρίθη Ἰησοῦς 23
καὶ εἶπεν αὐτῷ Ἐάν τις ἀγαπᾷ με τὸν λόγον μου τηρήσει,
καὶ ὁ πατήρ μου ἀγαπήσει αὐτόν, καὶ πρὸς αὐτὸν ἐλευσό-
μεθα καὶ μονὴν παρ᾽ αὐτῷ ποιησόμεθα. ὁ μὴ ἀγαπῶν με 24
τοὺς λόγους μου οὐ τηρεῖ· καὶ ὁ λόγος ὃν ἀκούετε οὐκ ἔ-
στιν ἐμὸς ἀλλὰ τοῦ πέμψαντός με πατρός. Ταῦ- 25
τα λελάληκα ὑμῖν παρ᾽ ὑμῖν μένων· ὁ δὲ παράκλητος, τὸ 26
πνεῦμα τὸ ἅγιον ὃ πέμψει ὁ πατὴρ ἐν τῷ ὀνόματί μου,
ἐκεῖνος ὑμᾶς διδάξει πάντα καὶ ὑπομνήσει ὑμᾶς πάντα ἃ

---

11 αὐτοῦ | μοι   12 πορεύομαι,   13 αἰτῆτε   14 ἐγώ   16 μεθ᾽ ὑμῶν εἰς τὸν αἰῶν

27 εἶπον ὑμῖν ἐγώ. Εἰρήνην ἀφίημι ὑμῖν, εἰρήνην τὴν ἐμὴν
δίδωμι ὑμῖν· οὐ καθὼς ὁ κόσμος δίδωσιν ἐγὼ δίδωμι ὑμῖν.
28 μὴ ταρασσέσθω ὑμῶν ἡ καρδία μηδὲ δειλιάτω. ἠκούσατε
ὅτι ἐγὼ εἶπον ὑμῖν Ὑπάγω καὶ ἔρχομαι πρὸς ὑμᾶς. εἰ
ἠγαπᾶτέ με ἐχάρητε ἄν, ὅτι πορεύομαι πρὸς τὸν πατέρα,
29 ὅτι ὁ πατὴρ μείζων μού ἐστιν. καὶ νῦν εἴρηκα ὑμῖν πρὶν
30 γενέσθαι, ἵνα ὅταν γένηται πιστεύσητε. οὐκέτι πολλὰ λα-
λήσω μεθ᾽ ὑμῶν, ἔρχεται γὰρ ὁ τοῦ κόσμου ἄρχων· καὶ ἐν
31 ἐμοὶ οὐκ ἔχει οὐδέν, ἀλλ᾽ ἵνα γνῷ ὁ κόσμος ὅτι ἀγαπῶ τὸν
πατέρα, καὶ καθὼς ἐντολὴν ἔδωκέν μοι ὁ πατὴρ οὕτως ποιῶ.
Ἐγείρεσθε, ἄγωμεν ἐντεῦθεν.

1 Ἐγώ εἰμι ἡ ἄμπελος ἡ ἀληθινή, καὶ ὁ πατήρ μου ὁ
2 γεωργός ἐστιν· πᾶν κλῆμα ἐν ἐμοὶ μὴ φέρον καρπὸν αἴρει
αὐτό, καὶ πᾶν τὸ καρπὸν φέρον καθαίρει αὐτὸ ἵνα καρπὸν
3 πλείονα φέρῃ. ἤδη ὑμεῖς καθαροί ἐστε διὰ τὸν λόγον ὃν
4 λελάληκα ὑμῖν· μείνατε ἐν ἐμοί, κἀγὼ ἐν ὑμῖν. καθὼς τὸ
κλῆμα οὐ δύναται καρπὸν φέρειν ἀφ᾽ ἑαυτοῦ ἐὰν μὴ μένῃ
ἐν τῇ ἀμπέλῳ, οὕτως οὐδὲ ὑμεῖς ἐὰν μὴ ἐν ἐμοὶ μένητε.
5 ἐγώ εἰμι ἡ ἄμπελος, ὑμεῖς τὰ κλήματα. ὁ μένων ἐν ἐμοὶ
κἀγὼ ἐν αὐτῷ οὗτος φέρει καρπὸν πολύν, ὅτι χωρὶς ἐμοῦ
6 οὐ δύνασθε ποιεῖν οὐδέν. ἐὰν μή τις μένῃ ἐν ἐμοί, ἐβλήθη
ἔξω ὡς τὸ κλῆμα καὶ ἐξηράνθη, καὶ συνάγουσιν αὐτὰ καὶ
7 εἰς τὸ πῦρ βάλλουσιν καὶ καίεται. Ἐὰν μείνητε ἐν ἐμοὶ
καὶ τὰ ῥήματά μου ἐν ὑμῖν μείνῃ, ὃ ἐὰν θέλητε αἰτήσασθε
8 καὶ γενήσεται ὑμῖν· ἐν τούτῳ ἐδοξάσθη ὁ πατήρ μου ἵνα
9 καρπὸν πολὺν φέρητε καὶ ⌜γένησθε⌝ ἐμοὶ μαθηταί. καθὼς
ἠγάπησέν με ὁ πατήρ, κἀγὼ ὑμᾶς ⌜ἠγάπησα,⌝ μείνατε ἐν τῇ
10 ἀγάπῃ τῇ ἐμῇ. ἐὰν τὰς ἐντολάς μου τηρήσητε, μενεῖτε ἐν τῇ
ἀγάπῃ μου, καθὼς ἐγὼ τοῦ ⌜πατρός⌝ τὰς ἐντολὰς τετήρηκα καὶ
11 μένω αὐτοῦ ἐν τῇ ἀγάπῃ. Ταῦτα λελάληκα ὑμῖν ἵνα ἡ χα-
12 ρὰ ἡ ἐμὴ ἐν ὑμῖν ᾖ καὶ ἡ χαρὰ ὑμῶν πληρωθῇ. αὕτη ἐστὶν ἡ
ἐντολὴ ἡ ἐμὴ ἵνα ἀγαπᾶτε ἀλλήλους καθὼς ἠγάπησα ὑμᾶς·
13 μείζονα ταύτης ἀγάπην οὐδεὶς ἔχει, ἵνα τις τὴν ψυχὴν αὐ-

17 ἔσται   8 γενήσεσθε   9 ἠγάπησα·   10 πατρός μου

Q

τοῦ θῇ ὑπὲρ τῶν φίλων αὐτοῦ. ὑμεῖς φίλοι μού ἐστε ἐὰν 14
ποιῆτε ⌈ὃ⌉ ἐγὼ ἐντέλλομαι ὑμῖν. οὐκέτι λέγω ὑμᾶς δούλους, 15
ὅτι ὁ δοῦλος οὐκ οἶδεν τί ποιεῖ αὐτοῦ ὁ κύριος· ὑμᾶς δὲ
εἴρηκα φίλους, ὅτι πάντα ἃ ἤκουσα παρὰ τοῦ πατρός μου
ἐγνώρισα ὑμῖν. οὐχ ὑμεῖς με ἐξελέξασθε, ἀλλ᾽ ἐγὼ ἐξελε- 16
ξάμην ὑμᾶς, καὶ ἔθηκα ὑμᾶς ἵνα ὑμεῖς ὑπάγητε καὶ καρπὸν
φέρητε καὶ ὁ καρπὸς ὑμῶν μένῃ, ἵνα ὅτι ἂν ⌈αἰτήσητε⌉
τὸν πατέρα ἐν τῷ ὀνόματί μου δῷ ὑμῖν.   Ταῦτα 17
ἐντέλλομαι ὑμῖν ἵνα ἀγαπᾶτε ἀλλήλους. Εἰ ὁ κόσμος 18
ὑμᾶς μισεῖ, γινώσκετε ὅτι ἐμὲ πρῶτον ὑμῶν μεμίσηκεν.
εἰ ἐκ τοῦ κόσμου ἦτε, ὁ κόσμος ἂν τὸ ἴδιον ἐφίλει· ὅτι δὲ 19
ἐκ τοῦ κόσμου οὐκ ἐστέ, ἀλλ᾽ ἐγὼ ἐξελεξάμην ὑμᾶς ἐκ τοῦ
κόσμου, διὰ τοῦτο μισεῖ ὑμᾶς ὁ κόσμος. μνημονεύετε τοῦ 20
λόγου οὗ ἐγὼ εἶπον ὑμῖν Οὐκ ἔστιν δοῦλος μείζων τοῦ
κυρίου αὐτοῦ· εἰ ἐμὲ ἐδίωξαν, καὶ ὑμᾶς διώξουσιν· εἰ τὸν
λόγον μου ἐτήρησαν, καὶ τὸν ὑμέτερον τηρήσουσιν. ἀλλὰ 21
ταῦτα πάντα ποιήσουσιν εἰς ὑμᾶς διὰ τὸ ὄνομά μου, ὅτι
οὐκ οἴδασιν τὸν πέμψαντά με. Εἰ μὴ ἦλθον καὶ ἐλάλησα 22
αὐτοῖς, ἁμαρτίαν οὐκ εἴχοσαν· νῦν δὲ πρόφασιν οὐκ ἔχου-
σιν περὶ τῆς ἁμαρτίας αὐτῶν. ὁ ἐμὲ μισῶν καὶ τὸν πατέρα 23
μου μισεῖ. εἰ τὰ ἔργα μὴ ἐποίησα ἐν αὐτοῖς ἃ οὐδεὶς ἄλλος 24
ἐποίησεν, ἁμαρτίαν οὐκ εἴχοσαν· νῦν δὲ καὶ ἑωράκασιν καὶ
μεμισήκασιν καὶ ἐμὲ καὶ τὸν πατέρα μου. ἀλλ᾽ ἵνα πληρωθῇ 25
ὁ λόγος ὁ ἐν τῷ νόμῳ αὐτῶν γεγραμμένος ὅτι ᾿Εμίϲηϲάν
με Δωρεάν. ῞Οταν ἔλθῃ ὁ παράκλητος ὃν ἐγὼ πέμψω 26
ὑμῖν παρὰ τοῦ πατρός, τὸ πνεῦμα τῆς ἀληθείας ὃ παρὰ
τοῦ πατρὸς ἐκπορεύεται, ἐκεῖνος μαρτυρήσει περὶ ἐμοῦ·
καὶ ὑμεῖς δὲ μαρτυρεῖτε, ὅτι ἀπ᾽ ἀρχῆς μετ᾽ ἐμοῦ ἐ- 27
στέ.   Ταῦτα λελάληκα ὑμῖν ἵνα μὴ σκανδα- 1
λισθῆτε. ἀποσυναγώγους ποιήσουσιν ὑμᾶς· ἀλλ᾽ ἔρχεται ὥρα 2
ἵνα πᾶς ὁ ἀποκτείνας [ὑμᾶς] δόξῃ λατρείαν προσφέρειν τῷ
θεῷ. καὶ ταῦτα ποιήσουσιν ὅτι οὐκ ἔγνωσαν τὸν πατέρα 3
οὐδὲ ἐμέ. ἀλλὰ ταῦτα λελάληκα ὑμῖν ἵνα ὅταν ἔλθῃ ἡ 4

14 ἃ   16 αἰτῆτε

ὥρα αὐτῶν μνημονεύητε αὐτῶν ὅτι ἐγὼ εἶπον ὑμῖν· ταῦτα
5 δὲ ὑμῖν ἐξ ἀρχῆς οὐκ εἶπον, ὅτι μεθ᾽ ὑμῶν ἤμην. νῦν δὲ
ὑπάγω πρὸς τὸν πέμψαντά με καὶ οὐδεὶς ἐξ ὑμῶν ἐρωτᾷ
6 με Ποῦ ὑπάγεις; ἀλλ᾽ ὅτι ταῦτα λελάληκα ὑμῖν ἡ λύπη
7 πεπλήρωκεν ὑμῶν τὴν καρδίαν. ἀλλ᾽ ἐγὼ τὴν ἀλήθειαν
λέγω ὑμῖν, συμφέρει ὑμῖν ἵνα ἐγὼ ἀπέλθω. ἐὰν γὰρ μὴ
ἀπέλθω, ὁ παράκλητος οὐ μὴ ἔλθῃ πρὸς ὑμᾶς· ἐὰν δὲ
8 πορευθῶ, πέμψω αὐτὸν πρὸς ὑμᾶς. ⌜Καὶ⌝ ἐλθὼν ἐκεῖνος
ἐλέγξει τὸν κόσμον περὶ ἁμαρτίας καὶ περὶ δικαιοσύνης
9 καὶ περὶ κρίσεως· περὶ ἁμαρτίας μέν, ὅτι οὐ πιστεύουσιν
10 εἰς ἐμέ· περὶ δικαιοσύνης δέ, ὅτι πρὸς τὸν πατέρα ὑπάγω
11 καὶ οὐκέτι θεωρεῖτέ με· περὶ δὲ κρίσεως, ὅτι ὁ ἄρχων τοῦ
12 κόσμου τούτου κέκριται. Ἔτι πολλὰ ἔχω ὑμῖν λέγειν,
13 ἀλλ᾽ οὐ δύνασθε βαστάζειν ἄρτι· ὅταν δὲ ἔλθῃ ἐκεῖνος, τὸ
πνεῦμα τῆς ἀληθείας, ὁδηγήσει ὑμᾶς ⌜εἰς τὴν ἀλήθειαν πᾶ-
σαν⌝, οὐ γὰρ λαλήσει ἀφ᾽ ἑαυτοῦ, ἀλλ᾽ ὅσα ⌜ἀκούει⌝ λαλήσει,
14 καὶ τὰ ἐρχόμενα ἀναγγελεῖ ὑμῖν. ἐκεῖνος ἐμὲ δοξάσει,
15 ὅτι ἐκ τοῦ ἐμοῦ λήμψεται καὶ ἀναγγελεῖ ὑμῖν. πάντα
ὅσα ἔχει ὁ πατὴρ ἐμά ἐστιν· διὰ τοῦτο εἶπον ὅτι ἐκ τοῦ
16 ἐμοῦ λαμβάνει καὶ ἀναγγελεῖ ὑμῖν. Μικρὸν
καὶ οὐκέτι θεωρεῖτέ με, καὶ πάλιν μικρὸν καὶ ὄψεσθέ με.
17 Εἶπαν οὖν ἐκ τῶν μαθητῶν αὐτοῦ πρὸς ἀλλήλους Τί
ἐστιν τοῦτο ὃ λέγει ἡμῖν Μικρὸν καὶ οὐ θεωρεῖτέ με,
καὶ πάλιν μικρὸν καὶ ὄψεσθέ με; καί Ὅτι ὑπάγω πρὸς
18 τὸν πατέρα; ἔλεγον οὖν Τί ἐστιν τοῦτο ὃ λέγει μικρόν;
19 οὐκ οἴδαμεν [τί λαλεῖ]. ἔγνω Ἰησοῦς ὅτι ἤθελον αὐτὸν
ἐρωτᾶν, καὶ εἶπεν αὐτοῖς Περὶ τούτου ζητεῖτε μετ᾽ ἀλ-
λήλων ὅτι εἶπον Μικρὸν καὶ οὐ θεωρεῖτέ με, καὶ πάλιν
20 μικρὸν καὶ ὄψεσθέ με; ἀμὴν ἀμὴν λέγω ὑμῖν ὅτι κλαύσετε
καὶ θρηνήσετε ὑμεῖς, ὁ δὲ κόσμος χαρήσεται· ὑμεῖς λυπη-
21 θήσεσθε, ἀλλ᾽ ἡ λύπη ὑμῶν εἰς χαρὰν γενήσεται. ἡ γυνὴ
ὅταν τίκτῃ λύπην ἔχει, ὅτι ἦλθεν ἡ ὥρα αὐτῆς· ὅταν δὲ
γεννήσῃ τὸ παιδίον, οὐκέτι μνημονεύει τῆς θλίψεως διὰ

8 καὶ   13 ἐν τῇ ἀληθείᾳ πάσῃ | ἀκούσει

τὴν χαρὰν ὅτι ἐγεννήθη ἄνθρωπος εἰς τὸν κόσμον. καὶ 22
ὑμεῖς οὖν νῦν μὲν λύπην ἔχετε· πάλιν δὲ ὄψομαι ὑμᾶς,
καὶ χαρήϲεται ὑ̔ΜῶΝ ἡ καρΔία, καὶ τὴν χαρὰν ὑμῶν
οὐδεὶς ⌜ἀρεῖ⌝ ἀφ᾽ ὑμῶν. καὶ ἐν ἐκείνῃ τῇ ἡμέρᾳ ἐμὲ 23
οὐκ ἐρωτήσετε ⌜οὐδέν·⌝ ἀμὴν ἀμὴν λέγω ὑμῖν, ἄν τι αἰτή-
σητε τὸν πατέρα δώσει ὑμῖν ἐν τῷ ὀνόματί μου. ἕως ἄρτι 24
οὐκ ᾐτήσατε οὐδὲν ἐν τῷ ὀνόματί μου· αἰτεῖτε καὶ λήμψε-
σθε, ἵνα ἡ χαρὰ ὑμῶν ᾖ πεπληρωμένη. Ταῦτα 25
ἐν παροιμίαις λελάληκα ὑμῖν· ἔρχεται ὥρα ὅτε οὐκέτι ἐν
παροιμίαις λαλήσω ὑμῖν ἀλλὰ παρρησίᾳ περὶ τοῦ πατρὸς
ἀπαγγελῶ ὑμῖν. ἐν ἐκείνῃ τῇ ἡμέρᾳ ἐν τῷ ὀνόματί μου 26
αἰτήσεσθε, καὶ οὐ λέγω ὑμῖν ὅτι ἐγὼ ἐρωτήσω τὸν πατέρα
περὶ ὑμῶν· αὐτὸς γὰρ ὁ πατὴρ φιλεῖ ὑμᾶς, ὅτι ὑμεῖς ἐμὲ 27
πεφιλήκατε καὶ πεπιστεύκατε ὅτι ἐγὼ παρὰ τοῦ πατρὸς
ἐξῆλθον. ἐξῆλθον ἐκ τοῦ πατρὸς καὶ ἐλήλυθα εἰς τὸν 28
κόσμον· πάλιν ἀφίημι τὸν κόσμον καὶ πορεύομαι πρὸς
τὸν πατέρα. Λέγουσιν οἱ μαθηταὶ αὐτοῦ Ἴδε νῦν ἐν 29
παρρησίᾳ λαλεῖς, καὶ παροιμίαν οὐδεμίαν λέγεις. νῦν 30
οἴδαμεν ὅτι οἶδας πάντα καὶ οὐ χρείαν ἔχεις ἵνα τίς σε
ἐρωτᾷ· ἐν τούτῳ πιστεύομεν ὅτι ἀπὸ θεοῦ ἐξῆλθες. ἀπε- 31
κρίθη αὐτοῖς Ἰησοῦς Ἄρτι πιστεύετε; ἰδοὺ ἔρχεται ὥρα 32
καὶ ἐλήλυθεν ἵνα σκορπισθῆτε ἕκαστος εἰς τὰ ἴδια κἀμὲ
μόνον ἀφῆτε· καὶ οὐκ εἰμὶ μόνος, ὅτι ὁ πατὴρ μετ᾽ ἐμοῦ
ἐστίν. ταῦτα λελάληκα ὑμῖν ἵνα ἐν ἐμοὶ εἰρήνην ἔχητε· 33
ἐν τῷ κόσμῳ θλίψιν ἔχετε, ἀλλὰ θαρσεῖτε, ἐγὼ νενίκηκα
τὸν κόσμον.

Ταῦτα ἐλάλησεν Ἰησοῦς, καὶ ἐπάρας τοὺς ὀφθαλ- 1
μοὺς αὐτοῦ εἰς τὸν οὐρανὸν εἶπεν Πάτερ, ἐλήλυθεν ἡ
ὥρα· δόξασόν σου τὸν υἱόν, ἵνα ὁ υἱὸς δοξάσῃ σέ, καθὼς 2
ἔδωκας αὐτῷ ἐξουσίαν πάσης σαρκός, ἵνα πᾶν ὃ δέδωκας
αὐτῷ δώσει αὐτοῖς ζωὴν αἰώνιον. αὕτη δέ ἐστιν ἡ αἰώνιος 3
ζωὴ ἵνα γινώσκωσι σε τὸν μόνον ἀληθινὸν θεὸν καὶ ὃν
ἀπέστειλας Ἰησοῦν Χριστόν. ἐγώ σε ἐδόξασα ἐπὶ τῆς 4

22 αἴρει   23 οὐδέν.

5 γῆς, τὸ ἔργον τελειώσας ὃ δέδωκάς μοι ἵνα ποιήσω· καὶ
νῦν δόξασόν με σύ, πάτερ, παρὰ σεαυτῷ τῇ δόξῃ ⌜ᾗ⌝ εἶχον
6 πρὸ τοῦ τὸν κόσμον εἶναι παρὰ σοί.   Ἐφανέ-
ρωσά σου τὸ ὄνομα τοῖς ἀνθρώποις οὓς ἔδωκάς μοι ἐκ
τοῦ κόσμου. σοὶ ἦσαν κἀμοὶ αὐτοὺς ἔδωκας, καὶ τὸν
7 λόγον σου τετήρηκαν. νῦν ἔγνωκαν ὅτι πάντα ὅσα
8 ⌜ἔδωκάς⌝ μοι παρὰ σοῦ εἰσίν· ὅτι τὰ ῥήματα ἃ ⌜ἔδωκάς⌝
μοι δέδωκα αὐτοῖς, καὶ αὐτοὶ ἔλαβον καὶ ἔγνωσαν ἀληθῶς
ὅτι παρὰ σοῦ ἐξῆλθον, καὶ ἐπίστευσαν ὅτι σύ με ἀπέστει-
9 λας. Ἐγὼ περὶ αὐτῶν ἐρωτῶ· οὐ περὶ τοῦ κόσμου ἐρωτῶ
10 ἀλλὰ περὶ ὧν δέδωκάς μοι, ὅτι σοί εἰσιν, καὶ τὰ ἐμὰ πάντα
11 σά ἐστιν καὶ τὰ σὰ ἐμά, καὶ δεδόξασμαι ἐν αὐτοῖς. καὶ οὐ-
κέτι εἰμὶ ἐν τῷ κόσμῳ, καὶ ⌜αὐτοὶ⌝ ἐν τῷ κόσμῳ εἰσίν, κἀγὼ
πρὸς σὲ ἔρχομαι. πάτερ ἅγιε, τήρησον αὐτοὺς ἐν τῷ
ὀνόματί σου ᾧ δέδωκάς μοι, ἵνα ὦσιν ἓν καθὼς ἡμεῖς.
12 Ὅτε ἤμην μετ' αὐτῶν ἐγὼ ἐτήρουν αὐτοὺς ἐν τῷ ὀνόματί
σου ᾧ δέδωκάς μοι, καὶ ἐφύλαξα, καὶ οὐδεὶς ἐξ αὐτῶν ἀπώ-
λετο εἰ μὴ ὁ υἱὸς τῆς ἀπωλείας, ἵνα ἡ γραφὴ πληρωθῇ.
13 νῦν δὲ πρὸς σὲ ἔρχομαι, καὶ ταῦτα λαλῶ ἐν τῷ κόσμῳ ἵνα
ἔχωσιν τὴν χαρὰν τὴν ἐμὴν πεπληρωμένην ἐν ἑαυτοῖς.
14 Ἐγὼ δέδωκα αὐτοῖς τὸν λόγον σου, καὶ ὁ κόσμος ἐμίσησεν
αὐτούς, ὅτι οὐκ εἰσὶν ἐκ τοῦ κόσμου καθὼς ἐγὼ οὐκ εἰμὶ
15 ἐκ τοῦ κόσμου. οὐκ ἐρωτῶ ἵνα ἄρῃς αὐτοὺς ἐκ τοῦ κό-
16 σμου ἀλλ' ἵνα τηρήσῃς αὐτοὺς ἐκ τοῦ πονηροῦ. ἐκ τοῦ
κόσμου οὐκ εἰσὶν καθὼς ἐγὼ οὐκ εἰμὶ ἐκ τοῦ κόσμου.
17 ἁγίασον αὐτοὺς ἐν τῇ ἀληθείᾳ· ὁ λόγος ὁ σὸς ἀλήθειά
18 ἐστιν. καθὼς ἐμὲ ἀπέστειλας εἰς τὸν κόσμον, κἀγὼ
19 ἀπέστειλα αὐτοὺς εἰς τὸν κόσμον· καὶ ὑπὲρ αὐτῶν [ἐγὼ]
ἁγιάζω ἐμαυτόν, ἵνα ὦσιν καὶ αὐτοὶ ἡγιασμένοι ἐν
20 ἀληθείᾳ.   Οὐ περὶ τούτων· δὲ ἐρωτῶ μόνον,
ἀλλὰ καὶ περὶ τῶν πιστευόντων διὰ τοῦ λόγου αὐτῶν εἰς
21 ἐμέ, ἵνα πάντες ἓν ὦσιν, καθὼς σύ, πατήρ, ἐν ἐμοὶ κἀγὼ
ἐν σοί, ἵνα καὶ αὐτοὶ ἐν ἡμῖν ὦσιν, ἵνα ὁ κόσμος πιστεύῃ

5 ἦν   7 δέδωκάς   8 δέδωκάς   11 οὗτοι

ὅτι σύ με ἀπέστειλας. κἀγὼ τὴν δόξαν ἣν δέδωκάς μοι 22
δέδωκα αὐτοῖς, ἵνα ὦσιν ἓν καθὼς ἡμεῖς ἕν, ἐγὼ ἐν αὐτοῖς 23
καὶ σὺ ἐν ἐμοί, ἵνα ὦσιν τετελειωμένοι εἰς ἕν, ἵνα γινώ-
σκῃ ὁ κόσμος ὅτι σύ με ἀπέστειλας καὶ ἠγάπησας αὐτοὺς
καθὼς ἐμὲ ἠγάπησας. Πατήρ, ὃ δέδωκάς μοι, θέλω ἵνα 24
ὅπου εἰμὶ ἐγὼ κἀκεῖνοι ὦσιν μετ᾽ ἐμοῦ, ἵνα θεωρῶσιν τὴν
δόξαν τὴν ἐμὴν ἣν ⌜δέδωκάς⌝ μοι, ὅτι ἠγάπησάς με πρὸ
καταβολῆς κόσμου. Πατὴρ δίκαιε, καὶ ὁ κόσμος σε οὐκ ἔ- 25
γνω, ἐγὼ δέ σε ἔγνων, καὶ οὗτοι ἔγνωσαν ὅτι σύ με
ἀπέστειλας, καὶ ἐγνώρισα αὐτοῖς τὸ ὄνομά σου καὶ γνω- 26
ρίσω, ἵνα ἡ ἀγάπη ἣν ἠγάπησάς με ἐν αὐτοῖς ᾖ κἀγὼ ἐν
αὐτοῖς.

Ταῦτα εἰπὼν Ἰησοῦς ἐξῆλθεν σὺν τοῖς μαθηταῖς αὐτοῦ 1
πέραν τοῦ Χειμάρρου τῶν Κέδρων ὅπου ἦν κῆπος, εἰς ὃν
εἰσῆλθεν αὐτὸς καὶ οἱ μαθηταὶ αὐτοῦ. ᾔδει δὲ καὶ Ἰούδας 2
ὁ παραδιδοὺς αὐτὸν τὸν τόπον, ὅτι πολλάκις συνήχθη
Ἰησοῦς ⌜ἐκεῖ μετὰ τῶν μαθητῶν αὐτοῦ⌝. ὁ οὖν Ἰούδας λα- 3
βὼν τὴν σπεῖραν καὶ ἐκ τῶν ἀρχιερέων καὶ [ἐκ] τῶν Φαρι-
σαίων ὑπηρέτας ἔρχεται ἐκεῖ μετὰ φανῶν καὶ λαμπάδων
καὶ ὅπλων. Ἰησοῦς οὖν εἰδὼς πάντα τὰ ἐρχόμενα ἐπ᾽ αὐ- 4
τὸν ἐξῆλθεν, καὶ λέγει αὐτοῖς Τίνα ζητεῖτε; ἀπεκρίθησαν 5
αὐτῷ Ἰησοῦν τὸν Ναζωραῖον. λέγει αὐτοῖς Ἐγώ εἰμι⌉.
ἱστήκει δὲ καὶ Ἰούδας ὁ παραδιδοὺς αὐτὸν μετ᾽ αὐτῶν.
ὡς οὖν εἶπεν αὐτοῖς Ἐγώ εἰμι, ἀπῆλθαν εἰς τὰ ὀπίσω καὶ 6
ἔπεσαν χαμαί. πάλιν οὖν ἐπηρώτησεν αὐτοὺς Τίνα 7
ζητεῖτε; οἱ δὲ εἶπαν Ἰησοῦν τὸν Ναζωραῖον. ἀπεκρίθη 8
Ἰησοῦς Εἶπον ὑμῖν ὅτι ἐγώ εἰμι· εἰ οὖν ἐμὲ ζητεῖτε,
ἄφετε τούτους ὑπάγειν· ἵνα πληρωθῇ ὁ λόγος ὃν εἶπεν 9
ὅτι Οὓς δέδωκάς μοι οὐκ ἀπώλεσα ἐξ αὐτῶν οὐδένα.
Σίμων οὖν Πέτρος ἔχων μάχαιραν εἵλκυσεν αὐτὴν καὶ 10
ἔπαισεν τὸν τοῦ ἀρχιερέως δοῦλον καὶ ἀπέκοψεν αὐτοῦ τὸ
ὠτάριον τὸ δεξιόν. ἦν δὲ ὄνομα τῷ δούλῳ Μάλχος.

24 ἔδωκάς   2 μετὰ τῶν μαθητῶν αὐτοῦ ἐκεῖ   5 Ἰησοῦς

11 εἶπεν οὖν ὁ Ἰησοῦς τῷ Πέτρῳ Βάλε τὴν μάχαιραν εἰς
τὴν θήκην· τὸ ποτήριον ὃ δέδωκέν μοι ὁ πατὴρ οὐ μὴ πίω
αὐτό;

12 Ἡ οὖν σπεῖρα καὶ ὁ χιλίαρχος καὶ οἱ ὑπηρέται τῶν
13 Ἰουδαίων συνέλαβον τὸν Ἰησοῦν καὶ ἔδησαν αὐτὸν καὶ
ἤγαγον πρὸς Ἄνναν πρῶτον· ἦν γὰρ πενθερὸς τοῦ Καιάφα,
14 ὃς ἦν ἀρχιερεὺς τοῦ ἐνιαυτοῦ ἐκείνου· ἦν δὲ Καιάφας ὁ
συμβουλεύσας τοῖς Ἰουδαίοις ὅτι συμφέρει ἕνα ἄνθρωπον
15 ἀποθανεῖν ὑπὲρ τοῦ λαοῦ. Ἠκολούθει δὲ τῷ
Ἰησοῦ Σίμων Πέτρος καὶ ἄλλος μαθητής. ὁ δὲ μαθητὴς
ἐκεῖνος ⌜ἦν γνωστὸς⌝ τῷ ἀρχιερεῖ, καὶ συνεισῆλθεν τῷ
16 Ἰησοῦ εἰς τὴν αὐλὴν τοῦ ἀρχιερέως, ὁ δὲ Πέτρος ἱστήκει
πρὸς τῇ θύρᾳ ἔξω. ἐξῆλθεν οὖν ὁ μαθητὴς ὁ ἄλλος ὁ
γνωστὸς τοῦ ἀρχιερέως καὶ εἶπεν τῇ θυρωρῷ καὶ εἰσήγαγεν
17 τὸν Πέτρον. λέγει οὖν τῷ Πέτρῳ ἡ παιδίσκη ἡ θυρωρός
Μὴ καὶ σὺ ἐκ τῶν μαθητῶν εἶ τοῦ ἀνθρώπου τούτου;
18 λέγει ἐκεῖνος Οὐκ εἰμί. ἱστήκεισαν δὲ οἱ δοῦλοι καὶ οἱ
ὑπηρέται ἀνθρακιὰν πεποιηκότες, ὅτι ψῦχος ἦν, καὶ ἐθερ-
μαίνοντο· ἦν δὲ καὶ ὁ Πέτρος μετ᾽ αὐτῶν ἑστὼς καὶ θερ-
19 μαινόμενος. Ὁ οὖν ἀρχιερεὺς ἠρώτησεν τὸν
Ἰησοῦν περὶ τῶν μαθητῶν αὐτοῦ καὶ περὶ τῆς διδαχῆς
20 αὐτοῦ. ἀπεκρίθη αὐτῷ Ἰησοῦς Ἐγὼ παρρησίᾳ λελάληκα
τῷ κόσμῳ· ἐγὼ πάντοτε ἐδίδαξα ἐν συναγωγῇ καὶ ἐν τῷ
ἱερῷ, ὅπου πάντες οἱ Ἰουδαῖοι συνέρχονται, καὶ ἐν κρυπτῷ
21 ἐλάλησα οὐδέν· τί με ἐρωτᾷς; ἐρώτησον τοὺς ἀκηκοότας
22 τί ἐλάλησα αὐτοῖς· ἴδε οὗτοι οἴδασιν ἃ εἶπον ἐγώ. ταῦτα
δὲ αὐτοῦ εἰπόντος εἷς παρεστηκὼς τῶν ὑπηρετῶν ἔδωκεν
ῥάπισμα τῷ Ἰησοῦ εἰπών Οὕτως ἀποκρίνῃ τῷ ἀρχιε-
23 ρεῖ; ἀπεκρίθη αὐτῷ Ἰησοῦς Εἰ κακῶς ἐλάλησα, μαρ-
τύρησον περὶ τοῦ κακοῦ· εἰ δὲ καλῶς, τί με δέρεις;
24 Ἀπέστειλεν οὖν αὐτὸν ὁ Ἄννας δεδεμένον πρὸς Καιάφαν
25 τὸν ἀρχιερέα. Ἦν δὲ Σίμων Πέτρος ἑστὼς
καὶ θερμαινόμενος. εἶπον οὖν αὐτῷ Μὴ καὶ σὺ ἐκ τῶν μα-

15 γνωστὸς ἦν

θητῶν αὐτοῦ εἶ; ἠρνήσατο ἐκεῖνος καὶ εἶπεν Οὐκ εἰμί.
λέγει εἶς ἐκ τῶν δούλων τοῦ ἀρχιερέως, συγγενὴς ὢν οὗ 26
ἀπέκοψεν Πέτρος τὸ ὠτίον Οὐκ ἐγώ σε εἶδον ἐν τῷ κήπῳ
μετ᾽ αὐτοῦ; πάλιν οὖν ἠρνήσατο Πέτρος· καὶ εὐθέως ἀλέ- 27
κτωρ ἐφώνησεν.

Ἄγουσιν οὖν τὸν Ἰησοῦν ἀπὸ τοῦ Καιάφα εἰς τὸ 28
πραιτώριον· ἦν δὲ πρωί· καὶ αὐτοὶ οὐκ εἰσῆλθον εἰς τὸ
πραιτώριον, ἵνα μὴ μιανθῶσιν ἀλλὰ φάγωσιν τὸ πάσχα.
ἐξῆλθεν οὖν ὁ Πειλᾶτος ἔξω πρὸς αὐτοὺς καί φησιν Τίνα 29
κατηγορίαν φέρετε τοῦ ἀνθρώπου τούτου; ἀπεκρίθησαν 30
καὶ εἶπαν αὐτῷ Εἰ μὴ ἦν οὗτος κακὸν ποιῶν, οὐκ ἄν σοι
παρεδώκαμεν αὐτόν. εἶπεν οὖν αὐτοῖς Πειλᾶτος Λάβετε 31
αὐτὸν ὑμεῖς, καὶ κατὰ τὸν νόμον ὑμῶν κρίνατε αὐτόν. εἶπον
αὐτῷ οἱ Ἰουδαῖοι Ἡμῖν οὐκ ἔξεστιν ἀποκτεῖναι οὐδένα·
ἵνα ὁ λόγος τοῦ Ἰησοῦ πληρωθῇ ὃν εἶπεν σημαίνων ποίῳ 32
θανάτῳ ἤμελλεν ἀποθνήσκειν. Εἰσῆλθεν οὖν 33
πάλιν εἰς τὸ πραιτώριον ὁ Πειλᾶτος καὶ ἐφώνησεν τὸν
Ἰησοῦν καὶ εἶπεν αὐτῷ Σὺ εἶ ὁ βασιλεὺς τῶν Ἰουδαίων;
ἀπεκρίθη Ἰησοῦς Ἀπὸ σεαυτοῦ σὺ τοῦτο λέγεις ἢ ἄλλοι 34
εἶπόν σοι περὶ ἐμοῦ; ἀπεκρίθη ὁ Πειλᾶτος Μήτι ἐγὼ 35
Ἰουδαῖός εἰμι; τὸ ἔθνος τὸ σὸν καὶ οἱ ἀρχιερεῖς παρέδωκάν
σε ἐμοί· τί ἐποίησας; ἀπεκρίθη Ἰησοῦς Ἡ βασιλεία ἡ 36
ἐμὴ οὐκ ἔστιν ἐκ τοῦ κόσμου τούτου· εἰ ἐκ τοῦ κόσμου
τούτου ἦν ἡ βασιλεία ἡ ἐμή, οἱ ὑπηρέται οἱ ἐμοὶ ἠγωνί-
ζοντο ἄν, ἵνα μὴ παραδοθῶ τοῖς Ἰουδαίοις· νῦν δὲ ἡ
βασιλεία ἡ ἐμὴ οὐκ ἔστιν ἐντεῦθεν. εἶπεν οὖν αὐτῷ ὁ 37
Πειλᾶτος Οὐκοῦν βασιλεὺς εἶ σύ; ἀπεκρίθη [ὁ] Ἰησοῦς
Σὺ λέγεις ὅτι βασιλεύς ⌜εἰμι.⌝ ἐγὼ εἰς τοῦτο γεγέννημαι
καὶ εἰς τοῦτο ἐλήλυθα εἰς τὸν κόσμον ἵνα μαρτυρήσω τῇ
ἀληθείᾳ· πᾶς ὁ ὢν ἐκ τῆς ἀληθείας ἀκούει μου τῆς φωνῆς.
λέγει αὐτῷ ὁ Πειλᾶτος Τί ἐστιν ἀλήθεια; Καὶ 38
τοῦτο εἰπὼν πάλιν ἐξῆλθεν πρὸς τοὺς Ἰουδαίους, καὶ λέγει
αὐτοῖς Ἐγὼ οὐδεμίαν εὑρίσκω ἐν αὐτῷ αἰτίαν· ἔστιν δὲ 39

37 εἰμι;

συνήθεια ὑμῖν ἵνα ἕνα ἀπολύσω ὑμῖν [ἐν] τῷ πάσχα·
βούλεσθε οὖν ἀπολύσω ὑμῖν τὸν βασιλέα τῶν Ἰουδαίων;
40 ἐκραύγασαν οὖν πάλιν λέγοντες Μὴ τοῦτον ἀλλὰ τὸν
Βαραββᾶν. ἦν δὲ ὁ Βαραββᾶς λῃστής.

1 Τότε οὖν ἔλαβεν ὁ Πειλᾶτος τὸν Ἰησοῦν καὶ ἐμαστί-
2 γωσεν. καὶ οἱ στρατιῶται πλέξαντες στέφανον ἐξ ἀκανθῶν
ἐπέθηκαν αὐτοῦ τῇ κεφαλῇ, καὶ ἱμάτιον πορφυροῦν περιέ-
3 βαλον αὐτόν, καὶ ἤρχοντο πρὸς αὐτὸν καὶ ἔλεγον Χαῖρε,
ὁ βασιλεὺς τῶν Ἰουδαίων· καὶ ἐδίδοσαν αὐτῷ ῥαπίσματα.
4 ⌜Καὶ ἐξῆλθεν⌝ πάλιν ⌜ἔξω ὁ Πειλᾶτος⌝ καὶ λέγει αὐτοῖς Ἴδε
ἄγω ὑμῖν αὐτὸν ἔξω, ἵνα γνῶτε ὅτι οὐδεμίαν αἰτίαν εὑρίσκω
5 ἐν αὐτῷ. ἐξῆλθεν οὖν [ὁ] Ἰησοῦς ἔξω, φορῶν τὸν ἀκάνθι-
νον στέφανον καὶ τὸ πορφυροῦν ἱμάτιον. καὶ λέγει αὐ-
6 τοῖς Ἰδοὺ ὁ ἄνθρωπος. ὅτε οὖν εἶδον αὐτὸν οἱ ἀρχιερεῖς
καὶ οἱ ὑπηρέται ἐκραύγασαν λέγοντες Σταύρωσον σταύ-
ρωσον. λέγει αὐτοῖς ὁ Πειλᾶτος Λάβετε αὐτὸν ὑμεῖς
καὶ σταυρώσατε, ἐγὼ γὰρ οὐχ εὑρίσκω ἐν αὐτῷ αἰτίαν.
7 ἀπεκρίθησαν αὐτῷ οἱ Ἰουδαῖοι Ἡμεῖς νόμον ἔχομεν,
καὶ κατὰ τὸν νόμον ὀφείλει ἀποθανεῖν, ὅτι υἱὸν θεοῦ
8 ἑαυτὸν ἐποίησεν. Ὅτε οὖν ἤκουσεν ὁ Πειλᾶτος τοῦτον
9 τὸν λόγον, μᾶλλον ἐφοβήθη, καὶ εἰσῆλθεν εἰς τὸ πραι-
τώριον πάλιν καὶ λέγει τῷ Ἰησοῦ Πόθεν εἶ σύ; ὁ δὲ
10 Ἰησοῦς ἀπόκρισιν οὐκ ἔδωκεν αὐτῷ. λέγει οὖν αὐτῷ ὁ
Πειλᾶτος Ἐμοὶ οὐ λαλεῖς; οὐκ οἶδας ὅτι ἐξουσίαν ἔχω
11 ἀπολῦσαί σε καὶ ἐξουσίαν ἔχω σταυρῶσαί σε; ἀπεκρίθη
αὐτῷ Ἰησοῦς Οὐκ εἶχες ἐξουσίαν κατ᾽ ἐμοῦ οὐδεμίαν εἰ μὴ
ἦν δεδομένον σοι ἄνωθεν· διὰ τοῦτο ὁ παραδούς μέ σοι
12 μείζονα ἁμαρτίαν ἔχει. ἐκ τούτου ὁ Πειλᾶτος ἐζήτει ἀπο-
λῦσαι αὐτόν· οἱ δὲ Ἰουδαῖοι ἐκραύγασαν λέγοντες Ἐὰν
τοῦτον ἀπολύσῃς, οὐκ εἶ φίλος τοῦ Καίσαρος· πᾶς ὁ
13 βασιλέα ἑαυτὸν ποιῶν ἀντιλέγει τῷ Καίσαρι. Ὁ οὖν
Πειλᾶτος ἀκούσας τῶν λόγων τούτων ἤγαγεν ἔξω τὸν
Ἰησοῦν, καὶ ἐκάθισεν ἐπὶ βήματος εἰς τόπον λεγόμενον

4 Ἐξῆλθεν | ὁ Πειλᾶτος ἔξω

Λιθόστρωτον, Ἑβραϊστὶ δὲ Ταββαθά. ἦν δὲ παρα- 14
σκευὴ τοῦ πάσχα, ὥρα ἦν ὡς ἕκτη. καὶ λέγει τοῖς Ἰου-
δαίοις Ἴδε ὁ βασιλεὺς ὑμῶν. ἐκραύγασαν οὖν ἐκεῖνοι 15
Ἆρον ἆρον, σταύρωσον αὐτόν. λέγει αὐτοῖς ὁ Πειλᾶτος
Τὸν βασιλέα ὑμῶν σταυρώσω; ἀπεκρίθησαν οἱ ἀρχιερεῖς
Οὐκ ἔχομεν βασιλέα εἰ μὴ Καίσαρα. τότε οὖν παρέδωκεν 16
αὐτὸν αὐτοῖς ἵνα σταυρωθῇ.

Παρέλαβον οὖν τὸν Ἰησοῦν· καὶ βαστάζων αὐτῷ 17
τὸν σταυρὸν ἐξῆλθεν εἰς τὸν λεγόμενον Κρανίου Τόπον,
ὃ λέγεται Ἑβραϊστὶ Γολγοθᾶ, ὅπου αὐτὸν ἐσταύρωσαν, 18
καὶ μετ᾽ αὐτοῦ ἄλλους δύο ἐντεῦθεν καὶ ἐντεῦθεν, μέσον δὲ
τὸν Ἰησοῦν. ἔγραψεν δὲ καὶ τίτλον ὁ Πειλᾶτος καὶ 19
ἔθηκεν ἐπὶ τοῦ σταυροῦ· ἦν δὲ γεγραμμένον ΙΗΣΟΥΣ
Ο ΝΑΖΩΡΑΙΟΣ Ο ΒΑΣΙΛΕΥΣ ΤΩΝ ΙΟΥΔΑΙΩΝ.
τοῦτον οὖν τὸν τίτλον πολλοὶ ἀνέγνωσαν τῶν Ἰουδαίων, 20
ὅτι ἐγγὺς ἦν ὁ τόπος τῆς πόλεως ὅπου ἐσταυρώθη ὁ
Ἰησοῦς· καὶ ἦν γεγραμμένον Ἑβραϊστί, Ῥωμαϊστί, Ἑλλη-
νιστί. ἔλεγον οὖν τῷ Πειλάτῳ οἱ ἀρχιερεῖς τῶν Ἰου- 21
δαίων Μὴ γράφε Ὁ βασιλεὺς τῶν Ἰουδαίων, ἀλλ᾽ ὅτι
ἐκεῖνος εἶπεν Βασιλεὺς τῶν Ἰουδαίων εἰμί. ἀπεκρίθη ὁ 22
Πειλᾶτος Ὃ γέγραφα γέγραφα.

Οἱ οὖν στρατιῶται ὅτε ἐσταύρωσαν τὸν Ἰησοῦν ἔλα- 23
βον τὰ ἱμάτια αὐτοῦ καὶ ἐποίησαν τέσσερα μέρη, ἑκάστῳ
στρατιώτῃ μέρος, καὶ τὸν χιτῶνα. ἦν δὲ ὁ χιτὼν ἄραφος,
ἐκ τῶν ἄνωθεν ὑφαντὸς δι᾽ ὅλου· εἶπαν οὖν πρὸς ἀλλή- 24
λους Μὴ σχίσωμεν αὐτόν, ἀλλὰ λάχωμεν περὶ αὐτοῦ
τίνος ἔσται· ἵνα ἡ γραφὴ πληρωθῇ

Διεμερίσαντο τὰ ἱμάτιά μου ἑαγτοῖς
καὶ ἐπὶ τὸν ἱματισμόν μου ἔβαλον κλῆρον.

Οἱ μὲν οὖν στρατιῶται ταῦτα ἐποίησαν· ἱστήκεισαν δὲ 25
παρὰ τῷ σταυρῷ τοῦ Ἰησοῦ ἡ μήτηρ αὐτοῦ καὶ ἡ ἀδελφὴ
τῆς μητρὸς αὐτοῦ, Μαρία ἡ τοῦ Κλωπᾶ καὶ Μαρία ἡ
Μαγδαληνή. Ἰησοῦς οὖν ἰδὼν τὴν μητέρα καὶ τὸν μαθητὴν 26

17 Γολγόθ

παρεστῶτα ὃν ἠγάπα λέγει τῇ μητρί Γύναι, ἴδε ὁ υἱός
27 σου· εἶτα λέγει τῷ μαθητῇ Ἴδε ἡ μήτηρ σου. καὶ ἀπ᾽ ἐκεί-
νης τῆς ὥρας ἔλαβεν ὁ μαθητὴς αὐτὴν εἰς τὰ ἴδια.

28 Μετὰ τοῦτο ⌜εἰδὼς ὁ Ἰησοῦς⌝ ὅτι ἤδη πάντα τετέλεσται
29 ἵνα τελειωθῇ ἡ γραφὴ λέγει Διψῶ. σκεῦος ἔκειτο ὄξους
μεστόν· σπόγγον οὖν μεστὸν τοῦ ὄξους ὑσσώπῳ περιθέν-
30 τες προσήνεγκαν αὐτοῦ τῷ στόματι. ὅτε οὖν ἔλαβεν τὸ
ὄξος [ὁ] Ἰησοῦς εἶπεν Τετέλεσται, καὶ κλίνας τὴν κεφα-
31 λὴν παρέδωκεν τὸ πνεῦμα. Οἱ οὖν Ἰουδαῖοι,
ἐπεὶ παρασκευὴ ἦν, ἵνα μὴ μείνῃ ἐπὶ τοῦ σταυροῦ τὰ σώ-
ματα ἐν τῷ σαββάτῳ, ἦν γὰρ μεγάλη ἡ ἡμέρα ⌜ἐκείνου⌝ τοῦ
σαββάτου, ἠρώτησαν τὸν Πειλᾶτον ἵνα κατεαγῶσιν αὐτῶν
32 τὰ σκέλη καὶ ἀρθῶσιν. ἦλθον οὖν οἱ στρατιῶται, καὶ
τοῦ μὲν πρώτου κατέαξαν τὰ σκέλη καὶ τοῦ ἄλλου τοῦ
33 συνσταυρωθέντος αὐτῷ· ἐπὶ δὲ τὸν Ἰησοῦν ἐλθόντες, ὡς
εἶδον ἤδη αὐτὸν τεθνηκότα, οὐ κατέαξαν αὐτοῦ τὰ σκέλη,
34 ἀλλ᾽ εἷς τῶν στρατιωτῶν λόγχῃ αὐτοῦ τὴν πλευρὰν ἔνυξεν,
35 καὶ ἐξῆλθεν εὐθὺς αἷμα καὶ ὕδωρ. καὶ ὁ ἑωρακὼς μεμαρ-
τύρηκεν, καὶ ἀληθινὴ αὐτοῦ ἐστιν ἡ μαρτυρία, καὶ ἐκεῖνος
36 οἶδεν ὅτι ἀληθῆ λέγει, ἵνα καὶ ὑμεῖς πιστεύητε. ἐγένετο
γὰρ ταῦτα ἵνα ἡ γραφὴ πληρωθῇ Ὀστοῦν οὐ συντρι-
37 βήσεται αὐτοῦ. καὶ πάλιν ἑτέρα γραφὴ λέγει Ὄψον-
ται εἰς ὃν ἐξεκέντησαν.

38 Μετὰ δὲ ταῦτα ἠρώτησεν τὸν Πειλᾶτον Ἰωσὴφ ἀπὸ
Ἁριμαθαίας, ὢν μαθητὴς [τοῦ] Ἰησοῦ κεκρυμμένος δὲ διὰ
τὸν φόβον τῶν Ἰουδαίων, ἵνα ἄρῃ τὸ σῶμα τοῦ Ἰησοῦ·
καὶ ἐπέτρεψεν ὁ Πειλᾶτος. ἦλθεν οὖν καὶ ἦρεν τὸ σῶμα
39 αὐτοῦ. ἦλθεν δὲ καὶ Νικόδημος, ὁ ἐλθὼν πρὸς αὐτὸν
νυκτὸς τὸ πρῶτον, φέρων ⌜ἕλιγμα⌝ σμύρνης καὶ ἀλόης ὡς
40 λίτρας ἑκατόν. ἔλαβον οὖν τὸ σῶμα τοῦ Ἰησοῦ καὶ
ἔδησαν αὐτὸ ὀθονίοις μετὰ τῶν ἀρωμάτων, καθὼς ἔθος
41 ἐστὶν τοῖς Ἰουδαίοις ἐνταφιάζειν. ἦν δὲ ἐν τῷ τόπῳ ὅπου
ἐσταυρώθη κῆπος, καὶ ἐν τῷ κήπῳ μνημεῖον καινόν, ἐν

28 Ἰησοῦς εἰδὼς   31 ἐκείνη   39 μίγμα

ᾧ οὐδέπω οὐδεὶς ἦν τεθειμένος· ἐκεῖ οὖν διὰ τὴν παρα- 42
σκευὴν τῶν Ἰουδαίων, ὅτι ἐγγὺς ἦν τὸ μνημεῖον, ἔθηκαν
τὸν Ἰησοῦν.

Τῇ δὲ μιᾷ τῶν σαββάτων Μαρία ἡ Μαγδαληνὴ ἔρ- 1
χεται πρωὶ σκοτίας ἔτι οὔσης εἰς τὸ μνημεῖον, καὶ βλέπει
τὸν λίθον ἠρμένον ἐκ τοῦ μνημείου. τρέχει οὖν καὶ ἔρ- 2
χεται πρὸς Σίμωνα Πέτρον καὶ πρὸς τὸν ἄλλον μαθητὴν
ὃν ἐφίλει ὁ Ἰησοῦς, καὶ λέγει αὐτοῖς Ἦραν τὸν κύ-
ριον ἐκ τοῦ μνημείου, καὶ οὐκ οἴδαμεν ποῦ ἔθηκαν αὐ-
τόν. Ἐξῆλθεν οὖν ὁ Πέτρος καὶ ὁ ἄλλος μα- 3
θητής, καὶ ἤρχοντο εἰς τὸ μνημεῖον. ἔτρεχον δὲ οἱ δύο 4
ὁμοῦ· καὶ ὁ ἄλλος μαθητὴς προέδραμεν τάχειον τοῦ
Πέτρου καὶ ἦλθεν πρῶτος εἰς τὸ μνημεῖον, καὶ παρακύψας 5
βλέπει κείμενα τὰ ὀθόνια, οὐ μέντοι εἰσῆλθεν. ἔρχεται 6
οὖν καὶ Σίμων Πέτρος ἀκολουθῶν αὐτῷ, καὶ εἰσῆλθεν εἰς
τὸ μνημεῖον· καὶ θεωρεῖ τὰ ὀθόνια κείμενα, καὶ τὸ σου- 7
δάριον, ὃ ἦν ἐπὶ τῆς κεφαλῆς αὐτοῦ, οὐ μετὰ τῶν ὀθονίων
κείμενον ἀλλὰ χωρὶς ἐντετυλιγμένον εἰς ἕνα τόπον· τότε 8
οὖν εἰσῆλθεν καὶ ὁ ἄλλος μαθητὴς ὁ ἐλθὼν πρῶτος εἰς τὸ
μνημεῖον, καὶ εἶδεν καὶ ἐπίστευσεν· οὐδέπω γὰρ ᾔδεισαν 9
τὴν γραφὴν ὅτι δεῖ αὐτὸν ἐκ νεκρῶν ἀναστῆναι. ἀπῆλθον 10
οὖν πάλιν πρὸς αὐτοὺς οἱ μαθηταί. Μαρία δὲ 11
ἱστήκει πρὸς τῷ μνημείῳ ἔξω κλαίουσα. ὡς οὖν ἔκλαιεν
παρέκυψεν εἰς τὸ μνημεῖον, καὶ θεωρεῖ δύο ἀγγέλους ἐν 12
λευκοῖς καθεζομένους, ἕνα πρὸς τῇ κεφαλῇ καὶ ἕνα πρὸς
τοῖς ποσίν, ὅπου ἔκειτο τὸ σῶμα τοῦ Ἰησοῦ. καὶ λέγουσιν 13
αὐτῇ ἐκεῖνοι Γύναι, τί κλαίεις; λέγει αὐτοῖς ⌈ὅτι Ἦραν⌉
τὸν κύριόν μου, καὶ οὐκ οἶδα ποῦ ἔθηκαν αὐτόν. ταῦτα 14
εἰποῦσα ἐστράφη εἰς τὰ ὀπίσω, καὶ θεωρεῖ τὸν Ἰησοῦν
ἑστῶτα, καὶ οὐκ ᾔδει ὅτι Ἰησοῦς ἐστίν. λέγει αὐτῇ Ἰη- 15
σοῦς Γύναι, τί κλαίεις; τίνα ζητεῖς; ἐκείνη δοκοῦσα ὅτι
ὁ κηπουρός ἐστιν λέγει αὐτῷ Κύριε, εἰ σὺ ἐβάστασας
αὐτόν, εἰπέ μοι ποῦ ἔθηκας αὐτόν, κἀγὼ αὐτὸν ἀρῶ. λέγει 16

13 Ὅτι ἦραν

αὐτῇ Ἰησοῦς Μαριάμ. στραφεῖσα ἐκείνη λέγει αὐτῷ
17 Ἑβραϊστί Ῥαββουνεί (ὃ λέγεται Διδάσκαλε). λέγει
αὐτῇ Ἰησοῦς ⌜Μή μου ἅπτου⌝, οὔπω γὰρ ἀναβέβηκα πρὸς
τὸν πατέρα· πορεύου δὲ πρὸς τοὺς ἀδελφούς μου καὶ
εἰπὲ αὐτοῖς Ἀναβαίνω πρὸς τὸν πατέρα μου καὶ πατέρα
18 ὑμῶν καὶ θεόν μου καὶ θεὸν ὑμῶν. ἔρχεται Μαριὰμ ἡ
Μαγδαληνὴ ἀγγέλλουσα τοῖς μαθηταῖς ὅτι Ἑώρακα τὸν
κύριον καὶ ταῦτα εἶπεν αὐτῇ.

19 Οὔσης οὖν ὀψίας τῇ ἡμέρᾳ ἐκείνῃ τῇ μιᾷ σαββάτων,
καὶ τῶν θυρῶν κεκλεισμένων ὅπου ἦσαν οἱ μαθηταὶ διὰ τὸν
φόβον τῶν Ἰουδαίων, ἦλθεν ὁ Ἰησοῦς καὶ ἔστη εἰς τὸ
20 μέσον, καὶ λέγει αὐτοῖς Εἰρήνη ὑμῖν. καὶ τοῦτο εἰπὼν
ἔδειξεν καὶ τὰς χεῖρας καὶ τὴν πλευρὰν αὐτοῖς. ἐχάρησαν
21 οὖν οἱ μαθηταὶ ἰδόντες τὸν κύριον. εἶπεν οὖν αὐτοῖς [ὁ
Ἰησοῦς] πάλιν Εἰρήνη ὑμῖν· καθὼς ἀπέσταλκέν με ὁ
22 πατήρ, κἀγὼ πέμπω ὑμᾶς. καὶ τοῦτο εἰπὼν ἐνεφύσησεν
23 καὶ λέγει αὐτοῖς Λάβετε πνεῦμα ἅγιον· ἄν ⌜τινων ἀφῆτε
τὰς ἁμαρτίας ⌜ἀφέωνται⌝ αὐτοῖς· ἄν τινων⌝ κρατῆτε κεκρά-
τηνται.

24 Θωμᾶς δὲ εἷς ἐκ τῶν δώδεκα, ὁ λεγόμενος Δίδυμος,
25 οὐκ ἦν μετ' αὐτῶν ὅτε ἦλθεν Ἰησοῦς. ἔλεγον οὖν αὐτῷ
οἱ ἄλλοι μαθηταί Ἑωράκαμεν τὸν κύριον. ὁ δὲ εἶπεν
αὐτοῖς Ἐὰν μὴ ἴδω ἐν ταῖς χερσὶν αὐτοῦ τὸν τύπον τῶν
ἥλων καὶ βάλω τὸν δάκτυλόν μου εἰς τὸν τύπον τῶν ἥλων
καὶ βάλω μου τὴν χεῖρα εἰς τὴν πλευρὰν αὐτοῦ, οὐ μὴ
26 πιστεύσω. Καὶ μεθ' ἡμέρας ὀκτὼ πάλιν ἦσαν
ἔσω οἱ μαθηταὶ αὐτοῦ καὶ Θωμᾶς μετ' αὐτῶν. ἔρχεται ὁ
Ἰησοῦς τῶν θυρῶν κεκλεισμένων, καὶ ἔστη εἰς τὸ μέσον
27 καὶ εἶπεν Εἰρήνη ὑμῖν. εἶτα λέγει τῷ Θωμᾷ Φέρε
τὸν δάκτυλόν σου ὧδε καὶ ἴδε τὰς χεῖράς μου, καὶ φέρε
τὴν χεῖρά σου καὶ βάλε εἰς τὴν πλευράν μου, καὶ μὴ γί-
28 νου ἄπιστος ἀλλὰ πιστός. ἀπεκρίθη Θωμᾶς καὶ εἶπεν
29 αὐτῷ Ὁ κύριός μου καὶ ὁ θεός μου. λέγει αὐτῷ [ὁ] Ἰη-

17 Μὴ ἅπτου μου   23 τινος...τινος | ἀφίονται

σοῦς Ὅτι ἑώρακάς με πεπίστευκας; μακάριοι οἱ μὴ
ἰδόντες καὶ πιστεύσαντες.

Πολλὰ μὲν οὖν καὶ ἄλλα σημεῖα ἐποίησεν ὁ Ἰησοῦς 30
ἐνώπιον τῶν μαθητῶνᵀ, ἃ οὐκ ἔστιν γεγραμμένα ἐν τῷ
βιβλίῳ τούτῳ· ταῦτα δὲ γέγραπται ἵνα πιστεύητε ὅτι Ἰη- 31
σοῦς ἐστὶν ὁ χριστὸς ὁ υἱὸς τοῦ θεοῦ, καὶ ἵνα πιστεύοντες
ζωὴν ἔχητε ἐν τῷ ὀνόματι αὐτοῦ.

ΜΕΤΑ ΤΑΥΤΑ ἐφανέρωσεν ἑαυτὸν πάλιν Ἰησοῦς 1
τοῖς μαθηταῖς ἐπὶ τῆς θαλάσσης τῆς Τιβεριάδος· ἐφανέ-
ρωσεν δὲ οὕτως. Ἦσαν ὁμοῦ Σίμων Πέτρος καὶ Θω- 2
μᾶς ὁ λεγόμενος Δίδυμος καὶ Ναθαναὴλ ὁ ἀπὸ Κανὰ τῆς
Γαλιλαίας καὶ οἱ τοῦ Ζεβεδαίου καὶ ἄλλοι ἐκ τῶν μαθητῶν
αὐτοῦ δύο. λέγει αὐτοῖς Σίμων Πέτρος Ὑπάγω ἁλιεύειν· 3
λέγουσιν αὐτῷ Ἐρχόμεθα καὶ ἡμεῖς σὺν σοί. ἐξῆλθαν
καὶ ἐνέβησαν εἰς τὸ πλοῖον, καὶ ἐν ἐκείνῃ τῇ νυκτὶ ἐπίασαν
οὐδέν. πρωίας δὲ ἤδη γινομένης ἔστη Ἰησοῦς ⌜εἰς⌝ τὸν 4
αἰγιαλόν· οὐ μέντοι ᾔδεισαν οἱ μαθηταὶ ὅτι Ἰησοῦς ἐστίν.
λέγει οὖν αὐτοῖς Ἰησοῦς Παιδία, μή τι προσφάγιον ἔχε- 5
τε; ἀπεκρίθησαν αὐτῷ Οὔ. ὁ δὲ εἶπεν αὐτοῖς Βάλετε 6
εἰς τὰ δεξιὰ μέρη τοῦ πλοίου τὸ δίκτυον, καὶ εὑρήσετε.
ἔβαλον οὖν, καὶ οὐκέτι αὐτὸ ἑλκύσαι ἴσχυον ἀπὸ τοῦ πλή-
θους τῶν ἰχθύων. λέγει οὖν ὁ μαθητὴς ἐκεῖνος ὃν ἠγάπα 7
ὁ Ἰησοῦς τῷ Πέτρῳ Ὁ κύριός ἐστιν.   Σίμων οὖν Πέτρος,
ἀκούσας ὅτι ὁ κύριός ἐστιν, τὸν ἐπενδύτην διεζώσατο, ἦν
γὰρ γυμνός, καὶ ἔβαλεν ἑαυτὸν εἰς τὴν θάλασσαν· οἱ δὲ 8
ἄλλοι μαθηταὶ τῷ πλοιαρίῳ ἦλθον, οὐ γὰρ ἦσαν μακρὰν
ἀπὸ τῆς γῆς ἀλλὰ ὡς ἀπὸ πηχῶν διακοσίων, σύροντες τὸ
δίκτυον τῶν ἰχθύων. Ὡς οὖν ἀπέβησαν εἰς τὴν γῆν βλέ- 9
πουσιν ἀνθρακιὰν κειμένην καὶ ὀψάριον ἐπικείμενον καὶ

30 αὐτοῦ   4 ἐπὶ

10 ἄρτον. λέγει αὐτοῖς [ὁ] Ἰησοῦς Ἐνέγκατε ἀπὸ τῶν
11 ὀψαρίων ὧν ἐπιάσατε νῦν. ἀνέβη οὖν Σίμων Πέτρος καὶ
εἵλκυσεν τὸ δίκτυον εἰς τὴν γῆν μεστὸν ἰχθύων μεγάλων
ἑκατὸν πεντήκοντα τριῶν· καὶ τοσούτων ὄντων οὐκ ἐσχίσθη
12 τὸ δίκτυον. λέγει αὐτοῖς [ὁ] Ἰησοῦς Δεῦτε ἀριστήσατε.
οὐδεὶς ἐτόλμα τῶν μαθητῶν ἐξετάσαι αὐτόν Σὺ τίς εἶ;
13 εἰδότες ὅτι ὁ κύριός ἐστιν. ἔρχεται Ἰησοῦς καὶ λαμβάνει
14 τὸν ἄρτον καὶ δίδωσιν αὐτοῖς, καὶ τὸ ὀψάριον ὁμοίως. Τοῦ-
το ἤδη τρίτον ἐφανερώθη Ἰησοῦς τοῖς μαθηταῖς ἐγερθεὶς
ἐκ νεκρῶν.
15 Ὅτε οὖν ἠρίστησαν λέγει τῷ Σίμωνι Πέτρῳ ὁ Ἰη-
σοῦς Σίμων Ἰωάνου, ἀγαπᾷς με πλέον τούτων· λέγει
αὐτῷ Ναί, κύριε, σὺ οἶδας ὅτι φιλῶ σε. λέγει αὐτῷ
16 Βόσκε τὰ ἀρνία μου. λέγει αὐτῷ πάλιν δεύτερον Σίμων
Ἰωάνου, ἀγαπᾷς με; λέγει αὐτῷ Ναί, κύριε, σὺ οἶδας
ὅτι φιλῶ σε. λέγει αὐτῷ Ποίμαινε τὰ ⌜προβάτιά⌝ μου.
17 λέγει αὐτῷ τὸ τρίτον Σίμων Ἰωάνου, φιλεῖς με; ἐλυπήθη
ὁ Πέτρος ὅτι εἶπεν αὐτῷ τὸ τρίτον Φιλεῖς με; καὶ εἶπεν
αὐτῷ Κύριε, πάντα σὺ οἶδας, σὺ γινώσκεις ὅτι φιλῶ σε.
18 λέγει αὐτῷ Ἰησοῦς Βόσκε τὰ ⌜προβάτιά⌝ μου. ἀμὴν ἀμὴν
λέγω σοι, ὅτε ἦς νεώτερος, ἐζώννυες σεαυτὸν καὶ περιε-
πάτεις ὅπου ἤθελες· ὅταν δὲ γηράσῃς, ἐκτενεῖς τὰς χεῖράς
19 σου, καὶ ἄλλος ζώσει σε καὶ οἴσει ὅπου οὐ θέλεις. τοῦτο
δὲ εἶπεν σημαίνων ποίῳ θανάτῳ δοξάσει τὸν θεόν. καὶ
20 τοῦτο εἰπὼν λέγει αὐτῷ Ἀκολούθει μοι. Ἐπι-
στραφεὶς ὁ Πέτρος βλέπει τὸν μαθητὴν ὃν ἠγάπα ὁ
Ἰησοῦς ἀκολουθοῦντα, ὃς καὶ ἀνέπεσεν ἐν τῷ δείπνῳ ἐπὶ τὸ
στῆθος αὐτοῦ καὶ εἶπεν Κύριε, τίς ἐστιν ὁ παραδιδούς σε;
21 τοῦτον οὖν ἰδὼν ὁ Πέτρος λέγει τῷ Ἰησοῦ Κύριε, οὗτος δὲ
22 τί; λέγει αὐτῷ ὁ Ἰησοῦς Ἐὰν αὐτὸν θέλω μένειν ἕως
23 ἔρχομαι, τί πρὸς σέ; σύ μοι ἀκολουθει Ἐξῆλθεν οὖν
οὗτος ὁ λόγος εἰς τοὺς ἀδελφοὺς ὅτι ὁ μαθητὴς ἐκεῖνος
οὐκ ἀποθνήσκει. οὐκ εἶπεν δὲ αὐτῷ ὁ Ἰησοῦς ὅτι οὐκ ἀ-

16 πρόβατά   17 πρόβατά

ποθνήσκει, ἀλλ᾽   Ἐὰν αὐτὸν θέλω μένειν ἕως ἔρχομαι,
τί πρὸς σέ ;

Οὗτός ἐστιν ὁ μαθητὴς ὁ ⸆ μαρτυρῶν περὶ τούτων ⸂καὶ 24
ὁ⸃ γράψας ταῦτα, καὶ οἴδαμεν ὅτι ἀληθὴς αὐτοῦ ἡ μαρτυρία
ἐστίν.

Ἔστιν δὲ καὶ ἄλλα πολλὰ ἃ ἐποίησεν ὁ Ἰησοῦς, ἅτινα 25
ἐὰν γράφηται καθ᾽ ἕν, οὐδ᾽ αὐτὸν οἶμαι τὸν κόσμον χωρή-
σειν τὰ γραφόμενα βιβλία.

24 καὶ | [ὁ] καὶ

ΠΕΡΙ ΜΟΙΧΑΛΙΔΟΣ ΠΕΡΙΚΟΠΗ

53 ⟦ΚΑΙ ΕΠΟΡΕΥΘΗΣΑΝ ἕκαστος εἰς τὸν οἶκον αὐτοῦ,
1
2 Ἰησοῦς δὲ ἐπορεύθη εἰς τὸ Ὄρος τῶν Ἐλαιῶν. Ὄρθρου
δὲ πάλιν ⌜παρεγένετο⌝ εἰς τὸ ἱερόν⌞, καὶ πᾶς ὁ λαὸς ἤρχετο
3 πρὸς αὐτόν, καὶ καθίσας ἐδίδασκεν αὐτούς⌟. Ἄγουσιν δὲ
οἱ γραμματεῖς καὶ οἱ Φαρισαῖοι ⌜γυναῖκα ἐπὶ μοιχείᾳ⌝ κατει-
4 λημμένην, καὶ στήσαντες αὐτὴν ἐν μέσῳ ⌜λέγουσιν⌝ αὐτῷ
Διδάσκαλε, αὕτη ἡ γυνὴ ⌜κατείληπται⌝ ἐπ' αὐτοφώρῳ μοι-
5 χευομένη· ἐν δὲ τῷ νόμῳ [ἡμῖν] Μωυσῆς ἐνετείλατο τὰς
6 τοιαύτας λιθάζειν· σὺ ⌜οὖν⌝ τί λέγεις; [τοῦτο δὲ ἔλεγον
πειράζοντες αὐτόν, ἵνα ἔχωσιν κατηγορεῖν αὐτοῦ.] ὁ δὲ
Ἰησοῦς κάτω κύψας τῷ δακτύλῳ ⌜κατέγραφεν⌝ εἰς τὴν γῆν.
7 ὡς δὲ ἐπέμενον ἐρωτῶντες [αὐτόν], ἀνέκυψεν καὶ εἶπεν
[αὐτοῖς] Ὁ ἀναμάρτητος ὑμῶν πρῶτος ἐπ' αὐτὴν ⌜βαλέτω
8 λίθον⌝· καὶ πάλιν ⌜κατακύψας⌝ ἔγραφεν εἰς τὴν γῆν.
9 οἱ δὲ ἀκούσαντες ἐξήρχοντο εἷς καθ' εἷς ἀρξάμενοι ἀπὸ τῶν
πρεσβυτέρων⌝, καὶ κατελείφθη μόνος⌝, καὶ ἡ γυνὴ ἐν μέσῳ
10 οὖσα. ἀνακύψας δὲ ὁ Ἰησοῦς εἶπεν ⌜αὐτῇ Γύναι, ποῦ⌝
11 εἰσίν; οὐδείς σε κατέκρινεν; ἡ δὲ εἶπεν Οὐδείς, κύριε.
εἶπεν δὲ ὁ Ἰησοῦς Οὐδὲ ἐγώ σε κατακρίνω· πορεύου,
ἀπὸ τοῦ νῦν μηκέτι ἁμάρτανε.⟧

2 ἦλθεν   3 ἐπὶ ἁμαρτίᾳ γυναῖκα   4 εἶπον | εἴληπται   5 δὲ | περὶ
αὐτῆς   6 ἔγραφεν   7 [τὸν] λίθον βαλέτω   8 κάτω κύψας | τῷ δακτύλῳ
9 †...† | ὁ Ἰησοῦς   10 τῇ γυναικί Ποῦ

ΠΡΑΞΕΙΣ ΑΠΟΣΤΟΛΩΝ

ΠΡΑΞΕΙΣ ΑΠΟΣΤΟΛΩΝ

1 ΤΟΝ ΜΕΝ ΠΡΩΤΟΝ ΛΟΓΟΝ ἐποιησάμην περὶ
πάντων, ὦ Θεόφιλε, ὧν ἤρξατο Ἰησοῦς ποιεῖν τε καὶ
2 διδάσκειν ἄχρι ἧς ἡμέρας ἐντειλάμενος τοῖς ἀποστόλοις διὰ
3 πνεύματος ἁγίου οὓς ἐξελέξατο ἀνελήμφθη· οἷς καὶ παρέ-
στησεν ἑαυτὸν ζῶντα μετὰ τὸ παθεῖν αὐτὸν ἐν πολλοῖς
τεκμηρίοις, δι᾽ ἡμερῶν τεσσεράκοντα ὀπτανόμενος αὐτοῖς
4 καὶ λέγων τὰ περὶ τῆς βασιλείας τοῦ θεοῦ. καὶ συναλι-
ζόμενος παρήγγειλεν αὐτοῖς ἀπὸ Ἱεροσολύμων μὴ χωρί-
ζεσθαι, ἀλλὰ περιμένειν τὴν ἐπαγγελίαν τοῦ πατρὸς ἣν
5 ἠκούσατέ μου· ὅτι Ἰωάνης μὲν ἐβάπτισεν ὕδατι, ὑμεῖς δὲ
ἐν πνεύματι βαπτισθήσεσθε ἁγίῳ οὐ μετὰ πολλὰς ταύτας
6 ἡμέρας.   Οἱ μὲν οὖν συνελθόντες ἠρώτων αὐτὸν
λέγοντες Κύριε, εἰ ἐν τῷ χρόνῳ τούτῳ ἀποκαθιστάνεις τὴν
7 βασιλείαν τῷ Ἰσραήλ; εἶπεν πρὸς αὐτούς Οὐχ ὑμῶν
ἐστιν γνῶναι χρόνους ἢ καιροὺς οὓς ὁ πατὴρ ἔθετο ἐν τῇ
8 ἰδίᾳ ἐξουσίᾳ, ἀλλὰ λήμψεσθε δύναμιν ἐπελθόντος τοῦ ἁγίου
πνεύματος ἐφ᾽ ὑμᾶς, καὶ ἔσεσθέ μου μάρτυρες ἔν τε Ἰερου-
σαλὴμ καὶ [ἐν] πάσῃ τῇ Ἰουδαίᾳ καὶ Σαμαρίᾳ καὶ ἕως
9 ἐσχάτου τῆς γῆς. καὶ ταῦτα εἰπὼν βλεπόντων αὐτῶν
ἐπήρθη, καὶ νεφέλη ὑπέλαβεν αὐτὸν ἀπὸ τῶν ὀφθαλμῶν
10 αὐτῶν. καὶ ὡς ἀτενίζοντες ἦσαν εἰς τὸν οὐρανὸν πορευο-
μένου αὐτοῦ, καὶ ἰδοὺ ἄνδρες δύο παριστήκεισαν αὐτοῖς ἐν

ἐσθήσεσι λευκαῖς, οἳ καὶ εἶπαν Ἄνδρες Γαλιλαῖοι, τί ἑστή- 11
κατε βλέποντες εἰς τὸν οὐρανόν; οὗτος ὁ Ἰησοῦς ὁ ἀναλημ-
φθεὶς ἀφ᾽ ὑμῶν εἰς τὸν οὐρανὸν οὕτως ἐλεύσεται ὃν τρό-
πον ἐθεάσασθε αὐτὸν πορευόμενον εἰς τὸν οὐρανόν. Τότε 12
ὑπέστρεψαν εἰς Ἰερουσαλὴμ ἀπὸ ὄρους τοῦ καλουμένου
Ἐλαιῶνος, ὅ ἐστιν ἐγγὺς Ἰερουσαλὴμ σαββάτου ἔχον
ὁδόν. Καὶ ὅτε εἰσῆλθον, εἰς τὸ ὑπερῷον ἀνέβη- 13
σαν οὗ ἦσαν καταμένοντες, ὅ τε Πέτρος καὶ Ἰωάνης καὶ Ἰά-
κωβος καὶ Ἀνδρέας, Φίλιππος καὶ Θωμᾶς, Βαρθολομαῖος
καὶ Μαθθαῖος, Ἰάκωβος Ἀλφαίου καὶ Σίμων ὁ ζηλωτὴς
καὶ Ἰούδας Ἰακώβου. οὗτοι πάντες ἦσαν προσκαρτεροῦντες 14
ὁμοθυμαδὸν τῇ προσευχῇ σὺν γυναιξὶν καὶ Μαριὰμ τῇ
μητρὶ [τοῦ] Ἰησοῦ καὶ σὺν τοῖς ἀδελφοῖς αὐτοῦ.

ΚΑΙ ΕΝ ΤΑΙΣ ΗΜΕΡΑΙΣ ταύταις ἀναστὰς Πέτρος 15
ἐν μέσῳ τῶν ἀδελφῶν εἶπεν (ἦν τε ὄχλος ὀνομάτων ἐπὶ τὸ
αὐτὸ ὡς ἑκατὸν εἴκοσι) Ἄνδρες ἀδελφοί, ἔδει πληρωθῆναι 16
τὴν γραφὴν ἣν προεῖπε τὸ πνεῦμα τὸ ἅγιον διὰ στόματος
Δαυεὶδ περὶ Ἰούδα τοῦ γενομένου ὁδηγοῦ τοῖς συλλαβοῦσιν
Ἰησοῦν, ὅτι κατηριθμημένος ἦν ἐν ἡμῖν καὶ ἔλαχεν τὸν 17
κλῆρον τῆς διακονίας ταύτης. — Οὗτος μὲν οὖν ἐκτήσατο 18
χωρίον ἐκ μισθοῦ τῆς ἀδικίας, καὶ πρηνὴς γενόμενος
ἐλάκησεν μέσος, καὶ ἐξεχύθη πάντα τὰ σπλάγχνα αὐτοῦ.
καὶ γνωστὸν ἐγένετο πᾶσι τοῖς κατοικοῦσιν Ἰερουσαλήμ, 19
ὥστε κληθῆναι τὸ χωρίον ἐκεῖνο τῇ διαλέκτῳ αὐτῶν Ἀκελ-
δαμάχ, τοῦτ᾽ ἔστιν Χωρίον Αἵματος. — Γέγραπται γὰρ 20
ἐν Βίβλῳ Ψαλμῶν

Γενηθήτω ἡ ἔπαυλις ἀυτοῦ ἔρημος
καὶ μὴ ἔστω ὁ κατοικῶν ἐν ἀυτῇ,
καί
Τὴν ἐπισκοπὴν ἀυτοῦ λαβέτω ἕτερος.

5 εἰς

21 δεῖ οὖν τῶν συνελθόντων ἡμῖν ἀνδρῶν ἐν παντὶ χρόνῳ ᾧ
22 εἰσῆλθεν καὶ ἐξῆλθεν ἐφ᾽ ἡμᾶς ὁ κύριος Ἰησοῦς, ἀρξάμενος
ἀπὸ τοῦ βαπτίσματος Ἰωάνου ἕως τῆς ἡμέρας ἧς ἀνελήμ-
φθη ἀφ᾽ ἡμῶν, μάρτυρα τῆς ἀναστάσεως αὐτοῦ σὺν ἡμῖν
23 γενέσθαι ἕνα τούτων. καὶ ἔστησαν δύο, Ἰωσὴφ τὸν καλού-
μενον Βαρσαββᾶν, ὃς ἐπεκλήθη Ἰοῦστος, καὶ Μαθθίαν.
24 καὶ προσευξάμενοι εἶπαν Σὺ κύριε καρδιογνῶστα πάντων,
25 ἀνάδειξον ὃν ἐξελέξω, ἐκ τούτων τῶν δύο ἕνα, λαβεῖν τὸν
τόπον τῆς διακονίας ταύτης καὶ ἀποστολῆς, ἀφ᾽ ἧς παρέβη
26 Ἰούδας πορευθῆναι εἰς τὸν τόπον τὸν ἴδιον. καὶ ἔδωκαν
κλήρους αὐτοῖς, καὶ ἔπεσεν ὁ κλῆρος ἐπὶ Μαθθίαν, καὶ
συνκατεψηφίσθη μετὰ τῶν ἕνδεκα ἀποστόλων.

1 Καὶ ἐν τῷ συνπληροῦσθαι τὴν ἡμέραν τῆς πεντηκοστῆς
2 ἦσαν πάντες ὁμοῦ ἐπὶ τὸ αὐτό, καὶ ἐγένετο ἄφνω ἐκ τοῦ
οὐρανοῦ ἦχος ὥσπερ φερομένης πνοῆς βιαίας καὶ ἐπλήρω-
3 σεν ὅλον τὸν οἶκον οὗ ἦσαν καθήμενοι, καὶ ὤφθησαν αὐ-
τοῖς διαμεριζόμεναι γλῶσσαι ὡσεὶ πυρός, καὶ ἐκάθισεν
4 ἐφ᾽ ἕνα ἕκαστον αὐτῶν, καὶ ἐπλήσθησαν πάντες πνεύματος
ἁγίου, καὶ ἤρξαντο λαλεῖν ἑτέραις γλώσσαις καθὼς τὸ
5 πνεῦμα ἐδίδου ἀποφθέγγεσθαι αὐτοῖς. Ἦσαν
δὲ ⌜ἐν⌝ Ἰερουσαλὴμ κατοικοῦντες Ἰουδαῖοι, ἄνδρες εὐλαβεῖς
6 ἀπὸ παντὸς ἔθνους τῶν ὑπὸ τὸν οὐρανόν· γενομένης δὲ τῆς
φωνῆς ταύτης συνῆλθε τὸ πλῆθος καὶ συνεχύθη, ὅτι ἤκου-
7 σεν εἷς ἕκαστος τῇ ἰδίᾳ διαλέκτῳ λαλούντων αὐτῶν· ἐξί-
σταντο δὲ καὶ ἐθαύμαζον λέγοντες ⌜Οὐχὶ⌝ ἰδοὺ πάντες
8 οὗτοί εἰσιν οἱ λαλοῦντες Γαλιλαῖοι; καὶ πῶς ἡμεῖς ἀκούο-
μεν ἕκαστος τῇ ἰδίᾳ διαλέκτῳ ἡμῶν ἐν ᾗ ἐγεννήθημεν;
9 Πάρθοι καὶ Μῆδοι καὶ Ἐλαμεῖται, καὶ οἱ κατοικοῦντες τὴν
Μεσοποταμίαν, Ἰουδαίαν τε καὶ Καππαδοκίαν, Πόντον καὶ
10 τὴν Ἀσίαν, Φρυγίαν τε καὶ Παμφυλίαν, Αἴγυπτον καὶ τὰ
μέρη τῆς Λιβύης τῆς κατὰ Κυρήνην, καὶ οἱ ἐπιδημοῦντες
11 Ῥωμαῖοι, Ἰουδαῖοί τε καὶ προσήλυτοι, Κρῆτες καὶ Ἄραβες,

7 Οὐχ

ἀκούομεν λαλούντων αὐτῶν ταῖς ἡμετέραις γλώσσαις τὰ
μεγαλεῖα τοῦ θεοῦ. ἐξίσταντο δὲ πάντες καὶ διηποροῦντο, 12
ἄλλος πρὸς ἄλλον λέγοντες Τί θέλει τοῦτο εἶναι; ἕτεροι 13
δὲ διαχλευάζοντες ἔλεγον ὅτι Γλεύκους μεμεστωμένοι
εἰσίν.   Σταθεὶς δὲ ὁ Πέτρος σὺν τοῖς ἕνδεκα 14
ἐπῆρεν τὴν φωνὴν αὐτοῦ καὶ ἀπεφθέγξατο αὐτοῖς Ἄνδρες
Ἰουδαῖοι καὶ οἱ κατοικοῦντες Ἰερουσαλὴμ πάντες, τοῦτο
ὑμῖν γνωστὸν ἔστω καὶ ἐνωτίσασθε τὰ ῥήματά μου. οὐ 15
γὰρ ὡς ὑμεῖς ὑπολαμβάνετε οὗτοι μεθύουσιν, ἔστιν γὰρ
ὥρα τρίτη τῆς ἡμέρας, ἀλλὰ τοῦτό ἐστιν τὸ εἰρημένον διὰ 16
τοῦ προφήτου Ἰωὴλ

Καὶ ἔσται ἐν ταῖς ἐσχάταις ἡμέραις, λέγει ὁ θεός,   17
    ἐκχεῶ ἀπὸ τοῦ πνεύματός μου ἐπὶ πᾶσαν σάρκα,
    καὶ προφητεύσουσιν οἱ υἱοὶ ὑμῶν καὶ αἱ θυγατέρες
                                                        ὑμῶν,
    καὶ οἱ νεανίσκοι ὑμῶν ὁράσεις ὄψονται,
    καὶ οἱ πρεσβύτεροι ὑμῶν ἐνυπνίοις ἐνυπνιασθή-
                                                    σονται·
    καί γε ἐπὶ τοὺς δούλους μου καὶ ἐπὶ τὰς δούλας 18
                                                        μου
    ἐν ταῖς ἡμέραις ἐκείναις ἐκχεῶ ἀπὸ τοῦ πνεύ-
                                                ματός μου,
        καὶ προφητεύσουσιν.

Καὶ δώσω τέρατα ἐν τῷ οὐρανῷ ἄνω   19
    καὶ σημεῖα ἐπὶ τῆς γῆς κάτω,
        αἷμα καὶ πῦρ καὶ ἀτμίδα καπνοῦ·
    ὁ ἥλιος μεταστραφήσεται εἰς σκότος   20
    καὶ ἡ σελήνη εἰς αἷμα
        πρὶν ᵀ ἐλθεῖν ἡμέραν Κυρίου τὴν μεγάλην
                                        καὶ ἐπιφανῆ.
        Καὶ ἔσται πᾶς ὃς ἐὰν ἐπικαλέσηται τὸ ὄνομα 21
                                    Κυρίου σωθήσεται.
Ἄνδρες Ἰσραηλεῖται, ἀκούσατε τοὺς λόγους τούτους. Ἰη- 22

                            20 ἤ

σοῦν τὸν Ναζωραῖον, ἄνδρα ἀποδεδειγμένον ἀπὸ τοῦ θεοῦ
εἰς ὑμᾶς δυνάμεσι καὶ τέρασι καὶ σημείοις οἷς ἐποίησεν
23 δι' αὐτοῦ ὁ θεὸς ἐν μέσῳ ὑμῶν, καθὼς αὐτοὶ οἴδατε, τοῦτον
τῇ ὡρισμένῃ βουλῇ καὶ προγνώσει τοῦ θεοῦ ἔκδοτον διὰ
24 χειρὸς ἀνόμων προσπήξαντες ἀνείλατε, ὃν ὁ θεὸς ἀνέστησεν
λύσας τὰς ὠδῖνας τοῦ θανάτου, καθότι οὐκ ἦν δυνατὸν
25 κρατεῖσθαι αὐτὸν ὑπ' αὐτοῦ· Δαυεὶδ γὰρ λέγει εἰς αὐτόν

Προορώμην τὸν κύριον ἐνώπιόν μου διὰ παντός,
ὅτι ἐκ δεξιῶν μού ἐστιν ἵνα μὴ σαλευθῶ.

26 διὰ τοῦτο ηὐφράνθη μου ἡ καρδία καὶ ἠγαλλιάσατο
ἡ γλῶσσά μου,
ἔτι δὲ καὶ ἡ σάρξ μου κατασκηνώσει ἐπ' ἐλπίδι·

27 ὅτι οὐκ ἐνκαταλείψεις τὴν ψυχήν μου εἰς ᾅδην,
οὐδὲ δώσεις τὸν ὅσιόν σου ἰδεῖν διαφθοράν.

28 ἐγνώρισάς μοι ὁδοὺς ζωῆς,
πληρώσεις με εὐφροσύνης μετὰ τοῦ προσώπου
σου.

29 Ἄνδρες ἀδελφοί, ἐξὸν εἰπεῖν μετὰ παρρησίας πρὸς ὑμᾶς
περὶ τοῦ πατριάρχου Δαυείδ, ὅτι καὶ ἐτελεύτησεν καὶ
ἐτάφη καὶ τὸ μνῆμα αὐτοῦ ἔστιν ἐν ἡμῖν ἄχρι τῆς ἡμέρας
30 ταύτης· προφήτης οὖν ὑπάρχων, καὶ εἰδὼς ὅτι ὅρκῳ ὤμο-
σεν αὐτῷ ὁ θεὸς ἐκ καρποῦ τῆς ὀσφύος αὐτοῦ καθίσαι
31 ἐπὶ τὸν θρόνον αὐτοῦ, προιδὼν ἐλάλησεν περὶ τῆς ἀνα-
στάσεως τοῦ χριστοῦ ὅτι οὔτε ἐνκατελείφθη εἰς ᾅδην
32 οὔτε ἡ σὰρξ αὐτοῦ εἶδεν διαφθοράν. τοῦτον τὸν Ἰησοῦν
33 ἀνέστησεν ὁ θεός, οὗ πάντες ἡμεῖς ἐσμὲν μάρτυρες. τῇ
δεξιᾷ οὖν τοῦ θεοῦ ὑψωθεὶς τήν τε ἐπαγγελίαν τοῦ πνεύμα-
τος τοῦ ἁγίου λαβὼν παρὰ τοῦ πατρὸς ἐξέχεεν τοῦτο ὃ
34 ὑμεῖς [καὶ] βλέπετε καὶ ἀκούετε. οὐ γὰρ Δαυεὶδ ἀνέβη εἰς
τοὺς οὐρανούς, λέγει δὲ αὐτός

Εἶπεν Κύριος τῷ κυρίῳ μου Κάθου ἐκ δεξιῶν
μου

35 ἕως ἂν θῶ τοὺς ἐχθρούς σου ὑποπόδιον τῶν
ποδῶν σου.

ἀσφαλῶς οὖν γινωσκέτω πᾶς οἶκος Ἰσραὴλ ὅτι καὶ κύριον 36
αὐτὸν καὶ χριστὸν ἐποίησεν ὁ θεός, τοῦτον τὸν Ἰησοῦν ὃν
ὑμεῖς ἐσταυρώσατε.   Ἀκούσαντες δὲ κατενύγησαν 37
τὴν καρδίαν, εἶπάν τε πρὸς τὸν Πέτρον καὶ τοὺς λοιποὺς
ἀποστόλους Τί ποιήσωμεν, ἄνδρες ἀδελφοί; Πέτρος δὲ 38
πρὸς αὐτούς Μετανοήσατε, καὶ βαπτισθήτω ἕκαστος ὑμῶν
ἐν τῷ ὀνόματι Ἰησοῦ Χριστοῦ εἰς ἄφεσιν τῶν ἁμαρτιῶν
ὑμῶν, καὶ λήμψεσθε τὴν δωρεὰν τοῦ ἁγίου πνεύματος·
ὑμῖν γάρ ἐστιν ἡ ἐπαγγελία καὶ τοῖς τέκνοις ὑμῶν καὶ πᾶσι 39
τοῖς εἰc μακρὰν ὅcογc ἂν προcκαλέcηται Κύριοc
ὁ θεὸς ἡμῶν. ἑτέροις τε λόγοις πλείοσιν διεμαρτύρατο, καὶ 40
παρεκάλει αὐτοὺς λέγων Σώθητε ἀπὸ τῆς γενεᾶς τῆς σκο-
λιᾶς ταύτης. Οἱ μὲν οὖν ἀποδεξάμενοι τὸν λόγον αὐτοῦ 41
ἐβαπτίσθησαν, καὶ προσετέθησαν ἐν τῇ ἡμέρᾳ ἐκείνῃ ψυχαὶ
ὡσεὶ τρισχίλιαι. ἦσαν δὲ προσκαρτεροῦντες τῇ διδαχῇ τῶν 42
ἀποστόλων καὶ τῇ κοινωνίᾳ, τῇ κλάσει τοῦ ⌜ἄρτου⌝ καὶ ταῖς
προσευχαῖς.   Ἐγίνετο δὲ πάσῃ ψυχῇ φόβος, 43
πολλὰ δὲ τέρατα καὶ σημεῖα διὰ τῶν ἀποστόλων ἐγίνετο.
πάντες δὲ οἱ πιστεύσαντες ⌜ἐπὶ τὸ αὐτὸ⌝ εἶχον ἅπαντα κοινά, 44
καὶ τὰ κτήματα καὶ τὰς ὑπάρξεις ἐπίπρασκον καὶ διεμέριζον 45
αὐτὰ πᾶσιν καθότι ἄν τις χρείαν εἶχεν· καθ᾽ ἡμέραν τε 46
προσκαρτεροῦντες ὁμοθυμαδὸν ἐν τῷ ἱερῷ, κλῶντές τε
κατ᾽ οἶκον ἄρτον, μετελάμβανον τροφῆς ἐν ἀγαλλιάσει καὶ
ἀφελότητι καρδίας, αἰνοῦντες τὸν θεὸν καὶ ἔχοντες χάριν 47
πρὸς ὅλον τὸν λαόν. ὁ δὲ κύριος προσετίθει τοὺς σωζομέ-
νους καθ᾽ ἡμέραν ἐπὶ τὸ αὐτό.   1

Πέτρος δὲ καὶ Ἰωάνης ἀνέβαινον εἰς τὸ ἱερὸν ἐπὶ τὴν
ὥραν τῆς προσευχῆς τὴν ἐνάτην, καί τις ἀνὴρ χωλὸς ἐκ 2
κοιλίας μητρὸς αὐτοῦ ὑπάρχων ἐβαστάζετο, ὃν ἐτίθουν
καθ᾽ ἡμέραν πρὸς τὴν θύραν τοῦ ἱεροῦ τὴν λεγομένην
Ὡραίαν τοῦ αἰτεῖν ἐλεημοσύνην παρὰ τῶν εἰσπορευομένων
εἰς τὸ ἱερόν, ὃς ἰδὼν Πέτρον καὶ Ἰωάνην μέλλοντας εἰσιέ- 3

42 ἄρτου,

4 ναι εἰς τὸ ἱερὸν ἠρώτα ἐλεημοσύνην λαβεῖν. ἀτενίσας δὲ
Πέτρος εἰς αὐτὸν σὺν τῷ Ἰωάνῃ εἶπεν Βλέψον εἰς ἡμᾶς.
5 ὁ δὲ ἐπεῖχεν αὐτοῖς προσδοκῶν τι παρ' αὐτῶν λαβεῖν.
6 εἶπεν δὲ Πέτρος Ἀργύριον καὶ χρυσίον οὐχ ὑπάρχει μοι,
ὃ δὲ ἔχω τοῦτό σοι δίδωμι· ἐν τῷ ὀνόματι Ἰησοῦ Χριστοῦ
7 τοῦ Ναζωραίου περιπάτει. καὶ πιάσας αὐτὸν τῆς δεξιᾶς
χειρὸς ἤγειρεν αὐτόν· παραχρῆμα δὲ ἐστερεώθησαν αἱ
8 βάσεις αὐτοῦ καὶ τὰ σφυδρά, καὶ ἐξαλλόμενος ἔστη καὶ
περιεπάτει, καὶ εἰσῆλθεν σὺν αὐτοῖς εἰς τὸ ἱερὸν περιπατῶν
9 καὶ ἀλλόμενος καὶ αἰνῶν τὸν θεόν. καὶ εἶδεν πᾶς ὁ λαὸς
10 αὐτὸν περιπατοῦντα καὶ αἰνοῦντα τὸν θεόν, ἐπεγίνωσκον δὲ
αὐτὸν ὅτι οὗτος ἦν ὁ πρὸς τὴν ἐλεημοσύνην καθήμενος ἐπὶ
τῇ Ὡραίᾳ Πύλῃ τοῦ ἱεροῦ, καὶ ἐπλήσθησαν θάμβους καὶ
11 ἐκστάσεως ἐπὶ τῷ συμβεβηκότι αὐτῷ.   Κρα-
τοῦντος δὲ αὐτοῦ τὸν Πέτρον καὶ τὸν Ἰωάνην συνέδραμεν
πᾶς ὁ λαὸς πρὸς αὐτοὺς ἐπὶ τῇ στοᾷ τῇ καλουμένῃ Σολομῶν-
12 τος ἔκθαμβοι. ἰδὼν δὲ ὁ Πέτρος ἀπεκρίνατο πρὸς τὸν λαόν
Ἄνδρες Ἰσραηλεῖται, τί θαυμάζετε ἐπὶ τούτῳ, ἢ ἡμῖν τί
ἀτενίζετε ὡς ἰδίᾳ δυνάμει ἢ εὐσεβείᾳ πεποιηκόσιν τοῦ περι-
13 πατεῖν αὐτόν; ὁ θεὸς ΑΒΡΑᾺΜ καὶ ΙϹΑᾺΚ καὶ ΙΑΚΏΒ,
ὁ θεὸς ΤΩΝ ΠΑΤΈΡΩΝ ΗΜΩΝ, ἘΔΌΖΑϹΕΝ ΤῸΝ ΠΑῖΔΑ Αὐ-
ΤΟῦ Ἰησοῦν, ὃν ὑμεῖς μὲν παρεδώκατε καὶ ἠρνήσασθε κατὰ
14 πρόσωπον Πειλάτου, κρίναντος ἐκείνου ἀπολύειν· ὑμεῖς δὲ
τὸν ἅγιον καὶ δίκαιον ἠρνήσασθε, καὶ ᾐτήσασθε ἄνδρα
15 φονέα χαρισθῆναι ὑμῖν, τὸν δὲ ἀρχηγὸν τῆς ζωῆς ἀπεκτεί-
νατε, ὃν ὁ θεὸς ἤγειρεν ἐκ νεκρῶν, οὗ ἡμεῖς μάρτυρές ἐσμεν.
16 καὶ τῇ πίστει τοῦ ὀνόματος αὐτοῦ τοῦτον ὃν θεωρεῖτε καὶ
οἴδατε ἐστερέωσεν τὸ ὄνομα αὐτοῦ, καὶ ἡ πίστις ἡ δι' αὐτοῦ
ἔδωκεν αὐτῷ τὴν ὁλοκληρίαν ταύτην ἀπέναντι πάντων
17 ὑμῶν. καὶ νῦν, ἀδελφοί, οἶδα ὅτι κατὰ ἄγνοιαν ἐπράξατε,
18 ὥσπερ καὶ οἱ ἄρχοντες ὑμῶν· ὁ δὲ θεὸς ἃ προκατήγγειλεν
διὰ στόματος πάντων τῶν προφητῶν παθεῖν τὸν χριστὸν
19 αὐτοῦ ἐπλήρωσεν οὕτως. μετανοήσατε οὖν καὶ ἐπιστρέψατε

44 ἦσαν ἐπὶ τὸ αὐτὸ καὶ

πρὸς τὸ ἐξαλιφθῆναι ὑμῶν τὰς ἁμαρτίας, ὅπως ἂν ἔλθωσιν 20
καιροὶ ἀναψύξεως ἀπὸ προσώπου τοῦ κυρίου καὶ ἀποστείλῃ
τὸν προκεχειρισμένον ὑμῖν χριστὸν Ἰησοῦν, ὃν δεῖ οὐρανὸν 21
μὲν δέξασθαι ἄχρι χρόνων ἀποκαταστάσεως πάντων ὧν ἐλά-
λησεν ὁ θεὸς διὰ στόματος τῶν ἁγίων ἀπ᾽ αἰῶνος αὐτοῦ
προφητῶν. Μωυσῆς μὲν εἶπεν ὅτι Προφήτην ὑμῖν ἀνα- 22
cτήcει Κύριοc ὁ θεὸc ἐκ τῶν ἀδελφῶν ὑμῶν ὡc ἐμέ·
αὐτοῦ ἀκούcεcθε κατὰ πάντα ὅcα ἂν λαλήcῃ πρὸc
ὑμᾶc. ἔcται δὲ πᾶcα ψυχὴ ἥτιc ἂν μὴ ἀκούcῃ τοῦ 23
προφήτου ἐκείνου ἐξολεθρευθήcεται ἐκ τοῦ λαοῦ.
καὶ πάντες δὲ οἱ προφῆται ἀπὸ Σαμουὴλ καὶ τῶν καθεξῆς 24
ὅσοι ἐλάλησαν καὶ κατήγγειλαν τὰς ἡμέρας ταύτας. ὑμεῖς 25
ἐστὲ οἱ υἱοὶ τῶν προφητῶν καὶ τῆς διαθήκης ἧς ὁ θεὸς διέ-
θετο πρὸς τοὺς πατέρας ⌜ὑμῶν⌝, λέγων πρὸς Ἀβραάμ Καὶ
ἐν τῷ cπέρματί cου εὐλογηθήcονται πᾶcαι αἱ πα-
τριαὶ τῆc γῆc. ὑμῖν πρῶτον ἀναστήσας ὁ θεὸς τὸν παῖδα 26
αὐτοῦ ἀπέστειλεν αὐτὸν εὐλογοῦντα ὑμᾶς ἐν τῷ ἀποστρέφειν
ἕκαστον ἀπὸ τῶν πονηριῶν [ὑμῶν].   Λαλούν- 1
των δὲ αὐτῶν πρὸς τὸν λαὸν ἐπέστησαν αὐτοῖς οἱ ⌜ἀρχιερεῖς⌝
καὶ ὁ στρατηγὸς τοῦ ἱεροῦ καὶ οἱ Σαδδουκαῖοι, διαπονού- 2
μενοι διὰ τὸ διδάσκειν αὐτοὺς τὸν λαὸν καὶ καταγγέλλειν
ἐν τῷ Ἰησοῦ τὴν ἀνάστασιν τὴν ἐκ νεκρῶν, καὶ ἐπέβαλον 3
αὐτοῖς τὰς χεῖρας καὶ ἔθεντο εἰς τήρησιν εἰς τὴν αὔριον, ἦν
γὰρ ἑσπέρα ἤδη. πολλοὶ δὲ τῶν ἀκουσάντων τὸν λόγον ἐπί- 4
στευσαν, καὶ ἐγενήθη ἀριθμὸς τῶν ἀνδρῶν ὡς χιλιάδες πέντε.

Ἐγένετο δὲ ἐπὶ τὴν αὔριον συναχθῆναι αὐτῶν τοὺς 5
ἄρχοντας καὶ τοὺς πρεσβυτέρους καὶ τοὺς γραμματεῖς ἐν
Ἰερουσαλήμ (καὶ Ἄννας ὁ ἀρχιερεὺς καὶ Καιάφας καὶ 6
Ἰωάννης καὶ Ἀλέξανδρος καὶ ὅσοι ἦσαν ἐκ γένους ἀρχιερα-
τικοῦ), καὶ στήσαντες αὐτοὺς ἐν τῷ μέσῳ ἐπυνθάνοντο Ἐν 7
ποίᾳ δυνάμει ἢ ἐν ποίῳ ὀνόματι ἐποιήσατε τοῦτο ὑμεῖς;
τότε Πέτρος πλησθεὶς πνεύματος ἁγίου εἶπεν πρὸς αὐτούς 8
Ἄρχοντες τοῦ λαοῦ καὶ πρεσβύτεροι, εἰ ἡμεῖς σήμερον 9

25 ἡμῶν

ἀνακρινόμεθα ἐπὶ εὐεργεσίᾳ ἀνθρώπου ἀσθενοῦς, ἐν τίνι
10 οὗτος σέσωσται, γνωστὸν ἔστω πᾶσιν ὑμῖν καὶ παντὶ τῷ
λαῷ Ἰσραὴλ ὅτι ἐν τῷ ὀνόματι Ἰησοῦ Χριστοῦ τοῦ Ναζω-
ραίου, ὃν ὑμεῖς ἐσταυρωσατε, ὃν ὁ θεὸς ἤγειρεν ἐκ νεκρῶν,
11 ἐν τούτῳ οὗτος παρέστηκεν ἐνώπιον ὑμῶν ὑγιής. οὗτός
ἐστιν ὁ λίθος ὁ ἐξογθενηθεὶς ὙΦ' ὑμῶν τῶν οἰκοδό-
12 μων, ὁ ΓΕΝΟΜΕΝΟC εἰς κεφαλὴν ΓΩΝΙΑC. καὶ οὐκ ἔστιν
ἐν ἄλλῳ οὐδενὶ ἡ σωτηρία, οὐδὲ γὰρ ὄνομά ἐστιν ἕτερον
ὑπὸ τὸν οὐρανὸν τὸ δεδομένον ἐν ἀνθρώποις ἐν ᾧ δεῖ σωθῆ-
13 ναι ἡμᾶς. Θεωροῦντες δὲ τὴν τοῦ Πέτρου παρρησίαν
καὶ Ἰωάνου, καὶ καταλαβόμενοι ὅτι ἄνθρωποι ἀγράμματοί
εἰσιν καὶ ἰδιῶται, ἐθαύμαζον, ἐπεγίνωσκόν τε αὐτοὺς ὅτι σὺν
14 τῷ Ἰησοῦ ἦσαν, τόν τε ἄνθρωπον βλέποντες σὺν αὐτοῖς
15 ἑστῶτα τὸν τεθεραπευμένον οὐδὲν εἶχον ἀντειπεῖν. κελεύ-
σαντες δὲ αὐτοὺς ἔξω τοῦ συνεδρίου ἀπελθεῖν συνέβαλλον
16 πρὸς ἀλλήλους λέγοντες Τί ποιήσωμεν τοῖς ἀνθρώποις
τούτοις; ὅτι μὲν γὰρ γνωστὸν σημεῖον γέγονεν δι' αὐτῶν
πᾶσιν τοῖς κατοικοῦσιν Ἰερουσαλὴμ φανερόν, καὶ οὐ δυνά-
17 μεθα ἀρνεῖσθαι· ἀλλ' ἵνα μὴ ἐπὶ πλεῖον διανεμηθῇ εἰς τὸν
λαόν, ἀπειλησώμεθα αὐτοῖς μηκέτι λαλεῖν ἐπὶ τῷ ὀνόματι
18 τούτῳ μηδενὶ ἀνθρώπων. καὶ καλέσαντες αὐτοὺς παρήγ-
γειλαν καθόλου μὴ φθέγγεσθαι μηδὲ διδάσκειν ἐπὶ τῷ
19 ὀνόματι [τοῦ] Ἰησοῦ. ὁ δὲ Πέτρος καὶ Ἰωάνης ἀποκρι-
θέντες εἶπαν πρὸς αὐτούς Εἰ δίκαιόν ἐστιν ἐνώπιον τοῦ
20 θεοῦ ὑμῶν ἀκούειν μᾶλλον ἢ τοῦ θεοῦ κρίνατε, οὐ δυνάμεθα
21 γὰρ ἡμεῖς ἃ εἴδαμεν καὶ ἠκούσαμεν μὴ λαλεῖν. οἱ δὲ
προσαπειλησάμενοι ἀπέλυσαν αὐτούς, μηδὲν εὑρίσκοντες
τὸ πῶς κολάσωνται αὐτούς, διὰ τὸν λαόν, ὅτι πάντες
22 ἐδόξαζον τὸν θεὸν ἐπὶ τῷ γεγονότι· ἐτῶν γὰρ ἦν πλειόνων
τεσσεράκοντα ὁ ἄνθρωπος ἐφ' ὃν γεγόνει τὸ σημεῖον τοῦτο
23 τῆς ἰάσεως. Ἀπολυθέντες δὲ ἦλθον πρὸς τοὺς
ἰδίους καὶ ἀπήγγειλαν ὅσα πρὸς αὐτοὺς οἱ ἀρχιερεῖς καὶ οἱ
24 πρεσβύτεροι εἶπαν. οἱ δὲ ἀκούσαντες ὁμοθυμαδὸν ἦραν

1 ἱερεῖς

φωνὴν πρὸς τὸν θεὸν καὶ εἶπαν Δέσποτα, σὺ ὁ ποιΗсас
τὸν ογρανὸν καὶ τΗν ΓΗν καὶ τΗν θάλαccαν καὶ
πάντα τὰ ἐν αγτοῖс, ⌐ὁ τοῦ πατρὸς ἡμῶν διὰ πνεύματος 25
ἁγίου στόματος⌐ Δαγεὶδ παιδός σου εἰπών

Ἵνα τί ἐφργαΖαν ἔθνΗ
καὶ λαοὶ ἐμελέτΗсαν κενά;
παρέcτΗсαν οἱ Βαcιλεῖс τῆс ΓῆϹ 26
καὶ οἱ ἄρχοντεс cγνΗΧθΗсαν ἐπὶ τὸ αγτὸ
κατὰ τοῦ κγρίογ καὶ κατὰ τοῦ χριcτοῦ αγτοῦ.
cγνΗΧθΗсαν γὰρ ἐπ᾽ ἀληθείας ἐν τῇ πόλει ταύτῃ ἐπὶ τὸν 27
ἅγιον παῖδά σου Ἰησοῦν, ὃν ἔχριcας, Ἡρῴδης τε καὶ
Πόντιος Πειλᾶτος σὺν ἔθνεcιν καὶ λαοῖс Ἰσραήλ, ποιῆσαι 28
ὅσα ἡ χείρ σου καὶ ἡ βουλὴ προώρισεν γενέσθαι. καὶ τὰ 29
νῦν, κύριε, ἔπιδε ἐπὶ τὰς ἀπειλὰς αὐτῶν, καὶ δὸς τοῖς δούλοις
σου μετὰ παρρησίας πάσης λαλεῖν τὸν λόγον σου, ἐν τῷ 30
τὴν χεῖρα ἐκτείνειν σε εἰς ἴασιν καὶ σημεῖα καὶ τέρατα
γίνεσθαι διὰ τοῦ ὀνόματος τοῦ ἁγίου παιδός σου Ἰησοῦ.
καὶ δεηθέντων αὐτῶν ἐσαλεύθη ὁ τόπος ἐν ᾧ ἦσαν συνη- 31
γμένοι, καὶ ἐπλήσθησαν ἅπαντες τοῦ ἁγίου πνεύματος,
καὶ ἐλάλουν τὸν λόγον τοῦ θεοῦ μετὰ παρρησίας.

Τοῦ δὲ πλήθους τῶν πιστευσάντων ἦν καρδία καὶ ψυχὴ 32
μία, καὶ οὐδὲ εἷς τι τῶν ὑπαρχόντων αὐτῷ ἔλεγεν ἴδιον εἶναι,
ἀλλ᾽ ἦν αὐτοῖς πάντα κοινά. καὶ δυνάμει μεγάλῃ ἀπεδί- 33
δουν τὸ μαρτύριον οἱ ἀπόστολοι τοῦ κυρίου Ἰησοῦ τῆς
ἀναστάσεως, χάρις τε μεγάλη ἦν ἐπὶ πάντας αὐτούς. οὐδὲ 34
γὰρ ἐνδεής τις ἦν ἐν αὐτοῖς· ὅσοι γὰρ κτήτορες χωρίων ἢ
οἰκιῶν ὑπῆρχον, πωλοῦντες ἔφερον τὰς τιμὰς τῶν πιπρα-
σκομένων καὶ ἐτίθουν παρὰ τοὺς πόδας τῶν ἀποστόλων· 35
διεδίδετο δὲ ἑκάστῳ καθότι ἄν τις χρείαν εἶχεν. Ἰωσὴφ δὲ 36
ὁ ἐπικληθεὶς Βαρνάβας ἀπὸ τῶν ἀποστόλων, ὅ ἐστιν μεθερ-
μηνευόμενον Υἱὸς Παρακλήσεως, Λευείτης, Κύπριος τῷ
γένει, ὑπάρχοντος αὐτῷ ἀγροῦ πωλήσας ἤνεγκεν τὸ χρῆμα 37

25 †...†

καὶ ἔθηκεν παρὰ τοὺς πόδας τῶν ἀποστόλων.

1 Ἀνὴρ δέ τις Ἀνανίας ὀνόματι σὺν Σαπφείρῃ τῇ γυναικὶ
2 αὐτοῦ ἐπώλησεν κτῆμα καὶ ἐνοσφίσατο ἀπὸ τῆς τιμῆς,
συνειδυίης καὶ τῆς γυναικός, καὶ ἐνέγκας μέρος τι παρὰ
3 τοὺς πόδας τῶν ἀποστόλων ἔθηκεν. εἶπεν δὲ ὁ Πέτρος
Ἀνανία, διὰ τί ἐπλήρωσεν ὁ Σατανᾶς τὴν καρδίαν σου
ψεύσασθαί σε τὸ πνεῦμα τὸ ἅγιον καὶ νοσφίσασθαι ἀπὸ
4 τῆς τιμῆς τοῦ χωρίου; οὐχὶ μένον σοὶ ἔμενεν καὶ πραθὲν
ἐν τῇ σῇ ἐξουσίᾳ ὑπῆρχεν; τί ὅτι ἔθου ἐν τῇ καρδίᾳ σου
τὸ πρᾶγμα τοῦτο; οὐκ ἐψεύσω ἀνθρώποις ἀλλὰ τῷ θεῷ.
5 ἀκούων δὲ ὁ Ἀνανίας τοὺς λόγους τούτους πεσὼν ἐξέψυξεν·
6 καὶ ἐγένετο φόβος μέγας ἐπὶ πάντας τοὺς ἀκούοντας. ἀνα-
στάντες δὲ οἱ νεώτεροι συνέστειλαν αὐτὸν καὶ ἐξενέγκαντες
7 ἔθαψαν. Ἐγένετο δὲ ὡς ὡρῶν τριῶν διάστημα
8 καὶ ἡ γυνὴ αὐτοῦ μὴ εἰδυῖα τὸ γεγονὸς εἰσῆλθεν. ἀπε-
κρίθη δὲ πρὸς αὐτὴν Πέτρος Εἰπέ μοι, εἰ τοσούτου τὸ
9 χωρίον ἀπέδοσθε; ἡ δὲ εἶπεν Ναί, τοσούτου. ὁ δὲ Πέ-
τρος πρὸς αὐτήν Τί ὅτι συνεφωνήθη ὑμῖν πειράσαι τὸ
πνεῦμα Κυρίου; ἰδοὺ οἱ πόδες τῶν θαψάντων τὸν ἄνδρα
10 σου ἐπὶ τῇ θύρᾳ καὶ ἐξοίσουσίν σε. ἔπεσεν δὲ παραχρῆμα
πρὸς τοὺς πόδας αὐτοῦ καὶ ἐξέψυξεν· εἰσελθόντες δὲ οἱ
νεανίσκοι εὗρον αὐτὴν νεκράν, καὶ ἐξενέγκαντες ἔθαψαν
11 πρὸς τὸν ἄνδρα αὐτῆς. Καὶ ἐγένετο φόβος μέγας ἐφ᾽ ὅλην
τὴν ἐκκλησίαν καὶ ἐπὶ πάντας τοὺς ἀκούοντας ταῦτα.

12 Διὰ δὲ τῶν χειρῶν τῶν ἀποστόλων ἐγίνετο σημεῖα καὶ
τέρατα πολλὰ ἐν τῷ λαῷ· καὶ ἦσαν ὁμοθυμαδὸν πάντες ἐν
13 τῇ Στοᾷ Σολομῶντος· τῶν δὲ λοιπῶν οὐδεὶς ἐτόλμα κολ-
14 λᾶσθαι αὐτοῖς, ἀλλ᾽ ἐμεγάλυνεν αὐτοὺς ὁ λαός, μᾶλλον δὲ
προσετίθεντο πιστεύοντες τῷ κυρίῳ πλήθη ἀνδρῶν τε καὶ
15 γυναικῶν· ὥστε καὶ εἰς τὰς πλατείας ἐκφέρειν τοὺς ἀσθενεῖς
καὶ τιθέναι ἐπὶ κλιναρίων καὶ κραβάττων, ἵνα ἐρχομένου
16 Πέτρου κἂν ἡ σκιὰ ἐπισκιάσει τινὶ αὐτῶν. συνήρχετο δὲ

καὶ τὸ πλῆθος τῶν πέριξ πόλεων Ἰερουσαλήμ, φέροντες
ἀσθενεῖς καὶ ὀχλουμένους ὑπὸ πνευμάτων ἀκαθάρτων, οἵτινες
ἐθεραπεύοντο ἅπαντες.

Ἀναστὰς δὲ ὁ ἀρχιερεὺς καὶ πάντες οἱ σὺν αὐτῷ, ἡ 17
οὖσα αἵρεσις τῶν Σαδδουκαίων, ἐπλήσθησαν ζήλου καὶ 18
ἐπέβαλον τὰς χεῖρας ἐπὶ τοὺς ἀποστόλους καὶ ἔθεντο αὐτοὺς
ἐν τηρήσει δημοσίᾳ. Ἄγγελος δὲ Κυρίου διὰ νυκτὸς ἤνοιξε 19
τὰς θύρας τῆς φυλακῆς ἐξαγαγών τε αὐτοὺς εἶπεν Πο- 20
ρεύεσθε καὶ σταθέντες λαλεῖτε ἐν τῷ ἱερῷ τῷ λαῷ πάντα
τὰ ῥήματα τῆς ζωῆς ταύτης. ἀκούσαντες δὲ εἰσῆλθον ὑπὸ 21
τὸν ὄρθρον εἰς τὸ ἱερὸν καὶ ἐδίδασκον. Παραγενόμενος δὲ
ὁ ἀρχιερεὺς καὶ οἱ σὺν αὐτῷ συνεκάλεσαν τὸ συνέδριον καὶ
πᾶσαν τὴν γερουσίαν τῶν υἱῶν Ἰσραήλ, καὶ ἀπέστειλαν
εἰς τὸ δεσμωτήριον ἀχθῆναι αὐτούς· οἱ δὲ παραγενόμενοι 22
ὑπηρέται οὐχ εὗρον αὐτοὺς ἐν τῇ φυλακῇ, ἀναστρέψαντες
δὲ ἀπήγγειλαν λέγοντες ὅτι Τὸ δεσμωτήριον εὕρομεν 23
κεκλεισμένον ἐν πάσῃ ἀσφαλείᾳ καὶ τοὺς φύλακας ἑστῶτας
ἐπὶ τῶν θυρῶν, ἀνοίξαντες δὲ ἔσω οὐδένα εὕρομεν. ὡς δὲ 24
ἤκουσαν τοὺς λόγους τούτους ὅ τε στρατηγὸς τοῦ ἱεροῦ καὶ
οἱ ἀρχιερεῖς, διηπόρουν περὶ αὐτῶν τί ἂν γένοιτο τοῦτο.
Παραγενόμενος δέ τις ἀπήγγειλεν αὐτοῖς ὅτι Ἰδοὺ οἱ 25
ἄνδρες οὓς ἔθεσθε ἐν τῇ φυλακῇ εἰσὶν ἐν τῷ ἱερῷ ἑστῶτες
καὶ διδάσκοντες τὸν λαόν. τότε ἀπελθὼν ὁ στρατηγὸς σὺν 26
τοῖς ὑπηρέταις ἦγεν αὐτούς, οὐ μετὰ βίας, ἐφοβοῦντο γὰρ
τὸν λαόν, μὴ λιθασθῶσιν· ἀγαγόντες δὲ αὐτοὺς ἔστησαν 27
ἐν τῷ συνεδρίῳ. καὶ ἐπηρώτησεν αὐτοὺς ὁ ἀρχιερεὺς
λέγων Παραγγελίᾳ παρηγγείλαμεν ὑμῖν μὴ διδάσκειν ἐπὶ 28
τῷ ὀνόματι τούτῳ, καὶ ἰδοὺ πεπληρώκατε τὴν Ἰερουσαλὴμ
τῆς διδαχῆς ὑμῶν, καὶ βούλεσθε ἐπαγαγεῖν ἐφ᾽ ἡμᾶς τὸ
αἷμα τοῦ ἀνθρώπου τούτου. ἀποκριθεὶς δὲ Πέτρος καὶ οἱ 29
ἀπόστολοι εἶπαν Πειθαρχεῖν δεῖ θεῷ μᾶλλον ἢ ἀνθρώποις.
ὁ θεὸς τῶν πατέρων ἡμῶν ἤγειρεν Ἰησοῦν, ὃν ὑμεῖς διεχει- 30
ρίσασθε ΚΡΕΜΆΣΑΝΤΕϹ ἐπὶ ΞΎΛΟΥ· τοῦτον ὁ θεὸς ἀρχηγὸν 31

32 ἐν αὐτῷ v. ἐσμὲν αὐτῷ

καὶ σωτῆρα ὕψωσεν τῇ δεξιᾷ αὐτοῦ, [τοῦ] δοῦναι μετάνοιαν
32 τῷ Ἰσραὴλ καὶ ἄφεσιν ἁμαρτιῶν· καὶ ἡμεῖς ⌜ἐσμὲν μάρ-
τυρες τῶν ῥημάτων ⌜τούτων, καὶ τὸ πνεῦμα τὸ ἅγιον ὃ⌝
33 ἔδωκεν ὁ θεὸς τοῖς πειθαρχοῦσιν αὐτῷ. οἱ δὲ ἀκούσαντες
34 διεπρίοντο καὶ ἐβούλοντο ἀνελεῖν αὐτούς. Ἀναστὰς δέ τις
ἐν τῷ συνεδρίῳ Φαρισαῖος ὀνόματι Γαμαλιήλ, νομοδιδά-
σκαλος τίμιος παντὶ τῷ λαῷ, ἐκέλευσεν ἔξω βραχὺ τοὺς
35 ἀνθρώπους ποιῆσαι, εἶπέν τε πρὸς αὐτούς Ἄνδρες Ἰσραη-
λεῖται, προσέχετε ἑαυτοῖς ἐπὶ τοῖς ἀνθρώποις τούτοις τί
36 μέλλετε πράσσειν. πρὸ γὰρ τούτων τῶν ἡμερῶν ἀνέστη
Θευδᾶς, λέγων εἶναί τινα ἑαυτόν, ᾧ προσεκλίθη ἀνδρῶν
ἀριθμὸς ὡς τετρακοσίων· ὃς ἀνῃρέθη, καὶ πάντες ὅσοι
37 ἐπείθοντο αὐτῷ διελύθησαν καὶ ἐγένοντο εἰς οὐδέν. μετὰ
τοῦτον ἀνέστη Ἰούδας ὁ Γαλιλαῖος ἐν ταῖς ἡμέραις τῆς
ἀπογραφῆς καὶ ἀπέστησε λαὸν ὀπίσω αὐτοῦ· κἀκεῖνος
ἀπώλετο, καὶ πάντες ὅσοι ἐπείθοντο αὐτῷ διεσκορπίσθη-
38 σαν. καὶ [τὰ] νῦν λέγω ὑμῖν, ἀπόστητε ἀπὸ τῶν ἀνθρώ-
πων τούτων καὶ ἄφετε αὐτούς· (ὅτι ἐὰν ᾖ ἐξ ἀνθρώπων
39 ἡ βουλὴ αὕτη ἢ τὸ ἔργον τοῦτο, καταλυθήσεται· εἰ δὲ ἐκ
θεοῦ ἐστίν, οὐ δυνήσεσθε καταλῦσαι αὐτούς·) μή ποτε καὶ
40 θεομάχοι εὑρεθῆτε. ἐπείσθησαν δὲ αὐτῷ, καὶ προσκαλε-
σάμενοι τοὺς ἀποστόλους δείραντες παρήγγειλαν μὴ λαλεῖν
41 ἐπὶ τῷ ὀνόματι τοῦ Ἰησοῦ καὶ ἀπέλυσαν. Οἱ μὲν οὖν
ἐπορεύοντο χαίροντες ἀπὸ προσώπου τοῦ συνεδρίου ὅτι
42 κατηξιώθησαν ὑπὲρ τοῦ ὀνόματος ἀτιμασθῆναι· πᾶσάν τε
ἡμέραν ἐν τῷ ἱερῷ καὶ κατ' οἶκον οὐκ ἐπαύοντο διδάσκον-
τες καὶ εὐαγγελιζόμενοι τὸν χριστὸν Ἰησοῦν.

1 ΕΝ ΔΕ ΤΑΙΣ ΗΜΕΡΑΙΣ ταύταις πληθυνόντων τῶν
μαθητῶν ἐγένετο γογγυσμὸς τῶν Ἑλληνιστῶν πρὸς τοὺς
Ἑβραίους ὅτι παρεθεωροῦντο ἐν τῇ διακονίᾳ τῇ καθημερινῇ

32 τούτων· καὶ τὸ πνεῦμα τὸ ἅγιον

αἱ χῆραι αὐτῶν. προσκαλεσάμενοι δὲ οἱ δώδεκα τὸ πλῆ- 2
θος τῶν μαθητῶν εἶπαν Οὐκ ἀρεστόν ἐστιν ἡμᾶς καταλεί-
ψαντας τὸν λόγον τοῦ θεοῦ διακονεῖν τραπέζαις· ἐπισκέ- 3
ψασθε ⌜δέ⌝, ἀδελφοί, ἄνδρας ἐξ ὑμῶν μαρτυρουμένους ἑπτὰ
πλήρεις πνεύματος καὶ σοφίας, οὓς καταστήσομεν ἐπὶ τῆς
χρείας ταύτης· ἡμεῖς δὲ τῇ προσευχῇ καὶ τῇ διακονίᾳ τοῦ 4
λόγου προσκαρτερήσομεν. καὶ ἤρεσεν ὁ λόγος ἐνώπιον 5
παντὸς τοῦ πλήθους, καὶ ἐξελέξαντο Στέφανον, ἄνδρα
⌜πλήρη⌝ πίστεως καὶ πνεύματος ἁγίου, καὶ Φίλιππον καὶ
Πρόχορον καὶ Νικάνορα καὶ Τίμωνα καὶ Παρμενᾶν καὶ
Νικόλαον προσήλυτον Ἀντιοχέα, οὓς ἔστησαν ἐνώπιον τῶν 6
ἀποστόλων, καὶ προσευξάμενοι ἐπέθηκαν αὐτοῖς τὰς χεῖρας.

Καὶ ὁ λόγος τοῦ θεοῦ ηὔξανεν, καὶ ἐπληθύνετο ὁ ἀρι- 7
θμὸς τῶν μαθητῶν ἐν Ἰερουσαλὴμ σφόδρα, πολύς τε ὄχλος
τῶν ἱερέων ὑπήκουον τῇ πίστει.

Στέφανος δὲ πλήρης χάριτος καὶ δυνάμεως ἐποίει τέρατα 8
καὶ σημεῖα μεγάλα ἐν τῷ λαῷ. Ἀνέστησαν δέ τινες τῶν 9
ἐκ τῆς συναγωγῆς τῆς λεγομένης Λιβερτίνων καὶ Κυρη-
ναίων καὶ Ἀλεξανδρέων καὶ τῶν ἀπὸ Κιλικίας καὶ Ἀσίας
συνζητοῦντες τῷ Στεφάνῳ, καὶ οὐκ ἴσχυον ἀντιστῆναι τῇ 10
σοφίᾳ καὶ τῷ πνεύματι ᾧ ἐλάλει. τότε ὑπέβαλον ἄνδρας 11
λέγοντας ὅτι Ἀκηκόαμεν αὐτοῦ λαλοῦντος ῥήματα βλά-
σφημα εἰς Μωυσῆν καὶ τὸν θεόν· συνεκίνησάν τε τὸν λαὸν 12
καὶ τοὺς πρεσβυτέρους καὶ τοὺς γραμματεῖς, καὶ ἐπιστάντες
συνήρπασαν αὐτὸν καὶ ἤγαγον εἰς τὸ συνέδριον, ἔστησάν 13
τε μάρτυρας ψευδεῖς λέγοντας Ὁ ἄνθρωπος οὗτος οὐ παύε-
ται λαλῶν ῥήματα κατὰ τοῦ τόπου τοῦ ἁγίου [τούτου] καὶ
τοῦ νόμου, ἀκηκόαμεν γὰρ αὐτοῦ λέγοντος ὅτι Ἰησοῦς ὁ 14
Ναζωραῖος οὗτος καταλύσει τὸν τόπον τοῦτον καὶ ἀλλάξει
τὰ ἔθη ἃ παρέδωκεν ἡμῖν Μωυσῆς. καὶ ἀτενίσαντες εἰς 15
αὐτὸν πάντες οἱ καθεζόμενοι ἐν τῷ συνεδρίῳ εἶδαν τὸ πρόσ-
ωπον αὐτοῦ ὡσεὶ πρόσωπον ἀγγέλου. Εἶπεν 1

3 [δή]   5 πλήρης MSS

2 δὲ ὁ ἀρχιερεύς Εἰ ταῦτα οὕτως ἔχει; ὁ δὲ ἔφη Ἄνδρες
ἀδελφοὶ καὶ πατέρες, ἀκούσατε. Ὁ θεὸς τῆς ΔόΞΗς
ὤφθη τῷ πατρὶ ἡμῶν Ἀβραὰμ ὄντι ἐν τῇ Μεσοποταμίᾳ
3 πρὶν ἢ κατοικῆσαι αὐτὸν ἐν Χαρράν, καὶ εἶπεν πρὸς
ΑΥΤΟΝ Ἔξελθε ἐκ τῆς ΓῆΟ ΟΟΥ καὶ ᵀ τῆς ΟΥΓΓΕΝΕΙΑΟ
4 ΟΟΥ, καὶ ΔΕῦρο εἰΟ τὴΝ ΓῆΝ ἢΝ ἄΝ ΟΟΙ ΔΕΙΞω· τότε ἐξελ-
θὼν ἐκ γῆς Χαλδαίων κατῴκησεν ἐν Χαρράν. κἀκεῖθεν μετὰ
τὸ ἀποθανεῖν τὸν πατέρα αὐτοῦ μετῴκισεν αὐτὸν εἰς τὴν γῆν
5 ταύτην εἰς ἣν ὑμεῖς νῦν κατοικεῖτε, καὶ ΟΥΚ ἔΔωΚΕΝ αὐτῷ
κληρονομίαν ἐν αὐτῇ ΟΥΔΕ ΒῆΜΑ ΠΟΔΟΟ, καὶ ἐπηγγείλατο
ΔΟῦΝΑΙ ΑΥΤῷ ΕἰΟ ΚΑΤΑΟΧΕΟΙΝ ΑΥΤὴΝ καὶ τῷ ΟΠΕΡΜΑΤΙ
6 ΑΥΤΟῦ ΜΕΤ' ΑΥΤΟΝ, οὐκ ὄντος αὐτῷ τέκνου. ἐλάλησεν δὲ
οὕτως ὁ θεὸς ὅτι ἔΟΤΑΙ τὸ ΟΠΕΡΜΑ ΑΥΤΟῦ ΠΑΡΟΙΚΟΝ ἐΝ
Γῇ ἀλλοτρίᾳ, καὶ ΔΟΥΛώΟΟΥΟΙΝ ΑΥΤΟ καὶ ΚΑΚώΟΟΥΟΙΝ
7 ἔΤΗ ΤΕΤΡΑΚΟΟΙΑ· καὶ τὸ ἔθΝΟΟ ᾧ ἂΝ ΔΟΥΛΕΥΟΟΥΟΙΝ
ΚΡΙΝῶ ἐΓώ, ὁ θεὸς εἶπεν, καὶ ΜΕΤΑ ΤΑῦΤΑ ἐξΕΛΕΥΟΟΝΤΑΙ
8 καὶ ΛΑΤΡΕΥΟΟΥΟΙΝ ΜΟΙ ἐΝ τῷ τόπῳ ΤΟΥΤῷ. καὶ ἔδωκεν
αὐτῷ ΔΙΑθΗΚΗΝ ΠΕΡΙΤΟΜῆΟ· καὶ οὕτως ἐγέννησεν τὸν
Ἰσαὰκ καὶ ΠΕΡΙΕΤΕΜΕΝ ΑΥΤΟΝ τῇ ἡΜΕΡᾳ τῇ ὀΓΔόῃ,
καὶ Ἰσαὰκ τὸν Ἰακώβ, καὶ Ἰακὼβ τοὺς δώδεκα πατριάρ-
9 χας. Καὶ οἱ πατριάρχαι ΖΗΛώΟΑΝΤΕΟ τὸΝ Ἰωορὴφ ἀπέ-
10 ΔΟΝΤΟ ΕἰΟ ΑἴΓΥΠΤΟΝ· καὶ ἢΝ ὁ θεὸΟ ΜΕΤ' ΑΥΤΟῦ, καὶ
ἐξείλατο αὐτὸν ἐκ πασῶν τῶν θλίψεων αὐτοῦ, καὶ ἔΔωΚΕΝ
ΑΥΤῷ ΧΑΡΙΝ καὶ σοφίαν ἐΝΑΝΤΙΟΝ Φαραὼ ΒΑΟΙΛΕωΟ
ΑἰΓΥΠΤΟΥ, καὶ ΚΑΤΕΟΤΗΟΕΝ ΑΥΤΟΝ ἡΓΟΥΜΕΝΟΝ ἐπ' Αἴ-
11 ΓΥΠΤΟΝ καὶ ᵀ ὅλοΝ τὸΝ ΟἶΚΟΝ ΑΥΤΟῦ. ἢλθΕΝ ΔΕ λιμὸΟ
ἐφ' ὅλΗΝ τὴΝ ΑἴΓΥΠΤΟΝ καὶ ΧΑΝΑᾺΝ καὶ θλίψιΟ
μεγάλη, καὶ οὐχ ηὕρισκον χορτάσματα οἱ πατέρες ἡμῶν·
12 ἀΚΟΥΟΑΟ ΔΕ Ἰακὼβ ὄντα ΟΙΤΙΑ εἰΟ ΑἴΓΥΠΤΟΝ ἐξαπέ-
13 στειλεν τοὺς πατέρας ἡμῶν πρῶτον· καὶ ἐν τῷ δευτέρῳ
⌜ἐΓΝωρΙΟθΗ⌝ Ἰωορὴφ τοῖΟ ἀΔΕΛφΟῖΟ ΑΥΤΟῦ, καὶ φα-
14 νερὸν ἐγένετο τῷ Φαραὼ τὸ γένος Ἰωορήφ. ἀποστείλας δὲ
Ἰωορὴφ μετεκαλέσατο Ἰακὼβ τὸν πατέρα αὐτοῦ καὶ πᾶσαν

3 ἐκ   10 ἐφ'   13 ἀνεγνωρίσθη

τὴν συγγένειαν ἐν ψυχαῖς ἑβδομήκοντα πέντε, ⌜κατέβη 15
δὲ⌝ Ἰακὼβ [εἰς Αἴγυπτον]. καὶ ἐτελεύτησεν αὐτὸς καὶ
οἱ πατέρες ἡμῶν, καὶ μετετέθησαν εἰς Συχὲμ καὶ ἐτέθη- 16
σαν ἐν τῷ μνήματι ᾧ ὠνήσατο Ἀβραὰμ τιμῆς ἀργυρίου
παρὰ τῶν υἱῶν Ἐμμὼρ ἐν Συχέμ. Καθὼς δὲ ἤγγιζεν 17
ὁ χρόνος τῆς ἐπαγγελίας ἧς ὡμολόγησεν ὁ θεὸς τῷ Ἀβραάμ,
ηὔξησεν ὁ λαὸς καὶ ἐπληθύνθη ἐν Αἰγύπτῳ, ἄχρι οὗ 18
ἀνέστη βασιλεὺς ἕτερος ἐπ᾽ Αἴγυπτον, ὃς οὐκ ᾔδει
τὸν Ἰωσήφ. οὗτος κατασοφισάμενος τὸ γένος ἡμῶν 19
ἐκάκωσεν τοὺς πατέρας τοῦ ποιεῖν τὰ βρέφη ἔκθετα αὐτῶν
εἰς τὸ μὴ ζωογονεῖσθαι. ἐν ᾧ καιρῷ ἐγεννήθη Μωυσῆς, καὶ 20
ἦν ἀστεῖος τῷ θεῷ· ὃς ἀνετράφη μῆνας τρεῖς ἐν τῷ οἴκῳ
τοῦ πατρός· ἐκτεθέντος δὲ αὐτοῦ ἀνείλατο αὐτὸν ἡ θυγά- 21
τηρ Φαραὼ καὶ ἀνεθρέψατο αὐτὸν ἑαυτῇ εἰς υἱόν. καὶ 22
ἐπαιδεύθη Μωυσῆς πάσῃ σοφίᾳ Αἰγυπτίων, ἦν δὲ δυνατὸς
ἐν λόγοις καὶ ἔργοις αὐτοῦ. Ὡς δὲ ἐπληροῦτο αὐτῷ τεσσε- 23
ρακονταετὴς χρόνος, ἀνέβη ἐπὶ τὴν καρδίαν αὐτοῦ ἐπισκέ-
ψασθαι τοὺς ἀδελφοὺς αὐτοῦ τοὺς υἱοὺς Ἰσραήλ. καὶ 24
ἰδών τινα ἀδικούμενον ἠμύνατο καὶ ἐποίησεν ἐκδίκησιν τῷ
καταπονουμένῳ πατάξας τὸν Αἰγύπτιον. ἐνόμιζεν δὲ συ- 25
νιέναι τοὺς ἀδελφοὺς ὅτι ὁ θεὸς διὰ χειρὸς αὐτοῦ δίδωσιν
σωτηρίαν αὐτοῖς, οἱ δὲ οὐ συνῆκαν. τῇ τε ἐπιούσῃ ἡμέρᾳ 26
ὤφθη αὐτοῖς μαχομένοις καὶ συνήλλασσεν αὐτοὺς εἰς εἰρή-
νην εἰπών Ἄνδρες, ἀδελφοί ἐστε· ἵνα τί ἀδικεῖτε ἀλλήλους;
ὁ δὲ ἀδικῶν τὸν πλησίον ἀπώσατο αὐτὸν εἰπών Τίς σὲ 27
κατέστησεν ἄρχοντα καὶ δικαστὴν ἐπ᾽ ἡμῶν; μὴ ἀνε- 28
λεῖν με σὺ θέλεις ὃν τρόπον ἀνεῖλες ἐχθὲς τὸν Αἰ-
γύπτιον; ἔφυγεν δὲ Μωυσῆς ἐν τῷ λόγῳ τούτῳ, 29
καὶ ἐγένετο πάροικος ἐν γῇ Μαδιάμ, οὗ ἐγέννησεν υἱοὺς
δύο. Καὶ πληρωθέντων ἐτῶν τεσσεράκοντα ὤφθη αὐτῷ 30
ἐν τῇ ἐρήμῳ τοῦ ὄρους Σινὰ ἄγγελος ἐν φλογὶ πυρὸς
βάτου· ὁ δὲ Μωυσῆς ἰδὼν ἐθαύμασεν τὸ ὅραμα· προσερ- 31
χομένου δὲ αὐτοῦ κατανοῆσαι ἐγένετο φωνὴ Κυρίου Ἐγὼ 32

ὁ θεὸς τῶν πατέρων coy, ὁ θεὸς Ἀβραὰμ καὶ Ἰcαὰκ
καὶ Ἰακώβ. ἔντρομος δὲ γενόμενος Μωυσῆς οὐκ ἐτόλμα
33 κατανοῆσαι. εἶπεν δὲ αὐτῷ ὁ κύριος Λῦcον τὸ ὑπό-
Δημα τῶν ποΔῶν coy, ὁ ϙὰρ τόποc ἐφ' ᾧ ἕcΤηκαc ϙῆ
34 ἁϙία ἐcΤίν. ἰΔὼν εἶΔον τὴν κάκωcιν τοῦ λαοῦ μου
τοῦ ἐν Αἰϙύπτῳ, καὶ τοῦ cΤεναϙμοῦ αὐτοῦ ἤκουcα,
καὶ κατέβην ἐξελέcθαι αὐτούc· καὶ νῦν Δεῦρο ἀποcΤεί-
35 λω cε εἰc Αἴϙυπτον. Τοῦτον τὸν Μωυσῆν, ὃν ἠρνήσαντο
εἰπόντες Τίc cὲ κατέcΤηcεν ἄρχοντα καὶ ΔικαcΤήν,
τοῦτον ὁ θεὸς καὶ ἄρχοντα καὶ λυτρωτὴν ἀπέσταλκεν σὺν χει-
36 ρὶ ἀγγέλου τοῦ ὀφθέντος αὐτῷ ἐν τῇ βάτῳ. οὗτος ἐξήγαγεν
αὐτοὺς ποιήσας Τέρατα καὶ cημεῖα ἐν τῇ Αἰϙύπτῳ καὶ ἐν
Ἐρυθρᾷ Θαλάccῃ καὶ ἐν τῇ ἐρήμῳ ἔΤη τεccεράκοντα.
37 οὗτός ἐστιν ὁ Μωυσῆς ὁ εἴπας τοῖς υἱοῖς Ἰσραήλ Προ-
φήτην ὑμῖν ἀναcΤήcει ὁ θεὸc ἐκ τῶν ἀΔελφῶν ὑμῶν
38 ὡς ἐμέ. οὗτός ἐστιν ὁ γενόμενος ἐν τῇ ἐκκλησίᾳ ἐν τῇ
ἐρήμῳ μετὰ τοῦ ἀγγέλου τοῦ λαλοῦντος αὐτῷ ἐν τῷ ὄρει
Σινὰ καὶ τῶν πατέρων ἡμῶν, ὃς ἐδέξατο λόγια ζῶντα δοῦναι
39 ⌐ὑμῖν⌐, ᾧ οὐκ ἠθέλησαν ὑπήκοοι γενέσθαι οἱ πατέρες ἡμῶν
ἀλλὰ ἀπώσαντο καὶ ἐcΤράφηcαν ἐν ταῖς καρδίαις αὐτῶν
40 εἰς Αἴϙυπτον, εἰπόντες τῷ Ἀαρών Ποίηcον ἡμῖν
θεοὺc οἳ προπορεύcονται ἡμῶν· ὁ ϙὰρ Μωυcῆc
οὗτοc, ὃc ἐξήϙαϙεν ἡμᾶc ἐκ ϙῆc Αἰϙύπτου, οὐκ οἴ-
41 Δαμεν Τί ἐϙένετο αὐτῷ. καὶ ἐμοcχοποίηcαν ἐν ταῖc
ἡμέραις ἐκείναις καὶ ἀνήϙαϙον θυcίαν τῷ εἰΔώλῳ, καὶ εὐ-
42 φραίνοντο ἐν τοῖς ἔργοις τῶν χειρῶν αὐτῶν. ἔcΤρεψεν δὲ
ὁ θεὸς καὶ παρέδωκεν αὐτοὺς λατρεύειν τῇ cΤρατιᾷ τοῦ
οὐρανοῦ, καθὼς γέγραπται ἐν Βίβλῳ τῶν προφητῶν
  Μὴ cφάϙια καὶ θυcίαc προcηνέϙκατέ μοι
  ἔΤη τεccεράκοντα ἐν τῇ ἐρήμῳ, οἶκοc Ἰcραήλ;
43 καὶ ἀνελάβετε τὴν cκηνὴν τοῦ Μολόχ
  καὶ τὸ ἄcΤρον τοῦ θεοῦ Ῥομφά,
    τοὺc τύπουc οὓc ἐποιήcατε προcκυνεῖν αὐτοῖc.
  καὶ μετοικιῶ ὑμᾶc ἐπέκεινα Βαβυλῶνος.

Ἡ σκηνὴ τοῦ μαρτυρίου ἦν τοῖς πατράσιν ἡμῶν ἐν τῇ 44
ἐρήμῳ, καθὼς διετάξατο ὁ λαλῶν τῷ Μωυϲῇ ποιῆϲαι
αὐτὴν κατὰ τὸν τύπον ὃν ἑωράκει, ἦν καὶ εἰσήγαγον 45
διαδεξάμενοι οἱ πατέρες ἡμῶν μετὰ Ἰησοῦ ἐν τῇ κατα-
ϲχέϲει τῶν ἐθνῶν ὧν ἐξῶσεν ὁ θεὸς ἀπὸ προσώπου τῶν
πατέρων ἡμῶν ἕως τῶν ἡμερῶν Δαυείδ· ὃς εὗρεν χάριν 46
ἐνώπιον τοῦ θεοῦ καὶ ᾐτήσατο εὑρεῖν ϲκήνωμα τῷ
⌜θεῷ⌝ Ἰακώβ. Ϲολομῶν δὲ οἰκοδόμηϲεν αὐτῷ οἶκον. 47
ἀλλ' οὐχ ὁ ὕψιστος ἐν χειροποιήτοις κατοικεῖ· καθὼς ὁ 48
προφήτης λέγει

    Ὁ οὐρανόϲ μοι θρόνοϲ,   49
⌜καὶ ἡ⌝ γῆ ὑποπόδιον τῶν ποδῶν μου·
ποῖον οἶκον οἰκοδομήϲετέ μοι, λέγει Κύριοϲ,
ἢ τίϲ τόποϲ τῆϲ καταπαύϲεώϲ μου;
        οὐχὶ ἡ χείρ μου ἐποίηϲεν ταῦτα πάντα ; 50
Ϲκληροτράχηλοι καὶ ἀπερίτμητοι ⌜καρδίαιϲ⌝ καὶ τοῖϲ 51
ὠϲίν, ὑμεῖς ἀεὶ τῷ πνεύματι τῷ ἁγίῳ ἀντιπίπτετε, ὡς
οἱ πατέρες ὑμῶν καὶ ὑμεῖς. τίνα τῶν προφητῶν οὐκ ἐδίωξαν 52
οἱ πατέρες ὑμῶν ; καὶ ἀπέκτειναν τοὺς προκαταγγείλαντας
περὶ τῆς ἐλεύσεως τοῦ δικαίου οὗ νῦν ὑμεῖς προδόται καὶ
φονεῖς ἐγένεσθε, οἵτινες ἐλάβετε τὸν νόμον εἰς διαταγὰς 53
ἀγγέλων, καὶ οὐκ ἐφυλάξατε.   Ἀκούοντες δὲ 54
ταῦτα διεπρίοντο ταῖς καρδίαις αὐτῶν καὶ ἔβρυχον τοὺς
ὀδόντας ἐπ' αὐτόν. ὑπάρχων δὲ πλήρης πνεύματος ἁγίου 55
ἀτενίσας εἰς τὸν οὐρανὸν εἶδεν δόξαν θεοῦ καὶ Ἰησοῦν ἑστῶτα
ἐκ δεξιῶν τοῦ θεοῦ, καὶ εἶπεν Ἰδοὺ θεωρῶ τοὺς οὐρανοὺς 56
διηνοιγμένους καὶ τὸν υἱὸν τοῦ ἀνθρώπου ἐκ δεξιῶν ἑστῶτα
τοῦ θεοῦ. κράξαντες δὲ φωνῇ μεγάλῃ συνέσχον τὰ ὦτα 57
αὐτῶν, καὶ ὥρμησαν ὁμοθυμαδὸν ἐπ' αὐτόν, καὶ ἐκβαλόντες 58
ἔξω τῆς πόλεως ἐλιθοβόλουν. καὶ οἱ μάρτυρες ἀπέθεντο τὰ
ἱμάτια αὐτῶν παρὰ τοὺς πόδας νεανίου καλουμένου Σαύλου.
καὶ ἐλιθοβόλουν τὸν Στέφανον ἐπικαλούμενον καὶ λέγοντα 59
Κύριε Ἰησοῦ, δέξαι τὸ πνεῦμά μου· θεὶς δὲ τὰ γόνατα 60

46 †...†   49 ἡ δὲ

ἔκραξεν φωνῇ μεγάλῃ Κύριε, μὴ στήσῃς αὐτοῖς ταύτην τὴν
1 ἁμαρτίαν· καὶ τοῦτο εἰπὼν ἐκοιμήθη. Σαῦλος
δὲ ἦν συνευδοκῶν τῇ ἀναιρέσει αὐτοῦ.

Ἐγένετο δὲ ἐν ἐκείνῃ τῇ ἡμέρᾳ διωγμὸς μέγας ἐπὶ τὴν
ἐκκλησίαν τὴν ἐν Ἱεροσολύμοις· πάντες [δὲ] διεσπάρησαν
κατὰ τὰς χώρας τῆς Ἰουδαίας καὶ Σαμαρίας πλὴν τῶν
2 ἀποστόλων. συνεκόμισαν δὲ τὸν Στέφανον ἄνδρες εὐλα-
3 βεῖς καὶ ἐποίησαν κοπετὸν μέγαν ἐπ' αὐτῷ. Σαῦλος δὲ
ἐλυμαίνετο τὴν ἐκκλησίαν κατὰ τοὺς οἴκους εἰσπορευόμε-
νος, σύρων τε ἄνδρας καὶ γυναῖκας παρεδίδου εἰς φυλακήν.

4 Οἱ μὲν οὖν διασπαρέντες διῆλθον εὐαγγελιζόμενοι τὸν
5 λόγον. Φίλιππος δὲ κατελθὼν εἰς τὴν πόλιν τῆς Σαμα-
6 ρίας ἐκήρυσσεν αὐτοῖς τὸν χριστόν. προσεῖχον δὲ οἱ ὄχλοι
τοῖς λεγομένοις ὑπὸ τοῦ Φιλίππου ὁμοθυμαδὸν ἐν τῷ
7 ἀκούειν αὐτοὺς καὶ βλέπειν τὰ σημεῖα ἃ ἐποίει· πολλοὶ
γὰρ τῶν ἐχόντων πνεύματα ἀκάθαρτα βοῶντα φωνῇ με-
γάλῃ ἐξήρχοντο, πολλοὶ δὲ παραλελυμένοι καὶ χωλοὶ
8 ἐθεραπεύθησαν· ἐγένετο δὲ πολλὴ χαρὰ ἐν τῇ πόλει
9 ἐκείνῃ. Ἀνὴρ δέ τις ὀνόματι Σίμων προϋπῆρχεν
ἐν τῇ πόλει μαγεύων καὶ ἐξιστάνων τὸ ἔθνος τῆς Σαμαρίας,
10 λέγων εἶναί τινα ἑαυτὸν μέγαν, ᾧ προσεῖχον πάντες ἀπὸ
μικροῦ ἕως μεγάλου λέγοντες Οὗτός ἐστιν ἡ Δύναμις τοῦ
11 θεοῦ ἡ καλουμένη Μεγάλη. προσεῖχον δὲ αὐτῷ διὰ τὸ
12 ἱκανῷ χρόνῳ ταῖς μαγίαις ἐξεστακέναι αὐτούς. ὅτε δὲ
ἐπίστευσαν τῷ Φιλίππῳ εὐαγγελιζομένῳ περὶ τῆς βασι-
λείας τοῦ θεοῦ καὶ τοῦ ὀνόματος Ἰησοῦ Χριστοῦ, ἐβαπτί-
13 ζοντο ἄνδρες τε καὶ γυναῖκες. ὁ δὲ Σίμων καὶ αὐτὸς ἐπί-
στευσεν, καὶ βαπτισθεὶς ἦν προσκαρτερῶν τῷ Φιλίππῳ,
θεωρῶν τε σημεῖα καὶ δυνάμεις μεγάλας γινομένας ἐξί-
14 στατο. Ἀκούσαντες δὲ οἱ ἐν Ἱεροσολύμοις
ἀπόστολοι ὅτι δέδεκται ἡ Σαμαρία τὸν λόγον τοῦ θεοῦ
15 ἀπέστειλαν πρὸς αὐτοὺς Πέτρον καὶ Ἰωάνην, οἵτινες κατα-

51 καρδίας

βάντες προσηύξαντο περὶ αὐτῶν ὅπως λάβωσιν πνεῦμα
ἅγιον· οὐδέπω γὰρ ἦν ἐπ᾿ οὐδενὶ αὐτῶν ἐπιπεπτωκός, μόνον 16
δὲ βεβαπτισμένοι ὑπῆρχον εἰς τὸ ὄνομα τοῦ κυρίου Ἰησοῦ.
τότε ἐπετίθεσαν τὰς χεῖρας ἐπ᾿ αὐτούς, καὶ ἐλάμβανον 17
πνεῦμα ἅγιον. Ἰδὼν δὲ ὁ Σίμων ὅτι διὰ τῆς ἐπιθέσεως τῶν 18
χειρῶν τῶν ἀποστόλων δίδοται τὸ πνεῦμα προσήνεγκεν
αὐτοῖς χρήματα λέγων Δότε κἀμοὶ τὴν ἐξουσίαν ταύτην 19
ἵνα ᾧ ἐὰν ἐπιθῶ τὰς χεῖρας λαμβάνῃ πνεῦμα ἅγιον. Πέ- 20
τρος δὲ εἶπεν πρὸς αὐτόν Τὸ ἀργύριόν σου σὺν σοὶ εἴη
εἰς ἀπώλειαν, ὅτι τὴν δωρεὰν τοῦ θεοῦ ἐνόμισας διὰ χρημά-
των κτᾶσθαι. οὐκ ἔστιν σοι μερὶς οὐδὲ κλῆρος ἐν τῷ λόγῳ 21
τούτῳ, ἡ γὰρ καρδία σου ΟΥΚ ΕϹΤΙΝ ΕΥΘΕΙΑ ΕΝΑΝΤΙ ΤΟΥ
ΘΕΟΥ. μετανόησον οὖν ἀπὸ τῆς κακίας σου ταύτης, καὶ 22
δεήθητι τοῦ κυρίου εἰ ἄρα ἀφεθήσεταί σοι ἡ ἐπίνοια τῆς
καρδίας σου· εἰς γὰρ ΧΟΛΗΝ ΠΙΚΡΙΑϹ καὶ ϹΥΝΔΕϹΜΟΝ ΑΔΙ- 23
ΚΙΑϹ ὁρῶ σε ὄντα. ἀποκριθεὶς δὲ ὁ Σίμων εἶπεν Δεήθητε 24
ὑμεῖς ὑπὲρ ἐμοῦ πρὸς τὸν κύριον ὅπως μηδὲν ἐπέλθῃ ἐπ᾿ ἐμὲ
ὧν εἰρήκατε. Οἱ μὲν οὖν διαμαρτυράμενοι καὶ 25
λαλήσαντες τὸν λόγον τοῦ κυρίου ὑπέστρεφον εἰς Ἱεροσό-
λυμα, πολλάς τε κώμας τῶν Σαμαρειτῶν εὐηγγελίζοντο.

Ἄγγελος δὲ Κυρίου ἐλάλησεν πρὸς Φίλιππον λέγων 26
Ἀνάστηθι καὶ πορεύου κατὰ μεσημβρίαν ἐπὶ τὴν ὁδὸν τὴν
καταβαίνουσαν ἀπὸ Ἱερουσαλὴμ εἰς Γάζαν· αὕτη ἐστὶν
ἔρημος. καὶ ἀναστὰς ἐπορεύθη, καὶ ἰδοὺ ἀνὴρ Αἰθίοψ 27
εὐνοῦχος δυνάστης Κανδάκης βασιλίσσης Αἰθιόπων, ὃς ἦν
ἐπὶ πάσης τῆς γάζης αὐτῆς, [ὃς] ἐληλύθει προσκυνήσων εἰς
Ἱερουσαλήμ, ἦν δὲ ὑποστρέφων καὶ καθήμενος ἐπὶ τοῦ 28
ἅρματος αὐτοῦ καὶ ἀνεγίνωσκεν τὸν προφήτην Ἡσαίαν.
εἶπεν δὲ τὸ πνεῦμα τῷ Φιλίππῳ Πρόσελθε καὶ κολλήθητι 29
τῷ ἅρματι τούτῳ. προσδραμὼν δὲ ὁ Φίλιππος ἤκουσεν 30
αὐτοῦ ἀναγινώσκοντος Ἡσαίαν τὸν προφήτην, καὶ εἶπεν
Ἆρά γε γινώσκεις ἃ ἀναγινώσκεις; ὁ δὲ εἶπεν Πῶς γὰρ 31

ἂν δυναίμην ἐὰν μή τις ὁδηγήσει με ;   παρεκάλεσέν τε τὸν
32 Φίλιππον ἀναβάντα καθίσαι σὺν αὐτῷ.   ἡ δὲ περιοχὴ τῆς
γραφῆς ἣν ἀνεγίνωσκεν ἦν αὕτη

Ὡς πρόβατον ἐπὶ σφαγὴν ἤχθη,
καὶ ὡς ἀμνὸς ἐναντίον τοῦ ⌈κείροντος⌉ αὐτὸν
ἄφωνος,
οὕτως οὐκ ἀνοίγει τὸ στόμα αὐτοῦ.

33   Ἐν τῇ ταπεινώσει ἡ κρίσις αὐτοῦ ἤρθη·
τὴν γενεὰν αὐτοῦ τίς διηγήσεται ;
ὅτι αἴρεται ἀπὸ τῆς γῆς ἡ ζωὴ αὐτοῦ.

34 ἀποκριθεὶς δὲ ὁ εὐνοῦχος τῷ Φιλίππῳ εἶπεν   Δέομαί σου,
περὶ τίνος ὁ προφήτης λέγει τοῦτο ; περὶ ἑαυτοῦ ἢ περὶ
35 ἑτέρου τινός ;   ἀνοίξας δὲ ὁ Φίλιππος τὸ στόμα αὐτοῦ καὶ
ἀρξάμενος ἀπὸ τῆς γραφῆς ταύτης εὐηγγελίσατο αὐτῷ τὸν
36 Ἰησοῦν. ὡς δὲ ἐπορεύοντο κατὰ τὴν ὁδόν, ἦλθον ἐπί τι
ὕδωρ, καί φησιν ὁ εὐνοῦχος   Ἰδοὺ ὕδωρ· τί κωλύει με
38 βαπτισθῆναι ; καὶ ἐκέλευσεν στῆναι τὸ ἅρμα, καὶ κατέ-
βησαν ἀμφότεροι εἰς τὸ ὕδωρ ὅ τε Φίλιππος καὶ ὁ εὐνοῦχος,
39 καὶ ἐβάπτισεν αὐτόν. ὅτε δὲ ἀνέβησαν ἐκ τοῦ ὕδατος,
πνεῦμα Κυρίου ἥρπασεν τὸν Φίλιππον, καὶ οὐκ εἶδεν αὐτὸν
οὐκέτι ὁ εὐνοῦχος, ἐπορεύετο γὰρ τὴν ὁδὸν αὐτοῦ χαίρων.
40 Φίλιππος δὲ εὑρέθη εἰς Ἄζωτον, καὶ διερχόμενος εὐηγγε-
λίζετο τὰς πόλεις πάσας ἕως τοῦ ἐλθεῖν αὐτὸν εἰς Και-
σαρίαν.

1   Ὁ δὲ Σαῦλος, ἔτι ἐνπνέων ἀπειλῆς καὶ φόνου εἰς τοὺς
2 μαθητὰς τοῦ κυρίου, προσελθὼν τῷ ἀρχιερεῖ ᾐτήσατο
παρ' αὐτοῦ ἐπιστολὰς εἰς Δαμασκὸν πρὸς τὰς συναγωγάς,
ὅπως ἐάν τινας εὕρῃ τῆς ὁδοῦ ὄντας, ἄνδρας τε καὶ γυναῖ-
3 κας, δεδεμένους ἀγάγῃ εἰς Ἰερουσαλήμ.   Ἐν δὲ
τῷ πορεύεσθαι ἐγένετο αὐτὸν ἐγγίζειν τῇ Δαμασκῷ, ἐξέ-
4 φνης τε αὐτὸν περιήστραψεν φῶς ἐκ τοῦ οὐρανοῦ, καὶ πεσὼν

32 κείραντος

ἐπὶ τὴν γῆν ἤκουσεν φωνὴν λέγουσαν αὐτῷ Σαούλ Σαούλ,
τί με διώκεις ; εἶπεν δέ Τίς εἶ, κύριε ; ὁ δέ Ἐγώ εἰμι 5
Ἰησοῦς ὃν σὺ διώκεις· ἀλλὰ ἀνάστηθι καὶ εἴσελθε εἰς τὴν 6
πόλιν, καὶ λαληθήσεταί σοι ὅτι σε δεῖ ποιεῖν. οἱ δὲ 7
ἄνδρες οἱ συνοδεύοντες αὐτῷ ἱστήκεισαν ἐνεοί, ἀκούοντες
μὲν τῆς φωνῆς μηδένα δὲ θεωροῦντες. ἠγέρθη δὲ Σαῦλος 8
ἀπὸ τῆς γῆς, ἀνεῳγμένων δὲ τῶν ὀφθαλμῶν αὐτοῦ οὐδὲν
ἔβλεπεν· χειραγωγοῦντες δὲ αὐτὸν εἰσήγαγον εἰς Δαμα-
σκόν. καὶ ἦν ἡμέρας τρεῖς μὴ βλέπων, καὶ οὐκ ἔφαγεν 9
οὐδὲ ἔπιεν.

Ἦν δέ τις μαθητὴς ἐν Δαμασκῷ ὀνόματι Ἀνανίας, 10
καὶ εἶπεν πρὸς αὐτὸν ἐν ὁράματι ὁ κύριος Ἀνανία. ὁ δὲ
εἶπεν Ἰδοὺ ἐγώ, κύριε. ὁ δὲ κύριος πρὸς αὐτὸν ⌈Ἀνάστα⌉ 11
πορεύθητι ἐπὶ τὴν ῥύμην τὴν καλουμένην Εὐθεῖαν καὶ ζή-
τησον ἐν οἰκίᾳ Ἰούδα Σαῦλον ὀνόματι Ταρσέα, ἰδοὺ γὰρ
προσεύχεται, καὶ εἶδεν ἄνδρα [ἐν ὁράματι] Ἀνανίαν ὀνό- 12
ματι εἰσελθόντα καὶ ἐπιθέντα αὐτῷ [τὰς] χεῖρας ὅπως ἀνα-
βλέψῃ. ἀπεκρίθη δὲ Ἀνανίας Κύριε, ἤκουσα ἀπὸ πολλῶν 13
περὶ τοῦ ἀνδρὸς τούτου, ὅσα κακὰ τοῖς ἁγίοις σου ἐποίησεν
ἐν Ἰερουσαλήμ· καὶ ὧδε ἔχει ἐξουσίαν παρὰ τῶν ἀρχιερέων 14
δῆσαι πάντας τοὺς ἐπικαλουμένους τὸ ὄνομά σου. εἶπεν 15
δὲ πρὸς αὐτὸν ὁ κύριος Πορεύου, ὅτι σκεῦος ἐκλογῆς ἐστίν
μοι οὗτος τοῦ βαστάσαι τὸ ὄνομά μου ἐνώπιον [τῶν] ἐθνῶν
τε καὶ βασιλέων υἱῶν τε Ἰσραήλ, ἐγὼ γὰρ ὑποδείξω αὐτῷ 16
ὅσα δεῖ αὐτὸν ὑπὲρ τοῦ ὀνόματός μου παθεῖν. Ἀπῆλθεν 17
δὲ Ἀνανίας καὶ εἰσῆλθεν εἰς τὴν οἰκίαν, καὶ ἐπιθεὶς ἐπ᾽ αὐτὸν
τὰς χεῖρας εἶπεν Σαοὺλ ἀδελφέ, ὁ κύριος ἀπέσταλκέν με,
Ἰησοῦς ὁ ὀφθείς σοι ἐν τῇ ὁδῷ ᾗ ἤρχου, ὅπως ἀναβλέψῃς
καὶ πλησθῇς πνεύματος ἁγίου. καὶ εὐθέως ἀπέπεσαν αὐ- 18
τοῦ ἀπὸ τῶν ὀφθαλμῶν ὡς λεπίδες, ἀνέβλεψέν τε, καὶ ἀνα-
στὰς ἐβαπτίσθη, καὶ λαβὼν τροφὴν ἐνισχύθη. 19

Ἐγένετο δὲ μετὰ τῶν ἐν Δαμασκῷ μαθητῶν ἡμέρας
τινάς, καὶ εὐθέως ἐν ταῖς συναγωγαῖς ἐκήρυσσεν τὸν Ἰησοῦν 20

11 Ἀναστὰς

21 ὅτι οὗτός ἐστιν ὁ υἱὸς τοῦ θεοῦ. ἐξίσταντο δὲ πάντες οἱ
ἀκούοντες καὶ ἔλεγον Οὐχ οὗτός ἐστιν ὁ πορθήσας ἐν
Ἰερουσαλὴμ τοὺς ἐπικαλουμένους τὸ ὄνομα τοῦτο, καὶ ὧδε
εἰς τοῦτο ἐληλύθει ἵνα δεδεμένους αὐτοὺς ἀγάγῃ ἐπὶ τοὺς
22 ἀρχιερεῖς; Σαῦλος δὲ μᾶλλον ἐνεδυναμοῦτο καὶ συνέχυννεν
Ἰουδαίους τοὺς κατοικοῦντας ἐν Δαμασκῷ, συνβιβάζων ὅτι
23 οὗτός ἐστιν ὁ χριστός. Ὡς δὲ ἐπληροῦντο ἡμέ-
ραι ἱκαναί, συνεβουλεύσαντο οἱ Ἰουδαῖοι ἀνελεῖν αὐτόν·
24 ἐγνώσθη δὲ τῷ Σαύλῳ ἡ ἐπιβουλὴ αὐτῶν. παρετηροῦντο
δὲ καὶ τὰς πύλας ἡμέρας τε καὶ νυκτὸς ὅπως αὐτὸν ἀνέλω-
25 σιν· λαβόντες δὲ οἱ μαθηταὶ αὐτοῦ νυκτὸς διὰ τοῦ τείχους
26 καθῆκαν αὐτὸν χαλάσαντες ἐν σφυρίδι. Παρα-
γενόμενος δὲ εἰς Ἰερουσαλὴμ ἐπείραζεν κολλᾶσθαι τοῖς
μαθηταῖς· καὶ πάντες ἐφοβοῦντο αὐτόν, μὴ πιστεύοντες
27 ὅτι ἐστὶν μαθητής. Βαρνάβας δὲ ἐπιλαβόμενος αὐτὸν ἤγα-
γεν πρὸς τοὺς ἀποστόλους, καὶ διηγήσατο αὐτοῖς πῶς ἐν
τῇ ὁδῷ εἶδεν τὸν κύριον καὶ ὅτι ἐλάλησεν αὐτῷ, καὶ πῶς ἐν
28 Δαμασκῷ ἐπαρρησιάσατο ἐν τῷ ὀνόματι Ἰησοῦ. καὶ ἦν
μετ᾽ αὐτῶν εἰσπορευόμενος καὶ ἐκπορευόμενος εἰς Ἰερου-
29 σαλήμ, παρρησιαζόμενος ἐν τῷ ὀνόματι τοῦ κυρίου, ἐλάλει
τε καὶ συνεζήτει πρὸς τοὺς Ἑλληνιστάς· οἱ δὲ ἐπεχείρουν
30 ἀνελεῖν αὐτόν. ἐπιγνόντες δὲ οἱ ἀδελφοὶ κατήγαγον αὐτὸν
εἰς Καισαρίαν καὶ ἐξαπέστειλαν αὐτὸν εἰς Ταρσόν.

31 Η ΜΕΝ ΟΥΝ ΕΚΚΛΗΣΙΑ καθ᾽ ὅλης τῆς Ἰουδαίας καὶ
Γαλιλαίας καὶ Σαμαρίας εἶχεν εἰρήνην οἰκοδομουμένη, καὶ
πορευομένη τῷ φόβῳ τοῦ κυρίου καὶ τῇ παρακλήσει τοῦ
ἁγίου πνεύματος ἐπληθύνετο.

32 Ἐγένετο δὲ Πέτρον διερχόμενον διὰ πάντων κατελ-
θεῖν καὶ πρὸς τοὺς ἁγίους τοὺς κατοικοῦντας Λύδδα.
33 εὗρεν δὲ ἐκεῖ ἄνθρωπόν τινα ὀνόματι Αἰνέαν ἐξ ἐτῶν ὀκτὼ

κατακείμενον ἐπὶ κραβάττου, ὃς ἦν παραλελυμένος. καὶ 34
εἶπεν αὐτῷ ὁ Πέτρος Αἰνέα, ἰαταί σε Ἰησοῦς Χριστός·
ἀνάστηθι καὶ στρῶσον σεαυτῷ· καὶ εὐθέως ἀνέστη. καὶ 35
εἶδαν αὐτὸν πάντες οἱ κατοικοῦντες Λύδδα καὶ τὸν Σαρῶνα,
οἵτινες ἐπέστρεψαν ἐπὶ τὸν κύριον.

Ἐν Ἰόππῃ δέ τις ἦν μαθήτρια ὀνόματι Ταβειθά, ἣ 36
διερμηνευομένη λέγεται Δορκάς· αὕτη ἦν πλήρης ἔργων
ἀγαθῶν καὶ ἐλεημοσυνῶν ὧν ἐποίει. ἐγένετο δὲ ἐν ταῖς 37
ἡμέραις ἐκείναις ἀσθενήσασαν αὐτὴν ἀποθανεῖν· λούσαντες
δὲ ἔθηκαν ᵀ ἐν ὑπερῴῳ. ἐγγὺς δὲ οὔσης Λύδδας τῇ Ἰόππῃ 38
οἱ μαθηταὶ ἀκούσαντες ὅτι Πέτρος ἐστὶν ἐν αὐτῇ ἀπέστει-
λαν δύο ἄνδρας πρὸς αὐτὸν παρακαλοῦντες Μὴ ὀκνήσῃς
διελθεῖν ἕως ἡμῶν· ἀναστὰς δὲ Πέτρος συνῆλθεν αὐτοῖς· 39
ὃν παραγενόμενον ἀνήγαγον εἰς τὸ ὑπερῷον, καὶ παρέστη-
σαν αὐτῷ πᾶσαι αἱ χῆραι κλαίουσαι καὶ ἐπιδεικνύμεναι
χιτῶνας καὶ ἱμάτια ὅσα ἐποίει μετ᾽ αὐτῶν οὖσα ἡ Δορκάς.
ἐκβαλὼν δὲ ἔξω πάντας ὁ Πέτρος καὶ θεὶς τὰ γόνατα 40
προσηύξατο, καὶ ἐπιστρέψας πρὸς τὸ σῶμα εἶπεν Ταβειθά,
ἀνάστηθι. ἡ δὲ ἤνοιξεν τοὺς ὀφθαλμοὺς αὐτῆς, καὶ ἰδοῦσα
τὸν Πέτρον ἀνεκάθισεν. δοὺς δὲ αὐτῇ χεῖρα ἀνέστησεν 41
αὐτήν, φωνήσας δὲ τοὺς ἁγίους καὶ τὰς χήρας παρέστησεν
αὐτὴν ζῶσαν. γνωστὸν δὲ ἐγένετο καθ᾽ ὅλης Ἰόππης, καὶ 42
ἐπίστευσαν πολλοὶ ἐπὶ τὸν κύριον. Ἐγένετο δὲ ἡμέρας 43
ἱκανὰς μεῖναι ἐν Ἰόππῃ παρά τινι Σίμωνι βυρσεῖ.

Ἀνὴρ δέ τις ἐν Καισαρίᾳ ὀνόματι Κορνήλιος, ἑκατον- 1
τάρχης ἐκ σπείρης τῆς καλουμένης Ἰταλικῆς, εὐσεβὴς καὶ 2
φοβούμενος τὸν θεὸν σὺν παντὶ τῷ οἴκῳ αὐτοῦ, ποιῶν ἐλεη-
μοσύνας πολλὰς τῷ λαῷ καὶ δεόμενος τοῦ θεοῦ διὰ παντός,
εἶδεν ἐν ὁράματι φανερῶς ὡσεὶ περὶ ὥραν ἐνάτην τῆς ἡμέ- 3
ρας ἄγγελον τοῦ θεοῦ εἰσελθόντα πρὸς αὐτὸν καὶ εἰπόντα
αὐτῷ Κορνήλιε. ὁ δὲ ἀτενίσας αὐτῷ καὶ ἔμφοβος γενό- 4
μενος εἶπεν Τί ἐστιν, κύριε; εἶπεν δὲ αὐτῷ Αἱ προσευ-

37 αὐτὴν

χαί σου καὶ αἱ ἐλεημοσύναι σου ἀνέβησαν εἰς μνημόσυνον
5 ἔμπροσθεν τοῦ θεοῦ· καὶ νῦν πέμψον ἄνδρας εἰς Ἰόππην
6 καὶ μετάπεμψαι Σίμωνά τινα ὃς ἐπικαλεῖται Πέτρος· οὗτος
ξενίζεται παρά τινι Σίμωνι βυρσεῖ, ᾧ ἐστὶν οἰκία παρὰ θά-
7 λασσαν. ὡς δὲ ἀπῆλθεν ὁ ἄγγελος ὁ λαλῶν αὐτῷ, φωνήσας
δύο τῶν οἰκετῶν καὶ στρατιώτην εὐσεβῆ τῶν προσκαρτερούν-
8 των αὐτῷ καὶ ἐξηγησάμενος ἅπαντα αὐτοῖς ἀπέστειλεν
9 αὐτοὺς εἰς τὴν Ἰόππην.   Τῇ δὲ ἐπαύριον ὁδοι-
πορούντων ἐκείνων καὶ τῇ πόλει ἐγγιζόντων ἀνέβη Πέτρος
10 ἐπὶ τὸ δῶμα προσεύξασθαι περὶ ὥραν ἕκτην. ἐγένετο δὲ
πρόσπεινος καὶ ἤθελεν γεύσασθαι· παρασκευαζόντων δὲ
11 αὐτῶν ἐγένετο ἐπ' αὐτὸν ἔκστασις, καὶ θεωρεῖ τὸν οὐρανὸν
ἀνεῳγμένον καὶ καταβαῖνον σκεῦός τι ὡς ὀθόνην μεγάλην
12 τέσσαρσιν ἀρχαῖς καθιέμενον ἐπὶ τῆς γῆς, ἐν ᾧ ὑπῆρχεν
πάντα τὰ τετράποδα καὶ ἑρπετὰ τῆς γῆς καὶ πετεινὰ τοῦ
13 οὐρανοῦ. καὶ ἐγένετο φωνὴ πρὸς αὐτόν Ἀναστάς, Πέτρε,
14 θῦσον καὶ φάγε. ὁ δὲ Πέτρος εἶπεν Μηδαμῶς, κύριε, ὅτι
15 οὐδέποτε ἔφαγον πᾶν κοινὸν καὶ ἀκάθαρτον. καὶ φωνὴ
πάλιν ἐκ δευτέρου πρὸς αὐτὸν Ἃ ὁ θεὸς ἐκαθάρισεν σὺ μὴ
16 κοίνου. τοῦτο δὲ ἐγένετο ἐπὶ τρίς, καὶ εὐθὺς ἀνελήμφθη τὸ
17 σκεῦος εἰς τὸν οὐρανόν.   Ὡς δὲ ἐν ἑαυτῷ διη-
πόρει ὁ Πέτρος τί ἂν εἴη τὸ ὅραμα ὃ εἶδεν, ἰδοὺ οἱ ἄνδρες
οἱ ἀπεσταλμένοι ὑπὸ τοῦ Κορνηλίου διερωτήσαντες τὴν
18 οἰκίαν τοῦ Σίμωνος ἐπέστησαν ἐπὶ τὸν πυλῶνα, καὶ φωνή-
σαντες ⌜ἐπύθοντο⌝ εἰ Σίμων ὁ ἐπικαλούμενος Πέτρος ἐν-
19 θάδε ξενίζεται. Τοῦ δὲ Πέτρου διενθυμουμένου περὶ τοῦ
ὁράματος εἶπεν τὸ πνεῦμα ⌐ Ἰδοὺ ἄνδρες ⌐δύο⌝ ζητοῦντές σε·
20 ἀλλὰ ἀναστὰς κατάβηθι καὶ πορεύου σὺν αὐτοῖς μηδὲν
21 διακρινόμενος, ὅτι ἐγὼ ἀπέσταλκα αὐτούς. καταβὰς δὲ Πέ-
τρος πρὸς τοὺς ἄνδρας εἶπεν Ἰδοὺ ἐγώ εἰμι ὃν ζητεῖτε· τίς
22 ἡ αἰτία δι' ἣν πάρεστε; οἱ δὲ εἶπαν Κορνήλιος ἑκατον-
τάρχης, ἀνὴρ δίκαιος καὶ φοβούμενος τὸν θεὸν μαρτυρού-
μενός τε ὑπὸ ὅλου τοῦ ἔθνους τῶν Ἰουδαίων, ἐχρηματίσθη

18 ἐπυνθάνοντο   19 αὐτῷ | [τρεῖς]

ὑπὸ ἀγγέλου ἁγίου μεταπέμψασθαί σε εἰς τὸν οἶκον αὐτοῦ
καὶ ἀκοῦσαι ῥήματα παρὰ σοῦ. εἰσκαλεσάμ ⁀ος οὖν αὐτοὺς 23
ἐξένισεν.   Τῇ δὲ ἐπαύριον ἀναστὰς ἐξῆλθεν σὺν
αὐτοῖς, καί τινες τῶν ἀδελφῶν τῶν ἀπὸ Ἰόππης συνῆλ-
θαν αὐτῷ. τῇ δὲ ἐπαύριον εἰσῆλθεν εἰς τὴν Καισαρίαν· 24
ὁ δὲ Κορνήλιος ἦν προσδοκῶν αὐτοὺς συνκαλεσάμενος τοὺς
συγγενεῖς αὐτοῦ καὶ τοὺς ἀναγκαίους φίλους. Ὡς δὲ ἐγέ- 25
νετο τοῦ εἰσελθεῖν τὸν Πέτρον, συναντήσας αὐτῷ ὁ Κορ-
νήλιος πεσὼν ἐπὶ τοὺς πόδας προσεκύνησεν. ὁ δὲ Πέτρος 26
ἤγειρεν αὐτὸν λέγων Ἀνάστηθι· καὶ ἐγὼ αὐτὸς ἄνθρωπός
εἰμι. καὶ συνομιλῶν αὐτῷ εἰσῆλθεν, καὶ εὑρίσκει συνελη- 27
λυθότας πολλούς, ἔφη τε πρὸς αὐτούς Ὑμεῖς ἐπίστασθε 28
ὡς ἀθέμιτόν ἐστιν ἀνδρὶ Ἰουδαίῳ κολλᾶσθαι ἢ προσέρχε-
σθαι ἀλλοφύλῳ· κἀμοὶ ὁ θεὸς ἔδειξεν μηδένα κοινὸν ἢ
ἀκάθαρτον λέγειν ἄνθρωπον· διὸ καὶ ἀναντιρήτως ἦλθον 29
μεταπεμφθείς. πυνθάνομαι οὖν τίνι λόγῳ μετεπέμψασθέ
με. καὶ ὁ Κορνήλιος ἔφη Ἀπὸ τετάρτης ἡμέρας μέχρι 30
ταύτης τῆς ὥρας ἤμην τὴν ἐνάτην προσευχόμενος ἐν τῷ
οἴκῳ μου, καὶ ἰδοὺ ἀνὴρ ἔστη ἐνώπιόν μου ἐν ἐσθῆτι λαμ-
πρᾷ καί φησι Κορνήλιε, εἰσηκούσθη σου ἡ προσευχὴ καὶ 31
αἱ ἐλεημοσύναι σου ἐμνήσθησαν ἐνώπιον τοῦ θεοῦ· πέμψον 32
οὖν εἰς Ἰόππην καὶ μετακάλεσαι Σίμωνα ὃς ἐπικαλεῖται
Πέτρος· οὗτος ξενίζεται ἐν οἰκίᾳ Σίμωνος βυρσέως παρὰ
θάλασσαν. ἐξαυτῆς οὖν ἔπεμψα πρὸς σέ, σύ τε καλῶς 33
ἐποίησας παραγενόμενος. νῦν οὖν πάντες ἡμεῖς ἐνώπιον
τοῦ θεοῦ πάρεσμεν ἀκοῦσαι πάντα τὰ προστεταγμένα
σοι ὑπὸ τοῦ κυρίου. ἀνοίξας δὲ Πέτρος τὸ στόμα εἶπεν 34
Ἐπ᾽ ἀληθείας καταλαμβάνομαι ὅτι ΟΥΚ ΕϹΤΙΝ ΠΡΟϹΩΠΟ-
ΛΗΜΠΤΗϹ Ὁ ΘΕΟϹ, ἀλλ᾽ ἐν παντὶ ἔθνει ὁ φοβούμενος αὐ- 35
τὸν καὶ ἐργαζόμενος δικαιοσύνην δεκτὸς αὐτῷ ἐστίν. ΤΟΝ 36
ΛΟΓΟΝ ⌜ἀπέστειλεν τοῖς υἱοῖς⌝ ΙϹΡΑΗΛ ΕΥΑΓΓΕΛΙΖΟΜΕΝΟϹ
ΕΙΡΗΝΗΝ διὰ Ἰησοῦ Χριστοῦ· οὗτός ἐστιν πάντων κύριος·
ὑμεῖς οἴδατε τὸ⌝ γενόμενον ῥῆμα καθ᾽ ὅλης τῆς Ἰουδαίας, 37

36,37 ὃν ἀπέστειλεν......Χριστοῦ (οὗτος......κύριος) ὑμεῖς οἴδατε, τὸ

ἀρξάμενος ἀπὸ τῆς Γαλιλαίας μετὰ τὸ βάπτισμα ὃ ἐκήρυ-
38 ξεν Ἰωάνης, Ἰησοῦν τὸν ἀπὸ Ναζαρέθ, ὡς ἔχριϲεν αὐτὸν
ὁ θεὸς πνεΫματι ἁγίῳ καὶ δυνάμει, ὃς διῆλθεν εὐεργετῶν
καὶ ἰώμενος πάντας τοὺς καταδυναστευομένους ὑπὸ τοῦ
39 διαβόλου, ὅτι ὁ θεὸς ἦν μετ᾽ αὐτοῦ· καὶ ἡμεῖς μάρτυρες
πάντων ὧν ἐποίησεν ἔν τε τῇ χώρᾳ τῶν Ἰουδαίων καὶ
Ἰερουσαλήμ· ὃν καὶ ἀνεῖλαν κρεμάϲαντεϲ ἐπὶ ξΫλοΥ.
40 τοῦτον ὁ θεὸς ἤγειρεν τῇ τρίτῃ ἡμέρᾳ καὶ ἔδωκεν αὐτὸν
41 ἐμφανῆ γενέσθαι, οὐ παντὶ τῷ λαῷ ἀλλὰ μάρτυσι τοῖς
προκεχειροτονημένοις ὑπὸ τοῦ θεοῦ, ἡμῖν, οἵτινες συνεφά-
γομεν καὶ συνεπίομεν αὐτῷ μετὰ τὸ ἀναστῆναι αὐτὸν ἐκ
42 νεκρῶν· καὶ παρήγγειλεν ἡμῖν κηρύξαι τῷ λαῷ καὶ δια-
μαρτύρασθαι ὅτι οὗτός ἐστιν ὁ ὡρισμένος ὑπὸ τοῦ θεοῦ
43 κριτὴς ζώντων καὶ νεκρῶν. τούτῳ πάντες οἱ προφῆται
μαρτυροῦσιν, ἄφεσιν ἁμαρτιῶν λαβεῖν διὰ τοῦ ὀνόματος
44 αὐτοῦ πάντα τὸν πιστεύοντα εἰς αὐτόν.   Ἔτι
λαλοῦντος τοῦ Πέτρου τὰ ῥήματα ταῦτα ἐπέπεσε τὸ πνεῦμα
45 τὸ ἅγιον ἐπὶ πάντας τοὺς ἀκούοντας τὸν λόγον.   καὶ
ἐξέστησαν οἱ ἐκ περιτομῆς πιστοὶ ⌐οἳ⌐ συνῆλθαν τῷ Πέτρῳ,
ὅτι καὶ ἐπὶ τὰ ἔθνη ἡ δωρεὰ τοῦ πνεύματος τοῦ ἁγίου ἐκκέ-
46 χυται· ἤκουον γὰρ αὐτῶν λαλούντων γλώσσαις καὶ μεγα-
47 λυνόντων τὸν θεόν. τότε ἀπεκρίθη Πέτρος   Μήτι τὸ ὕδωρ
δύναται κωλῦσαί τις τοῦ μὴ βαπτισθῆναι τούτους οἵτινες
48 τὸ πνεῦμα τὸ ἅγιον ἔλαβον ὡς καὶ ἡμεῖς;   προσέταξεν
δὲ αὐτοὺς ἐν τῷ ὀνόματι Ἰησοῦ Χριστοῦ βαπτισθῆναι.
τότε ἠρώτησαν αὐτὸν ἐπιμεῖναι ἡμέρας τινάς.

1   Ἤκουσαν δὲ οἱ ἀπόστολοι καὶ οἱ ἀδελφοὶ οἱ ὄντες κατὰ
τὴν Ἰουδαίαν ὅτι καὶ τὰ ἔθνη ἐδέξαντο τὸν λόγον τοῦ θεοῦ.
2 Ὅτε δὲ ἀνέβη Πέτρος εἰς Ἰερουσαλήμ, διεκρίνοντο πρὸς
3 αὐτὸν οἱ ἐκ περιτομῆς λέγοντες ὅτι ⌐εἰσῆλθεν πρὸς ἄνδρας
4 ἀκροβυστίαν ἔχοντας καὶ συνέφαγεν⌐ αὐτοῖς.   ἀρξάμενος
5 δὲ Πέτρος ἐξετίθετο αὐτοῖς καθεξῆς λέγων Ἐγὼ ἤμην ἐν
πόλει Ἰόππῃ προσευχόμενος καὶ εἶδον ἐν ἐκστάσει ὅραμα,

καταβαῖνον σκεῦός τι ὡς ὀθόνην μεγάλην τέσσαρσιν ἀρχαῖς
καθιεμένην ἐκ τοῦ οὐρανοῦ, καὶ ἦλθεν ἄχρι ἐμοῦ· εἰς ἣν 6
ἀτενίσας κατενόουν καὶ εἶδον τὰ τετράποδα τῆς γῆς καὶ
τὰ θηρία καὶ τὰ ἑρπετὰ καὶ τὰ πετεινὰ τοῦ οὐρανοῦ· ἤκουσα 7
δὲ καὶ φωνῆς λεγούσης μοι Ἀναστάς, Πέτρε, θῦσον καὶ
φάγε. εἶπον δέ Μηδαμῶς, κύριε, ὅτι κοινὸν ἢ ἀκάθαρτον 8
οὐδέποτε εἰσῆλθεν εἰς τὸ στόμα μου. ἀπεκρίθη δὲ ⌜ἐκ δευ- 9
τέρου φωνὴ⌝ ἐκ τοῦ οὐρανοῦ ⌐Α ὁ θεὸς ἐκαθάρισεν σὺ μὴ
κοίνου. τοῦτο δὲ ἐγένετο ἐπὶ τρίς, καὶ ἀνεσπάσθη πάλιν 10
ἅπαντα εἰς τὸν οὐρανόν. καὶ ἰδοὺ ἐξαυτῆς τρεῖς ἄνδρες 11
ἐπέστησαν ἐπὶ τὴν οἰκίαν ἐν ᾗ ⌐ἦμεν⌝, ἀπεσταλμένοι ἀπὸ
Καισαρίας πρός με. εἶπεν δὲ τὸ πνεῦμά μοι συνελθεῖν 12
αὐτοῖς μηδὲν διακρίναντα. ἦλθον δὲ σὺν ἐμοὶ καὶ οἱ ἐξ
ἀδελφοὶ οὗτοι, καὶ εἰσήλθομεν εἰς τὸν οἶκον τοῦ ἀνδρός.
ἀπήγγειλεν δὲ ἡμῖν πῶς εἶδεν τὸν ἄγγελον ἐν τῷ οἴκῳ αὐτοῦ 13
σταθέντα καὶ εἰπόντα Ἀπόστειλον εἰς Ἰόππην καὶ μετά-
πεμψαι Σίμωνα τὸν ἐπικαλούμενον Πέτρον, ὃς λαλήσει 14
ῥήματα πρὸς σὲ ἐν οἷς σωθήσῃ σὺ καὶ πᾶς ὁ οἶκός σου.
ἐν δὲ τῷ ἄρξασθαί με λαλεῖν ἐπέπεσεν τὸ πνεῦμα τὸ ἅγιον 15
ἐπ᾽ αὐτοὺς ὥσπερ καὶ ἐφ᾽ ἡμᾶς ἐν ἀρχῇ. ἐμνήσθην δὲ τοῦ 16
ῥήματος τοῦ κυρίου ὡς ἔλεγεν Ἰωάνης μὲν ἐβάπτισεν
ὕδατι ὑμεῖς δὲ βαπτισθήσεσθε ἐν πνεύματι ἁγίῳ. εἰ οὖν 17
τὴν ἴσην δωρεὰν ἔδωκεν αὐτοῖς ὁ θεὸς ὡς καὶ ἡμῖν πιστεύ-
σασιν ἐπὶ τὸν κύριον Ἰησοῦν Χριστόν, ἐγὼ τίς ἤμην δυνατὸς
κωλῦσαι τὸν θεόν; ἀκούσαντες δὲ ταῦτα ἡσύχασαν καὶ 18
ἐδόξασαν τὸν θεὸν λέγοντες Ἄρα καὶ τοῖς ἔθνεσιν ὁ θεὸς
τὴν μετάνοιαν εἰς ζωὴν ἔδωκεν.

Οἱ μὲν οὖν διασπαρέντες ἀπὸ τῆς θλίψεως τῆς γενομέ- 19
νης ἐπὶ Στεφάνῳ διῆλθον ἕως Φοινίκης καὶ Κύπρου καὶ
Ἀντιοχείας, μηδενὶ λαλοῦντες τὸν λόγον εἰ μὴ μόνον Ἰου-
δαίοις. Ἦσαν δέ τινες ἐξ αὐτῶν ἄνδρες Κύπριοι καὶ 20
Κυρηναῖοι, οἵτινες ἐλθόντες εἰς Ἀντιόχειαν ἐλάλουν καὶ

9 φωνὴ ἐκ δευτέρου   11 ἤμην

πρὸς τοὺς Ἑλληνιστάς, εὐαγγελιζόμενοι τὸν κύριον Ἰησοῦν.
21 καὶ ἦν χεὶρ Κυρίου μετ᾽ αὐτῶν, πολύς τε ἀριθμὸς ὁ πιστεύ-
22 σας ἐπέστρεψεν ἐπὶ τὸν κύριον. Ἠκούσθη δὲ ὁ λόγος εἰς
τὰ ὦτα τῆς ἐκκλησίας τῆς οὔσης ἐν Ἰερουσαλὴμ περὶ
23 αὐτῶν, καὶ ἐξαπέστειλαν Βαρνάβαν ἕως Ἀντιοχείας· ὃς
παραγενόμενος καὶ ἰδὼν τὴν χάριν τὴν τοῦ θεοῦ ἐχάρη
καὶ παρεκάλει πάντας τῇ προθέσει τῆς καρδίας προσμένειν
24 [ἐν] τῷ κυρίῳ, ὅτι ἦν ἀνὴρ ἀγαθὸς καὶ πλήρης πνεύμα-
τος ἁγίου καὶ πίστεως. καὶ προσετέθη ὄχλος ἱκανὸς τῷ
25 κυρίῳ. ἐξῆλθεν δὲ εἰς Ταρσὸν ἀναζητῆσαι Σαῦλον, καὶ
26 εὑρὼν ἤγαγεν εἰς Ἀντιόχειαν. ἐγένετο δὲ αὐτοῖς καὶ ἐνι-
αυτὸν ὅλον συναχθῆναι ἐν τῇ ἐκκλησίᾳ καὶ διδάξαι ὄχλον
ἱκανόν, χρηματίσαι τε πρώτως ἐν Ἀντιοχείᾳ τοὺς μαθητὰς
Χριστιανούς.

27 ΕΝ ΤΑΥΤΑΙΣ ΔΕ ΤΑΙΣ ΗΜΕΡΑΙΣ κατῆλθον ἀπὸ
28 Ἰεροσολύμων προφῆται εἰς Ἀντιόχειαν· ἀναστὰς δὲ εἷς ἐξ
αὐτῶν ὀνόματι Ἄγαβος ⌜ἐσήμαινεν⌝ διὰ τοῦ πνεύματος λιμὸν
μεγάλην μέλλειν ἔσεσθαι ἐφ᾽ ὅλην τὴν οἰκουμένην· ἥτις
29 ἐγένετο ἐπὶ Κλαυδίου. τῶν δὲ μαθητῶν καθὼς εὐπορεῖτό τις
ὥρισαν ἕκαστος αὐτῶν εἰς διακονίαν πέμψαι τοῖς κατοικοῦσιν
30 ἐν τῇ Ἰουδαίᾳ ἀδελφοῖς· ὃ καὶ ἐποίησαν ἀποστείλαντες
πρὸς τοὺς πρεσβυτέρους διὰ χειρὸς Βαρνάβα καὶ Σαύλου.
1 Κατ᾽ ἐκεῖνον δὲ τὸν καιρὸν ἐπέβαλεν Ἡρῴδης ὁ βασι-
λεὺς τὰς χεῖρας κακῶσαί τινας τῶν ἀπὸ τῆς ἐκκλη-
2 σίας. ἀνεῖλεν δὲ Ἰάκωβον τὸν ἀδελφὸν Ἰωάνου μαχαίρῃ.
3 ἰδὼν δὲ ὅτι ἀρεστόν ἐστιν τοῖς Ἰουδαίοις προσέθετο συλ-
λαβεῖν καὶ Πέτρον, (ἦσαν δὲ ἡμέραι τῶν ἀζύμων,)
4 ὃν καὶ πιάσας ἔθετο εἰς φυλακήν, παραδοὺς τέσσαρσιν
τετραδίοις στρατιωτῶν φυλάσσειν αὐτόν, βουλόμενος μετὰ
5 τὸ πάσχα ἀναγαγεῖν αὐτὸν τῷ λαῷ. ὁ μὲν οὖν Πέτρος

28 ἐσήμανεν

Τ

ἐτηρεῖτο ἐν τῇ φυλακῇ· προσευχὴ δὲ ἦν ἐκτενῶς γινομένη
ὑπὸ τῆς ἐκκλησίας πρὸς τὸν θεὸν περὶ αὐτοῦ. Ὅτε δὲ 6
ἤμελλεν ⌜προσαγαγεῖν⌝ αὐτὸν ὁ Ἡρῴδης, τῇ νυκτὶ ἐκείνῃ ἦν
ὁ Πέτρος κοιμώμενος μεταξὺ δύο στρατιωτῶν δεδεμένος
ἁλύσεσιν δυσίν, φύλακές τε πρὸ τῆς θύρας ἐτήρουν τὴν
φυλακήν. καὶ ἰδοὺ ἄγγελος Κυρίου ἐπέστη, καὶ φῶς ἔλαμ- 7
ψεν ἐν τῷ οἰκήματι· πατάξας δὲ τὴν πλευρὰν τοῦ Πέτρου
ἤγειρεν αὐτὸν λέγων Ἀνάστα ἐν τάχει· καὶ ἐξέπεσαν
αὐτοῦ αἱ ἁλύσεις ἐκ τῶν χειρῶν. εἶπεν δὲ ὁ ἄγγελος 8
πρὸς αὐτόν Ζῶσαι καὶ ὑπόδησαι τὰ σανδάλιά σου· ἐποί-
ησεν δὲ οὕτως. καὶ λέγει αὐτῷ Περιβαλοῦ τὸ ἱμάτιόν σου
καὶ ἀκολούθει μοι· καὶ ἐξελθὼν ἠκολούθει, καὶ οὐκ ᾔδει 9
ὅτι ἀληθές ἐστιν τὸ γινόμενον διὰ τοῦ ἀγγέλου, ἐδόκει δὲ
ὅραμα βλέπειν. διελθόντες δὲ πρώτην φυλακὴν καὶ δευτέ- 10
ραν ἦλθαν ἐπὶ τὴν πύλην τὴν σιδηρᾶν τὴν φέρουσαν εἰς
τὴν πόλιν, ἥτις αὐτομάτη ἠνοίγη αὐτοῖς, καὶ ἐξελθόντες
προῆλθον ῥύμην μίαν, καὶ εὐθέως ἀπέστη ὁ ἄγγελος
ἀπ᾽ αὐτοῦ. καὶ ὁ Πέτρος ἐν ἑαυτῷ γενόμενος εἶπεν Νῦν 11
οἶδα ἀληθῶς ὅτι ἐξαπέστειλεν ⌜ὁ κύριος⌝ τὸν ἄγγελον αὐ-
τοῦ καὶ ἐξείλατό με ἐκ χειρὸς Ἡρῴδου καὶ πάσης τῆς
προσδοκίας τοῦ λαοῦ τῶν Ἰουδαίων. συνιδών τε ἦλθεν ἐπὶ 12
τὴν οἰκίαν τῆς Μαρίας τῆς μητρὸς Ἰωάνου τοῦ ἐπικαλουμένου
Μάρκου, οὗ ἦσαν ἱκανοὶ συνηθροισμένοι καὶ προσευχόμενοι.
κρούσαντος δὲ αὐτοῦ τὴν θύραν τοῦ πυλῶνος ⌜προσῆλθε⌝ 13
παιδίσκη ὑπακοῦσαι ὀνόματι Ῥόδη, καὶ ἐπιγνοῦσα τὴν 14
φωνὴν τοῦ Πέτρου ἀπὸ τῆς χαρᾶς οὐκ ἤνοιξεν τὸν πυλῶνα,
εἰσδραμοῦσα δὲ ἀπήγγειλεν ἑστάναι τὸν Πέτρον πρὸ τοῦ
πυλῶνος. οἱ δὲ πρὸς αὐτὴν εἶπαν Μαίνῃ. ἡ δὲ διισχυρί- 15
ζετο οὕτως ἔχειν. οἱ δὲ ⌜ἔλεγον⌝ Ὁ ἄγγελός ἐστιν αὐτοῦ.
ὁ δὲ Πέτρος ἐπέμενεν κρούων· ἀνοίξαντες δὲ εἶδαν αὐτὸν καὶ 16
ἐξέστησαν. κατασείσας δὲ αὐτοῖς τῇ χειρὶ σιγᾷν διηγή- 17
σατο αὐτοῖς πῶς ὁ κύριος αὐτὸν ἐξήγαγεν ἐκ τῆς φυλακῆς,
εἶπέν τε Ἀπαγγείλατε Ἰακώβῳ καὶ τοῖς ἀδελφοῖς ταῦτα.

6 προαγαγεῖν   11 Κύριος   13 προῆλθε   15 εἶπαν

18 καὶ ἐξελθὼν ἐπορεύθη εἰς ἕτερον τόπον. Γενομένης δὲ ἡμέ-
ρας ἦν τάραχος οὐκ ὀλίγος ἐν τοῖς στρατιώταις, τί ἄρα ὁ
19 Πέτρος ἐγένετο. Ἡρῴδης δὲ ἐπιζητήσας αὐτὸν καὶ μὴ εὑρὼν
ἀνακρίνας τοὺς φύλακας ἐκέλευσεν ἀπαχθῆναι, καὶ κατελθὼν
20 ἀπὸ τῆς Ἰουδαίας εἰς Καισαρίαν διέτριβεν.   Ἦν
δὲ θυμομαχῶν Τυρίοις καὶ Σιδωνίοις· ὁμοθυμαδὸν δὲ πα-
ρῆσαν πρὸς αὐτόν, καὶ πείσαντες Βλάστον τὸν ἐπὶ τοῦ
κοιτῶνος τοῦ βασιλέως ᾐτοῦντο εἰρήνην διὰ τὸ τρέφεσθαι
21 αὐτῶν τὴν χώραν ἀπὸ τῆς βασιλικῆς. τακτῇ δὲ ἡμέρᾳ
[ὁ] Ἡρῴδης ἐνδυσάμενος ἐσθῆτα βασιλικὴν καθίσας ἐπὶ
22 τοῦ βήματος ἐδημηγόρει πρὸς αὐτούς· ὁ δὲ δῆμος ἐπεφώνει
23 Θεοῦ φωνὴ καὶ οὐκ ἀνθρώπου. παραχρῆμα δὲ ἐπάταξεν αὐ-
τὸν ἄγγελος Κυρίου ἀνθ᾽ ὧν οὐκ ἔδωκεν τὴν δόξαν τῷ θεῷ,
24 καὶ γενόμενος σκωληκόβρωτος ἐξέψυξεν.   Ὁ δὲ
λόγος τοῦ ⌈κυρίου⌉ ηὔξανεν καὶ ἐπληθύνετο.
25   Βαρνάβας δὲ καὶ Σαῦλος ὑπέστρεψαν ⌈εἰς Ἰερουσαλὴμ
πληρώσαντες τὴν⌉ διακονίαν, συνπαραλαβόντες Ἰωάνην τὸν
ἐπικληθέντα Μάρκον.

1   Ἦσαν δὲ ἐν Ἀντιοχείᾳ κατὰ τὴν οὖσαν ἐκκλησίαν προ-
φῆται καὶ διδάσκαλοι ὅ τε Βαρνάβας καὶ Συμεὼν ὁ καλού-
μενος Νίγερ, καὶ Λούκιος ὁ Κυρηναῖος, Μαναήν τε Ἡρῴδου
2 τοῦ τετραάρχου σύντροφος καὶ Σαῦλος.   Λειτουργούντων
δὲ αὐτῶν τῷ κυρίῳ καὶ νηστευόντων εἶπεν τὸ πνεῦμα τὸ
ἅγιον Ἀφορίσατε δή μοι τὸν Βαρνάβαν καὶ Σαῦλον εἰς τὸ
3 ἔργον ὃ προσκέκλημαι αὐτούς. τότε νηστεύσαντες καὶ προσ-
ευξάμενοι καὶ ἐπιθέντες τὰς χεῖρας αὐτοῖς ἀπέλυσαν.
4   Αὐτοὶ μὲν οὖν ἐκπεμφθέντες ὑπὸ τοῦ ἁγίου πνεύματος
κατῆλθον εἰς Σελευκίαν, ἐκεῖθέν τε ἀπέπλευσαν εἰς Κύπρον,
5 καὶ γενόμενοι ἐν Σαλαμῖνι κατήγγελλον τὸν λόγον τοῦ θε-
οῦ ἐν ταῖς συναγωγαῖς τῶν Ἰουδαίων· εἶχον δὲ καὶ Ἰωάν-
6 νην ὑπηρέτην.   Διελθόντες δὲ ὅλην τὴν νῆσον
ἄχρι Πάφου εὗρον ἄνδρα τινὰ μάγον ψευδοπροφήτην Ἰου-

24 θεοῦ   25 †ἐξ Ἰερουσαλὴμ πληρώσαντες τὴν†
                                                      T 2

δαῖον ᾧ ὄνομα Βαριησοῦς, ὃς ἦν σὺν τῷ ἀνθυπάτῳ Σεργίῳ 7
Παύλῳ, ἀνδρὶ συνετῷ. οὗτος προσκαλεσάμενος Βαρνάβαν
καὶ Σαῦλον ἐπεζήτησεν ἀκοῦσαι τὸν λόγον τοῦ θεοῦ· ἀν- 8
θίστατο δὲ αὐτοῖς Ἐλύμας ὁ μάγος, οὕτως γὰρ μεθερμη-
νεύεται τὸ ὄνομα αὐτοῦ, ζητῶν διαστρέψαι τὸν ἀνθύπατον
ἀπὸ τῆς πίστεως. Σαῦλος δέ, ὁ καὶ Παῦλος, πλησθεὶς 9
πνεύματος ἁγίου ἀτενίσας εἰς αὐτὸν εἶπεν Ὦ πλήρης παν- 10
τὸς δόλου καὶ πάσης ῥᾳδιουργίας, υἱὲ διαβόλου, ἐχθρὲ
πάσης δικαιοσύνης, οὐ παύσῃ διαστρέφων τὰς ὁδοὺς ⌈τοῦ⌉
κυρίου⌉ τὰς εὐθείας; καὶ νῦν ἰδοὺ χεὶρ Κυρίου ἐπὶ σέ, καὶ 11
ἔσῃ τυφλὸς μὴ βλέπων τὸν ἥλιον ἄχρι καιροῦ. ⌈παρα-
χρῆμα δὲ⌉ ἔπεσεν ἐπ᾽ αὐτὸν ἀχλὺς καὶ σκότος, καὶ περιάγων
ἐζήτει χειραγωγούς. τότε ἰδὼν ὁ ἀνθύπατος τὸ γεγονὸς ἐπί- 12
στευσεν ἐκπληττόμενος ἐπὶ τῇ διδαχῇ τοῦ κυρίου.

Ἀναχθέντες δὲ ἀπὸ τῆς Πάφου οἱ περὶ Παῦλον ἦλθον 13
εἰς Πέργην τῆς Παμφυλίας· Ἰωάνης δὲ ἀποχωρήσας
ἀπ᾽ αὐτῶν ὑπέστρεψεν εἰς Ἱεροσόλυμα. Αὐτοὶ δὲ διελ- 14
θόντες ἀπὸ τῆς Πέργης παρεγένοντο εἰς Ἀντιόχειαν τὴν
Πισιδίαν, καὶ ἐλθόντες εἰς τὴν συναγωγὴν τῇ ἡμέρᾳ τῶν
σαββάτων ἐκάθισαν. μετὰ δὲ τὴν ἀνάγνωσιν τοῦ νόμου 15
καὶ τῶν προφητῶν ἀπέστειλαν οἱ ἀρχισυνάγωγοι πρὸς αὐ-
τοὺς λέγοντες Ἄνδρες ἀδελφοί, εἴ τις ἔστιν ἐν ὑμῖν λόγος
παρακλήσεως πρὸς τὸν λαόν, λέγετε. ἀναστὰς δὲ Παῦλος 16
καὶ κατασείσας τῇ χειρὶ εἶπεν Ἄνδρες Ἰσραηλεῖται καὶ οἱ
φοβούμενοι τὸν θεόν, ἀκούσατε. Ὁ θεὸς τοῦ λαοῦ τούτου 17
Ἰσραὴλ ἐξελέξατο τοὺς πατέρας ἡμῶν, καὶ τὸν λαὸν ὕψωσεν
ἐν τῇ παροικίᾳ ἐν γῇ Αἰγύπτου, καὶ μετὰ ΒΡΑΧΙΟΝΟΣ
ὙΨΗΛΟῨ ἘΞΗΓΑΓΕΝ ΑῨΤΟΫΣ ἘΞ ΑῨΤΗΣ, ⌈καί, ὡς τεσσερακον- 18
ταετῆ χρόνον ἐτροποφόρησεν αὐτοὺς ἐν τῇ ἐρήμῳ,
καθελὼν⌉ ἔθνη ἑπτὰ ἐν ΓῊ ΧΑΝΑᾺΝ ΚΑΤΕΚΛΗΡΟ- 19
ΝΟΜΗΣΕΝ τὴν γῆν αὐτῶν ὡς ἔτεσι τετρακοσίοις καὶ πεντή- 20
κοντα. καὶ μετὰ ταῦτα ἔδωκεν κριτὰς ἕως Σαμουὴλ προ-
φήτου. κἀκεῖθεν ᾐτήσαντο βασιλέα, καὶ ἔδωκεν αὐτοῖς 21

10 Κυρίου   11 παραχρῆμά τε   18 καὶ ὡς......ἐρήμῳ, καὶ καθελὼν

ὁ θεὸς τὸν Σαοὺλ υἱὸν Κείς, ἄνδρα ἐκ φυλῆς Βενιαμείν, ἔτη
22 τεσσεράκοντα· καὶ μεταστήσας αὐτὸν ἤγειρεν τὸν Δαυεὶδ
αὐτοῖς εἰς βασιλέα, ᾧ καὶ εἶπεν μαρτυρήσας ΕῦΡΟΝ
ΔΑΥΕὶΔ τὸν τοῦ Ἰεσσαί, [ἄΝΔΡΑ] κατὰ τὴΝ καρΔίαΝ ΜΟΥ,
23 ὃς ποιήσει πάντα τὰ θελήματά μου. τούτου ὁ θεὸς ἀπὸ
τοῦ σπέρματος κατ᾽ ἐπαγγελίαν ἤγαγεν τῷ Ἰσραὴλ σωτῆρα
24 Ἰησοῦν, προκηρύξαντος Ἰωάνου πρὸ προσώπου τῆς εἰσόδου
25 αὐτοῦ βάπτισμα μετανοίας παντὶ τῷ λαῷ Ἰσραήλ. ὡς δὲ
ἐπλήρου Ἰωάνης τὸν δρόμον, ἔλεγεν Τί ἐμὲ ὑπονοεῖτε
⌜εἶναι; οὐκ⌝ εἰμὶ ἐγώ· ἀλλ᾽ ἰδοὺ ἔρχεται μετ᾽ ἐμὲ οὗ οὐκ εἰμὶ
26 ἄξιος τὸ ὑπόδημα τῶν ποδῶν λῦσαι. Ἄνδρες ἀδελφοί, υἱοὶ
γένους Ἀβραὰμ καὶ οἱ ἐν ὑμῖν φοβούμενοι τὸν θεόν, ἡμῖν
27 ὁ λόγος τῆς σωτηρίας ταύτης ἐξαπεστάλη. οἱ γὰρ κατοι-
κοῦντες ἐν Ἰερουσαλὴμ καὶ οἱ ἄρχοντες αὐτῶν τοῦτον
ἀγνοήσαντες καὶ τὰς φωνὰς τῶν προφητῶν τὰς κατὰ πᾶν
28 σάββατον ἀναγινωσκομένας κρίναντες ἐπλήρωσαν, καὶ
μηδεμίαν αἰτίαν θανάτου εὑρόντες ⌜ᾐτήσαντο⌝ Πειλᾶτον
29 ἀναιρεθῆναι αὐτόν· ὡς δὲ ἐτέλεσαν πάντα τὰ ⌜περὶ αὐτοῦ
γεγραμμένα⌝, καθελόντες ἀπὸ τοῦ ξύλου ἔθηκαν εἰς μνη-
30 μεῖον. ὁ δὲ θεὸς ἤγειρεν αὐτὸν ἐκ νεκρῶν· ὃς ὤφθη ἐπὶ
31 ἡμέρας πλείους τοῖς συναναβᾶσιν αὐτῷ ἀπὸ τῆς Γαλιλαίας
εἰς Ἰερουσαλήμ, οἵτινες [νῦν] εἰσὶ μάρτυρες αὐτοῦ πρὸς τὸν
32 λαόν. καὶ ἡμεῖς ὑμᾶς εὐαγγελιζόμεθα τὴν πρὸς τοὺς
33 πατέρας ἐπαγγελίαν γενομένην ὅτι ταύτην ὁ θεὸς ἐκπεπλή-
ρωκεν τοῖς τέκνοις ⌜ἡμῶν⌝ ἀναστήσας Ἰησοῦν, ὡς καὶ ἐν τῷ
ψαλμῷ γέγραπται τῷ δευτέρῳ Υἱός ΜΟΥ εἶ σύ, ἐγὼ
34 σήΜερον γεγένΝηκά σε. ὅτι δὲ ἀνέστησεν αὐτὸν ἐκ
νεκρῶν μηκέτι μέλλοντα ὑποστρέφειν εἰς Διαφθοράν, οὕ-
τως εἴρηκεν ὅτι Δώσω ὑΜῖΝ τὰ ὅσια ΔαΥεὶΔ τὰ πιστά.
35 διότι καὶ ἐν ἑτέρῳ λέγει Οὐ Δώσεις τὸΝ ὅσιόΝ σΟΥ
36 ἰΔεῖΝ ΔιαφθοράΝ· ΔαΥεὶΔ μὲν γὰρ ἰδίᾳ γενεᾷ ὑπηρετή-
σας τῇ τοῦ θεοῦ βουλῇ ἐκοιμήθη καὶ προσετέθη πρὸς
37 τΟὺς πατέρας αὐΤΟῦ καὶ εἶδεν διαφθοράν, ὃν δὲ ὁ θεὸς

25 εἶναι, οὐκ   28 ᾐτήσαν τὸν   29 γεγραμμένα περὶ αὐτοῦ   33 †...†

ἤγειρεν οὐκ εἶδεν διαφθοράν. Γνωστὸν οὖν ἔστω ὑμῖν, 38
ἄνδρες ἀδελφοί, ὅτι διὰ τούτου ὑμῖν ἄφεσις ἁμαρτιῶν καταγ-
γέλλεται, καὶ ἀπὸ πάντων ὧν οὐκ ἠδυνήθητε ἐν νόμῳ 39
Μωυσέως δικαιωθῆναι ἐν τούτῳ πᾶς ὁ πιστεύων δικαιοῦται.
βλέπετε οὖν μὴ ἐπέλθῃ τὸ εἰρημένον ἐν τοῖς προφήταις 40
Ἴδετε, οἱ καταφρονηταί, καὶ θαυμάσατε καὶ ἀφα- 41
νίσθητε,
ὅτι ἔργον ἐργάζομαι ἐγὼ ἐν ταῖς ἡμέραις ὑμῶν,
ἔργον ὃ οὐ μὴ πιστεύσητε ἐάν τις ἐκδιηγῆται
ὑμῖν.
⌐Ἐξιόντων δὲ αὐτῶν παρεκάλουν εἰς τὸ μεταξὺ σάββατον 42
λαληθῆναι αὐτοῖς τὰ ῥήματα ταῦτα.⌐ λυθείσης δὲ τῆς 43
συναγωγῆς ἠκολούθησαν πολλοὶ τῶν Ἰουδαίων καὶ τῶν
σεβομένων προσηλύτων τῷ Παύλῳ καὶ τῷ Βαρνάβᾳ, οἵτινες
προσλαλοῦντες αὐτοῖς ἔπειθον αὐτοὺς προσμένειν τῇ χάριτι
τοῦ θεοῦ. Τῷ ⌐δὲ⌐ ⌐ἐρχομένῳ⌐ σαββάτῳ σχε- 44
δὸν πᾶσα ἡ πόλις συνήχθη ἀκοῦσαι τὸν λόγον τοῦ ⌐θεοῦ⌐.
ἰδόντες δὲ οἱ Ἰουδαῖοι τοὺς ὄχλους ἐπλήσθησαν ζήλου καὶ 45
ἀντέλεγον τοῖς ὑπὸ Παύλου λαλουμένοις βλασφημοῦντες.
παρρησιασάμενοί τε ὁ Παῦλος καὶ ὁ Βαρνάβας εἶπαν 46
Ὑμῖν ἦν ἀναγκαῖον πρῶτον λαληθῆναι τὸν λόγον τοῦ θεοῦ·
⌐ἐπειδὴ⌐ ἀπωθεῖσθε αὐτὸν καὶ οὐκ ἀξίους κρίνετε ἑαυτοὺς
τῆς αἰωνίου ζωῆς, ἰδοὺ στρεφόμεθα εἰς τὰ ἔθνη· οὕτω γὰρ 47
ἐντέταλται ἡμῖν ὁ κύριος

Τέθεικά σε εἰς φῶς ἐθνῶν
τοῦ εἶναί σε εἰς σωτηρίαν ἕως ἐσχάτου τῆς γῆς.
ἀκούοντα δὲ τὰ ἔθνη ἔχαιρον καὶ ἐδόξαζον τὸν λόγον τοῦ 48
⌐θεοῦ⌐, καὶ ἐπίστευσαν ὅσοι ἦσαν τεταγμένοι εἰς ζωὴν
αἰώνιον· διεφέρετο δὲ ὁ λόγος τοῦ κυρίου δι' ὅλης τῆς 49
χώρας. οἱ δὲ Ἰουδαῖοι παρώτρυναν τὰς σεβομένας γυναῖ- 50
κας τὰς εὐσχήμονας καὶ τοὺς πρώτους τῆς πόλεως καὶ
ἐπήγειραν διωγμὸν ἐπὶ τὸν Παῦλον καὶ Βαρνάβαν, καὶ
ἐξέβαλον αὐτοὺς ἀπὸ τῶν ὁρίων αὐτῶν. οἱ δὲ ἐκτιναξάμε- 51

42 †...†   44 τε | ἐχομένῳ | κυρίου   46 ἐπεὶ δὲ   48 κυρίου

νοι τὸν κονιορτὸν τῶν ποδῶν ἐπ' αὐτοὺς ἦλθον εἰς Ἰκόνιον,

52 ⌈οἵ τε⌉ μαθηταὶ ἐπληροῦντο χαρᾶς καὶ πνεύματος ἁγίου.

1 Ἐγένετο δὲ ἐν Ἰκονίῳ κατὰ τὸ αὐτὸ εἰσελθεῖν αὐτοὺς
εἰς τὴν συναγωγὴν τῶν Ἰουδαίων καὶ λαλῆσαι οὕτως ὥστε
2 πιστεῦσαι Ἰουδαίων τε καὶ Ἑλλήνων πολὺ πλῆθος. οἱ δὲ
ἀπειθήσαντες Ἰουδαῖοι ἐπήγειραν καὶ ἐκάκωσαν τὰς ψυχὰς
3 τῶν ἐθνῶν κατὰ τῶν ἀδελφῶν. ἱκανὸν μὲν οὖν χρόνον
διέτριψαν παρρησιαζόμενοι ἐπὶ τῷ κυρίῳ τῷ μαρτυροῦντι
τῷ λόγῳ τῆς χάριτος αὐτοῦ, διδόντι σημεῖα καὶ τέρατα
4 γίνεσθαι διὰ τῶν χειρῶν αὐτῶν. ἐσχίσθη δὲ τὸ πλῆθος
τῆς πόλεως, καὶ οἱ μὲν ἦσαν σὺν τοῖς Ἰουδαίοις οἱ δὲ σὺν
5 τοῖς ἀποστόλοις. ὡς δὲ ἐγένετο ὁρμὴ τῶν ἐθνῶν τε καὶ
Ἰουδαίων σὺν τοῖς ἄρχουσιν αὐτῶν ὑβρίσαι καὶ λιθοβολῆ-
6 σαι αὐτούς, συνιδόντες κατέφυγον εἰς τὰς πόλεις τῆς Λυ-
7 καονίας Λύστραν καὶ Δέρβην καὶ τὴν περίχωρον, κἀκεῖ
8 εὐαγγελιζόμενοι ἦσαν. Καί τις ἀνὴρ ἀδύνατος
ἐν Λύστροις τοῖς ποσὶν ἐκάθητο, χωλὸς ἐκ κοιλίας μητρὸς
9 αὐτοῦ, ὃς οὐδέποτε περιεπάτησεν. οὗτος ἤκουεν τοῦ Παύ-
λου λαλοῦντος· ὃς ἀτενίσας αὐτῷ καὶ ἰδὼν ὅτι ἔχει πίστιν
10 τοῦ σωθῆναι εἶπεν μεγάλῃ φωνῇ Ἀνάστηθι ἐπὶ τοὺς πό-
11 δας σου ὀρθός· καὶ ἥλατο καὶ περιεπάτει. οἵ τε ὄχλοι
ἰδόντες ὃ ἐποίησεν Παῦλος ἐπῆραν τὴν φωνὴν αὐτῶν Λυ-
καονιστὶ λέγοντες Οἱ θεοὶ ὁμοιωθέντες ἀνθρώποις κατέ-
12 βησαν πρὸς ἡμᾶς, ἐκάλουν τε τὸν Βαρνάβαν Δία, τὸν δὲ
Παῦλον Ἑρμῆν ἐπειδὴ αὐτὸς ἦν ὁ ἡγούμενος τοῦ λόγου.
13 ὅ τε ἱερεὺς τοῦ Διὸς τοῦ ὄντος πρὸ τῆς πόλεως ταύρους
καὶ στέμματα ἐπὶ τοὺς πυλῶνας ἐνέγκας σὺν τοῖς ὄχλοις
14 ἤθελεν θύειν. ἀκούσαντες δὲ οἱ ἀπόστολοι Βαρνάβας καὶ
Παῦλος, διαρρήξαντες τὰ ἱμάτια ⌈ἑαυτῶν⌉ ἐξεπήδησαν
15 εἰς τὸν ὄχλον, κράζοντες καὶ λέγοντες Ἄνδρες, τί ταῦτα
ποιεῖτε; καὶ ἡμεῖς ὁμοιοπαθεῖς ἐσμὲν ὑμῖν ἄνθρωποι, εὐαγγε-
λιζόμενοι ὑμᾶς ἀπὸ τούτων τῶν ματαίων ἐπιστρέφειν ἐπὶ
θεὸν ζῶντα ὃς ΕΠΟΙΗCΕΝ ΤΟΝ ΟΥΡΑΝΟΝ ΚΑΙ ΤΗΝ ΓΗΝ

καὶ τὴν θάλαccαν καὶ πάντα τὰ ἐν αὐτοῖc· ὃc ἐν ταῖc 16
παρῳχημέναιc γενεαῖc εἴαcεν πάντα τὰ ἔθνη πορεύεcθαι
ταῖc ὁδοῖc αὐτῶν· καίτοι οὐκ ἀμάρτυρον αὑτὸν ἀφῆκεν 17
ἀγαθουργῶν, οὐρανόθεν ὑμῖν ὑετοὺc διδοὺc καὶ καιροὺc
καρποφόρουc, ἐμπιπλῶν τροφῆc καὶ εὐφροcύνηc τὰc καρ-
δίαc ὑμῶν.   καὶ ταῦτα λέγοντεc μόλιc κατέπαυcαν τοὺc 18
ὄχλουc τοῦ μὴ θύειν αὐτοῖc.   Ἐπῆλθαν δὲ ἀπὸ 19
Ἀντιοχείαc καὶ Ἰκονίου Ἰουδαῖοι, καὶ πείcαντεc τοὺc ὄχλουc
καὶ λιθάcαντεc τὸν Παῦλον ἔcυρον ἔξω τῆc πόλεωc, νομί-
ζοντεc αὐτὸν τεθνηκέναι.   κυκλωcάντων δὲ τῶν μαθητῶν 20
αὐτὸν ἀναcτὰc εἰcῆλθεν εἰc τὴν πόλιν. καὶ τῇ ἐπαύριον
ἐξῆλθεν cὺν τῷ Βαρνάβᾳ εἰc Δέρβην. εὐαγγελιcάμενοί 21
τε τὴν πόλιν ἐκείνην καὶ μαθητεύcαντεc ἱκανοὺc ὑπέcτρε-
ψαν εἰc τὴν Λύcτραν καὶ εἰc Ἰκόνιον καὶ [εἰc] Ἀντιόχειαν,
ἐπιcτηρίζοντεc τὰc ψυχὰc τῶν μαθητῶν, παρακαλοῦντεc 22
ἐμμένειν τῇ πίcτει καὶ ὅτι διὰ πολλῶν θλίψεων δεῖ ἡμᾶc
εἰcελθεῖν εἰc τὴν βαcιλείαν τοῦ θεοῦ. χειροτονήcαντεc δὲ 23
αὐτοῖc κατ᾽ ἐκκληcίαν πρεcβυτέρουc προcευξάμενοι μετὰ
νηcτειῶν παρέθεντο αὐτοὺc τῷ κυρίῳ εἰc ὃν πεπιcτεύκει-
cαν. καὶ διελθόντεc τὴν Πιcιδίαν ἦλθαν εἰc τὴν Παμ- 24
φυλίαν, καὶ λαλήcαντεc ⌜ἐν Πέργῃ⌝ τὸν λόγον κατέβηcαν 25
εἰc Ἀτταλίαν, κἀκεῖθεν ἀπέπλευcαν εἰc Ἀντιόχειαν, ὅθεν 26
ἦcαν παραδεδομένοι τῇ χάριτι τοῦ θεοῦ εἰc τὸ ἔργον ὃ
ἐπλήρωcαν. Παραγενόμενοι δὲ καὶ cυναγαγόντεc τὴν 27
ἐκκληcίαν ἀνήγγελλον ὅcα ἐποίηcεν ὁ θεὸc μετ᾽ αὐτῶν
καὶ ὅτι ἤνοιξεν τοῖc ἔθνεcιν θύραν πίcτεωc. διέτριβον δὲ 28
χρόνον οὐκ ὀλίγον cὺν τοῖc μαθηταῖc.

ΚΑΙ ΤΙΝΕΣ ΚΑΤΕΛΘΟΝΤΕΣ ἀπὸ τῆc Ἰουδαίαc 1
ἐδίδαcκον τοὺc ἀδελφοὺc ὅτι Ἐὰν μὴ περιτμηθῆτε τῷ
ἔθει τῷ Μωυcέωc, οὐ δύναcθε cωθῆναι.   γενομένηc δὲ 2

25 εἰc τὴν Πέργην

στάσεως καὶ ζητήσεως οὐκ ὀλίγης τῷ Παύλῳ καὶ τῷ Βαρ
νάβᾳ πρὸς αὐτοὺς ἔταξαν ἀναβαίνειν Παῦλον καὶ Βαρνά
βαν καί τινας ἄλλους ἐξ αὐτῶν πρὸς τοὺς ἀποστόλους
καὶ πρεσβυτέρους εἰς Ἰερουσαλὴμ περὶ τοῦ ζητήματος
3 τούτου.   Οἱ μὲν οὖν προπεμφθέντες ὑπὸ τῆς
ἐκκλησίας διήρχοντο τήν τε Φοινίκην καὶ Σαμαρίαν ἐκδιη
γούμενοι τὴν ἐπιστροφὴν τῶν ἐθνῶν, καὶ ἐποίουν χαρὰν
4 μεγάλην πᾶσι τοῖς ἀδελφοῖς. παραγενόμενοι δὲ εἰς Ἰερο
σόλυμα παρεδέχθησαν ἀπὸ τῆς ἐκκλησίας καὶ τῶν ἀπο
στόλων καὶ τῶν πρεσβυτέρων, ἀνήγγειλάν τε ὅσα ὁ θεὸς
5 ἐποίησεν μετ᾽ αὐτῶν. Ἐξανέστησαν δέ τινες τῶν ἀπὸ τῆς
αἱρέσεως τῶν Φαρισαίων πεπιστευκότες, λέγοντες ὅτι δεῖ
περιτέμνειν αὐτοὺς παραγγέλλειν τε τηρεῖν τὸν νόμον
Μωυσέως.

6   Συνήχθησάν τε οἱ ἀπόστολοι καὶ οἱ πρεσβύτεροι ἰδεῖν
7 περὶ τοῦ λόγου τούτου.   Πολλῆς δὲ ζητήσεως γενομένης
ἀναστὰς Πέτρος εἶπεν πρὸς αὐτούς Ἄνδρες ἀδελφοί, ὑμεῖς
ἐπίστασθε ὅτι ἀφ᾽ ἡμερῶν ἀρχαίων ἐν ὑμῖν ἐξελέξατο
ὁ θεὸς διὰ τοῦ στόματός μου ἀκοῦσαι τὰ ἔθνη τὸν λόγον
8 τοῦ εὐαγγελίου καὶ πιστεῦσαι, καὶ ὁ καρδιογνώστης θεὸς
ἐμαρτύρησεν αὐτοῖς δοὺς τὸ πνεῦμα τὸ ἅγιον καθὼς
9 καὶ ἡμῖν, καὶ ⌜οὐθὲν⌝ διέκρινεν μεταξὺ ἡμῶν τε καὶ αὐτῶν,
10 τῇ πίστει καθαρίσας τὰς καρδίας αὐτῶν. νῦν οὖν τί πειρά
ζετε τὸν θεόν, ἐπιθεῖναι ζυγὸν ἐπὶ τὸν τράχηλον τῶν
μαθητῶν ὃν οὔτε οἱ πατέρες ἡμῶν οὔτε ἡμεῖς ἰσχύσαμεν
11 βαστάσαι; ἀλλὰ διὰ τῆς χάριτος τοῦ κυρίου Ἰησοῦ πιστεύο
12 μεν σωθῆναι καθ᾽ ὃν τρόπον κἀκεῖνοι. Ἐσίγησεν δὲ πᾶν
τὸ πλῆθος, καὶ ἤκουον Βαρνάβα καὶ Παύλου ἐξηγουμένων
ὅσα ἐποίησεν ὁ θεὸς σημεῖα καὶ τέρατα ἐν τοῖς ἔθνεσιν
13 δι᾽ αὐτῶν. Μετὰ δὲ τὸ σιγῆσαι αὐτοὺς ἀπεκρίθη Ἰάκωβος
14 λέγων Ἄνδρες ἀδελφοί, ἀκούσατέ μου. Συμεὼν ἐξηγή
σατο καθὼς πρῶτον ὁ θεὸς ἐπεσκέψατο λαβεῖν ἐξ ἐθνῶν
15 λαὸν τῷ ὀνόματι αὐτοῦ. καὶ τούτῳ συμφωνοῦσιν οἱ λόγοι

9 οὐδὲν

τῶν προφητῶν, καθὼς γέγραπται

Μετὰ ταῦτα ἀναστρέψω 16
καὶ ἀνοικοδομήϲω τὴν ϲκηνὴν Δαγεὶδ τὴν πε-
πτωκυῖαν
καὶ τὰ κατεϲτραμμένα αὐτῆϲ ἀνοικοδομήϲω
καὶ ἀνορθώϲω αὐτήν,
ὅπωϲ ἂν ἐκζητήϲωϲιν οἱ κατάλοιποι τῶν ἀνθρώ- 17
πων τὸν κύριον,
καὶ πάντα τὰ ἔθνη ἐφ᾽ οὓϲ ἐπικέκληται τὸ ὄνομά
μου ἐπ᾽ αὐτούϲ,
λέγει Κύριοϲ ποιῶν ταῦτα γνωϲτὰ ἀπ᾽ αἰῶνοϲ. 18
διὸ ἐγὼ κρίνω μὴ παρενοχλεῖν τοῖς ἀπὸ τῶν ἐθνῶν ἐπιστρέ- 19
φουσιν ἐπὶ τὸν θεόν, ἀλλὰ ἐπιστεῖλαι αὐτοῖς τοῦ ἀπέχεσθαι 20
τῶν ἀλισγημάτων τῶν εἰδώλων καὶ τῆς πορνείας καὶ πνικτοῦ
καὶ τοῦ αἵματος· Μωυσῆς γὰρ ἐκ γενεῶν ἀρχαίων κατὰ πόλιν 21
τοὺς κηρύσσοντας αὐτὸν ἔχει ἐν ταῖς συναγωγαῖς κατὰ πᾶν
σάββατον ἀναγινωσκόμενος. Τότε ἔδοξε τοῖς 22
ἀποστόλοις καὶ τοῖς πρεσβυτέροις σὺν ὅλῃ τῇ ἐκκλησίᾳ
ἐκλεξαμένους ἄνδρας ἐξ αὐτῶν πέμψαι εἰς Ἀντιόχειαν σὺν
τῷ Παύλῳ καὶ Βαρνάβᾳ, Ἰούδαν τὸν καλούμενον Βαρσαβ-
βᾶν καὶ Σίλαν, ἄνδρας ἡγουμένους ἐν τοῖς ἀδελφοῖς, γρά- 23
ψαντες διὰ χειρὸς αὐτῶν Οἱ ἀπόστολοι καὶ οἱ πρεσβύτεροι
ἀδελφοὶ τοῖς κατὰ τὴν Ἀντιόχειαν καὶ Συρίαν καὶ Κιλικίαν
ἀδελφοῖς τοῖς ἐξ ἐθνῶν χαίρειν. Ἐπειδὴ ἠκούσαμεν ὅτι 24
τινὲς ἐξ ἡμῶν ἐτάραξαν ὑμᾶς λόγοις ἀνασκευάζοντες τὰς
ψυχὰς ὑμῶν, οἷς οὐ διεστειλάμεθα, ἔδοξεν ἡμῖν γενομένοις 25
ὁμοθυμαδὸν ⌜ἐκλεξαμένοις⌝ ἄνδρας πέμψαι πρὸς ὑμᾶς σὺν
τοῖς ἀγαπητοῖς ἡμῶν Βαρνάβᾳ καὶ Παύλῳ, ἀνθρώποις 26
παραδεδωκόσι τὰς ψυχὰς αὐτῶν ὑπὲρ τοῦ ὀνόματος τοῦ
κυρίου ἡμῶν Ἰησοῦ Χριστοῦ. ἀπεστάλκαμεν οὖν Ἰούδαν 27
καὶ Σίλαν, καὶ αὐτοὺς διὰ λόγου ἀπαγγέλλοντας τὰ αὐτά.
ἔδοξεν γὰρ τῷ πνεύματι τῷ ἁγίῳ καὶ ἡμῖν μηδὲν πλέον ἐπι- 28

25 ἐκλεξαμένους

τίθεσθαι ὑμῖν βάρος πλὴν τούτων τῶν ἐπάναγκες, ἀπέχεσθαι
29 εἰδωλοθύτων καὶ αἵματος καὶ πνικτῶν καὶ πορνείας· ἐξ ὧν
διατηροῦντες ἑαυτοὺς εὖ πράξετε. Ἔρρωσθε.

30 Οἱ μὲν οὖν ἀπολυθέντες κατῆλθον εἰς Ἀντιόχειαν, καὶ
31 συναγαγόντες τὸ πλῆθος ἐπέδωκαν τὴν ἐπιστολήν· ἀνα-
32 γνόντες δὲ ἐχάρησαν ἐπὶ τῇ παρακλήσει. Ἰούδας τε καὶ
Σίλας, καὶ αὐτοὶ προφῆται ὄντες, διὰ λόγου πολλοῦ πα-
33 ρεκάλεσαν τοὺς ἀδελφοὺς καὶ ἐπεστήριξαν· ποιήσαντες
δὲ χρόνον ἀπελύθησαν μετ᾽ εἰρήνης ἀπὸ τῶν ἀδελφῶν
35 πρὸς τοὺς ἀποστείλαντας αὐτούς.   Παῦλος δὲ
καὶ Βαρνάβας διέτριβον ἐν Ἀντιοχείᾳ διδάσκοντες καὶ
εὐαγγελιζόμενοι μετὰ καὶ ἑτέρων πολλῶν τὸν λόγον τοῦ
κυρίου.

36 Μετὰ δέ τινας ἡμέρας εἶπεν πρὸς Βαρνάβαν Παῦλος
Ἐπιστρέψαντες δὴ ἐπισκεψώμεθα τοὺς ἀδελφοὺς κατὰ πό-
λιν πᾶσαν ἐν αἷς κατηγγείλαμεν τὸν λόγον τοῦ κυρίου, πῶς
37 ἔχουσιν. Βαρνάβας δὲ ἐβούλετο συνπαραλαβεῖν καὶ τὸν
38 Ἰωάνην τὸν καλούμενον Μάρκον· Παῦλος δὲ ἠξίου, τὸν ἀπο-
στάντα ἀπ᾽ αὐτῶν ἀπὸ Παμφυλίας καὶ μὴ συνελθόντα
39 αὐτοῖς εἰς τὸ ἔργον, μὴ συνπαραλαμβάνειν τοῦτον. ἐγένετο
δὲ παροξυσμὸς ὥστε ἀποχωρισθῆναι αὐτοὺς ἀπ᾽ ἀλλήλων,
τόν τε Βαρνάβαν παραλαβόντα τὸν Μάρκον ἐκπλεῦσαι εἰς
40 Κύπρον. Παῦλος δὲ ἐπιλεξάμενος Σίλαν ἐξῆλθεν παρα-
41 δοθεὶς τῇ χάριτι τοῦ κυρίου ὑπὸ τῶν ἀδελφῶν, διήρχετο
δὲ τὴν Συρίαν καὶ [τὴν] Κιλικίαν ἐπιστηρίζων τὰς ἐκκλη-
1 σίας.   Κατήντησεν δὲ καὶ εἰς Δέρβην καὶ εἰς
Λύστραν. καὶ ἰδοὺ μαθητής τις ἦν ἐκεῖ ὀνόματι Τιμόθεος,
2 υἱὸς γυναικὸς Ἰουδαίας πιστῆς πατρὸς δὲ Ἕλληνος, ὃς
ἐμαρτυρεῖτο ὑπὸ τῶν ἐν Λύστροις καὶ Ἰκονίῳ ἀδελφῶν·
3 τοῦτον ἠθέλησεν ὁ Παῦλος σὺν αὐτῷ ἐξελθεῖν, καὶ λαβὼν
περιέτεμεν αὐτὸν διὰ τοὺς Ἰουδαίους τοὺς ὄντας ἐν τοῖς
τόποις ἐκείνοις, ᾔδεισαν γὰρ ἅπαντες ὅτι Ἕλλην ὁ

πατὴρ αὐτοῦ ὑπῆρχεν. Ὡς δὲ διεπορεύοντο τὰς πόλεις, 4
παρεδίδοσαν αὐτοῖς φυλάσσειν τὰ δόγματα τὰ κεκριμένα
ὑπὸ τῶν ἀποστόλων καὶ πρεσβυτέρων τῶν ἐν Ἱεροσολύ-
μοις.   Αἱ μὲν οὖν ἐκκλησίαι ἐστερεοῦντο τῇ 5
πίστει καὶ ἐπερίσσευον τῷ ἀριθμῷ καθ᾽ ἡμέραν.

Διῆλθον δὲ τὴν Φρυγίαν καὶ Γαλατικὴν χώραν, κωλυ- 6
θέντες ὑπὸ τοῦ ἁγίου πνεύματος λαλῆσαι τὸν λόγον ἐν τῇ
Ἀσίᾳ, ἐλθόντες δὲ κατὰ τὴν Μυσίαν ἐπείραζον εἰς τὴν 7
Βιθυνίαν πορευθῆναι καὶ οὐκ εἴασεν αὐτοὺς τὸ πνεῦμα
Ἰησοῦ· παρελθόντες δὲ τὴν Μυσίαν κατέβησαν εἰς Τρῳάδα. 8
καὶ ὅραμα διὰ νυκτὸς τῷ Παύλῳ ὤφθη, ἀνὴρ Μακεδών 9
τις ἦν ἑστὼς καὶ παρακαλῶν αὐτὸν καὶ λέγων   Διαβὰς
εἰς Μακεδονίαν βοήθησον ἡμῖν.   ὡς δὲ τὸ ὅραμα εἶδεν, 10
εὐθέως ἐζητήσαμεν ἐξελθεῖν εἰς Μακεδονίαν, συνβιβάζοντες
ὅτι προσκέκληται ἡμᾶς ὁ θεὸς εὐαγγελίσασθαι αὐτούς.

Ἀναχθέντες οὖν ἀπὸ Τρῳάδος εὐθυδρομήσαμεν εἰς Σαμο- 11
θρᾴκην, τῇ δὲ ἐπιούσῃ εἰς Νέαν Πόλιν, κἀκεῖθεν εἰς Φιλίπ- 12
πους, ἥτις ἐστὶν ⌐πρώτη τῆς μερίδος⌐ Μακεδονίας πόλις,
κολωνία.   Ἦμεν δὲ ἐν ταύτῃ τῇ πόλει δια-
τρίβοντες ἡμέρας τινάς.   τῇ τε ἡμέρᾳ τῶν σαββάτων ἐξήλ- 13
θομεν ἔξω τῆς πύλης παρὰ ποταμὸν οὗ ἐνομίζομεν προσ-
ευχὴν εἶναι, καὶ καθίσαντες ἐλαλοῦμεν ταῖς συνελθούσαις
γυναιξίν.   καί τις γυνὴ ὀνόματι Λυδία, πορφυρόπωλις 14
πόλεως Θυατείρων σεβομένη τὸν θεόν, ἤκουεν, ἧς ὁ κύ-
ριος διήνοιξεν τὴν καρδίαν προσέχειν τοῖς λαλουμένοις ὑπὸ
Παύλου.   ὡς δὲ ἐβαπτίσθη καὶ ὁ οἶκος αὐτῆς, παρεκάλε- 15
σεν λέγουσα   Εἰ κεκρίκατέ με πιστὴν τῷ κυρίῳ εἶναι,
εἰσελθόντες εἰς τὸν οἶκόν μου μένετε·   καὶ παρεβιάσατο
ἡμᾶς.   Ἐγένετο δὲ πορευομένων ἡμῶν εἰς τὴν 16
προσευχὴν παιδίσκην τινὰ ἔχουσαν πνεῦμα πύθωνα ὑπαν-
τῆσαι ἡμῖν, ἥτις ἐργασίαν πολλὴν παρεῖχεν τοῖς κυρίοις
αὐτῆς μαντευομένη· αὕτη κατακολουθοῦσα [τῷ] Παύλῳ καὶ 17
ἡμῖν ἔκραζεν λέγουσα   Οὗτοι οἱ ἄνθρωποι δοῦλοι τοῦ θεοῦ

τοῦ ὑψίστου εἰσίν, οἵτινες καταγγέλλουσιν ὑμῖν ὁδὸν σωτη-
18 ρίας. τοῦτο δὲ ἐποίει ἐπὶ πολλὰς ἡμέρας. διαπονηθεὶς
δὲ Παῦλος καὶ ἐπιστρέψας τῷ πνεύματι εἶπεν Παραγ-
γέλλω σοι ἐν ὀνόματι Ἰησοῦ Χριστοῦ ἐξελθεῖν ἀπ᾽ αὐτῆς·
19 καὶ ἐξῆλθεν αὐτῇ τῇ ὥρᾳ. ⌜Ἰδόντες δὲ⌝ οἱ κύριοι αὐτῆς ὅτι
ἐξῆλθεν ἡ ἐλπὶς τῆς ἐργασίας αὐτῶν ἐπιλαβόμενοι τὸν
Παῦλον καὶ τὸν Σίλαν εἵλκυσαν εἰς τὴν ἀγορὰν ἐπὶ τοὺς
20 ἄρχοντας, καὶ προσαγαγόντες αὐτοὺς τοῖς στρατηγοῖς εἶπαν
Οὗτοι οἱ ἄνθρωποι ἐκταράσσουσιν ἡμῶν τὴν πόλιν Ἰουδαῖοι
21 ὑπάρχοντες, καὶ καταγγέλλουσιν ἔθη ἃ οὐκ ἔξεστιν ἡμῖν
22 παραδέχεσθαι οὐδὲ ποιεῖν Ῥωμαίοις οὖσιν. καὶ συνεπέστη
ὁ ὄχλος κατ᾽ αὐτῶν, καὶ οἱ στρατηγοὶ περιρήξαντες αὐτῶν
23 τὰ ἱμάτια ἐκέλευον ῥαβδίζειν, ⌜πολλὰς δὲ⌝ ἐπιθέντες αὐτοῖς
πληγὰς ἔβαλον εἰς φυλακήν, παραγγείλαντες τῷ δεσμοφύ-
24 λακι ἀσφαλῶς τηρεῖν αὐτούς· ὃς παραγγελίαν τοιαύτην
λαβὼν ἔβαλεν αὐτοὺς εἰς τὴν ἐσωτέραν φυλακὴν καὶ τοὺς
25 πόδας ἠσφαλίσατο αὐτῶν εἰς τὸ ξύλον. Κατὰ δὲ τὸ μεσο-
νύκτιον Παῦλος καὶ Σίλας προσευχόμενοι ὕμνουν τὸν θεόν,
26 ἐπηκροῶντο δὲ αὐτῶν οἱ δέσμιοι· ἄφνω δὲ σεισμὸς ἐγένετο
μέγας ὥστε σαλευθῆναι τὰ θεμέλια τοῦ δεσμωτηρίου, ἠνεῴ-
χθησαν δὲ [παραχρῆμα] αἱ θύραι πᾶσαι, καὶ πάντων τὰ
27 δεσμὰ ἀνέθη. ἔξυπνος δὲ γενόμενος ὁ δεσμοφύλαξ καὶ
ἰδὼν ἀνεῳγμένας τὰς θύρας τῆς φυλακῆς σπασάμενος τὴν
μάχαιραν ἤμελλεν ἑαυτὸν ἀναιρεῖν, νομίζων ἐκπεφευγέναι
28 τοὺς δεσμίους. ἐφώνησεν δὲ Παῦλος μεγάλῃ φωνῇ λέγων
Μηδὲν πράξῃς σεαυτῷ κακόν, ἅπαντες γάρ ἐσμεν ἐνθάδε.
29 αἰτήσας δὲ φῶτα εἰσεπήδησεν, καὶ ἔντρομος γενόμενος προσ-
30 έπεσεν τῷ Παύλῳ καὶ Σίλᾳ, καὶ προαγαγὼν αὐτοὺς ἔξω
31 ἔφη Κύριοι, τί με δεῖ ποιεῖν ἵνα σωθῶ; οἱ δὲ εἶπαν
Πίστευσον ἐπὶ τὸν κύριον Ἰησοῦν, καὶ σωθήσῃ σὺ καὶ
32 ὁ οἶκός σου. καὶ ἐλάλησαν αὐτῷ τὸν λόγον τοῦ ⌜θεοῦ⌝ σὺν
33 πᾶσι τοῖς ἐν τῇ οἰκίᾳ αὐτοῦ. καὶ παραλαβὼν αὐτοὺς ἐν
ἐκείνῃ τῇ ὥρᾳ τῆς νυκτὸς ἔλουσεν ἀπὸ τῶν πληγῶν, καὶ

19 Καὶ ἰδόντες   23 πολλάς τε   32 κυρίου

ἐβαπτίσθη αὐτὸς καὶ οἱ αὐτοῦ ἅπαντες παραχρῆμα, ἀναγα- 3
γών τε αὐτοὺς εἰς τὸν οἶκον παρέθηκεν τράπεζαν, καὶ ἠγαλ-
λιάσατο πανοικεὶ πεπιστευκὼς τῷ θεῷ. Ἡμέρας δὲ γενομέ- 3
νης ἀπέστειλαν οἱ στρατηγοὶ τοὺς ῥαβδούχους λέγοντες
Ἀπόλυσον τοὺς ἀνθρώπους ἐκείνους. ἀπήγγειλεν δὲ ὁ δε- 3
σμοφύλαξ τοὺς λόγους πρὸς τὸν Παῦλον, ὅτι Ἀπέσταλ-
καν οἱ στρατηγοὶ ἵνα ἀπολυθῆτε· νῦν οὖν ἐξελθόντες πορεύ-
εσθε ἐν εἰρήνῃ. ὁ δὲ Παῦλος ἔφη πρὸς αὐτούς Δείραντες 3
ἡμᾶς δημοσίᾳ ἀκατακρίτους, ἀνθρώπους Ῥωμαίους ὑπάρ-
χοντας, ἔβαλαν εἰς φυλακήν· καὶ νῦν λάθρᾳ ἡμᾶς ἐκβάλ-
λουσιν; οὐ γάρ, ἀλλὰ ἐλθόντες αὐτοὶ ἡμᾶς ἐξαγαγέτωσαν.
ἀπήγγειλαν δὲ τοῖς στρατηγοῖς οἱ ῥαβδοῦχοι τὰ ῥήματα 3
ταῦτα· ἐφοβήθησαν δὲ ἀκούσαντες ὅτι Ῥωμαῖοί εἰσιν, καὶ 3
ἐλθόντες παρεκάλεσαν αὐτούς, καὶ ἐξαγαγόντες ἠρώτων
ἀπελθεῖν ἀπὸ τῆς πόλεως. ἐξελθόντες δὲ ἀπὸ τῆς φυλακῆς 4
εἰσῆλθον πρὸς τὴν Λυδίαν, καὶ ἰδόντες παρεκάλεσαν τοὺς
ἀδελφοὺς καὶ ἐξῆλθαν.

Διοδεύσαντες δὲ τὴν Ἀμφίπολιν καὶ τὴν Ἀπολλωνίαν 1
ἦλθον εἰς Θεσσαλονίκην, ὅπου ἦν συναγωγὴ τῶν Ἰουδαίων.
κατὰ δὲ τὸ εἰωθὸς τῷ Παύλῳ εἰσῆλθεν πρὸς αὐτοὺς καὶ ἐπὶ 2
σάββατα τρία διελέξατο αὐτοῖς ἀπὸ τῶν γραφῶν, διανοί- 3
γων καὶ παρατιθέμενος ὅτι τὸν χριστὸν ἔδει παθεῖν καὶ
ἀναστῆναι ἐκ νεκρῶν, καὶ ὅτι οὗτός ἐστιν ⌜ὁ χριστός, ὁ
Ἰησοῦς⌝ ὃν ἐγὼ καταγγέλλω ὑμῖν. καί τινες ἐξ αὐτῶν 4
ἐπείσθησαν καὶ προσεκληρώθησαν τῷ Παύλῳ καὶ [τῷ] Σίλᾳ,
τῶν τε σεβομένων Ἑλλήνων πλῆθος πολὺ γυναικῶν τε
τῶν πρώτων οὐκ ὀλίγαι. Ζηλώσαντες δὲ οἱ Ἰουδαῖοι καὶ 5
προσλαβόμενοι τῶν ἀγοραίων ἄνδρας τινὰς πονηροὺς καὶ
ὀχλοποιήσαντες ἐθορύβουν τὴν πόλιν, καὶ ἐπιστάντες τῇ
οἰκίᾳ Ἰάσονος ἐζήτουν αὐτοὺς προαγαγεῖν εἰς τὸν δῆμον·
μὴ εὑρόντες δὲ αὐτοὺς ἔσυρον Ἰάσονα καί τινας ἀδελφοὺς 6
ἐπὶ τοὺς πολιτάρχας, βοῶντες ὅτι Οἱ τὴν οἰκουμένην
ἀναστατώσαντες οὗτοι καὶ ἐνθάδε πάρεισιν, οὓς ὑποδέ- 7

3 Χριστὸς Ἰησοῦς

δεκται Ἰάσων· καὶ οὗτοι πάντες ἀπέναντι τῶν δογμάτων
Καίσαρος πράσσουσι, βασιλέα ἕτερον λέγοντες εἶναι Ἰη-
8 σοῦν. ἐτάραξαν δὲ τὸν ὄχλον καὶ τοὺς πολιτάρχας ἀκούον-
9 τας ταῦτα, καὶ λαβόντες τὸ ἱκανὸν παρὰ τοῦ Ἰάσονος καὶ
10 τῶν λοιπῶν ἀπέλυσαν αὐτούς.   Οἱ δὲ ἀδελφοὶ
εὐθέως διὰ νυκτὸς ἐξέπεμψαν τόν τε Παῦλον καὶ τὸν Σίλαν
εἰς Βέροιαν, οἵτινες παραγενόμενοι εἰς τὴν συναγωγὴν τῶν
11 Ἰουδαίων ἀπῄεσαν· οὗτοι δὲ ἦσαν εὐγενέστεροι τῶν ἐν Θεσ-
σαλονίκῃ, οἵτινες ἐδέξαντο τὸν λόγον μετὰ πάσης προ-
θυμίας, [τὸ] καθ᾿ ἡμέραν ἀνακρίνοντες τὰς γραφὰς εἰ ἔχοι
12 ταῦτα οὕτως.   πολλοὶ μὲν οὖν ἐξ αὐτῶν ἐπίστευσαν, καὶ
τῶν Ἑλληνίδων γυναικῶν τῶν εὐσχημόνων καὶ ἀνδρῶν
13 οὐκ ὀλίγοι.   Ὡς δὲ ἔγνωσαν οἱ ἀπὸ τῆς Θεσσαλονίκης
Ἰουδαῖοι ὅτι καὶ ἐν τῇ Βεροίᾳ κατηγγέλη ὑπὸ τοῦ Παύλου
ὁ λόγος τοῦ θεοῦ, ἦλθον κἀκεῖ σαλεύοντες καὶ ταράσσοντες
14 τοὺς ὄχλους.   εὐθέως δὲ τότε τὸν Παῦλον ἐξαπέστειλαν οἱ
ἀδελφοὶ πορεύεσθαι ἕως ἐπὶ τὴν θάλασσαν· ὑπέμεινάν τε
15 ὅ τε Σίλας καὶ ὁ Τιμόθεος ἐκεῖ.   οἱ δὲ καθιστάνοντες τὸν
Παῦλον ἤγαγον ἕως Ἀθηνῶν, καὶ λαβόντες ἐντολὴν πρὸς
τὸν Σίλαν καὶ τὸν Τιμόθεον ἵνα ὡς τάχιστα ἔλθωσιν πρὸς
αὐτὸν ἐξῄεσαν.

16   Ἐν δὲ ταῖς Ἀθήναις ἐκδεχομένου αὐτοὺς τοῦ Παύλου,
παρωξύνετο τὸ πνεῦμα αὐτοῦ ἐν αὐτῷ θεωροῦντος κατείδω-
17 λον οὖσαν τὴν πόλιν.   διελέγετο μὲν οὖν ἐν τῇ συναγωγῇ
τοῖς Ἰουδαίοις καὶ τοῖς σεβομένοις καὶ ἐν τῇ ἀγορᾷ κατὰ
18 πᾶσαν ἡμέραν πρὸς τοὺς παρατυγχάνοντας.   τινὲς δὲ καὶ
τῶν Ἐπικουρίων καὶ Στωικῶν φιλοσόφων συνέβαλλον
αὐτῷ, καί τινες ἔλεγον Τί ἂν θέλοι ὁ σπερμολόγος οὗτος
λέγειν; οἱ δὲ Ξένων δαιμονίων δοκεῖ καταγγελεὺς εἶναι·
19 ὅτι τὸν Ἰησοῦν καὶ τὴν ἀνάστασιν εὐηγγελίζετο.   ἐπιλα-
βόμενοι δὲ αὐτοῦ ἐπὶ τὸν Ἄρειον Πάγον ἤγαγον, λέγοντες
Δυνάμεθα γνῶναι τίς ἡ καινὴ αὕτη [ἡ] ὑπὸ σοῦ λαλουμένη
20 διδαχή; ξενίζοντα γάρ τινα εἰσφέρεις εἰς τὰς ἀκοὰς ἡμῶν·

βουλόμεθα οὖν γνῶναι τίνα θέλει ταῦτα εἶναι. Ἀθηναῖοι 21
δὲ πάντες καὶ οἱ ἐπιδημοῦντες ξένοι εἰς οὐδὲν ἕτερον ηὐ-
καίρουν ἢ λέγειν τι ἢ ἀκούειν τι καινότερον. σταθεὶς δε 22
Παῦλος ἐν μέσῳ τοῦ Ἀρείου Πάγου ἔφη Ἄνδρες Ἀθη-
ναῖοι, κατὰ πάντα ὡς δεισιδαιμονεστέρους ὑμᾶς θεωρῶ·
διερχόμενος γὰρ καὶ ἀναθεωρῶν τὰ σεβάσματα ὑμῶν εὗρον 23
καὶ βωμὸν ἐν ᾧ ἐπεγέγραπτο ΑΓΝΩΣΤΩ ΘΕΩ. ὃ οὖν
ἀγνοοῦντες εὐσεβεῖτε, τοῦτο ἐγὼ καταγγέλλω ὑμῖν. ὁ 24
θεὸς ὁ ΠΟΙΗϹΑϹ τὸν κόσμον καὶ πάντα τὰ ἐν ἀΥΤῷ,
οὗτος ΟΥΡΑΝΟΥ καὶ ΓΗϹ ὑπάρχων κύριος οὐκ ἐν χειρο-
ποιήτοις ναοῖς κατοικεῖ οὐδὲ ὑπὸ χειρῶν ἀνθρωπίνων θερα- 25
πεύεται προσδεόμενός τινος, αὐτὸς ΔιΔΟΥϹ πᾶσι ζωὴν καὶ
ΠΝΟΗΝ καὶ τὰ πάντα· ἐποίησέν τε ἐξ ἑνὸς πᾶν ἔθνος ἀν- 26
θρωπων κατοικεῖν ἐπὶ παντὸς προσώπου τῆς γῆς, ὁρίσας
προστεταγμένους καιροὺς καὶ τὰς ὁροθεσίας τῆς κατοικίας
αὐτῶν, ζητεῖν τὸν θεὸν εἰ ἄρα γε ψηλαφήσειαν αὐτὸν καὶ 27
εὕροιεν, καί γε οὐ μακρὰν ἀπὸ ἑνὸς ἑκάστου ἡμῶν ὑπάρ-
χοντα. ἐν αὐτῷ γὰρ ζῶμεν καὶ κινούμεθα καὶ ἐσμέν, ὡς 28
καί τινες τῶν καθ᾽ ⌈ὑμᾶς⌉ ποιητῶν εἰρήκασιν

Τοῦ γὰρ καὶ γένος ἐσμέν.

γένος οὖν ὑπάρχοντες τοῦ θεοῦ οὐκ ὀφείλομεν νομίζειν 29
χρυσῷ ἢ ἀργύρῳ ἢ λίθῳ, χαράγματι τέχνης καὶ ἐνθυμήσεως
ἀνθρώπου, τὸ θεῖον εἶναι ὅμοιον. τοὺς μὲν οὖν χρόνους 30
τῆς ἀγνοίας ὑπεριδὼν ὁ θεὸς τὰ νῦν ἀπαγγέλλει τοῖς ἀνθρώ-
ποις πάντας πανταχοῦ μετανοεῖν, καθότι ἔστησεν ἡμέραν 31
ἐν ᾗ μέλλει ΚΡΙΝΕΙΝ ΤΗΝ ΟΙΚΟΥΜΕΝΗΝ ἐΝ ΔΙΚΑΙΟϹΥΝΗ
ἐν ἀνδρὶ ᾧ ὥρισεν, πίστιν παρασχὼν πᾶσιν ἀναστήσας
αὐτὸν ἐκ νεκρῶν. ἀκούσαντες δὲ ἀνάστασιν νεκρῶν οἱ 32
μὲν ἐχλεύαζον οἱ δὲ εἶπαν Ἀκουσόμεθά σου περὶ τούτου
καὶ πάλιν. οὕτως ὁ Παῦλος ἐξῆλθεν ἐκ μέσου αὐτῶν· 33
τινὲς δὲ ἄνδρες κολληθέντες αὐτῷ ἐπίστευσαν, ἐν οἷς καὶ 34
Διονύσιος [ὁ] Ἀρεοπαγίτης καὶ γυνὴ ὀνόματι Δάμαρις καὶ
ἕτεροι σὺν αὐτοῖς.

28 ἡμᾶς

1 Μετὰ ταῦτα χωρισθεὶς ἐκ τῶν Ἀθηνῶν ἦλθεν εἰς Κό-
2 ρινθον. καὶ εὑρών τινα Ἰουδαῖον ὀνόματι Ἀκύλαν, Ποντι-
κὸν τῷ γένει, προσφάτως ἐληλυθότα ἀπὸ τῆς Ἰταλίας καὶ
Πρίσκιλλαν γυναῖκα αὐτοῦ διὰ τὸ διατεταχέναι Κλαύδιον
χωρίζεσθαι πάντας τοὺς Ἰουδαίους ἀπὸ τῆς Ῥώμης, προσ-
3 ῆλθεν αὐτοῖς, καὶ διὰ τὸ ὁμότεχνον εἶναι ἔμενεν παρ' αὐ-
τοῖς καὶ ⌈ἠργάζοντο⌉, ἦσαν γὰρ σκηνοποιοὶ τῇ τέχνῃ.
4 διελέγετο δὲ ἐν τῇ συναγωγῇ κατὰ πᾶν σάββατον, ἔπειθέν
5 τε Ἰουδαίους καὶ Ἕλληνας.   Ὡς δὲ κατῆλθον
ἀπὸ τῆς Μακεδονίας ὅ τε Σίλας καὶ ὁ Τιμόθεος, συνείχετο
τῷ λόγῳ ὁ Παῦλος, διαμαρτυρόμενος τοῖς Ἰουδαίοις εἶναι
6 τὸν χριστὸν Ἰησοῦν. ἀντιτασσομένων δὲ αὐτῶν καὶ βλα-
σφημούντων ἐκτιναξάμενος τὰ ἱμάτια εἶπεν πρὸς αὐτούς
Τὸ αἷμα ὑμῶν ἐπὶ τὴν κεφαλὴν ὑμῶν· καθαρὸς ⌈ἐγώ· ἀπὸ⌉
7 τοῦ νῦν εἰς τὰ ἔθνη πορεύσομαι. καὶ μεταβὰς ἐκεῖθεν
ἦλθεν εἰς οἰκίαν τινὸς ὀνόματι Τιτίου Ἰούστου σεβομέ-
νου τὸν θεόν, οὗ ἡ οἰκία ἦν συνομοροῦσα τῇ συναγωγῇ.
8 Κρίσπος δὲ ὁ ἀρχισυνάγωγος ἐπίστευσεν τῷ κυρίῳ σὺν
ὅλῳ τῷ οἴκῳ αὐτοῦ, καὶ πολλοὶ τῶν Κορινθίων ἀκούοντες
9 ἐπίστευον καὶ ἐβαπτίζοντο.   Εἶπεν δὲ ὁ κύριος ἐν νυκτὶ
δι' ὁράματος τῷ Παύλῳ ΜΗ ΦΟΒΟΥ, ἀλλὰ λάλει καὶ μὴ
10 σιωπήσῃς, ΔΙΟΤΙ ΕΓΩ ΕΙΜΙ ΜΕΤΑ ΣΟΥ καὶ οὐδεὶς ἐπιθήσεταί
σοι τοῦ κακῶσαί σε, διότι λαός ἐστί μοι πολὺς ἐν τῇ πόλει
11 ταύτῃ.   Ἐκάθισεν δὲ ἐνιαυτὸν καὶ μῆνας ἓξ διδάσκων ἐν
12 αὐτοῖς τὸν λόγον τοῦ θεοῦ.   Γαλλίωνος δὲ ἀνθυ-
πάτου ὄντος τῆς Ἀχαίας κατεπέστησαν ⌈οἱ Ἰουδαῖοι ὁμοθυ-
13 μαδὸν⌉ τῷ Παύλῳ καὶ ἤγαγον αὐτὸν ἐπὶ τὸ βῆμα, λέγοντες
ὅτι Παρὰ τὸν νόμον ἀναπείθει οὗτος τοὺς ἀνθρώπους
14 σέβεσθαι τὸν θεόν.   μέλλοντος δὲ τοῦ Παύλου ἀνοίγειν
τὸ στόμα εἶπεν ὁ Γαλλίων πρὸς τοὺς Ἰουδαίους Εἰ μὲν
ἦν ἀδίκημά τι ἢ ῥαδιούργημα πονηρόν, ὦ Ἰουδαῖοι, κατὰ
15 λόγον ἂν ἀνεσχόμην ὑμῶν· εἰ δὲ ζητήματά ἐστιν περὶ
λόγου καὶ ὀνομάτων καὶ νόμου τοῦ καθ' ὑμᾶς, ὄψεσθε αὐτοί·

3 ἠργάζετο   6 ἐγὼ ἀπὸ   12 ὁμοθυμαδὸν οἱ Ἰουδαῖοι

U

κριτὴς ἐγὼ τούτων οὐ βούλομαι εἶναι. καὶ ἀπήλασεν 16
αὐτοὺς ἀπὸ τοῦ βήματος. ἐπιλαβόμενοι δὲ πάντες Σωσθέ- 17
νην τὸν ἀρχισυνάγωγον ἔτυπτον ἔμπροσθεν τοῦ βήματος·
καὶ οὐδὲν τούτων τῷ Γαλλίωνι ἔμελεν.   Ὁ δὲ 18
Παῦλος ἔτι προσμείνας ἡμέρας ἱκανὰς τοῖς ἀδελφοῖς ἀπο-
ταξάμενος ἐξέπλει εἰς τὴν Συρίαν, καὶ σὺν αὐτῷ Πρίσκιλλα
καὶ Ἀκύλας, κειράμενος ἐν Κενχρεαῖς τὴν κεφαλήν, εἶχεν
γὰρ εὐχήν. κατήντησαν δὲ εἰς Ἔφεσον, κἀκείνους κατέ- 19
λιπεν αὐτοῦ, αὐτὸς δὲ εἰσελθὼν εἰς τὴν συναγωγὴν διελέ-
ξατο τοῖς Ἰουδαίοις. ἐρωτώντων δὲ αὐτῶν ἐπὶ πλείονα 20
χρόνον μεῖναι οὐκ ἐπένευσεν, ἀλλὰ ἀποταξάμενος καὶ εἰπών 21
Πάλιν ἀνακάμψω πρὸς ὑμᾶς τοῦ θεοῦ θέλοντος ἀνήχθη
ἀπὸ τῆς Ἐφέσου, καὶ κατελθὼν εἰς Καισαρίαν, ἀναβὰς 22
καὶ ἀσπασάμενος τὴν ἐκκλησίαν, κατέβη εἰς Ἀντιόχειαν,
καὶ ποιήσας χρόνον τινὰ ἐξῆλθεν, διερχόμενος καθεξῆς 23
τὴν Γαλατικὴν χώραν καὶ Φρυγίαν, στηρίζων πάντας τοὺς
μαθητάς.

Ἰουδαῖος δέ τις Ἀπολλὼς ὀνόματι, Ἀλεξανδρεὺς τῷ 24
γένει, ἀνὴρ λόγιος, κατήντησεν εἰς Ἔφεσον, δυνατὸς ὢν ἐν
ταῖς γραφαῖς. οὗτος ἦν κατηχημένος τὴν ὁδὸν ⌐τοῦ κυρίου⌐, 25
καὶ ζέων τῷ πνεύματι ἐλάλει καὶ ἐδίδασκεν ἀκριβῶς τὰ περὶ
τοῦ Ἰησοῦ, ἐπιστάμενος μόνον τὸ βάπτισμα Ἰωάνου. οὗτός 26
τε ἤρξατο παρρησιάζεσθαι ἐν τῇ συναγωγῇ· ἀκούσαντες
δὲ αὐτοῦ Πρίσκιλλα καὶ Ἀκύλας προσελάβοντο αὐτὸν καὶ
ἀκριβέστερον αὐτῷ ἐξέθεντο τὴν ὁδὸν τοῦ θεοῦ. βουλο- 27
μένου δὲ αὐτοῦ διελθεῖν εἰς τὴν Ἀχαίαν προτρεψάμενοι
οἱ ἀδελφοὶ ἔγραψαν τοῖς μαθηταῖς ἀποδέξασθαι αὐτόν·
ὃς παραγενόμενος συνεβάλετο πολὺ τοῖς πεπιστευκόσιν
διὰ τῆς χάριτος· εὐτόνως γὰρ τοῖς Ἰουδαίοις διακατηλέγ- 28
χετο δημοσίᾳ ἐπιδεικνὺς διὰ τῶν γραφῶν εἶναι τὸν χριστὸν
Ἰησοῦν.   Ἐγένετο δὲ ἐν τῷ τὸν Ἀπολλὼ εἶναι 1

25 Κυρίου

ἐν Κορίνθῳ Παῦλον διελθόντα τὰ ἀνωτερικὰ μέρη ἐλθεῖν
2 εἰς Ἔφεσον καὶ εὑρεῖν τινὰς μαθητάς, εἶπέν τε πρὸς αὐτούς
Εἰ πνεῦμα ἅγιον ἐλάβετε πιστεύσαντες; οἱ δὲ πρὸς αὐτόν
3 Ἀλλ᾽ οὐδ᾽ εἰ πνεῦμα ἅγιον ἔστιν ἠκούσαμεν. ⌐εἶπέν τε⌐ Εἰς
τί οὖν ἐβαπτίσθητε; οἱ δὲ εἶπαν Εἰς τὸ Ἰωάνου βάπτισμα.
4 εἶπεν δὲ Παῦλος Ἰωάνης ἐβάπτισεν βάπτισμα μετανοίας,
τῷ λαῷ λέγων εἰς τὸν ἐρχόμενον μετ᾽ αὐτὸν ἵνα πιστεύσω-
5 σιν, τοῦτ᾽ ἔστιν εἰς τὸν Ἰησοῦν. ἀκούσαντες δὲ ἐβαπτίσθη-
6 σαν εἰς τὸ ὄνομα τοῦ κυρίου Ἰησοῦ· καὶ ἐπιθέντος αὐτοῖς
τοῦ Παύλου χεῖρας ἦλθε τὸ πνεῦμα τὸ ἅγιον ἐπ᾽ αὐτούς,
7 ἐλάλουν τε γλώσσαις καὶ ἐπροφήτευον. ἦσαν δὲ οἱ πάντες
8 ἄνδρες ὡσεὶ δώδεκα. Εἰσελθὼν δὲ εἰς τὴν συ-
ναγωγὴν ἐπαρρησιάζετο ἐπὶ μῆνας τρεῖς διαλεγόμενος καὶ
9 πείθων περὶ τῆς βασιλείας τοῦ θεοῦ. ὡς δέ τινες ἐσκλη-
ρύνοντο καὶ ἠπείθουν κακολογοῦντες τὴν ὁδὸν ἐνώπιον τοῦ
πλήθους, ἀποστὰς ἀπ᾽ αὐτῶν ἀφώρισεν τοὺς μαθητάς,
10 καθ᾽ ἡμέραν διαλεγόμενος ἐν τῇ σχολῇ Τυράννου. τοῦτο
δὲ ἐγένετο ἐπὶ ἔτη δύο, ὥστε πάντας τοὺς κατοικοῦντας τὴν
Ἀσίαν ἀκοῦσαι τὸν λόγον τοῦ κυρίου, Ἰουδαίους τε καὶ
11 Ἕλληνας. Δυνάμεις τε οὐ τὰς τυχούσας ὁ θεὸς
12 ἐποίει διὰ τῶν χειρῶν Παύλου, ὥστε καὶ ἐπὶ τοὺς ἀσθενοῦν-
τας ἀποφέρεσθαι ἀπὸ τοῦ χρωτὸς αὐτοῦ σουδάρια ἢ σιμικίν-
θια καὶ ἀπαλλάσσεσθαι ἀπ᾽ αὐτῶν τὰς νόσους, τά τε πνεύ-
13 ματα τὰ πονηρὰ ἐκπορεύεσθαι. Ἐπεχείρησαν δέ τινες καὶ
τῶν περιερχομένων Ἰουδαίων ἐξορκιστῶν ὀνομάζειν ἐπὶ τοὺς
ἔχοντας τὰ πνεύματα τὰ πονηρὰ τὸ ὄνομα τοῦ κυρίου Ἰησοῦ
λέγοντες Ὁρκίζω ὑμᾶς τὸν Ἰησοῦν ὃν Παῦλος κηρύσσει.
14 ἦσαν δέ τινος Σκευᾶ Ἰουδαίου ἀρχιερέως ἑπτὰ υἱοὶ τοῦτο
15 ποιοῦντες. ἀποκριθὲν δὲ τὸ πνεῦμα τὸ πονηρὸν εἶπεν αὐ-
τοῖς Τὸν [μὲν] Ἰησοῦν γινώσκω καὶ τὸν Παῦλον ἐπίστα-
16 μαι, ὑμεῖς δὲ τίνες ἐστέ; καὶ ἐφαλόμενος ὁ ἄνθρωπος

3 ὁ δὲ εἶπεν

ἐπ᾽ αὐτοὺς ἐν ᾧ ἦν τὸ πνεῦμα τὸ πονηρὸν κατακυριεύσας
ἀμφοτέρων ἴσχυσεν κατ᾽ αὐτῶν, ὥστε γυμνοὺς καὶ τετραυ-
ματισμένους ἐκφυγεῖν ἐκ τοῦ οἴκου ἐκείνου. τοῦτο δὲ 17
ἐγένετο γνωστὸν πᾶσιν Ἰουδαίοις τε καὶ Ἕλλησιν τοῖς
κατοικοῦσιν τὴν Ἔφεσον, καὶ ἐπέπεσεν φόβος ἐπὶ πάντας
αὐτούς, καὶ ἐμεγαλύνετο τὸ ὄνομα τοῦ κυρίου Ἰησοῦ.
πολλοί τε τῶν πεπιστευκότων ἤρχοντο ἐξομολογούμενοι καὶ 18
ἀναγγέλλοντες τὰς πράξεις αὐτῶν. ἱκανοὶ δὲ τῶν τὰ πε- 19
ρίεργα πραξάντων συνενέγκαντες τὰς βίβλους κατέκαιον
ἐνώπιον πάντων· καὶ συνεψήφισαν τὰς τιμὰς αὐτῶν καὶ
εὗρον ἀργυρίου μυριάδας πέντε. Οὕτως κατὰ κράτος τοῦ 20
κυρίου ὁ λόγος ηὔξανεν καὶ ἴσχυεν.

ΩΣ ΔΕ ΕΠΛΗΡΩΘΗ ταῦτα, ἔθετο ὁ Παῦλος ἐν τῷ 21
πνεύματι διελθὼν τὴν Μακεδονίαν καὶ Ἀχαίαν πορεύεσθαι
εἰς Ἱεροσόλυμα, εἰπὼν ὅτι Μετὰ τὸ γενέσθαι με ἐκεῖ δεῖ
με καὶ Ῥώμην ἰδεῖν. ἀποστείλας δὲ εἰς τὴν Μακεδονίαν 22
δύο τῶν διακονούντων αὐτῷ, Τιμόθεον καὶ Ἔραστον, αὐτὸς
ἐπέσχεν χρόνον εἰς τὴν Ἀσίαν.   Ἐγένετο δὲ 23
κατὰ τὸν καιρὸν ἐκεῖνον τάραχος οὐκ ὀλίγος περὶ τῆς ὁδοῦ.
Δημήτριος γάρ τις ὀνόματι, ἀργυροκόπος, ποιῶν ναοὺς 24
[ἀργυροῦς] Ἀρτέμιδος παρείχετο τοῖς τεχνίταις οὐκ ὀλίγην
ἐργασίαν, οὓς συναθροίσας καὶ τοὺς περὶ τὰ τοιαῦτα ἐργά- 25
τας εἶπεν Ἄνδρες, ἐπίστασθε ὅτι ἐκ ταύτης τῆς ἐργασίας
ἡ εὐπορία ἡμῖν ἐστίν, καὶ θεωρεῖτε καὶ ἀκούετε ὅτι οὐ μόνον 26
Ἐφέσου ἀλλὰ σχεδὸν πάσης τῆς Ἀσίας ὁ Παῦλος οὗτος
πείσας μετέστησεν ἱκανὸν ὄχλον, λέγων ὅτι οὐκ εἰσὶν θεοὶ
οἱ διὰ χειρῶν γινόμενοι. οὐ μόνον δὲ τοῦτο κινδυνεύει 27
ἡμῖν τὸ μέρος εἰς ἀπελεγμὸν ἐλθεῖν, ἀλλὰ καὶ τὸ τῆς μεγά-
λης θεᾶς Ἀρτέμιδος ἱερὸν εἰς οὐθὲν λογισθῆναι, μέλλειν

34 ὡς | κράζοντες

τε καὶ καθαιρεῖσθαι τῆς μεγαλειότητος αὐτῆς, ἣν ὅλη
28 [ἡ] Ἀσία καὶ [ἡ] οἰκουμένη σέβεται. ἀκούσαντες δὲ καὶ
γενόμενοι πλήρεις θυμοῦ ἔκραζον λέγοντες Μεγάλη ἡ
29 Ἄρτεμις Ἐφεσίων. καὶ ἐπλήσθη ἡ πόλις τῆς συγχύσεως,
ὥρμησάν τε ὁμοθυμαδὸν εἰς τὸ θέατρον συναρπάσαντες
Γαῖον καὶ Ἀρίσταρχον Μακεδόνας, συνεκδήμους Παύλου.
30 Παύλου δὲ βουλομένου εἰσελθεῖν εἰς τὸν δῆμον οὐκ εἴων
31 αὐτὸν οἱ μαθηταί· τινὲς δὲ καὶ τῶν Ἀσιαρχῶν, ὄντες αὐτῷ
φίλοι, πέμψαντες πρὸς αὐτὸν παρεκάλουν μὴ δοῦναι ἑαυ-
32 τὸν εἰς τὸ θέατρον. ἄλλοι μὲν οὖν ἄλλο τι ἔκραζον, ἦν
γὰρ ἡ ἐκκλησία συνκεχυμένη, καὶ οἱ πλείους οὐκ ᾔδεισαν
33 τίνος ἕνεκα συνεληλύθεισαν. ἐκ δὲ τοῦ ὄχλου συνεβίβα-
σαν Ἀλέξανδρον προβαλόντων αὐτὸν τῶν Ἰουδαίων, ὁ δὲ
Ἀλέξανδρος καταο ίσας τὴν χεῖρα ἤθελεν ἀπολογεῖσθαι
34 τῷ δήμῳ. ἐπιγνόντες δὲ ὅτι Ἰουδαῖός ἐστιν φωνὴ ἐγένετο
μία ἐκ πάντων ⌜ὡσεὶ⌝ ἐπὶ ὥρας δύο ⌜κραζόντων⌝ Μεγάλη ἡ
35 Ἄρτεμις Ἐφεσίων⌝. καταστείλας δὲ τὸν ὄχλον ὁ γραμ-
ματεύς φησιν Ἄνδρες Ἐφέσιοι, τίς γάρ ἐστιν ἀνθρώπων
ὃς οὐ γινώσκει τὴν Ἐφεσίων πόλιν νεωκόρον οὖσαν τῆς
36 μεγάλης Ἀρτέμιδος καὶ τοῦ διοπετοῦς; ἀναντιρήτων οὖν
ὄντων τούτων δέον ἐστὶν ὑμᾶς κατεσταλμένους ὑπάρχειν
37 καὶ μηδὲν προπετὲς πράσσειν. ἠγάγετε γὰρ τοὺς ἄνδρας
τούτους οὔτε ἱεροσύλους οὔτε βλασφημοῦντας τὴν θεὸν
38 ἡμῶν. εἰ μὲν οὖν Δημήτριος καὶ οἱ σὺν αὐτῷ τεχνῖται
ἔχουσιν πρός τινα λόγον, ἀγοραῖοι ἄγονται καὶ ἀνθύπατοί
39 εἰσιν, ἐγκαλείτωσαν ἀλλήλοις. εἰ δέ τι περαιτέρω ἐπιζη-
40 τεῖτε, ἐν τῇ ἐννόμῳ ἐκκλησίᾳ ἐπιλυθήσεται. καὶ γὰρ
κινδυνεύομεν ἐγκαλεῖσθαι στάσεως ⌜περὶ τῆς σήμερον μη-
δενὸς αἰτίου ὑπάρχοντος, περὶ οὗ οὐ δυνησόμεθα ἀποδοῦναι
λόγον περὶ τῆς συστροφῆς ταύτης⌝. καὶ ταῦτα εἰπὼν ἀπέ-
λυσεν τὴν ἐκκλησίαν.
1 Μετὰ δὲ τὸ παύσασθαι τὸν θόρυβον μεταπεμψάμενος

34 Μεγάλη ἡ Ἄρτεμις Ἐφεσίων   40 †...†

ὁ Παῦλος τοὺς μαθητὰς καὶ παρακαλέσας ἀσπασάμενος
ἐξῆλθεν πορεύεσθαι εἰς Μακεδονίαν. διελθὼν δὲ τὰ μέρη 2
ἐκεῖνα καὶ παρακαλέσας αὐτοὺς λόγῳ πολλῷ ἦλθεν εἰς τὴν
Ἑλλάδα, ποιήσας τε μῆνας τρεῖς γενομένης ἐπιβουλῆς 3
αὐτῷ ὑπὸ τῶν Ἰουδαίων μέλλοντι ἀνάγεσθαι εἰς τὴν Συρίαν
ἐγένετο γνώμης τοῦ ὑποστρέφειν διὰ Μακεδονίας. συνεί- 4
πετο δὲ αὐτῷ Σώπατρος Πύρρου Βεροιαῖος, Θεσσαλονι-
κέων δὲ Ἀρίσταρχος καὶ Σέκουνδος, καὶ Γαῖος Δερβαῖος καὶ
Τιμόθεος, Ἀσιανοὶ δὲ Τύχικος καὶ Τρόφιμος· οὗτοι δὲ 5
⌈προσελθόντες⌉ ἔμενον ἡμᾶς ἐν Τρῳάδι· ἡμεῖς δὲ ἐξεπλεύσα- 6
μεν μετὰ τὰς ἡμέρας τῶν ἀζύμων ἀπὸ Φιλίππων, καὶ ἤλθο-
μεν πρὸς αὐτοὺς εἰς τὴν Τρῳάδα ἄχρι ἡμερῶν πέντε, οὗ
διετρίψαμεν ἡμέρας ἑπτά.   Ἐν δὲ τῇ μιᾷ τῶν 7
σαββάτων συνηγμένων ἡμῶν κλάσαι ἄρτον ὁ Παῦλος διε-
λέγετο αὐτοῖς, μέλλων ἐξιέναι τῇ ἐπαύριον, παρέτεινέν τε
τὸν λόγον μέχρι μεσονυκτίου. ἦσαν δὲ λαμπάδες ἱκαναὶ 8
ἐν τῷ ὑπερῴῳ οὗ ἦμεν συνηγμένοι· καθεζόμενος δέ τις 9
νεανίας ὀνόματι Εὔτυχος ἐπὶ τῆς θυρίδος, καταφερόμενος
ὕπνῳ βαθεῖ διαλεγομένου τοῦ ⌈Παύλου ἐπὶ πλεῖον, κατε-
νεχθεὶς⌉ ἀπὸ τοῦ ὕπνου ἔπεσεν ἀπὸ τοῦ τριστέγου κάτω καὶ
ἤρθη νεκρός. καταβὰς δὲ ὁ Παῦλος ἐπέπεσεν αὐτῷ καὶ 10
συνπεριλαβὼν εἶπεν ⌈Μὴ θορυβεῖσθε⌉, ἡ γὰρ ψυχὴ αὐτοῦ
ἐν αὐτῷ ἐστίν. ἀναβὰς δὲ [καὶ] κλάσας τὸν ἄρτον καὶ 11
γευσάμενος ἐφ᾿ ἱκανόν τε ὁμιλήσας ἄχρι αὐγῆς οὕτως
ἐξῆλθεν. ἤγαγον δὲ τὸν παῖδα ζῶντα, καὶ παρεκλήθησαν 12
οὐ μετρίως.   Ἡμεῖς δὲ ⌈προελθόντες⌉ ἐπὶ τὸ 13
πλοῖον ἀνήχθημεν ἐπὶ τὴν Ἄσσον, ἐκεῖθεν μέλλοντες ἀνα-
λαμβάνειν τὸν Παῦλον, οὕτως γὰρ διατεταγμένος ἦν μέλ-
λων αὐτὸς πεζεύειν. ὡς δὲ συνέβαλλεν ἡμῖν εἰς τὴν Ἄσσον, 14
ἀναλαβόντες αὐτὸν ἤλθομεν εἰς Μιτυλήνην, κἀκεῖθεν ἀπο- 15
πλεύσαντες τῇ ἐπιούσῃ κατηντήσαμεν ἄντικρυς Χίου, τῇ
δὲ ⌈ἑτέρᾳ⌉ παρεβάλομεν εἰς Σάμον, τῇ δὲ ἐχομένῃ ἤλθομεν
εἰς Μίλητον· κεκρίκει γὰρ ὁ Παῦλος παραπλεῦσαι τὴν 16

5 προελθόντες   9 Παύλου, ἐπὶ πλεῖον κατενεχθεὶς   10 μη θορυβεῖσθαι

Ἔφεσον, ὅπως μὴ γένηται αὐτῷ χρονοτριβῆσαι ἐν τῇ Ἀσίᾳ,
ἔσπευδεν γὰρ εἰ δυνατὸν εἴη αὐτῷ τὴν ἡμέραν τῆς πεντη-
κοστῆς γενέσθαι εἰς Ἱεροσόλυμα.

17 Ἀπὸ δὲ τῆς Μιλήτου πέμψας εἰς Ἔφεσον μετεκαλέ-
18 σατο τοὺς πρεσβυτέρους τῆς ἐκκλησίας. ὡς δὲ παρεγένοντο
πρὸς αὐτὸν εἶπεν αὐτοῖς Ὑμεῖς ἐπίστασθε ἀπὸ πρώτης
ἡμέρας ἀφ᾽ ἧς ἐπέβην εἰς τὴν Ἀσίαν πῶς μεθ᾽ ὑμῶν τὸν
19 πάντα χρόνον ἐγενόμην, δουλεύων τῷ κυρίῳ μετὰ πάσης
ταπεινοφροσύνης καὶ δακρύων καὶ πειρασμῶν τῶν συμβάν-
20 των μοι ἐν ταῖς ἐπιβουλαῖς τῶν Ἰουδαίων· ὡς οὐδὲν ὑπε-
στειλάμην τῶν συμφερόντων τοῦ μὴ ἀναγγεῖλαι ὑμῖν καὶ
21 διδάξαι ὑμᾶς δημοσίᾳ καὶ κατ᾽ οἴκους, διαμαρτυρόμενος
Ἰουδαίοις τε καὶ Ἕλλησιν τὴν εἰς θεὸν μετάνοιαν καὶ
22 πίστιν εἰς τὸν κύριον ἡμῶν Ἰησοῦν⌐. καὶ νῦν ἰδοὺ δεδε-
μένος ἐγὼ τῷ πνεύματι πορεύομαι εἰς Ἱερουσαλήμ, τὰ ἐν
23 αὐτῇ συναντήσοντα ἐμοὶ μὴ εἰδώς, πλὴν ὅτι τὸ πνεῦμα τὸ
ἅγιον κατὰ πόλιν διαμαρτύρεταί μοι λέγον ὅτι δεσμὰ καὶ
24 θλίψεις με μένουσιν· ἀλλ᾽ οὐδενὸς λόγου ποιοῦμαι τὴν
ψυχὴν τιμίαν ἐμαυτῷ ὡς ⌐τελειώσω⌐ τὸν δρόμον μου καὶ
τὴν διακονίαν ἣν ἔλαβον παρὰ τοῦ κυρίου Ἰησοῦ, διαμαρ-
25 τύρασθαι τὸ εὐαγγέλιον τῆς χάριτος τοῦ θεοῦ. καὶ νῦν
ἰδοὺ ἐγὼ οἶδα ὅτι οὐκέτι ὄψεσθε τὸ πρόσωπόν μου ὑμεῖς
26 πάντες ἐν οἷς διῆλθον κηρύσσων τὴν βασιλείαν· διότι μαρ-
τύρομαι ὑμῖν ἐν τῇ σήμερον ἡμέρᾳ ὅτι καθαρός εἰμι ἀπὸ
27 τοῦ αἵματος πάντων, οὐ γὰρ ὑπεστειλάμην τοῦ μὴ ἀναγ-
28 γεῖλαι πᾶσαν τὴν βουλὴν τοῦ θεοῦ ὑμῖν. προσέχετε ἑαυ-
τοῖς καὶ παντὶ τῷ ποιμνίῳ, ἐν ᾧ ὑμᾶς τὸ πνεῦμα τὸ ἅγιον
ἔθετο ἐπισκόπους, ποιμαίνειν ΤΗΝ ἘΚΚΛΗCΊΑΝ ΤΟΥ ΘΕΟΥ,
29 ἫΝ ΠΕΡΙΕΠΟΙΉCΑΤΟ διὰ τοῦ αἵματος τοῦ ⌐ἰδίου⌐. ἐγὼ
οἶδα ὅτι εἰσελεύσονται μετὰ τὴν ἄφιξίν μου λύκοι βαρεῖς
30 εἰς ὑμᾶς μὴ φειδόμενοι τοῦ ποιμνίου, καὶ ἐξ ὑμῶν [αὐτῶν]
ἀναστήσονται ἄνδρες λαλοῦντες διεστραμμένα τοῦ ἀπο
31 σπᾶν τοὺς μαθητὰς ὀπίσω ἑαυτῶν· διὸ γρηγορεῖτε, μνημο-

13 προσελθόντες   15 ἑσπέρᾳ   21 Χριστόν   24 τελειῶσαι   28 †…†

νεύοντες ὅτι τριετίαν νύκτα καὶ ἡμέραν οὐκ ἐπαυσάμην μετὰ
δακρύων νουθετῶν ἕνα ἕκαστον. καὶ τὰ νῦν παρατίθεμαι 32
ὑμᾶς τῷ ⌜κυρίῳ⌝ καὶ τῷ λόγῳ τῆς χάριτος αὐτοῦ τῷ δυναμένῳ
οἰκοδομῆσαι καὶ δοῦναι τὴν κληρονομίαν ἐν τοῖϲ ἡγιαϲ-
μένοιϲ πᾶϲιν. ἀργυρίου ἢ χρυσίου ἢ ἱματισμοῦ οὐδενὸς 33
ἐπεθύμησα· αὐτοὶ γινώσκετε ὅτι ταῖς χρείαις μου καὶ τοῖς 34
οὖσι μετ᾿ ἐμοῦ ὑπηρέτησαν αἱ χεῖρες αὗται. πάντα ὑπέδειξα 35
ὑμῖν ὅτι οὕτως κοπιῶντας δεῖ ἀντιλαμβάνεσθαι τῶν ἀσθε-
νούντων, μνημονεύειν τε τῶν λόγων τοῦ κυρίου Ἰησοῦ ὅτι
αὐτὸς εἶπεν Μακάριόν ἐστιν μᾶλλον διδόναι ἢ λαμβάνειν.
καὶ ταῦτα εἰπὼν θεὶς τὰ γόνατα αὐτοῦ σὺν πᾶσιν αὐτοῖς 36
προσηύξατο. ἱκανὸς δὲ κλαυθμὸς ἐγένετο πάντων, καὶ 37
ἐπιπεσόντες ἐπὶ τὸν τράχηλον τοῦ Παύλου κατεφίλουν
αὐτόν, ὀδυνώμενοι μάλιστα ἐπὶ τῷ λόγῳ ᾧ εἰρήκει ὅτι 38
οὐκέτι μέλλουσιν τὸ πρόσωπον αὐτοῦ θεωρεῖν. προέπεμ-
πον δὲ αὐτὸν εἰς τὸ πλοῖον.

Ὡς δὲ ἐγένετο ἀναχθῆναι ⌜ἡμᾶς ἀποσπασθέντας ἀπ᾿ αὐ- 1
τῶν,⌝ εὐθυδρομήσαντες ἤλθομεν εἰς τὴν Κῶ, τῇ δὲ ἑξῆς εἰς
τὴν Ῥόδον, κἀκεῖθεν εἰς Πάταρα· καὶ εὑρόντες πλοῖον 2
διαπερῶν εἰς Φοινίκην ἐπιβάντες ἀνήχθημεν. ἀναφάναντες 3
δὲ τὴν Κύπρον καὶ καταλιπόντες αὐτὴν εὐώνυμον ἐπλέομεν
εἰς Συρίαν, καὶ κατήλθομεν εἰς Τύρον, ἐκεῖσε γὰρ τὸ πλοῖον
ἦν ἀποφορτιζόμενον τὸν γόμον. ἀνευρόντες δὲ τοὺς μαθη- 4
τὰς ἐπεμείναμεν αὐτοῦ ἡμέρας ἑπτά, οἵτινες τῷ Παύλῳ
ἔλεγον διὰ τοῦ πνεύματος μὴ ἐπιβαίνειν εἰς Ἱεροσόλυμα.
ὅτε δὲ ἐγένετο ⌜ἐξαρτίσαι ἡμᾶς⌝ τὰς ἡμέρας, ἐξελθόντες 5
ἐπορευόμεθα προπεμπόντων ἡμᾶς πάντων σὺν γυναιξὶ καὶ
τέκνοις ἕως ἔξω τῆς πόλεως, καὶ θέντες τὰ γόνατα ἐπὶ
τὸν αἰγιαλὸν προσευξάμενοι ἀπησπασάμεθα ἀλλήλους, καὶ 6
ἐνέβημεν εἰς τὸ πλοῖον, ἐκεῖνοι δὲ ὑπέστρεψαν εἰς τὰ
ἴδια. Ἡμεῖς δὲ τὸν πλοῦν διανύσαντες ἀπὸ 7
Τύρου κατηντήσαμεν εἰς Πτολεμαΐδα, καὶ ἀσπασάμενοι
τοὺς ἀδελφοὺς ἐμείναμεν ἡμέραν μίαν παρ᾿ αὐτοῖς. τῇ δὲ 8

32 θεω   1 ἡμᾶς, ἀποσπασθέντες ἀπ᾿ αυτων

ἐπαύριον ἐξελθόντες ἤλθαμεν εἰς Καισαρίαν, καὶ εἰσελ-
θόντες εἰς τὸν οἶκον Φιλίππου τοῦ εὐαγγελιστοῦ ὄντος ἐκ
9 τῶν ἑπτὰ ἐμείναμεν παρ' αὐτῷ. τούτῳ δὲ ἦσαν θυγατέρες
10 τέσσαρες παρθένοι προφητεύουσαι. Ἐπιμενόντων δὲ ἡμέ-
ρας πλείους κατῆλθέν τις ἀπὸ τῆς Ἰουδαίας προφήτης
11 ὀνόματι Ἄγαβος, καὶ ἐλθὼν πρὸς ἡμᾶς καὶ ἄρας τὴν ζώνην
τοῦ Παύλου δήσας ἑαυτοῦ τοὺς πόδας καὶ τὰς χεῖρας εἶπεν
Τάδε λέγει τὸ πνεῦμα τὸ ἅγιον Τὸν ἄνδρα οὗ ἐστὶν ἡ
ζώνη αὕτη οὕτως δήσουσιν ἐν Ἰερουσαλὴμ οἱ Ἰουδαῖοι καὶ
12 παραδώσουσιν εἰς χεῖρας ἐθνῶν. ὡς δὲ ἠκούσαμεν ταῦτα,
παρεκαλοῦμεν ἡμεῖς τε καὶ οἱ ἐντόπιοι τοῦ μὴ ἀναβαίνειν
13 αὐτὸν εἰς Ἰερουσαλήμ. τότε ἀπεκρίθη [ὁ] Παῦλος Τί
ποιεῖτε κλαίοντες καὶ συνθρύπτοντές μου τὴν καρδίαν; ἐγὼ
γὰρ οὐ μόνον δεθῆναι ἀλλὰ καὶ ἀποθανεῖν εἰς Ἰερουσαλὴμ
14 ἑτοίμως ἔχω ὑπὲρ τοῦ ὀνόματος τοῦ κυρίου Ἰησοῦ. μὴ
πειθομένου δὲ αὐτοῦ ἡσυχάσαμεν εἰπόντες Τοῦ κυρίου τὸ
θέλημα γινέσθω.

15 Μετὰ δὲ τὰς ἡμέρας ταύτας ἐπισκευασάμενοι ἀνεβαίνο-
16 μεν εἰς Ἰεροσόλυμα· συνῆλθον δὲ καὶ τῶν μαθητῶν ἀπὸ
Καισαρίας σὺν ἡμῖν, ἄγοντες παρ' ᾧ ξενισθῶμεν Μνάσωνί
17 τινι Κυπρίῳ, ἀρχαίῳ μαθητῇ. Γενομένων δὲ ἡμῶν εἰς
18 Ἰεροσόλυμα ἀσμένως ἀπεδέξαντο ἡμᾶς οἱ ἀδελφοί. τῇ δὲ
ἐπιούσῃ εἰσῄει ὁ Παῦλος σὺν ἡμῖν πρὸς Ἰάκωβον, πάντες
19 τε παρεγένοντο οἱ πρεσβύτεροι. καὶ ἀσπασάμενος αὐτοὺς
ἐξηγεῖτο καθ' ἓν ἕκαστον ὧν ἐποίησεν ὁ θεὸς ἐν τοῖς ἔθνεσιν
20 διὰ τῆς διακονίας αὐτοῦ. οἱ δὲ ἀκούσαντες ἐδόξαζον τὸν
θεόν, εἶπάν τε αὐτῷ Θεωρεῖς, ἀδελφέ, πόσαι μυριάδες
εἰσὶν ἐν τοῖς Ἰουδαίοις τῶν πεπιστευκότων, καὶ πάντες
21 ζηλωταὶ τοῦ νόμου ὑπάρχουσιν· κατηχήθησαν δὲ περὶ σοῦ
ὅτι ἀποστασίαν διδάσκεις ἀπὸ Μωυσέως τοὺς κατὰ τὰ ἔθνη
πάντας Ἰουδαίους, λέγων μὴ περιτέμνειν αὐτοὺς τὰ τέκνα
22 μηδὲ τοῖς ἔθεσιν περιπατεῖν. τί οὖν ἐστίν; πάντως ἀκού-

5 ἡμᾶς ἐξαρτίσαι

σονται ὅτι ἐλήλυθας. τοῦτο οὖν ποίησον ὅ σοι λέγομεν· 23
εἰσὶν ἡμῖν ἄνδρες τέσσαρες εὐχὴν ἔχοντες ⌜ἀφ'⌝ ἑαυτῶν.
τούτους παραλαβὼν ἁγνίσθητι σὺν αὐτοῖς καὶ δαπάνησον 24
ἐπ' αὐτοῖς ἵνα ξυρήσονται τὴν κεφαλήν, καὶ γνώσονται
πάντες ὅτι ὧν κατήχηνται περὶ σοῦ οὐδὲν ἔστιν, ἀλλὰ
στοιχεῖς καὶ αὐτὸς φυλάσσων τὸν νόμον. περὶ δὲ τῶν 25
πεπιστευκότων ἐθνῶν ἡμεῖς ⌜ἀπεστείλαμεν⌝ κρίναντες φυ-
λάσσεσθαι αὐτοὺς τό τε εἰδωλόθυτον καὶ αἷμα καὶ πνικτὸν
καὶ πορνείαν. τότε ὁ Παῦλος παραλαβὼν τοὺς ἄνδρας τῇ 26
ἐχομένῃ ἡμέρᾳ σὺν αὐτοῖς ἁγνισθεὶς εἰσῄει εἰς τὸ ἱερόν,
διαγγέλλων τὴν ἐκπλήρωσιν ΤῶΝ ΗΜΕΡῶΝ ΤΟῦ ἁΓΝΙΣΜΟῦ
ἕως οὗ προσηνέχθη ὑπὲρ ἑνὸς ἑκάστου αὐτῶν ἡ προσφορά.

Ὡς δὲ ἔμελλον αἱ ἑπτὰ ἡμέραι συντελεῖσθαι, οἱ ἀπὸ 27
τῆς Ἀσίας Ἰουδαῖοι θεασάμενοι αὐτὸν ἐν τῷ ἱερῷ συνέχεον
πάντα τὸν ὄχλον καὶ ἐπέβαλαν ἐπ' αὐτὸν τὰς χεῖρας, κρά- 28
ζοντες Ἄνδρες Ἰσραηλεῖται, βοηθεῖτε· οὗτός ἐστιν ὁ
ἄνθρωπος ὁ κατὰ τοῦ λαοῦ καὶ τοῦ νόμου καὶ τοῦ τόπου
τούτου πάντας πανταχῇ διδάσκων, ἔτι τε καὶ Ἕλληνας
εἰσήγαγεν εἰς τὸ ἱερὸν καὶ κεκοίνωκεν τὸν ἅγιον τόπον
τοῦτον. ἦσαν γὰρ προεωρακότες Τρόφιμον τὸν Ἐφέσιον 29
ἐν τῇ πόλει σὺν αὐτῷ, ὃν ἐνόμιζον ὅτι εἰς τὸ ἱερὸν εἰσήγα-
γεν ὁ Παῦλος. ἐκινήθη τε ἡ πόλις ὅλη καὶ ἐγένετο συν- 30
δρομὴ τοῦ λαοῦ, καὶ ἐπιλαβόμενοι τοῦ Παύλου εἷλκον
αὐτὸν ἔξω τοῦ ἱεροῦ, καὶ εὐθέως ἐκλείσθησαν αἱ θύραι.
Ζητούντων τε αὐτὸν ἀποκτεῖναι ἀνέβη φάσις τῷ χιλιάρχῳ 31
τῆς σπείρης ὅτι ὅλη συνχύννεται Ἰερουσαλήμ, ὃς ἐξαυτῆς 32
⌜παραλαβὼν⌝ στρατιώτας καὶ ἑκατοντάρχας κατέδραμεν
ἐπ' αὐτούς, οἱ δὲ ἰδόντες τὸν χιλίαρχον καὶ τοὺς στρατιώ-
τας ἐπαύσαντο τύπτοντες τὸν Παῦλον. τότε ἐγγίσας ὁ 33
χιλίαρχος ἐπελάβετο αὐτοῦ καὶ ἐκέλευσε δεθῆναι ἁλύσεσι
δυσί, καὶ ἐπυνθάνετο τίς εἴη καὶ τί ἐστιν πεποιηκώς· ἄλλοι 34
δὲ ἄλλο τι ἐπεφώνουν ἐν τῷ ὄχλῳ· μὴ δυναμένου δὲ αὐτοῦ
γνῶναι τὸ ἀσφαλὲς διὰ τὸν θόρυβον ἐκέλευσεν ἄγεσθαι

23 ἐφ'   25 ἐπεστείλαμεν   32 λαβὼν

35 αὐτὸν εἰς τὴν παρεμβολήν. ὅτε δὲ ἐγένετο ἐπὶ τοὺς ἀνα-
βαθμούς, συνέβη βαστάζεσθαι αὐτὸν ὑπὸ τῶν στρατιωτῶν
36 διὰ τὴν βίαν τοῦ ὄχλου, ἠκολούθει γὰρ τὸ πλῆθος τοῦ λαοῦ
37 κράζοντες Αἶρε αὐτόν. Μέλλων τε εἰσάγε-
σθαι εἰς τὴν παρεμβολὴν ὁ Παῦλος λέγει τῷ χιλιάρχῳ
Εἰ ἔξεστίν μοι εἰπεῖν τι πρὸς σέ; ὁ δὲ ἔφη Ἑλληνιστὶ
38 γινώσκεις; οὐκ ἄρα σὺ εἶ ὁ Αἰγύπτιος ὁ πρὸ τούτων τῶν
ἡμερῶν ἀναστατώσας καὶ ἐξαγαγὼν εἰς τὴν ἔρημον τοὺς
39 τετρακισχιλίους ἄνδρας τῶν σικαρίων; εἶπεν δὲ ὁ Παῦλος
Ἐγὼ ἄνθρωπος μέν εἰμι Ἰουδαῖος, Ταρσεὺς τῆς Κιλικίας,
οὐκ ἀσήμου πόλεως πολίτης· δέομαι δέ σου, ἐπίτρεψόν μοι
40 λαλῆσαι πρὸς τὸν λαόν. ἐπιτρέψαντος δὲ αὐτοῦ ὁ Παῦλος
ἑστὼς ἐπὶ τῶν ἀναβαθμῶν κατέσεισε τῇ χειρὶ τῷ λαῷ,
πολλῆς δὲ ⌜σιγῆς γενομένης⌝ προσεφώνησεν τῇ Ἑβραΐδι
1 διαλέκτῳ λέγων Ἄνδρες ἀδελφοὶ καὶ πατέρες, ἀκούσατέ
2 μου τῆς πρὸς ὑμᾶς νυνὶ ἀπολογίας. – ἀκούσαντες δὲ ὅτι
τῇ Ἑβραΐδι διαλέκτῳ προσεφώνει αὐτοῖς μᾶλλον παρέσχον
3 ἡσυχίαν. καί φησιν– Ἐγώ εἰμι ἀνὴρ Ἰουδαῖος, γεγεννημέ-
νος ἐν Ταρσῷ τῆς Κιλικίας, ἀνατεθραμμένος δὲ ἐν τῇ πόλει
ταύτῃ παρὰ τοὺς πόδας Γαμαλιήλ, πεπαιδευμένος κατὰ
ἀκρίβειαν τοῦ πατρῴου νόμου, ζηλωτὴς ὑπάρχων τοῦ θεοῦ
4 καθὼς πάντες ὑμεῖς ἐστὲ σήμερον, ὃς ταύτην τὴν ὁδὸν
ἐδίωξα ἄχρι θανάτου, δεσμεύων καὶ παραδιδοὺς εἰς φυλακὰς
5 ἄνδρας τε καὶ γυναῖκας, ὡς καὶ ὁ ἀρχιερεὺς μαρτυρεῖ μοι
καὶ πᾶν τὸ πρεσβυτέριον· παρ' ὧν καὶ ἐπιστολὰς δεξάμε-
νος πρὸς τοὺς ἀδελφοὺς εἰς Δαμασκὸν ἐπορευόμην ἄξωι
καὶ τοὺς ἐκεῖσε ὄντας δεδεμένους εἰς Ἰερουσαλὴμ ἵνα τιμω-
6 ρηθῶσιν. Ἐγένετο δέ μοι πορευομένῳ καὶ ἐγγίζοντι τῇ
Δαμασκῷ περὶ μεσημβρίαν ἐξαίφνης ἐκ τοῦ οὐρανοῦ περια-
7 στράψαι φῶς ἱκανὸν περὶ ἐμέ, ἔπεσά τε εἰς τὸ ἔδαφος καὶ
ἤκουσα φωνῆς λεγούσης μοι Σαοὺλ Σαούλ, τί με διώκεις;
8 ἐγὼ δὲ ἀπεκρίθην Τίς εἶ, κύριε; εἶπέν τε πρὸς ἐμέ
9 Ἐγώ εἰμι Ἰησοῦς ὁ Ναζωραῖος ὃν σὺ διώκεις. οἱ δὲ σὺν

40 γενομένης σιγῆς

ἐμοὶ ὄντες τὸ μὲν φῶς ἐθεάσαντο τὴν δὲ φωνὴν οὐκ ἤκουσαν
τοῦ λαλοῦντός μοι. εἶπον δέ Τί ποιήσω, κύριε; ὁ δὲ κύ- 10
ριος εἶπεν πρός με Ἀναστὰς πορεύου εἰς Δαμασκόν, κἀκεῖ
σοι λαληθήσεται περὶ πάντων ὧν τέτακταί σοι ποιῆσαι. ὡς 11
δὲ ⌜οὐκ ἐνέβλεπον⌝ ἀπὸ τῆς δόξης τοῦ φωτὸς ἐκείνου, χειρα-
γωγούμενος ὑπὸ τῶν συνόντων μοι ἦλθον εἰς Δαμασκόν.
Ἀνανίας δέ τις ἀνὴρ εὐλαβὴς κατὰ τὸν νόμον, μαρτυρούμε- 12
νος ὑπὸ πάντων τῶν κατοικούντων Ἰουδαίων, ἐλθὼν πρὸς 13
ἐμὲ καὶ ἐπιστὰς εἶπέν μοι Σαοὺλ ἀδελφέ· ἀνάβλεψον·
κἀγὼ αὐτῇ τῇ ὥρᾳ ἀνέβλεψα εἰς αὐτόν. ὁ δὲ εἶπεν Ὁ 14
θεὸς τῶν πατέρων ἡμῶν προεχειρίσατό σε γνῶναι τὸ θέλημα
αὐτοῦ καὶ ἰδεῖν τὸν δίκαιον καὶ ἀκοῦσαι φωνὴν ἐκ τοῦ στό-
ματος αὐτοῦ, ὅτι ἔσῃ μάρτυς αὐτῷ πρὸς πάντας ἀνθρώπους 15
ὧν ἑώρακας καὶ ἤκουσας. καὶ νῦν τί μέλλεις; ἀναστὰς 16
βάπτισαι καὶ ἀπόλουσαι τὰς ἁμαρτίας σου ἐπικαλεσάμενος
τὸ ὄνομα αὐτοῦ. Ἐγένετο δέ μοι ὑποστρέψαντι εἰς Ἰερου- 17
σαλὴμ καὶ προσευχομένου μου ἐν τῷ ἱερῷ γενέσθαι με ἐν
ἐκστάσει καὶ ἰδεῖν αὐτὸν λέγοντά μοι Σπεῦσον καὶ ἔξελθε 18
ἐν τάχει ἐξ Ἰερουσαλήμ, διότι οὐ παραδέξονταί σου μαρ-
τυρίαν περὶ ἐμοῦ. κἀγὼ εἶπον Κύριε, αὐτοὶ ἐπίστανται 19
ὅτι ἐγὼ ἤμην φυλακίζων καὶ δέρων κατὰ τὰς συναγωγὰς
τοὺς πιστεύοντας ἐπὶ σέ· καὶ ὅτε ἐξεχύννετο τὸ αἷμα Στε- 20
φάνου τοῦ μάρτυρός σου, καὶ αὐτὸς ἤμην ἐφεστὼς καὶ
συνευδοκῶν καὶ φυλάσσων τὰ ἱμάτια τῶν ἀναιρούντων
αὐτόν. καὶ εἶπεν πρός με Πορεύου, ὅτι ἐγὼ εἰς ἔθνη 21
μακρὰν ⌜ἐξαποστελῶ⌝ σε. Ἤκουον δὲ αὐτοῦ 22
ἄχρι τούτου τοῦ λόγου καὶ ἐπῆραν τὴν φωνὴν αὐτῶν λέ-
γοντες Αἶρε ἀπὸ τῆς γῆς τὸν τοιοῦτον, οὐ γὰρ καθῆκεν
αὐτὸν ζῆν. κραυγαζόντων τε αὐτῶν καὶ ῥιπτούντων τὰ 23
ἱμάτια καὶ κονιορτὸν βαλλόντων εἰς τὸν ἀέρα ἐκέλευσεν 24
ὁ χιλίαρχος εἰσάγεσθαι αὐτὸν εἰς τὴν παρεμβολήν, εἴπας
μάστιξιν ἀνετάζεσθαι αὐτὸν ἵνα ἐπιγνῷ δι᾽ ἣν αἰτίαν οὕ-
τως ἐπεφώνουν αὐτῷ. ὡς δὲ προέτειναν αὐτὸν τοῖς ἱμᾶσιν 25

11 οὐδὲν ἔβλεπον   21 ἀποστελῶ

εἶπεν πρὸς τὸν ἑστῶτα ἑκατόνταρχον ὁ Παῦλος Εἰ ἄνθρω-
πον Ῥωμαῖον καὶ ἀκατάκριτον ἔξεστιν ὑμῖν μαστίζειν;
26 ἀκούσας δὲ ὁ ἑκατοντάρχης προσελθὼν τῷ χιλιάρχῳ ἀπήγ-
γειλεν λέγων Τί μέλλεις ποιεῖν; ὁ γὰρ ἄνθρωπος οὗτος
27 Ῥωμαῖός ἐστιν. προσελθὼν δὲ ὁ χιλίαρχος εἶπεν αὐτῷ
28 Λέγε μοι, σὺ Ῥωμαῖος εἶ; ὁ δὲ ἔφη Ναί. ἀπεκρίθη δὲ
ὁ χιλίαρχος Ἐγὼ πολλοῦ κεφαλαίου τὴν πολιτείαν ταύτην
ἐκτησάμην. ὁ δὲ Παῦλος ἔφη Ἐγὼ δὲ καὶ γεγέννημαι.
29 εὐθέως οὖν ἀπέστησαν ἀπ᾽ αὐτοῦ οἱ μέλλοντες αὐτὸν ἀνε-
τάζειν· καὶ ὁ χιλίαρχος δὲ ἐφοβήθη ἐπιγνοὺς ὅτι Ῥωμαῖός
ἐστιν καὶ ὅτι αὐτὸν ἦν δεδεκώς.

30 Τῇ δὲ ἐπαύριον βουλόμενος γνῶναι τὸ ἀσφαλὲς τὸ τί
κατηγορεῖται ὑπὸ τῶν Ἰουδαίων ἔλυσεν αὐτόν, καὶ ἐκέλευ-
σεν συνελθεῖν τοὺς ἀρχιερεῖς καὶ πᾶν τὸ συνέδριον, καὶ
1 καταγαγὼν τὸν Παῦλον ἔστησεν εἰς αὐτούς. ἀτενίσας δὲ
⌜Παῦλος τῷ συνεδρίῳ⌝ εἶπεν Ἄνδρες ἀδελφοί, ἐγὼ πάσῃ
συνειδήσει ἀγαθῇ πεπολίτευμαι τῷ θεῷ ἄχρι ταύτης τῆς
2 ἡμέρας. ὁ δὲ ἀρχιερεὺς Ἀνανίας ἐπέταξεν τοῖς παρεστῶ-
3 σιν αὐτῷ τύπτειν αὐτοῦ τὸ στόμα. τότε ὁ Παῦλος πρὸς
αὐτὸν εἶπεν Τύπτειν σε μέλλει ὁ θεός, τοῖχε κεκονιαμένε·
καὶ σὺ κάθῃ κρίνων με κατὰ τὸν νόμον, καὶ παρανομῶν κε-
4 λεύεις με τύπτεσθαι; οἱ δὲ παρεστῶτες εἶπαν Τὸν ἀρχι-
5 ερέα τοῦ θεοῦ λοιδορεῖς; ἔφη τε ὁ Παῦλος Οὐκ ᾔδειν,
ἀδελφοί, ὅτι ἐστὶν ἀρχιερεύς· γέγραπται γὰρ ὅτι Ἄρχοντα
6 ΤΟΥ ΛΑΟΥ ΣΟΥ ΟΥΚ ΕΡΕΙΣ ΚΑΚΩΣ. Γνοὺς δὲ ὁ Παῦλος
ὅτι τὸ ἓν μέρος ἐστὶν Σαδδουκαίων τὸ δὲ ἕτερον Φαρισαίων
ἔκραζεν ἐν τῷ συνεδρίῳ Ἄνδρες ἀδελφοί, ἐγὼ Φαρισαῖός
εἰμι, υἱὸς Φαρισαίων· περὶ ἐλπίδος καὶ ἀναστάσεως νεκρῶν
7 ⌜κρίνομαι. τοῦτο δὲ αὐτοῦ ⌜λαλοῦντος⌝ ⌜ἐγένετο⌝ στάσις
τῶν Φαρισαίων καὶ Σαδδουκαίων, καὶ ἐσχίσθη τὸ πλῆθος.
8 Σαδδουκαῖοι ᵀ γὰρ λέγουσιν μὴ εἶναι ἀνάστασιν μήτε ἄγγε-
λον μήτε πνεῦμα, Φαρισαῖοι δὲ ὁμολογοῦσιν τὰ ἀμφό-
9 τερα. ἐγένετο δὲ κραυγὴ μεγάλη, καὶ ἀναστάντες τινὲς

1 τῷ συνεδρίῳ ὁ Παῦλος   6 ἐγώ   7 εἴποντος | ἐπέπεσεν   8 μὲν

τῶν γραμματέων τοῦ μέρους τῶν Φαρισαίων διεμάχοντο
λέγοντες Οὐδὲν κακὸν εὑρίσκομεν ἐν τῷ ἀνθρώπῳ τούτῳ·
εἰ δὲ πνεῦμα ἐλάλησεν αὐτῷ ἢ ἄγγελος—. Πολλῆς δὲ 10
γινομένης στάσεως φοβηθεὶς ὁ χιλίαρχος μὴ διασπασθῇ
ὁ Παῦλος ὑπ᾽ αὐτῶν ἐκέλευσεν τὸ στράτευμα καταβὰν
ἁρπάσαι αὐτὸν ἐκ μέσου αὐτῶν, ἄγειν ᵀ εἰς τὴν παρεμβο-
λήν.   Τῇ δὲ ἐπιούσῃ νυκτὶ ἐπιστὰς αὐτῷ ὁ κύριος 11
εἶπεν Θάρσει, ὡς γὰρ διεμαρτύρω τὰ περὶ ἐμοῦ εἰς Ἰερουσα-
λὴμ οὕτω σε δεῖ καὶ εἰς Ῥώμην μαρτυρῆσαι.   Γε- 12
νομένης ⌐δὲ⌐ ἡμέρας ποιήσαντες συστροφὴν οἱ Ἰουδαῖοι
ἀνεθεμάτισαν ἑαυτοὺς λέγοντες μήτε φαγεῖν μήτε πεῖν
ἕως οὗ ἀποκτείνωσιν τὸν Παῦλον. ἦσαν δὲ πλείους 13
τεσσεράκοντα οἱ ταύτην τὴν συνωμοσίαν ποιησάμενοι·
οἵτινες προσελθόντες τοῖς ἀρχιερεῦσιν καὶ τοῖς πρεσβυτέ- 14
ροις εἶπαν Ἀναθέματι ἀνεθεματίσαμεν ἑαυτοὺς μηδενὸς
γεύσασθαι ἕως οὗ ἀποκτείνωμεν τὸν Παῦλον. νῦν οὖν 15
ὑμεῖς ἐμφανίσατε τῷ χιλιάρχῳ σὺν τῷ συνεδρίῳ ὅπως
καταγάγῃ αὐτὸν εἰς ὑμᾶς ὡς μέλλοντας διαγινώσκειν
ἀκριβέστερον τὰ περὶ αὐτοῦ· ἡμεῖς δὲ πρὸ τοῦ ἐγγίσαι
αὐτὸν ἕτοιμοί ἐσμεν τοῦ ἀνελεῖν αὐτόν. Ἀκούσας δὲ ὁ υἱὸς 16
τῆς ἀδελφῆς Παύλου τὴν ἐνέδραν παραγενόμενος καὶ
εἰσελθὼν εἰς τὴν παρεμβολὴν ἀπήγγειλεν τῷ Παύλῳ.
προσκαλεσάμενος δὲ ὁ Παῦλος ἕνα τῶν ἑκατονταρχῶν 17
ἔφη Τὸν νεανίαν τοῦτον ἄπαγε πρὸς τὸν χιλίαρχον, ἔχει
γὰρ ἀπαγγεῖλαί τι αὐτῷ.   ὁ μὲν οὖν παραλαβὼν αὐτὸν 18
ἤγαγεν πρὸς τὸν χιλίαρχον καί φησιν Ὁ δέσμιος Παῦλος
προσκαλεσάμενός με ἠρώτησεν τοῦτον τὸν ⌐νεανίαν⌐ ἀγα-
γεῖν πρὸς σέ, ἔχοντά τι λαλῆσαί σοι.   ἐπιλαβόμενος δὲ 19
τῆς χειρὸς αὐτοῦ ὁ χιλίαρχος καὶ ἀναχωρήσας κατ᾽ ἰδίαν
ἐπυνθάνετο Τί ἐστιν ὃ ἔχεις ἀπαγγεῖλαί μοι; εἶπεν δὲ 20
ὅτι Οἱ Ἰουδαῖοι συνέθεντο τοῦ ἐρωτῆσαί σε ὅπως αὔριον
τὸν Παῦλον καταγάγῃς εἰς τὸ συνέδριον ὡς μέλλων τι
ἀκριβέστερον πυνθάνεσθαι περὶ αὐτοῦ· σὺ οὖν μὴ πεισθῇς 21

10 τε   12 τε   18 νεανίσκον

αὐτοῖς, ἐνεδρεύουσιν γὰρ αὐτὸν ἐξ αὐτῶν ἄνδρες πλείους
τεσσεράκοντα, οἵτινες ἀνεθεμάτισαν ἑαυτοὺς μήτε φαγεῖν
μήτε πεῖν ἕως οὗ ἀνέλωσιν αὐτόν, καὶ νῦν εἰσὶν ἕτοιμοι
22 προσδεχόμενοι τὴν ἀπὸ σοῦ ἐπαγγελίαν. ὁ μὲν οὖν χιλί-
αρχος ἀπέλυσε τὸν νεανίσκον παραγγείλας μηδενὶ ἐκλαλῆ-
23 σαι ὅτι ταῦτα ἐνεφάνισας πρὸς ἐμέ. Καὶ προσκαλεσάμενός
τινας δύο τῶν ἑκατονταρχῶν εἶπεν Ἑτοιμάσατε στρατιώ-
τας διακοσίους ὅπως πορευθῶσιν ἕως Καισαρίας, καὶ ἱππεῖς
ἑβδομήκοντα καὶ δεξιολάβους διακοσίους, ἀπὸ τρίτης ὥρας
24 τῆς νυκτός,   κτήνη τε παραστῆσαι ἵνα ἐπιβιβάσαντες τὸν
25 Παῦλον διασώσωσι πρὸς Φήλικα τὸν ἡγεμόνα, γράψας
26 ἐπιστολὴν ἔχουσαν τὸν τύπον τοῦτον   Κλαύδιος Λυσίας
27 τῷ κρατίστῳ ἡγεμόνι Φήλικι χαίρειν. Τὸν ἄνδρα τοῦτον
συλλημφθέντα ὑπὸ τῶν Ἰουδαίων καὶ μέλλοντα ἀναιρεῖσθαι
ὑπ᾽ αὐτῶν ἐπιστὰς σὺν τῷ στρατεύματι ἐξειλάμην, μαθὼν
28 ὅτι Ῥωμαῖός ἐστιν, βουλόμενός τε ἐπιγνῶναι τὴν αἰτίαν
δι᾽ ἣν ἐνεκάλουν αὐτῷ [κατήγαγον εἰς τὸ συνέδριον αὐτῶν]·
29 ὃν εὗρον ἐγκαλούμενον περὶ ζητημάτων τοῦ νόμου αὐτῶν,
30 μηδὲν δὲ ἄξιον θανάτου ἢ δεσμῶν ἔχοντα ἔγκλημα. μηνυ-
θείσης δέ μοι ἐπιβουλῆς εἰς τὸν ἄνδρα ἔσεσθαι ἐξαυτῆς
ἔπεμψα πρὸς σέ, παραγγείλας καὶ τοῖς κατηγόροις λέγειν
31 πρὸς αὐτὸν ἐπὶ σοῦ.   Οἱ μὲν οὖν στρατιῶται
κατὰ τὸ διατεταγμένον αὐτοῖς ἀναλαβόντες τὸν Παῦλον
32 ἤγαγον διὰ νυκτὸς εἰς τὴν Ἀντιπατρίδα· τῇ δὲ ἐπαύριον
ἐάσαντες τοὺς ἱππεῖς ἀπέρχεσθαι σὺν αὐτῷ ὑπέστρεψαν
33 εἰς τὴν παρεμβολήν· οἵτινες εἰσελθόντες εἰς τὴν Καισαρίαν
καὶ ἀναδόντες τὴν ἐπιστολὴν τῷ ἡγεμόνι παρέστησαν καὶ
34 τὸν Παῦλον αὐτῷ. ἀναγνοὺς δὲ καὶ ἐπερωτήσας ἐκ ποίας
35 ἐπαρχείας ἐστὶν καὶ πυθόμενος ὅτι ἀπὸ Κιλικίας Διακού-
σομαί σου, ἔφη, ὅταν καὶ οἱ κατήγοροί σου παραγένωνται·
κελεύσας ἐν τῷ πραιτωρίῳ ⌜τοῦ⌝ Ἡρῴδου φυλάσσεσθαι
αὐτόν.

1   Μετὰ δὲ πέντε ἡμέρας κατέβη ὁ ἀρχιερεὺς Ἀνανίας

35 τῷ

μετὰ πρεσβυτέρων τινῶν καὶ ῥήτορος Τερτύλλου τινός,
οἵτινες ἐνεφάνισαν τῷ ἡγεμόνι κατὰ τοῦ Παύλου. κλη- 2
θέντος δὲ [αὐτοῦ] ἤρξατο κατηγορεῖν ὁ Τέρτυλλος λέ-
γων Πολλῆς εἰρήνης τυγχάνοντες διὰ σοῦ καὶ διορθωμάτων
γινομένων τῷ ἔθνει τούτῳ διὰ τῆς σῆς προνοίας πάντῃ τε 3
καὶ πανταχοῦ ἀποδεχόμεθα, κράτιστε Φῆλιξ, μετὰ πάσης
εὐχαριστίας. ἵνα δὲ μὴ ἐπὶ πλεῖόν σε ἐνκόπτω, παρακαλῶ 4
ἀκοῦσαί σε ἡμῶν συντόμως τῇ σῇ ἐπιεικίᾳ. εὑρόντες γὰρ 5
τὸν ἄνδρα τοῦτον λοιμὸν καὶ κινοῦντα στάσεις πᾶσι τοῖς
Ἰουδαίοις τοῖς κατὰ τὴν οἰκουμένην πρωτοστάτην τε τῆς
τῶν Ναζωραίων αἱρέσεως, ὃς καὶ τὸ ἱερὸν ἐπείρασεν βεβη- 6
λῶσαι, ὃν καὶ ἐκρατήσαμεν, παρ᾽ οὗ δυνήσῃ αὐτὸς ἀνα- 8
κρίνας περὶ πάντων τούτων ἐπιγνῶναι ὧν ἡμεῖς κατηγοροῦ-
μεν αὐτοῦ. συνεπέθεντο δὲ καὶ οἱ Ἰουδαῖοι φάσκοντες 9
ταῦτα οὕτως ἔχειν. Ἀπεκρίθη τε ὁ Παῦλος νεύσαντος αὐτῷ 10
τοῦ ἡγεμόνος λέγειν Ἐκ πολλῶν ἐτῶν ὄντα σε κριτὴν τῷ
ἔθνει τούτῳ ἐπιστάμενος εὐθύμως τὰ περὶ ἐμαυτοῦ ἀπολο-
γοῦμαι, δυναμένου σου ἐπιγνῶναι, ὅτι οὐ πλείους εἰσίν μοι 11
ἡμέραι δώδεκα ἀφ᾽ ἧς ἀνέβην προσκυνήσων εἰς Ἰερου-
σαλήμ, καὶ οὔτε ἐν τῷ ἱερῷ εὗρόν με πρός τινα διαλεγό- 12
μενον ἢ ἐπίστασιν ποιοῦντα ὄχλου οὔτε ἐν ταῖς συναγωγαῖς
οὔτε κατὰ τὴν πόλιν, οὐδὲ παραστῆσαι δύνανταί σοι περὶ 13
ὧν νυνὶ κατηγοροῦσίν μου. ὁμολογῶ δὲ τοῦτό σοι ὅτι 14
κατὰ τὴν ὁδὸν ἣν λέγουσιν αἵρεσιν οὕτως λατρεύω τῷ πα-
τρῴῳ θεῷ, πιστεύων πᾶσι τοῖς κατὰ τὸν νόμον καὶ τοῖς
ἐν τοῖς προφήταις γεγραμμένοις, ἐλπίδα ἔχων εἰς τὸν θεόν, ἣν 15
καὶ αὐτοὶ οὗτοι προσδέχονται, ἀνάστασιν μέλλειν ἔσεσθαι
δικαίων τε καὶ ἀδίκων· ἐν τούτῳ καὶ αὐτὸς ἀσκῶ ἀπρόσ- 16
κοπον συνείδησιν ἔχειν πρὸς τὸν θεὸν καὶ τοὺς ἀνθρώπους
διὰ παντός. δι᾽ ἐτῶν δὲ πλειόνων ἐλεημοσύνας ποιήσων εἰς 17
τὸ ἔθνος μου παρεγενόμην καὶ προσφοράς, ἐν αἷς εὗρόν με 18
ἡγνισμένον ἐν τῷ ἱερῷ, οὐ μετὰ ὄχλου οὐδὲ μετὰ θορύβου,
τινὲς δὲ ἀπὸ τῆς Ἀσίας Ἰουδαῖοι, οὓς ἔδει ἐπὶ σοῦ παρεῖναι 19

20 καὶ κατηγορεῖν εἴ τι ἔχοιεν πρὸς ἐμέ,– ἢ αὐτοὶ οὗτοι εἰπά-
21 τωσαν τί εὗρον ἀδίκημα στάντος μου ἐπὶ τοῦ συνεδρίου ἢ
περὶ μιᾶς ταύτης φωνῆς ἧς ἐκέκραξα ἐν αὐτοῖς ἑστὼς ὅτι
Περὶ ἀναστάσεως νεκρῶν ἐγὼ κρίνομαι σήμερον ἐφ᾽ ὑμῶν.
22 Ἀνεβάλετο δὲ αὐτοὺς ὁ Φῆλιξ, ἀκριβέστερον εἰδὼς τὰ
περὶ τῆς ὁδοῦ, εἴπας Ὅταν Λυσίας ὁ χιλίαρχος καταβῇ
23 διαγνώσομαι τὰ καθ᾽ ὑμᾶς· διαταξάμενος τῷ ἑκατοντάρ-
χῃ τηρεῖσθαι αὐτὸν ἔχειν τε ἄνεσιν καὶ μηδένα κωλύειν
24 τῶν ἰδίων αὐτοῦ ὑπηρετεῖν αὐτῷ.   Μετὰ δὲ
ἡμέρας τινὰς παραγενόμενος ὁ Φῆλιξ σὺν Δρουσίλλῃ τῇ
ἰδίᾳ γυναικὶ οὔσῃ Ἰουδαίᾳ μετεπέμψατο τὸν Παῦλον καὶ
25 ἤκουσεν αὐτοῦ περὶ τῆς εἰς Χριστὸν Ἰησοῦν πίστεως. δια-
λεγομένου δὲ αὐτοῦ περὶ δικαιοσύνης καὶ ἐγκρατείας καὶ τοῦ
κρίματος τοῦ μέλλοντος ἔμφοβος γενόμενος ὁ Φῆλιξ ἀπεκρί-
θη Τὸ νῦν ἔχον πορεύου, καιρὸν δὲ μεταλαβὼν μετακαλέσο-
26 μαί σε· ἅμα καὶ ἐλπίζων ὅτι χρήματα δοθήσεται [αὐτῷ]
ὑπὸ τοῦ Παύλου· διὸ καὶ πυκνότερον αὐτὸν μεταπεμπόμενος
27 ὡμίλει αὐτῷ.   Διετίας δὲ πληρωθείσης ἔλαβεν
διάδοχον ὁ Φῆλιξ Πόρκιον Φῆστον· θέλων τε χάριτα καταθέ-
σθαι τοῖς Ἰουδαίοις ὁ Φῆλιξ κατέλιπε τὸν Παῦλον δεδεμένον.

1   Φῆστος οὖν ἐπιβὰς τῇ ⌜ἐπαρχείᾳ⌝ μετὰ τρεῖς ἡμέρας
2 ἀνέβη εἰς Ἱεροσόλυμα ἀπὸ Καισαρίας, ἐνεφάνισάν τε αὐτῷ
οἱ ἀρχιερεῖς καὶ οἱ πρῶτοι τῶν Ἰουδαίων κατὰ τοῦ Παύλου,
3 καὶ παρεκάλουν αὐτὸν αἰτούμενοι χάριν κατ᾽ αὐτοῦ ὅπως
μεταπέμψηται αὐτὸν εἰς Ἱερουσαλήμ, ἐνέδραν ποιοῦντες
4 ἀνελεῖν αὐτὸν κατὰ τὴν ὁδόν. ὁ μὲν οὖν Φῆστος ἀπεκρίθη
τηρεῖσθαι τὸν Παῦλον εἰς Καισαρίαν, ἑαυτὸν δὲ μέλλειν
5 ἐν τάχει ἐκπορεύεσθαι· Οἱ οὖν ἐν ὑμῖν, φησίν, δυνατοὶ
συνκαταβάντες εἴ τί ἐστιν ἐν τῷ ἀνδρὶ ἄτοπον κατηγορεί-
6 τωσαν αὐτοῦ.   Διατρίψας δὲ ἐν αὐτοῖς ἡμέρας
οὐ πλείους ὀκτὼ ἢ δέκα, καταβὰς εἰς Καισαρίαν, τῇ
ἐπαύριον καθίσας ἐπὶ τοῦ βήματος ἐκέλευσεν τὸν Παῦλον

1 ἐπαρχείῳ

X

ἀχθῆναι. παραγενομένου δὲ αὐτοῦ περιέστησαν αὐτὸν οἱ 7
ἀπὸ Ἱεροσολύμων καταβεβηκότες Ἰουδαῖοι, πολλὰ καὶ
βαρέα αἰτιώματα καταφέροντες ἃ οὐκ ἴσχυον ἀποδεῖξαι,
τοῦ Παύλου ἀπολογουμένου ὅτι Οὔτε εἰς τὸν νόμον τῶν 8
Ἰουδαίων οὔτε εἰς τὸ ἱερὸν οὔτε εἰς Καίσαρά τι ἥμαρτον
ὁ Φῆστος δὲ θέλων τοῖς Ἰουδαίοις χάριν καταθέσθαι ἀπο- 9
κριθεὶς τῷ Παύλῳ εἶπεν Θέλεις εἰς Ἱεροσόλυμα ἀναβὰς
ἐκεῖ περὶ τούτων κριθῆναι ἐπ᾽ ἐμοῦ; εἶπεν δὲ ὁ Παῦλος 10
Ἑστὼς ἐπὶ τοῦ βήματος Καίσαρός εἰμι, οὗ με δεῖ κρίνεσθαι.
Ἰουδαίους οὐδὲν ἠδίκηκα, ὡς καὶ σὺ κάλλιον ἐπιγινώσκεις.
εἰ μὲν οὖν ἀδικῶ καὶ ἄξιον θανάτου πέπραχά τι, οὐ παραι- 11
τοῦμαι τὸ ἀποθανεῖν· εἰ δὲ οὐδὲν ἔστιν ὧν οὗτοι κατηγοροῦσίν
μου, οὐδείς με δύναται αὐτοῖς χαρίσασθαι· Καίσαρα ἐπικα-
λοῦμαι. τότε ὁ Φῆστος συνλαλήσας μετὰ τοῦ συμβουλίου 12
ἀπεκρίθη Καίσαρα ἐπικέκλησαι, ἐπὶ Καίσαρα πορεύσῃ.

Ἡμερῶν δὲ διαγενομένων τινῶν Ἀγρίππας ὁ βασιλεὺς 13
καὶ Βερνίκη κατήντησαν εἰς Καισαρίαν ⌈ἀσπασάμενοι⌉ τὸν
Φῆστον. ὡς δὲ πλείους ἡμέρας διέτριβον ἐκεῖ, ὁ Φῆστος 14
τῷ βασιλεῖ ἀνέθετο τὰ κατὰ τὸν Παῦλον λέγων Ἀνήρ
τίς ἐστιν καταλελιμμένος ὑπὸ Φήλικος δέσμιος, περὶ οὗ 15
γενομένου μου εἰς Ἱεροσόλυμα ἐνεφάνισαν οἱ ἀρχιερεῖς
καὶ οἱ πρεσβύτεροι τῶν Ἰουδαίων, αἰτούμενοι κατ᾽ αὐτοῦ
καταδίκην· πρὸς οὓς ἀπεκρίθην ὅτι οὐκ ἔστιν ἔθος Ῥω- 16
μαίοις χαρίζεσθαί τινα ἄνθρωπον πρὶν ἢ ὁ κατηγορού-
μενος κατὰ πρόσωπον ἔχοι τοὺς κατηγόρους τόπον ⌈τε⌉
ἀπολογίας λάβοι περὶ τοῦ ἐγκλήματος. συνελθόντων οὖν 17
ἐνθάδε ἀναβολὴν μηδεμίαν ποιησάμενος τῇ ἑξῆς καθίσας
ἐπὶ τοῦ βήματος ἐκέλευσα ἀχθῆναι τὸν ἄνδρα· περὶ οὗ 18
σταθέντες οἱ κατήγοροι οὐδεμίαν αἰτίαν ἔφερον ὧν ἐγὼ
ὑπενόουν ⌈πονηρῶν⌉, ζητήματα δέ τινα περὶ τῆς ἰδίας δεισι- 19
δαιμονίας εἶχον πρὸς αὐτὸν καὶ περί τινος Ἰησοῦ τεθνηκό-
τος, ὃν ἔφασκεν ὁ Παῦλος ζῆν. ἀπορούμενος δὲ ἐγὼ τὴν 20
περὶ τούτων ζήτησιν ἔλεγον εἰ βούλοιτο πορεύεσθαι εἰς

13 †...†   16 δὲ   18 πονηράν

21 Ἱεροσόλυμα κἀκεῖ κρίνεσθαι περὶ τούτων. τοῦ δὲ Παύλου
ἐπικαλεσαμένου τηρηθῆναι αὐτὸν εἰς τὴν τοῦ Σεβαστοῦ
διάγνωσιν, ἐκέλευσα τηρεῖσθαι αὐτὸν ἕως οὗ ἀναπέμψω αὐ-
22 τὸν πρὸς Καίσαρα. Ἀγρίππας δὲ πρὸς τὸν Φῆστον Ἐβου-
λόμην καὶ αὐτὸς τοῦ ἀνθρώπου ἀκοῦσαι. Αὔριον, φησίν,
23 ἀκούσῃ αὐτοῦ. Τῇ οὖν ἐπαύριον ἐλθόντος τοῦ
Ἀγρίππα καὶ τῆς Βερνίκης μετὰ πολλῆς φαντασίας καὶ
εἰσελθόντων εἰς τὸ ἀκροατήριον σύν τε χιλιάρχοις καὶ
ἀνδράσιν τοῖς κατ᾽ ἐξοχὴν τῆς πόλεως καὶ κελεύσαντος τοῦ
24 Φήστου ἤχθη ὁ Παῦλος. καί φησιν ὁ Φῆστος Ἀγρίππα
βασιλεῦ καὶ πάντες οἱ συνπαρόντες ἡμῖν ἄνδρες, θεωρεῖτε
τοῦτον περὶ οὗ ἅπαν τὸ πλῆθος τῶν Ἰουδαίων ⌜ἐνέτυχέν⌝ μοι
ἔν τε Ἱεροσολύμοις καὶ ἐνθάδε, βοῶντες μὴ δεῖν αὐτὸν ζῆν
25 μηκέτι. ἐγὼ δὲ κατελαβόμην μηδὲν ἄξιον αὐτὸν θανάτου
πεπραχέναι, αὐτοῦ δὲ τούτου ἐπικαλεσαμένου τὸν Σεβαστὸν
26 ἔκρινα πέμπειν. περὶ οὗ ἀσφαλές τι γράψαι τῷ κυρίῳ
οὐκ ἔχω· διὸ προήγαγον αὐτὸν ἐφ᾽ ὑμῶν καὶ μάλιστα ἐπὶ
σοῦ, βασιλεῦ Ἀγρίππα, ὅπως τῆς ἀνακρίσεως γενομένης
27 σχῶ τί γράψω· ἄλογον γάρ μοι δοκεῖ πέμποντα δέσμιον
1 μὴ καὶ τὰς κατ᾽ αὐτοῦ αἰτίας σημᾶναι. Ἀγρίππας δὲ πρὸς
τὸν Παῦλον ἔφη Ἐπιτρέπεταί σοι ⌜ὑπὲρ⌝ σεαυτοῦ λέγειν.
2 τότε ὁ Παῦλος ἐκτείνας τὴν χεῖρα ἀπελογεῖτο Περὶ πάν-
των ὧν ἐγκαλοῦμαι ὑπὸ Ἰουδαίων, βασιλεῦ Ἀγρίππα,
ἥγημαι ἐμαυτὸν μακάριον ἐπὶ σοῦ μέλλων σήμερον ἀπολο-
3 γεῖσθαι, μάλιστα γνώστην ὄντα σε πάντων τῶν κατὰ
Ἰουδαίους ἐθῶν τε καὶ ζητημάτων· διὸ δέομαι μακροθύμως
4 ἀκοῦσαί μου. Τὴν μὲν οὖν βίωσίν μου ἐκ νεότητος τὴν
ἀπ᾽ ἀρχῆς γενομένην ἐν τῷ ἔθνει μου ἔν τε Ἱεροσολύμοις
5 ἴσασι πάντες Ἰουδαῖοι, προγινώσκοντές με ἄνωθεν, ἐὰν
θέλωσι μαρτυρεῖν, ὅτι κατὰ τὴν ἀκριβεστάτην αἵρεσιν τῆς
ἡμετέρας θρησκείας ἔζησα Φαρισαῖος. καὶ νῦν ἐπ᾽ ἐλπίδι
τῆς εἰς τοὺς πατέρας ἡμῶν ἐπαγγελίας γενομένης ὑπὸ
7 τοῦ θεοῦ ἕστηκα κρινόμενος, εἰς ἣν τὸ δωδεκάφυλον ἡμῶν

24 ἐνέτυχόν   1 περὶ

ἐν ἐκτενείᾳ νύκτα καὶ ἡμέραν λατρεῦον ἐλπίζει ⌜καταν-
τῆσαι⌝· περὶ ἧς ἐλπίδος ἐγκαλοῦμαι ὑπὸ Ἰουδαίων, βασι-
λεῦ· τί ἄπιστον κρίνεται παρ᾽ ὑμῖν εἰ ὁ θεὸς νεκροὺς 8
ἐγείρει; Ἐγὼ μὲν οὖν ἔδοξα ἐμαυτῷ πρὸς τὸ ὄνομα 9
Ἰησοῦ τοῦ Ναζωραίου δεῖν πολλὰ ἐναντία πρᾶξαι· ὃ καὶ 10
ἐποίησα ἐν Ἱεροσολύμοις, καὶ ⌜πολλούς τε⌝ τῶν ἁγίων ἐγὼ
ἐν φυλακαῖς κατέκλεισα τὴν παρὰ τῶν ἀρχιερέων ἐξουσίαν
λαβών, ἀναιρουμένων τε αὐτῶν κατήνεγκα ψῆφον, καὶ 11
κατὰ πάσας τὰς συναγωγὰς πολλάκις τιμωρῶν αὐτοὺς
ἠνάγκαζον βλασφημεῖν, περισσῶς τε ἐμμαινόμενος αὐτοῖς
ἐδίωκον ἕως καὶ εἰς τὰς ἔξω πόλεις. Ἐν οἷς πορευόμενος 12
εἰς τὴν Δαμασκὸν μετ᾽ ἐξουσίας καὶ ἐπιτροπῆς τῆς τῶν
ἀρχιερέων ἡμέρας μέσης κατὰ τὴν ὁδὸν εἶδον, βασιλεῦ, 13
οὐρανόθεν ὑπὲρ τὴν λαμπρότητα τοῦ ἡλίου περιλάμψαν με
φῶς καὶ τοὺς σὺν ἐμοὶ πορευομένους· πάντων τε καταπε- 14
σόντων ἡμῶν εἰς τὴν γῆν ἤκουσα φωνὴν λέγουσαν πρός
με τῇ Ἑβραΐδι διαλέκτῳ Σαοὺλ Σαούλ, τί με διώκεις;
σκληρόν σοι πρὸς κέντρα λακτίζειν. ἐγὼ δὲ εἶπα Τίς εἶ, 15
κύριε; ὁ δὲ κύριος εἶπεν Ἐγώ εἰμι Ἰησοῦς ὃν σὺ διώκεις·
ἀλλὰ ἀνάστηθι καὶ ϹΤΗΘΙ ἐπὶ τογϲ πόδαϲ ϲογ· εἰς τοῦτο 16
γὰρ ὤφθην σοι, προχειρίσασθαί σε ὑπηρέτην καὶ μάρτυρα ὧν
τε εἶδές με ὧν τε ὀφθήσομαί σοι, ἐϲαιρογμένοϲ ϲε ἐκ 17
τοῦ λαοῦ καὶ ἐκ τῶν ἐθνῶν, εἰς ογϲ ἐγὼ ἀποστέλλω
ϲε ἀνοῖϲαι ὀφθαλμογϲ αὐτῶν, τοῦ ἐπιστρέψαι ἀπὸ ϲκό- 18
τογϲ εἰϲ φῶϲ καὶ τῆς ἐξουσίας τοῦ Σατανᾶ ἐπὶ τὸν θεόν,
τοῦ λαβεῖν αὐτοὺς ἄφεσιν ἁμαρτιῶν καὶ κλῆρον ἐν τοῖϲ
ἡγιαϲμένοιϲ πίστει τῇ εἰς ἐμέ. Ὅθεν, βασιλεῦ Ἀγρίππα, 19
οὐκ ἐγενόμην ἀπειθὴς τῇ οὐρανίῳ ὀπτασίᾳ, ἀλλὰ τοῖς ἐν 20
Δαμασκῷ πρῶτόν τε καὶ Ἱεροσολύμοις, πᾶσάν τε τὴν χώ-
ραν τῆς Ἰουδαίας, καὶ τοῖς ἔθνεσιν ἀπήγγελλον μετανοεῖν
καὶ ἐπιστρέφειν ἐπὶ τὸν θεόν, ἄξια τῆς μετανοίας ἔργα
πράσσοντας. ἕνεκα τούτων με Ἰουδαῖοι συλλαβόμενοι ἐν 21
τῷ ἱερῷ ἐπειρῶντο διαχειρίσασθαι. ἐπικουρίας οὖν τυχὼν 22

7 καταντήσειν   10 πολλούς

τῆς ἀπὸ τοῦ θεοῦ ἄχρι τῆς ἡμέρας ταύτης ἕστηκα μαρτυρό-
μενος μικρῷ τε καὶ μεγάλῳ, οὐδὲν ἐκτὸς λέγων ὧν τε οἱ προ-
23 φῆται ἐλάλησαν μελλόντων γίνεσθαι καὶ Μωυσῆς, εἰ παθη-
τὸς ὁ χριστός, εἰ πρῶτος ἐξ ἀναστάσεως νεκρῶν φῶς μέλλει
24 καταγγέλλειν τῷ τε λαῷ καὶ τοῖς ἔθνεσιν.   Ταῦ-
τα δὲ αὐτοῦ ἀπολογουμένου ὁ Φῆστος μεγάλῃ τῇ φωνῇ φη-
σίν   Μαίνῃ, Παῦλε· τὰ πολλά σε γράμματα εἰς μανίαν
25 περιτρέπει.   ὁ δὲ Παῦλος   Οὐ μαίνομαι, φησίν, κράτιστε
Φῆστε, ἀλλὰ ἀληθείας καὶ σωφροσύνης ῥήματα ἀποφθέγ-
26 γομαι.   ἐπίσταται γὰρ περὶ τούτων ὁ βασιλεύς, πρὸς ὃν ⌐
παρρησιαζόμενος λαλῶ· λανθάνειν γὰρ ⌐αὐτὸν⌐ τούτων οὐ
πείθομαι οὐθέν, οὐ γάρ ἐστιν ἐν γωνίᾳ πεπραγμένον τοῦτο.
27 πιστεύεις, βασιλεῦ Ἀγρίππα, τοῖς προφήταις ; οἶδα ὅτι
28 πιστεύεις.   ὁ δὲ Ἀγρίππας πρὸς τὸν Παῦλον   Ἐν ὀλίγῳ
29 ⌐με πείθεις Χριστιανὸν ποιῆσαι⌐.   ὁ δὲ Παῦλος   Εὐξαίμην
ἂν τῷ θεῷ καὶ ἐν ὀλίγῳ καὶ ἐν μεγάλῳ οὐ μόνον σὲ
ἀλλὰ καὶ πάντας τοὺς ἀκούοντάς μου σήμερον γενέσθαι
τοιούτους ὁποῖος καὶ ἐγώ εἰμι παρεκτὸς τῶν δεσμῶν τού-
30 των.   Ἀνέστη τε ὁ βασιλεὺς καὶ ὁ ἡγεμὼν ἥ
31 τε Βερνίκη καὶ οἱ συνκαθήμενοι αὐτοῖς, καὶ ἀναχωρήσαν-
τες ἐλάλουν πρὸς ἀλλήλους λέγοντες ὅτι   Οὐδὲν θανάτου
32 ἢ δεσμῶν ⌐ἄξιον⌐ πρασσει ὁ ἄνθρωπος οὗτος.   Ἀγρίππας
δὲ τῷ Φήστῳ ἔφη   Ἀπολελύσθαι ἐδύνατο ὁ ἄνθρωπος
οὗτος εἰ μὴ ἐπεκέκλητο Καίσαρα.

1   Ὡς δὲ ἐκρίθη τοῦ ἀποπλεῖν ἡμᾶς εἰς τὴν Ἰταλίαν,
παρεδίδουν τόν τε Παῦλον καί τινας ἑτέρους δεσμώτας
2 ἑκατοντάρχῃ ὀνόματι Ἰουλίῳ σπείρης Σεβαστῆς.   ἐπιβάν-
τες δὲ πλοίῳ Ἀδραμυντηνῷ μέλλοντι πλεῖν εἰς τοὺς κατὰ
τὴν Ἀσίαν τόπους ἀνήχθημεν, ὄντος σὺν ἡμῖν Ἀριστάρχου
3 Μακεδόνος Θεσσαλονικέως· τῇ τε ἑτέρᾳ κατήχθημεν εἰς
Σιδῶνα, φιλανθρώπως τε ὁ Ἰούλιος τῷ Παύλῳ χρησάμενος
ἐπέτρεψεν πρὸς τοὺς φίλους πορευθέντι ἐπιμελείας τυχεῖν.

26 καὶ | αὐτόν τι   28 †...†   31 ἄξιόν τι

κἀκεῖθεν ἀναχθέντες ὑπεπλεύσαμεν τὴν Κύπρον διὰ τὸ 4
τοὺς ἀνέμους εἶναι ἐναντίους, τό τε πέλαγος τὸ κατὰ τὴν 5
Κιλικίαν καὶ Παμφυλίαν διαπλεύσαντες κατήλθαμεν εἰς
Μύρρα τῆς Λυκίας. Κἀκεῖ εὑρὼν ὁ ἑκατοντάρχης πλοῖον 6
Ἀλεξανδρινὸν πλέον εἰς τὴν Ἰταλίαν ἐνεβίβασεν ἡμᾶς εἰς
αὐτό. ἐν ἱκαναῖς δὲ ἡμέραις βραδυπλοοῦντες καὶ μόλις 7
γενόμενοι κατὰ τὴν Κνίδον, μὴ προσεῶντος ἡμᾶς τοῦ ἀνέ-
μου, ὑπεπλεύσαμεν τὴν Κρήτην κατὰ Σαλμώνην, μόλις τε 8
παραλεγόμενοι αὐτὴν ἤλθομεν εἰς τόπον τινὰ καλούμενον
Καλοὺς Λιμένας, ᾧ ἐγγὺς ἦν πόλις Λασέα. Ἱκα- 9
νοῦ δὲ χρόνου διαγενομένου καὶ ὄντος ἤδη ἐπισφαλοῦς
τοῦ πλοὸς διὰ τὸ καὶ τὴν νηστείαν ἤδη παρεληλυθέναι,
παρῄνει ὁ Παῦλος λέγων αὐτοῖς, Ἄνδρες, θεωρῶ ὅτι μετὰ 10
ὕβρεως καὶ πολλῆς ζημίας οὐ μόνον τοῦ φορτίου καὶ
τοῦ πλοίου ἀλλὰ καὶ τῶν ψυχῶν ἡμῶν μέλλειν ἔσεσθαι
τὸν πλοῦν. ὁ δὲ ἑκατοντάρχης τῷ κυβερνήτῃ καὶ τῷ 11
ναυκλήρῳ μᾶλλον ἐπείθετο ἢ τοῖς ὑπὸ Παύλου λεγομένοις.
ἀνευθέτου δὲ τοῦ λιμένος ὑπάρχοντος πρὸς παραχειμασίαν 12
οἱ πλείονες ἔθεντο βουλὴν ἀναχθῆναι ἐκεῖθεν, εἴ πως δύ-
ναιντο καταντήσαντες εἰς Φοίνικα παραχειμάσαι, λιμένα
τῆς Κρήτης βλέποντα κατὰ λίβα καὶ κατὰ χῶρον. Ὑπο- 13
πνεύσαντος δὲ νότου δόξαντες τῆς προθέσεως κεκρατηκέναι
ἄραντες ἆσσον παρελέγοντο τὴν Κρήτην. μετ᾽ οὐ πολὺ 14
δὲ ἔβαλεν κατ᾽ αὐτῆς ἄνεμος τυφωνικὸς ὁ καλούμενος
Εὐρακύλων· συναρπασθέντος δὲ τοῦ πλοίου καὶ μὴ δυναμέ- 15
νου ἀντοφθαλμεῖν τῷ ἀνέμῳ ἐπιδόντες ἐφερόμεθα. νησίον 16
δέ τι ὑποδραμόντες καλούμενον Καῦδα ἰσχύσαμεν μόλις
περικρατεῖς γενέσθαι τῆς σκάφης, ἣν ἄραντες βοηθείαις 17
ἐχρῶντο ὑποζωννύντες τὸ πλοῖον· φοβούμενοί τε μὴ εἰς τὴν
Σύρτιν ἐκπέσωσιν, χαλάσαντες τὸ σκεῦος, οὕτως ἐφέροντο.
σφοδρῶς δὲ χειμαζομένων ἡμῶν τῇ ἑξῆς ἐκβολὴν ἐποιοῦντο, 18
καὶ τῇ τρίτῃ αὐτόχειρες τὴν σκευὴν τοῦ πλοίου ἔριψαν. 19
μήτε δὲ ἡλίου μήτε ἄστρων ἐπιφαινόντων ἐπὶ πλείονας 20

ἡμέρας, χειμῶνός τε οὐκ ὀλίγου ἐπικειμένου, λοιπὸν περιη-
21 ρεῖτο ἐλπὶς πᾶσα τοῦ σώζεσθαι ἡμᾶς. Πολλῆς τε ἀσιτίας
ὑπαρχούσης τότε σταθεὶς ὁ Παῦλος ἐν μέσῳ αὐτῶν εἶπεν
Ἔδει μέν, ὦ ἄνδρες, πειθαρχήσαντάς μοι μὴ ἀνάγεσθαι
ἀπὸ τῆς Κρήτης κερδῆσαί τε τὴν ὕβριν ταύτην καὶ τὴν
22 ζημίαν. καὶ τὰ νῦν παραινῶ ὑμᾶς εὐθυμεῖν, ἀποβολὴ γὰρ
23 ψυχῆς οὐδεμία ἔσται ἐξ ὑμῶν πλὴν τοῦ πλοίου· παρέστη
γάρ μοι ταύτῃ τῇ νυκτὶ τοῦ θεοῦ οὗ εἰμί, ᾧ καὶ λατρεύω,
24 ἄγγελος λέγων Μὴ φοβοῦ, Παῦλε· Καίσαρί σε δεῖ παρα-
στῆναι, καὶ ἰδοὺ κεχάρισταί σοι ὁ θεὸς πάντας τοὺς πλέον-
25 τας μετὰ σοῦ. διὸ εὐθυμεῖτε, ἄνδρες· πιστεύω γὰρ τῷ θεῷ
26 ὅτι οὕτως ἔσται καθ᾽ ὃν τρόπον λελάληταί μοι. εἰς νῆσον
27 δέ τινα δεῖ ἡμᾶς ἐκπεσεῖν. Ὡς δὲ τεσσαρεσκαι-
δεκάτη νὺξ ἐγένετο διαφερομένων ἡμῶν ἐν τῷ Ἀδρίᾳ, κατὰ
μέσον τῆς νυκτὸς ὑπενόουν οἱ ναῦται ⌜προσάγειν⌝ τινὰ αὐτοῖς
28 χώραν. καὶ βολίσαντες εὗρον ὀργυιὰς εἴκοσι, βραχὺ δὲ
διαστήσαντες καὶ πάλιν βολίσαντες εὗρον ὀργυιὰς δεκα-
29 πέντε· φοβούμενοί τε μή που κατὰ τραχεῖς τόπους ἐκπέ-
σωμεν ἐκ πρύμνης ῥίψαντες ἀγκύρας τέσσαρας ηὔχοντο
30 ἡμέραν γενέσθαι. Τῶν δὲ ναυτῶν ζητούντων φυγεῖν ἐκ
τοῦ πλοίου καὶ χαλασάντων τὴν σκάφην εἰς τὴν θάλασσαν
προφάσει ὡς ἐκ πρῴρης ἀγκύρας μελλόντων ἐκτείνειν,
31 εἶπεν ὁ Παῦλος τῷ ἑκατοντάρχῃ καὶ τοῖς στρατιώταις
Ἐὰν μὴ οὗτοι μείνωσιν ἐν τῷ πλοίῳ, ὑμεῖς σωθῆναι οὐ
32 δύνασθε. τότε ἀπέκοψαν οἱ στρατιῶται τὰ σχοινία τῆς
33 σκάφης καὶ εἴασαν αὐτὴν ἐκπεσεῖν. Ἄχρι δὲ οὗ ἡμέρα
ἤμελλεν γίνεσθαι παρεκάλει ὁ Παῦλος ἅπαντας μεταλα-
βεῖν τροφῆς λέγων Τεσσαρεσκαιδεκάτην σήμερον ἡμέραν
προσδοκῶντες ἄσιτοι διατελεῖτε, μηθὲν προσλαβόμενοι·
34 διὸ παρακαλῶ ὑμᾶς μεταλαβεῖν τροφῆς, τοῦτο γὰρ πρὸς
τῆς ὑμετέρας σωτηρίας ὑπάρχει· οὐδενὸς γὰρ ὑμῶν θρὶξ
35 ἀπὸ τῆς κεφαλῆς ἀπολεῖται. εἴπας δὲ ταῦτα καὶ λαβὼν

27 προσαχεῖν

ἄρτον εὐχαρίστησεν τῷ θεῷ ἐνώπιον πάντων καὶ κλάσας
ἤρξατο ἐσθίειν. εὔθυμοι δὲ γενόμενοι πάντες καὶ αὐτοὶ 36
προσελάβοντο τροφῆς. ἤμεθα δὲ αἱ πᾶσαι ψυχαὶ ἐν τῷ 37
πλοίῳ ⌜ὡς⌝ ἑβδομήκοντα ἕξ. κορεσθέντες δὲ τροφῆς ἐκού- 38
φιζον τὸ πλοῖον ἐκβαλλόμενοι τὸν σῖτον εἰς τὴν θάλασσαν.
Ὅτε δὲ ἡμέρα ἐγένετο, τὴν γῆν οὐκ ἐπεγίνωσκον, κόλπον 39
δέ τινα κατενόουν ἔχοντα αἰγιαλὸν εἰς ὃν ἐβουλεύοντο εἰ
δύναιντο ⌜ἐκσῶσαι⌝ τὸ πλοῖον. καὶ τὰς ἀγκύρας περιελόν- 40
τες εἴων εἰς τὴν θάλασσαν, ἅμα ἀνέντες τὰς ζευκτηρίας τῶν
πηδαλίων, καὶ ἐπάραντες τὸν ἀρτέμωνα τῇ πνεούσῃ κατεῖ-
χον εἰς τὸν αἰγιαλόν. περιπεσόντες δὲ εἰς τόπον διθά- 41
λασσον ἐπέκειλαν τὴν ναῦν, καὶ ἡ μὲν πρῷρα ἐρείσασα
ἔμεινεν ἀσάλευτος, ἡ δὲ πρύμνα ἐλύετο ὑπὸ τῆς βίας.
Τῶν δὲ στρατιωτῶν βουλὴ ἐγένετο ἵνα τοὺς δεσμώτας 42
ἀποκτείνωσιν, μή τις ἐκκολυμβήσας διαφύγῃ· ὁ δὲ ἑκατον- 43
τάρχης βουλόμενος διασῶσαι τὸν Παῦλον ἐκώλυσεν αὐτοὺς
τοῦ βουλήματος, ἐκέλευσέν τε τοὺς δυναμένους κολυμβᾶν
ἀπορίψαντας πρώτους ἐπὶ τὴν γῆν ἐξιέναι, καὶ τοὺς λοι- 44
ποὺς οὓς μὲν ἐπὶ σανίσιν οὓς δὲ ἐπί τινων τῶν ἀπὸ τοῦ
πλοίου· καὶ οὕτως ἐγένετο πάντας διασωθῆναι ἐπὶ τὴν γῆν.

Καὶ διασωθέντες τότε ἐπέγνωμεν ὅτι Μελιτήνη ἡ 1
νῆσος καλεῖται. οἵ τε βάρβαροι παρεῖχαν οὐ τὴν τυχοῦ- 2
σαν φιλανθρωπίαν ἡμῖν, ἅψαντες γὰρ πυρὰν προσελάβοντο
πάντας ἡμᾶς διὰ τὸν ὑετὸν τὸν ἐφεστῶτα καὶ διὰ τὸ ψύχος.
συστρέψαντος δὲ τοῦ Παύλου φρυγάνων τι πλῆθος καὶ 3
ἐπιθέντος ἐπὶ τὴν πυράν, ἔχιδνα ἀπὸ τῆς θέρμης ἐξελθοῦσα
καθῆψε τῆς χειρὸς αὐτοῦ. ὡς δὲ εἶδαν οἱ βάρβαροι κρεμά- 4
μενον τὸ θηρίον ἐκ τῆς χειρὸς αὐτοῦ, πρὸς ἀλλήλους ἔλεγον
Πάντως φονεύς ἐστιν ὁ ἄνθρωπος οὗτος ὃν διασωθέντα ἐκ
τῆς θαλάσσης ἡ δίκη ζῆν οὐκ εἴασεν. ὁ μὲν οὖν ἀποτινά- 5
ξας τὸ θηρίον εἰς τὸ πῦρ ἔπαθεν οὐδὲν κακόν· οἱ δὲ προσε- 6
δόκων αὐτὸν μέλλειν πίμπρασθαι ἢ καταπίπτειν ἄφνω
νεκρόν. ἐπὶ πολὺ δὲ αὐτῶν προσδοκώντων καὶ θεωρούντων

37 διακόσιαι   39 ἐξῶσαι

μηδὲν ἄτοπον εἰς αὐτὸν γινόμενον, μεταβαλόμενοι ἔλεγον
7 αὐτὸν εἶναι θεόν.   Ἐν δὲ τοῖς περὶ τὸν τόπον
ἐκεῖνον ὑπῆρχεν χωρία τῷ πρώτῳ τῆς νήσου ὀνόματι Πο-
πλίῳ, ὃς ἀναδεξάμενος ἡμᾶς ⌜ἡμέρας τρεῖς⌝ φιλοφρόνως
8 ἐξένισεν. ἐγένετο δὲ τὸν πατέρα τοῦ Ποπλίου πυρετοῖς
καὶ δυσεντερίῳ συνεχόμενον κατακεῖσθαι, πρὸς ὃν ὁ Παῦλος
εἰσελθὼν καὶ προσευξάμενος ἐπιθεὶς τὰς χεῖρας αὐτῷ ἰάσατο
9 αὐτόν. τούτου δὲ γενομένου [καὶ] οἱ λοιποὶ οἱ ἐν τῇ νήσῳ
10 ἔχοντες ἀσθενείας προσήρχοντο καὶ ἐθεραπεύοντο, οἳ καὶ
πολλαῖς τιμαῖς ἐτίμησαν ἡμᾶς καὶ ἀναγομένοις ἐπέθεντο
τὰ πρὸς τὰς χρείας.
11   Μετὰ δὲ τρεῖς μῆνας ἀνήχθημεν ἐν πλοίῳ παρακεχει-
μακότι ἐν τῇ νήσῳ Ἀλεξανδρινῷ, παρασήμῳ Διοσκούροις.
12 καὶ καταχθέντες εἰς Συρακούσας ἐπεμείναμεν ἡμέρας
13 τρεῖς, ὅθεν περιελόντες κατηντήσαμεν εἰς Ῥήγιον. καὶ
μετὰ μίαν ἡμέραν ἐπιγενομένου νότου δευτεραῖοι ἤλθο-
14 μεν εἰς Ποτιόλους, οὗ εὑρόντες ἀδελφοὺς παρεκλήθημεν
παρ' αὐτοῖς ἐπιμεῖναι ἡμέρας ἑπτά· καὶ οὕτως εἰς τὴν Ῥώ-
15 μην ἤλθαμεν. κἀκεῖθεν οἱ ἀδελφοὶ ἀκούσαντες τὰ περὶ
ἡμῶν ἦλθαν εἰς ἀπάντησιν ἡμῖν ἄχρι Ἀππίου Φόρου καὶ
Τριῶν Ταβερνῶν, οὓς ἰδὼν ὁ Παῦλος εὐχαριστήσας τῷ θεῷ
16 ἔλαβε θάρσος.   Ὅτε δὲ εἰσήλθαμεν εἰς Ῥώμην,
ἐπετράπη τῷ Παύλῳ μένειν καθ' ἑαυτὸν σὺν τῷ φυλάσ-
σοντι αὐτὸν στρατιώτῃ.

17   Ἐγένετο δὲ μετὰ ἡμέρας τρεῖς συνκαλέσασθαι αὐτὸν
τοὺς ὄντας τῶν Ἰουδαίων πρώτους· συνελθόντων δὲ αὐτῶν
ἔλεγεν πρὸς αὐτούς Ἐγώ, ἄνδρες ἀδελφοί, οὐδὲν ἐναντίον
ποιήσας τῷ λαῷ ἢ τοῖς ἔθεσι τοῖς πατρῴοις δέσμιος ἐξ
Ἰεροσολύμων παρεδόθην εἰς τὰς χεῖρας τῶν Ῥωμαίων,
18 οἵτινες ἀνακρίναντές με ἐβούλοντο ἀπολῦσαι διὰ τὸ μηδε-
19 μίαν αἰτίαν θανάτου ὑπάρχειν ἐν ἐμοί· ἀντιλεγόντων δὲ
τῶν Ἰουδαίων ἠναγκάσθην ἐπικαλέσασθαι Καίσαρα, οὐχ ὡς

7 τρεῖς ἡμέρας

τοῦ ἔθνους μου ἔχων τι κατηγορεῖν. διὰ ταύτην οὖν τὴν 20
αἰτίαν παρεκάλεσα ὑμᾶς ἰδεῖν καὶ προσλαλῆσαι, εἵνεκεν
γὰρ τῆς ἐλπίδος τοῦ Ἰσραὴλ τὴν ἅλυσιν ταύτην περίκειμαι.
οἱ δὲ πρὸς αὐτὸν εἶπαν Ἡμεῖς οὔτε γράμματα περὶ σοῦ 21
ἐδεξάμεθα ἀπὸ τῆς Ἰουδαίας, οὔτε παραγενόμενός τις τῶν
ἀδελφῶν ἀπήγγειλεν ἢ ἐλάλησέν τι περὶ σοῦ πονηρόν.
ἀξιοῦμεν δὲ παρὰ σοῦ ἀκοῦσαι ἃ φρονεῖς, περὶ μὲν γὰρ 22
τῆς αἱρέσεως ταύτης γνωστὸν ἡμῖν ἐστὶν ὅτι πανταχοῦ
ἀντιλέγεται.   Ταξάμενοι δὲ αὐτῷ ἡμέραν ἦλθαν 23
πρὸς αὐτὸν εἰς τὴν ξενίαν πλείονες, οἷς ἐξετίθετο διαμαρτυ-
ρόμενος τὴν βασιλείαν τοῦ θεοῦ πείθων τε αὐτοὺς περὶ τοῦ
Ἰησοῦ ἀπό τε τοῦ νόμου Μωυσέως καὶ τῶν προφητῶν ἀπὸ
πρωὶ ἕως ἑσπέρας. Καὶ οἱ μὲν ἐπείθοντο τοῖς λεγομένοις 24
οἱ δὲ ἠπίστουν, ἀσύμφωνοι δὲ ὄντες πρὸς ἀλλήλους 25
ἀπελύοντο, εἰπόντος τοῦ Παύλου ῥῆμα ἓν ὅτι Καλῶς
τὸ πνεῦμα τὸ ἅγιον ἐλάλησεν διὰ Ἡσαίου τοῦ προφήτου
πρὸς τοὺς πατέρας ὑμῶν λέγων   26

  Πορεγθητι προς τον λαον τογτον και ειπον
    Ακοη ακογσετε και ογ μη σγνητε,
    και Βλεποντες Βλεψετε και ογ μη ιδητε·
  επαχγνθη γαρ η καρδια τογ λαογ τογτογ,   27
    και τοις ωσιν Βαρεως ηκογσαν,
    και τογς οφθαλμογς αγτων εκαμμγσαν·
    μη ποτε ιδωσιν τοις οφθαλμοις
  και τοις ωσιν ακογσωσιν
  και τη καρδια σγνωσιν και επιστρεψωσιν,
    και ιασομαι αγτογς.

γνωστὸν οὖν ὑμῖν ἔστω ὅτι τοις εθνεσιν ἀπεστάλη τοῦτο 28
τὸ σωτηριον τογ θεογ· αὐτοὶ καὶ ἀκούσονται.

  Ἐνέμεινεν δὲ διετίαν ὅλην ἐν ἰδίῳ μισθώματι, καὶ ἀπε- 30
δέχετο πάντας τοὺς εἰσπορευομένους πρὸς αὐτόν, κηρύσσων 31
τὴν βασιλείαν τοῦ θεοῦ καὶ διδάσκων τὰ περὶ τοῦ κυρίου
Ἰησοῦ Χριστοῦ μετὰ πάσης παρρησίας ἀκωλύτως.

ΕΠΙΣΤΟΛΑΙ ΚΑΘΟΛΙΚΑΙ

ΙΑΚΩΒΟΥ

ΠΕΤΡΟΥ Α

ΠΕΤΡΟΥ Β

ΙΩΑΝΟΥ Α

ΙΩΑΝΟΥ Β

ΙΩΑΝΟΥ Γ

ΙΟΥΔΑ

ΙΑΚΩΒΟΥ

1 ΙΑΚΩΒΟΣ θεοῦ καὶ κυρίου Ἰησοῦ Χριστοῦ δοῦλος
ταῖς δώδεκα φυλαῖς ταῖς ἐν τῇ διασπορᾷ χαίρειν.

2 Πᾶσαν χαρὰν ἡγήσασθε, ἀδελφοί μου, ὅταν πειρασμοῖς
3 περιπέσητε ποικίλοις, γινώσκοντες ὅτι τὸ δοκίμιον ὑμῶν
4 τῆς πίστεως κατεργάζεται ὑπομονήν· ἡ δὲ ὑπομονὴ ἔργον
τέλειον ἐχέτω, ἵνα ἦτε τέλειοι καὶ ὁλόκληροι, ἐν μηδενὶ
5 λειπόμενοι. Εἰ δέ τις ὑμῶν λείπεται σοφίας,
αἰτείτω παρὰ τοῦ διδόντος θεοῦ πᾶσιν ἁπλῶς καὶ μὴ ὀνει-
6 δίζοντος, καὶ δοθήσεται αὐτῷ· αἰτείτω δὲ ἐν πίστει, μηδὲν
διακρινόμενος, ὁ γὰρ διακρινόμενος ἔοικεν κλύδωνι θαλάσ-
7 σης ἀνεμιζομένῳ καὶ ῥιπιζομένῳ· μὴ γὰρ οἰέσθω ὁ ἄν-
8 θρωπος ἐκεῖνος ὅτι λήμψεταί τι παρὰ τοῦ ⌜κυρίου⌝ ἀνὴρ
9 δίψυχος, ἀκατάστατος ἐν πάσαις ταῖς ὁδοῖς αὐτοῦ. Καυχά-
10 σθω δὲ [ὁ] ἀδελφὸς ὁ ταπεινὸς ἐν τῷ ὕψει αὐτοῦ, ὁ δὲ πλού-
σιος ἐν τῇ ταπεινώσει αὐτοῦ, ὅτι ὡς ἄνθος χόρτου παρε-
11 λεύσεται. ἀνέτειλεν γὰρ ὁ ἥλιος σὺν τῷ καύσωνι καὶ ἐ ξΗ-
ΡΑΝΕΝ ΤΟΝ ΧΟΡΤΟΝ, ΚΑΙ ΤΟ ΑΝΘΟΣ αὐτοῦ ἐξέπεσεν καὶ ἡ
εὐπρέπεια τοῦ προσώπου αὐτοῦ ἀπώλετο· οὕτως καὶ ὁ πλού-
12 σιος ἐν ταῖς πορείαις αὐτοῦ μαρανθήσεται. Μα-
κάριος ἀνὴρ ὃς ὑπομένει πειρασμόν, ὅτι δόκιμος γενόμε-
νος λήμψεται τὸν στέφανον τῆς ζωῆς, ὃν ἐπηγγείλατο τοῖς
13 ἀγαπῶσιν αὐτόν. μηδεὶς πειραζόμενος λεγέτω ὅτι Ἀπὸ

8 κυρίου,

θεοῦ πειράζομαι· ὁ γὰρ θεὸς ἀπείραστός ἐστιν κακῶν,
πειράζει δὲ αὐτὸς οὐδένα. ἕκαστος δὲ πειράζεται ὑπὸ τῆς 14
ἰδίας ἐπιθυμίας ἐξελκόμενος καὶ δελεαζόμενος· εἶτα ἡ ἐπι- 15
θυμία συλλαβοῦσα τίκτει ἁμαρτίαν, ἡ δὲ ἁμαρτία ἀποτε-
λεσθεῖσα ἀποκυεῖ θάνατον. Μὴ πλανᾶσθε, ἀδελφοί μου 16
ἀγαπητοί. πᾶσα δόσις ἀγαθὴ καὶ πᾶν δώρημα τέλειον 17
ἄνωθέν ἐστιν, καταβαῖνον ἀπὸ τοῦ πατρὸς τῶν φώτων,
παρ' ᾧ οὐκ ἔνι παραλλαγὴ ἢ τροπῆς ἀποσκίασμα. βου- 18
ληθεὶς ἀπεκύησεν ἡμᾶς λόγῳ ἀληθείας, εἰς τὸ εἶναι ἡμᾶς
ἀπαρχήν τινα τῶν ⌜αὐτοῦ⌝ κτισμάτων.

Ἴστε, ἀδελφοί μου ἀγαπητοί. ἔστω δὲ πᾶς ἄνθρωπος 19
ταχὺς εἰς τὸ ἀκοῦσαι, βραδὺς εἰς τὸ λαλῆσαι, βραδὺς
εἰς ὀργήν, ὀργὴ γὰρ ἀνδρὸς δικαιοσύνην θεοῦ οὐκ ἐργά- 20
ζεται. διὸ ἀποθέμενοι πᾶσαν ῥυπαρίαν καὶ περισσείαν 21
κακίας ἐν πραΰτητι δέξασθε τὸν ἔμφυτον λόγον τὸν δυνά-
μενον σῶσαι τὰς ψυχὰς ὑμῶν. Γίνεσθε δὲ ποιηταὶ λόγου 22
καὶ μὴ ἀκροαταὶ μόνον παραλογιζόμενοι ἑαυτούς. ὅτι εἴ 23
τις ἀκροατὴς λόγου ἐστὶν καὶ οὐ ποιητής, οὗτος ἔοικεν
ἀνδρὶ κατανοοῦντι τὸ πρόσωπον τῆς γενέσεως αὐτοῦ ἐν
ἐσόπτρῳ, κατενόησεν γὰρ ἑαυτὸν καὶ ἀπελήλυθεν καὶ 24
εὐθέως ἐπελάθετο ὁποῖος ἦν. ὁ δὲ παρακύψας εἰς νόμον 25
τέλειον τὸν τῆς ἐλευθερίας καὶ παραμείνας, οὐκ ἀκροατὴς
ἐπιλησμονῆς γενόμενος ἀλλὰ ποιητὴς ἔργου, οὗτος μακά-
ριος ἐν τῇ ποιήσει αὐτοῦ ἔσται. Εἴ τις δοκεῖ θρησκὸς 26
εἶναι μὴ χαλιναγωγῶν γλῶσσαν ⌜ἑαυτοῦ⌝ ἀλλὰ ἀπατῶν
καρδίαν ⌜ἑαυτοῦ⌝, τούτου μάταιος ἡ θρησκεία. θρησκεία 27
καθαρὰ καὶ ἀμίαντος παρὰ τῷ θεῷ καὶ πατρὶ αὕτη ἐστίν,
ἐπισκέπτεσθαι ὀρφανοὺς καὶ χήρας ἐν τῇ θλίψει αὐτῶν,
ἄσπιλον ἑαυτὸν τηρεῖν ἀπὸ τοῦ κόσμου.

Ἀδελφοί μου, μὴ ἐν προσωπολημψίαις ἔχετε τὴν 1
πίστιν τοῦ κυρίου ἡμῶν Ἰησοῦ ⌜Χριστοῦ⌝ τῆς δόξης; ἐὰν 2
γὰρ εἰσέλθῃ εἰς συναγωγὴν ὑμῶν ἀνὴρ χρυσοδακτύλιος

18 ἑαυτοῦ   26 αὐτοῦ | αὐτοῦ   1 Χριστοῦ,

ἐν ἐσθῆτι λαμπρᾷ, εἰσέλθῃ δὲ καὶ πτωχὸς ἐν ῥυπαρᾷ
3 ἐσθῆτι, ἐπιβλέψητε δὲ ἐπὶ τὸν φοροῦντα τὴν ἐσθῆτα
τὴν λαμπρὰν καὶ εἴπητε Σὺ κάθου ὧδε καλῶς, καὶ τῷ
πτωχῷ εἴπητε Σὺ στῆθι ⌜ἢ κάθου ἐκεῖ⌝ ὑπὸ τὸ ὑποπόδιόν
4 μου, ⌜οὐ διεκρίθητε ἐν ἑαυτοῖς καὶ ἐγένεσθε κριταὶ διαλο-
5 γισμῶν πονηρῶν; ⌝ Ἀκούσατε, ἀδελφοί μου ἀγαπητοί.
οὐχ ὁ θεὸς ἐξελέξατο τοὺς πτωχοὺς τῷ κόσμῳ πλουσίους
ἐν πίστει καὶ κληρονόμους τῆς βασιλείας ἧς ἐπηγγείλατο
6 τοῖς ἀγαπῶσιν αὐτόν; ὑμεῖς δὲ ἠτιμάσατε τὸν πτωχόν.
οὐχ οἱ πλούσιοι καταδυναστεύουσιν ὑμῶν, καὶ αὐτοὶ ἕλ-
7 κουσιν ὑμᾶς εἰς κριτήρια; οὐκ αὐτοὶ βλασφημοῦσιν τὸ
8 καλὸν ὄνομα τὸ ἐπικληθὲν ἐφ' ὑμᾶς; εἰ μέντοι νόμον
τελεῖτε βασιλικὸν κατὰ τὴν γραφήν ΑΓΑΠΗСΕΙС ΤΟΝ
9 ΠΛΗСΙΟΝ СΟΥ ὩС СΕΑΥΤΟΝ, καλῶς ποιεῖτε· εἰ δὲ προσω-
πολημπτεῖτε, ἁμαρτίαν ἐργάζεσθε, ἐλεγχόμενοι ὑπὸ τοῦ
10 νόμου ὡς παραβάται. Ὅστις γὰρ ὅλον τὸν νόμον τηρή-
11 σῃ, πταίσῃ δὲ ἐν ἑνί, γέγονεν πάντων ἔνοχος. ὁ γὰρ
εἰπών ΜΗ ΜΟΙΧΕΥСΗС εἶπεν καί ΜΗ ΦΟΝΕΥСΗС· εἰ
δὲ οὐ μοιχεύεις φονεύεις δέ, γέγονας παραβάτης νόμου.
12 οὕτως λαλεῖτε καὶ οὕτως ποιεῖτε ὡς διὰ νόμου ἐλευθερίας
13 μέλλοντες κρίνεσθαι. ἡ γὰρ κρίσις ἀνέλεος τῷ μὴ ποιή-
14 σαντι ἔλεος· κατακαυχᾶται ἔλεος κρίσεως. Τί
ὄφελος, ἀδελφοί μου, ἐὰν πίστιν λέγῃ τις ἔχειν ἔργα
15 δὲ μὴ ἔχῃ; μὴ δύναται ἡ πίστις σῶσαι αὐτόν; ἐὰν
ἀδελφὸς ἢ ἀδελφὴ γυμνοὶ ὑπάρχωσιν καὶ λειπόμενοι τῆς
16 ἐφημέρου τροφῆς, εἴπῃ δέ τις αὐτοῖς ἐξ ὑμῶν Ὑπάγετε
ἐν εἰρήνῃ, θερμαίνεσθε· καὶ χορτάζεσθε, μὴ δῶτε δὲ
17 αὐτοῖς τὰ ἐπιτήδεια τοῦ σώματος, τί ὄφελος; οὕτως καὶ
ἡ πίστις, ἐὰν μὴ ἔχῃ ἔργα, νεκρά ἐστιν καθ' ἑαυτήν.
18 ἀλλ' ἐρεῖ τις Σὺ πίστιν ⌜ἔχεις⌝ κἀγὼ ἔργα ἔχω. δεῖξόν
μοι τὴν πίστιν σου χωρὶς τῶν ἔργων, κἀγώ σοι δείξω ἐκ
19 τῶν ἔργων μου τὴν πίστιν. σὺ πιστεύεις ὅτι εἷς ⌜θεὸς
ἔστιν⌝; καλῶς ποιεῖς· καὶ τὰ δαιμόνια πιστεύουσιν καὶ

3 ἐκεῖ ἢ κάθου   4 διεκρίθητε...πονηρῶν.   18 ἔχεις;   19 ὁ θεός ἐστιν

φρίσσουσιν. θέλεις δὲ γνῶναι, ὦ ἄνθρωπε κενέ, ὅτι ἡ 20
πίστις χωρὶς τῶν ἔργων ἀργή ἐστιν; Ἀβραὰμ ὁ πατὴρ 21
ἡμῶν οὐκ ἐξ ἔργων ἐδικαιώθη, ἀνενέγκας Ἰσαὰκ τὸν
υἱὸν αὐτοῦ ἐπὶ τὸ θυσιαστήριον; βλέπεις ὅτι ἡ πίστις 22
συνήργει τοῖς ἔργοις αὐτοῦ καὶ ἐκ τῶν ἔργων ἡ πίστις
ἐτελειώθη, καὶ ἐπληρώθη ἡ γραφὴ ἡ λέγουσα Ἐπί- 23
ϲΤΕΥϲΕΝ Δὲ Ἀβραὰμ τῷ θεῷ, καὶ ἐλογίϲθη αὐτῷ
εἰϲ Δικαιοϲύνην, καὶ φίλοϲ θεοῦ ἐκλήθη. ὁρᾶτε ὅτι 24
ἐξ ἔργων δικαιοῦται ἄνθρωπος καὶ οὐκ ἐκ πίστεως
μόνον. ὁμοίως δὲ καὶ Ῥαὰβ ἡ πόρνη οὐκ ἐξ ἔργωι ἐδι- 25
καιώθη, ὑποδεξαμένη τοὺς ἀγγέλους καὶ ἑτέρᾳ ὁδῷ ἐκβα-
λοῦσα; ὥσπερ ^τ τὸ σῶμα χωρὶς πνεύματος νεκρόν ἐστιν, 26
οὕτως καὶ ἡ πίστις χωρὶς ἔργων νεκρά ἐστιν.

Μὴ πολλοὶ διδάσκαλοι γίνεσθε, ἀδελφοί μου, εἰδότες 1
ὅτι μεῖζον κρίμα λημψόμεθα· πολλὰ γὰρ πταίομεν ἄπαν- 2
τες. εἴ τις ἐν λόγῳ οὐ πταίει, οὗτος τέλειος ἀνήρ, δυνατὸς
χαλιναγωγῆσαι καὶ ὅλον τὸ σῶμα. εἰ δὲ τῶν ἵππων τοὺς 3
χαλινοὺς εἰς τὰ στόματα βάλλομεν εἰς τὸ πείθεσθαι
αὐτοὺς ἡμῖν, καὶ ὅλον τὸ σῶμα αὐτῶν μετάγομεν. ἰδοὺ 4
καὶ τὰ πλοῖα, τηλικαῦτα ὄντα καὶ ὑπὸ ἀνέμων σκληρῶν
ἐλαυνόμενα, μετάγεται ὑπὸ ἐλαχίστου πηδαλίου ὅπου ἡ
ὁρμὴ τοῦ εὐθύνοντος βούλεται· οὕτως καὶ ἡ γλῶσσα 5
μικρὸν μέλος ἐστὶν καὶ μεγάλα αὐχεῖ. ἰδοὺ ἡλίκον πῦρ
ἡλίκην ὕλην ἀνάπτει· καὶ ἡ γλῶσσα πῦρ, ὁ κόσμος τῆς 6
ἀδικίας ἡ γλῶσσα καθίσταται ἐν τοῖς μέλεσιν ἡμῶν, ἡ
σπιλοῦσα ὅλον τὸ σῶμα καὶ φλογίζουσα τὸν τροχὸν τῆς
γενέσεως καὶ φλογιζομένη ὑπὸ τῆς γεέννης. πᾶσα γὰρ 7
φύσις θηρίων τε καὶ πετεινῶν ἑρπετῶν τε καὶ ἐναλίων
δαμάζεται καὶ δεδάμασται τῇ φύσει τῇ ἀνθρωπίνῃ· τὴν 8
δὲ γλῶσσαν οὐδεὶς δαμάσαι δύναται ἀνθρώπων· ἀκατάστα
τον κακόν, μεστὴ ἰοῦ θανατηφόρου. ἐν αὐτῇ εὐλογοῦμεν 9
τὸν κύριον καὶ πατέρα, καὶ ἐν αὐτῇ καταρώμεθα τοὺς
ἀνθρώπους τοὺς καθ᾽ ὁμοίωϲιν θεοῦ γεγονότας· ἐκ τοῦ 10

26 γαρ   IV 2 φονεύετε. καὶ

αὐτοῦ στόματος ἐξέρχεται εὐλογία καὶ κατάρα. οὐ χρή,
11 ἀδελφοί μου, ταῦτα οὕτως γίνεσθαι. μήτι ἡ πηγὴ ἐκ τῆς
12 αὐτῆς ὀπῆς βρύει τὸ γλυκὺ καὶ τὸ πικρόν; μὴ δύναται,
ἀδελφοί μου, συκῆ ἐλαίας ποιῆσαι ἢ ἄμπελος σῦκα; οὔτε
13 ἁλυκὸν γλυκὺ ποιῆσαι ὕδωρ.   Τίς σοφὸς καὶ ἐπι-
στήμων ἐν ὑμῖν; δειξάτω ἐκ τῆς καλῆς ἀναστροφῆς τὰ
14 ἔργα αὐτοῦ ἐν πραΰτητι σοφίας. εἰ δὲ ζῆλον πικρὸν ἔχετε
καὶ ἐριθίαν ἐν τῇ καρδίᾳ ὑμῶν, μὴ κατακαυχᾶσθε καὶ ψεύ-
15 δεσθε κατὰ τῆς ἀληθείας. οὐκ ἔστιν αὕτη ἡ σοφία ἄνω-
θεν κατερχομένη, ἀλλὰ ἐπίγειος, ψυχική, δαιμονιώδης·
16 ὅπου γὰρ ζῆλος καὶ ἐριθία, ἐκεῖ ἀκαταστασία καὶ πᾶν
17 φαῦλον πρᾶγμα. ἡ δὲ ἄνωθεν σοφία πρῶτον μὲν ἁγνή
ἐστιν, ἔπειτα εἰρηνική, ἐπιεικής, εὐπειθής, μεστὴ ἐλέους
18 καὶ καρπῶν ἀγαθῶν, ἀδιάκριτος, ἀνυπόκριτος· καρπὸς δὲ
δικαιοσύνης ἐν εἰρήνῃ σπείρεται τοῖς ποιοῦσιν εἰρήνην.
1   Πόθεν πόλεμοι καὶ πόθεν μάχαι ἐν ὑμῖν; οὐκ ἐντεῦθεν,
ἐκ τῶν ἡδονῶν ὑμῶν τῶν στρατευομένων ἐν τοῖς μέλεσιν
2 ὑμῶν; ἐπιθυμεῖτε, καὶ οὐκ ἔχετε· φονεύετε καὶ ζηλοῦτε,
καὶ οὐ δύνασθε ἐπιτυχεῖν· μάχεσθε καὶ πολεμεῖτε. οὐκ ἔχετε
3 διὰ τὸ μὴ αἰτεῖσθαι ὑμᾶς· αἰτεῖτε καὶ οὐ λαμβάνετε,
διότι κακῶς αἰτεῖσθε, ἵνα ἐν ταῖς ἡδοναῖς ὑμῶν δαπανή-
4 σητε. μοιχαλίδες, οὐκ οἴδατε ὅτι ἡ φιλία τοῦ κόσμου
ἔχθρα τοῦ θεοῦ ἐστίν; ὃς ἐὰν οὖν βουληθῇ φίλος εἶναι
5 τοῦ κόσμου, ἐχθρὸς τοῦ θεοῦ καθίσταται. ἢ δοκεῖτε ὅτι
κενῶς ἡ γραφὴ ⌐λέγει Πρὸς φθόνον ἐπιποθεῖ τὸ πνεῦμα
6 ὃ κατῴκισεν ἐν ἡμῖν; μείζονα⌐ δὲ ΔΙΔΩϹΙΝ ΧΑΡΙΝ· διὸ
λέγει Ὁ θεὸϲ ὙΠΕΡΗΦΑΝΟΙϹ ΑΝΤΙΤΑϹϹΕΤΑΙ ΤΑΠΕΙΝΟΙϹ
7 ΔΕ ΔΙΔΩϹΙΝ ΧΑΡΙΝ. Ὑποτάγητε οὖν τῷ θεῷ· ἀντίστητε δὲ
8 τῷ διαβόλῳ, καὶ φεύξεται ἀφ᾽ ὑμῶν· ἐγγίσατε τῷ θεῷ,
καὶ ἐγγίσει ὑμῖν. καθαρίσατε χεῖρας, ἁμαρτωλοί, καὶ
9 ἁγνίσατε καρδίας, δίψυχοι. ταλαιπωρήσατε καὶ πενθή-
σατε καὶ κλαύσατε· ὁ γέλως ὑμῶν εἰς πένθος ⌐μετατραπήτω⌐
10 καὶ ἡ χαρὰ εἰς κατήφειαν· ταπεινώθητε ἐνώπιον Κυρίου,

λέγει; πρὸς ..ἡμῖν; μείζονα υ. λέγει; πρὸς...ἡμῖν, μείζονα   9 μεταστραφήτω

καὶ ὑψώσει ὑμᾶς.   Μὴ καταλαλεῖτε ἀλλήλων, 11
ἀδελφοί· ὁ καταλαλῶν ἀδελφοῦ ἢ κρίνων τὸν ἀδελφὸν
αὐτοῦ καταλαλεῖ νόμου καὶ κρίνει νόμον· εἰ δὲ νόμον
κρίνεις, οὐκ εἶ ποιητὴς νόμου ἀλλὰ κριτής. εἷς ⌜ἔστιν⌝ νο- 12
μοθέτης καὶ κριτής, ὁ δυνάμενος σῶσαι καὶ ἀπολέσαι· σὺ
δὲ τίς εἶ, ὁ κρίνων τὸν πλησίον ;

Ἄγε νῦν οἱ λέγοντες Σήμερον ἢ αὔριον πορευσόμεθα 13
εἰς τήνδε τὴν πόλιν καὶ ποιήσομεν ἐκεῖ ἐνιαυτὸν καὶ
ἐμπορευσόμεθα καὶ κερδήσομεν· οἵτινες οὐκ ἐπίστασθε 14
⌜τῆς αὔριον ποία ἡ ζωὴ ὑμῶν· ἀτμὶς γάρ ἐστε⌝ πρὸς ὀλίγον
φαινομένη, ἔπειτα καὶ ἀφανιζομένη· ἀντὶ τοῦ λέγειν ὑμᾶς 15
Ἐὰν ὁ κύριος ⌜θέλῃ⌝, καὶ ζήσομεν καὶ ποιήσομεν τοῦτο ἢ
ἐκεῖνο. νῦν δὲ καυχᾶσθε ἐν ταῖς ἀλαζονίαις ὑμῶν· πᾶσα 16
καύχησις τοιαύτη πονηρά ἐστιν. εἰδότι οὖν καλὸν ποιεῖν 17
καὶ μὴ ποιοῦντι, ἁμαρτία αὐτῷ ἐστίν.   Ἄγε 1
νῦν οἱ πλούσιοι, κλαύσατε ὀλολύζοντες ἐπὶ ταῖς ταλαι-
πωρίαις ὑμῶν ταῖς ἐπερχομέναις. ὁ πλοῦτος ὑμῶν σέση- 2
πεν, καὶ τὰ ἱμάτια ὑμῶν σητόβρωτα γέγονεν, ὁ χρυσὸς 3
ὑμῶν καὶ ὁ ἄργυρος κατίωται, καὶ ὁ ἰὸς αὐτῶν εἰς μαρτύ-
ριον ὑμῖν ἔσται καὶ φάγεται τὰς σάρκας ⌜ὑμῶν· ὡς πῦρ⌝
ἐθΗϹΑΥΡΊϹΑΤΕ ἐν ἐσχάταις ἡμέραις. ἰδοὺ ὁ ΜΙϹΘΟϹ τῶν 4
ἐργατῶν τῶν ἀμησάντων τὰς χώρας ὑμῶν ὁ ἀφυστερημένος
ἀφ' ὙΜῶΝ ΚΡΆΖΕΙ, καὶ αἱ βοαὶ τῶν θερισάντων ΕἸϹ τὰ
ὦτα ΚυρΊου ϹΑΒΑῶΘ εἰσελήλυθαν· ἐτρυφήσατε ἐπὶ τῆς 5
γῆς καὶ ἐσπαταλήσατε, ἐθρέψατε τὰς καρδίας ὑμῶν ἐΝ
ἩΜΈΡᾼ ϹΦΑΓῆϹ. κατεδικάσατε, ἐφονεύσατε τὸν δίκαιον. 6
οὐκ ἀΝΤΙΤΆϹϹΕΤΑΙ ⌜ὑμῖν;⌝

Μακροθυμήσατε οὖν, ἀδελφοί, ἕως τῆς παρουσίας τοῦ 7
κυρίου. ἰδοὺ ὁ γεωργὸς ἐκδέχεται τὸν τίμιον καρπὸν τῆς γῆς,
μακροθυμῶν ἐπ' αὐτῷ ἕως λάβῃ πρόϊΜΟΝ ΚΑὶ ὌΨΙΜΟΝ.

12 ἐστὶν ὁ   14 τὰ τῆς αὔριον ποία γάρ ἡ ζωὴ ὑμῶν; ἀτμίς ἐστε ἡ   15 θε

8 μακροθυμήσατε καὶ ὑμεῖς, στηρίξατε τὰς καρδίας ὑμῶν,
9 ὅτι ἡ παρουσία τοῦ κυρίου ἤγγικεν. μὴ στενάζετε,
ἀδελφοί, κατ᾽ ἀλλήλων, ἵνα μὴ κριθῆτε· ἰδοὺ ὁ κριτὴς
10 πρὸ τῶν θυρῶν ἕστηκεν. ὑπόδειγμα λάβετε, ἀδελφοί, τῆς
κακοπαθίας καὶ τῆς μακροθυμίας τοὺς προφήτας, οἳ ἐλά-
11 λησαν ἐν τῷ ὀνόματι Κυρίου. ἰδοὺ ΜΑΚΑΡΊΖΟΜΕΝ ΤΟῪϹ
ῪΠΟΜΕΊΝΑΝΤΑϹ· τὴν ὑπομονὴν Ἰὼβ ἠκούσατε, καὶ τὸ τέλος
Κυρίου εἴδετε, ὅτι ΠΟΛΎϹΠΛΑΓΧΝΌϹ ἘϹΤΙΝ ⌐ὁ ΚΎΡΙΟϹ⌐ καὶ
12 ΟἸΚΤΊΡΜΩΝ. Πρὸ πάντων δέ, ἀδελφοί μου, μὴ
ὀμνύετε, μήτε τὸν οὐρανὸν μήτε τὴν γῆν μήτε ἄλλον
τινὰ ὅρκον· ἤτω δὲ ὑμῶν τό Ναί ναὶ καὶ τό Οὔ οὔ,
13 ἵνα μὴ ὑπὸ κρίσιν πέσητε. Κακοπαθεῖ τις ἐν
14 ὑμῖν; προσευχέσθω· εὐθυμεῖ τις; ψαλλέτω. ἀσθενεῖ τις
ἐν ὑμῖν; προσκαλεσάσθω τοὺς πρεσβυτέρους τῆς ἐκκλη-
σίας, καὶ προσευξάσθωσαν ἐπ᾽ αὐτὸν ἀλείψαντες ἐλαίῳ ἐν
15 τῷ ὀνόματι [τοῦ κυρίου]· καὶ ἡ εὐχὴ τῆς πίστεως σώσει
τὸν κάμνοντα, καὶ ἐγερεῖ αὐτὸν ὁ κύριος· κἂν ἁμαρτίας
16 ᾖ πεποιηκώς, ἀφεθήσεται αὐτῷ. ἐξομολογεῖσθε οὖν ἀλλή-
λοις τὰς ἁμαρτίας καὶ ⌐προσεύχεσθε⌐ ὑπὲρ ἀλλήλων, ὅπως
17 ἰαθῆτε. πολὺ ἰσχύει δέησις δικαίου ἐνεργουμένη. Ἡλείας
ἄνθρωπος ἦν ὁμοιοπαθὴς ἡμῖν, καὶ προσευχῇ προσηύξατο
τοῦ μὴ βρέξαι, καὶ οὐκ ἔβρεξεν ἐπὶ τῆς γῆς ἐνιαυτοὺς
18 τρεῖς καὶ μῆνας ἕξ· καὶ πάλιν προσηύξατο, καὶ ὁ οὐρανὸς
⌐ὑετὸν ἔδωκεν⌐ καὶ ἡ γῆ ἐβλάστησεν τὸν καρπὸν αὐτῆς.
19 Ἀδελφοί μου, ἐάν τις ἐν ὑμῖν πλανηθῇ ἀπὸ τῆς ἀλη-
20 θείας καὶ ἐπιστρέψῃ τις αὐτόν, ⌐γινώσκετε⌐ ὅτι ὁ ἐπι-
στρέψας ἁμαρτωλὸν ἐκ πλάνης ὁδοῦ αὐτοῦ σώσει ψυχὴν
⌐αὐτοῦ ἐκ θανάτου⌐ καὶ καλύψει πλῆθος ἁμαρτιῶν.

3 ὑμῶν ὡς πῦρ· 6 ὑμῖν. 11 Κύριος 16 εὔχεσθε
18 ἔδωκεν ὑετὸν 20 γινωσκέτω | ἐκ θανάτου αὐτοῦ

ΠΕΤΡΟΥ Α

ΠΕΤΡΟΣ ἀπόστολος Ἰησοῦ Χριστοῦ ἐκλεκτοῖς παρε- 1
πιδήμοις διασπορᾶς Πόντου, Γαλατίας, Καππαδοκίας,
Ἀσίας, καὶ Βιθυνίας, κατὰ πρόγνωσιν θεοῦ πατρός, ἐν 2
ἁγιασμῷ πνεύματος, εἰς ὑπακοὴν καὶ ῥαντισμὸν αἵματος
Ἰησοῦ Χριστοῦ· χάρις ὑμῖν καὶ εἰρήνη πληθυνθείη.

Εὐλογητὸς ὁ θεὸς καὶ πατὴρ τοῦ κυρίου ἡμῶν Ἰησοῦ 3
Χριστοῦ, ὁ κατὰ τὸ πολὺ αὐτοῦ ἔλεος ἀναγεννήσας ἡμᾶς εἰς
ἐλπίδα ζῶσαν δι᾽ ἀναστάσεως Ἰησοῦ Χριστοῦ ἐκ νεκρῶν,
εἰς κληρονομίαν ἄφθαρτον καὶ ἀμίαντον καὶ ἀμάραντον, 4
τετηρημένην ἐν οὐρανοῖς εἰς ὑμᾶς τοὺς ἐν δυνάμει θεοῦ 5
φρουρουμένους διὰ πίστεως εἰς σωτηρίαν ἑτοίμην ἀποκα-
λυφθῆναι ἐν καιρῷ ἐσχάτῳ. ἐν ᾧ ἀγαλλιᾶσθε, ὀλίγον 6
ἄρτι εἰ δέον λυπηθέντες ἐν ποικίλοις πειρασμοῖς, ἵνα τὸ 7
⌐δοκίμιον⌐ ὑμῶν τῆς πίστεως πολυτιμότερον χρυσίου τοῦ
ἀπολλυμένου διὰ πυρὸς δὲ δοκιμαζομένου εὑρεθῇ εἰς ἔπαινον
καὶ δόξαν καὶ τιμὴν ἐν ἀποκαλύψει Ἰησοῦ Χριστοῦ. ὃν 8
οὐκ ἰδόντες ἀγαπᾶτε, εἰς ὃν ἄρτι μὴ ὁρῶντες πιστεύοντες
δὲ ἀγαλλιᾶτε χαρᾷ ἀνεκλαλήτῳ καὶ δεδοξασμένῃ, κομι- 9
ζόμενοι τὸ τέλος τῆς πίστεως σωτηρίαν ψυχῶν. Περὶ 10
ἧς σωτηρίας ἐξεζήτησαν καὶ ἐξηραύνησαν προφῆται οἱ περὶ
τῆς εἰς ὑμᾶς χάριτος προφητεύσαντες, ἐραυνῶντες εἰς τίνα 11
ἢ ποῖον καιρὸν ⌐ἐδήλου τὸ⌐ ἐν αὐτοῖς πνεῦμα Χριστοῦ προ-
μαρτυρόμενον τὰ εἰς Χριστὸν παθήματα καὶ τὰς μετὰ
ταῦτα δόξας· οἷς ἀπεκαλύφθη ὅτι οὐχ ἑαυτοῖς ὑμῖν δὲ 12
διηκόνουν ⌐αὐτά, ἃ⌐ νῦν ἀνηγγέλη ὑμῖν διὰ τῶν εὐαγγε-

7 †...†   11 ἐδηλοῦτο   12 αὐτα

λισαμένων ὑμᾶς πνεύματι ἁγίῳ ἀποσταλέντι ἀπ᾽ οὐρανοῦ,
εἰς ἃ ἐπιθυμοῦσιν ἄγγελοι παρακύψαι.

13 Διὸ ἀναζωσάμενοι τὰς ὀσφύας τῆς διανοιας ὑμῶν,
νήφοντες τελείως, ἐλπίσατε ἐπὶ τὴν φερομένην ὑμῖν χάριν
14 ἐν ἀποι λυψει Ἰησοῦ Χριστοῦ. ὡς τέκνα ὑπακοῆς, μὴ
συνσχηματιζόμενοι ταῖς πρότερον ἐν τῇ ἀγνοίᾳ ὑμῶν ἐπι-
15 θυμίαις, ἀλλὰ κατὰ τὸν καλέσαντα ὑμᾶς ἅγιον καὶ αὐτοὶ
16 ἅγιοι ἐν πάσῃ ἀναστροφῇ γενήθητε, διότι γέγραπται [ὅτι]
17 Ἅγιοι ἔϲεϲθε, ὅτι ἐγὼ ἅγιοϲ. καὶ εἰ πατέρα ἐπι-
καλεῖϲθε τὸν ἀπροσωπολήμπτως κρίνοντα κατὰ τὸ ἑκά-
στου ἔργον, ἐν φόβῳ τὸν τῆς παροικίας ὑμῶν χρόνον ἀνα-
18 στράφητε· εἰδότες ὅτι οὐ φθαρτοῖς, ἀργυρίῳ ἢ χρυσίῳ,
ἐλυτρώθητε ἐκ τῆς ματαίας ὑμῶν ἀναστροφῆς πατροπαρα-
19 δότου, ἀλλὰ τιμίῳ αἵματι ὡς ἀμνοῦ ἀμώμου καὶ ἀσπίλου
20 Χριστοῦ, προεγνωσμένου μὲν πρὸ καταβολῆς κόσμου,
21 φανερωθέντος δὲ ἐπ᾽ ἐσχάτου τῶν χρόνων δι᾽ ὑμᾶς τοὺς
δι᾽ αὐτοῦ πιστοὺς εἰς θεὸν τὸν ἐγείραντα αὐτὸν ἐκ νεκρῶν
καὶ δόξαν αὐτῷ δόντα, ὥστε τὴν πίστιν ὑμῶν καὶ ἐλπίδα
22 εἶναι εἰς θεόν. Τὰς ψυχὰς ὑμῶν ἡγνικότες
ἐν τῇ ὑπακοῇ τῆς ἀληθείας εἰς φιλαδελφίαν ἀνυπόκριτον
23 ἐκ καρδίας ἀλλήλους ἀγαπήσατε ἐκτενῶς, ἀναγεγεννημέ-
νοι οὐκ ἐκ σπορᾶς φθαρτῆς ἀλλὰ ἀφθάρτου, διὰ λόγου
24 ζῶντοϲ θεοῦ καὶ μένοντοϲ· διότι

πᾶϲα ϲὰρξ ὡϲ χόρτοϲ,
καὶ πᾶϲα Δόξα αὐτῆϲ ὡϲ ἄνθοϲ χόρτου·
ἐξηράνθη ὁ χόρτοϲ,
καὶ τὸ ἄνθοϲ ἐξέπεϲεν·
25 τὸ Δὲ ῥῆμα Κυρίου μένει εἰϲ τὸν αἰῶνα.

1 τοῦτο δέ ἐστιν τὸ ῥῆμα τὸ εὐαγγελισθὲν εἰς ὑμᾶς. Ἀ-
ποθέμενοι οὖν πᾶσαν κακίαν καὶ πάντα δόλον καὶ ⌜ὑπό-
2 κρισιν⌝ καὶ φθόνους καὶ πάσας καταλαλιάς, ὡς ἀρτιγέν-
νητα βρέφη τὸ λογικὸν ἄδολον γάλα ἐπιποθήσατε, ἵνα ἐν
3 αὐτῷ αὐξηθῆτε εἰς σωτηρίαν, εἰ ἐγεύϲαϲθε ὅτι χρηϲτὸϲ

---

1 ὑποκρίσεις

ὁ κΫριοc. πρὸς ὃν προσερχόμενοι, λίθον ζῶντα, ὑπὸ 4
ἀνθρώπων μὲν ἀποΔεΔοκιΜαϲΜέΝΟΝ παρὰ δὲ θεῷ ἐκλε-
κτὸν ἔΝτιΜΟΝ καὶ αὐτοὶ ὡς λίθοι ζῶντες οἰκοδομεῖσθε 5
οἶκος πνευματικὸς εἰς ἱεράτευμα ἅγιον, ἀνενέγκαι πνευ-
ματικὰς θυσίας εὐπροσδέκτους θεῷ διὰ Ἰησοῦ Χριστοῦ·
διότι περιέχει ἐν γραφῇ 6

Ἰ ΔοῪ τίθΗΜι ἐΝ ϹιὼΝ λίθοΝ ἐκλεκτὸΝ ἀκρογωΝι-
αῖοΝ ἔΝτιΜΟΝ,
καὶ ὁ πιϲτεΫωΝ ἐπ᾽ αΫτῷ οΫ Μὴ καταιϲχΥΝθῇ.
ὑμῖν οὖν ἡ τιμὴ τοῖς πιστεύουσιν· ἀπιστοῦσιν δὲ λίθοϲ 7
ὃΝ ἀπεΔοκίΜαϲαΝ οἱ οἰκοΔοΜΟῦΝτεϲ οΫτοϲ ἐγε-
ΝΉθΗ εἰϲ κεφαλὴΝ ΓωΝίαϲ καὶ λίθοϲ προϲκόΜΜα- 8
τοϲ καὶ πέτρα ϲκαΝΔάλοΥ· οἳ προσκόπτουσιν τῷ
λόγῳ ἀπειθοῦντες· εἰς ὃ καὶ ἐτέθησαν. ὑμεῖς δὲ Γέ Νοϲ 9
ἐκλεκτόΝ, Βαϲίλειον ἱεράτεΥΜα, ἔθΝοϲ ἅΓιοΝ,
λαὸϲ εἰϲ περιποίΗϲιΝ, ὅπωϲ τὰϲ ἀρετὰϲ ἐϲ̓αΓΓεί-
λΗτε τοῦ ἐκ ϲκότοΥϲ ὑμᾶϲ καλέϲαΝτοϲ εἰϲ τὸ θαΥΜαϲτὸΝ
αὐτοῦ φῶϲ· οἵ ποτε οΫ λαὸϲ ΝῦΝ δὲ λαὸϲ θεοΫ, οἱ 10
οΫκ ἨλεΗΜέΝοι ΝῦΝ δὲ ἐλεΗθέΝτεϲ.

Ἀγαπητοί, παρακαλῶ ὡς παροίκοΥϲ καὶ παρεπιΔή- 11
ΜοΥϲ ἀπέχεσθαι τῶν σαρκικῶν ἐπιθυμιῶν, αἵτινες στρα-
τεύονται κατὰ τῆς ψυχῆς· τὴν ἀναστροφὴν ὑμῶν ἐν τοῖς 12
ἔθνεσιν ἔχοντες καλήν, ἵνα, ἐν ᾧ καταλαλοῦσιν ὑμῶν ὡς
κακοποιῶν, ἐκ τῶν καλῶν ἔργων ἐποπτεύοντες δοξάσωσι
τὸν θεὸν ἐν Ἡμέρᾳ ἐπιϲκοπῆϲ.

ὙποτάγΗτε πάσῃ ἀνθρωπίνῃ κτίσει διὰ τὸν κύριον· 13
εἴτε βασιλεῖ ὡς ὑπερέχοντι, εἴτε ἡγεμόσιν ὡς δι᾽ αὐτοῦ 14
πεμπομένοις εἰς ἐκδίκησιν κακοποιῶν ἔπαινον δὲ ἀγαθο-
ποιῶν· (ὅτι οὕτως ἐστὶν τὸ θέλημα τοῦ θεοῦ, ἀγαθοποι- 15
οῦντας φιμοῖν τὴν τῶν ἀφρόνων ἀνθρώπων ἀγνωσίαν·)
ὡς ἐλεύθεροι, καὶ μὴ ὡς ἐπικάλυμμα ἔχοντες τῆς κακίας 16
τὴν ἐλευθερίαν, ἀλλ᾽ ὡς θεοῦ δοῦλοι. πάντας τιμήσατε, τὴν 17

24 ὑμῶν   1 καὶ   4 πραέως καὶ ἡσυχίου

ἀδελφότητα ἀγαπᾶτε, ΤῸΝ ΘΕῸΝ ΦΟΒΕῖϹΘΕ, ΤῸΝ ΒαϹΙΛέα
18 τιμᾶτε.   Οἱ οἰκέται ὑποτασσόμενοι ἐν παντὶ
φόβῳ τοῖς δεσπόταις, οὐ μόνον τοῖς ἀγαθοῖς καὶ ἐπιεικέσιν
19 ἀλλὰ καὶ τοῖς σκολιοῖς. τοῦτο γὰρ χάρις εἰ διὰ συνείδησιν
20 θεοῦ ὑποφέρει τις λύπας πάσχων ἀδίκως· ποῖον γὰρ κλέος
εἰ ἁμαρτάνοντες καὶ κολαφιζόμενοι ὑπομενεῖτε; ἀλλ᾽ εἰ ἀγα-
θοποιοῦντες καὶ πάσχοντες ὑπομενεῖτε, τοῦτο χάρις παρὰ
21 θεῷ. εἰς τοῦτο γὰρ ἐκλήθητε, ὅτι καὶ Χριστὸς ἔπαθεν
ὑπὲρ ὑμῶν, ὑμῖν ὑπολιμπάνων ὑπογραμμὸν ἵνα ἐπακολου-
22 θήσητε τοῖς ἴχνεσιν αὐτοῦ· ὃς ἁμαρτίαν ΟΥ̓Κ ἘΠΟΙΗϹΕΝ
23 ΟΥ̓ΔῈ ΕΥ̓ΡΕΘΗ ΔΟΛΟϹ ἘΝ Τῶ ϹΤΟΜΑΤΙ ΑΥ̓ΤΟΥ· ὃς λοιδο-
ρούμενος οὐκ ἀντελοιδόρει, πάσχων οὐκ ἠπείλει, παρεδί-
24 δου δὲ τῷ κρίνοντι δικαίως· ὃς ΤᾺϹ ἁμαρτίαϹ ⌜ἡμῶν⌝ ΑΥ̓ΤῸϹ
ΑΝΗΝΕΓΚΕΝ ἐν τῷ ϹῶΜΑΤΙ αὐτοῦ ἐπὶ τὸ ξύλον, ἵνα ταῖς
ἁμαρτίαις ἀπογενόμενοι τῇ δικαιοσύνῃ ζήσωμεν· οὗ τῷ
25 ΜῶΛωΠΙ ἰΑΘΗΤΕ. ἦτε γὰρ ὡϹ ΠΡΟΒΑΤΑ ΠΛΑΝῶΜΕΝΟΙ,
ἀλλὰ ἐπεστράφητε νῦν ἐπὶ τὸν ποιμένα καὶ ἐπίσκοπον τῶν
1 ψυχῶν ὑμῶν.   Ὁμοίως γυναῖκες ὑποτασσόμεναι
τοῖς ἰδίοις ἀνδράσιν, ἵνα ⌜ εἴ τινες ἀπειθοῦσιν τῷ λόγῳ διὰ
τῆς τῶν γυναικῶν ἀναστροφῆς ἄνευ λόγου κερδηθήσονται
2 ἐποπτεύσαντες τὴν ἐν φόβῳ ἁγνὴν ἀναστροφὴν ὑμῶν.
3 ὧν ἔστω οὐχ ὁ ἔξωθεν ἐμπλοκῆς τριχῶν καὶ περιθέσεως
4 χρυσίων ἢ ἐνδύσεως ἱματίων κόσμος, ἀλλ᾽ ὁ κρυπτὸς τῆς
καρδίας ἄνθρωπος ἐν τῷ ἀφθάρτῳ τοῦ ⌜ἡσυχίου καὶ πραέως⌝
5 πνεύματος, ὅ ἐστιν ἐνώπιον τοῦ θεοῦ πολυτελές. οὕτως γάρ
ποτε καὶ αἱ ἅγιαι γυναῖκες αἱ ἐλπίζουσαι εἰς θεὸν ἐκόσμουν
6 ἑαυτάς, ὑποτασσόμεναι τοῖς ἰδίοις ἀνδράσιν, ⌜ὡς Σάρρα
ὑπήκουεν τῷ Ἀβραάμ, ΚΥΡΙΟΝ αὐτὸν καλοῦσα· ἧς ἐγενή-
θητε τέκνα⌝ ἀγαθοποιοῦσαι καὶ ΜῊ ΦΟΒΟΥΜΕΝΑΙ μηδεμίαν
7 ΠΤΟΗϹΙΝ.   Οἱ ἄνδρες ὁμοίως συνοικοῦντες κατὰ
γνῶσιν, ὡς ἀσθενεστέρῳ σκεύει τῷ γυναικείῳ ἀπονέμοντες
τιμήν, ὡς καὶ ⌜συνκληρονόμοι⌝ χάριτος ζωῆς, εἰς τὸ μὴ
8 ἐγκόπτεσθαι ⌜τὰς προσευχὰς⌝ ὑμῶν.   Τὸ δὲ τέ-

6 (ὡς .... καλοῦσα, ἧς .... τέκνα,)   7 συνκληρονόμοις | ταῖς προσευχαῖς

λος πάντες ὁμόφρονες, συμπαθεῖς, φιλάδελφοι, εὔσπλαγ-
χνοι, ταπεινόφρονες, μὴ ἀποδιδόντες κακὸν ἀντὶ κακοῦ 9
ἢ λοιδορίαν ἀντὶ λοιδορίας τοὐναντίον δὲ εὐλογοῦντες,
ὅτι εἰς τοῦτο ἐκλήθητε ἵνα εὐλογίαν κληρονομήσητε.

ὁ γὰρ θέλων ζωην ἀγαπᾶν   10
  καὶ ἰδεῖν ἡμέρας ἀγαθάς
παυςάτω τὴν γλῶςςαν ἀπὸ κακοῦ
  καὶ χείλη τοῦ μὴ λαλῆςαι Δόλον,
ἐκκλινάτω δὲ ἀπὸ κακοῦ καὶ ποιηςάτω ἀγαθόν, 11
  ζητηςάτω εἰρήνην καὶ Διωξάτω ἀυτήν.
ὅτι ὀφθαλμοὶ Κυρίου ἐπὶ Δικαίους   12
  καὶ ὦτα ἀυτοῦ εἰς Δέηςιν ἀυτῶν,
    πρόςωπον Δὲ Κυρίου ἐπὶ ποιοῦντας κακά.

Καὶ τίς ὁ κακώσων ὑμᾶς ἐὰν τοῦ ἀγαθοῦ ζηλωταὶ 13
γένησθε; ἀλλ᾽ εἰ καὶ πάσχοιτε διὰ δικαιοσύνην, μακάριοι. 14
τὸν Δὲ φόβον ἀυτῶν μὴ φοβηθῆτε μηΔὲ ταραχθῆτε,
κύριον δὲ τὸν Χριστὸν ἁγιάςατε ἐν ταῖς καρδίαις ὑμῶν, 15
ἕτοιμοι ἀεὶ πρὸς ἀπολογίαν παντὶ τῷ αἰτοῦντι ὑμᾶς λόγον
περὶ τῆς ἐν ὑμῖν ἐλπίδος. ἀλλὰ μετὰ πραΰτητος καὶ φόβου,
συνείδησιν ἔχοντες ἀγαθήν, ἵνα ἐν ᾧ καταλαλεῖσθε καται- 16
σχυνθῶσιν οἱ ἐπηρεάζοντες ὑμῶν τὴν ἀγαθὴν ἐν Χριστῷ
ἀναστροφήν. κρεῖττον γὰρ ἀγαθοποιοῦντας, εἰ θέλοι τὸ 17
θέλημα τοῦ θεοῦ, πάσχειν ἢ κακοποιοῦντας. ὅτι καὶ Χρι- 18
στὸς ἅπαξ περὶ ἁμαρτιῶν ⌜ἀπέθανεν⌝, δίκαιος ὑπὲρ ἀδίκων,
ἵνα ὑμᾶς προσαγάγῃ τῷ θεῷ, θανατωθεὶς μὲν σαρκὶ
ζωοποιηθεὶς δὲ πνεύματι· ἐν ᾧ καὶ τοῖς ἐν φυλακῇ πνεύ- 19
μασιν πορευθεὶς ἐκήρυξεν, ἀπειθήσασίν ποτε ὅτε ἀπεξεδέ- 20
χετο ἡ τοῦ θεοῦ μακροθυμία ἐν ἡμέραις Νῶε κατασκευα-
ζομένης κιβωτοῦ εἰς ἣν ὀλίγοι, τοῦτ᾽ ἔστιν ὀκτὼ ψυχαί,
διεσώθησαν δι᾽ ὕδατος. ⌜ὃ⌝ καὶ ὑμᾶς ἀντίτυπον νῦν σῴζει 21
βάπτισμα, οὐ σαρκὸς ἀπόθεσις ῥύπου ἀλλὰ συνειδήσεως
ἀγαθῆς ἐπερώτημα εἰς θεόν, δι᾽ ἀναστάσεως Ἰησοῦ Χριστοῦ,
ὃς ἔστιν ἐν Δεξιᾷ θεοῦ πορευθεὶς εἰς οὐρανὸν ὑποταγέντων 22

18 ἔπαθεν   21 †...†

1 αὐτῷ ἀγγέλων καὶ ἐξουσιῶν καὶ δυνάμεων. Χρι-
στοῦ οὖν παθόντος σαρκὶ καὶ ὑμεῖς τὴν αὐτὴν ἔννοιαν
2 ὁπλίσασθε, ὅτι ὁ παθὼν σαρκὶ πέπαυται ⌜ἁμαρτίαις⌝, εἰς
τὸ μηκέτι ἀνθρώπων ἐπιθυμίαις ἀλλὰ θελήματι θεοῦ τὸν
3 ἐπίλοιπον ἐν σαρκὶ βιῶσαι χρόνον. ἀρκετὸς γὰρ ὁ παρε-
ληλυθὼς χρόνος τὸ βούλημα τῶν ἐθνῶν κατειργάσθαι,
πεπορευμένους ἐν ἀσελγείαις, ἐπιθυμίαις, οἰνοφλυγίαις,
4 κώμοις, πότοις, καὶ ἀθεμίτοις εἰδωλολατρίαις. ἐν ᾧ ξενί-
ζονται μὴ συντρεχόντων ὑμῶν εἰς τὴν αὐτὴν τῆς ἀσωτίας
5 ἀνάχυσιν, βλασφημοῦντες· οἳ ἀποδώσουσιν λόγον τῷ
6 ἑτοίμως κρίνοντι ζῶντας καὶ νεκρούς· εἰς τοῦτο γὰρ καὶ
νεκροῖς εὐηγγελίσθη ἵνα κριθῶσι μὲν κατὰ ἀνθρώπους
σαρκὶ ζῶσι δὲ κατὰ θεὸν πνεύματι.

7 Πάντων δὲ τὸ τέλος ἤγγικεν. σωφρονήσατε οὖν καὶ
8 νήψατε εἰς προσευχάς· πρὸ πάντων τὴν εἰς ἑαυτοὺς ἀγάπην
ἐκτενῆ ἔχοντες, ὅτι ἀγάπη καλύπτει πλῆθος ἁμαρτιῶν·
9
10 φιλόξενοι εἰς ἀλλήλους ἄνευ γογγυσμοῦ· ἕκαστος καθὼς
ἔλαβεν χάρισμα, εἰς ἑαυτοὺς αὐτὸ διακονοῦντες ὡς καλοὶ
11 οἰκονόμοι ποικίλης χάριτος θεοῦ· εἴ τις λαλεῖ, ὡς λόγια
θεοῦ· εἴ τις διακονεῖ, ὡς ἐξ ἰσχύος ἧς χορηγεῖ ὁ θεός· ἵνα
ἐν πᾶσιν δοξάζηται ὁ θεὸς διὰ Ἰησοῦ Χριστοῦ, ᾧ ἐστὶν
ἡ δόξα καὶ τὸ κράτος εἰς τοὺς αἰῶνας τῶν αἰώνων· ἀμήν.

12 Ἀγαπητοί, μὴ ξενίζεσθε τῇ ἐν ὑμῖν πυρώσει πρὸς
πειρασμὸν ὑμῖν γινομένῃ ὡς ξένου ὑμῖν συμβαίνοντος,
13 ἀλλὰ καθὸ κοινωνεῖτε τοῖς τοῦ Χριστοῦ παθήμασιν χαίρετε,
ἵνα καὶ ἐν τῇ ἀποκαλύψει τῆς δόξης αὐτοῦ χαρῆτε ἀγαλ-
14 λιώμενοι. εἰ ὀνειδίζεσθε ἐν ὀνόματι Χριστοῦ, μακάριοι,
ὅτι τὸ τῆς δόξης καὶ τὸ τοῦ θεοῦ πνεῦμα ἐφ᾽ ὑμᾶς
15 ἀναπαύεται. μὴ γάρ τις ὑμῶν πασχέτω ὡς φονεὺς ἢ
16 κλέπτης ἢ κακοποιὸς ἢ ὡς ἀλλοτριεπίσκοπος· εἰ δὲ ὡς
Χριστιανός, μὴ αἰσχυνέσθω, δοξαζέτω δὲ τὸν θεὸν ἐν τῷ
17 ὀνόματι τούτῳ. ὅτι [ὁ] καιρὸς τοῦ ἄρξασθαι τὸ κρίμα

1 ἁμαρτίας

ἀπὸ τοῦ οἴκογ τοῦ θεοῦ· εἰ δὲ πρῶτον ἀφ᾽ ἡμῶν, τί τὸ
τέλος τῶν ἀπειθούντων τῷ τοῦ θεοῦ εὐαγγελίῳ; καὶ εἰ 18
ὁ δίκαιος μόλις σώζεται, ὁ [δὲ] ἀϲεΒΗϲ καὶ ᵀ ἁμαρ-
τωλὸς ποῦ φανεῖται; ὥστε καὶ οἱ πάσχοντες κατὰ 19
τὸ θέλημα τοῦ θεοῦ πιστῷ κτίστῃ παρατιθέσθωσαν τὰς
ψυχὰς ᵀ ἐν ἀγαθοποιίᾳ.

Πρεσβυτέρους οὖν ἐν ὑμῖν παρακαλῶ ὁ συνπρεσβύτε- 1
ρος καὶ μάρτυς τῶν τοῦ Χριστοῦ παθημάτων, ὁ καὶ τῆς
μελλούσης ἀποκαλύπτεσθαι δόξης κοινωνός, ποιμάνατε 2
τὸ ἐν ὑμῖν ποίμνιον τοῦ θεοῦ, μὴ ἀναγκαστῶς ἀλλὰ ἑκου-
σίως, μηδὲ αἰσχροκερδῶς ἀλλὰ προθύμως, μηδ᾽ ὡς κατακυ- 3
ριεύοντες τῶν κλήρων ἀλλὰ τύποι γινόμενοι τοῦ ποιμνίου·
καὶ φανερωθέντος τοῦ ἀρχιποίμενος κομιεῖσθε τὸν ἀμαράν- 4
τινον τῆς δόξης στέφανον. Ὁμοίως, νεώτεροι, ὑποτάγητε 5
πρεσβυτέροις. Πάντες δὲ ἀλλήλοις τὴν ταπεινοφροσύνην
ἐγκομΒώϲαϲθε, ὅτι [ὁ] θεὸϲ ὑπερΗφάνοιϲ ἀντιτάϲϲεται
ταπεινοῖϲ Δὲ Δίδωϲιν χάριν.

Ταπεινώθητε οὖν ὑπὸ τὴν κραταιὰν χεῖρα τοῦ θεοῦ, ἵνα 6
ὑμᾶς ὑψώσῃ ἐν καιρῷ, πᾶσαν τΗν μέριμναν ὑμῶν 7
ἐπιρίψαντες ἐπ᾽ αὐτόν, ὅτι αὐτῷ μέλει περὶ ὑμῶν.
Νήψατε, γρηγορήσατε. ὁ ἀντίδικος ὑμῶν διάβολος ὡς λέων 8
ὠρυόμενος περιπατεῖ ζητῶν ᵀ καταπιεῖν· ᾧ ἀντίστητε 9
στερεοὶ τῇ πίστει, εἰδότες τὰ αὐτὰ τῶν παθημάτων τῇ
ἐν τῷ κόσμῳ ὑμῶν ἀδελφότητι ἐπιτελεῖσθαι. Ὁ δὲ θεὸς 10
πάσης χάριτος, ὁ καλέσας ὑμᾶς εἰς τὴν αἰώνιον αὐτοῦ δόξαν
ἐν ᵀ Χριστῷ, ὀλίγον παθόντας αὐτὸς καταρτίσει, στηρίξει,
σθενώσει. αὐτῷ τὸ κράτος εἰς τοὺς αἰῶνας· ἀμήν. 11

Διὰ Σιλουανοῦ ὑμῖν τοῦ πιστοῦ ἀδελφοῦ, ὡς λογίζομαι, 12
δι᾽ ὀλίγων ἔγραψα, παρακαλῶν καὶ ἐπιμαρτυρῶν ταύτην
εἶναι ἀληθῆ χάριν τοῦ θεοῦ· εἰς ἣν στῆτε. Ἀσπάζεται 13
ὑμᾶς ἡ ἐν Βαβυλῶνι συνεκλεκτὴ καὶ Μάρκος ὁ υἱός
μου. Ἀσπάσασθε ἀλλήλους ἐν φιλήματι ἀγάπης. 14

Εἰρήνη ὑμῖν πᾶσιν τοῖς ἐν Χριστῷ.

18 ὁ 19 αὐτῶν 8 τινὰ 10 τῷ

ΠΕΤΡΟΥ Β

1 ⌜ΣΙΜΩΝ⌝ ΠΕΤΡΟΣ δοῦλος καὶ ἀπόστολος Ἰησοῦ
Χριστοῦ τοῖς ἰσότιμον ἡμῖν λαχοῦσιν πίστιν ἐν δικαιοσύνῃ
2 τοῦ θεοῦ ἡμῶν καὶ σωτῆρος Ἰησοῦ Χριστοῦ· χάρις
ὑμῖν καὶ εἰρήνη πληθυνθείη ἐν ἐπιγνώσει τοῦ θεοῦ καὶ
3 Ἰησοῦ τοῦ κυρίου ἡμῶν, ὡς πάντα ἡμῖν τῆς θείας
δυνάμεως αὐτοῦ τὰ πρὸς ζωὴν καὶ εὐσέβειαν δεδωρημένης
διὰ τῆς ἐπιγνώσεως τοῦ καλέσαντος ἡμᾶς ⌜διὰ δόξης καὶ
4 ἀρετῆς⌝, δι᾽ ὧν τὰ τίμια ⌜καὶ μέγιστα ἡμῖν⌝ ἐπαγγέλματα
δεδώρηται, ἵνα διὰ τούτων γένησθε θείας κοινωνοὶ φύ-
σεως, ἀποφυγόντες τῆς ἐν τῷ κόσμῳ ἐν ἐπιθυμίᾳ
5 φθορᾶς. καὶ αὐτὸ τοῦτο δὲ σπουδὴν πᾶσαν παρεισενέγ-
καντες ἐπιχορηγήσατε ἐν τῇ πίστει ὑμῶν τὴν ἀρετήν, ἐν
6 δὲ τῇ ἀρετῇ τὴν γνῶσιν, ἐν δὲ τῇ γνώσει τὴν ἐγκρά-
τειαν, ἐν δὲ τῇ ἐγκρατείᾳ τὴν ὑπομονήν, ἐν δὲ τῇ
7 ὑπομονῇ τὴν εὐσέβειαν, ἐν δὲ τῇ εὐσεβείᾳ τὴν φιλαδελ-
8 φίαν, ἐν δὲ τῇ φιλαδελφίᾳ τὴν ἀγάπην· ταῦτα γὰρ ὑμῖν
ὑπάρχοντα καὶ πλεονάζοντα οὐκ ἀργοὺς οὐδὲ ἀκάρπους
καθίστησιν εἰς τὴν τοῦ κυρίου ἡμῶν Ἰησοῦ Χριστοῦ ἐπί-
9 γνωσιν· ᾧ γὰρ μὴ πάρεστιν ταῦτα, τυφλός ἐστιν μυωπάζων,
λήθην λαβὼν τοῦ καθαρισμοῦ τῶν πάλαι αὐτοῦ ⌜ἁμαρτιῶν⌝.
10 διὸ μᾶλλον, ἀδελφοί, σπουδάσατε βεβαίαν ὑμῶν τὴν
κλῆσιν καὶ ἐκλογὴν ποιεῖσθαι· ταῦτα γὰρ ποιοῦντες οὐ μὴ
11 πταίσητέ ποτε· οὕτως γὰρ πλουσίως ἐπιχορηγηθήσεται
ὑμῖν ἡ εἴσοδος εἰς τὴν αἰώνιον βασιλείαν τοῦ κυρίου ἡμῶν
καὶ σωτῆρος Ἰησοῦ Χριστοῦ.

ΣΥΜΕΩΝ   3 ἰδίᾳ δόξῃ καὶ ἀρετῇ   4 ἡμῖν καὶ μέγιστα   9 ἁμαρτημάτων

Διὸ μελλήσω ἀεὶ ὑμᾶς ὑπομιμνήσκειν περὶ τούτων, 12
καίπερ εἰδότας καὶ ἐστηριγμένους ἐν τῇ παρούσῃ ἀληθείᾳ.
δίκαιον δὲ ἡγοῦμαι, ἐφ᾽ ὅσον εἰμὶ ἐν τούτῳ τῷ σκηνώματι, 13
διεγείρειν ὑμᾶς ἐν ὑπομνήσει, εἰδὼς ὅτι ταχινή ἐστιν ἡ 14
ἀπόθεσις τοῦ σκηνώματός μου, καθὼς καὶ ὁ κύριος ἡμῶν
Ἰησοῦς Χριστὸς ἐδήλωσέν μοι· σπουδάσω δὲ καὶ ἑκάστοτε 15
ἔχειν ὑμᾶς μετὰ τὴν ἐμὴν ἔξοδον τὴν τούτων μνήμην ποιεῖ-
σθαι. οὐ γὰρ σεσοφισμένοις μύθοις ἐξακολουθήσαντες 16
ἐγνωρίσαμεν ὑμῖν τὴν τοῦ κυρίου ἡμῶν Ἰησοῦ Χριστοῦ δύ-
ναμιν καὶ παρουσίαν, ἀλλ᾽ ἐπόπται γενηθέντες τῆς ἐκείνου
μεγαλειότητος. λαβὼν γὰρ παρὰ θεοῦ πατρὸς τιμὴν καὶ 17
δόξαν φωνῆς ἐνεχθείσης αὐτῷ τοιᾶσδε ὑπὸ τῆς μεγαλοπρε-
ποῦς δόξης Ὁ υἱός μου ὁ ἀγαπητός μου οὗτός ἐστιν, εἰς ὃν
ἐγὼ εὐδόκησα,— καὶ ταύτην τὴν φωνὴν ἡμεῖς ἠκούσαμεν 18
ἐξ οὐρανοῦ ἐνεχθεῖσαν σὺν αὐτῷ ὄντες ἐν τῷ ἁγίῳ ὄρει.
καὶ ἔχομεν βεβαιότερον τὸν προφητικὸν λόγον, ᾧ καλῶς 19
ποιεῖτε προσέχοντες ὡς λύχνῳ φαίνοντι ἐν αὐχμηρῷ τόπῳ,
ἕως οὗ ἡμέρα διαυγάσῃ καὶ φωσφόρος ἀνατείλῃ ἐν ταῖς
καρδίαις ὑμῶν· τοῦτο πρῶτον γινώσκοντες ὅτι πᾶσα 20
προφητεία γραφῆς ἰδίας ἐπιλύσεως οὐ γίνεται, οὐ γὰρ 21
θελήματι ἀνθρώπου ἠνέχθη προφητεία ποτέ, ἀλλὰ ὑπὸ
πνεύματος ἁγίου φερόμενοι ἐλάλησαν ἀπὸ θεοῦ ἄνθρωποι.

Ἐγένοντο δὲ καὶ ψευδοπροφῆται ἐν τῷ λαῷ, ὡς καὶ 1
ἐν ὑμῖν ἔσονται ψευδοδιδάσκαλοι, οἵτινες παρεισάξουσιν
αἱρέσεις ἀπωλείας, καὶ τὸν ἀγοράσαντα αὐτοὺς δεσπότην
ἀρνούμενοι, ἐπάγοντες ἑαυτοῖς ταχινὴν ἀπώλειαν· καὶ 2
πολλοὶ ἐξακολουθήσουσιν αὐτῶν ταῖς ἀσελγείαις, Δι᾽ οὓς
ἡ ὁδὸς τῆς ἀληθείας Βλασφημηθήσεται· καὶ ἐν πλεονεξίᾳ 3
πλαστοῖς λόγοις ὑμᾶς ἐμπορεύσονται· οἷς τὸ κρίμα ἔκπα-
λαι οὐκ ἀργεῖ, καὶ ἡ ἀπώλεια αὐτῶν οὐ νυστάζει. εἰ γὰρ 4
ὁ θεὸς ἀγγέλων ἁμαρτησάντων οὐκ ἐφείσατο, ἀλλὰ σειροῖς
ζόφου ταρταρώσας παρέδωκεν εἰς κρίσιν τηρουμένους, καὶ 5

ἀρχαίου κόσμου οὐκ ἐφείσατο, ἀλλὰ ὄγδοον Νῶε δικαιοσύ-
νης κήρυκα ἐφύλαξεν, κατακλυσμὸν κόσμῳ ἀσεβῶν ἐπάξας,
6 καὶ πόλεις Σοδόμων καὶ Γομόρρας τεφρώσας κατέκρινεν,
7 ὑπόδειγμα μελλόντων ἀσεβέσιν τεθεικώς, καὶ δίκαιον Λὼτ
καταπονούμενον ὑπὸ τῆς τῶν ἀθέσμων ἐν ἀσελγείᾳ ἀνα-
8 στροφῆς ἐρύσατο,— βλέμματι γὰρ καὶ ἀκοῇ ⸀ δίκαιος ἐνκα-
τοικῶν ἐν αὐτοῖς ἡμέραν ἐξ ἡμέρας ψυχὴν δικαίαν ἀνό-
9 μοις ἔργοις ἐβασάνιζεν,— οἶδεν Κύριος εὐσεβεῖς ἐκ πειρα-
σμοῦ ῥύεσθαι, ἀδίκους δὲ εἰς ἡμέραν κρίσεως κολαζομένους
10 τηρεῖν, μάλιστα δὲ τοὺς ὀπίσω σαρκὸς ἐν ἐπιθυμίᾳ μιασμοῦ
πορευομένους καὶ κυριότητος καταφρονοῦντας. τολμηταί,
11 αὐθάδεις, δόξας οὐ τρέμουσιν, βλασφημοῦντες, ὅπου ἄγγε-
λοι ἰσχύϊ καὶ δυνάμει μείζονες ὄντες οὐ φέρουσιν κατ᾽ αὐτῶν
12 [παρὰ Κυρίῳ] βλάσφημον κρίσιν. οὗτοι δέ, ὡς ἄλογα ζῷα
γεγεννημένα φυσικὰ εἰς ἅλωσιν καὶ φθοράν, ἐν οἷς ἀγνοοῦ-
σιν βλασφημοῦντες, ἐν τῇ φθορᾷ αὐτῶν καὶ φθαρήσονται,
13 ἀδικούμενοι μισθὸν ἀδικίας· ἡδονὴν ἡγούμενοι τὴν ἐν
ἡμέρᾳ τρυφήν, σπίλοι καὶ μῶμοι ἐντρυφῶντες ἐν ταῖς
14 ⸀ἀπάταις⸀ αὐτῶν συνευωχούμενοι ὑμῖν, ὀφθαλμοὺς ἔχοντες
μεστοὺς μοιχαλίδος καὶ ἀκαταπάστους ἁμαρτίας, δελεά-
ζοντες ψυχὰς ἀστηρίκτους, καρδίαν γεγυμνασμένην πλεονε-
15 ξίας ἔχοντες, κατάρας τέκνα, ⸀καταλείποντες⸀ εὐθεῖαν ὁδὸν
ἐπλανήθησαν, ἐξακολουθήσαντες τῇ ὁδῷ τοῦ Βαλαὰμ τοῦ
16 ⸀Βεὼρ⸀ ⸀ὃς μισθὸν ἀδικίας ἠγάπησεν⸀ ἔλεγξιν δὲ ἔσχεν
ἰδίας παρανομίας· ὑποζύγιον ἄφωνον ἐν ἀνθρώπου φωνῇ
φθεγξάμενον ἐκώλυσεν τὴν τοῦ προφήτου παραφρονίαν.
17 οὗτοί εἰσιν πηγαὶ ἄνυδροι καὶ ὁμίχλαι ὑπὸ λαίλαπος ἐλαυ-
18 νόμεναι, οἷς ὁ ζόφος τοῦ σκότους τετήρηται. ὑπέρογκα
γὰρ ματαιότητος φθεγγόμενοι δελεάζουσιν ἐν ἐπιθυμίαις
σαρκὸς ἀσελγείαις τοὺς ὀλίγως ἀποφεύγοντας τοὺς ἐν
19 πλάνῃ ἀναστρεφομένους, ἐλευθερίαν αὐτοῖς ἐπαγγελλόμε-
νοι, αὐτοὶ δοῦλοι ὑπάρχοντες τῆς φθορᾶς· ᾧ γάρ τις ἥττη-
20 ται, τούτῳ δεδούλωται. εἰ γὰρ ἀποφυγόντες τὰ μιάσματα

13 ἀγάπαις   15 καταλιπόντες | Βοσορ | μισθὸν ἀδικίας ἠγάπησαν,

τοῦ κόσμου ἐν ἐπιγνώσει τοῦ κυρίου ⌐ καὶ σωτῆρος Ἰησοῦ
Χριστοῦ τούτοις δὲ πάλιν ἐμπλακέντες ἡττῶνται, γέγο-
νεν αὐτοῖς τὰ ἔσχατα χείρονα τῶν πρώτων. κρεῖττον γὰρ 21
ἦν αὐτοῖς μὴ ἐπεγνωκέναι τὴν ὁδὸν τῆς δικαιοσύνης ἢ
ἐπιγνοῦσιν ὑποστρέψαι ἐκ τῆς παραδοθείσης αὐτοῖς ἁγίας
ἐντολῆς· συμβέβηκεν αὐτοῖς τὸ τῆς ἀληθοῦς παροιμίας 22
Κγων ἐπιϲτρέψαϲ ἐπὶ τὸ ἴΔιον ἐξέραΜα, καί Υϲ
λουσαμένη εἰς κυλισμὸν βορβόρου.

Ταύτην ἤδη, ἀγαπητοί, δευτέραν ὑμῖν γραφω ἐπιστολήν, 1
ἐν αἷς διεγείρω ὑμῶν ἐν ὑπομνήσει τὴν εἰλικρινῆ διάνοιαν,
μνησθῆναι τῶν προειρημένων ῥημάτων ὑπὸ τῶν ἁγίων 2
προφητῶν καὶ τῆς τῶν ἀποστόλων ὑμῶν ἐντολῆς τοῦ κυ-
ρίου καὶ σωτῆρος, τοῦτο πρῶτον γινώσκοντες ὅτι ἐλεύ- 3
σονται ἐπ᾽ ἐσχάτων τῶν ἡμερῶν ἐν ἐμπαιγμονῇ ἐμπαῖκται
κατὰ τὰς ἰδίας ἐπιθυμίας αὐτῶν πορευόμενοι καὶ λέγον- 4
τες Ποῦ ἐστὶν ἡ ἐπαγγελία τῆς παρουσίας αὐτοῦ; ἀφ᾽ ἧς
γὰρ οἱ πατέρες ἐκοιμήθησαν, πάντα οὕτως διαμένει ἀπ᾽ ἀρ-
χῆς κτίσεως. λανθάνει γὰρ αὐτοὺς τοῦτο θέλοντας ὅτι 5
οὐρανοὶ ἦσαν ἔκπαλαι καὶ γῆ ἐξ ὕδατος καὶ δι᾽ ὕδατος
⌐συνεστῶσα⌐ τῷ τοῦ θεοῦ λόγῳ, δι᾽ ὧν ὁ τότε κόσμος 6
ὕδατι κατακλυσθεὶς ἀπώλετο· οἱ δὲ νῦν οὐρανοὶ καὶ ἡ 7
γῆ τῷ αὐτῷ λόγῳ τεθησαυρισμένοι εἰσὶν πυρὶ τηρού-
μενοι εἰς ἡμέραν κρίσεως καὶ ἀπωλείας τῶν ἀσεβῶν ἀν-
θρώπων.　　　　ˢΕν δὲ τοῦτο μὴ λανθανέτω ὑμᾶς, 8
ἀγαπητοί, ὅτι μία ἡμέρα παρὰ Κγρίῳ ὡς χίλια ἔτη καὶ
χίλια ἔτη ὡς ἡΜέρα μία. οὐ βραδύνει Κύριος τῆς 9
ἐπαγγελίας, ὥς τινες βραδυτῆτα ἡγοῦνται, ἀλλὰ μα-
κροθυμεῖ εἰς ὑμᾶς, μὴ βουλόμενός τινας ἀπολέσθαι ἀλλὰ
πάντας εἰς μετάνοιαν χωρῆσαι. Ἥξει δὲ ἡμέρα Κυρίου 10
ὡς κλέπτης, ἐν ᾗ οἱ οὐρανοὶ ῥοιζηδὸν παρελεύσονται,
στοιχεῖα δὲ καυσούμενα λυθήσεται, καὶ γῆ καὶ τὰ ἐν
αὐτῇ ἔργα ⌐εὑρεθήσεται⌐. Τούτων οὕτως πάντων λυομένων 11

ποταποὺς δεῖ ὑπάρχειν [ὑμᾶς] ἐν ἁγίαις ἀναστροφαῖς
12 καὶ εὐσεβείαις, προσδοκῶντας καὶ σπεύδοντας τὴν παρου-
σίαν τῆς τοῦ θεοῦ ἡμέρας, δι᾽ ἣν οῦρανοὶ πυρούμενοι
13 λυθήσονται καὶ στοιχεῖα καυσούμενα ⌜τΗκεται⌝· καινοῦc
δὲ οῦρανοῦc καὶ ΓΗν καινΗν κατὰ τὸ ἐπάγγελμα αὐτοῦ
14 προσδοκῶμεν, ἐν οἷς δικαιοσύνη κατοικεῖ.   Διό,
ἀγαπητοί, ταῦτα προσδοκῶντες σπουδάσατε ἄσπιλοι καὶ
15 ἀμώμητοι αὐτῷ εὑρεθῆναι ἐν εἰρήνῃ, καὶ τὴν τοῦ κυρίου
ἡμῶν μακροθυμίαν σωτηρίαν ἡγεῖσθε, καθὼς καὶ ὁ ἀγα-
πητὸς ἡμῶν ἀδελφὸς Παῦλος κατὰ τὴν δοθεῖσαν αὐτῷ
16 σοφίαν ἔγραψεν ὑμῖν, ὡς καὶ ἐν πάσαις ἐπιστολαῖς λαλῶν
ἐν αὐταῖς περὶ τούτων, ἐν αἷς ἐστὶν δυσνόητά τινα,
ἃ οἱ ἀμαθεῖς καὶ ἀστήρικτοι στρεβλοῦσιν ὡς καὶ τὰς
17 λοιπὰς γραφὰς πρὸς τὴν ἰδίαν αὐτῶν ἀπώλειαν. Ὑμεῖς
οὖν, ἀγαπητοί, προγινώσκοντες φυλάσσεσθε ἵνα μὴ τῇ
τῶν ἀθέσμων πλάνῃ συναπαχθέντες ἐκπέσητε τοῦ ἰδίου
18 στηριγμοῦ, αὐξάνετε δὲ ἐν χάριτι καὶ γνώσει τοῦ κυρίου
ἡμῶν καὶ σωτῆρος Ἰησοῦ Χριστοῦ. αὐτῷ ἡ δόξα καὶ
νῦν καὶ εἰς ἡμέραν αἰῶνος.

12 †...†

ΙΩΑΝΟΥ Α

Ο ΗΝ ΑΠ᾽ ΑΡΧΗΣ, ὃ ἀκηκόαμεν, ὃ ἑωράκαμεν τοῖς 1
ὀφθαλμοῖς ἡμῶν, ὃ ἐθεασάμεθα καὶ αἱ χεῖρες ἡμῶν ἐψη-
λάφησαν, περὶ τοῦ λόγου τῆς ζωῆς,— καὶ ἡ ζωὴ ἐφανε- 2
ρώθη, καὶ ἑωράκαμεν καὶ μαρτυροῦμεν καὶ ἀπαγγέλλομεν
ὑμῖν τὴν ζωὴν τὴν αἰώνιον ἥτις ἦν πρὸς τὸν πατέρα καὶ
ἐφανερώθη ἡμῖν,— ὃ ἑωράκαμεν καὶ ἀκηκόαμεν ἀπαγ- 3
γέλλομεν καὶ ὑμῖν, ἵνα καὶ ὑμεῖς κοινωνίαν ἔχητε μεθ᾽ ἡ-
μῶν· καὶ ἡ κοινωνία δὲ ἡ ἡμετέρα μετὰ τοῦ πατρὸς
καὶ μετὰ τοῦ υἱοῦ αὐτοῦ Ἰησοῦ Χριστοῦ· καὶ ταῦτα 4
γράφομεν ἡμεῖς ἵνα ἡ χαρὰ ⌐ἡμῶν⌐ ᾖ πεπληρωμένη.

Καὶ ἔστιν αὕτη ἡ ἀγγελία ἣν ἀκηκόαμεν ἀπ᾽ αὐτοῦ 5
καὶ ἀναγγέλλομεν ὑμῖν, ὅτι ὁ θεὸς φῶς ἐστιν καὶ σκοτία
οὐκ ἔστιν ἐν αὐτῷ οὐδεμία.   Ἐὰν εἴπωμεν ὅτι 6
κοινωνίαν ἔχομεν μετ᾽ αὐτοῦ καὶ ἐν τῷ σκότει περιπατῶ-
μεν, ψευδόμεθα καὶ οὐ ποιοῦμεν τὴν ἀλήθειαν· ἐὰν δὲ ἐν 7
τῷ φωτὶ περιπατῶμεν ὡς αὐτός ἐστιν ἐν τῷ φωτί, κοινω-
νίαν ἔχομεν μετ᾽ ἀλλήλων καὶ τὸ αἷμα Ἰησοῦ τοῦ υἱοῦ
αὐτοῦ καθαρίζει ἡμᾶς ἀπὸ πάσης ἁμαρτίας. Ἐὰν εἴπωμεν 8
ὅτι ἁμαρτίαν οὐκ ἔχομεν, ἑαυτοὺς πλανῶμεν καὶ ἡ ἀλή-
θεια οὐκ ἔστιν ἐν ἡμῖν. ἐὰν ὁμολογῶμεν τὰς ἁμαρτίας 9
ἡμῶν, πιστός ἐστιν καὶ δίκαιος ἵνα ἀφῇ ἡμῖν τὰς ἁμαρ-
τίας καὶ καθαρίσῃ ἡμᾶς ἀπὸ πάσης ἀδικίας. Ἐὰν εἴπω- 10
μεν ὅτι οὐχ ἡμαρτήκαμεν, ψεύστην ποιοῦμεν αὐτὸν καὶ ὁ
λόγος αὐτοῦ οὐκ ἔστιν ἐν ἡμῖν.   Τεκνία μου, 1
ταῦτα γράφω ὑμῖν ἵνα μὴ ἁμάρτητε. καὶ ἐάν τις ἁμάρτῃ,

4 ὑμῶν

παράκλητον ἔχομεν πρὸς τὸν πατέρα Ἰησοῦν Χριστὸν
2 δίκαιον, καὶ αὐτὸς ἱλασμός ἐστιν περὶ τῶν ἁμαρτιῶν
ἡμῶν, οὐ περὶ τῶν ἡμετέρων δὲ ⌐μόνον⌐ ἀλλὰ καὶ περὶ ὅλου
3 τοῦ κόσμου. Καὶ ἐν τούτῳ γινώσκομεν ὅτι ἐγνώκαμεν
4 αὐτόν, ἐὰν τὰς ἐντολὰς αὐτοῦ τηρῶμεν. ὁ λέγων ὅτι
Ἔγνωκα αὐτόν καὶ τὰς ἐντολὰς αὐτοῦ μὴ τηρῶν ψεύστης
5 ἐστίν, καὶ ἐν τούτῳ ἡ ἀλήθεια οὐκ ἔστιν· ὃς δ' ἂν
τηρῇ αὐτοῦ τὸν λόγον, ἀληθῶς ἐν τούτῳ ἡ ἀγάπη τοῦ
θεοῦ τετελείωται. Ἐν τούτῳ γινώσκομεν ὅτι ἐν αὐτῷ
6 ἐσμέν· ὁ λέγων ἐν αὐτῷ μένειν ὀφείλει καθὼς ἐκεῖνος
περιεπάτησεν καὶ αὐτὸς περιπατεῖν.

7   Ἀγαπητοί, οὐκ ἐντολὴν καινὴν γράφω ὑμῖν, ἀλλ' ἐντο-
λὴν παλαιὰν ἣν εἴχετε ἀπ' ἀρχῆς· ἡ ἐντολὴ ἡ παλαιά
8 ἐστιν ὁ λόγος ὃν ἠκούσατε. πάλιν ἐντολὴν καινὴν
γράφω ὑμῖν, ὃ ἐστιν ἀληθὲς ἐν αὐτῷ καὶ ἐν ὑμῖν,
ὅτι ἡ σκοτία παράγεται καὶ τὸ φῶς τὸ ἀληθινὸν ἤδη
9 φαίνει.   Ὁ λέγων ἐν τῷ φωτὶ εἶναι καὶ τὸν
ἀδελφὸν αὐτοῦ μισῶν ἐν τῇ σκοτίᾳ ἐστὶν ἕως ἄρτι.
10 ὁ ἀγαπῶν τὸν ἀδελφὸν αὐτοῦ ἐν τῷ φωτὶ μένει, καὶ σκάν-
11 δαλον ⌐ἐν αὐτῷ οὐκ ἔστιν⌐· ὁ δὲ μισῶν τὸν ἀδελφὸν
αὐτοῦ ἐν τῇ σκοτίᾳ ἐστὶν καὶ ἐν τῇ σκοτίᾳ περιπατεῖ,
καὶ οὐκ οἶδεν ποῦ ὑπάγει, ὅτι ἡ σκοτία ἐτύφλωσεν
12 τοὺς ὀφθαλμοὺς αὐτοῦ.   Γράφω ὑμῖν, τεκνία,
ὅτι ἀφέωνται ὑμῖν αἱ ἁμαρτίαι διὰ τὸ ὄνομα αὐτοῦ·
13 γράφω ὑμῖν, πατέρες, ὅτι ἐγνώκατε τὸν ἀπ' ἀρχῆς·
γράφω ὑμῖν, νεανίσκοι, ὅτι νενικήκατε τὸν πονηρόν.
14 ἔγραψα ὑμῖν, παιδία, ὅτι ἐγνώκατε τὸν πατέρα·
ἔγραψα ὑμῖν, πατέρες, ὅτι ἐγνώκατε τὸν ἀπ' ἀρχῆς·
ἔγραψα ὑμῖν, νεανίσκοι, ὅτι ἰσχυροί ἐστε καὶ ὁ λόγος
[τοῦ θεοῦ] ἐν ὑμῖν μένει καὶ νενικήκατε τὸν πονηρόν.
15 Μὴ ἀγαπᾶτε τὸν κόσμον μηδὲ τὰ ἐν τῷ κόσμῳ. ἐάν τις
ἀγαπᾷ τὸν κόσμον, οὐκ ἔστιν ἡ ἀγάπη τοῦ πατρὸς
16 ἐν αὐτῷ· ὅτι πᾶν τὸ ἐν τῷ κόσμῳ, ἡ ἐπιθυμία τῆς

2 μόνων   10 οὐκ ἔστιν ἐν αὐτῷ

Z

σαρκὸς καὶ ἡ ἐπιθυμία τῶν ὀφθαλμῶν καὶ ἡ ἀλα-
ζονία τοῦ βίου, οὐκ ἔστιν ἐκ τοῦ πατρός, ἀλλὰ ἐκ τοῦ
κόσμου ἐστίν· καὶ ὁ κόσμος παράγεται καὶ ἡ ἐπιθυμία 17
[αὐτοῦ], ὁ δὲ ποιῶν τὸ θέλημα τοῦ θεοῦ μένει εἰς τὸν
αἰῶνα.

Παιδία, ἐσχάτη ὥρα ἐστίν, καὶ καθὼς ἠκούσατε ὅτι 18
ἀντίχριστος ἔρχεται, καὶ νῦν ἀντίχριστοι πολλοὶ γεγόνα-
σιν· ὅθεν γινώσκομεν ὅτι ἐσχάτη ὥρα ἐστίν. ἐξ ἡμῶν 19
ἐξῆλθαν, ἀλλ᾽ οὐκ ἦσαν ἐξ ἡμῶν· εἰ γὰρ ἐξ ἡμῶν ἦσαν,
μεμενήκεισαν ἂν μεθ᾽ ἡμῶν· ἀλλ᾽ ἵνα φανερωθῶσιν ὅτι
οὐκ εἰσὶν πάντες ἐξ ἡμῶν. καὶ ὑμεῖς χρίσμα ἔχετε ἀπὸ 20
τοῦ ἁγίου· ⌈οἴδατε πάντες·⌉ οὐκ ἔγραψα ὑμῖν ὅτι οὐκ οἴ- 21
δατε τὴν ἀλήθειαν. ἀλλ᾽ ὅτι οἴδατε αὐτήν, καὶ ὅτι πᾶν
ψεῦδος ἐκ τῆς ἀληθείας οὐκ ἔστιν.　　　　　Τίς ἐστιν 22
ὁ ψεύστης εἰ μὴ ὁ ἀρνούμενος ὅτι Ἰησοῦς οὐκ ἔστιν
ὁ χριστός; οὗτός ἐστιν ὁ ἀντίχριστος, ὁ ἀρνούμενος τὸν
πατέρα καὶ τὸν υἱόν. πᾶς ὁ ἀρνούμενος τὸν υἱὸν οὐδὲ τὸν 23
πατέρα ἔχει· ὁ ὁμολογῶν τὸν υἱὸν καὶ τὸν πατέρα ἔχει.
Ὑμεῖς ὃ ἠκούσατε ἀπ᾽ ἀρχῆς, ἐν ὑμῖν μενέτω· ἐὰν ἐν 24
ὑμῖν μείνῃ ὃ ἀπ᾽ ἀρχῆς ἠκούσατε, καὶ ὑμεῖς ἐν τῷ υἱῷ
καὶ [ἐν] τῷ πατρὶ μενεῖτε. καὶ αὕτη ἐστὶν ἡ ἐπαγ- 25
γελία ἣν αὐτὸς ἐπηγγείλατο ἡμῖν, τὴν ζωὴν τὴν αἰώνι-
ον.　　　　　Ταῦτα ἔγραψα ὑμῖν περὶ τῶν πλανώντων 26
ὑμᾶς. καὶ ὑμεῖς τὸ χρίσμα ὃ ἐλάβετε ἀπ᾽ αὐτοῦ μένει 27
ἐν ὑμῖν, καὶ οὐ χρείαν ἔχετε ἵνα τις διδάσκῃ ⌈ὑμᾶς· ἀλλ᾽ ὡς
τὸ αὐτοῦ χρίσμα διδάσκει ὑμᾶς περὶ πάντων, καὶ ἀληθές
ἐστιν καὶ οὐκ ἔστιν ψεῦδος,⌉ καὶ καθὼς ἐδίδαξεν ὑμᾶς,
μένετε ἐν αὐτῷ. Καὶ νῦν, τεκνία, μένετε ἐν αὐτῷ, ἵνα 28
ἐὰν φανερωθῇ σχῶμεν παρρησίαν καὶ μὴ αἰσχυνθῶμεν
ἀπ᾽ αὐτοῦ ἐν τῇ παρουσίᾳ αὐτοῦ. ἐὰν εἰδῆτε ὅτι δίκαιός 29
ἐστιν, γινώσκετε ὅτι ⌈πᾶς ὁ ποιῶν τὴν δικαιοσύνην ἐξ
αὐτοῦ γεγέννηται.

20 καὶ οἴδατε πάντα.　　　　27 ὑμᾶς, ἀλλὰ τὸ......ψεῦδος·　　　　29 καὶ

1 Ἴδετε ποταπὴν ἀγάπην δέδωκεν ἡμῖν ὁ πατὴρ ἵνα
τέκνα θεοῦ κληθῶμεν, καί ἐσμεν. διὰ τοῦτο ὁ κόσμος
2 οὐ γινώσκει ἡμᾶς ὅτι οὐκ ἔγνω αὐτόν. Ἀγαπητοί, νῦν
τέκνα θεοῦ ἐσμέν, καὶ οὔπω ἐφανερώθη τί ἐσόμεθα. οἴδα-
μεν ὅτι ἐὰν φανερωθῇ ὅμοιοι αὐτῷ ἐσόμεθα, ὅτι ὀψό-
3 μεθα αὐτὸν καθώς ἐστιν. καὶ πᾶς ὁ ἔχων τὴν ἐλπίδα
ταύτην ἐπ᾽ αὐτῷ ἁγνίζει ἑαυτὸν καθὼς ἐκεῖνος ἁγνός
4 ἐστιν.   Πᾶς ὁ ποιῶν τὴν ἁμαρτίαν καὶ τὴν ἀνο-
5 μίαν ποιεῖ, καὶ ἡ ἁμαρτία ἐστὶν ἡ ἀνομία. καὶ οἴδατε ὅτι
ἐκεῖνος ἐφανερώθη ἵνα τὰς ἁμαρτίας ἄρῃ, καὶ ἁμαρτία ἐν
6 αὐτῷ οὐκ ἔστιν. πᾶς ὁ ἐν αὐτῷ μένων οὐχ ἁμαρτάνει·
πᾶς ὁ ἁμαρτάνων οὐχ ἑώρακεν αὐτὸν οὐδὲ ἔγνωκεν αὐτόν.
7 ⌜Τεκνία⌝, μηδεὶς πλανάτω ὑμᾶς· ὁ ποιῶν τὴν δικαιοσύνην
8 δίκαιός ἐστιν, καθὼς ἐκεῖνος δίκαιός ἐστιν· ὁ ποιῶν τὴν
ἁμαρτίαν ἐκ τοῦ διαβόλου ἐστίν, ὅτι ἀπ᾽ ἀρχῆς ὁ διάβολος
ἁμαρτάνει. εἰς τοῦτο ἐφανερώθη ὁ υἱὸς τοῦ θεοῦ ἵνα λύσῃ
9 τὰ ἔργα τοῦ διαβόλου.   Πᾶς ὁ γεγεννημένος
ἐκ τοῦ θεοῦ ἁμαρτίαν οὐ ποιεῖ, ὅτι σπέρμα αὐτοῦ ἐν αὐτῷ
μένει, καὶ οὐ δύναται ἁμαρτάνειν, ὅτι ἐκ τοῦ θεοῦ γεγέν-
10 νηται. ἐν τούτῳ φανερά ἐστιν τὰ τέκνα τοῦ θεοῦ καὶ
τὰ τέκνα τοῦ διαβόλου· πᾶς ὁ μὴ ποιῶν δικαιοσύνην
οὐκ ἔστιν ἐκ τοῦ θεοῦ, καὶ ὁ μὴ ἀγαπῶν τὸν ἀδελφὸν
11 αὐτοῦ. ὅτι αὕτη ἐστὶν ἡ ἀγγελία ἣν ἠκούσατε ἀπ᾽ ἀρχῆς,
12 ἵνα ἀγαπῶμεν ἀλλήλους· οὐ καθὼς Καὶν ἐκ τοῦ πονηροῦ
ἦν καὶ ἔσφαξεν τὸν ἀδελφὸν αὐτοῦ· καὶ χάριν τίνος
ἔσφαξεν αὐτόν; ὅτι τὰ ἔργα αὐτοῦ πονηρὰ ἦν, τὰ δὲ
τοῦ ἀδελφοῦ αὐτοῦ δίκαια.

13   Μὴ θαυμάζετε, ἀδελφοί, εἰ μισεῖ ὑμᾶς ὁ κόσμος.
14 ἡμεῖς οἴδαμεν ὅτι μεταβεβήκαμεν ἐκ τοῦ θανάτου εἰς τὴν
ζωήν, ὅτι ἀγαπῶμεν τοὺς ἀδελφούς· ὁ μὴ ἀγαπῶν μένει
15 ἐν τῷ θανάτῳ. πᾶς ὁ μισῶν τὸν ἀδελφὸν ⌜αὐτοῦ⌝ ἀν-
θρωποκτόνος ἐστίν, καὶ οἴδατε ὅτι πᾶς ἀνθρωποκτόνος
16 οὐκ ἔχει ζωὴν αἰώνιον ἐν ⌜αὐτῷ⌝ μένουσαν.   Ἐν

7 Παιδία   15 ἑαυτοῦ | ἑαυτῷ

τούτῳ ἐγνώκαμεν τὴν ἀγάπην, ὅτι ἐκεῖνος ὑπὲρ ἡμῶν τὴν ψυχὴν αὐτοῦ ἔθηκεν· καὶ ἡμεῖς ὀφείλομεν ὑπὲρ τῶν ἀδελφῶν τὰς ψυχὰς θεῖναι. ὃς δ' ἂν ἔχῃ τὸν βίον τοῦ 17 κόσμου καὶ θεωρῇ τὸν ἀδελφὸν αὐτοῦ χρείαν ἔχοντα καὶ κλείσῃ τὰ σπλάγχνα αὐτοῦ ἀπ' αὐτοῦ, πῶς ἡ ἀγάπη τοῦ θεοῦ μένει ἐν αὐτῷ; Τεκνία, μὴ ἀγαπῶμεν λόγῳ μηδὲ 18 τῇ γλώσσῃ ἀλλὰ ἐν ἔργῳ καὶ ἀληθείᾳ. Ἐν 19 τούτῳ γνωσόμεθα ὅτι ἐκ τῆς ἀληθείας ἐσμέν, καὶ ἔμ- προσθεν αὐτοῦ πείσομεν τὴν καρδίαν ἡμῶν ὅτι ἐὰν κατα- 20 γινώσκῃ ἡμῶν ἡ καρδία, ὅτι μείζων ἐστὶν ὁ θεὸς τῆς καρ- δίας ἡμῶν καὶ γινώσκει πάντα. Ἀγαπητοί, ἐὰν ἡ καρδία 21 μὴ καταγινώσκῃ, παρρησίαν ἔχομεν πρὸς τὸν θεόν, καὶ 22 ὃ ἂν αἰτῶμεν λαμβάνομεν ἀπ' αὐτοῦ, ὅτι τὰς ἐντολὰς αὐτοῦ τηροῦμεν καὶ τὰ ἀρεστὰ ἐνώπιον αὐτοῦ ποιοῦμεν. καὶ αὕτη ἐστὶν ἡ ἐντολὴ αὐτοῦ, ἵνα ⌜πιστεύσωμεν⌝ τῷ 23 ὀνόματι τοῦ υἱοῦ αὐτοῦ Ἰησοῦ Χριστοῦ καὶ ἀγαπῶμεν ἀλλήλους, καθὼς ἔδωκεν ἐντολὴν ἡμῖν. καὶ ὁ τηρῶν τὰς 24 ἐντολὰς αὐτοῦ ἐν αὐτῷ μένει καὶ αὐτὸς ἐν αὐτῷ· καὶ ἐν τούτῳ γινώσκομεν ὅτι μένει ἐν ἡμῖν, ἐκ τοῦ πνεύματος οὗ ἡμῖν ἔδωκεν.

Ἀγαπητοί, μὴ παντὶ πνεύματι πιστεύετε, ἀλλὰ δοκι- 1 μάζετε τὰ πνεύματα εἰ ἐκ τοῦ θεοῦ ἐστίν, ὅτι πολλοὶ ψευ- δοπροφῆται ἐξεληλύθασιν εἰς τὸν κόσμον. Ἐν 2 τούτῳ γινώσκετε τὸ πνεῦμα τοῦ θεοῦ· πᾶν πνεῦμα ὃ ὁμο- λογεῖ Ἰησοῦν Χριστὸν ἐν σαρκὶ ⌜ἐληλυθότα⌝ ἐκ τοῦ θεοῦ ἐστίν, καὶ πᾶν πνεῦμα ὃ ⌜μὴ ὁμολογεῖ⌝ τὸν Ἰησοῦν ἐκ 3 τοῦ θεοῦ οὐκ ἔστιν· καὶ τοῦτό ἐστιν τὸ τοῦ ἀντιχρίστου, ὃ ἀκηκόατε ὅτι ἔρχεται, καὶ νῦν ἐν τῷ κόσμῳ ἐστὶν ἤδη. Ὑμεῖς ἐκ τοῦ θεοῦ ἐστέ, τεκνία, καὶ νε- 4 νικήκατε αὐτούς, ὅτι μείζων ἐστὶν ὁ ἐν ὑμῖν ἢ ὁ ἐν τῷ κόσμῳ· αὐτοὶ ἐκ τοῦ κόσμου εἰσίν· διὰ τοῦτο ἐκ τοῦ 5 κόσμου λαλοῦσιν καὶ ὁ κόσμος αὐτῶν ἀκούει. ἡμεῖς ἐκ 6

23 πιστεύωμεν   2. ἐληλυθέναι   3 λύει

τοῦ θεοῦ ἐσμέν· ὁ γινώσκων τὸν θεὸν ἀκούει ἡμῶν, ὃς
οὐκ ἔστιν ἐκ τοῦ θεοῦ οὐκ ἀκούει ἡμῶν. ἐκ τούτου
γινώσκομεν τὸ πνεῦμα τῆς ἀληθείας καὶ τὸ πνεῦμα τῆς
πλάνης.

7 Ἀγαπητοί, ἀγαπῶμεν ἀλλήλους, ὅτι ἡ ἀγάπη ἐκ τοῦ
θεοῦ ἐστίν, καὶ πᾶς ὁ ἀγαπῶν ἐκ τοῦ θεοῦ γεγέννηται καὶ
8 γινώσκει τὸν θεόν. ὁ μὴ ἀγαπῶν οὐκ ἔγνω τὸν θεόν, ὅτι
9 ὁ θεὸς ἀγάπη ἐστίν. ἐν τούτῳ ἐφανερώθη ἡ ἀγάπη τοῦ
θεοῦ ἐν ἡμῖν, ὅτι τὸν υἱὸν αὐτοῦ τὸν μονογενῆ ἀπέσταλκεν
10 ὁ θεὸς εἰς τὸν κόσμον ἵνα ζήσωμεν δι᾽ αὐτοῦ. ἐν τούτῳ
ἐστὶν ἡ ἀγάπη, οὐχ ὅτι ἡμεῖς ⌜ἠγαπήκαμεν⌝ τὸν θεόν,
ἀλλ᾽ ὅτι αὐτὸς ἠγάπησεν ἡμᾶς καὶ ἀπέστειλεν τὸν υἱὸν αὐ-
11 τοῦ ἱλασμὸν περὶ τῶν ἁμαρτιῶν ἡμῶν.   Ἀγα-
πητοί, εἰ οὕτως ὁ θεὸς ἠγάπησεν ἡμᾶς, καὶ ἡμεῖς ὀφείλο-
12 μεν ἀλλήλους ἀγαπᾶν. θεὸν οὐδεὶς πώποτε τεθέαται
ἐὰν ἀγαπῶμεν ἀλλήλους, ὁ θεὸς ἐν ἡμῖν μένει καὶ
13 ἀγάπη αὐτοῦ τετελειωμένη ἐν ἡμῖν ἐστίν. ἐν τούτῳ γινώ-
σκομεν ὅτι ἐν αὐτῷ μένομεν καὶ αὐτὸς ἐν ἡμῖν, ὅτι ἐκ τοῦ
14 πνεύματος αὐτοῦ δέδωκεν ἡμῖν. Καὶ ἡμεῖς τεθεάμεθα
καὶ μαρτυροῦμεν ὅτι ὁ πατὴρ ἀπέσταλκεν τὸν υἱὸν σωτῆρα
15 τοῦ κόσμου. ὃς ἐὰν ὁμολογήσῃ ὅτι Ἰησοῦς [Χριστός]
ἐστιν ὁ υἱὸς τοῦ θεοῦ, ὁ θεὸς ἐν αὐτῷ μένει καὶ αὐτὸς
16 ἐν τῷ θεῷ. Καὶ ἡμεῖς ἐγνώκαμεν καὶ πεπιστεύκαμεν
τὴν ἀγάπην ἣν ἔχει ὁ θεὸς ἐν ἡμῖν.   Ὁ θεὸς
ἀγάπη ἐστίν, καὶ ὁ μένων ἐν τῇ ἀγάπῃ ἐν τῷ θεῷ μένει
17 καὶ ὁ θεὸς ἐν αὐτῷ [μένει]. Ἐν τούτῳ τετελείωται ἡ
ἀγάπη μεθ᾽ ἡμῶν, ἵνα παρρησίαν ἔχωμεν ἐν τῇ ἡμέρᾳ
τῆς κρίσεως, ὅτι καθὼς ἐκεῖνός ἐστιν καὶ ἡμεῖς ἐσμὲν
18 ἐν τῷ κόσμῳ τούτῳ. φόβος οὐκ ἔστιν ἐν τῇ ἀγάπῃ,
ἀλλ᾽ ἡ τελεία ἀγάπη ἔξω βάλλει τὸν φόβον, ὅτι ὁ
φόβος κόλασιν ἔχει, ὁ δὲ φοβούμενος οὐ τετελείωται
19 ἐν τῇ ἀγάπῃ. Ἡμεῖς ἀγαπῶμεν, ὅτι αὐτὸς πρῶτος ἠγά-
20 πησεν ἡμᾶς. ἐάν τις εἴπῃ ὅτι Ἀγαπῶ τὸν θεόν, καὶ

10 ἠγαπήσαμεν

τὸν ἀδελφὸν αὐτοῦ μισῇ, ψεύστης ἐστίν· ὁ γὰρ μὴ
ἀγαπῶν τὸν ἀδελφὸν αὐτοῦ ὃν ἑώρακεν, τὸν θεὸν ὃν
οὐχ ἑώρακεν οὐ δύναται ἀγαπᾶν. καὶ ταύτην τὴν 21
ἐντολὴν ἔχομεν ἀπ᾽ αὐτοῦ, ἵνα ὁ ἀγαπῶν τὸν θεὸν
ἀγαπᾷ καὶ τὸν ἀδελφὸν αὐτοῦ.

Πᾶς ὁ πιστεύων ὅτι Ἰησοῦς ἐστιν ὁ χριστὸς ἐκ τοῦ 1
θεοῦ γεγέννηται, καὶ πᾶς ὁ ἀγαπῶν τὸν γεννήσαντα
ἀγαπᾷ τὸν γεγεννημένον ἐξ αὐτοῦ. ἐν τούτῳ γινώ- 2
σκομεν ὅτι ἀγαπῶμεν τὰ τέκνα τοῦ θεοῦ, ὅταν τὸν θεὸν
ἀγαπῶμεν καὶ τὰς ἐντολὰς αὐτοῦ ποιῶμεν· αὕτη γάρ 3
ἐστιν ἡ ἀγάπη τοῦ θεοῦ ἵνα τὰς ἐντολὰς αὐτοῦ τηρῶμεν,
καὶ αἱ ἐντολαὶ αὐτοῦ βαρεῖαι οὐκ εἰσίν, ὅτι πᾶν τὸ γε- 4
γεννημένον ἐκ τοῦ θεοῦ νικᾷ τὸν κόσμον. καὶ αὕτη ἐστὶν
ἡ νίκη ἡ νικήσασα τὸν κόσμον, ἡ πίστις ἡμῶν· τίς 5
ἐστιν [δὲ] ὁ νικῶν τὸν κόσμον εἰ μὴ ὁ πιστεύων ὅτι
Ἰησοῦς ἐστιν ὁ υἱὸς τοῦ θεοῦ; Οὗτός ἐστιν ὁ ἐλθὼν 6
δι᾽ ὕδατος καὶ αἵματος, Ἰησοῦς Χριστός· οὐκ ἐν τῷ ὕδατι
⌜μόνον⌝ ἀλλ᾽ ἐν τῷ ὕδατι καὶ ἐν τῷ αἵματι· καὶ τὸ
πνεῦμά ἐστιν τὸ μαρτυροῦν, ὅτι τὸ πνεῦμά ἐστιν ἡ
ἀλήθεια. ὅτι τρεῖς εἰσιν οἱ μαρτυροῦντες, τὸ πνεῦμα ⁷₈
καὶ τὸ ὕδωρ καὶ τὸ αἷμα, καὶ οἱ τρεῖς εἰς τὸ ἕν εἰσιν.
εἰ τὴν μαρτυρίαν τῶν ἀνθρώπων λαμβάνομεν, ἡ 9
μαρτυρία τοῦ θεοῦ μείζων ἐστίν, ὅτι αὕτη ἐστὶν ἡ
μαρτυρία τοῦ θεοῦ ὅτι μεμαρτύρηκεν περὶ τοῦ υἱοῦ αὐτοῦ.
ὁ πιστεύων εἰς τὸν υἱὸν τοῦ θεοῦ ἔχει τὴν μαρτυρίαν 10
ἐν ⌜αὐτῷ⌝· ὁ μὴ πιστεύων ⌜τῷ θεῷ⌝ ψεύστην πεποίηκεν
αὐτόν, ὅτι οὐ πεπίστευκεν εἰς τὴν μαρτυρίαν ἣν
μεμαρτύρηκεν ὁ θεὸς περὶ τοῦ υἱοῦ αὐτοῦ. καὶ αὕτη 11
ἐστὶν ἡ μαρτυρία, ὅτι ζωὴν αἰώνιον ἔδωκεν ὁ θεὸς
ἡμῖν, καὶ αὕτη ἡ ζωὴ ἐν τῷ υἱῷ αὐτοῦ ἐστιν. ὁ ἔχων 12
τὸν υἱὸν ἔχει τὴν ζωήν· ὁ μὴ ἔχων τὸν υἱὸν τοῦ θεοῦ
τὴν ζωὴν οὐκ ἔχει. Ταῦτα ἔγραψα ὑμῖν 13
ἵνα εἰδῆτε ὅτι ζωὴν ἔχετε αἰώνιον, τοῖς πιστεύουσιν εἰς

6 μόνῳ   10 αὐτῷ | †...†

14 τὸ ὄνομα τοῦ υἱοῦ τοῦ θεοῦ. καὶ αὕτη ἐστὶν ἡ παρρησία
ἣν ἔχομεν πρὸς αὐτόν, ὅτι ἐάν τι αἰτώμεθα κατὰ τὸ
15 θέλημα αὐτοῦ ἀκούει ἡμῶν. καὶ ἐὰν οἴδαμεν ὅτι ἀκούει
ἡμῶν ὃ ἐὰν αἰτώμεθα, οἴδαμεν ὅτι ἔχομεν τὰ αἰτήματα ἃ
16 ᾐτήκαμεν ἀπ᾽ αὐτοῦ. Ἐάν τις ἴδῃ τὸν ἀδελφὸν αὐτοῦ
ἁμαρτάνοντα ἁμαρτίαν μὴ πρὸς θάνατον, αἰτήσει, καὶ
δώσει αὐτῷ ζωήν, τοῖς ἁμαρτάνουσιν μὴ πρὸς θάνατον.
ἔστιν ἁμαρτία πρὸς θάνατον· οὐ περὶ ἐκείνης λέγω ἵνα
17 ἐρωτήσῃ. πᾶσα ἀδικία ἁμαρτία ἐστίν, καὶ ἔστιν ἁμαρτία
18 οὐ πρὸς θάνατον.   Οἴδαμεν ὅτι πᾶς ὁ γεγεν-
νημένος ἐκ τοῦ θεοῦ οὐχ ἁμαρτάνει, ἀλλ᾽ ὁ γεννηθεὶς ἐκ
τοῦ θεοῦ τηρεῖ αὐτόν, καὶ ὁ πονηρὸς οὐχ ἅπτεται αὐτοῦ.
19 οἴδαμεν ὅτι ἐκ τοῦ θεοῦ ἐσμέν, καὶ ὁ κόσμος ὅλος ἐν τῷ
20 πονηρῷ κεῖται. οἴδαμεν δὲ ὅτι ὁ υἱὸς τοῦ θεοῦ ἥκει, καὶ
δέδωκεν ἡμῖν διάνοιαν ἵνα γινώσκομεν τὸν ⌈ἀληθινόν.⌉ καί
ἐσμεν ἐν τῷ ἀληθινῷ, ἐν τῷ υἱῷ αὐτοῦ Ἰησοῦ Χριστῷ.
21 οὗτός ἐστιν ὁ ἀληθινὸς θεὸς καὶ ζωὴ αἰώνιος. Τεκνία,
φυλάξατε ἑαυτὰ ἀπὸ τῶν εἰδώλων.

20 ἀληθινόν,

ΙΩΑΝΟΥ Β

Ο ΠΡΕΣΒΥΤΕΡΟΣ ⌜ἐκλεκτῇ κυρίᾳ⌝ καὶ τοῖς τέκνοις 1
αὐτῆς, οὓς ἐγὼ ἀγαπῶ ἐν ἀληθείᾳ, καὶ οὐκ ἐγὼ μόνος
ἀλλὰ καὶ πάντες οἱ ἐγνωκότες τὴν ἀλήθειαν, διὰ τὴν 2
ἀλήθειαν τὴν μένουσαν ἐν ἡμῖν, καὶ μεθ᾽ ἡμῶν ἔσται εἰς
τὸν αἰῶνα· ἔσται μεθ᾽ ἡμῶν χάρις ἔλεος εἰρήνη παρὰ 3
θεοῦ πατρός, καὶ παρὰ Ἰησοῦ Χριστοῦ τοῦ υἱοῦ τοῦ πατρός,
ἐν ἀληθείᾳ καὶ ἀγάπῃ.

Ἐχάρην λίαν ὅτι εὕρηκα ἐκ τῶν τέκνων σου περιπα- 4
τοῦντας ἐν ἀληθείᾳ, καθὼς ἐντολὴν ἐλάβομεν παρὰ τοῦ
πατρός. καὶ νῦν ἐρωτῶ σε, κυρία, οὐχ ὡς ἐντολὴν 5
γράφων σοι καινὴν ἀλλὰ ἣν εἴχαμεν ἀπ᾽ ἀρχῆς, ἵνα ἀγα-
πῶμεν ἀλλήλους. καὶ αὕτη ἐστὶν ἡ ἀγάπη, ἵνα περι- 6
πατῶμεν κατὰ τὰς ἐντολὰς αὐτοῦ· αὕτη ἡ ἐντολή ἐστιν,
καθὼς ἠκούσατε ἀπ᾽ ἀρχῆς, ἵνα ἐν αὐτῇ περιπατῆτε. ὅτι 7
πολλοὶ πλάνοι ἐξῆλθαν εἰς τὸν κόσμον, οἱ μὴ ὁμολο-
γοῦντες Ἰησοῦν Χριστὸν ἐρχόμενον ἐν σαρκί· οὗτός ἐστιν
ὁ πλάνος καὶ ὁ ἀντίχριστος. βλέπετε ἑαυτούς, ἵνα μὴ 8
ἀπολέσητε ἃ ἠργασάμεθα, ἀλλὰ μισθὸν πλήρη ἀπολά-
βητε. πᾶς ὁ προάγων καὶ μὴ μένων ἐν τῇ διδαχῇ τοῦ 9
χριστοῦ θεὸν οὐκ ἔχει· ὁ μένων ἐν τῇ διδαχῇ, οὗτος καὶ
τὸν πατέρα καὶ τὸν υἱὸν ἔχει. εἴ τις ἔρχεται πρὸς ὑμᾶς 10
καὶ ταύτην τὴν διδαχὴν οὐ φέρει, μὴ λαμβάνετε αὐτὸν
εἰς οἰκίαν καὶ χαίρειν αὐτῷ μὴ λέγετε· ὁ λέγων γὰρ αὐτῷ 11
χαίρειν κοινωνεῖ τοῖς ἔργοις αὐτοῦ τοῖς πονηροῖς.

Πολλὰ ἔχων ὑμῖν γράφειν οὐκ ἐβουλήθην διὰ 12
χάρτου καὶ μέλανος, ἀλλὰ ἐλπίζω γενέσθαι πρὸς ὑμᾶς
καὶ στόμα πρὸς στόμα λαλῆσαι, ἵνα ἡ χαρὰ ⌜ὑμῶν⌝
πεπληρωμένη ᾖ. Ἀσπάζεταί σε τὰ τέκνα τῆς ἀδελφῆς 13
σου τῆς ἐκλεκτῆς.

1 Ἐκλέκτῃ Κυρίᾳ   12 ἡμῶν

ΙΩΑΝΟΥ Γ

1 Ο ΠΡΕΣΒΥΤΕΡΟΣ Γαίῳ τῷ ἀγαπητῷ, ὃν ἐγὼ ἀγαπῶ ἐν ἀληθείᾳ.

2 Ἀγαπητέ, περὶ πάντων εὔχομαί σε εὐοδοῦσθαι καὶ 3 ὑγιαίνειν, καθὼς εὐοδοῦταί σου ἡ ψυχή. ἐχάρην γὰρ λίαν ἐρχομένων ἀδελφῶν καὶ μαρτυρούντων σου τῇ ἀληθείᾳ, 4 καθὼς σὺ ἐν ἀληθείᾳ περιπατεῖς. μειζοτέραν τούτων οὐκ ἔχω ⌜χάριν⌝, ἵνα ἀκούω τὰ ἐμὰ τέκνα ἐν τῇ ἀληθείᾳ 5 περιπατοῦντα. Ἀγαπητέ, πιστὸν ποιεῖς ὃ ἐὰν 6 ἐργάσῃ εἰς τοὺς ἀδελφοὺς καὶ τοῦτο ξένους, οἳ ἐμαρτύρησάν σου τῇ ἀγάπῃ ἐνώπιον ἐκκλησίας, οὓς καλῶς ποιή-7 σεις προπέμψας ἀξίως τοῦ θεοῦ· ὑπὲρ γὰρ τοῦ ὀνόματος 8 ἐξῆλθαν μηδὲν λαμβάνοντες ἀπὸ τῶν ἐθνικῶν. ἡμεῖς οὖν ὀφείλομεν ὑπολαμβάνειν τοὺς τοιούτους, ἵνα συνεργοὶ γινώμεθα τῇ ἀληθείᾳ.

9 Ἔγραψά τι τῇ ἐκκλησίᾳ· ἀλλ' ὁ φιλοπρωτεύων αὐτῶν 10 Διοτρέφης οὐκ ἐπιδέχεται ἡμᾶς. διὰ τοῦτο, ἐὰν ἔλθω, ὑπομνήσω αὐτοῦ τὰ ἔργα ἃ ποιεῖ, λόγοις πονηροῖς φλυαρῶν ἡμᾶς, καὶ μὴ ἀρκούμενος ἐπὶ τούτοις οὔτε αὐτὸς ἐπιδέχεται τοὺς ἀδελφοὺς καὶ τοὺς βουλομένους κωλύει καὶ ἐκ τῆς ἐκκλησίας ἐκβάλλει.

11 Ἀγαπητέ, μὴ μιμοῦ τὸ κακὸν ἀλλὰ τὸ ἀγαθόν. ὁ ἀγαθοποιῶν ἐκ τοῦ θεοῦ ἐστιν· ὁ κακοποιῶν οὐχ ἑώρακεν τὸν 12 θεόν. Δημητρίῳ μεμαρτύρηται ὑπὸ πάντων καὶ ὑπὸ αὐτῆς τῆς ἀληθείας· καὶ ἡμεῖς δὲ μαρτυροῦμεν, καὶ οἶδας ὅτι ἡ μαρτυρία ἡμῶν ἀληθής ἐστιν.

13 Πολλὰ εἶχον γράψαι σοι, ἀλλ' οὐ θέλω διὰ μέλανος 14 καὶ καλάμου σοι γράφειν· ἐλπίζω δὲ εὐθέως σε ἰδεῖν, 15 καὶ στόμα πρὸς στόμα λαλήσομεν. Εἰρήνη σοι. ἀσπάζονταί σε οἱ φίλοι. ἀσπάζου τοὺς φίλους κατ' ὄνομα.

4 χαράν

ΙΟΥΔΑ

ΙΟΥΔΑΣ Ἰησοῦ Χριστοῦ δοῦλος, ἀδελφὸς δὲ Ἰακώ- 1
βου, τοῖς ⸢ἐν θεῷ πατρὶ ἠγαπημένοις καὶ⸣ Ἰησοῦ Χριστῷ
τετηρημένοις κλητοῖς· ἔλεος ὑμῖν καὶ εἰρήνη καὶ ἀγάπη 2
πληθυνθείη.

Ἀγαπητοί, πᾶσαν σπουδὴν ποιούμενος γράφειν ὑμῖν 3
περὶ τῆς κοινῆς ἡμῶν σωτηρίας ἀνάγκην ἔσχον γράψαι
ὑμῖν παρακαλῶν ἐπαγωνίζεσθαι τῇ ἅπαξ παραδοθείσῃ
τοῖς ἁγίοις πίστει. παρεισεδύησαν γάρ τινες ἄνθρωποι, οἱ 4
πάλαι προγεγραμμένοι εἰς τοῦτο τὸ κρίμα, ἀσεβεῖς, τὴν
τοῦ θεοῦ ἡμῶν χάριτα μετατιθέντες εἰς ἀσέλγειαν καὶ τὸν
μόνον δεσπότην καὶ κύριον ἡμῶν Ἰησοῦν Χριστὸν ἀρνού-
μενοι.   Ὑπομνῆσαι δὲ ὑμᾶς βούλομαι, εἰδότας 5
ἅπαξ πάντα, ὅτι ⸢Κύριος⸣ λαὸν ἐκ γῆς Αἰγύπτου σώσας
τὸ δεύτερον τοὺς μὴ πιστεύσαντας ἀπώλεσεν, ἀγγέλους 6
τε τοὺς μὴ τηρήσαντας τὴν ἑαυτῶν ἀρχὴν ἀλλὰ ἀπολι-
πόντας τὸ ἴδιον οἰκητήριον εἰς κρίσιν μεγάλης ἡμέρας
δεσμοῖς ἀϊδίοις ὑπὸ ζόφον τετήρηκεν· ὡς Σόδομα καὶ 7
Γόμορρα καὶ αἱ περὶ αὐτὰς πόλεις, τὸν ὅμοιον τρόπον
τούτοις ἐκπορνεύσασαι καὶ ἀπελθοῦσαι ὀπίσω σαρκὸς
ἑτέρας, πρόκεινται δεῖγμα πυρὸς αἰωνίου δίκην ὑπέχου-
σαι.   Ὁμοίως μέντοι καὶ οὗτοι ἐνυπνιαζόμενοι 8
σάρκα μὲν μιαίνουσιν, κυριότητα δὲ ἀθετοῦσιν, δόξας δὲ
βλασφημοῦσιν. Ὁ δὲ Μιχαὴλ ὁ ἀρχάγγελος, ὅτε τῷ 9
διαβόλῳ διακρινόμενος διελέγετο περὶ τοῦ Μωυσέως σώ-
ματος, οὐκ ἐτόλμησεν κρίσιν ἐπενεγκεῖν βλασφημίας,

10 ἀλλὰ εἶπεν Ἐπιτιμήϲαι ϲοι Κύριος. Οὗτοι δὲ ὅσα
μὲν οὐκ οἴδασιν βλασφημοῦσιν, ὅσα δὲ φυσικῶς ὡς
11 τὰ ἄλογα ζῷα ἐπίστανται, ἐν τούτοις φθείρονται. οὐαὶ
αὐτοῖς, ὅτι τῇ ὁδῷ τοῦ Καὶν ἐπορεύθησαν, καὶ τῇ πλάνῃ
τοῦ Βαλαὰμ μισθοῦ ἐξεχύθησαν, καὶ τῇ ἀντιλογίᾳ τοῦ
12 Κορὲ ἀπώλοντο. οὗτοί εἰσιν οἱ ἐν ταῖς ἀγάπαις ὑμῶν σπι-
λάδες συνευωχούμενοι, ἀφόβως ἑαυτοὺϲ ποιμαίνοντεϲ,
νεφέλαι ἄνυδροι ὑπὸ ἀνέμων παραφερόμεναι, δενδρα
13 φθινοπωρινὰ ἄκαρπα δὶς ἀποθανόντα ἐκριζωθέντα, κύματα
ἄγρια θαλάσσης ἐπαφρίζοντα τὰς ἑαυτῶν αἰσχύνας, ἀστέ-
ρες ⌜πλανῆται οἷς ὁ ζόφος τοῦ⌝ σκότους εἰς αἰῶνα τετήρη-
14 ται. Ἐπροφήτευσεν δὲ καὶ τούτοις ἕβδομος
ἀπὸ Ἀδὰμ Ἑνὼχ λέγων Ἰδοὺ ἦλθεν Κύριος ἐν ἁγίαιϲ
15 μυριάϲιν αὐτοῦ, ποιῆσαι κρίσιν κατὰ πάντων καὶ ἐλέγξαι
πάντας τοὺς ἀσεβεῖς περὶ πάντων τῶν ἔργων ἀσεβείας
αὐτῶν ὧν ἠσέβησαν καὶ περὶ πάντων τῶν σκληρῶν ὧν
16 ἐλάλησαν κατ' αὐτοῦ ἁμαρτωλοὶ ἀσεβεῖς.   Οὗ-
τοί εἰσιν γογγυσταί, μεμψίμοιροι, κατὰ τὰς ἐπιθυμίας
αὐτῶν πορευόμενοι, καὶ τὸ στόμα αὐτῶν λαλεῖ ὑπέρογκα,
θαυμάζοντες πρόσωπα ὠφελίας χάριν.

17 Ὑμεῖς δέ, ἀγαπητοί, μνήσθητε τῶν ῥημάτων τῶν προει-
ρημένων ὑπὸ τῶν ἀποστόλων τοῦ κυρίου ἡμῶν Ἰησοῦ
18 Χριστοῦ· ὅτι ἔλεγον ὑμῖν Ἐπ' ἐσχάτου χρόνου ἔσονται
ἐμπαῖκται κατὰ τὰς ἑαυτῶν ἐπιθυμίας πορευόμενοι τῶν
19 ἀσεβειῶν. Οὗτοί εἰσιν οἱ ἀποδιορίζοντες, ψυχικοί, πνεῦ-
20 μα μὴ ἔχοντες. Ὑμεῖς δέ, ἀγαπητοί, ἐποικοδομοῦντες
ἑαυτοὺς τῇ ἁγιωτάτῃ ὑμῶν πίστει, ἐν πνεύματι ἁγίῳ
21 προσευχόμενοι, ἑαυτοὺς ἐν ἀγάπῃ θεοῦ τηρήσατε προσ-
δεχόμενοι τὸ ἔλεος τοῦ κυρίου ἡμῶν Ἰησοῦ Χριστοῦ
22 εἰς ζωὴν αἰώνιον. Καὶ οὓς μὲν ⌜ἐλεᾶτε διακρινομένους
23 σώζετε ἐκ πυρὸϲ ἁρπάζοντες, οὓς δὲ ἐλεᾶτε⌝ ἐν φόβῳ,
μισοῦντες καὶ τὸν ἀπὸ τῆς σαρκὸς ἐϲπιλωμένον
χιτῶνα.

13 πλάνητες οἷς ζόφος   22 †...†

Τῷ δὲ δυναμένῳ φυλάξαι ὑμᾶς ἀπταίστους καὶ 24
στῆσαι κατενώπιον τῆς δόξης αὐτοῦ ἀμώμους ἐν ἀγαλ-
λιάσει μόνῳ θεῷ σωτῆρι ἡμῶν διὰ Ἰησοῦ Χριστοῦ 25
τοῦ κυρίου ἡμῶν δόξα μεγαλωσύνη κράτος καὶ ἐξουσία
πρὸ παντὸς τοῦ αἰῶνος καὶ νῦν καὶ εἰς πάντας τοὺς
αἰῶνας· ἀμήν.

ΕΠΙΣΤΟΛΑΙ ΠΑΥΛΟΥ

ΠΡΟΣ   ΡΩΜΑΙΟΥΣ

ΠΡΟΣ   ΚΟΡΙΝΘΙΟΥΣ Α

ΠΡΟΣ   ΚΟΡΙΝΘΙΟΥΣ Β

ΠΡΟΣ   ΓΑΛΑΤΑΣ

ΠΡΟΣ   ΕΦΕΣΙΟΥΣ

ΠΡΟΣ   ΦΙΛΙΠΠΗΣΙΟΥΣ

ΠΡΟΣ   ΚΟΛΑΣΣΑΕΙΣ

ΠΡΟΣ   ΘΕΣΣΑΛΟΝΙΚΕΙΣ Α

ΠΡΟΣ   ΘΕΣΣΑΛΟΝΙΚΕΙΣ Β

ΠΡΟΣ   ΕΒΡΑΙΟΥΣ

ΠΡΟΣ   ΤΙΜΟΘΕΟΝ Α

ΠΡΟΣ   ΤΙΜΟΘΕΟΝ Β

ΠΡΟΣ   ΤΙΤΟΝ

ΠΡΟΣ   ΦΙΛΗΜΟΝΑ

ΠΡΟΣ ΡΩΜΑΙΟΥΣ

1 ΠΑΥΛΟΣ δοῦλος ⌜Ἰησοῦ Χριστοῦ⌝, κλητὸς ἀπόστολος,
2 ἀφωρισμένος εἰς εὐαγγέλιον θεοῦ ὃ προεπηγγείλατο διὰ
3 τῶν προφητῶν αὐτοῦ ἐν γραφαῖς ἁγίαις περὶ τοῦ υἱοῦ
αὐτοῦ, τοῦ γενομένου ἐκ σπέρματος Δαυεὶδ κατὰ σάρκα,
4 τοῦ ὁρισθέντος υἱοῦ θεοῦ ἐν δυνάμει κατὰ πνεῦμα ἁγιωσύ-
νης ἐξ ἀναστάσεως νεκρῶν, Ἰησοῦ Χριστοῦ τοῦ κυρίου
5 ἡμῶν, δι᾽ οὗ ἐλάβομεν χάριν καὶ ἀποστολὴν εἰς ὑπα-
κοὴν πίστεως ἐν πᾶσιν τοῖς ἔθνεσιν ὑπὲρ τοῦ ὀνόματος
6 αὐτοῦ, ἐν οἷς ἐστὲ καὶ ὑμεῖς κλητοὶ Ἰησοῦ Χριστοῦ,
7 πᾶσιν τοῖς οὖσιν ἐν Ῥώμῃ ἀγαπητοῖς θεοῦ, κλητοῖς ἁγίοις·
χάρις ὑμῖν καὶ εἰρήνη ἀπὸ θεοῦ πατρὸς ἡμῶν καὶ κυρίου
Ἰησοῦ Χριστοῦ.

8 Πρῶτον μὲν εὐχαριστῶ τῷ θεῷ μου διὰ Ἰησοῦ
Χριστοῦ περὶ πάντων ὑμῶν, ὅτι ἡ πίστις ὑμῶν καταγγέλ-
9 λεται ἐν ὅλῳ τῷ κόσμῳ. μάρτυς γάρ μού ἐστιν ὁ θεός,
ᾧ λατρεύω ἐν τῷ πνεύματί μου ἐν τῷ εὐαγγελίῳ τοῦ
10 υἱοῦ αὐτοῦ, ὡς ἀδιαλείπτως μνείαν ὑμῶν ποιοῦμαι πάν-
τοτε ἐπὶ τῶν προσευχῶν μου, δεόμενος εἴ πως ἤδη ποτὲ
εὐοδωθήσομαι ἐν τῷ θελήματι τοῦ θεοῦ ἐλθεῖν πρὸς ὑμᾶς.
11 ἐπιποθῶ γὰρ ἰδεῖν ὑμᾶς, ἵνα τι μεταδῶ χάρισμα ὑμῖν
12 πνευματικὸν εἰς τὸ στηριχθῆναι ὑμᾶς, τοῦτο δέ ἐστιν
συνπαρακληθῆναι ἐν ὑμῖν διὰ τῆς ἐν ἀλλήλοις πίστεως

1 Χριστοῦ Ἰησοῦ

ὑμῶν τε καὶ ἐμοῦ. οὐ θέλω δὲ ὑμᾶς ἀγνοεῖν, ἀδελφοί, ὅτι 13
πολλάκις προεθέμην ἐλθεῖν πρὸς ὑμᾶς, καὶ ἐκωλύθην ἄχρι
τοῦ δεῦρο, ἵνα τινὰ καρπὸν σχῶ καὶ ἐν ὑμῖν καθὼς
καὶ ἐν τοῖς λοιποῖς ἔθνεσιν.   Ἕλλησίν 14
τε καὶ βαρβάροις, σοφοῖς τε καὶ ἀνοήτοις ὀφειλέτης εἰμί·
οὕτω τὸ κατ᾽ ἐμὲ πρόθυμον καὶ ὑμῖν τοῖς ἐν Ῥώμῃ εὐαγ- 15
γελίσασθαι. οὐ γὰρ ἐπαισχύνομαι τὸ εὐαγγέλιον, δύναμις 16
γὰρ θεοῦ ἐστὶν εἰς σωτηρίαν παντὶ τῷ πιστεύοντι, Ἰουδαίῳ
τε [πρῶτον] καὶ Ἕλληνι· δικαιοσύνη γὰρ θεοῦ ἐν αὐτῷ 17
ἀποκαλύπτεται ἐκ πίστεως εἰς πίστιν, καθὼς γέγραπται
Ὁ δὲ δίκαιος ἐκ πίστεως ζήσεται.

Ἀποκαλύπτεται γὰρ ὀργὴ θεοῦ ἀπ᾽ οὐρανοῦ ἐπὶ 18
πᾶσαν ἀσέβειαν καὶ ἀδικίαν ἀνθρώπων τῶν τὴν ἀλήθειαν
ἐν ἀδικίᾳ κατεχόντων, διότι τὸ γνωστὸν τοῦ θεοῦ φανερόν 19
ἐστιν ἐν αὐτοῖς, ὁ θεὸς γὰρ αὐτοῖς ἐφανέρωσεν. τὰ 20
γὰρ ἀόρατα αὐτοῦ ἀπὸ κτίσεως κόσμου τοῖς ποιήμασιν
νοούμενα καθορᾶται, ἥ τε ἀΐδιος αὐτοῦ δύναμις καὶ
θειότης, εἰς τὸ εἶναι αὐτοὺς ἀναπολογήτους, διότι γνόντες 21
τὸν θεὸν οὐχ ὡς θεὸν ἐδόξασαν ἢ ηὐχαρίστησαν, ἀλλὰ
ἐματαιώθησαν ἐν τοῖς διαλογισμοῖς αὐτῶν καὶ ἐσκοτίσθη
ἡ ἀσύνετος αὐτῶν καρδία· φάσκοντες εἶναι σοφοὶ ἐμω- 22
ράνθησαν, καὶ ΗΛΛΑΞΑΝ ΤΗΝ ΔΟΞΑΝ τοῦ ἀφθάρτου θεοῦ 23
ἐν ὉΜΟΙΩΜΑΤΙ εἰκόνος φθαρτοῦ ἀνθρώπου καὶ πετεινῶν
καὶ τετραπόδων καὶ ἑρπετῶν.   Διὸ παρέδωκεν 24
αὐτοὺς ὁ θεὸς ἐν ταῖς ἐπιθυμίαις τῶν καρδιῶν αὐτῶν
εἰς ἀκαθαρσίαν τοῦ ἀτιμάζεσθαι τὰ σώματα αὐτῶν ἐν
αὐτοῖς, οἵτινες μετήλλαξαν τὴν ἀλήθειαν τοῦ θεοῦ ἐν τῷ 25
ψεύδει, καὶ ἐσεβάσθησαν καὶ ἐλάτρευσαν τῇ κτίσει παρὰ
τὸν κτίσαντα, ὅς ἐστιν εὐλογητὸς εἰς τοὺς αἰῶνας· ἀμήν.
Διὰ τοῦτο παρέδωκεν αὐτοὺς ὁ θεὸς εἰς πάθη ἀτιμίας· 26
αἵ τε γὰρ θήλειαι αὐτῶν μετήλλαξαν τὴν φυσικὴν χρῆσιν
εἰς τὴν παρὰ φύσιν, ὁμοίως τε καὶ οἱ ἄρσενες ἀφέντες τὴν 27
φυσικὴν χρῆσιν τῆς θηλείας ἐξεκαύθησαν ἐν τῇ ὀρέξει

20 κακίᾳ πονηρίᾳ πλεονεξίᾳ v. πονηρίᾳ κακίᾳ πλεονεξίᾳ

αὐτῶν εἰς ἀλλήλους ἄρσενες ἐν ἄρσεσιν, τὴν ἀσχημο-
σύνην κατεργαζόμενοι καὶ τὴν ἀντιμισθίαν ἣν ἔδει τῆς
28 πλάνης αὐτῶν ἐν αὑτοῖς ἀπολαμβάνοντες. Καὶ καθὼς
οὐκ ἐδοκίμασαν τὸν θεὸν ἔχειν ἐν ἐπιγνώσει, παρέδω-
κεν αὐτοὺς ὁ θεὸς εἰς ἀδόκιμον νοῦν, ποιεῖν τὰ μὴ καθή-
29 κοντα, πεπληρωμένους πάσῃ ἀδικίᾳ ⌐πονηρίᾳ πλεονεξίᾳ
κακίᾳ⌐, μεστοὺς φθόνου φόνου ἔριδος δόλου κακοηθίας,
30 ψιθυριστάς, καταλάλους, θεοστυγεῖς, ὑβριστάς, ὑπερηφά-
νους, ἀλαζόνας, ἐφευρετὰς κακῶν, γονεῦσιν ἀπειθεῖς,
31 ἀσυνέτους, ἀσυνθέτους, ἀστόργους, ἀνελεήμονας· οἵτινες
32 τὸ δικαίωμα τοῦ θεοῦ ⌐ἐπιγνόντες⌐, ⌐ὅτι οἱ τὰ τοιαῦτα
πράσσοντες ἄξιοι θανάτου εἰσίν, οὐ μόνον αὐτὰ ποιοῦσιν
ἀλλὰ καὶ συνευδοκοῦσιν τοῖς⌐ πράσσουσιν.

1 Διὸ ἀναπολόγητος εἶ, ὦ ἄνθρωπε πᾶς ὁ κρίνων· ἐν ᾧ
γὰρ κρίνεις τὸν ἕτερον, σεαυτὸν κατακρίνεις, τὰ γὰρ αὐτὰ
2 πράσσεις ὁ κρίνων· οἴδαμεν ⌐δὲ⌐ ὅτι τὸ κρίμα τοῦ θεοῦ
ἐστὶν κατὰ ἀλήθειαν ἐπὶ τοὺς τὰ τοιαῦτα πράσσοντας.
3 λογίζῃ δὲ τοῦτο, ὦ ἄνθρωπε ὁ κρίνων τοὺς τὰ τοιαῦτα
πράσσοντας καὶ ποιῶν αὐτά, ὅτι σὺ ἐκφεύξῃ τὸ κρίμα τοῦ
4 θεοῦ; ἢ τοῦ πλούτου τῆς χρηστότητος αὐτοῦ καὶ τῆς ἀνο-
χῆς καὶ τῆς μακροθυμίας καταφρονεῖς, ἀγνοῶν ὅτι τὸ
5 χρηστὸν τοῦ θεοῦ εἰς μετάνοιάν σε ἄγει; κατὰ δὲ τὴν
σκληρότητά σου καὶ ἀμετανόητον καρδίαν θησαυρίζεις
σεαυτῷ ὀργὴν ἐν ἡμέρᾳ ὀργῆς καὶ ἀποκαλύψεως δικαιο-
6 κρισίας τοῦ θεοῦ, ὃς ἀποδώσει ἑκάστῳ κατὰ τὰ ἔργα
7 αὐτοῦ· τοῖς μὲν καθ' ὑπομονὴν ἔργου ἀγαθοῦ δόξαν καὶ
8 τιμὴν καὶ ἀφθαρσίαν ζητοῦσιν ζωὴν αἰώνιον· τοῖς δὲ ἐξ
ἐριθίας καὶ ἀπειθοῦσι τῇ ἀληθείᾳ πειθομένοις δὲ τῇ ἀδικίᾳ
9 ὀργὴ καὶ θυμός, θλίψις καὶ στενοχωρία, ἐπὶ πᾶσαν ψυχὴν
ἀνθρώπου τοῦ κατεργαζομένου τὸ κακόν, Ἰουδαίου τε πρῶ-
10 τον καὶ Ἕλληνος· δόξα δὲ καὶ τιμὴ καὶ εἰρήνη παντὶ τῷ
11 ἐργαζομένῳ τὸ ἀγαθόν, Ἰουδαίῳ τε πρῶτον καὶ Ἕλληνι· οὐ
12 γάρ ἐστιν προσωπολημψία παρὰ τῷ θεῷ. Ὅσοι

32 ἐπιγινώσκοντες | †...† 2 γὰρ

γὰρ ἀνόμως ἥμαρτον, ἀνόμως καὶ ἀπολοῦνται· καὶ ὅσοι ἐν
νόμῳ ἥμαρτον, διὰ νόμου κριθήσονται· οὐ γὰρ οἱ ἀκροαταὶ 13
νόμου δίκαιοι παρὰ [τῷ] θεῷ, ἀλλ᾽ οἱ ποιηταὶ νόμου δικαιω-
θήσονται. ὅταν γὰρ ἔθνη τὰ μὴ νόμον ἔχοντα φύσει τὰ 14
τοῦ νόμου ποιῶσιν, οὗτοι νόμον μὴ ἔχοντες ἑαυτοῖς εἰσὶν
νόμος· οἵτινες ἐνδείκνυνται τὸ ἔργον τοῦ νόμου γραπτὸν ἐν 15
ταῖς καρδίαις αὐτῶν, συνμαρτυρούσης αὐτῶν τῆς συνειδή-
σεως καὶ μεταξὺ ἀλλήλων τῶν λογισμῶν κατηγορούντων ἢ
καὶ ἀπολογουμένων, ἐν ⌜ᾗ ἡμέρᾳ⌝ ⌜κρίνει⌝ ὁ θεὸς τὰ κρυπτὰ 16
τῶν ἀνθρώπων κατὰ τὸ εὐαγγέλιόν μου διὰ ⌜Χριστοῦ Ἰησοῦ⌝.

Εἰ δὲ σὺ Ἰουδαῖος ἐπονομάζῃ καὶ ἐπαναπαύῃ νόμῳ καὶ 17
καυχᾶσαι ἐν θεῷ καὶ γινώσκεις τὸ θέλημα καὶ δοκιμάζεις 18
τὰ διαφέροντα κατηχούμενος ἐκ τοῦ νόμου, πέποιθάς τε 19
σεαυτὸν ὁδηγὸν εἶναι τυφλῶν, φῶς τῶν ἐν σκότει, παιδευ- 20
τὴν ἀφρόνων, διδάσκαλον νηπίων, ἔχοντα τὴν μόρφωσιν
τῆς γνώσεως καὶ τῆς ἀληθείας ἐν τῷ νόμῳ,— ὁ οὖν διδά- 21
σκων ἕτερον σεαυτὸν οὐ διδάσκεις; ὁ κηρύσσων μὴ κλέπτειν
κλέπτεις; ὁ λέγων μὴ μοιχεύειν μοιχεύεις; ὁ βδελυσσό- 22
μενος τὰ εἴδωλα ἱεροσυλεῖς; ὃς ἐν νόμῳ καυχᾶσαι, διὰ τῆς 23
παραβάσεως τοῦ νόμου τὸν θεὸν ἀτιμάζεις; τὸ γὰρ ὄνομα 24
ΤΟΥ ΘΕΟΥ Δι᾽ ΥΜΑⲤ ΒΛΑⲤΦΗΜΕῖΤΑΙ ἐΝ ΤΟῖⲤ ἔΘΝΕⲤΙΝ,
καθὼς γέγραπται. περιτομὴ μὲν γὰρ ὠφελεῖ ἐὰν νόμον 25
πράσσῃς· ἐὰν δὲ παραβάτης νόμου ᾖς, ἡ περιτομή σου
ἀκροβυστία γέγονεν. ἐὰν οὖν ἡ ἀκροβυστία τὰ δικαιώ- 26
ματα τοῦ νόμου φυλάσσῃ, οὐχ ἡ ἀκροβυστία αὐτοῦ εἰς
περιτομὴν λογισθήσεται; καὶ κρινεῖ ἡ ἐκ φύσεως ἀκρο- 27
βυστία τὸν νόμον τελοῦσα σὲ τὸν διὰ γράμματος καὶ
περιτομῆς παραβάτην νόμου. οὐ γὰρ ὁ ἐν τῷ φανερῷ 28
Ἰουδαῖός ἐστιν, οὐδὲ ἡ ἐν τῷ φανερῷ ἐν σαρκὶ περιτομή·
ἀλλ᾽ ὁ ἐν τῷ κρυπτῷ Ἰουδαῖος, καὶ περιτομὴ καρδίας ἐν 29
πνεύματι οὐ γράμματι, οὗ ὁ ἔπαινος οὐκ ἐξ ἀνθρώπων
ἀλλ᾽ ἐκ τοῦ θεοῦ. Τί οὖν τὸ περισσὸν τοῦ Ἰου- 1
δαίου, ἢ τίς ἡ ὠφελία τῆς περιτομῆς; πολὺ κατὰ πάντα 2

16 ἡμέρᾳ ᾗ v. ἡμέρᾳ ὅτε | κρινεῖ | Ἰησοῦ Χριστοῦ

τρόπον. πρῶτον μὲν [γὰρ] ὅτι ἐπιστεύθησαν τὰ λόγια
3 τοῦ θεοῦ. τί γάρ; εἰ ἠπίστησάν τινες, μὴ ἡ ἀπιστία
4 αὐτῶν τὴν πίστιν τοῦ θεοῦ καταργήσει; μὴ γένοιτο· γινέ-
σθω δὲ ὁ θεὸς ἀληθής, πᾶς δὲ ἄνθρωπος ψεύcτηc,
καθάπερ γέγραπται
        Ὅπωc ἂν ΔΙΚΑΙωθῆc ἐν τοῖc λόΓοιc cου
        καὶ ΝΙΚΉcειc ἐν τῷ ΚΡΊΝΕcθαί cε.
5 εἰ δὲ ἡ ἀδικία ἡμῶν θεοῦ δικαιοσύνην συνίστησιν, τί
ἐροῦμεν; μὴ ἄδικος ὁ θεὸς ὁ ἐπιφέρων τὴν ὀργήν; κατὰ
6 ἄνθρωπον λέγω. μὴ γένοιτο· ἐπεὶ πῶς κρινεῖ ὁ θεὸς τὸν
7 κόσμον; εἰ ⌜δὲ⌝ ἡ ἀλήθεια τοῦ θεοῦ ἐν τῷ ἐμῷ ψεύσματι
ἐπερίσσευσεν εἰς τὴν δόξαν αὐτοῦ, τί ἔτι κἀγὼ ὡς ἁμαρ-
8 τωλὸς κρίνομαι, καὶ μὴ καθὼς βλασφημούμεθα [καὶ] καθώς
φασίν τινες ἡμᾶς λέγειν ὅτι   Ποιήσωμεν τὰ κακὰ ἵνα ἔλθῃ
τὰ ἀγαθά; ὧν τὸ κρίμα ἔνδικόν ἐστιν.
9   Τί οὖν; προεχόμεθα; οὐ πάντως, προῃτιασάμεθα γὰρ
Ἰουδαίους τε καὶ Ἕλληνας πάντας ὑφ' ἁμαρτίαν εἶναι,
10 καθὼς γέγραπται ὅτι
        Οὐκ ἔcτιν Δίκαιοc οὐδὲ εἷc,
11   οὐκ ἔcτιν ⌜cΥΝΊων, οὐκ ἔcτιν⌝ ⌜ἐκΖΗΤῶΝ⌝ τὸΝ
                                                θεόΝ·
12   πάΝΤεc ἐξέΚλιΝαΝ, ἅΜα ΗὐχρεώθΗcαν·
        οὐκ ἔcτιν ᵀ ποιῶΝ ⌜χρΗcτότΗτα, οὐκ ἔcτιν ἕωc
                                                ἑΝόc.
13   τάφοc ἀΝεωγΜέΝοc ὁ λάρΥΓΞ αὐτῶΝ,
        ταῖc Γλώccαιc αὐτῶΝ ἐΔολιοῦcαΝ,
        ἰὸc ἀcπίΔωΝ ὑπὸ τὰ χείλΗ αὐτῶΝ,
14   ὧΝ τὸ cτόΜα ᵀ ἀρᾶc καὶ πικρίαc ΓέΜει·
15   ὀξεῖc οἱ πόΔεc αὐτῶΝ ἐκχέαι αἷΜα,
16   cύΝτριΜΜα καὶ ταλαιπωρία ἐΝ ταῖc ὁΔοῖc αὐτῶΝ,
17   καὶ ὁΔὸΝ εἰρήΝΗc οὐκ ἔΓΝωcαΝ.
18   οὐκ ἔcτιΝ φόβοc θεοῦ ἀπέΝαΝτι τῶΝ
                                ὀφθαλΜῶΝ αὐτῶΝ.

γὰρ   11 ὁ συνίων, οὐκ ἔστιν ὁ | ζητῶν   12 ὁ | χρηστότητα ἕως   14 αὐτῶν

Οἴδαμεν δὲ ὅτι ὅσα ὁ νόμος λέγει τοῖς ἐν τῷ νόμῳ λαλεῖ, 19 ἵνα πᾶν στόμα φραγῇ καὶ ὑπόδικος γένηται πᾶς ὁ κόσμος τῷ θεῷ· διότι ἐξ ἔργων νόμου ΟΥ ΔΙΚΑΙΩΘΗΣΕΤΑΙ ΠΑΣΑ 20 ΣΑΡΞ ΕΝΩΠΙΟΝ ΑΥΤΟΥ, διὰ γὰρ νόμου ἐπίγνωσις ἁμαρτίας. νυνὶ δὲ χωρὶς νόμου δικαιοσύνη θεοῦ πεφανέρωται, μαρτυ- 21 ρουμένη ὑπὸ τοῦ νόμου καὶ τῶν προφητῶν, δικαιοσύνη δὲ 22 θεοῦ διὰ πίστεως ['Ιησοῦ] Χριστοῦ, εἰς πάντας τοὺς πιστεύ- οντας, οὐ γάρ ἐστιν διαστολή. πάντες γὰρ ἥμαρτον καὶ 23 ὑστεροῦνται τῆς δόξης τοῦ θεοῦ, δικαιούμενοι δωρεὰν τῇ 24 αὐτοῦ χάριτι διὰ τῆς ἀπολυτρώσεως τῆς ἐν Χριστῷ 'Ιησοῦ· ὃν προέθετο ὁ θεὸς ἱλαστήριον διὰ ⌐ πίστεως ἐν τῷ 25 αὐτοῦ αἵματι εἰς ἔνδειξιν τῆς δικαιοσύνης αὐτοῦ διὰ τὴν πάρεσιν τῶν προγεγονότων ἁμαρτημάτων ἐν τῇ ἀνοχῇ τοῦ 26 θεοῦ, πρὸς τὴν ἔνδειξιν τῆς δικαιοσύνης αὐτοῦ ἐν τῷ νῦν καιρῷ, εἰς τὸ εἶναι αὐτὸν δίκαιον καὶ δικαιοῦντα τὸν ἐκ πίστεως 'Ιησοῦ. Ποῦ οὖν ἡ καύχησις; ἐξε- 27 κλείσθη. διὰ ποιου νόμου; τῶν ἔργων; οὐχί, ἀλλὰ διὰ νόμου πίστεως. λογιζόμεθα ⌐γὰρ⌐ δικαιοῦσθαι πίστει ἄν- 28 θρωπον χωρὶς ἔργων νομου. ἢ 'Ιουδαίων ὁ θεὸς ⌐μόνον⌐; 29 οὐχὶ καὶ ἐθνῶν; ναὶ καὶ ἐθνῶν, εἴπερ εἷς ὁ θεός, ὃς δικαιώσει 30 περιτομὴν ἐκ πίστεως καὶ ἀκροβυστίαν διὰ τῆς πίστεως. νόμον οὖν καταργοῦμεν διὰ τῆς πίστεως; μὴ γένοιτο, ἀλλὰ 31 νόμον ἱστάνομεν.

Τί οὖν ἐροῦμεν ⌐ 'Αβραὰμ τὸν προπάτορα ἡμῶν κατὰ 1 σάρκα; εἰ γὰρ 'Αβραὰμ ἐξ ἔργων ἐδικαιώθη, ἔχει καύχημα· 2 ἀλλ' οὐ πρὸς θεόν, τί γὰρ ἡ γραφὴ λέγει; ΕΠΙΣΤΕΥ- 3 ΣΕΝ ΔΕ 'ΑΒΡΑΑΜ ΤΩ ΘΕΩ, ΚΑΙ ΕΛΟΓΙΣΘΗ ΑΥΤΩ ΕΙΣ ΔΙΚΑΙΟΣΥΝΗΝ. τῷ δὲ ἐργαζομένῳ ὁ μισθὸς οὐ λογίζεται 4 κατὰ χάριν ἀλλὰ κατὰ ὀφείλημα· τῷ δὲ μὴ ἐργαζομένῳ, 5 πιστεύοντι δὲ ἐπὶ τὸν δικαιοῦντα τὸν ἀσεβῆ, λογίζεται ἡ πίστις αὐτοῦ εἰς δικαιοσύνην, καθάπερ καὶ Δαυεὶδ λέγει 6 τὸν μακαρισμὸν τοῦ ἀνθρώπου ᾧ ὁ θεὸς λογίζεται δικαι- οσύνην χωρὶς ἔργων

25 τῆς   28 οὖν   29 μόνων   1 εὑρηκέναι

7 Μακάριοι ὧν ἀφέθηϲαν αἱ ἀνομίαι καὶ ὧν
ἐπεκαλύφθηϲαν αἱ ἁμαρτίαι,
8 μακάριοϲ ἀνὴρ ⌜οὗ⌝ οὗ μὴ λογίϲηται Κύριοϲ
ἁμαρτίαν.

9 ὁ μακαρισμὸς οὖν οὗτος ἐπὶ τὴν περιτομὴν ἢ καὶ ἐπὶ τὴν
ἀκροβυστίαν; λέγομεν γάρ Ἐλογίϲθη τῷ Ἀβραὰμ ἡ
10 πίϲτιϲ εἰϲ Δικαιοϲύνην. πῶς οὖν ἐλογίσθη; ἐν περιτομῇ
ὄντι ἢ ἐν ἀκροβυστίᾳ; οὐκ ἐν περιτομῇ ἀλλ᾽ ἐν ἀκρο-
11 βυστίᾳ· καὶ ϲημεῖον ἔλαβεν ⌜περιτομῆϲ⌝, σφραγῖδα τῆς
δικαιοσύνης τῆς πίστεως τῆς ἐν τῇ ἀκροβυϲτίᾳ, εἰς τὸ εἶναι
αὐτὸν πατέρα πάντων τῶν πιστευόντων δι᾽ ἀκροβυστίας,
12 εἰς τὸ λογισθῆναι αὐτοῖς [τὴν] δικαιοσύνην, καὶ πατέρα
περιτομῆς τοῖς οὐκ ἐκ περιτομῆς μόνον ἀλλὰ ⌜καὶ τοῖϲ⌝
στοιχοῦσιν τοῖς ἴχνεσιν τῆς ἐν ἀκροβυστίᾳ πίστεως τοῦ
13 πατρὸς ἡμῶν Ἀβραάμ. Οὐ γὰρ διὰ νόμου ἡ
ἐπαγγελία τῷ Ἀβραὰμ ἢ τῷ σπέρματι αὐτοῦ, τὸ κληρο-
νόμον αὐτὸν εἶναι κόσμου, ἀλλὰ διὰ δικαιοσύνης πίστεως·
14 εἰ γὰρ οἱ ἐκ νόμου κληρονόμοι, κεκένωται ἡ πίστις καὶ
15 κατήργηται ἡ ἐπαγγελία· ὁ γὰρ νόμος ὀργὴν κατεργάζεται,
16 οὗ δὲ οὐκ ἔστιν νόμος, οὐδὲ παράβασις. Διὰ
τοῦτο ἐκ πίστεως, ἵνα κατὰ χάριν, εἰς τὸ εἶναι βεβαίαν τὴν
ἐπαγγελίαν παντὶ τῷ σπέρματι, οὐ τῷ ἐκ τοῦ νόμου μόνον
ἀλλὰ καὶ τῷ ἐκ πίστεως Ἀβραάμ, (ὅς ἐστιν πατὴρ πάντων
17 ἡμῶν, καθὼς γέγραπται ὅτι Πατέρα πολλῶν ἐθνῶν τέ-
θεικά ϲε,) κατέναντι οὗ ἐπίστευσεν θεοῦ. τοῦ ζωοποιοῦντος
18 τοὺς νεκροὺς καὶ καλοῦντος τὰ μὴ ὄντα ὡς ὄντα· ὃς παρ᾽ ἐλ-
πίδα ἐπ᾽ ἐλπίδι ἐπίστευσεν εἰς τὸ γενέσθαι αὐτὸν πατέρα
πολλῶν ἐθνῶν κατὰ τὸ εἰρημένον Οὕτωϲ ἔϲται τὸ
19 ϲπέρμα ϲου· καὶ μὴ ἀσθενήσας τῇ πίστει κατενόησεν
τὸ ἑαυτοῦ σῶμα [ἤδη] νενεκρωμένον, ἑκατονταετής που
20 ὑπάρχων, καὶ τὴν νέκρωσιν τῆς μήτρας Σάρρας, εἰς δὲ τὴν
ἐπαγγελίαν τοῦ θεοῦ οὐ διεκρίθη τῇ ἀπιστίᾳ ἀλλὰ ἐνεδυ-
21 ναμώθη τῇ πίστει, δοὺς δόξαν τῷ θεῷ καὶ πληροφορηθεὶς

8 ᾧ   11 περιτομήν   12 †...†

ὅτι ὃ ἐπήγγελται δυνατός ἐστιν καὶ ποιῆσαι. διὸ [καὶ] 22
ἐλογίϲθη αὐτῷ εἰϲ Δικαιοϲύνην.   Οὐκ ἐγράφη 23
δὲ δι' αὐτὸν μόνον ὅτι ἐλογίϲθη αὐτῷ, ἀλλὰ καὶ δι' ἡμᾶς 24
οἷς μέλλει λογίζεσθαι, τοῖς πιστεύουσιν ἐπὶ τὸν ἐγείραντα
Ἰησοῦν τὸν κύριον ἡμῶν ἐκ νεκρῶν, ὃς παρεΔόθη Διὰ τὰ 25
παραπτώματα ἡμῶν καὶ ἠγέρθη διὰ τὴν δικαίωσιν ἡμῶν.

Δικαιωθέντες οὖν ἐκ πίστεως εἰρήνην ἔχωμεν πρὸς τὸν 1
θεὸν διὰ τοῦ κυρίου ἡμῶν Ἰησοῦ Χριστοῦ, δι' οὗ καὶ τὴν 2
προσαγωγὴν ἐσχήκαμεν [τῇ πίστει] εἰς τὴν χάριν ταύτην
ἐν ᾗ ἑστήκαμεν, καὶ καυχώμεθα ἐπ' ἐλπίδι τῆς δόξης τοῦ
θεοῦ· οὐ μόνον δέ, ἀλλὰ καὶ ⌜καυχώμεθα⌝ ἐν ταῖς θλίψε- 3
σιν, εἰδότες ὅτι ἡ θλίψις ὑπομονὴν κατεργάζεται, ἡ δὲ 4
ὑπομονὴ δοκιμήν, ἡ δὲ δοκιμὴ ἐλπίδα, ἡ δὲ ἐλπὶϲ οὐ κα- 5
ταιϲχύνει. ὅτι ἡ ἀγάπη τοῦ θεοῦ ἐκκέχυται ἐν ταῖς καρ-
δίαις ἡμῶν διὰ πνεύματος ἁγίου τοῦ δοθέντος ἡμῖν· ⌜εἴ γε⌝ 6
Χριστὸς ὄντων ἡμῶν ἀσθενῶν ἔτι κατὰ καιρὸν ὑπὲρ ἀσε-
βῶν ἀπέθανεν. μόλις γὰρ ὑπὲρ δικαίου τις ἀποθανεῖται· 7
ὑπὲρ γὰρ τοῦ ἀγαθοῦ τάχα τις καὶ τολμᾷ ἀποθανεῖν·
συνίστησιν δὲ τὴν ἑαυτοῦ ἀγάπην εἰς ἡμᾶς ὁ θεὸς ὅτι 8
ἔτι ἁμαρτωλῶν ὄντων ἡμῶν Χριστὸς ὑπὲρ ἡμῶν ἀπέθανεν.
πολλῷ οὖν μᾶλλον δικαιωθέντες νῦν ἐν τῷ αἵματι αὐ- 9
τοῦ σωθησόμεθα δι' αὐτοῦ ἀπὸ τῆς ὀργῆς. εἰ γὰρ ἐχθροὶ 10
ὄντες κατηλλάγημεν τῷ θεῷ διὰ τοῦ θανάτου τοῦ υἱοῦ
αὐτοῦ, πολλῷ μᾶλλον καταλλαγέντες σωθησόμεθα ἐν τῇ
ζωῇ αὐτοῦ· οὐ μόνον δέ, ἀλλὰ καὶ καυχώμενοι ἐν τῷ 11
θεῷ διὰ τοῦ κυρίου ἡμῶν Ἰησοῦ [Χριστοῦ], δι' οὗ νῦν
τὴν καταλλαγὴν ἐλάβομεν.

Διὰ τοῦτο ὥσπερ δι' ἑνὸς ἀνθρώπου ἡ ἁμαρτία εἰς 12
τὸν κόσμον εἰσῆλθεν καὶ διὰ τῆς ἁμαρτίας ὁ θάνατος, καὶ
οὕτως εἰς πάντας ἀνθρώπους ὁ θάνατος διῆλθεν ἐφ' ᾧ
πάντες ἥμαρτον –. ἄχρι γὰρ νόμου ἁμαρτία ἦν ἐν 13
κόσμῳ, ἁμαρτία δὲ οὐκ ἐλλογᾶται μὴ ὄντος νόμου, ἀλλὰ 14

3 καυχώμενοι   6 †...†

ἐβασίλευσεν ὁ θάνατος ἀπὸ Ἀδὰμ μέχρι Μωυσέως καὶ ἐπὶ
τοὺς μὴ ἁμαρτήσαντας ἐπὶ τῷ ὁμοιώματι τῆς παραβάσεως
15 Ἀδάμ, ὅς ἐστιν τύπος τοῦ μέλλοντος.   Ἀλλ᾽ οὐχ ὡς
τὸ παράπτωμα, οὕτως [καὶ] τὸ χάρισμα· εἰ γὰρ τῷ τοῦ
ἑνὸς παραπτώματι οἱ πολλοὶ ἀπέθανον, πολλῷ μᾶλλον
ἡ χάρις τοῦ θεοῦ καὶ ἡ δωρεὰ ἐν χάριτι τῇ τοῦ ἑνὸς ἀν-
θρώπου Ἰησοῦ Χριστοῦ εἰς τοὺς πολλοὺς ἐπερίσσευσεν.
16 καὶ οὐχ ὡς δι᾽ ἑνὸς ἁμαρτήσαντος τὸ δώρημα· τὸ μὲν γὰρ
κρίμα ἐξ ἑνὸς εἰς κατάκριμα, τὸ δὲ χάρισμα ἐκ πολλῶν
17 παραπτωμάτων εἰς δικαίωμα. εἰ γὰρ ⌜τῷ τοῦ⌝ ἑνὸς παρα-
πτώματι ὁ θάνατος ἐβασίλευσεν διὰ τοῦ ἑνός, πολλῷ μᾶλ-
λον οἱ τὴν περισσείαν τῆς χάριτος καὶ [τῆς δωρεᾶς] τῆς
δικαιοσύνης λαμβάνοντες ἐν ζωῇ βασιλεύσουσιν διὰ τοῦ
18 ἑνὸς ⌜Ἰησοῦ Χριστοῦ⌝.   Ἄρα οὖν ὡς δι᾽ ἑνὸς παρα-
πτώματος εἰς πάντας ἀνθρώπους εἰς κατάκριμα, οὕτως καὶ
δι᾽ ἑνὸς δικαιώματος εἰς πάντας ἀνθρώπους εἰς δικαίωσιν
19 ζωῆς· ὥσπερ γὰρ διὰ τῆς παρακοῆς τοῦ ἑνὸς ἀνθρώπου
ἁμαρτωλοὶ κατεστάθησαν οἱ πολλοί, οὕτως καὶ διὰ τῆς
ὑπακοῆς τοῦ ἑνὸς δίκαιοι κατασταθήσονται οἱ πολλοί.
20 νόμος δὲ παρεισῆλθεν ἵνα πλεονάσῃ τὸ παράπτωμα· οὗ δὲ
21 ἐπλεόνασεν ἡ ἁμαρτία, ὑπερεπερίσσευσεν ἡ χάρις, ἵνα
ὥσπερ ἐβασίλευσεν ἡ ἁμαρτία ἐν τῷ θανάτῳ, οὕτως καὶ
ἡ χάρις βασιλεύσῃ διὰ δικαιοσύνης εἰς ζωὴν αἰώνιον διὰ
Ἰησοῦ Χριστοῦ τοῦ κυρίου ἡμῶν.
1   Τί οὖν ἐροῦμεν; ἐπιμένωμεν τῇ ἁμαρτίᾳ, ἵνα ἡ χάρις
2 πλεονάσῃ; μὴ γένοιτο· οἵτινες ἀπεθάνομεν τῇ ἁμαρτίᾳ,
3 πῶς ἔτι ζήσομεν ἐν αὐτῇ; ἢ ἀγνοεῖτε ὅτι ὅσοι ἐβαπτί-
σθημεν εἰς Χριστὸν [Ἰησοῦν] εἰς τὸν θάνατον αὐτοῦ
4 ἐβαπτίσθημεν; συνετάφημεν οὖν αὐτῷ διὰ τοῦ βαπτίσμα-
τος εἰς τὸν θάνατον, ἵνα ὥσπερ ἠγέρθη Χριστὸς ἐκ νεκρῶν
διὰ τῆς δόξης τοῦ πατρός, οὕτως καὶ ἡμεῖς ἐν καινότητι
5 ζωῆς περιπατήσωμεν. εἰ γὰρ σύμφυτοι γεγόναμεν τῷ
ὁμοιώματι τοῦ θανάτου αὐτοῦ, ἀλλὰ καὶ τῆς ἀναστάσεως

17 ἐν | Χριστοῦ Ἰησοῦ

ἐσόμεθα· τοῦτο γινώσκοντες ὅτι ὁ παλαιὸς ἡμῶν ἄνθρω- 6
πος συνεσταυρώθη, ἵνα καταργηθῇ τὸ σῶμα τῆς ἁμαρτίας,
τοῦ μηκέτι δουλεύειν ἡμᾶς τῇ ἁμαρτίᾳ, ὁ γὰρ ἀποθανὼν 7
δεδικαίωται ἀπὸ τῆς ἁμαρτίας. εἰ δὲ ἀπεθάνομεν σὺν 8
Χριστῷ, πιστεύομεν ὅτι καὶ συνζήσομεν αὐτῷ· εἰδότες 9
ὅτι Χριστὸς ἐγερθεὶς ἐκ νεκρῶν οὐκέτι ἀποθνήσκει, θάνατος
αὐτοῦ οὐκέτι κυριεύει· ὁ γὰρ ἀπέθανεν, τῇ ἁμαρτίᾳ ἀπέ- 10
θανεν ἐφάπαξ· ὁ δὲ ζῇ, ζῇ τῷ θεῷ. οὕτως καὶ ὑμεῖς λογί- 11
ζεσθε ἑαυτοὺς εἶναι νεκροὺς μὲν τῇ ἁμαρτίᾳ ζῶντας δὲ τῷ
θεῷ ἐν Χριστῷ Ἰησοῦ.   Μὴ οὖν βασιλευέτω 12
ἡ ἁμαρτία ἐν τῷ θνητῷ ὑμῶν σώματι εἰς τὸ ὑπακούειν
ταῖς ἐπιθυμίαις αὐτοῦ, μηδὲ παριστάνετε τὰ μέλη ὑμῶν 13
ὅπλα ἀδικίας τῇ ἁμαρτίᾳ, ἀλλὰ παραστήσατε ἑαυτοὺς
τῷ θεῷ ὡσεὶ ἐκ νεκρῶν ζῶντας καὶ τὰ μέλη ὑμῶν ὅπλα
δικαιοσύνης τῷ θεῷ· ἁμαρτία γὰρ ὑμῶν οὐ κυριεύσει, 14
οὐ γάρ ἐστε ὑπὸ νόμον ἀλλὰ ὑπὸ χάριν.   Τί 15
οὖν; ἁμαρτήσωμεν ὅτι οὐκ ἐσμὲν ὑπὸ νόμον ἀλλὰ ὑπὸ
χάριν; μὴ γένοιτο· οὐκ οἴδατε ὅτι ᾧ παριστάνετε ἑαυτοὺς 16
δούλους εἰς ὑπακοήν, δοῦλοί ἐστε ᾧ ὑπακούετε, ἤτοι ἁμαρ-
τίας εἰς θάνατον ἢ ὑπακοῆς εἰς δικαιοσύνην; χάρις δὲ τῷ 17
θεῷ ὅτι ἦτε δοῦλοι τῆς ἁμαρτίας ὑπηκούσατε δὲ ἐκ καρ-
δίας εἰς ὃν παρεδόθητε τύπον διδαχῆς, ἐλευθερωθέντες δὲ 18
ἀπὸ τῆς ἁμαρτίας ἐδουλώθητε τῇ δικαιοσύνῃ· ἀνθρώπινον 19
λέγω διὰ τὴν ἀσθένειαν τῆς σαρκὸς ὑμῶν· ὥσπερ γὰρ πα-
ρεστήσατε τὰ μέλη ὑμῶν δοῦλα τῇ ἀκαθαρσίᾳ καὶ τῇ
ἀνομίᾳ [εἰς τὴν ἀνομίαν], οὕτω νῦν παραστήσατε τὰ μέλη
ὑμῶν δοῦλα τῇ δικαιοσύνῃ εἰς ἁγιασμόν· ὅτε γὰρ δοῦλοι 20
ἦτε τῆς ἁμαρτίας, ἐλεύθεροι ἦτε τῇ δικαιοσύνῃ. τίνα οὖν 21
καρπὸν εἴχετε τότε ἐφ᾽ οἷς νῦν ἐπαισχύνεσθε; τὸ γὰρ
τέλος ἐκείνων θάνατος· νυνὶ δέ, ἐλευθερωθέντες ἀπὸ τῆς 22
ἁμαρτίας δουλωθέντες δὲ τῷ θεῷ, ἔχετε τὸν καρπὸν ὑμῶν
εἰς ἁγιασμόν, τὸ δὲ τέλος ζωὴν αἰώνιον. τὰ γὰρ ὀψώνια 23
τῆς ἁμαρτίας θάνατος, τὸ δὲ χάρισμα τοῦ θεοῦ ζωὴ αἰώνιος

ἐν Χριστῷ Ἰησοῦ τῷ κυρίῳ ἡμῶν.

1 Ἢ ἀγνοεῖτε, ἀδελφοί, γινώσκουσιν γὰρ νόμον λαλῶ,
ὅτι ὁ νόμος κυριεύει τοῦ ἀνθρώπου ἐφ' ὅσον χρόνον ζῇ;
2 ἡ γὰρ ὕπανδρος γυνὴ τῷ ζῶντι ἀνδρὶ δέδεται νόμῳ· ἐὰν δὲ
ἀποθάνῃ ὁ ἀνήρ, κατήργηται ἀπὸ τοῦ νόμου τοῦ ἀνδρός.
3 ἄρα οὖν ζῶντος τοῦ ἀνδρὸς μοιχαλὶς χρηματίσει ἐὰν γένη-
ται ἀνδρὶ ἑτέρῳ· ἐὰν δὲ ἀποθάνῃ ὁ ἀνήρ, ἐλευθέρα ἐστὶν
ἀπὸ τοῦ νόμου, τοῦ μὴ εἶναι αὐτὴν μοιχαλίδα γενομένην
4 ἀνδρὶ ἑτέρῳ. ὥστε, ἀδελφοί μου, καὶ ὑμεῖς ἐθανατώθητε
τῷ νόμῳ διὰ τοῦ σώματος τοῦ χριστοῦ, εἰς τὸ γενέσθαι
ὑμᾶς ἑτέρῳ, τῷ ἐκ νεκρῶν ἐγερθέντι ἵνα καρποφορήσωμεν
5 τῷ θεῷ. ὅτε γὰρ ἦμεν ἐν τῇ σαρκί, τὰ παθήματα τῶν
ἁμαρτιῶν τὰ διὰ τοῦ νόμου ἐνηργεῖτο ἐν τοῖς μέλεσιν ἡμῶν
6 εἰς τὸ καρποφορῆσαι τῷ θανάτῳ· νυνὶ δὲ κατηργήθημεν
ἀπὸ τοῦ νόμου, ἀποθανόντες ἐν ᾧ κατειχόμεθα, ὥστε δου-
λεύειν [ἡμᾶς] ἐν καινότητι πνεύματος καὶ οὐ παλαιότητι
7 γράμματος. Τί οὖν ἐροῦμεν; ὁ νόμος ἁμαρτία;
μὴ γένοιτο· ἀλλὰ τὴν ἁμαρτίαν οὐκ ἔγνων εἰ μὴ διὰ
νόμου, τήν τε γὰρ ἐπιθυμίαν οὐκ ᾔδειν εἰ μὴ ὁ νόμος
8 ἔλεγεν Ὀὐκ ἐπιθυμήσεις· ἀφορμὴν δὲ λαβοῦσα ἡ
ἁμαρτία διὰ τῆς ἐντολῆς κατειργάσατο ἐν ἐμοὶ πᾶσαν ἐπι-
9 θυμίαν, χωρὶς γὰρ νόμου ἁμαρτία νεκρά. ἐγὼ δὲ ἔζων
χωρὶς νόμου ποτέ· ἐλθούσης δὲ τῆς ἐντολῆς ἡ ἁμαρτία
10 ἀνέζησεν, ἐγὼ δὲ ἀπέθανον, καὶ εὑρέθη μοι ἡ ἐντολὴ ἡ εἰς
11 ζωὴν αὕτη εἰς θάνατον· ἡ γὰρ ἁμαρτία ἀφορμὴν λαβοῦσα
διὰ τῆς ἐντολῆς ἐξηπάτησέν με καὶ δι' αὐτῆς ἀπέκτεινεν.
12 ὥστε ὁ μὲν νόμος ἅγιος, καὶ ἡ ἐντολὴ ἁγία καὶ δικαία καὶ
13 ἀγαθή. Τὸ οὖν ἀγαθὸν ἐμοὶ ἐγένετο θάνατος;
μὴ γένοιτο· ἀλλὰ ἡ ἁμαρτία, ἵνα φανῇ ἁμαρτία διὰ τοῦ
ἀγαθοῦ μοι κατεργαζομένη θάνατον· ἵνα γένηται καθ' ὑπερ-
14 βολὴν ἁμαρτωλὸς ἡ ἁμαρτία διὰ τῆς ἐντολῆς. οἴδαμεν
γὰρ ὅτι ὁ νόμος πνευματικός ἐστιν· ἐγὼ δὲ σάρκινός εἰμι,
15 πεπραμένος ὑπὸ τὴν ἁμαρτίαν. ὃ γὰρ κατεργάζομαι οὐ

γινωσκω· οὐ γὰρ ὃ θέλω τοῦτο πράσσω, ἀλλ᾽ ὃ μισῶ
τοῦτο ποιῶ. εἰ δὲ ὃ οὐ θέλω τοῦτο ποιῶ, σύνφημι τῷ 16
νόμῳ ὅτι καλός. Νυνὶ δὲ οὐκέτι ἐγὼ κατεργάζομαι αὐτὸ 17
ἀλλὰ ἡ ἐνοικοῦσα ἐν ἐμοὶ ἁμαρτία. οἶδα γὰρ ὅτι οὐκ οἰ- 18
κεῖ ἐν ἐμοί, τοῦτ᾽ ἔστιν ἐν τῇ σαρκί μου, ἀγαθόν· τὸ γὰρ
θέλειν παράκειταί μοι, τὸ δὲ κατεργάζεσθαι τὸ καλὸν οὔ· οὐ 19
γὰρ ὃ θέλω ποιῶ ἀγαθόν, ἀλλὰ ὃ οὐ θέλω κακὸν τοῦτο
πράσσω. εἰ δὲ ὃ οὐ θέλω ᵀ τοῦτο ποιῶ, οὐκέτι ἐγὼ κατερ- 20
γάζομαι αὐτὸ ἀλλὰ ἡ οἰκοῦσα ἐν ἐμοὶ ἁμαρτία. Εὑρίσκω 21
ἄρα τὸν νόμον τῷ θέλοντι ἐμοὶ ποιεῖν τὸ καλὸν ὅτι ἐμοὶ τὸ
κακὸν παράκειται· συνήδομαι γὰρ τῷ νόμῳ τοῦ θεοῦ κατὰ 22
τὸν ἔσω ἄνθρωπον, βλέπω δὲ ἕτερον νόμον ἐν τοῖς μέλεσίν 23
μου ἀντιστρατευόμενον τῷ νόμῳ τοῦ νοός μου καὶ αἰχμα-
λωτίζοντά με [ἐν] τῷ νόμῳ τῆς ἁμαρτίας τῷ ὄντι ἐν τοῖς
μέλεσίν μου. ταλαίπωρος ἐγὼ ἄνθρωπος· τίς με ῥύσεται 24
ἐκ τοῦ σώματος τοῦ θανάτου τούτου; ⌜χάρις [δὲ]⌝ τῷ θεῷ 25
διὰ Ἰησοῦ Χριστοῦ τοῦ κυρίου ἡμῶν. ἄρα οὖν αὐτὸς ἐγὼ
τῷ μὲν νοῒ δουλεύω νόμῳ θεοῦ, τῇ δὲ σαρκὶ νόμῳ ἁμαρ-
τίας.   Οὐδὲν ἄρα νῦν κατάκριμα τοῖς ἐν Χριστῷ 1
Ἰησοῦ· ὁ γὰρ νόμος τοῦ πνεύματος τῆς ζωῆς ἐν Χριστῷ 2
Ἰησοῦ ἠλευθέρωσέν ⌜σε⌝ ἀπὸ τοῦ νόμου τῆς ἁμαρτίας καὶ
τοῦ θανάτου. τὸ γὰρ ἀδύνατον τοῦ νόμου, ἐν ᾧ ἠσθένει 3
διὰ τῆς σαρκός, ὁ θεὸς τὸν ἑαυτοῦ υἱὸν πέμψας ἐν ὁμοιώ-
ματι σαρκὸς ἁμαρτίας καὶ περὶ ἁμαρτίας κατέκρινε τὴν
ἁμαρτίαν ἐν τῇ σαρκί, ἵνα τὸ δικαίωμα τοῦ νόμου πληρω- 4
θῇ ἐν ἡμῖν τοῖς μὴ κατὰ σάρκα περιπατοῦσιν ἀλλὰ κατὰ
πνεῦμα· οἱ γὰρ κατὰ σάρκα ὄντες τὰ τῆς σαρκὸς φρονοῦσιν, 5
οἱ δὲ κατὰ πνεῦμα τὰ τοῦ πνεύματος. τὸ γὰρ φρόνημα 6
τῆς σαρκὸς θάνατος, τὸ δὲ φρόνημα τοῦ πνεύματος ζωὴ
καὶ εἰρήνη· διότι τὸ φρόνημα τῆς σαρκὸς ἔχθρα εἰς θεόν, 7
τῷ γὰρ νόμῳ τοῦ θεοῦ οὐχ ὑποτάσσεται, οὐδὲ γὰρ δύναται·
οἱ δὲ ἐν σαρκὶ ὄντες θεῷ ἀρέσαι οὐ δύνανται. Ὑμεῖς δὲ 8
9
οὐκ ἐστὲ ἐν σαρκὶ ἀλλὰ ἐν πνεύματι, εἴπερ πνεῦμα θεοῦ

20 ἐγὼ   25 εὐχαριστῶ   2 †μεῖ   11 τὸ ἐνοικοῦν αὐτοῦ πνεῦμα

οἰκεῖ ἐν ὑμῖν. εἰ δέ τις πνεῦμα Χριστοῦ οὐκ ἔχει, οὗτος
10 οὐκ ἔστιν αὐτοῦ. εἰ δὲ Χριστὸς ἐν ὑμῖν, τὸ μὲν σῶμα
νεκρὸν διὰ ἁμαρτίαν, τὸ δὲ πνεῦμα ζωὴ διὰ δικαιοσύνην.
11 εἰ δὲ τὸ πνεῦμα τοῦ ἐγείραντος τὸν Ἰησοῦν ἐκ νεκρῶν οἰκεῖ
ἐν ὑμῖν, ὁ ἐγείρας ἐκ νεκρῶν Χριστὸν Ἰησοῦν ζωοποιήσει
[καὶ] τὰ θνητὰ σώματα ὑμῶν διὰ ⌈τοῦ ἐνοικοῦντος αὐτοῦ
πνεύματος⌉ ἐν ὑμῖν.

12 Ἄρα οὖν, ἀδελφοί, ὀφειλέται ἐσμέν, οὐ τῇ σαρκὶ τοῦ
13 κατὰ σάρκα ζῆν, εἰ γὰρ κατὰ σάρκα ζῆτε μέλλετε ἀπο-
θνήσκειν, εἰ δὲ πνεύματι τὰς πράξεις τοῦ σώματος θανα-
14 τοῦτε ζήσεσθε. ὅσοι γὰρ πνεύματι θεοῦ ἄγονται, οὗτοι
15 υἱοὶ θεοῦ εἰσίν. οὐ γὰρ ἐλάβετε πνεῦμα δουλείας πάλιν εἰς
φόβον, ἀλλὰ ἐλάβετε πνεῦμα ⌈υἱοθεσίας, ἐν ᾧ κράζομεν
16 Ἀββά ὁ πατήρ· αὐτὸ⌉ τὸ πνεῦμα συνμαρτυρεῖ τῷ πνεύ-
17 ματι ἡμῶν ὅτι ἐσμὲν τέκνα θεοῦ. εἰ δὲ τέκνα, καὶ κληρο-
νόμοι· κληρονόμοι μὲν θεοῦ, συνκληρονόμοι δὲ Χριστοῦ,
18 εἴπερ συνπάσχομεν ἵνα καὶ συνδοξασθῶμεν.   Λο-
γίζομαι γὰρ ὅτι οὐκ ἄξια τὰ παθήματα τοῦ νῦν καιροῦ
19 πρὸς τὴν μέλλουσαν δόξαν ἀποκαλυφθῆναι εἰς ἡμᾶς. ἡ
γὰρ ἀποκαραδοκία τῆς κτίσεως τὴν ἀποκάλυψιν τῶν υἱῶν
20 τοῦ θεοῦ ἀπεκδέχεται· τῇ γὰρ ματαιότητι ἡ κτίσις ὑπε-
τάγη, οὐχ ἑκοῦσα ἀλλὰ διὰ τὸν ὑποτάξαντα, ἐφ᾽ ἐλπίδι
21 ὅτι καὶ αὐτὴ ἡ κτίσις ἐλευθερωθήσεται ἀπὸ τῆς δουλείας
τῆς φθορᾶς εἰς τὴν ἐλευθερίαν τῆς δόξης τῶν τέκνων τοῦ
22 θεοῦ. οἴδαμεν γὰρ ὅτι πᾶσα ἡ κτίσις συνστενάζει καὶ
23 συνωδίνει ἄχρι τοῦ νῦν· οὐ μόνον δέ, ἀλλὰ καὶ αὐτοὶ
τὴν ἀπαρχὴν τοῦ πνεύματος ἔχοντες [ἡμεῖς] καὶ αὐτοὶ ἐν
ἑαυτοῖς στενάζομεν, υἱοθεσίαν ἀπεκδεχόμενοι τὴν ἀπο-
24 λύτρωσιν τοῦ σώματος ἡμῶν. τῇ γὰρ ἐλπίδι ἐσώθημεν·
ἐλπὶς δὲ βλεπομένη οὐκ ἔστιν ἐλπίς, ὃ γὰρ βλέπει ⌈τίς
25 ἐλπίζει⌉; εἰ δὲ ὃ οὐ βλέπομεν ἐλπίζομεν, δι᾽ ὑπομονῆς
26 ἀπεκδεχόμεθα.   Ὡσαύτως δὲ καὶ τὸ πνεῦμα
συναντιλαμβάνεται τῇ ἀσθενείᾳ ἡμῶν· τὸ γὰρ τί προσ-

15,16 υἱοθεσίας· ἐν......πατήρ, αὐτὸ   24 τις, τί καὶ ἐλπίζει v. τίς καὶ ὑπομενει

ευξώμεθα καθὸ δεῖ οὐκ οἴδαμεν, ἀλλὰ αὐτὸ τὸ πνεῦμα
ὑπερεντυγχάνει στεναγμοῖς ἀλαλήτοις, ὁ δὲ ἐραυνῶν τὰς 27
καρδίας οἶδεν τί τὸ φρόνημα τοῦ πνεύματος, ὅτι κατὰ θεὸν
ἐντυγχάνει ὑπὲρ ἁγίων. οἴδαμεν δὲ ὅτι τοῖς ἀγαπῶσι τὸν 28
θεὸν πάντα συνεργεῖ [ὁ θεὸς] εἰς ἀγαθόν, τοῖς κατὰ πρό-
θεσιν κλητοῖς οὖσιν. ὅτι οὓς προέγνω, καὶ προώρισεν 29
συμμόρφους τῆς εἰκόνος τοῦ υἱοῦ αὐτοῦ, εἰς τὸ εἶναι αὐτὸν
πρωτότοκον ἐν πολλοῖς ἀδελφοῖς· οὓς δὲ προώρισεν, τού- 30
τους καὶ ἐκάλεσεν· καὶ οὓς ἐκάλεσεν, τούτους καὶ ἐδικαίωσεν·
οὓς δὲ ἐδικαίωσεν, τούτους καὶ ἐδόξασεν.   Τί 31
οὖν ἐροῦμεν πρὸς ταῦτα; εἰ ὁ θεὸς ὑπὲρ ἡμῶν, τίς
καθ᾽ ἡμῶν; ὅς γε τοῦ ἰδίου υἱοῦ οὐκ ἐφείσατο, ἀλλὰ ὑπὲρ 32
ἡμῶν πάντων παρέδωκεν αὐτόν, πῶς οὐχὶ καὶ σὺν αὐτῷ τὰ
πάντα ἡμῖν χαρίσεται; τίς ἐγκαλέσει κατὰ ἐκλεκτῶν θεοῦ; 33
θεὸς ὁ ΔΙΚΑΙῶΝ· τίς ὁ κατακρινῶν; Χριστὸς [Ἰησοῦς] 34
ὁ ἀποθανών, μᾶλλον δὲ ἐγερθεὶς [ἐκ νεκρῶν], ὅς ἐστιν
ἐν δεξιᾷ τοῦ θεοῦ, ὃς καὶ ἐντυγχάνει ὑπὲρ ἡμῶν· τίς 35
ἡμᾶς χωρίσει ἀπὸ τῆς ἀγάπης τοῦ ⌜χριστοῦ⌝; θλῖψις ἢ
στενοχωρία ἢ διωγμὸς ἢ λιμὸς ἢ γυμνότης ἢ κίνδυνος ἢ
μάχαιρα; καθὼς γέγραπται ὅτι
                                                                   36
     Ἕνεκεν σοῦ θανατούμεθα ὅλην τὴν ἡμέραν,
     ἐλογίσθημεν ὡς πρόβατα σφαγῆς.
ἀλλ᾽ ἐν τούτοις πᾶσιν ὑπερνικῶμεν διὰ τοῦ ἀγαπήσαντος 37
ἡμᾶς. πέπεισμαι γὰρ ὅτι οὔτε θάνατος οὔτε ζωὴ οὔτε 38
ἄγγελοι οὔτε ἀρχαὶ οὔτε ἐνεστῶτα οὔτε μέλλοντα οὔτε
δυνάμεις οὔτε ὕψωμα οὔτε βάθος οὔτε τις κτίσις ἑτέρα 39
δυνήσεται ἡμᾶς χωρίσαι ἀπὸ τῆς ἀγάπης τοῦ θεοῦ τῆς
ἐν Χριστῷ Ἰησοῦ τῷ κυρίῳ ἡμῶν.

Ἀλήθειαν λέγω ἐν Χριστῷ, οὐ ψεύδομαι, συνμαρτυ- 1
ρούσης μοι τῆς συνειδήσεώς μου ἐν πνεύματι ἁγίῳ, ὅτι 2
λύπη μοί ἐστιν μεγάλη καὶ ἀδιάλειπτος ὀδύνη τῇ καρδίᾳ
μου· ηὐχόμην γὰρ ἀνάθεμα εἶναι αὐτὸς ἐγὼ ἀπὸ τοῦ χριστοῦ 3

35 θεοῦ

ὑπὲρ τῶν ἀδελφῶν μου τῶν συγγενῶν μου κατὰ σάρκα,
4 οἵτινές εἰσιν Ἰσραηλεῖται, ὧν ἡ υἱοθεσία καὶ ἡ δόξα καὶ αἱ
διαθῆκαι καὶ ἡ νομοθεσία καὶ ἡ λατρεία καὶ αἱ ἐπαγγελίαι,
5 ὧν οἱ πατέρες, καὶ ἐξ ὧν ὁ χριστὸς τὸ κατὰ ⌐σάρκα, ὁ ὢν ἐπὶ
6 πάντων, θεὸς⌐ εὐλογητὸς εἰς τοὺς αἰῶνας· ἀμήν. Οὐχ οἷον
δὲ ὅτι ἐκπέπτωκεν ὁ λόγος τοῦ θεοῦ. οὐ γὰρ πάντες οἱ ἐξ
7 Ἰσραήλ, οὗτοι Ἰσραήλ· οὐδ᾽ ὅτι εἰσὶν σπέρμα Ἀβραάμ,
πάντες τέκνα, ἀλλ᾽ Ἐν Ἰϲαὰκ κληθήϲεταί ϲοι ϲπέρμα.
8 τοῦτ᾽ ἔστιν, οὐ τὰ τέκνα τῆς σαρκὸς ταῦτα τέκνα τοῦ θεοῦ,
9 ἀλλὰ τὰ τέκνα τῆς ἐπαγγελίας λογίζεται εἰς σπέρμα· ἐπαγ-
γελίας γὰρ ὁ λόγος οὗτος Κατὰ τὸν καιρὸν τοῦτον
10 ἐλεύϲομαι καὶ ἔϲται τῇ Ϲάρρᾳ γίόϲ. οὐ μόνον δέ, ἀλλὰ
καὶ Ῥεβέκκα ἐξ ἑνὸς κοίτην ἔχουσα, Ἰσαὰκ τοῦ πατρὸς
11 ἡμῶν· μήπω γὰρ γεννηθέντων μηδὲ πραξάντων τι ἀγαθὸν
ἢ φαῦλον, ἵνα ἡ κατ᾽ ἐκλογὴν πρόθεσις τοῦ θεοῦ μένῃ,
12 οὐκ ἐξ ἔργων ἀλλ᾽ ἐκ τοῦ καλοῦντος, ἐρρέθη αὐτῇ ὅτι Ὁ
13 μείζων δογλεύϲει τῷ ἐλάϲϲονι· ⌐καθάπερ⌐ γέγραπται
Τὸν Ἰακὼβ ἠγάπηϲα, τὸν δὲ Ἡϲαῦ ἐμίϲηϲα.
14 Τί οὖν ἐροῦμεν; μὴ ἀδικία παρὰ τῷ θεῷ; μὴ γένοιτο·
15 τῷ Μωυσεῖ γὰρ λέγει Ἐλεήϲω ὃν ἂν ἐλεῶ, καὶ οἰκτει-
16 ρήϲω ὃν ἂν οἰκτείρω. ἄρα οὖν οὐ τοῦ θέλοντος οὐδὲ τοῦ
17 τρέχοντος, ἀλλὰ τοῦ ἐλεῶντος θεοῦ. λέγει γὰρ ἡ γραφὴ τῷ
Φαραὼ ὅτι Εἰϲ αὐτὸ τοῦτο ἐξήγειρά ϲε ὅπωϲ ἐνδείξω-
μαι ἐν ϲοὶ τὴν δύναμίν μογ, καὶ ὅπωϲ διαγγελῇ
18 τὸ ὄνομά μογ ἐν πάϲῃ τῇ γῇ. ἄρα οὖν ὃν θέλει ἐλεεῖ,
19 ὃν δὲ θέλει ϲκληρύνει. Ἐρεῖς μοι οὖν Τί
20 ἔτι μέμφεται; τῷ γὰρ βουλήματι αὐτοῦ τίς ἀνθέστηκεν; ὦ
ἄνθρωπε, μενοῦνγε σὺ τίς εἶ ὁ ἀνταποκρινόμενος τῷ θεῷ;
μὴ ἐρεῖ τὸ πλάϲμα τῷ πλάϲαντι Τί με ἐποίηϲαϲ οὕτωϲ;
21 ἢ οὐκ ἔχει ἐξουσίαν ὁ κεραμεὺϲ τοῦ πηλοῦ ἐκ τοῦ αὐτοῦ
φυράματος ποιῆσαι ὃ μὲν εἰς τιμὴν σκεῦος, ὃ δὲ εἰς ἀτιμίαν;
22 εἰ δὲ θέλων ὁ θεὸς ἐνδείξασθαι τὴν ὀργὴν καὶ γνωρίσαι
τὸ δυνατὸν αὐτοῦ ἤνεγκεν ἐν πολλῇ μακροθυμίᾳ ϲκεύη

ὀργῆς κατηρτισμένα εἰς ἀπώλειαν, ἵνα γνωρίσῃ τὸν πλοῦ- 23
τον τῆς δόξης αὐτοῦ ἐπὶ σκεύη ἐλέους, ἃ προητοίμασεν
εἰς δόξαν, οὓς καὶ ἐκάλεσεν ἡμᾶς οὐ μόνον ἐξ Ἰουδαίων 24
ἀλλὰ καὶ ἐξ ἐθνῶν—; ὡς καὶ ἐν τῷ Ὡσηὲ λέγει   25

Καλέcω τὸν οὐ λαόν μου λαόν μου
καὶ τὴν οὐκ ἠΓαπημένην ἠΓαπημένην·
καὶ ἔcται ἐν τῷ τόπῳ οὗ ἐρρέθη [αὐτοῖc] Οὐ 26
λαόc μου ὑμεῖc,
ἐκεῖ κληθήcονται γίοὶ θεοῦ ζῶντοc.

Ἡσαίας δὲ κράζει ὑπὲρ τοῦ Ἰσραήλ Ἐὰν ᾖ ὁ ἀριθμὸc 27
τῶν γίῶν Ἰcραὴλ ὡc ἡ ἄμμοc τῆc θαλάccηc, τὸ
ὑπόλιμμα cωθήcεται· λόΓον Γὰρ cυντελῶν καὶ 28
cυντέμνων ποιήcει Κύριοc ἐπὶ τῆc Γῆc. καὶ καθὼς 29
προείρηκεν Ἡσαίας

Εἰ μὴ Κύριοc Σαβαὼθ ἐΓκατέλιπεν ἡμῖν cπέρμα,
ὡc Σόδομα ἂν ἐΓενήθημεν καὶ ὡc Γόμορρα ἂν
ὡμοιώθημεν.

Τί οὖν ἐροῦμεν; ὅτι ἔθνη τὰ μὴ διώκοντα δικαιοσύνην 30
κατέλαβεν δικαιοσύνην, δικαιοσύνην δὲ τὴν ἐκ πίστεως·
Ἰσραὴλ δὲ διώκων νόμον δικαιοσύνης εἰς νόμον οὐκ ἔφθασεν. 31
διὰ τί; ὅτι οὐκ ἐκ πίστεως ἀλλ᾿ ὡς ἐξ ⌜ἔργων·⌝ προσέκοψαν 32
τῷ λίθῳ τοῦ προσκόμματος, καθὼς γέγραπται   33

Ἰδοὺ τίθημι ἐν Σιὼν λίθον προσκόμματος καὶ
πέτραν σκανδάλου,
καὶ ὁ πιcτεύων ἐπ᾿ αὐτῷ οὐ καταιcχυνθήcεται.

Ἀδελφοί, ἡ μὲν εὐδοκία τῆς ἐμῆς καρδίας καὶ ἡ δέησις 1
πρὸς τὸν θεὸν ὑπὲρ αὐτῶν εἰς σωτηρίαν. μαρτυρῶ γὰρ 2
αὐτοῖς ὅτι ζῆλον θεοῦ ἔχουσιν· ἀλλ᾿ οὐ κατ᾿ ἐπίγνωσιν,
ἀγνοοῦντες γὰρ τὴν τοῦ θεοῦ δικαιοσύνην, καὶ τὴν ἰδίαν 3
ζητοῦντες στῆσαι, τῇ δικαιοσύνῃ τοῦ θεοῦ οὐχ ὑπετάγησαν·
τέλος γὰρ νόμου Χριστὸς εἰς δικαιοσύνην παντὶ τῷ πιστεύ- 4
οντι. Μωυσῆς γὰρ γράφει ὅτι τὴν δικαιοσύνην τὴν ἐκ νόμου 5
ὁ ποιήcαc ἄνθρωποc ζήcεται ἐν αὐτῇ. ἡ δὲ ἐκ πί- 6

32 ἔργων,

στεως δικαιοσύνη οὕτως λέγει Μὴ εἴπῃς ἐν τῇ καρδίᾳ
σου Τίс ἀναΒήсεται εἰс τὸν οὐρανόν; τοῦτ᾽ ἔстιν
7 Χριστὸν καταγαγεῖν· ἤ Τίс καταΒήсεται εἰс τὴν ἄ-
8 Βγссον; τοῦτ᾽ ἔстιν Χριστὸν ἐκ νεκρῶν ἀναγαγεῖν. ἀλλὰ τί
λέγει; Ἐγγύс сογ τὸ ῥῆμά ἐстιν, ἐν τῷ стόματί
сογ καὶ ἐν τῇ καρδίᾳ сογ· τοῦτ᾽ ἔстιν τὸ ῥῆμα τῆς πί-
9 στεως ὃ κηρύσσομεν. ὅτι ἐὰν ὁμολογήσῃς ⌜τὸ ῥῆμα ἐν τῷ
стόματί сογ ὅτι ΚΥΡΙΟС ΙΗСΟΥС⌝, καὶ πιστεύσῃς ἐν
τῇ καρδίᾳ сογ ὅτι ὁ θεὸς αὐτὸν ἤγειρεν ἐκ νεκρῶν, σωθήσῃ·
10 καρδίᾳ γὰρ πιστεύεται εἰς δικαιοσύνην, стόματι δὲ ὁμολο-
11 γεῖται εἰς σωτηρίαν· λέγει γὰρ ἡ γραφή Πᾶс ὁ πιстεγων
12 ἐπ᾽ αγτῷ ογ καταιсχγνθήсεται. οὐ γάρ ἐστιν διαστολὴ
Ἰουδαίου τε καὶ Ἕλληνος, ὁ γὰρ αὐτὸς κύριος πάντων,
13 πλουτῶν εἰς πάντας τοὺς ἐπικαλουμένους αὐτόν· Πᾶс γὰρ
ὃс ἂν ἐπικαλέсηται τὸ ὄνομα Κγρίογ сωθήсεται.
14 Πῶс οὖν ἐπικαλέсωνται εἰς ὃν οὐκ ἐπίστευσαν; πῶс δὲ πι-
στεύсωσιν οὗ οὐκ ἤκουσαν; πῶс δὲ ἀκούσωσιν χωρὶς κηρύσ-
15 сοντος; πῶс δὲ κηρύξωσιν ἐὰν μὴ ἀποσταλῶσιν; ⌜καθάπερ⌝
γέγραπται Ὡс ὡραῖοι οἱ πόδες τῶν εγαγγελιζομέ-
16 νων ἀγαθά.   Ἀλλ᾽ οὐ πάντες ὑπήκουσαν τῷ
εὐαγγελίῳ· Ἠσαίας γὰρ λέγει Κύριε, τίс ἐπίстεγсεν
17 τῇ ἀκοῇ ἡμῶν; ἄρα ἡ πίстις ἐξ ἀκοῆς, ἡ δὲ ἀκοὴ διὰ
18 ῥήματος Χριστοῦ. ἀλλὰ λέγω, μὴ οὐκ ἤκουσαν; μενοῦνγε
Εἰс πᾶсαν τὴν γῆν ἐξῆλθεν ὁ φθόγγοс αγτῶν,
καὶ εἰс τὰ πέρατα τῆс οἰκογμένηс τὰ ῥήματα
αγτῶν.
19 ἀλλὰ λέγω, μὴ Ἰσραὴλ οὐκ ἔγνω; πρῶτος Μωυσῆς λέγει
Ἐγὼ παραzηλώсω ὑμᾶс ἐπ᾽ ογκ ἔθνει,
ἐπ᾽ ἔθνει ἀсγνέτῳ παροργιῶ ὑμᾶс.
20 Ἠσαίας δὲ ἀποτολμᾷ καὶ λέγει
Εγρέθην ⊤ τοῖс ἐμὲ μὴ zητογсιν,
ἐμφανὴс ἐγενόμην ⊤ τοῖс ἐμὲ μὴ ἐπερωτῶсιν.
21 πρὸς δὲ τὸν Ἰσραὴλ λέγει Ὅλην τὴν ἡμέραν ἐξεπέ-

9 ἐν τῷ στόματί σου κύριον Ἰησοῦν   15 καθὼς   20 ἐν | ἐν

ΤΑCΑ ΤᾺC ΧΕῖΡΆC ΜΟΥ ΠΡῸC ΛΑῸΝ Ἀ̓ΠΕΙΘΟῦΝΤΑ ΚΑὶ
Ἀ̓ΝΤΙΛΈΓΟΝΤΑ. Λέγω οὖν, μὴ ἀπώσατο ὁ 1
θεὸς τὸν λαὸν αὐτοῦ; μὴ γένοιτο· καὶ γὰρ ἐγὼ Ἰσρα-
ηλείτης εἰμί, ἐκ σπέρματος Ἀβραάμ, φυλῆς Βενιαμείν.
Ὀὐκ ἀπώσατο ὁ θεὸς τὸν λαὸν αὐτοῦ ὃν προέγνω. 2
ἢ οὐκ οἴδατε ἐν Ἡλείᾳ τί λέγει ἡ γραφή, ὡς ἐντυγχάνει
τῷ θεῷ κατὰ τοῦ Ἰσραήλ; ΚΎΡΙΕ, ΤΟὺC ΠΡΟΦΉΤΑC CΟΥ 3
Ἀ̓ΠΈΚΤΕΙΝΑΝ, ΤᾺ ΘΥCΙΑCΤΉΡΙΆ CΟΥ ΚΑΤΈCΚΑΨΑΝ,
Κἀ̓Γὼ Ὑ̔ΠΕΛΕΊΦΘΗΝ ΜΌΝΟC, ΚΑὶ ΖΗΤΟῦCΙΝ ΤὴΝ
ΨΥΧΉΝ ΜΟΥ. ἀλλὰ τί λέγει αὐτῷ ὁ χρηματισμός; ΚΑ- 4
ΤΈΛΙΠΟΝ Ἐ̓ΜΑΥΤῷ Ἑ̔ΠΤΑΚΙCΧΙΛΊΟΥC Ἄ̓ΝΔΡΑC, ΟἽΤΙΝΕC
ὈὐΚ Ἔ̓ΚΑΜΨΑΝ ΓΌΝΥ Τῇ ΒΆΑΛ. οὕτως οὖν καὶ ἐν τῷ 5
νῦν καιρῷ λίμμα κατ᾽ ἐκλογὴν χάριτος γέγονεν· εἰ δὲ χά- 6
ριτι, οὐκέτι ἐξ ἔργων, ἐπεὶ ἡ χάρις οὐκέτι γίνεται χάρις.
τί οὖν; ὃ ἐπιζητεῖ Ἰσραήλ, τοῦτο οὐκ ἐπέτυχεν, ἡ δὲ 7
ἐκλογὴ ἐπέτυχεν· οἱ δὲ λοιποὶ ἐπωρώθησαν, καθάπερ γέγρα- 8
πται Ἔ̓ΔΩΚΕΝ ΑΥ̓ΤΟῖC Ὁ ΘΕὸC ΠΝΕῦΜΑ ΚΑΤΑΝΎΞΕΩC,
Ὀ̓ΦΘΑΛΜΟῪC ΤΟῦ Μὴ ΒΛΈΠΕΙΝ ΚΑὶ ὦΤΑ ΤΟῦ Μὴ Ἀ̓ΚΟΎ-
ΕΙΝ, Ἔ̓ΩC ΤῆC CΉΜΕΡΟΝ Ἡ̓ΜΈΡΑC. καὶ Δαυεὶδ λέγει 9
ΓΕΝΗΘΉΤΩ Ἡ ΤΡΆΠΕΖΑ ΑΥ̓ΤῶΝ ΕἸC ΠΑΓΊΔΑ ΚΑὶ ΕἸC
ΘΉΡΑΝ
ΚΑὶ ΕἸC CΚΆΝΔΑΛΟΝ ΚΑὶ ΕἸC Ἀ̓ΝΤΑΠΌΔΟΜΑ ΑΥ̓ΤΟῖC,
CΚΟΤΙCΘΉΤΩCΑΝ ΟἹ Ὀ̓ΦΘΑΛΜΟὶ ΑΥ̓ΤῶΝ ΤΟῦ Μὴ 10
ΒΛΈΠΕΙΝ,
ΚΑὶ ΤὸΝ ΝῶΤΟΝ ΑΥ̓ΤῶΝ ΔΙὰ ΠΑΝΤὸC CΎΝΚΑΜΨΟΝ.
Λέγω οὖν, μὴ ἔπταισαν ἵνα πέσωσιν; μὴ γένοιτο· ἀλλὰ 11
τῷ αὐτῶν παραπτώματι ἡ σωτηρία τοῖς ἔθνεσιν, εἰς τὸ
παραζηλῶσαι αὐτούς. εἰ δὲ τὸ παράπτωμα αὐτῶν πλοῦ- 12
τος κόσμου καὶ τὸ ἥττημα αὐτῶν πλοῦτος ἐθνῶν, πόσῳ
μᾶλλον τὸ πλήρωμα αὐτῶν.
Ὑμῖν δὲ λέγω τοῖς ἔθνεσιν. ἐφ᾽ ὅσον μὲν οὖν εἰμὶ ἐγὼ 13
ἐθνῶν ἀπόστολος, τὴν διακονίαν μου δοξάζω, εἴ πως παρα- 14
ζηλώσω μου τὴν σάρκα καὶ σώσω τινὰς ἐξ αὐτῶν. εἰ γὰρ 15
ἡ ἀποβολὴ αὐτῶν καταλλαγὴ κόσμου, τίς ἡ πρόσλημψις εἰ

16 μὴ ζωὴ ἐκ νεκρῶν; εἰ δὲ ἡ ἀπαρχὴ ἁγία, καὶ τὸ φύραμα·
17 καὶ εἰ ἡ ῥίζα ἁγία, καὶ οἱ κλάδοι. Εἰ δέ τινες
τῶν κλάδων ἐξεκλάσθησαν, σὺ δὲ ἀγριέλαιος ὢν ἐνεκεν-
τρίσθης ἐν αὐτοῖς καὶ συνκοινωνὸς τῆς ῥίζης τῆς πιότητος
18 τῆς ἐλαίας ἐγένου, μὴ κατακαυχῶ τῶν κλάδων· εἰ δὲ κατα-
καυχᾶσαι, οὐ σὺ τὴν ῥίζαν βαστάζεις ἀλλὰ ἡ ῥίζα σέ.
19 ἐρεῖς οὖν Ἐξεκλάσθησαν κλάδοι ἵνα ἐγὼ ἐνκεντρισθῶ.
20 καλῶς· τῇ ἀπιστίᾳ ἐξεκλάσθησαν, σὺ δὲ τῇ πίστει ἕστη-
21 κας. μὴ ὑψηλὰ φρόνει, ἀλλὰ φοβοῦ· εἰ γὰρ ὁ θεὸς τῶν
κατὰ φύσιν κλάδων οὐκ ἐφείσατο, οὐδὲ σοῦ φείσεται.
22 ἴδε οὖν χρηστότητα καὶ ἀποτομίαν θεοῦ· ἐπὶ μὲν τοὺς
πεσόντας ἀποτομία, ἐπὶ δὲ σὲ χρηστότης θεοῦ, ἐὰν ἐπι-
23 μένῃς τῇ χρηστότητι, ἐπεὶ καὶ σὺ ἐκκοπήσῃ. κἀκεῖνοι
δέ, ἐὰν μὴ ἐπιμένωσι τῇ ἀπιστίᾳ, ἐνκεντρισθήσονται· δυνα-
24 τὸς γάρ ἐστιν ὁ θεὸς πάλιν ἐνκεντρίσαι αὐτούς. εἰ γὰρ σὺ
ἐκ τῆς κατὰ φύσιν ἐξεκόπης ἀγριελαίου καὶ παρὰ φύσιν
ἐνεκεντρίσθης εἰς καλλιέλαιον, πόσῳ μᾶλλον οὗτοι οἱ κατὰ
25 φύσιν ἐνκεντρισθήσονται τῇ ἰδίᾳ ἐλαίᾳ. Οὐ
γὰρ θέλω ὑμᾶς ἀγνοεῖν, ἀδελφοί, τὸ μυστήριον τοῦτο, ἵνα
μὴ ἦτε ⸀ἐν⸀ ἑαυτοῖς φρόνιμοι, ὅτι πώρωσις ἀπὸ μέρους τῷ
Ἰσραὴλ γέγονεν ἄχρι οὗ τὸ πλήρωμα τῶν ἐθνῶν εἰσέλθῃ,
26 καὶ οὕτως πᾶς Ἰσραὴλ σωθήσεται· καθὼς γέγραπται

Ἥξει ἐκ Σιὼν ὁ ῥυόμενος,
ἀποστρέψει ἀσεβείας ἀπὸ Ἰακώβ.
27 καὶ αὕτη αὐτοῖς ἡ παρ' ἐμοῦ διαθήκη,
ὅταν ἀφέλωμαι τὰς ἁμαρτίας αὐτῶν.
28 κατὰ μὲν τὸ εὐαγγέλιον ἐχθροὶ δι' ὑμᾶς, κατὰ δὲ τὴν ἐκλο-
29 γὴν ἀγαπητοὶ διὰ τοὺς πατέρας· ἀμεταμέλητα γὰρ τὰ
30 χαρίσματα καὶ ἡ κλῆσις τοῦ θεοῦ. ὥσπερ γὰρ ὑμεῖς ποτὲ
ἠπειθήσατε τῷ θεῷ, ⸀νῦν⸀ δὲ ἠλεήθητε τῇ τούτων ἀπειθίᾳ,
31 οὕτως καὶ οὗτοι νῦν ἠπείθησαν τῷ ὑμετέρῳ ἐλέει ἵνα καὶ
32 αὐτοὶ νῦν ἐλεηθῶσιν· συνέκλεισεν γὰρ ὁ θεὸς τοὺς πάντας
33 εἰς ἀπειθίαν ἵνα τοὺς πάντας ἐλεήσῃ. Ὦ βάθος πλούτου

25 παρ'   30 νυνί

BB

καὶ σοφίας καὶ γνώσεως θεοῦ· ὡς ἀνεξεραύνητα τὰ κρί-
ματα αὐτοῦ καὶ ἀνεξιχνίαστοι αἱ ὁδοὶ αὐτοῦ.

Τίς γὰρ ἔγνω νοῦν Κυρίου; ἢ τίς ϲγΜΒογλοϲ αγτογ 34
ἐγένετο;

ἢ τίς προέδωκεν αγτῷ, καὶ ἀνταποδοθήϲεται αγτῷ; 35
ὅτι ἐξ αὐτοῦ καὶ δι᾽ αὐτοῦ καὶ εἰς αὐτὸν τὰ πάντα· αὐτῷ 36
ἡ δόξα εἰς τοὺς αἰῶνας· ἀμήν.

Παρακαλῶ οὖν ὑμᾶς, ἀδελφοί, διὰ τῶν οἰκτιρμῶν τοῦ 1
θεοῦ παραστῆσαι τὰ σώματα ὑμῶν θυσίαν ζῶσαν ἁγίαν
⌜τῷ θεῷ εὐάρεστον⌝, τὴν λογικὴν λατρείαν ὑμῶν· καὶ μὴ 2
⌜συνσχηματίζεσθε τῷ αἰῶνι τούτῳ, ἀλλὰ μεταμορφοῦσθε⌝
τῇ ἀνακαινώσει τοῦ νοός, εἰς τὸ δοκιμάζειν ὑμᾶς τί τὸ θέ-
λημα τοῦ θεοῦ, τὸ ἀγαθὸν καὶ εὐάρεστον καὶ τέλειον.

Λέγω γὰρ διὰ τῆς χάριτος τῆς δοθείσης μοι παντὶ τῷ 3
ὄντι ἐν ὑμῖν μὴ ὑπερφρονεῖν παρ᾽ ὃ δεῖ φρονεῖν, ἀλλὰ
φρονεῖν εἰς τὸ σωφρονεῖν, ἑκάστῳ ὡς ὁ θεὸς ἐμέρισεν μέ-
τρον πίστεως. καθάπερ γὰρ ἐν ἑνὶ σώματι ⌜πολλὰ μέλη⌝ 4
ἔχομεν, τὰ δὲ μέλη πάντα οὐ τὴν αὐτὴν ἔχει πρᾶξιν, οὕτως 5
οἱ πολλοὶ ἓν σῶμά ἐσμεν ἐν Χριστῷ, τὸ δὲ καθ᾽ εἷς ἀλλή-
λων μέλη. Ἔχοντες δὲ χαρίσματα κατὰ τὴν χάριν τὴν 6
δοθεῖσαν ἡμῖν διάφορα, εἴτε προφητείαν κατὰ τὴν ἀνα-
λογίαν τῆς πίστεως, εἴτε διακονίαν ἐν τῇ διακονίᾳ, εἴτε ὁ 7
διδάσκων ἐν τῇ διδασκαλίᾳ, εἴτε ὁ παρακαλῶν ἐν τῇ παρα- 8
κλήσει, ὁ μεταδιδοὺς ἐν ἁπλότητι, ὁ προϊστάμενος ἐν
σπουδῇ, ὁ ἐλεῶν ἐν ἱλαρότητι. ἡ ἀγάπη ἀνυπόκριτος. 9
ἀποστυγοῦντες τὸ πονηρόν, κολλώμενοι τῷ ἀγαθῷ· τῇ 10
φιλαδελφίᾳ εἰς ἀλλήλους φιλόστοργοι, τῇ τιμῇ ἀλλήλους
προηγούμενοι, τῇ σπουδῇ μὴ ὀκνηροί, τῷ πνεύματι ζέοντες, 11
τῷ κυρίῳ δουλεύοντες, τῇ ἐλπίδι χαίροντες, τῇ θλίψει ὑπο- 12
μένοντες, τῇ προσευχῇ προσκαρτεροῦντες, ταῖς χρείαις τῶν 13
ἁγίων κοινωνοῦντες, τὴν φιλοξενίαν διώκοντες. εὐλογεῖτε 14
τοὺς διώκοντας, εὐλογεῖτε καὶ μὴ καταρᾶσθε. χαίρειν μετὰ 15

---

1 εὐάρεστον τῷ θεῷ   2 συνσχηματίζεσθαι......μεταμορφοῦσθαι   4 μέλη πολλ

16 χαιρόντων, ᵀ κλαίειν μετὰ κλαιόντων. τὸ αὐτὸ εἰς ἀλλή-
λους φρονοῦντες, μὴ τὰ ὑψηλὰ φρονοῦντες ἀλλὰ τοῖς τα-
πεινοῖς συναπαγόμενοι. ΜΗ ΓΙΝΕΣΘΕ ΦΡΟΝΙΜΟΙ ΠΑΡ᾽ ΕΑΥ-
17 ΤΟΙΣ. μηδενὶ κακὸν ἀντὶ κακοῦ ἀποδιδόντες· ΠΡΟΝΟΟΥ-
18 ΜΕΝΟΙ ΚΑΛΑ ΕΝΩΠΙΟΝ πάντων ΑΝΘΡΩΠΩΝ· εἰ δυνατόν,
19 τὸ ἐξ ὑμῶν μετὰ πάντων ἀνθρώπων εἰρηνεύοντες· μὴ ἑαυτοὺς
ἐκδικοῦντες, ἀγαπητοί, ἀλλὰ δότε τόπον τῇ ὀργῇ, γέγραπται
γάρ Ἐμοὶ ἐκδίκησις, ἐγὼ ἀνταποδώσω, λέγει Κύριος.
20 ἀλλὰ ἐὰν ΠΕΙΝᾼ ὁ ἐχθρός ΣΟΥ, ΨΩΜΙΖΕ ΑΥΤΟΝ· ἐὰν
ΔΙΨᾼ, ΠΟΤΙΖΕ ΑΥΤΟΝ· ΤΟΥΤΟ ΓΑΡ ΠΟΙΩΝ ΑΝΘΡΑΚΑΣ ΠΥΡΟΣ
21 ΣΩΡΕΥΣΕΙΣ ΕΠΙ ΤΗΝ ΚΕΦΑΛΗΝ ΑΥΤΟΥ. μὴ νικῶ ὑπὸ τοῦ
1 κακοῦ, ἀλλὰ νίκα ἐν τῷ ἀγαθῷ τὸ κακόν. Πᾶσα
ψυχὴ ἐξουσίαις ὑπερεχούσαις ὑποτασσέσθω, οὐ γὰρ ἔστιν
ἐξουσία εἰ μὴ ὑπὸ θεοῦ, αἱ δὲ οὖσαι ὑπὸ θεοῦ τεταγμέναι
2 εἰσίν· ὥστε ὁ ἀντιτασσόμενος τῇ ἐξουσίᾳ τῇ τοῦ θεοῦ
διαταγῇ ἀνθέστηκεν, οἱ δὲ ἀνθεστηκότες ἑαυτοῖς κρίμα
3 λήμψονται. οἱ γὰρ ἄρχοντες οὐκ εἰσὶν φόβος τῷ ⸢ἀγαθῷ
ἔργῳ⸣ ἀλλὰ τῷ κακῷ. θέλεις δὲ μὴ φοβεῖσθαι τὴν ἐξου-
4 σίαν; τὸ ἀγαθὸν ποίει, καὶ ἕξεις ἔπαινον ἐξ αὐτῆς· θεοῦ
γὰρ διάκονός ἐστιν σοὶ εἰς τὸ ἀγαθόν. ἐὰν δὲ τὸ κακὸν
ποιῇς, φοβοῦ· οὐ γὰρ εἰκῆ τὴν μάχαιραν φορεῖ· θεοῦ
γὰρ διάκονός ἐστιν, ἔκδικος εἰς ὀργὴν τῷ τὸ κακὸν πράσ-
5 σοντι. διὸ ἀνάγκη ὑποτάσσεσθαι, οὐ μόνον διὰ τὴν
6 ὀργὴν ἀλλὰ καὶ διὰ τὴν συνείδησιν, διὰ τοῦτο γὰρ καὶ
φόρους τελεῖτε, λειτουργοὶ γὰρ θεοῦ εἰσὶν εἰς αὐτὸ τοῦτο
7 προσκαρτεροῦντες. ἀπόδοτε πᾶσι τὰς ὀφειλάς, τῷ τὸν
φόρον τὸν φόρον, τῷ τὸ τέλος τὸ τέλος, τῷ τὸν φόβον
8 τὸν φόβον, τῷ τὴν τιμὴν τὴν τιμήν. Μηδενὶ
μηδὲν ὀφείλετε, εἰ μὴ τὸ ἀλλήλους ἀγαπᾶν· ὁ γὰρ ἀγαπῶν
9 τὸν ἕτερον νόμον πεπλήρωκεν. τὸ γάρ Οὐ ΜΟΙΧΕΥΣΕΙΣ,
Οὐ ΦΟΝΕΥΣΕΙΣ, Οὐ ΚΛΕΨΕΙΣ, ΟΥΚ ΕΠΙΘΥΜΗΣΕΙΣ, καὶ
εἴ τις ἑτέρα ἐντολή, ἐν ⸢τῷ λόγῳ τούτῳ⸣ ἀνακεφαλαιοῦται,
[ἐν τῷ] ΑΓΑΠΗΣΕΙΣ ΤΟΝ ΠΛΗΣΙΟΝ ΣΟΥ ΩΣ ΣΕΑΥΤΟΝ.

15 καί   3 †...†   9 τούτῳ τῷ λόγῳ

ἡ ἀγάπη τῷ πλησίον κακὸν οὐκ ἐργάζεται· πλήρωμα οὖν 10
νόμου ἡ ἀγάπη. Καὶ τοῦτο εἰδότες τὸν καιρόν, 11
ὅτι ὥρα ἤδη ⌜ὑμᾶς⌝ ἐξ ὕπνου ἐγερθῆναι, νῦν γὰρ ἐγγύ-
τερον ἡμῶν ἡ σωτηρία ἢ ὅτε ἐπιστεύσαμεν. ἡ νὺξ προέ- 12
κοψεν, ἡ δὲ ἡμέρα ἤγγικεν. ἀποθώμεθα οὖν τὰ ἔργα τοῦ
σκότους, ἐνδυσώμεθα [δὲ] τὰ ὅπλα τοῦ φωτός. ὡς ἐν 13
ἡμέρᾳ εὐσχημόνως περιπατήσωμεν, μὴ κώμοις καὶ μέθαις,
μὴ κοίταις καὶ ἀσελγείαις, μὴ ⌜ἔριδι καὶ ζήλῳ⌝. ἀλλὰ 14
ἐνδύσασθε τὸν ⌜κύριον Ἰησοῦν Χριστόν⌝, καὶ τῆς σαρκὸς
πρόνοιαν μὴ ποιεῖσθε εἰς ἐπιθυμίας.

Τὸν δὲ ἀσθενοῦντα τῇ πίστει προσλαμβάνεσθε, μὴ εἰς 1
διακρίσεις διαλογισμῶν. ὃς μὲν πιστεύει φαγεῖν πάντα, ὁ 2
δὲ ἀσθενῶν λάχανα ἐσθίει. ὁ ἐσθίων τὸν μὴ ἐσθίοντα μὴ 3
ἐξουθενείτω, ὁ δὲ μὴ ἐσθίων τὸν ἐσθίοντα μὴ κρινέτω, ὁ
θεὸς γὰρ αὐτὸν προσελάβετο. σὺ τίς εἶ ὁ κρίνων ἀλλό- 4
τριον οἰκέτην; τῷ ἰδίῳ κυρίῳ στήκει ἢ πίπτει· σταθήσεται
δέ, δυνατεῖ γὰρ ὁ κύριος στῆσαι αὐτόν. ὃς μὲν [γὰρ] κρίνει 5
ἡμέραν παρ᾽ ἡμέραν, ὃς δὲ κρίνει πᾶσαν ἡμέραν· ἕκαστος
ἐν τῷ ἰδίῳ νοῒ πληροφορείσθω· ὁ φρονῶν τὴν ἡμέραν 6
κυρίῳ φρονεῖ. καὶ ὁ ἐσθίων κυρίῳ ἐσθίει, εὐχαριστεῖ γὰρ
τῷ θεῷ· καὶ ὁ μὴ ἐσθίων κυρίῳ οὐκ ἐσθίει, καὶ εὐχαριστεῖ
τῷ θεῷ. Οὐδεὶς γὰρ ἡμῶν ἑαυτῷ ζῇ, καὶ οὐδεὶς ἑαυτῷ 7
ἀποθνήσκει· ἐάν τε γὰρ ζῶμεν, τῷ κυρίῳ ζῶμεν, ἐάν τε 8
ἀποθνήσκωμεν, τῷ κυρίῳ ἀποθνήσκομεν. ἐάν τε οὖν ζῶμεν
ἐάν τε ἀποθνήσκωμεν, τοῦ κυρίου ἐσμέν. εἰς τοῦτο γὰρ 9
Χριστὸς ἀπέθανεν καὶ ἔζησεν ἵνα καὶ νεκρῶν καὶ ζώντων
κυριεύσῃ. Σὺ δὲ τί κρίνεις τὸν ἀδελφόν σου; ἢ καὶ σὺ τί 10
ἐξουθενεῖς τὸν ἀδελφόν σου; πάντες γὰρ παραστησόμεθα
τῷ βήματι τοῦ θεοῦ· γέγραπται γάρ 11

Ζῶ ἐγώ, λέγει Κύριος, ὅτι ἐμοὶ κάμψει πᾶν γόνγ,
καὶ πᾶϲα γλῶϲϲα ἐξομολογήϲεται τῷ θεῷ.

ἄρα [οὖν] ἕκαστος ἡμῶν περὶ ἑαυτοῦ λόγον δώσει [τῷ 12
θεῷ]. Μηκέτι οὖν ἀλλήλους κρίνωμεν· ἀλλὰ 13

τοῦτο κρίνατε μᾶλλον, τὸ μὴ τιθέναι ⌜πρόσκομμα τῷ
14 ἀδελφῷ ἢ⌝ σκάνδαλον. οἶδα καὶ πέπεισμαι ἐν κυρίῳ
Ἰησοῦ ὅτι οὐδὲν κοινὸν δι᾽ ἑαυτοῦ· εἰ μὴ τῷ λογιζομένῳ
15 τι κοινὸν εἶναι, ἐκείνῳ κοινόν. εἰ γὰρ διὰ βρῶμα ὁ ἀδελφός
σου λυπεῖται, οὐκέτι κατὰ ἀγάπην περιπατεῖς. μὴ τῷ βρώ-
16 ματί σου ἐκεῖνον ἀπόλλυε ὑπὲρ οὗ Χριστὸς ἀπέθανεν. μὴ
17 βλασφημείσθω οὖν ὑμῶν τὸ ἀγαθόν. οὐ γάρ ἐστιν ἡ
βασιλεία τοῦ θεοῦ βρῶσις καὶ πόσις, ἀλλὰ δικαιοσύνη καὶ
18 εἰρήνη καὶ χαρὰ ἐν πνεύματι ἁγίῳ· ὁ γὰρ ἐν τούτῳ δουλεύων
τῷ χριστῷ εὐάρεστος τῷ θεῷ καὶ δόκιμος τοῖς ἀνθρώποις.
19 ἄρα οὖν τὰ τῆς εἰρήνης ⌜διώκωμεν⌝ καὶ τὰ τῆς οἰκοδομῆς
20 τῆς εἰς ἀλλήλους· μὴ ἕνεκεν βρώματος κατάλυε τὸ ἔργον
τοῦ θεοῦ. πάντα μὲν καθαρά, ἀλλὰ κακὸν τῷ ἀνθρώπῳ τῷ
21 διὰ προσκόμματος ἐσθίοντι. καλὸν τὸ μὴ φαγεῖν κρέα μηδὲ
22 πεῖν οἶνον μηδὲ ἐν ᾧ ὁ ἀδελφός σου προσκόπτει· σὺ πίστιν
ἣν ἔχεις κατὰ σεαυτὸν ἔχε ἐνώπιον τοῦ θεοῦ. μακάριος
23 ὁ μὴ κρίνων ἑαυτὸν ἐν ᾧ δοκιμάζει· ὁ δὲ διακρινόμενος ἐὰν
φάγῃ κατακέκριται, ὅτι οὐκ ἐκ πίστεως· πᾶν δὲ ὃ οὐκ ἐκ
1 πίστεως ἁμαρτία ἐστίν. Ὀφείλομεν δὲ ἡμεῖς οἱ
δυνατοὶ τὰ ἀσθενήματα τῶν ἀδυνάτων βαστάζειν, καὶ μὴ
2 ἑαυτοῖς ἀρέσκειν. ἕκαστος ἡμῶν τῷ πλησίον ἀρεσκέτω εἰς
3 τὸ ἀγαθὸν πρὸς οἰκοδομήν· καὶ γὰρ ὁ χριστὸς οὐχ ἑαυτῷ
ἤρεσεν· ἀλλὰ καθὼς γέγραπται ΟἹ ὈΝΕΙΔΙϹΜΟῚ ΤΩ͂Ν ὈΝΕΙ-
4 ΔΙΖΌΝΤΩΝ ϹΈ ἘΠΈΠΕϹΑΝ ἘΠ᾽ ἘΜΈ. ὅσα γὰρ προεγράφη,
[πάντα] εἰς τὴν ἡμετέραν διδασκαλίαν ἐγράφη, ἵνα διὰ τῆς
ὑπομονῆς καὶ διὰ τῆς παρακλήσεως τῶν γραφῶν τὴν ἐλπίδα
5 ἔχωμεν ⊤. ὁ δὲ θεὸς τῆς ὑπομονῆς καὶ τῆς παρακλήσεως
δῴη ὑμῖν τὸ αὐτὸ φρονεῖν ἐν ἀλλήλοις κατὰ ⌜Χριστὸν
6 Ἰησοῦν⌝, ἵνα ὁμοθυμαδὸν ἐν ἑνὶ στόματι δοξάζητε τὸν θεὸν
καὶ πατέρα τοῦ κυρίου ἡμῶν Ἰησοῦ Χριστοῦ.

7 Διὸ προσλαμβάνεσθε ἀλλήλους, καθὼς καὶ ὁ χριστὸς
8 προσελάβετο ⌜ἡμᾶς⌝, εἰς δόξαν τοῦ θεοῦ. λέγω γὰρ Χρι-
στὸν διάκονον ⌜γεγενῆσθαι⌝ περιτομῆς ὑπὲρ ἀληθείας θεοῦ,

9 διώκομεν 4 τῆς παρακλήσεως 5 Ἰησοῦν Χριστόν 7 ὑμᾶς 8 γενέσθαι

εἰς τὸ βεβαιῶσαι τὰς ἐπαγγελίας τῶν πατέρων, τὰ δὲ 9
ἔθνη ὑπὲρ ἐλέους δοξάσαι τὸν θεόν· καθὼς γέγραπται Διὰ
τοῦτο ἐξομολογήσομαί σοι ἐν ἔθνεσι, καὶ τῷ
ὀνοματί σου ψαλῶ. καὶ πάλιν λέγει Εὐφράνθητε, 10
ἔθνη, μετὰ τοῦ λαοῦ αὐτοῦ. καὶ πάλιν 11
    Αἰνεῖτε, πάντα τὰ ἔθνη, τὸν κύριον,
    καὶ ἐπαινεσάτωσαν αὐτὸν πάντες οἱ λαοί.
καὶ πάλιν Ἠσαίας λέγει 12
    Ἔσται ἡ ῥίζα τοῦ Ἰεσσαί,
    καὶ ὁ ἀνιστάμενος ἄρχειν ἐθνῶν·
        ἐπ᾽ αὐτῷ ἔθνη ἐλπιοῦσιν.
ὁ δὲ θεὸς τῆς ἐλπίδος πληρώσαι ὑμᾶς πάσης χαρᾶς καὶ 13
εἰρήνης ἐν τῷ πιστεύειν, εἰς τὸ περισσεύειν ὑμᾶς ἐν τῇ
ἐλπίδι ἐν δυνάμει πνεύματος ἁγίου.

    Πέπεισμαι δέ, ἀδελφοί μου, καὶ αὐτὸς ἐγὼ περὶ ὑμῶν, 14
ὅτι καὶ αὐτοὶ μεστοί ἐστε ἀγαθωσύνης, πεπληρωμένοι
πάσης τῆς γνώσεως, δυνάμενοι καὶ ἀλλήλους νουθετεῖν.
τολμηροτέρως δὲ ἔγραψα ὑμῖν ἀπὸ μέρους, ὡς ἐπαναμι- 15
μνήσκων ὑμᾶς, διὰ τὴν χάριν τὴν δοθεῖσάν μοι ἀπὸ τοῦ
θεοῦ εἰς τὸ εἶναί με λειτουργὸν Χριστοῦ Ἰησοῦ εἰς τὰ 16
ἔθνη, ἱερουργοῦντα τὸ εὐαγγέλιον τοῦ θεοῦ, ἵνα γένηται ἡ
προσφορὰ τῶν ἐθνῶν εὐπρόσδεκτος, ἡγιασμένη ἐν πνεύ-
ματι ἁγίω. ἔχω οὖν [τὴν] καύχησιν ἐν Χριστῷ Ἰησοῦ τὰ 17
πρὸς τὸν θεόν· οὐ γὰρ ⸢τολμήσω⸣ τι λαλεῖν ὧν οὐ κατειρ- 18
γάσατο Χριστὸς δι᾽ ἐμοῦ εἰς ὑπακοὴν ἐθνῶν, λόγῳ καὶ
ἔργῳ, ἐν δυνάμει σημείων καὶ τεράτων, ἐν δυνάμει πνεύματος 19
[ἁγίου]· ὥστε με ἀπὸ Ἰερουσαλὴμ καὶ κύκλῳ μέχρι τοῦ
Ἰλλυρικοῦ πεπληρωκέναι τὸ εὐαγγέλιον τοῦ χριστοῦ, οὕτως 20
δὲ φιλοτιμούμενον εὐαγγελίζεσθαι οὐχ ὅπου ὠνομάσθη
Χριστός, ἵνα μὴ ἐπ᾽ ἀλλότριον θεμέλιον οἰκοδομῶ, ἀλλὰ 21
καθὼς γέγραπται
    ⸢Ὄψονται οἷς οὐκ ἀνηγγέλη περὶ αὐτοῦ⸣,
    καὶ οἳ οὐκ ἀκηκόασιν συνήσουσιν.

18 τολμῶ   21 Οἷς οὐκ ἀνηγγέλη περὶ αὐτοῦ ὄψονται

22 Διὸ καὶ ἐνεκοπτόμην τὰ πολλὰ τοῦ ἐλθεῖν πρὸς ὑμᾶς·
23 νυνὶ δὲ μηκέτι τόπον ἔχων ἐν τοῖς κλίμασι τούτοις, ἐπιπό-
24 θειαν δὲ ἔχων τοῦ ἐλθεῖν πρὸς ὑμᾶς ἀπὸ ἱκανῶν ἐτῶν, ὡς
     ἂν πορεύωμαι εἰς τὴν Σπανίαν, ἐλπίζω γὰρ διαπορευόμενος
     θεάσασθαι ὑμᾶς καὶ ὑφ' ὑμῶν προπεμφθῆναι ἐκεῖ ἐὰν ὑμῶν
25 πρῶτον ἀπὸ μέρους ἐμπλησθῶ,— νυνὶ δὲ πορεύομαι εἰς
26 Ἰερουσαλὴμ διακονῶν τοῖς ἁγίοις. ηὐδόκησαν γὰρ Μακε-
     δονία καὶ Ἀχαία κοινωνίαν τινὰ ποιήσασθαι εἰς τοὺς πτω-
27 χοὺς τῶν ἁγίων τῶν ἐν Ἰερουσαλήμ. ηὐδόκησαν γάρ, καὶ
     ὀφειλέται εἰσὶν αὐτῶν· εἰ γὰρ τοῖς πνευματικοῖς αὐτῶν
     ἐκοινώνησαν τὰ ἔθνη, ὀφείλουσιν καὶ ἐν τοῖς σαρκικοῖς
28 λειτουργῆσαι αὐτοῖς. τοῦτο οὖν ἐπιτελέσας, καὶ σφραγι-
     σάμενος αὐτοῖς τὸν καρπὸν τοῦτον, ἀπελεύσομαι δι' ὑμῶν
29 εἰς Σπανίαν· οἶδα δὲ ὅτι ἐρχόμενος πρὸς ὑμᾶς ἐν πληρώ-
30 ματι εὐλογίας Χριστοῦ ἐλεύσομαι.   Παρακαλῶ
     δὲ ὑμᾶς [, ἀδελφοί,] διὰ τοῦ κυρίου ἡμῶν Ἰησοῦ Χριστοῦ
     καὶ διὰ τῆς ἀγάπης τοῦ πνεύματος συναγωνίσασθαί μοι ἐν
31 ταῖς προσευχαῖς ὑπὲρ ἐμοῦ πρὸς τὸν θεόν, ἵνα ῥυσθῶ ἀπὸ
     τῶν ἀπειθούντων ἐν τῇ Ἰουδαίᾳ καὶ ἡ διακονία μου ἡ εἰς
32 Ἰερουσαλὴμ εὐπρόσδεκτος τοῖς ἁγίοις γένηται, ἵνα ἐν χαρᾷ
     ⌜ἐλθὼν πρὸς ὑμᾶς διὰ θελήματος ⌜θεοῦ⌝ συναναπαύσωμαι
33 ὑμῖν. ὁ δὲ θεὸς τῆς εἰρήνης μετὰ πάντων ὑμῶν· ἀμήν.

1   Συνίστημι δὲ ὑμῖν Φοίβην τὴν ἀδελφὴν ἡμῶν, οὖσαν
2   [καὶ] διάκονον τῆς ἐκκλησίας τῆς ἐν Κενχρεαῖς, ἵνα ⌜προσ-
     δέξησθε αὐτὴν⌝ ἐν κυρίῳ ἀξίως τῶν ἁγίων, καὶ παραστῆτε
     αὐτῇ ἐν ᾧ ἂν ὑμῶν χρῄζῃ πράγματι, καὶ γὰρ αὐτὴ προ-
     στάτις πολλῶν ἐγενήθη καὶ ἐμοῦ αὐτοῦ.

3   Ἀσπάσασθε Πρίσκαν καὶ Ἀκύλαν τοὺς συνεργούς μου
4   ἐν Χριστῷ Ἰησοῦ, οἵτινες ὑπὲρ τῆς ψυχῆς μου τὸν ἑαυτῶν
     τράχηλον ὑπέθηκαν, οἷς οὐκ ἐγὼ μόνος εὐχαριστῶ ἀλλὰ καὶ
5   πᾶσαι αἱ ἐκκλησίαι τῶν ἐθνῶν, καὶ τὴν κατ' οἶκον αὐτῶν
     ἐκκλησίαν. ἀσπάσασθε Ἐπαίνετον τὸν ἀγαπητόν μου, ὃς
6   ἐστιν ἀπαρχὴ τῆς Ἀσίας εἰς Χριστόν. ἀσπάσασθε Μαρίαν,

32 ἔλθω πρὸς......θεοῦ καὶ | †...†   2 αὐτὴν προσδέξησθε

ἥτις πολλὰ ἐκοπίασεν εἰς ὑμᾶς. ἀσπάσασθε Ἀνδρόνικον 7
καὶ Ἰουνίαν τοὺς συγγενεῖς μου καὶ συναιχμαλώτους μου,
οἵτινές εἰσιν ἐπίσημοι ἐν τοῖς ἀποστόλοις, οἳ καὶ πρὸ ἐμοῦ
γέγοναν ἐν Χριστῷ. ἀσπάσασθε Ἀμπλιᾶτον τὸν ἀγα- 8
πητόν μου ἐν κυρίῳ. ἀσπάσασθε Οὐρβανὸν τὸν συνεργὸν 9
ἡμῶν ἐν Χριστῷ καὶ Στάχυν τὸν ἀγαπητόν μου. ἀσπά- 10
σασθε Ἀπελλῆν τὸν δόκιμον ἐν Χριστῷ. ἀσπάσασθε
τοὺς ἐκ τῶν Ἀριστοβούλου. ἀσπάσασθε Ἡρῳδίωνα τὸν 11
συγγενῆ μου. ἀσπάσασθε τοὺς ἐκ τῶν Ναρκίσσου τοὺς
ὄντας ἐν κυρίῳ. ἀσπάσασθε Τρύφαιναν καὶ Τρυφῶσαν τὰς 12
κοπιώσας ἐν κυρίῳ. ἀσπάσασθε Περσίδα τὴν ἀγαπητήν,
ἥτις πολλὰ ἐκοπίασεν ἐν κυρίῳ. ἀσπάσασθε Ῥοῦφον τὸν 13
ἐκλεκτὸν ἐν κυρίῳ καὶ τὴν μητέρα αὐτοῦ καὶ ἐμοῦ. ἀσπά- 14
σασθε Ἀσύνκριτον, Φλέγοντα, Ἑρμῆν, Πατρόβαν, Ἑρμᾶν,
καὶ τοὺς σὺν αὐτοῖς ἀδελφούς. ἀσπάσασθε Φιλόλογον 15
καὶ Ἰουλίαν, Νηρέα καὶ τὴν ἀδελφὴν αὐτοῦ, καὶ Ὀλυμπᾶν,
καὶ τοὺς σὺν αὐτοῖς πάντας ἁγίους. Ἀσπάσασθε ἀλλή- 16
λους ἐν φιλήματι ἁγίῳ. Ἀσπάζονται ὑμᾶς αἱ ἐκκλησίαι
πᾶσαι τοῦ χριστοῦ.

Παρακαλῶ δὲ ὑμᾶς, ἀδελφοί, σκοπεῖν τοὺς τὰς διχο- 17
στασίας καὶ τὰ σκάνδαλα παρὰ τὴν διδαχὴν ἣν ὑμεῖς ἐμά-
θετε ποιοῦντας, καὶ ἐκκλίνετε ἀπ᾽ αὐτῶν· οἱ γὰρ τοιοῦτοι 18
τῷ κυρίῳ ἡμῶν Χριστῷ οὐ δουλεύουσιν ἀλλὰ τῇ ἑαυτῶν
κοιλίᾳ, καὶ διὰ τῆς χρηστολογίας καὶ εὐλογίας ἐξαπατῶσι
τὰς καρδίας τῶν ἀκάκων. ἡ γὰρ ὑμῶν ὑπακοὴ εἰς πάντας 19
ἀφίκετο· ἐφ᾽ ὑμῖν οὖν χαίρω, θέλω δὲ ὑμᾶς σοφοὺς [μὲν]
εἶναι εἰς τὸ ἀγαθόν, ἀκεραίους δὲ εἰς τὸ κακόν. ὁ δὲ θεὸς 20
τῆς εἰρήνης συντρίψει τὸν Σατανᾶν ὑπὸ τοὺς πόδας ὑμῶν
ἐν τάχει.

Ἡ χάρις τοῦ κυρίου ἡμῶν Ἰησοῦ ᵀ μεθ᾽ ὑμῶν.

Ἀσπάζεται ὑμᾶς Τιμόθεος ὁ συνεργός [μου], καὶ 21
Λούκιος καὶ Ἰάσων καὶ Σωσίπατρος οἱ συγγενεῖς μου.
ἀσπάζομαι ὑμᾶς ἐγὼ Τέρτιος ὁ γράψας τὴν ἐπιστολὴν ἐν 22

20 Χριστοῦ

23 κυρίῳ. ἀσπάζεται ὑμᾶς Γαῖος ὁ ξένος μου καὶ ὅλης τῆς
ἐκκλησίας. ἀσπάζεται ὑμᾶς Ἔραστος ὁ οἰκονόμος τῆς
πόλεως καὶ Κούαρτος ὁ ἀδελφός.

25 Τῷ δὲ δυναμένῳ ὑμᾶς στηρίξαι κατὰ τὸ εὐαγγέλιόν μου
καὶ τὸ κήρυγμα Ἰησοῦ Χριστοῦ, κατὰ ἀποκάλυψιν μυστη-
26 ρίου χρόνοις αἰωνίοις σεσιγημένου φανερωθέντος δὲ νῦν
διά τε γραφῶν προφητικῶν κατ᾽ ἐπιταγὴν τοῦ αἰωνίου
θεοῦ εἰς ὑπακοὴν πίστεως εἰς πάντα τὰ ἔθνη γνωρισθέντος,
27 μόνῳ σοφῷ θεῷ διὰ Ἰησοῦ Χριστοῦ [ᾧ] ἡ δόξα εἰς τοὺς
αἰῶνας· ἀμήν.

ΠΡΟΣ ΚΟΡΙΝΘΙΟΥΣ Α

ΠΑΥΛΟΣ κλητὸς ἀπόστολος ⌜Ἰησοῦ Χριστοῦ⌝ διὰ 1
θελήματος θεοῦ καὶ Σωσθένης ὁ ἀδελφὸς τῇ ἐκκλησίᾳ 2
τοῦ θεοῦ τῇ οὔσῃ ἐν Κορίνθῳ, ἡγιασμένοις ἐν Χριστῷ
Ἰησοῦ, κλητοῖς ἁγίοις, σὺν πᾶσιν τοῖς ἐπικαλουμένοις τὸ
ὄνομα τοῦ κυρίου ἡμῶν Ἰησοῦ Χριστοῦ ἐν παντὶ τόπῳ
αὐτῶν καὶ ἡμῶν· χάρις ὑμῖν καὶ εἰρήνη ἀπὸ θεοῦ πατρὸς 3
ἡμῶν καὶ κυρίου Ἰησοῦ Χριστοῦ.

Εὐχαριστῶ τῷ θεῷ πάντοτε περὶ ὑμῶν ἐπὶ τῇ χάριτι 4
τοῦ θεοῦ τῇ δοθείσῃ ὑμῖν ἐν Χριστῷ Ἰησοῦ, ὅτι ἐν παντὶ 5
ἐπλουτίσθητε ἐν αὐτῷ, ἐν παντὶ λόγῳ καὶ πάσῃ γνώσει,
καθὼς τὸ μαρτύριον τοῦ χριστοῦ ἐβεβαιώθη ἐν ὑμῖν, 6
ὥστε ὑμᾶς μὴ ὑστερεῖσθαι ἐν μηδενὶ χαρίσματι, ἀπεκδε- 7
χομένους τὴν ἀποκάλυψιν τοῦ κυρίου ἡμῶν Ἰησοῦ Χριστοῦ·
ὃς καὶ βεβαιώσει ὑμᾶς ἕως τέλους ἀνεγκλήτους ἐν τῇ ἡμέρᾳ 8
τοῦ κυρίου ἡμῶν Ἰησοῦ [Χριστοῦ]. πιστὸς ὁ θεὸς δι' οὗ 9
ἐκλήθητε εἰς κοινωνίαν τοῦ υἱοῦ αὐτοῦ Ἰησοῦ Χριστοῦ τοῦ
κυρίου ἡμῶν.

Παρακαλῶ δὲ ὑμᾶς, ἀδελφοί, διὰ τοῦ ὀνόματος τοῦ 10
κυρίου ἡμῶν Ἰησοῦ Χριστοῦ ἵνα τὸ αὐτὸ λέγητε πάντες,
καὶ μὴ ᾖ ἐν ὑμῖν σχίσματα, ἦτε δὲ κατηρτισμένοι ἐν τῷ
αὐτῷ νοῒ καὶ ἐν τῇ αὐτῇ γνώμῃ. ἐδηλώθη γάρ μοι περὶ 11
ὑμῶν, ἀδελφοί μου, ὑπὸ τῶν Χλόης ὅτι ἔριδες ἐν ὑμῖν εἰσίν.
λέγω δὲ τοῦτο ὅτι ἕκαστος ὑμῶν λέγει Ἐγὼ μέν εἰμι 12
Παύλου, Ἐγὼ δὲ Ἀπολλώ, Ἐγὼ δὲ Κηφᾶ, Ἐγὼ δὲ
Χριστοῦ. μεμέρισται ὁ ⌜χριστός.⌝ μὴ Παῦλος ἐσταυρώθη 13

---

1 Χριστοῦ Ἰησοῦ   13 χριστός;

14 ⌜ὑπὲρ⌝ ὑμῶν, ἢ εἰς τὸ ὄνομα Παύλου ἐβαπτίσθητε; εὐχα-
ριστῶ ᵀ ὅτι οὐδένα ὑμῶν ἐβάπτισα εἰ μὴ Κρίσπον καὶ
15 Γάϊον, ἵνα μή τις εἴπῃ ὅτι εἰς τὸ ἐμὸν ὄνομα ἐβαπτίσθητε·
16 ἐβάπτισα δὲ καὶ τὸν Στεφανᾶ οἶκον· λοιπὸν οὐκ οἶδα εἴ
17 τινα ἄλλον ἐβάπτισα. οὐ γὰρ ἀπέστειλέν με Χριστὸς
βαπτίζειν ἀλλὰ εὐαγγελίζεσθαι, οὐκ ἐν σοφίᾳ λόγου, ἵνα
μὴ κενωθῇ ὁ σταυρὸς τοῦ χριστοῦ.

18 Ὁ λόγος γὰρ ὁ τοῦ σταυροῦ τοῖς μὲν ἀπολλυμένοις
μωρία ἐστίν, τοῖς δὲ σωζομένοις ἡμῖν δύναμις θεοῦ ἐστίν.
19 γέγραπται γάρ

Ἀπολῶ τὴν ϲοφίαν τῶν ϲοφῶν,
καὶ τὴν ϲύνεϲιν τῶν ϲυνετῶν ἀθετήϲω.

20 ποῦ ϲοφόϲ; ποῦ γραμματεύϲ; ποῦ συνζητητὴς
τοῦ αἰῶνος τούτου; οὐχὶ ἐμώρανεν ὁ θεὸς τὴν ϲοφίαν
21 τοῦ κόϲμου; ἐπειδὴ γὰρ ἐν τῇ σοφίᾳ τοῦ θεοῦ οὐκ ἔγνω
ὁ κόσμος διὰ τῆς σοφίας τὸν θεόν, εὐδόκησεν ὁ θεὸς διὰ
22 τῆς μωρίας τοῦ κηρύγματος σῶσαι τοὺς πιστεύοντας. ἐπει-
δὴ καὶ Ἰουδαῖοι σημεῖα αἰτοῦσιν καὶ Ἕλληνες σοφίαν ζητοῦ-
23 σιν· ἡμεῖς δὲ κηρύσσομεν Χριστὸν ἐσταυρωμένον, Ἰουδαίοις
24 μὲν σκάνδαλον ἔθνεσιν δὲ μωρίαν, αὐτοῖς δὲ τοῖς κλητοῖς,
Ἰουδαίοις τε καὶ Ἕλλησιν, Χριστὸν θεοῦ δύναμιν καὶ θεοῦ
25 σοφίαν. ὅτι τὸ μωρὸν τοῦ θεοῦ σοφώτερον τῶν ἀνθρώ-
πων ἐστίν, καὶ τὸ ἀσθενὲς τοῦ θεοῦ ἰσχυρότερον τῶν
26 ἀνθρώπων. Βλέπετε γὰρ τὴν κλῆσιν ὑμῶν,
ἀδελφοί, ὅτι οὐ πολλοὶ σοφοὶ κατὰ σάρκα, οὐ πολλοὶ
27 δυνατοί, οὐ πολλοὶ εὐγενεῖς· ἀλλὰ τὰ μωρὰ τοῦ κόσμου
ἐξελέξατο ὁ θεός, ἵνα καταισχύνῃ τοὺς σοφούς, καὶ τὰ
ἀσθενῆ τοῦ κόσμου ἐξελέξατο ὁ θεός, ἵνα καταισχύνῃ τὰ
28 ἰσχυρά, καὶ τὰ ἀγενῆ τοῦ κόσμου καὶ τὰ ἐξουθενημένα
ἐξελέξατο ὁ θεός, [καὶ] τὰ μὴ ὄντα, ἵνα τὰ ὄντα καταρ-
29 γήσῃ, ὅπως μὴ καυχήσηται πᾶσα σὰρξ ἐνώπιον τοῦ θεοῦ.
30 ἐξ αὐτοῦ δὲ ὑμεῖς ἐστὲ ἐν Χριστῷ Ἰησοῦ, ὃς ἐγενήθη σοφία
ἡμῖν ἀπὸ ⌜θεοῦ, δικαιοσύνη⌝ τε καὶ ἁγιασμὸς καὶ ἀπολύ-

13 περί   14 τῷ θεῷ   30 θεοῦ δικαιοσύνη

τρωσις, ἵνα καθὼς γέγραπται Ὁ καγχώμενος ἐν Κυρίῳ 31
καγχάσθω.

Κἀγὼ ἐλθὼν πρὸς ὑμᾶς, ἀδελφοί, ἦλθον οὐ καθ᾽ ὑπερο- 1
χὴν λόγου ἢ σοφίας καταγγέλλων ὑμῖν τὸ ⸢μυστήριον⸣ τοῦ
θεοῦ, οὐ γὰρ ἔκρινά τι εἰδέναι ἐν ὑμῖν εἰ μὴ Ἰησοῦν Χριστὸν 2
καὶ τοῦτον ἐσταυρωμένον· κἀγὼ ἐν ἀσθενείᾳ καὶ ἐν φόβῳ 3
καὶ ἐν τρόμῳ πολλῷ ἐγενόμην πρὸς ὑμᾶς, καὶ ὁ λόγος μου 4
καὶ τὸ κήρυγμά μου οὐκ ἐν πιθοῖς σοφίας λόγοις ἀλλ᾽ ἐν
ἀποδείξει πνεύματος καὶ δυνάμεως, ἵνα ἡ πίστις ὑμῶν μὴ ᾖ 5
ἐν σοφίᾳ ἀνθρώπων ἀλλ᾽ ἐν δυνάμει θεοῦ.   Σοφίαν 6
δὲ λαλοῦμεν ἐν τοῖς τελείοις, σοφίαν δὲ οὐ τοῦ αἰῶνος
τούτου οὐδὲ τῶν ἀρχόντων τοῦ αἰῶνος τούτου τῶν καταργου-
μένων· ἀλλὰ λαλοῦμεν θεοῦ σοφίαν ἐν μυστηρίῳ, τὴν 7
ἀποκεκρυμμένην, ἣν προώρισεν ὁ θεὸς πρὸ τῶν αἰώνων εἰς
δόξαν ἡμῶν· ἣν οὐδεὶς τῶν ἀρχόντων τοῦ αἰῶνος τούτου 8
ἔγνωκεν, εἰ γὰρ ἔγνωσαν, οὐκ ἂν τὸν κύριον τῆς δόξης
ἐσταύρωσαν· ἀλλὰ καθὼς γέγραπται   9

ᾋ ὀφθαλμὸϲ ογκ εῖδεν καὶ ογϲ ογκ ἤκογϲεν
   καὶ ἐπὶ καρδίαν ἀνθρώπου οὐκ ἀνέβη,
      ὅϲα ἡτοίμαϲεν ὁ θεὸϲ τοῖϲ ἀγαπῶϲιν αγτόν.
ἡμῖν ⸢γὰρ⸣ ἀπεκάλυψεν ὁ θεὸς διὰ τοῦ πνεύματος, τὸ γὰρ 10
πνεῦμα πάντα ἐραυνᾷ, καὶ τὰ βάθη τοῦ θεοῦ. τίς γὰρ οἶδεν 11
ἀνθρώπων τὰ τοῦ ἀνθρώπου εἰ μὴ τὸ πνεῦμα τοῦ ἀνθρώπου
τὸ ἐν αὐτῷ; οὕτως καὶ τὰ τοῦ θεοῦ οὐδεὶς ἔγνωκεν εἰ μὴ
τὸ πνεῦμα τοῦ θεοῦ. ἡμεῖς δὲ οὐ τὸ πνεῦμα τοῦ κόσμου 12
ἐλάβομεν ἀλλὰ τὸ πνεῦμα τὸ ἐκ τοῦ θεοῦ, ἵνα εἰδῶμεν τὰ
ὑπὸ τοῦ θεοῦ χαρισθέντα ἡμῖν· ἃ καὶ λαλοῦμεν οὐκ ἐν 13
διδακτοῖς ἀνθρωπίνης σοφίας λόγοις, ἀλλ᾽ ἐν διδακτοῖς
πνεύματος, ⸢πνευματικοῖς⸣ πνευματικὰ συνκρίνοντες. ψυ- 14
χικὸς δὲ ἄνθρωπος οὐ δέχεται τὰ τοῦ πνεύματος τοῦ θεοῦ,
μωρία γὰρ αὐτῷ ἐστίν, καὶ οὐ δύναται γνῶναι, ὅτι πνευμα-
τικῶς ἀνακρίνεται· ὁ δὲ πνευματικὸς ἀνακρίνει ⸢μὲν⸣ πάντα, 15
αὐτὸς δὲ ὑπ᾽ οὐδενὸς ἀνακρίνεται. τίς γὰρ ἔγνω νογν 16

1 μαρτύριον   10 δὲ   13 πνευματικῶς   15 [τὰ]

Κυρίου, ὃς cΥΝΒιΒάcει αΥτόν; ἡμεῖς δὲ νοῦν Χριστοῦ
1 ἔχομεν.   Κἀγώ, ἀδελφοί, οὐκ ἠδυνήθην λαλῆσαι
ὑμῖν ὡς πνευματικοῖς ἀλλ' ὡς σαρκίνοις, ὡς νηπίοις ἐν
2 Χριστῷ. γάλα ὑμᾶς ἐπότισα, οὐ βρῶμα, οὔπω γὰρ ἐδύ-
νασθε.
3 Ἀλλ' οὐδὲ [ἔτι] νῦν δύνασθε, ἔτι γὰρ σαρκικοί ἐστε.
ὅπου γὰρ ἐν ὑμῖν ζῆλος καὶ ἔρις, οὐχὶ σαρκικοί ἐστε καὶ
4 κατὰ ἄνθρωπον περιπατεῖτε; ὅταν γὰρ λέγῃ τις Ἐγὼ μέν
εἰμι Παύλου, ἕτερος δέ Ἐγὼ Ἀπολλώ, οὐκ ἄνθρωποί
5 ἐστε; τί οὖν ἐστιν Ἀπολλώς; τί δέ ἐστιν Παῦλος; διά-
κονοι δι' ὧν ἐπιστεύσατε, καὶ ἑκάστῳ ὡς ὁ κύριος ἔδωκεν.
6 ἐγὼ ἐφύτευσα, Ἀπολλὼς ἐπότισεν, ἀλλὰ ὁ θεὸς ηὔξανεν·
7 ὥστε οὔτε ὁ φυτεύων ἐστίν τι οὔτε ὁ ποτίζων, ἀλλ' ὁ
8 αὐξάνων θεός. ὁ φυτεύων δὲ καὶ ὁ ποτίζων ἕν εἰσιν,
ἕκαστος δὲ τὸν ἴδιον μισθὸν λήμψεται κατὰ τὸν ἴδιον κόπον,
9 θεοῦ γάρ ἐσμεν συνεργοί· θεοῦ γεώργιον, θεοῦ οἰκοδομή
10 ἐστε.   Κατὰ τὴν χάριν τοῦ θεοῦ τὴν δοθεῖσάν
μοι ὡς σοφὸς ἀρχιτέκτων θεμέλιον ἔθηκα, ἄλλος δὲ ἐποικο-
11 δομεῖ. ἕκαστος δὲ βλεπέτω πῶς ἐποικοδομεῖ· θεμέλιον
γὰρ ἄλλον οὐδεὶς δύναται θεῖναι παρὰ τὸν κείμενον, ὅς
12 ἐστιν Ἰησοῦς Χριστός· εἰ δέ τις ἐποικοδομεῖ ἐπὶ τὸν θε-
μέλιον ⌜χρυσίον,⌝ ἀργύριον, λίθους τιμίους, ξύλα, χόρτον,
13 καλάμην, ἑκάστου τὸ ἔργον φανερὸν γενήσεται, ἡ γὰρ
ἡμέρα δηλώσει· ὅτι ἐν πυρὶ ἀποκαλύπτεται, καὶ ἑκάστου τὸ
14 ἔργον ὁποῖόν ἐστιν τὸ πῦρ αὐτὸ δοκιμάσει. εἴ τινος τὸ
15 ἔργον μενεῖ ὃ ἐποικοδόμησεν, μισθὸν λήμψεται· εἴ τινος τὸ
ἔργον κατακαήσεται, ζημιωθήσεται, αὐτὸς δὲ σωθήσεται,
16 οὕτως δὲ ὡς διὰ πυρός.   Οὐκ οἴδατε ὅτι ναὸς
17 θεοῦ ἐστὲ καὶ τὸ πνεῦμα τοῦ θεοῦ ⌜ἐν ὑμῖν οἰκεῖ⌝; εἴ τις
τὸν ναὸν τοῦ θεοῦ φθείρει, φθερεῖ τοῦτον ὁ θεός· ὁ γὰρ
ναὸς τοῦ θεοῦ ἅγιός ἐστιν, οἵτινές ἐστε ὑμεῖς.
18 Μηδεὶς ἑαυτὸν ἐξαπατάτω· εἴ τις δοκεῖ σοφὸς εἶναι ἐν
ὑμῖν ἐν τῷ αἰῶνι τούτῳ, μωρὸς γενέσθω, ἵνα γένηται σοφός,

12 χρυσίον καὶ   16 οἰκεῖ ἐν ὑμῖν

ἡ γὰρ σοφία τοῦ κόσμου τούτου μωρία παρὰ τῷ θεῷ ἐστίν· 19
γέγραπται γάρ Ὁ Δρασσόμενος τοὺς σοφοὺς ἐν τῇ πα-
νουργίᾳ αὐτῶν· καὶ πάλιν Κύριος γινώσκει τοὺς Δια- 20
λογισμοὺς τῶν σοφῶν ὅτι εἰσὶν μάταιοι. ὥστε μηδεὶς 21
καυχάσθω ἐν ἀνθρώποις· πάντα γὰρ ὑμῶν ἐστίν, εἴτε Παῦ- 22
λος εἴτε Ἀπολλὼς εἴτε Κηφᾶς εἴτε κόσμος εἴτε ζωὴ εἴτε
θάνατος εἴτε ἐνεστῶτα εἴτε μέλλοντα, πάντα ὑμῶν, ὑμεῖς 23
δὲ Χριστοῦ, Χριστὸς δὲ θεοῦ.   Οὕτως ἡμᾶς λογι- 1
ζέσθω ἄνθρωπος ὡς ὑπηρέτας Χριστοῦ καὶ οἰκονόμους
μυστηρίων θεοῦ. ὧδε λοιπὸν ζητεῖται ἐν τοῖς οἰκονόμοις 2
ἵνα πιστός τις εὑρεθῇ. ἐμοὶ δὲ εἰς ἐλάχιστόν ἐστιν ἵνα 3
ὑφ᾿ ὑμῶν ἀνακριθῶ ἢ ὑπὸ ἀνθρωπίνης ἡμέρας· ἀλλ᾿ οὐδὲ
ἐμαυτὸν ἀνακρίνω· οὐδὲν γὰρ ἐμαυτῷ σύνοιδα, ἀλλ᾿ οὐκ ἐν 4
τούτῳ δεδικαίωμαι, ὁ δὲ ἀνακρίνων με κύριός ἐστιν. ὥστε 5
μὴ πρὸ καιροῦ τι κρίνετε, ἕως ἂν ἔλθῃ ὁ κύριος, ὃς καὶ
φωτίσει τὰ κρυπτὰ τοῦ σκότους καὶ φανερώσει τὰς βουλὰς
τῶν καρδιῶν, καὶ τότε ὁ ἔπαινος γενήσεται ἑκάστῳ ἀπὸ
τοῦ θεοῦ.   Ταῦτα δέ, ἀδελφοί, μετεσχημάτισα 6
εἰς ἐμαυτὸν καὶ Ἀπολλὼν δι᾿ ὑμᾶς, ἵνα ἐν ἡμῖν μάθητε τό
Μὴ ὑπὲρ ἃ γέγραπται, ἵνα μὴ εἷς ὑπὲρ τοῦ ἑνὸς φυσιοῦ-
σθε κατὰ τοῦ ἑτέρου. τίς γάρ σε διακρίνει; τί δὲ ἔχεις ὃ 7
οὐκ ἔλαβες; εἰ δὲ καὶ ἔλαβες, τί καυχᾶσαι ὡς μὴ λαβών;
ἤδη κεκορεσμένοι ἐστέ; ἤδη ἐπλουτήσατε; χωρὶς ἡμῶν 8
ἐβασιλεύσατε; καὶ ὄφελόν γε ἐβασιλεύσατε, ἵνα καὶ ἡμεῖς
ὑμῖν συνβασιλεύσωμεν. δοκῶ γάρ, ὁ θεὸς ἡμᾶς τοὺς 9
ἀποστόλους ἐσχάτους ⌈ἀπέδειξεν⌉ ὡς ἐπιθανατίους, ὅτι θέα-
τρον ἐγενήθημεν τῷ κόσμῳ καὶ ἀγγέλοις καὶ ἀνθρώποις.
ἡμεῖς μωροὶ διὰ Χριστόν, ὑμεῖς δὲ φρόνιμοι ἐν Χριστῷ· 10
ἡμεῖς ἀσθενεῖς, ὑμεῖς δὲ ἰσχυροί· ὑμεῖς ἔνδοξοι, ἡμεῖς δὲ
ἄτιμοι. ἄχρι τῆς ἄρτι ὥρας καὶ πεινῶμεν καὶ διψῶμεν καὶ 11
γυμνιτεύομεν καὶ κολαφιζόμεθα καὶ ἀστατοῦμεν καὶ κοπι- 12
ῶμεν ἐργαζόμενοι ταῖς ἰδίαις χερσίν· λοιδορούμενοι εὐλο-
γοῦμεν, διωκόμενοι ἀνεχόμεθα, δυσφημούμενοι παρακα- 13

9 ἀπέδειξεν,

λοῦμεν· ὡς περικαθάρματα τοῦ κόσμου ἐγενήθημεν, πάντων
14 περίψημα, ἕως ἄρτι. Οὐκ ἐντρέπων ὑμᾶς γράφω
15 ταῦτα, ἀλλ᾽ ὡς τέκνα μου ἀγαπητὰ νουθετῶν· ἐὰν γὰρ
μυρίους παιδαγωγοὺς ἔχητε ἐν Χριστῷ, ἀλλ᾽ οὐ πολλοὺς
πατέρας, ἐν γὰρ Χριστῷ Ἰησοῦ διὰ τοῦ εὐαγγελίου ἐγὼ
16 ὑμᾶς ἐγέννησα. παρακαλῶ οὖν ὑμᾶς, μιμηταί μου γί-
17 νεσθε. Διὰ τοῦτο ᵀ ἔπεμψα ὑμῖν Τιμόθεον, ὅς ἐστίν μου
τέκνον ἀγαπητὸν καὶ πιστὸν ἐν κυρίῳ, ὃς ὑμᾶς ἀναμνήσει
τὰς ὁδούς μου τὰς ἐν Χριστῷ [Ἰησοῦ], καθὼς πανταχοῦ ἐν
18 πάσῃ ἐκκλησίᾳ διδάσκω. Ὡς μὴ ἐρχομένου δέ
19 μου πρὸς ὑμᾶς ἐφυσιώθησάν τινες· ἐλεύσομαι δὲ ταχέως
πρὸς ὑμᾶς, ἐὰν ὁ κύριος θελήσῃ, καὶ γνώσομαι οὐ τὸν
20 λόγον τῶν πεφυσιωμένων ἀλλὰ τὴν δύναμιν, οὐ γὰρ ἐν
21 λόγῳ ἡ βασιλεία τοῦ θεοῦ ἀλλ᾽ ἐν δυνάμει. τί θέλετε ; ἐν
ῥάβδῳ ἔλθω πρὸς ὑμᾶς, ἢ ἐν ἀγάπῃ πνεύματί τε πραΰ-
τητος ;

1 Ὅλως ἀκούεται ἐν ὑμῖν πορνεία, καὶ τοιαύτη πορνεία
ἥτις οὐδὲ ἐν τοῖς ἔθνεσιν, ὥστε γυναῖκά τινα τοῦ πατρὸς
2 ἔχειν. καὶ ὑμεῖς πεφυσιωμένοι ἐστέ, καὶ οὐχὶ μᾶλλον
ἐπενθήσατε, ἵνα ἀρθῇ ἐκ μέσου ὑμῶν ὁ τὸ ἔργον τοῦτο
3 πράξας ; Ἐγὼ μὲν γάρ, ἀπὼν τῷ σώματι παρὼν δὲ τῷ
πνεύματι, ἤδη κέκρικα ὡς παρὼν τὸν οὕτως τοῦτο κατεργα-
4 σάμενον ἐν τῷ ὀνόματι τοῦ κυρίου [ἡμῶν] Ἰησοῦ, συνα-
χθέντων ὑμῶν καὶ τοῦ ἐμοῦ πνεύματος σὺν τῇ δυνάμει τοῦ
5 κυρίου ἡμῶν Ἰησοῦ, παραδοῦναι τὸν τοιοῦτον τῷ Σατανᾷ
εἰς ὄλεθρον τῆς σαρκός, ἵνα τὸ πνεῦμα σωθῇ ἐν τῇ ἡμέρᾳ
6 τοῦ κυρίου ᵀ. Οὐ καλὸν τὸ καύχημα ὑμῶν. οὐκ οἴδατε ὅτι
7 μικρὰ ζύμη ὅλον τὸ φύραμα ζυμοῖ ; ἐκκαθάρατε τὴν πα-
λαιὰν ζύμην, ἵνα ἦτε νέον φύραμα, καθὼς ἐστε ἄζυμοι.
8 καὶ γὰρ τὸ πάσχα ἡμῶν ἐτύθη Χριστός· ὥστε ἑορτάζωμεν,
μὴ ἐν ζύμῃ ⌜παλαιᾷ μηδὲ⌝ ἐν ζύμῃ κακίας καὶ πονηρίας,
9 ἀλλ᾽ ἐν ἀζύμοις εἰλικρινίας καὶ ἀληθείας. Ἔγραψα

17 αὐτό   5 Ἰησοῦ   8 παλαιᾷ, μή

ὑμῖν ἐν τῇ ἐπιστολῇ μὴ συναναμίγνυσθαι πόρνοις, οὐ πάν- 10
τως τοῖς πόρνοις τοῦ κόσμου τούτου ἢ τοῖς πλεονέκταις καὶ
ἅρπαξιν ἢ εἰδωλολάτραις, ἐπεὶ ὠφείλετε ἄρα ἐκ τοῦ κόσμου
ἐξελθεῖν. νῦν δὲ ἔγραψα ὑμῖν μὴ συναναμίγνυσθαι ἐάν τις 11
ἀδελφὸς ὀνομαζόμενος ᾖ πόρνος ἢ πλεονέκτης ἢ εἰδωλο-
λάτρης ἢ λοίδορος ἢ μέθυσος ἢ ἅρπαξ, τῷ τοιούτῳ μηδὲ
συνεσθίειν. τί γάρ μοι τοὺς ἔξω κρίνειν; οὐχὶ τοὺς ἔσω 12
ὑμεῖς κρίνετε, τοὺς δὲ ἔξω ὁ θεὸς κρίνει; ἐξάρατε ΤΟΝ 13
ΠΟΝΗΡΟΝ ἐξ ὙΜΩΝ ΑΥΤΩΝ.

Τολμᾷ τις ὑμῶν πρᾶγμα ἔχων πρὸς τὸν ἕτερον κρί- 1
νεσθαι ἐπὶ τῶν ἀδίκων, καὶ οὐχὶ ἐπὶ τῶν ἁγίων; ἢ οὐκ οἴδατε 2
ὅτι οἱ ἅγιοι τὸν κόσμον ⌜κρινοῦσιν⌝; καὶ εἰ ἐν ὑμῖν κρίνεται
ὁ κόσμος, ἀνάξιοί ἐστε κριτηρίων ἐλαχίστων; οὐκ οἴδατε 3
ὅτι ἀγγέλους κρινοῦμεν, μήτιγε βιωτικά; βιωτικὰ μὲν οὖν 4
κριτήρια ἐὰν ἔχητε, τοὺς ἐξουθενημένους ἐν τῇ ἐκκλησίᾳ,
τούτους καθίζετε; πρὸς ἐντροπὴν ὑμῖν λέγω. οὕτως 5
οὐκ ἔνι ἐν ὑμῖν οὐδεὶς σοφὸς ὃς δυνήσεται διακρῖναι ἀνὰ
μέσον τοῦ ἀδελφοῦ αὐτοῦ, ἀλλὰ ἀδελφὸς μετὰ ἀδελφοῦ 6
κρίνεται, καὶ τοῦτο ἐπὶ ἀπίστων; ἤδη μὲν οὖν ὅλως ἥττημα 7
ὑμῖν ἐστιν ὅτι κρίματα ἔχετε μεθ' ἑαυτῶν· διὰ τί οὐχὶ
μᾶλλον ἀδικεῖσθε; διὰ τί οὐχὶ μᾶλλον ἀποστερεῖσθε; ἀλλὰ 8
ὑμεῖς ἀδικεῖτε καὶ ἀποστερεῖτε, καὶ τοῦτο ἀδελφούς. ἢ 9
οὐκ οἴδατε ὅτι ἄδικοι θεοῦ βασιλείαν οὐ κληρονομήσουσιν;
Μὴ πλανᾶσθε· οὔτε πόρνοι οὔτε εἰδωλολάτραι οὔτε μοιχοὶ
οὔτε μαλακοὶ οὔτε ἀρσενοκοῖται οὔτε κλέπται οὔτε πλεο- 10
νέκται, οὐ μέθυσοι, οὐ λοίδοροι, οὐχ ἅρπαγες βασιλείαν
θεοῦ κληρονομήσουσιν. Καὶ ταῦτά τινες ἦτε· ἀλλὰ ἀπε- 11
λούσασθε, ἀλλὰ ἡγιάσθητε, ἀλλὰ ἐδικαιώθητε ἐν τῷ ὀνό-
ματι τοῦ κυρίου [ἡμῶν] Ἰησοῦ Χριστοῦ καὶ ἐν τῷ πνεύματι
τοῦ θεοῦ ἡμῶν.

Πάντα μοι ἔξεστιν· ἀλλ' οὐ πάντα συμφέρει. πάντα 12
μοι ἔξεστιν· ἀλλ' οὐκ ἐγὼ ἐξουσιασθήσομαι ὑπό τινος.
τὰ βρώματα τῇ κοιλίᾳ, καὶ ἡ κοιλία τοῖς βρώμασιν· ὁ δὲ 13

2 κρίνουσιν

θεὸς καὶ ταύτην καὶ ταῦτα καταργήσει. τὸ δὲ σῶμα οὐ τῇ
14 πορνείᾳ ἀλλὰ τῷ κυρίῳ, καὶ ὁ κύριος τῷ σώματι· ὁ δὲ θεὸς
καὶ τὸν κύριον ἤγειρεν καὶ ἡμᾶς ⌜ἐξεγερεῖ⌝ διὰ τῆς δυνάμεως
15 αὑτοῦ. οὐκ οἴδατε ὅτι τὰ σώματα ὑμῶν μέλη Χριστοῦ
ἐστίν; ἄρας οὖν τὰ μέλη τοῦ χριστοῦ ποιήσω πόρνης μέλη;
16 μὴ γένοιτο. ἢ οὐκ οἴδατε ὅτι ὁ κολλώμενος τῇ πόρνῃ ἓν
σῶμά ἐστιν; Ἔϲονται γάρ, φησίν, οἱ Δύο εἰϲ ϲάρκα
17 Μίαν. ὁ δὲ κολλώμενος τῷ κυρίῳ ἓν πνεῦμά ἐστιν.
18 φεύγετε τὴν πορνείαν· πᾶν ἁμάρτημα ὃ ἐὰν ποιήσῃ ἄνθρω-
πος ἐκτὸς τοῦ σώματός ἐστιν, ὁ δὲ πορνεύων εἰς τὸ ἴδιον
19 σῶμα ἁμαρτάνει. ἢ οὐκ οἴδατε ὅτι τὸ σῶμα ὑμῶν ναὸς
τοῦ ἐν ὑμῖν ⌜ἁγίου πνεύματός ἐστιν⌝, οὗ ἔχετε ἀπὸ θεοῦ;
20 καὶ οὐκ ἐστὲ ἑαυτῶν, ἠγοράσθητε γὰρ τιμῆς· δοξάσατε δὴ
τὸν θεὸν ἐν τῷ σώματι ὑμῶν.

1 Περὶ δὲ ὧν ἐγράψατε, καλὸν ἀνθρώπῳ γυναικὸς μὴ
2 ἅπτεσθαι· διὰ δὲ τὰς πορνείας ἕκαστος τὴν ἑαυτοῦ γυναῖκα
3 ἐχέτω, καὶ ἑκάστη τὸν ἴδιον ἄνδρα ἐχέτω. τῇ γυναικὶ ὁ
ἀνὴρ τὴν ὀφειλὴν ἀποδιδότω, ὁμοίως δὲ καὶ ἡ γυνὴ τῷ
4 ἀνδρί. ἡ γυνὴ τοῦ ἰδίου σώματος οὐκ ἐξουσιάζει ἀλλὰ ὁ
ἀνήρ· ὁμοίως δὲ καὶ ὁ ἀνὴρ τοῦ ἰδίου σώματος οὐκ ἐξου-
5 σιάζει ἀλλὰ ἡ γυνή. μὴ ἀποστερεῖτε ἀλλήλους, εἰ μήτι
[ἂν] ἐκ συμφώνου πρὸς καιρὸν ἵνα σχολάσητε τῇ προσευχῇ
καὶ πάλιν ἐπὶ τὸ αὐτὸ ἦτε, ἵνα μὴ πειράζῃ ὑμᾶς ὁ Σατανᾶς
6 διὰ τὴν ἀκρασίαν [ὑμῶν]. τοῦτο δὲ λέγω κατὰ συνγνώμην,
7 οὐ κατ' ἐπιταγήν. θέλω δὲ πάντας ἀνθρώπους εἶναι ὡς
καὶ ἐμαυτόν· ἀλλὰ ἕκαστος ἴδιον ἔχει χάρισμα ἐκ θεοῦ, ὁ
μὲν οὕτως, ὁ δὲ οὕτως.

8 Λέγω δὲ τοῖς ἀγάμοις καὶ ταῖς χήραις, καλὸν αὐτοῖς ἐὰν
9 μείνωσιν ὡς κἀγώ· εἰ δὲ οὐκ ἐγκρατεύονται, γαμησάτωσαν,
10 κρεῖττον γάρ ἐστιν ⌜γαμεῖν⌝ ἢ πυροῦσθαι. Τοῖς δὲ γεγαμη-
κόσιν παραγγέλλω, οὐκ ἐγὼ ἀλλὰ ὁ κύριος, γυναῖκα ἀπὸ ἀν-
11 δρὸς μὴ χωρισθῆναι, — ἐὰν δὲ καὶ χωρισθῇ, μενέτω ἄγαμος
ἢ τῷ ἀνδρὶ καταλλαγήτω, — καὶ ἄνδρα γυναῖκα μὴ ἀφιέναι.

14 ἐξήγειρεν   19 πνεύματος ἁγίου ἐστίν   9 γαμῆσαι

Τοῖς δὲ λοιποῖς λέγω ἐγώ, οὐχ ὁ κύριος· εἴ τις ἀδελφὸς 12
γυναῖκα ἔχει ἄπιστον, καὶ αὕτη συνευδοκεῖ οἰκεῖν μετ᾽ αὐ-
τοῦ, μὴ ἀφιέτω αὐτήν· καὶ γυνὴ ἥτις ἔχει ἄνδρα ἄπιστον, 13
καὶ οὗτος συνευδοκεῖ οἰκεῖν μετ᾽ αὐτῆς, μὴ ἀφιέτω τὸν
ἄνδρα. ἡγίασται γὰρ ὁ ἀνὴρ ὁ ἄπιστος ἐν τῇ γυναικί, καὶ 14
ἡγίασται ἡ γυνὴ ἡ ἄπιστος ἐν τῷ ἀδελφῷ· ἐπεὶ ἄρα τὰ
τέκνα ὑμῶν ἀκάθαρτά ἐστιν, νῦν δὲ ἅγιά ἐστιν. εἰ δὲ ὁ 15
ἄπιστος χωρίζεται, χωριζέσθω· οὐ δεδούλωται ὁ ἀδελφὸς
ἢ ἡ ἀδελφὴ ἐν τοῖς τοιούτοις, ἐν δὲ εἰρήνῃ κέκληκεν
⌜ὑμᾶς⌝ ὁ θεός. τί γὰρ οἶδας, γύναι, εἰ τὸν ἄνδρα σώσεις; 16
ἢ τί οἶδας, ἄνερ, εἰ τὴν γυναῖκα σώσεις;   Εἰ 17
μὴ ἑκάστῳ ὡς ⌜μεμέρικεν⌝ ὁ κύριος, ἕκαστον ὡς κέκληκεν
ὁ θεός, οὕτως περιπατείτω· καὶ οὕτως ἐν ταῖς ἐκκλησίαις
πάσαις διατάσσομαι. περιτετμημένος τις ἐκλήθη; μὴ 18
ἐπισπάσθω· ἐν ἀκροβυστίᾳ κέκληταί τις; μὴ περιτεμνέσθω.
ἡ περιτομὴ οὐδέν ἐστιν, καὶ ἡ ἀκροβυστία οὐδέν ἐστιν, 19
ἀλλὰ τήρησις ἐντολῶν θεοῦ. ἕκαστος ἐν τῇ κλήσει ᾗ 20
ἐκλήθη ἐν ταύτῃ μενέτω. δοῦλος ἐκλήθης; μή σοι με- 21
λέτω· ἀλλ᾽ εἰ καὶ δύνασαι ἐλεύθερος γενέσθαι, μᾶλλον
χρῆσαι. ὁ γὰρ ἐν κυρίῳ κληθεὶς δοῦλος ἀπελεύθερος 22
κυρίου ἐστίν· ὁμοίως ὁ ἐλεύθερος κληθεὶς δοῦλός ἐστιν
Χριστοῦ. τιμῆς ἠγοράσθητε· μὴ γίνεσθε δοῦλοι ἀνθρώ- 23
πων. ἕκαστος ἐν ᾧ ἐκλήθη, ἀδελφοί, ἐν τούτῳ μενέτω 24
παρὰ θεῷ.

Περὶ δὲ τῶν παρθένων ἐπιταγὴν κυρίου οὐκ ἔχω, γνώμην 25
δὲ δίδωμι ὡς ἠλεημένος ὑπὸ κυρίου πιστὸς εἶναι.   Νο- 26
μίζω οὖν τοῦτο καλὸν ὑπάρχειν διὰ τὴν ἐνεστῶσαν ἀνάγκην,
ὅτι καλὸν ἀνθρώπῳ τὸ οὕτως εἶναι. δέδεσαι γυναικί; μὴ 27
ζήτει λύσιν· λέλυσαι ἀπὸ γυναικός; μὴ ζήτει γυναῖκα· ἐὰν 28
δὲ καὶ γαμήσῃς, οὐχ ἥμαρτες. καὶ ἐὰν γήμῃ [ἡ] παρθένος,
οὐχ ἥμαρτεν. θλίψιν δὲ τῇ σαρκὶ ἕξουσιν οἱ τοιοῦτοι,
ἐγὼ δὲ ὑμῶν φείδομαι. Τοῦτο δέ φημι, ἀδελφοί, ὁ καιρὸς 29
συνεσταλμένος ⌜ἐστίν· τὸ λοιπὸν⌝ ἵνα καὶ οἱ ἔχοντες γυναῖκας

15 ἡμᾶς   17 ἐμέρισεν   29 ἐστὶν τὸ λοιπόν,

30 ὡς μὴ ἔχοντες ὦσιν, καὶ οἱ κλαίοντες ὡς μὴ κλαίοντες, καὶ
οἱ χαίροντες ὡς μὴ χαίροντες, καὶ οἱ ἀγοράζοντες ὡς μὴ
31 κατέχοντες, καὶ οἱ χρώμενοι τὸν κόσμον ὡς μὴ καταχρώ-
32 μενοι· παράγει γὰρ τὸ σχῆμα τοῦ κόσμου τούτου.   θέλω
δὲ ὑμᾶς ἀμερίμνους εἶναι.   ὁ ἄγαμος μεριμνᾷ τὰ τοῦ
33 κυρίου, πῶς ἀρέσῃ τῷ κυρίῳ· ὁ δὲ γαμήσας μεριμνᾷ τὰ
τοῦ κόσμου, πῶς ἀρέσῃ τῇ γυναικί, καὶ μεμέρισται. καὶ ἡ
34 γυνὴ ἡ ἄγαμος καὶ ἡ παρθένος μεριμνᾷ τὰ τοῦ κυρίου, ἵνα
ᾖ ἁγία [καὶ] τῷ σώματι καὶ τῷ πνεύματι· ἡ δὲ γαμήσασα
35 μεριμνᾷ τὰ τοῦ κόσμου, πῶς ἀρέσῃ τῷ ἀνδρί.   τοῦτο δὲ
πρὸς τὸ ὑμῶν αὐτῶν σύμφορον λέγω, οὐχ ἵνα βρόχον ὑμῖν
ἐπιβάλω, ἀλλὰ πρὸς τὸ εὔσχημον καὶ εὐπάρεδρον τῷ κυρίῳ
36 ἀπερισπάστως.   Εἰ δέ τις ἀσχημονεῖν ἐπὶ τὴν
παρθένον αὐτοῦ νομίζει ἐὰν ᾖ ὑπέρακμος, καὶ οὕτως ὀφείλει
γίνεσθαι, ὃ θέλει ποιείτω· οὐχ ἁμαρτάνει· γαμείτωσαν.
37 ὃς δὲ ἕστηκεν ἐν τῇ καρδίᾳ αὐτοῦ ἑδραῖος, μὴ ἔχων ἀνάγκην,
ἐξουσίαν δὲ ἔχει περὶ τοῦ ἰδίου θελήματος, καὶ τοῦτο κέκρι-
κεν ἐν τῇ ἰδίᾳ καρδίᾳ, τηρεῖν τὴν ἑαυτοῦ παρθένον, καλῶς
38 ποιήσει· ὥστε καὶ ὁ γαμίζων τὴν ⌜ἑαυτοῦ παρθένον⌝ καλῶς
39 ⌜ποιεῖ⌝, καὶ ὁ μὴ γαμίζων κρεῖσσον ποιήσει.   Γυ-
νὴ δέδεται ἐφ᾽ ὅσον χρόνον ζῇ ὁ ἀνὴρ αὐτῆς· ἐὰν δὲ κοι-
μηθῇ ὁ ἀνήρ, ἐλευθέρα ἐστὶν ᾧ θέλει γαμηθῆναι, μόνον ἐν
40 κυρίῳ· μακαριωτέρα δέ ἐστιν ἐὰν οὕτως μείνῃ, κατὰ τὴν
ἐμὴν γνώμην, δοκῶ ⌜γὰρ⌝ κἀγὼ πνεῦμα θεοῦ ἔχειν.

1   Περὶ δὲ τῶν εἰδωλοθύτων, οἴδαμεν ὅτι πάντες γνῶσιν
2 ἔχομεν.   ἡ γνῶσις φυσιοῖ, ἡ δὲ ἀγάπη οἰκοδομεῖ. εἴ τις
3 δοκεῖ ἐγνωκέναι τι, οὔπω ἔγνω καθὼς δεῖ γνῶναι· εἰ δέ
4 τις ἀγαπᾷ τὸν θεόν, οὗτος ἔγνωσται ὑπ᾽ αὐτοῦ. Περὶ τῆς
βρώσεως οὖν τῶν εἰδωλοθύτων οἴδαμεν ὅτι οὐδὲν εἴδωλον ἐν
5 κόσμῳ, καὶ ὅτι οὐδεὶς θεὸς εἰ μὴ εἷς.   καὶ γὰρ εἴπερ εἰσὶν
λεγόμενοι θεοὶ εἴτε ἐν οὐρανῷ εἴτε ἐπὶ γῆς, ὥσπερ εἰσὶν
6 θεοὶ πολλοὶ καὶ κύριοι πολλοί, [ἀλλ᾽] ἡμῖν εἷς θεὸς ὁ

38 παρθένον ἑαυτοῦ | ποιήσει   40 δὲ

πατήρ, ἐξ οὗ τὰ πάντα καὶ ἡμεῖς εἰς αὐτόν, καὶ εἰς κύριος
Ἰησοῦς Χριστός, δι᾽ ⌜οὗ⌝ τὰ πάντα καὶ ἡμεῖς δι᾽ αὐτοῦ.
Ἀλλ᾽ οὐκ ἐν πᾶσιν ἡ γνῶσις· τινὲς δὲ τῇ συνηθείᾳ ἕως 7
ἄρτι τοῦ εἰδώλου ὡς εἰδωλόθυτον ἐσθίουσιν, καὶ ἡ συνεί-
δησις αὐτῶν ἀσθενὴς οὖσα μολύνεται. βρῶμα δὲ ἡμᾶς 8
οὐ παραστήσει τῷ θεῷ· οὔτε ἐὰν μὴ φάγωμεν, ὑστερού-
μεθα, οὔτε ἐὰν φάγωμεν, περισσεύομεν. βλέπετε δὲ μὴ 9
πως ἡ ἐξουσία ὑμῶν αὕτη πρόσκομμα γένηται τοῖς ἀσθε-
νέσιν. ἐὰν γάρ τις ἴδῃ [σὲ] τὸν ἔχοντα γνῶσιν ἐν εἰδωλίῳ 10
κατακείμενον, οὐχὶ ἡ συνείδησις αὐτοῦ ἀσθενοῦς ὄντος οἰκο-
δομηθήσεται εἰς τὸ τὰ εἰδωλόθυτα ἐσθίειν; ἀπόλλυται γὰρ 11
ὁ ἀσθενῶν ἐν τῇ σῇ γνώσει, ὁ ἀδελφὸς δι᾽ ὃν Χριστὸς
ἀπέθανεν. οὕτως δὲ ἁμαρτάνοντες εἰς τοὺς ἀδελφοὺς καὶ 12
τύπτοντες αὐτῶν τὴν συνείδησιν ἀσθενοῦσαν εἰς Χριστὸν
ἁμαρτάνετε. διόπερ εἰ βρῶμα σκανδαλίζει τὸν ἀδελφόν 13
μου, οὐ μὴ φάγω κρέα εἰς τὸν αἰῶνα, ἵνα μὴ τὸν ἀδελφόν
μου σκανδαλίσω.

Οὐκ εἰμὶ ἐλεύθερος; οὐκ εἰμὶ ἀπόστολος; οὐχὶ Ἰησοῦν 1
τὸν κύριον ἡμῶν ἑόρακα; οὐ τὸ ἔργον μου ὑμεῖς ἐστὲ ἐν
κυρίῳ; εἰ ἄλλοις οὐκ εἰμὶ ἀπόστολος, ἀλλά γε ὑμῖν εἰμί, 2
ἡ γὰρ σφραγίς μου τῆς ἀποστολῆς ὑμεῖς ἐστὲ ἐν κυ-
ρίῳ.   Ἡ ἐμὴ ἀπολογία τοῖς ἐμὲ ἀνακρίνουσίν 3
ἐστιν αὕτη. μὴ οὐκ ἔχομεν ἐξουσίαν φαγεῖν καὶ πεῖν; 4
μὴ οὐκ ἔχομεν ἐξουσίαν ἀδελφὴν γυναῖκα περιάγειν, ὡς καὶ 5
οἱ λοιποὶ ἀπόστολοι καὶ οἱ ἀδελφοὶ τοῦ κυρίου καὶ Κηφᾶς;
ἢ μόνος ἐγὼ καὶ Βαρνάβας οὐκ ἔχομεν ἐξουσίαν μὴ ἐργά- 6
ζεσθαι; τίς στρατεύεται ἰδίοις ὀψωνίοις ποτέ; τίς φυτεύει 7
ἀμπελῶνα καὶ τὸν καρπὸν αὐτοῦ οὐκ ἐσθίει; [ἢ] τίς ποι-
μαίνει ποίμνην καὶ ἐκ τοῦ γάλακτος τῆς ποίμνης οὐκ ἐσθίει;
Μὴ κατὰ ἄνθρωπον ταῦτα λαλῶ, ἢ καὶ ὁ νόμος ταῦτα οὐ 8
λέγει; ἐν γὰρ τῷ Μωυσέως νόμῳ γέγραπται Οὐ ⌜φι- 9
μώσεις⌝ Βοῦν ἀλοῶντα. μὴ τῶν βοῶν μέλει τῷ θεῷ,
ἢ δι᾽ ἡμᾶς πάντως λέγει; δι᾽ ἡμᾶς γὰρ ἐγράφη, ὅτι ὀφείλει 10

6 ὃν   9 κημώσεις

ἐπ᾽ ἐλπίδι ὁ ἀροτριῶν ἀροτριᾷν, καὶ ὁ ἀλοῶν ἐπ᾽ ἐλπίδι
11 τοῦ μετέχειν. Εἰ ἡμεῖς ὑμῖν τὰ πνευματικὰ ἐσπείραμεν,
12 μέγα εἰ ἡμεῖς ὑμῶν τὰ σαρκικὰ θερίσομεν; εἰ ἄλλοι τῆς
ὑμῶν ἐξουσίας μετέχουσιν, οὐ μᾶλλον ἡμεῖς; ἀλλ᾽ οὐκ ἐχρη-
σάμεθα τῇ ἐξουσίᾳ ταύτῃ, ἀλλὰ πάντα στέγομεν ἵνα μή
13 τινα ἐνκοπὴν δῶμεν τῷ εὐαγγελίῳ τοῦ χριστοῦ. οὐκ οἴδατε
ὅτι οἱ τὰ ἱερὰ ἐργαζόμενοι τὰ ἐκ τοῦ ἱεροῦ ἐσθίουσιν, οἱ
τῷ θυσιαστηρίῳ παρεδρεύοντες τῷ θυσιαστηρίῳ συνμερί-
14 ζονται; οὕτως καὶ ὁ κύριος διέταξεν τοῖς τὸ εὐαγγέλιον
15 καταγγέλλουσιν ἐκ τοῦ εὐαγγελίου ζῆν. ἐγὼ δὲ οὐ κέχρη-
μαι οὐδενὶ τούτων. Οὐκ ἔγραψα δὲ ταῦτα ἵνα οὕτως γένηται
ἐν ἐμοί, καλὸν γάρ μοι μᾶλλον ἀποθανεῖν ἢ – τὸ καύχη-
16 μά μου οὐδεὶς κενώσει. ἐὰν γὰρ εὐαγγελίζωμαι, οὐκ ἔστιν
μοι καύχημα, ἀνάγκη γάρ μοι ἐπίκειται· οὐαὶ γάρ μοί
17 ἐστιν ἐὰν μὴ ⌐εὐαγγελίσωμαι⌐. εἰ γὰρ ἑκὼν τοῦτο πράσσω,
18 μισθὸν ἔχω· εἰ δὲ ἄκων, οἰκονομίαν πεπίστευμαι. τίς οὖν
μού ἐστιν ὁ μισθός; ἵνα εὐαγγελιζόμενος ἀδάπανον θήσω
τὸ εὐαγγέλιον, εἰς τὸ μὴ καταχρήσασθαι τῇ ἐξουσίᾳ μου ἐν
19 τῷ εὐαγγελίῳ.   Ἐλεύθερος γὰρ ὢν ἐκ πάντων
20 πᾶσιν ἐμαυτὸν ἐδούλωσα, ἵνα τοὺς πλείονας κερδήσω· καὶ
ἐγενόμην τοῖς Ἰουδαίοις ὡς Ἰουδαῖος, ἵνα Ἰουδαίους κερ-
δήσω· τοῖς ὑπὸ νόμον ὡς ὑπὸ νόμον, μὴ ὢν αὐτὸς ὑπὸ
21 νόμον, ἵνα τοὺς ὑπὸ νόμον κερδήσω· τοῖς ἀνόμοις ὡς
ἄνομος, μὴ ὢν ἄνομος θεοῦ ἀλλ᾽ ἔννομος Χριστοῦ, ἵνα
22 κερδανῶ τοὺς ἀνόμους· ἐγενόμην τοῖς ἀσθενέσιν ἀσθενής,
ἵνα τοὺς ἀσθενεῖς κερδήσω· τοῖς πᾶσιν γέγονα πάντα, ἵνα
23 πάντως τινὰς σώσω. πάντα δὲ ποιῶ διὰ τὸ εὐαγγέλιον,
24 ἵνα συνκοινωνὸς αὐτοῦ γένωμαι.   Οὐκ οἴδατε
ὅτι οἱ ἐν σταδίῳ τρέχοντες πάντες μὲν τρέχουσιν, εἷς δὲ
λαμβάνει τὸ βραβεῖον; οὕτως τρέχετε ἵνα καταλάβητε.
25 πᾶς δὲ ὁ ἀγωνιζόμενος πάντα ἐγκρατεύεται, ἐκεῖνοι μὲν
οὖν ἵνα φθαρτὸν στέφανον λάβωσιν, ἡμεῖς δὲ ἄφθαρτον.
26 ἐγὼ τοίνυν οὕτως τρέχω ὡς οὐκ ἀδήλως, οὕτως πυκτεύω ὡς

16 εὐαγγελίζωμαι

οὐκ ἀέρα δέρων· ἀλλὰ ὑπωπιάζω μου τὸ σῶμα καὶ δουλα- 27
γωγῶ, μή πως ἄλλοις κηρύξας αὐτὸς ἀδόκιμος γένωμαι.
Οὐ θέλω γὰρ ὑμᾶς ἀγνοεῖν, ἀδελφοί, ὅτι οἱ πατέρες 1
ἡμῶν πάντες ὑπὸ τὴν νεφέλην ἦσαν καὶ πάντες διὰ τῆς
θαλάσσης διῆλθον, καὶ πάντες εἰς τὸν Μωυσῆν ⸀ἐβαπτί- 2
σαντο⸁ ἐν τῇ νεφέλῃ καὶ ἐν τῇ θαλάσσῃ, καὶ πάντες [τὸ 3
αὐτὸ] πνευματικὸν βρῶμα ἔφαγον καὶ πάντες τὸ αὐτὸ 4
πνευματικὸν ἔπιον πόμα, ἔπινον γὰρ ἐκ πνευματικῆς ἀκο-
λουθούσης πέτρας, ἡ πέτρα δὲ ἦν ὁ χριστός· ἀλλ' οὐκ ἐν 5
τοῖς πλείοσιν αὐτῶν ηὐδόκησεν ὁ θεός, κατεστρώθησαν
γὰρ ἐν τῇ ἐρήμῳ. Ταῦτα δὲ τύποι ἡμῶν 6
ἐγενήθησαν, εἰς τὸ μὴ εἶναι ἡμᾶς ἐπιθυμητὰς κακῶν,
καθὼς κἀκεῖνοι ἐπεθύμησαν. μηδὲ εἰδωλολάτραι γίνεσθε, 7
καθώς τινες αὐτῶν· ὥσπερ γέγραπται Ἐκάθισεν ὁ λαὸς
φαγεῖν καὶ πεῖν, καὶ ἀνέστησαν παίζειν. μηδὲ πορ- 8
νεύωμεν, καθώς τινες αὐτῶν ἐπόρνευσαν, καὶ ἔπεσαν ⸆ μιᾷ
ἡμέρᾳ εἴκοσι τρεῖς χιλιάδες. μηδὲ ἐκπειράζωμεν τὸν κύριον, 9
καθώς τινες αὐτῶν ⸀ἐπείρασαν⸁, καὶ ὑπὸ τῶν ὄφεων ἀπώλ-
λυντο. μηδὲ γογγύζετε, καθάπερ τινὲς αὐτῶν ἐγόγγυσαν, 10
καὶ ἀπώλοντο ὑπὸ τοῦ ὀλοθρευτοῦ. ταῦτα δὲ τυπικῶς 11
συνέβαινεν ἐκείνοις, ἐγράφη δὲ πρὸς νουθεσίαν ἡμῶν, εἰς
οὓς τὰ τέλη τῶν αἰώνων κατήντηκεν. Ὥστε ὁ 12
δοκῶν ἑστάναι βλεπέτω μὴ πέσῃ. πειρασμὸς ὑμᾶς οὐκ εἴ- 13
ληφεν εἰ μὴ ἀνθρώπινος· πιστὸς δὲ ὁ θεός, ὃς οὐκ ἐάσει
⸀ὑμᾶς πειρασθῆναι⸁ ὑπὲρ ὃ δύνασθε, ἀλλὰ ποιήσει σὺν τῷ
πειρασμῷ καὶ τὴν ἔκβασιν τοῦ δύνασθαι ὑπενεγκεῖν.
Διόπερ, ἀγαπητοί μου, φεύγετε ἀπὸ τῆς εἰδωλολατρίας. 14
ὡς φρονίμοις λέγω· κρίνατε ὑμεῖς ὅ φημι. Τὸ ποτήριον 15 16
τῆς εὐλογίας ὃ εὐλογοῦμεν, οὐχὶ κοινωνία ἐστὶν τοῦ αἵματος
τοῦ χριστοῦ; τὸν ἄρτον ὃν κλῶμεν, οὐχὶ κοινωνία τοῦ
σώματος τοῦ χριστοῦ ἐστίν; ὅτι εἷς ἄρτος, ἓν σῶμα οἱ 17
πολλοί ἐσμεν, οἱ γὰρ πάντες ἐκ τοῦ ἑνὸς ἄρτου μετέχομεν.
βλέπετε τὸν Ἰσραὴλ κατὰ σάρκα· ⸀οὐχ⸁ οἱ ἐσθίοντες τὰς 18

2 ἐβαπτίσθησαν 8 ἐν 9 ἐξεπείρασαν 13 πειρασθῆναι ὑμᾶς 18 οὐχὶ

19 θυσίας κοινωνοὶ τοῦ θυσιαστηρίου εἰσίν ; τί οὖν φημί ; ὅτι
20 εἰδωλόθυτόν τί ἐστιν, ἢ ὅτι εἴδωλόν τί ἐστιν ; ἀλλ᾽ ὅτι ἃ
θύουσιν [τὰ ἔθνη], ΔΑΙΜΟΝΊΟΙϹ ΚΑῚ ΟΥ̓ ΘΕῼ ΘΎΟΥϹΙΝ, οὐ
21 θέλω δὲ ὑμᾶς κοινωνοὺς τῶν δαιμονίων γίνεσθαι. οὐ δύνα-
σθε ποτήριον Κυρίου πίνειν καὶ ποτήριον δαιμονίων· οὐ δύνα-
σθε ΤΡΑΠΈΖΗϹ Κυρίου μετέχειν καὶ τραπέζης δαιμονίων.
22 ἢ ΠΑΡΑΖΗΛΟῦΜΕΝ ΤῸΝ ΚΎΡΙΟΝ ; μὴ ἰσχυρότεροι αὐτοῦ
23 ἐσμέν ;   Πάντα ἔξεστιν· ἀλλ᾽ οὐ πάντα συμ-
24 φέρει. πάντα ἔξεστιν· ἀλλ᾽ οὐ πάντα οἰκοδομεῖ. μηδεὶς
25 τὸ ἑαυτοῦ ζητείτω ἀλλὰ τὸ τοῦ ἑτέρου.   Πᾶν
τὸ ἐν μακέλλῳ πωλούμενον ἐσθίετε μηδὲν ἀνακρίνοντες διὰ
26 τὴν συνείδησιν, ΤΟῦ ΚΥΡΊΟΥ ΓᾺΡ Ἡ ΓΗ ΚΑῚ ΤῸ ΠΛΉΡΩΜΑ
27 ΑΥ̓ΤΗϹ. εἴ τις καλεῖ ὑμᾶς τῶν ἀπίστων καὶ θέλετε πορεύ-
εσθαι, πᾶν τὸ παρατιθέμενον ὑμῖν ἐσθίετε μηδὲν ἀνακρί-
28 νοντες διὰ τὴν συνείδησιν· ἐὰν δέ τις ὑμῖν εἴπῃ Τοῦτο
ἱερόθυτόν ἐστιν, μὴ ἐσθίετε δι᾽ ἐκεῖνον τὸν μηνύσαντα καὶ
29 τὴν συνείδησιν· συνείδησιν δὲ λέγω οὐχὶ τὴν ἑαυτοῦ ἀλλὰ
τὴν τοῦ ἑτέρου· ἵνα τί γὰρ ἡ ἐλευθερία μου κρίνεται ὑπὸ
30 ἄλλης συνειδήσεως ; εἰ ἐγὼ χάριτι μετέχω, τί βλασφημοῦ-
31 μαι ὑπὲρ οὗ ἐγὼ εὐχαριστῶ ;   Εἴτε οὖν ἐσθίετε
εἴτε πίνετε εἴτε τι ποιεῖτε, πάντα εἰς δόξαν θεοῦ ποιεῖτε.
32 ἀπρόσκοποι καὶ Ἰουδαίοις γίνεσθε καὶ Ἕλλησιν καὶ τῇ
33 ἐκκλησίᾳ τοῦ θεοῦ, καθὼς κἀγὼ πάντα πᾶσιν ἀρέσκω, μὴ
ζητῶν τὸ ἐμαυτοῦ σύμφορον ἀλλὰ τὸ τῶν πολλῶν, ἵνα
1 σωθῶσιν. μιμηταί μου γίνεσθε, καθὼς κἀγὼ Χριστοῦ.

2   Ἐπαινῶ δὲ ὑμᾶς ὅτι πάντα μου μέμνησθε καὶ καθὼς
3 παρέδωκα ὑμῖν τὰς παραδόσεις κατέχετε. Θέλω δὲ ὑμᾶς
εἰδέναι ὅτι παντὸς ἀνδρὸς ἡ κεφαλὴ ⌈ὁ χριστός⌉ ἐστιν,
κεφαλὴ δὲ γυναικὸς ὁ ἀνήρ, κεφαλὴ δὲ τοῦ χριστοῦ ὁ θεός.
4 πᾶς ἀνὴρ προσευχόμενος ἢ προφητεύων κατὰ κεφαλῆς
5 ἔχων καταισχύνει τὴν κεφαλὴν αὐτοῦ· πᾶσα δὲ γυνὴ προσ-
ευχομένη ἢ προφητεύουσα ἀκατακαλύπτῳ τῇ κεφαλῇ κα-
ταισχύνει τὴν κεφαλὴν ⌈αὐτῆς⌉, ἓν γάρ ἐστιν καὶ τὸ αὐτὸ

3 Χριστός   5 ἑαυτῆς

τῇ ἐξυρημένῃ. εἰ γὰρ οὐ κατακαλύπτεται γυνή, καὶ κειρά- 6
σθω· εἰ δὲ αἰσχρὸν γυναικὶ τὸ κείρασθαι ἢ ξυρᾶσθαι, κατα-
καλυπτέσθω. ἀνὴρ μὲν γὰρ οὐκ ὀφείλει κατακαλύπτεσθαι 7
τὴν κεφαλήν, εἰκὼν καὶ δόξα θεοῦ ὑπάρχων· ἡ γυνὴ δὲ
δόξα ἀνδρός ἐστιν. οὐ γάρ ἐστιν ἀνὴρ ἐκ γυναικός, ἀλλὰ 8
γυνὴ ἐξ ἀνδρός· καὶ γὰρ οὐκ ἐκτίσθη ἀνὴρ διὰ τὴν γυναῖκα, 9
ἀλλὰ γυνὴ διὰ τὸν ἄνδρα. διὰ τοῦτο ὀφείλει ἡ γυνὴ 10
ἐξουσίαν ἔχειν ἐπὶ τῆς κεφαλῆς διὰ τοὺς ἀγγέλους. πλὴν 11
οὔτε γυνὴ χωρὶς ἀνδρὸς οὔτε ἀνὴρ χωρὶς γυναικὸς ἐν
κυρίῳ· ὥσπερ γὰρ ἡ γυνὴ ἐκ τοῦ ἀνδρός, οὕτως καὶ ὁ 12
ἀνὴρ διὰ τῆς γυναικός· τὰ δὲ πάντα ἐκ τοῦ θεοῦ. ἐν ὑμῖν 13
αὐτοῖς κρίνατε· πρέπον ἐστὶν γυναῖκα ἀκατακάλυπτον τῷ
θεῷ προσεύχεσθαι; οὐδὲ ἡ φύσις αὐτὴ διδάσκει ὑμᾶς ὅτι 14
ἀνὴρ μὲν ἐὰν κομᾷ, ἀτιμία αὐτῷ ἐστίν, γυνὴ δὲ ἐὰν κομᾷ, 15
δόξα αὐτῇ ἐστίν; ὅτι ἡ κόμη ἀντὶ περιβολαίου δέδοται
αὐτῇ. Εἰ δέ τις δοκεῖ φιλόνεικος εἶναι, ἡμεῖς τοιαύτην 16
συνήθειαν οὐκ ἔχομεν, οὐδὲ αἱ ἐκκλησίαι τοῦ θεοῦ.

Τοῦτο δὲ ⌜παραγγέλλων οὐκ ἐπαινῶ⌝ ὅτι οὐκ εἰς τὸ 17
κρεῖσσον ἀλλὰ εἰς τὸ ἧσσον συνέρχεσθε. πρῶτον μὲν γὰρ 18
συνερχομένων ὑμῶν ἐν ἐκκλησίᾳ ἀκούω σχίσματα ἐν ὑμῖν
ὑπάρχειν, καὶ μέρος τι πιστεύω. δεῖ γὰρ καὶ αἱρέσεις ἐν 19
ὑμῖν εἶναι, ἵνα [καὶ] οἱ δόκιμοι φανεροὶ γένωνται ἐν ὑμῖν.
Συνερχομένων οὖν ὑμῶν ἐπὶ τὸ αὐτὸ οὐκ ἔστιν κυριακὸν 20
δεῖπνον φαγεῖν, ἕκαστος γὰρ τὸ ἴδιον δεῖπνον προλαμβάνει 21
ἐν τῷ φαγεῖν, καὶ ὃς μὲν πεινᾷ, ὃς δὲ μεθύει. μὴ γὰρ 22
οἰκίας οὐκ ἔχετε εἰς τὸ ἐσθίειν καὶ πίνειν; ἢ τῆς ἐκκλησίας
τοῦ θεοῦ καταφρονεῖτε, καὶ καταισχύνετε τοὺς μὴ ἔχοντας;
τί εἴπω ὑμῖν; ἐπαινέσω ὑμᾶς; ἐν τούτῳ οὐκ ἐπαινῶ. ἐγὼ 23
γὰρ παρέλαβον ἀπὸ τοῦ κυρίου, ὃ καὶ παρέδωκα ὑμῖν, ὅτι
ὁ κύριος Ἰησοῦς ἐν τῇ νυκτὶ ᾗ παρεδίδετο ἔλαβεν ἄρτον
καὶ εὐχαριστήσας ἔκλασεν καὶ εἶπεν Τοῦτό μού ἐστιν τὸ 24
σῶμα τὸ ὑπὲρ ὑμῶν· τοῦτο ποιεῖτε εἰς τὴν ἐμὴν ἀνάμνησιν.
ὡσαύτως καὶ τὸ ποτήριον μετὰ τὸ δειπνῆσαι, λέγων Τοῦτο 25

17 παραγγέλλω οὐκ ἐπαινῶν

τὸ ποτήριον ἡ καινὴ Διαθήκη ἐστὶν ἐν τῷ ἐμῷ αἵματι·
τοῦτο ποιεῖτε, ὁσάκις ἐὰν πίνητε, εἰς τὴν ἐμὴν ἀνάμνησιν.
26 ὁσάκις γὰρ ἐὰν ἐσθίητε τὸν ἄρτον τοῦτον καὶ τὸ ποτήριον
πίνητε, τὸν θάνατον τοῦ κυρίου καταγγέλλετε, ἄχρι οὗ ἔλθῃ.
27 ὥστε ὃς ἂν ἐσθίῃ τὸν ἄρτον ἢ πίνῃ τὸ ποτήριον τοῦ κυρίου
ἀναξίως, ἔνοχος ἔσται τοῦ σώματος καὶ τοῦ αἵματος τοῦ
28 κυρίου. δοκιμαζέτω δὲ ἄνθρωπος ἑαυτόν, καὶ οὕτως ἐκ τοῦ
29 ἄρτου ἐσθιέτω καὶ ἐκ τοῦ ποτηρίου πινέτω· ὁ γὰρ ἐσθίων
καὶ πίνων κρίμα ἑαυτῷ ἐσθίει καὶ πίνει μὴ διακρίνων τὸ
30 σῶμα. διὰ τοῦτο ἐν ὑμῖν πολλοὶ ἀσθενεῖς καὶ ἄρρωστοι
31 καὶ κοιμῶνται ἱκανοί. εἰ δὲ ἑαυτοὺς διεκρίνομεν, οὐκ ἂν
32 ἐκρινόμεθα· κρινόμενοι δὲ ὑπὸ τοῦ κυρίου παιδευόμεθα,
33 ἵνα μὴ σὺν τῷ κόσμῳ κατακριθῶμεν. ὥστε, ἀδελφοί μου,
34 συνερχόμενοι εἰς τὸ φαγεῖν ἀλλήλους ἐκδέχεσθε. εἴ τις
πεινᾷ, ἐν οἴκῳ ἐσθιέτω, ἵνα μὴ εἰς κρίμα συνέρχησθε. Τὰ
δὲ λοιπὰ ὡς ἂν ἔλθω διατάξομαι.

1 Περὶ δὲ τῶν πνευματικῶν, ἀδελφοί, οὐ θέλω ὑμᾶς
2 ἀγνοεῖν. Οἴδατε ⌈ὅτι ὅτε⌉ ἔθνη ἦτε πρὸς τὰ εἴδωλα τὰ
3 ἄφωνα ὡς ἂν ἤγεσθε ἀπαγόμενοι. διὸ γνωρίζω ὑμῖν ὅτι
οὐδεὶς ἐν πνεύματι θεοῦ λαλῶν λέγει ΑΝΑΘΕΜΑ ΙΗ-
ΣΟΥΣ, καὶ οὐδεὶς δύναται εἰπεῖν ΚΥΡΙΟΣ ΙΗΣΟΥΣ εἰ
4 μὴ ἐν πνεύματι ἁγίῳ.   Διαιρέσεις δὲ χαρισμά-
5 των εἰσίν, τὸ δὲ αὐτὸ πνεῦμα· καὶ διαιρέσεις διακονιῶν εἰσίν,
6 καὶ ὁ αὐτὸς κύριος· καὶ διαιρέσεις ἐνεργημάτων εἰσίν,
7 ⌈καὶ ὁ⌉ αὐτὸς θεός, ὁ ἐνεργῶν τὰ πάντα ἐν πᾶσιν. ἑκάστῳ
δὲ δίδοται ἡ φανέρωσις τοῦ πνεύματος πρὸς τὸ συμφέρον.
8 ᾧ μὲν γὰρ διὰ τοῦ πνεύματος δίδοται λόγος σοφίας, ἄλλῳ
9 δὲ λόγος γνώσεως κατὰ τὸ αὐτὸ πνεῦμα, ἑτέρῳ πίστις ἐν
τῷ αὐτῷ πνεύματι, ἄλλῳ δὲ χαρίσματα ἰαμάτων ἐν τῷ ἑνὶ
10 πνεύματι, ἄλλῳ δὲ ἐνεργήματα δυνάμεων, ἄλλῳ [δὲ] προ-
φητεία, ἄλλῳ [δὲ] διακρίσεις πνευμάτων, ἑτέρῳ γένη γλωσ-
11 σῶν, ἄλλῳ δὲ ἑρμηνία γλωσσῶν· πάντα δὲ ταῦτα ἐνεργεῖ τὸ

2 †...†   6 ὁ δὲ

ἓν καὶ τὸ αὐτὸ πνεῦμα, διαιροῦν ἰδίᾳ ἑκάστῳ καθὼς βού
λεται.   Καθάπερ γὰρ τὸ σῶμα ἕν ἐστιν καὶ μέλη 12
πολλὰ ἔχει, πάντα δὲ τὰ μέλη τοῦ σώματος πολλὰ ὄντα ἕν
ἐστιν σῶμα, οὕτως καὶ ὁ χριστός· καὶ γὰρ ἐν ἑνὶ πνεύματι 13
ἡμεῖς πάντες εἰς ἓν σῶμα ἐβαπτίσθημεν, εἴτε Ἰουδαῖοι εἴτε
Ἕλληνες, εἴτε δοῦλοι εἴτε ἐλεύθεροι, καὶ πάντες ἓν πνεῦμα
ἐποτίσθημεν.   καὶ γὰρ τὸ σῶμα οὐκ ἔστιν ἓν μέλος ἀλλὰ 14
πολλά.   ἐὰν εἴπῃ ὁ πούς Ὅτι οὐκ εἰμὶ χείρ, οὐκ εἰμὶ ἐκ 15
τοῦ σώματος,   οὐ παρὰ τοῦτο οὐκ ἔστιν ἐκ τοῦ σώματος·
καὶ ἐὰν εἴπῃ τὸ οὖς Ὅτι οὐκ εἰμὶ ὀφθαλμός, οὐκ εἰμὶ ἐκ 16
τοῦ σώματος,   οὐ παρὰ τοῦτο οὐκ ἔστιν ἐκ τοῦ σώματος·
εἰ ὅλον τὸ σῶμα ὀφθαλμός, ποῦ ἡ ἀκοή; εἰ ὅλον ἀκοή, 17
ποῦ ἡ ὄσφρησις; ⌜νῦν⌝ δὲ ὁ θεὸς ἔθετο τὰ μέλη, ἓν ἕκαστον 18
αὐτῶν, ἐν τῷ σώματι καθὼς ἠθέλησεν.   εἰ δὲ ἦν [τὰ] πάντα 19
ἓν μέλος, ποῦ τὸ σῶμα; νῦν δὲ πολλὰ ᵀ μέλη, ἓν δὲ σῶμα. 20
οὐ δύναται [δὲ] ὁ ὀφθαλμὸς εἰπεῖν τῇ χειρί Χρείαν σου 21
οὐκ ἔχω,   ἢ πάλιν ἡ κεφαλὴ τοῖς ποσίν Χρείαν ὑμῶν
οὐκ ἔχω·   ἀλλὰ πολλῷ μᾶλλον τὰ δοκοῦντα μέλη τοῦ 22
σώματος ἀσθενέστερα ὑπάρχειν ἀναγκαῖά ἐστιν, καὶ ἃ 23
δοκοῦμεν ἀτιμότερα εἶναι τοῦ σώματος, τούτοις τιμὴν περισ
σοτέραν περιτίθεμεν, καὶ τὰ ἀσχήμονα ἡμῶν εὐσχημοσύνην
περισσοτέραν ἔχει, τὰ δὲ εὐσχήμονα ἡμῶν οὐ χρείαν ἔχει. 24
ἀλλὰ ὁ θεὸς συνεκέρασεν τὸ σῶμα, τῷ ὑστερουμένῳ περισ
σοτέραν δοὺς τιμήν, ἵνα μὴ ᾖ σχίσμα ἐν τῷ σώματι, ἀλλὰ 25
τὸ αὐτὸ ὑπὲρ ἀλλήλων μεριμνῶσι τὰ μέλη.   καὶ εἴτε 26
πάσχει ἓν μέλος, συνπάσχει πάντα τὰ μέλη· εἴτε δοξάζεται
μέλος, συνχαίρει πάντα τὰ μέλη.   ὑμεῖς δέ ἐστε σῶμα 27
Χριστοῦ καὶ μέλη ἐκ μέρους.   Καὶ οὓς μὲν ἔθετο ὁ θεὸς ἐν 28
τῇ ἐκκλησίᾳ πρῶτον ἀποστόλους, δεύτερον προφήτας, τρίτον
διδασκάλους, ἔπειτα δυνάμεις, ἔπειτα χαρίσματα ἰαμάτων,
ἀντιλήμψεις, κυβερνήσεις, γένη γλωσσῶν.   μὴ πάντες 29
ἀπόστολοι; μὴ πάντες προφῆται; μὴ πάντες διδάσκαλοι;
μὴ πάντες δυνάμεις; μὴ πάντες χαρίσματα ἔχουσιν ἰαμά 30

18 νυνὶ   20 μὲν

των; μὴ πάντες γλώσσαις λαλοῦσιν; μὴ πάντες διερμη-
31 νεύουσιν; ζηλοῦτε δὲ τὰ χαρίσματα τὰ μείζονα.

1 Καὶ ἔτι καθ᾽ ὑπερβολὴν ὁδὸν ὑμῖν δείκνυμι. Ἐὰν ταῖς
γλώσσαις τῶν ἀνθρώπων λαλῶ καὶ τῶν ἀγγέλων, ἀγάπην
δὲ μὴ ἔχω, γέγονα χαλκὸς ἠχῶν ἢ κύμβαλον ἀλαλάζον.
2 κἂν ἔχω προφητείαν καὶ εἰδῶ τὰ μυστήρια πάντα καὶ
πᾶσαν τὴν γνῶσιν, κἂν ἔχω πᾶσαν τὴν πίστιν ὥστε ὄρη
3 μεθιστάνειν, ἀγάπην δὲ μὴ ἔχω, οὐθέν εἰμι. κἂν ψωμίσω
πάντα τὰ ὑπάρχοντά μου, κἂν παραδῶ τὸ σῶμά μου, ἵνα
4 καυχήσωμαι, ἀγάπην δὲ μὴ ἔχω, οὐδὲν ὠφελοῦμαι. Ἡ
ἀγάπη μακροθυμεῖ, χρηστεύεται, ἡ ἀγάπη οὐ ζηλοῖ, οὐ περ-
5 περεύεται, οὐ φυσιοῦται, οὐκ ἀσχημονεῖ, οὐ ζητεῖ ⌈τὰ⌉
6 ἑαυτῆς, οὐ παροξύνεται, ΟΥ ΛΟΓΙΖΕΤΑΙ ΤΟ ΚΑΚΟΝ, οὐ χαίρει
7 ἐπὶ τῇ ἀδικίᾳ, συνχαίρει δὲ τῇ ἀληθείᾳ· πάντα στέγει,
8 πάντα πιστεύει, πάντα ἐλπίζει, πάντα ὑπομένει. Ἡ
ἀγάπη οὐδέποτε πίπτει. εἴτε δὲ ⌈προφητεῖαι, καταργη-
θήσονται⌉· εἴτε γλῶσσαι, παύσονται· εἴτε γνῶσις, καταργη-
9 θήσεται. ἐκ μέρους γὰρ γινώσκομεν καὶ ἐκ μέρους προ-
10 φητεύομεν· ὅταν δὲ ἔλθῃ τὸ τέλειον, τὸ ἐκ μέρους καταρ-
11 γηθήσεται. ὅτε ἤμην νήπιος, ἐλάλουν ὡς νήπιος, ἐφρό-
νουν ὡς νήπιος, ἐλογιζόμην ὡς νήπιος· ὅτε γέγονα ἀνήρ,
12 κατήργηκα τὰ τοῦ νηπίου. βλέπομεν γὰρ ἄρτι δι᾽ ἐσόπ-
τρου ἐν αἰνίγματι, τότε δὲ πρόσωπον πρὸς πρόσωπον·
ἄρτι γινώσκω. ἐκ μέρους, τότε δὲ ἐπιγνώσομαι καθὼς
13 καὶ ἐπεγνώσθην. νυνὶ δὲ μένει πίστις, ἐλπίς, ἀγάπη·
τὰ τρία ταῦτα, μείζων δὲ τούτων ἡ ἀγάπη.

1 Διώκετε τὴν ἀγάπην, ζηλοῦτε δὲ τὰ πνευματικά, μᾶλλον
2 δὲ ἵνα προφητεύητε. ὁ γὰρ λαλῶν γλώσσῃ οὐκ ἀνθρώποις
λαλεῖ ἀλλὰ θεῷ, οὐδεὶς γὰρ ἀκούει, πνεύματι δὲ λαλεῖ
3 μυστήρια· ὁ δὲ προφητεύων ἀνθρώποις λαλεῖ οἰκοδομὴν καὶ
4 παράκλησιν καὶ παραμυθίαν. ὁ λαλῶν γλώσσῃ ἑαυτὸν
5 οἰκοδομεῖ· ὁ δὲ προφητεύων ἐκκλησίαν οἰκοδομεῖ. θέλω
δὲ πάντας ὑμᾶς λαλεῖν γλώσσαις, μᾶλλον δὲ ἵνα προφη-

5 τὸ μὴ   8 προφητεία, καταργηθήσεται

τεύητε· μείζων δὲ ὁ προφητεύων ἢ ὁ λαλῶν γλώσσαις,
ἐκτὸς εἰ μὴ διερμηνεύῃ, ἵνα ἡ ἐκκλησία οἰκοδομὴν λάβῃ.
νῦν δέ, ἀδελφοί, ἐὰν ἔλθω πρὸς ὑμᾶς γλώσσαις λαλῶν, τί 6
ὑμᾶς ὠφελήσω, ἐὰν μὴ ὑμῖν λαλήσω ἢ ἐν ἀποκαλύψει ἢ ἐν
γνώσει ἢ ἐν προφητείᾳ ἢ ἐν διδαχῇ; ὅμως τὰ ἄψυχα 7
φωνὴν διδόντα, εἴτε αὐλὸς εἴτε κιθάρα, ἐὰν διαστολὴν τοῖς
φθόγγοις μὴ δῷ, πῶς γνωσθήσεται τὸ αὐλούμενον ἢ τὸ
κιθαριζόμενον; καὶ γὰρ ἐὰν ἄδηλον ⌈σάλπιγξ φωνὴν⌉ δῷ, 8
τίς παρασκευάσεται εἰς πόλεμον; οὕτως καὶ ὑμεῖς διὰ τῆς 9
γλώσσης ἐὰν μὴ εὔσημον λόγον δῶτε, πῶς γνωσθήσεται τὸ
λαλούμενον; ἔσεσθε γὰρ εἰς ἀέρα λαλοῦντες. τοσαῦτα εἰ 10
τύχοι γένη φωνῶν εἰσιν ἐν κόσμῳ, καὶ οὐδὲν ἄφωνον· ἐὰν 11
οὖν μὴ εἰδῶ τὴν δύναμιν τῆς φωνῆς, ἔσομαι τῷ λαλοῦντι
βάρβαρος καὶ ὁ λαλῶν ἐν ἐμοὶ βάρβαρος. οὕτως καὶ ὑμεῖς, 12
ἐπεὶ ζηλωταί ἐστε πνευμάτων, πρὸς τὴν οἰκοδομὴν τῆς
ἐκκλησίας ζητεῖτε ἵνα περισσεύητε. Διὸ ὁ λαλῶν γλώσσῃ 13
προσευχέσθω ἵνα διερμηνεύῃ. ἐὰν [γὰρ] προσεύχωμαι 14
γλώσσῃ, τὸ πνεῦμά μου προσεύχεται, ὁ δὲ νοῦς μου ἄκαρ-
πός ἐστιν. τί οὖν ἐστίν; προσεύξομαι τῷ πνεύματι, προσ- 15
εύξομαι δὲ καὶ τῷ νοΐ· ψαλῶ τῷ πνεύματι, ψαλῶ [δὲ] καὶ
τῷ νοΐ· ἐπεὶ ἐὰν εὐλογῇς [ἐν] πνεύματι, ὁ ἀναπληρῶν τὸν 16
τόπον τοῦ ἰδιώτου πῶς ἐρεῖ τό Ἀμήν ἐπὶ τῇ σῇ εὐχα-
ριστίᾳ; ἐπειδὴ τί λέγεις οὐκ οἶδεν· σὺ μὲν γὰρ καλῶς εὐ- 17
χαριστεῖς, ἀλλ᾽ ὁ ἕτερος οὐκ οἰκοδομεῖται. εὐχαριστῶ τῷ 18
θεῷ, πάντων ὑμῶν μᾶλλον ⌈γλώσσαις⌉ λαλῶ· ἀλλὰ ἐν ἐκκλη- 19
σίᾳ θέλω πέντε λόγους τῷ νοΐ μου λαλῆσαι, ἵνα καὶ ἄλλους
κατηχήσω, ἢ μυρίους λόγους ἐν γλώσσῃ. Ἀδελ- 20
φοί, μὴ παιδία γίνεσθε ταῖς φρεσίν, ἀλλὰ τῇ κακίᾳ νηπιά-
ζετε, ταῖς δὲ φρεσὶν τέλειοι γίνεσθε. ἐν τῷ νόμῳ γέγραπται 21
ὅτι Ἐν ἑτερογλώccοιc καὶ ἐν χείλεcιν ἑτέρων
λαλήcω τῷ λαῷ τούτῳ, καὶ οὐδ᾽ οὕτως εἰcακού-
coνταί μου, λέγει Κύριος. ὥστε αἱ γλῶσσαι εἰς σημεῖον 22
εἰσιν οὐ τοῖς πιστεύουσιν ἀλλὰ τοῖς ἀπίστοις, ἡ δὲ προφη-

8 φωνὴν σάλπιγξ   18 γλώσσῃ

23 τεία οὐ τοῖς ἀπίστοις ἀλλὰ τοῖς πιστεύουσιν. Ἐὰν οὖν
συνέλθῃ ἡ ἐκκλησία ὅλη ἐπὶ τὸ αὐτὸ καὶ πάντες λαλῶσιν
γλώσσαις, εἰσέλθωσιν δὲ ἰδιῶται ἢ ἄπιστοι, οὐκ ἐροῦσιν
24 ὅτι μαίνεσθε; ἐὰν δὲ πάντες προφητεύωσιν, εἰσέλθῃ δέ τις
ἄπιστος ἢ ἰδιώτης, ἐλέγχεται ὑπὸ πάντων, ἀνακρίνεται ὑπὸ
25 πάντων, τὰ κρυπτὰ τῆς καρδίας αὐτοῦ φανερὰ γίνεται, καὶ οὕ-
τως πεσὼν ἐπὶ πρόσωπον ΠΡΟΣΚΥΝΗCΕΙ τῷ θεῷ, ἀπαγγέλ-
26 λων ὅτι Ὄντως ὁ θεὸς ἐν ὑμῖν ἐστίν.   Τί
οὖν ἐστίν, ἀδελφοί; ὅταν συνέρχησθε, ἕκαστος ψαλμὸν
ἔχει, διδαχὴν ἔχει, ἀποκάλυψιν ἔχει, γλῶσσαν ἔχει, ἑρμη-
27 νίαν ἔχει· πάντα πρὸς οἰκοδομὴν γινέσθω. εἴτε γλώσσῃ
τις λαλεῖ, κατὰ δύο ἢ τὸ πλεῖστον τρεῖς, καὶ ἀνὰ μέρος,
28 καὶ εἷς διερμηνευέτω· ἐὰν δὲ μὴ ᾖ ⌜διερμηνευτής⌝, σιγάτω
29 ἐν ἐκκλησίᾳ, ἑαυτῷ δὲ λαλείτω καὶ τῷ θεῷ. προφῆται δὲ
30 δύο ἢ τρεῖς λαλείτωσαν, καὶ οἱ ἄλλοι διακρινέτωσαν· ἐὰν
31 δὲ ἄλλῳ ἀποκαλυφθῇ καθημένῳ, ὁ πρῶτος σιγάτω. δύ-
νασθε γὰρ καθ᾽ ἕνα πάντες προφητεύειν, ἵνα πάντες μανθά-
32 νωσιν καὶ πάντες ⌜παρακαλῶνται, (καὶ πνεύματα προφητῶν
33 προφήταις ὑποτάσσεται, οὐ γάρ ἐστιν ἀκαταστασίας ὁ θεὸς
ἀλλὰ εἰρήνης,) ὡς ἐν πάσαις ταῖς ἐκκλησίαις τῶν ἁγίων.

34   Αἱ⌝ γυναῖκες ἐν ταῖς ἐκκλησίαις σιγάτωσαν, οὐ γὰρ
ἐπιτρέπεται αὐταῖς λαλεῖν· ἀλλὰ ὑποτασσέσθωσαν, καθὼς
35 καὶ ὁ νόμος λέγει. εἰ δέ τι ⌜μανθάνειν⌝ θέλουσιν, ἐν οἴκῳ
τοὺς ἰδίους ἄνδρας ἐπερωτάτωσαν, αἰσχρὸν γάρ ἐστιν γυ-
36 ναικὶ λαλεῖν ἐν ἐκκλησίᾳ. Ἡ ἀφ᾽ ὑμῶν ὁ λόγος τοῦ θεοῦ
37 ἐξῆλθεν, ἢ εἰς ὑμᾶς μόνους κατήντησεν;   Εἴ
τις δοκεῖ προφήτης εἶναι ἢ πνευματικός, ἐπιγινωσκέτω ἃ
38 γράφω ὑμῖν ὅτι κυρίου ἐστὶν ἐντολή· εἰ δέ τις ἀγνοεῖ,
39 ⌜ἀγνοεῖται⌝. ὥστε, ἀδελφοί μου, ζηλοῦτε τὸ προφητεύειν,
40 καὶ τὸ λαλεῖν μὴ κωλύετε γλώσσαις· πάντα δὲ εὐσχημόνως
καὶ κατὰ τάξιν γινέσθω.

1   Γνωρίζω δὲ ὑμῖν, ἀδελφοί, τὸ εὐαγγέλιον ὃ εὐηγγελι-

ρμηνευτής 31-34 παρακαλῶνται, καὶ...εἰρήνης. Ὡς...ἁγίων, αἱ 35 μαθεῖν 38 ἀγνοεῖτω

σάμην ὑμῖν, ὃ καὶ παρελάβετε, ἐν ᾧ καὶ ἑστήκατε, δι' οὗ 2
καὶ σώζεσθε, τίνι λόγῳ εὐηγγελισάμην ὑμῖν, εἰ κατέχετε,
ἐκτὸς εἰ μὴ εἰκῇ ἐπιστεύσατε. παρέδωκα γὰρ ὑμῖν ἐν 3
πρώτοις, ὃ καὶ παρέλαβον, ὅτι Χριστὸς ἀπέθανεν ὑπὲρ τῶν
ἁμαρτιῶν ἡμῶν κατὰ τὰς γραφάς, καὶ ὅτι ἐτάφη, καὶ ὅτι 4
ἐγήγερται τῇ ἡμέρᾳ τῇ τρίτῃ κατὰ τὰς γραφάς, καὶ ὅτι 5
ὤφθη Κηφᾷ, ⸀εἶτα⸀ τοῖς δώδεκα· ἔπειτα ὤφθη ἐπάνω 6
πεντακοσίοις ἀδελφοῖς ἐφάπαξ, ἐξ ὧν οἱ πλείονες μένουσιν
ἕως ἄρτι, τινὲς δὲ ἐκοιμήθησαν· ἔπειτα ὤφθη Ἰακώβῳ, 7
⸀εἶτα⸀ τοῖς ἀποστόλοις πᾶσιν· ἔσχατον δὲ πάντων ὡσπερεὶ 8
τῷ ἐκτρώματι ὤφθη κἀμοί. Ἐγὼ γάρ εἰμι ὁ ἐλάχιστος 9
τῶν ἀποστόλων, ὃς οὐκ εἰμὶ ἱκανὸς καλεῖσθαι ἀπόστολος,
διότι ἐδίωξα τὴν ἐκκλησίαν τοῦ θεοῦ· χάριτι δὲ θεοῦ εἰμὶ ὅ 10
εἰμι, καὶ ἡ χάρις αὐτοῦ ἡ εἰς ἐμὲ οὐ κενὴ ἐγενήθη, ἀλλὰ
περισσότερον αὐτῶν πάντων ἐκοπίασα, οὐκ ἐγὼ δὲ ἀλλὰ
ἡ χάρις τοῦ θεοῦ ᵀ σὺν ἐμοί. εἴτε οὖν ἐγὼ εἴτε ἐκεῖνοι, 11
οὕτως κηρύσσομεν καὶ οὕτως ἐπιστεύσατε.

Εἰ δὲ Χριστὸς κηρύσσεται ὅτι ἐκ νεκρῶν ἐγήγερται, 12
πῶς λέγουσιν ἐν ὑμῖν τινες ὅτι ἀνάστασις νεκρῶν οὐκ ἔστιν;
εἰ δὲ ἀνάστασις νεκρῶν οὐκ ἔστιν, οὐδὲ Χριστὸς ἐγήγερται· 13
εἰ δὲ Χριστὸς οὐκ ἐγήγερται, κενὸν ἄρα ᵀ τὸ κήρυγμα 14
ἡμῶν, κενὴ καὶ ἡ πίστις ⸀ἡμῶν⸀, εὑρισκόμεθα δὲ καὶ ψευδο- 15
μάρτυρες τοῦ θεοῦ, ὅτι ἐμαρτυρήσαμεν κατὰ τοῦ θεοῦ ὅτι
ἤγειρεν τὸν χριστόν, ὃν οὐκ ἤγειρεν εἴπερ ἄρα νεκροὶ
οὐκ ἐγείρονται. εἰ γὰρ νεκροὶ οὐκ ἐγείρονται, οὐδὲ Χριστὸς 16
ἐγήγερται· εἰ δὲ Χριστὸς οὐκ ἐγήγερται, ματαία ἡ πίστις 17
ὑμῶν [ἐστίν], ἔτι ἐστὲ ἐν ταῖς ἁμαρτίαις ὑμῶν. ἄρα καὶ οἱ 18
κοιμηθέντες ἐν Χριστῷ ἀπώλοντο. εἰ ἐν τῇ ζωῇ ταύτῃ ἐν 19
Χριστῷ ἠλπικότες ἐσμὲν μόνον, ἐλεεινότεροι πάντων ἀν-
θρώπων ἐσμέν.   Νυνὶ δὲ Χριστὸς ἐγήγερται ἐκ 20
νεκρῶν, ἀπαρχὴ τῶν κεκοιμημένων. ἐπειδὴ γὰρ δι' ἀνθρώ- 21
που θάνατος, καὶ δι' ἀνθρώπου ἀνάστασις νεκρῶν· ὥσπερ 22
γὰρ ἐν τῷ Ἀδὰμ πάντες ἀποθνήσκουσιν, οὕτως καὶ ἐν τῷ

5 ἔπειτα   7 ἔπειτα   10 ἥ   14 καὶ | ὑμῶν

23 χριστῷ πάντες ζωοποιηθήσονται. Ἕκαστος δὲ ἐν τῷ ἰδίῳ
τάγματι· ἀπαρχὴ Χριστός, ἔπειτα οἱ τοῦ χριστοῦ ἐν τῇ
24 παρουσίᾳ αὐτοῦ· εἶτα τὸ τέλος, ὅταν παραδιδῷ τὴν βασι-
λείαν τῷ θεῷ καὶ πατρί, ὅταν καταργήσῃ πᾶσαν ἀρχὴν καὶ
25 πᾶσαν ἐξουσίαν καὶ δύναμιν, δεῖ γὰρ αὐτὸν βασιλεύειν
ἄχρι οὗ θῇ πάντας ΤΟΥΣ ἐχθροὺς ΥΠΟ ΤΟΥΣ ΠΟΔΑΣ αὐτοῦ.
26
27 ἔσχατος ἐχθρὸς καταργεῖται ὁ θάνατος, ΠΑΝΤΑ γὰρ ΥΠΕ-
ΤΑΞΕΝ ΥΠΟ ΤΟΥΣ ΠΟΔΑΣ ΑΥΤΟΥ. ὅταν δὲ εἴπῃ ⌜ὅτι πάντα⌝
ὑποτέτακται, δῆλον ὅτι ἐκτὸς τοῦ ὑποτάξαντος αὐτῷ τὰ
28 πάντα. ὅταν δὲ ὑποταγῇ αὐτῷ τὰ πάντα, τότε [καὶ] αὐτὸς
ὁ υἱὸς ὑποταγήσεται τῷ ὑποτάξαντι αὐτῷ τὰ πάντα, ἵνα ᾖ
29 ὁ θεὸς πάντα ἐν πᾶσιν. Ἐπεὶ τί ποιήσουσιν οἱ
βαπτιζόμενοι ὑπὲρ τῶν νεκρῶν; εἰ ὅλως νεκροὶ οὐκ ἐγεί-
30 ρονται, τί καὶ βαπτίζονται ὑπὲρ αὐτῶν; τί καὶ ἡμεῖς κιν-
31 δυνεύομεν πᾶσαν ὥραν; καθ᾽ ἡμέραν ἀποθνήσκω, νὴ τὴν
ὑμετέραν καύχησιν, ἀδελφοί, ἣν ἔχω ἐν Χριστῷ Ἰησοῦ τῷ
32 κυρίῳ ἡμῶν. εἰ κατὰ ἄνθρωπον ἐθηριομάχησα ἐν Ἐφέσῳ,
τί μοι τὸ ὄφελος; εἰ νεκροὶ οὐκ ἐγείρονται, ΦΑΓΩΜΕΝ
33 ΚΑΙ ΠΙΩΜΕΝ, ΑΥΡΙΟΝ ΓΑΡ ΑΠΟΘΝΗΣΚΟΜΕΝ. μὴ πλα-
34 νᾶσθε· φθείρουσιν ἤθη χρηστὰ ὁμιλίαι κακαί· ἐκνήψατε
δικαίως καὶ μὴ ἁμαρτάνετε, ἀγνωσίαν γὰρ θεοῦ τινὲς
ἔχουσιν· πρὸς ἐντροπὴν ὑμῖν λαλῶ.

35 Ἀλλὰ ἐρεῖ τις Πῶς ἐγείρονται οἱ νεκροί, ποίῳ δὲ
36 σώματι ἔρχονται; ἄφρων, σὺ ὃ σπείρεις οὐ ζωοποιεῖται
37 ἐὰν μὴ ἀποθάνῃ· καὶ ὃ σπείρεις, οὐ τὸ σῶμα τὸ γενησό-
μενον σπείρεις ἀλλὰ γυμνὸν κόκκον εἰ τύχοι σίτου ἤ τινος
38 τῶν λοιπῶν· ὁ δὲ θεὸς δίδωσιν αὐτῷ σῶμα καθὼς ἠθέλη-
39 σεν, καὶ ἑκάστῳ τῶν σπερμάτων ἴδιον σῶμα. οὐ πᾶσα
σὰρξ ἡ αὐτὴ σάρξ, ἀλλὰ ἄλλη μὲν ἀνθρώπων, ἄλλη δὲ
40 σὰρξ κτηνῶν, ἄλλη δὲ σὰρξ πτηνῶν, ἄλλη δὲ ἰχθύων. καὶ
σώματα ἐπουράνια, καὶ σώματα ἐπίγεια· ἀλλὰ ἑτέρα μὲν ἡ
41 τῶν ἐπουρανίων δόξα, ἑτέρα δὲ ἡ τῶν ἐπιγείων. ἄλλη
δόξα ἡλίου, καὶ ἄλλη δόξα σελήνης, καὶ ἄλλη δόξα ἀστέ-

27 Πάντα

ρων, ἀστὴρ γὰρ ἀστέρος διαφέρει ἐν δόξῃ. οὕτως καὶ ἡ 42
ἀνάστασις τῶν νεκρῶν. σπείρεται ἐν φθορᾷ, ἐγείρεται ἐν
ἀφθαρσίᾳ· σπείρεται ἐν ἀτιμίᾳ, ἐγείρεται ἐν δόξῃ· σπεί- 43
ρεται ἐν ἀσθενείᾳ, ἐγείρεται ἐν δυνάμει· σπείρεται σῶμα 44
ψυχικόν, ἐγείρεται σῶμα πνευματικόν. Εἰ ἔστιν σῶμα ψυ-
χικόν, ἔστιν καὶ πνευματικόν. οὕτως καὶ γέγραπται ᾿Εγέ- 45
νετο ὁ πρῶτος ἄνθρωπος ᾿Αδὰμ εἰς ΨΥΧΗΝ ΖΩϹΑΝ·
ὁ ἔσχατος ᾿Αδὰμ εἰς πνεῦμα ζωοποιοῦν. ἀλλ᾽ οὐ πρῶτον 46
τὸ πνευματικὸν ἀλλὰ τὸ ψυχικόν, ἔπειτα τὸ πνευματικόν.
ὁ πρῶτος ἄνθρωπος ἐκ ΓΗϹ χοϊκός, ὁ δεύτερος ἄνθρωπος 47
ἐξ οὐρανοῦ. οἷος ὁ χοϊκός, τοιοῦτοι καὶ οἱ χοϊκοί, καὶ οἷος 48
ὁ ἐπουράνιος, τοιοῦτοι καὶ οἱ ἐπουράνιοι· καὶ καθὼς ἐφορέ- 49
σαμεν τὴν εἰκόνα τοῦ χοϊκοῦ, ⌜φορέσωμεν⌝ καὶ τὴν εἰκόνα
τοῦ ἐπουρανίου. Τοῦτο δέ φημι, ἀδελφοί, ὅτι σὰρξ καὶ 50
αἷμα βασιλείαν θεοῦ κληρονομῆσαι οὐ δύναται, οὐδὲ ἡ
φθορὰ τὴν ἀφθαρσίαν κληρονομεῖ. ἰδοὺ μυστήριον ὑμῖν 51
λέγω· πάντες οὐ κοιμηθησόμεθα πάντες δὲ ἀλλαγησόμεθα,
ἐν ἀτόμῳ, ἐν ῥιπῇ ὀφθαλμοῦ, ἐν τῇ ἐσχάτῃ σάλπιγγι· 52
σαλπίσει γάρ, καὶ οἱ νεκροὶ ἐγερθήσονται ἄφθαρτοι, καὶ
ἡμεῖς ἀλλαγησόμεθα. δεῖ γὰρ τὸ φθαρτὸν τοῦτο ἐνδύ- 53
σασθαι ἀφθαρσίαν καὶ τὸ θνητὸν τοῦτο ἐνδύσασθαι ἀθα-
νασίαν. ὅταν δὲ ᵀ τὸ θνητὸν τοῦτο ἐνδύσηται [τὴν] ἀθα- 54
νασίαν, τότε γενήσεται ὁ λόγος ὁ γεγραμμένος Κατε-
πόθη ὁ θάνατος εἰς νῖκος. ποῦ ϲογ, θάνατε, τὸ 55
νῖκος ; ποῦ ϲογ, θάνατε, τὸ κέντρον ; τὸ δὲ κέντρον 56
τοῦ θανάτου ἡ ἁμαρτία, ἡ δὲ δύναμις τῆς ἁμαρτίας ὁ
νόμος· τῷ δὲ θεῷ χάρις τῷ διδόντι ἡμῖν τὸ νῖκος διὰ 57
τοῦ κυρίου ἡμῶν ᾿Ιησοῦ Χριστοῦ. Ὥστε, ἀδελφοί μου 58
ἀγαπητοί, ἑδραῖοι γίνεσθε, ἀμετακίνητοι, περισσεύοντες ἐν
τῷ ἔργῳ τοῦ κυρίου πάντοτε, εἰδότες ὅτι ὁ κόπος ὑμῶν
οὐκ ἔστιν κενὸς ἐν κυρίῳ.

Περὶ δὲ τῆς λογίας τῆς εἰς τοὺς ἁγίους, ὥσπερ διέταξα 1

49 φορέσομεν   54 τὸ φθαρτὸν τοῦτο ἐνδύσηται ἀφθαρσίαν καὶ

ταῖς ἐκκλησίαις τῆς Γαλατίας, οὕτως καὶ ὑμεῖς ποιήσατε.
2 κατὰ μίαν σαββάτου ἕκαστος ὑμῶν παρ᾽ ἑαυτῷ τιθέτω
θησαυρίζων ὅτι ἐὰν ⌜εὐοδῶται⌝, ἵνα μὴ ὅταν ἔλθω τότε
3 λογίαι γίνωνται. ὅταν δὲ παραγένωμαι, οὓς ἐὰν δοκιμά-
σητε δι᾽ ἐπιστολῶν, τούτους πέμψω ἀπενεγκεῖν τὴν χάριν
4 ὑμῶν εἰς Ἰερουσαλήμ· ἐὰν δὲ ἄξιον ᾖ τοῦ κἀμὲ πορεύεσθαι,
5 σὺν ἐμοὶ πορεύσονται.   Ἐλεύσομαι δὲ πρὸς
ὑμᾶς ὅταν Μακεδονίαν διέλθω, Μακεδονίαν γὰρ διέρχομαι,
6 πρὸς ὑμᾶς δὲ τυχὸν καταμενῶ ἢ ⌐ παραχειμάσω, ἵνα ὑμεῖς
7 με προπέμψητε οὗ ἐὰν πορεύωμαι. οὐ θέλω γὰρ ὑμᾶς
ἄρτι ἐν παρόδῳ ἰδεῖν, ἐλπίζω γὰρ χρόνον τινὰ ἐπιμεῖναι
8 πρὸς ὑμᾶς, ἐὰν ὁ κύριος ἐπιτρέψῃ. ἐπιμένω δὲ ἐν Ἐφέσῳ
9 ἕως τῆς πεντηκοστῆς· θύρα γάρ μοι ἀνέῳγεν μεγάλη καὶ
10 ἐνεργής, καὶ ἀντικείμενοι πολλοί.   Ἐὰν δὲ ἔλθῃ
Τιμόθεος, βλέπετε ἵνα ἀφόβως γένηται πρὸς ὑμᾶς, τὸ γὰρ
11 ἔργον Κυρίου ἐργάζεται ὡς ⌜ἐγώ⌝· μή τις οὖν αὐτὸν ἐξουθε-
νήσῃ. προπέμψατε δὲ αὐτὸν ἐν εἰρήνῃ, ἵνα ἔλθῃ πρός με,
12 ἐκδέχομαι γὰρ αὐτὸν μετὰ τῶν ἀδελφῶν.   Περὶ
δὲ Ἀπολλὼ τοῦ ἀδελφοῦ, πολλὰ παρεκάλεσα αὐτὸν
ἵνα ἔλθῃ πρὸς ὑμᾶς μετὰ τῶν ἀδελφῶν· καὶ πάντως
οὐκ ἦν θέλημα ἵνα νῦν ἔλθῃ, ἐλεύσεται δὲ ὅταν εὐκαι-
13 ρήσῃ.   Γρηγορεῖτε, στήκετε ἐν τῇ πίστει,
14 ἀνδρίζεσθε, κραταιοῦσθε. πάντα ὑμῶν ἐν ἀγάπῃ γινέ-
15 σθω.   Παρακαλῶ δὲ ὑμᾶς, ἀδελφοί· οἴδατε τὴν
οἰκίαν Στεφανᾶ, ὅτι ἐστὶν ἀπαρχὴ τῆς Ἀχαίας καὶ εἰς
16 διακονίαν τοῖς ἁγίοις ἔταξαν ἑαυτούς· ἵνα καὶ ὑμεῖς ὑπο-
τάσσησθε τοῖς τοιούτοις καὶ παντὶ τῷ συνεργοῦντι καὶ
17 κοπιῶντι. χαίρω δὲ ἐπὶ τῇ παρουσίᾳ Στεφανᾶ καὶ Φορ-
τουνάτου καὶ Ἀχαϊκοῦ, ὅτι τὸ ⌜ὑμέτερον⌝ ὑστέρημα οὗτοι
18 ἀνεπλήρωσαν, ἀνέπαυσαν γὰρ τὸ ἐμὸν πνεῦμα καὶ τὸ ὑμῶν.
ἐπιγινώσκετε οὖν τοὺς τοιούτους.
19   Ἀσπάζονται ὑμᾶς αἱ ἐκκλησίαι τῆς Ἀσίας. ἀσπά-
ζεται ὑμᾶς ἐν κυρίῳ πολλὰ Ἀκύλας καὶ Πρίσκα σὺν

2 εὐοδωθῇ   6 καί   10 κἀγώ   17 ὑμῶν

DD

τῇ κατ᾽ οἶκον αὐτῶν ἐκκλησίᾳ. ἀσπάζονται ὑμᾶς οἱ 20
ἀδελφοὶ πάντες. Ἀσπάσασθε ἀλλήλους ἐν φιλήματι
ἁγίῳ.   Ὁ ἀσπασμὸς τῇ ἐμῇ χειρὶ Παύλου. 21
εἴ τις οὐ φιλεῖ τὸν κύριον, ἤτω ἀνάθεμα. Μαρὰν ἀθά. 22
ἡ χάρις τοῦ κυρίου Ἰησοῦ μεθ᾽ ὑμῶν. ἡ ἀγάπη μου ²³₂₄
μετὰ πάντων ὑμῶν ἐν Χριστῷ Ἰησοῦ.

ΠΡΟΣ ΚΟΡΙΝΟΙΟΥΣ Β

1 ΠΑΥΛΟΣ ἀπόστολος Χριστοῦ Ἰησοῦ διὰ θελήματος
θεοῦ καὶ Τιμόθεος ὁ ἀδελφὸς τῇ ἐκκλησίᾳ τοῦ θεοῦ τῇ
οὔσῃ ἐν Κορίνθῳ, σὺν τοῖς ἁγίοις πᾶσιν τοῖς οὖσιν ἐν
2 ὅλῃ τῇ Ἀχαίᾳ· χάρις ὑμῖν καὶ εἰρήνη ἀπὸ θεοῦ πατρὸς
ἡμῶν καὶ κυρίου Ἰησοῦ Χριστοῦ.

3 Εὐλογητὸς ὁ θεὸς καὶ πατὴρ τοῦ κυρίου ἡμῶν Ἰησοῦ
Χριστοῦ, ὁ πατὴρ τῶν οἰκτιρμῶν καὶ θεὸς πάσης παρα-
4 κλήσεως, ὁ παρακαλῶν ἡμᾶς ἐπὶ πάσῃ τῇ θλίψει ἡμῶν,
εἰς τὸ δύνασθαι ἡμᾶς παρακαλεῖν τοὺς ἐν πάσῃ θλίψει
διὰ τῆς παρακλήσεως ἧς παρακαλούμεθα αὐτοὶ ὑπὸ τοῦ
5 θεοῦ. ὅτι καθὼς περισσεύει τὰ παθήματα τοῦ χριστοῦ
εἰς ἡμᾶς, οὕτως διὰ τοῦ χριστοῦ περισσεύει καὶ ἡ παρά-
6 κλησις ἡμῶν. ⌜εἴτε δὲ θλιβόμεθα, ὑπὲρ τῆς ὑμῶν παρα-
κλήσεως καὶ σωτηρίας· εἴτε παρακαλούμεθα, ὑπὲρ τῆς
ὑμῶν παρακλήσεως τῆς ἐνεργουμένης ἐν ὑπομονῇ τῶν
7 αὐτῶν παθημάτων ὧν καὶ ἡμεῖς πάσχομεν, καὶ ἡ ἐλπὶς
ἡμῶν βεβαία ὑπὲρ ὑμῶν·⌝ εἰδότες ὅτι ὡς κοινωνοί ἐστε
8 τῶν παθημάτων, οὕτως καὶ τῆς παρακλήσεως. Οὐ γὰρ
θέλομεν ὑμᾶς ἀγνοεῖν, ἀδελφοί, ⌜ὑπὲρ⌝ τῆς θλίψεως ἡμῶν
τῆς γενομένης ἐν τῇ Ἀσίᾳ, ὅτι καθ᾽ ὑπερβολὴν ὑπὲρ
δύναμιν ἐβαρήθημεν, ὥστε ἐξαπορηθῆναι ἡμᾶς καὶ τοῦ
9 ζῆν· ἀλλὰ αὐτοὶ ἐν ἑαυτοῖς τὸ ἀπόκριμα τοῦ θανάτου

ἐσχήκαμεν, ἵνα μὴ πεποιθότες ὦμεν ἐφ᾽ ἑαυτοῖς ἀλλ᾽ ἐπὶ
τῷ θεῷ τῷ ἐγείροντι τοὺς νεκρούς· ὃς ἐκ τηλικούτου 10
θανάτου ἐρύσατο ἡμᾶς καὶ ῥύσεται, εἰς ὃν ἠλπίκαμεν [ὅτι]
καὶ ἔτι ῥύσεται, συνυπουργούντων καὶ ὑμῶν ὑπὲρ ἡμῶν 11
τῇ δεήσει, ἵνα ἐκ πολλῶν προσώπων τὸ εἰς ἡμᾶς χάρισμα
διὰ πολλῶν εὐχαριστηθῇ ὑπὲρ ἡμῶν.

Ἡ γὰρ καύχησις ἡμῶν αὕτη ἐστίν, τὸ μαρτύριον 12
τῆς συνειδήσεως ἡμῶν, ὅτι ἐν ἁγιότητι καὶ εἰλικρινίᾳ τοῦ
θεοῦ, [καὶ] οὐκ ἐν σοφίᾳ σαρκικῇ ἀλλ᾽ ἐν χάριτι θεοῦ,
ἀνεστράφημεν ἐν τῷ κόσμῳ, περισσοτέρως δὲ πρὸς
ὑμᾶς· οὐ γὰρ ἄλλα γράφομεν ὑμῖν ἀλλ᾽ ἢ ἃ ἀναγινώ- 13
σκετε ἢ καὶ ἐπιγινώσκετε, ἐλπίζω δὲ ὅτι ἕως τέλους ἐπι-
γνώσεσθε, καθὼς καὶ ἐπέγνωτε ἡμᾶς ἀπὸ μέρους, ὅτι 14
καύχημα ὑμῶν ἐσμὲν καθάπερ καὶ ὑμεῖς ἡμῶν ἐν τῇ
ἡμέρᾳ τοῦ κυρίου ἡμῶν Ἰησοῦ.

Καὶ ταύτῃ τῇ πεποιθήσει ἐβουλόμην πρότερον πρὸς 15
ὑμᾶς ἐλθεῖν, ἵνα δευτέραν ⌈χαρὰν⌉ σχῆτε, καὶ δι᾽ ὑμῶν 16
διελθεῖν εἰς Μακεδονίαν, καὶ πάλιν ἀπὸ Μακεδονίας ἐλθεῖν
πρὸς ὑμᾶς καὶ ὑφ᾽ ὑμῶν προπεμφθῆναι εἰς τὴν Ἰουδαίαν.
τοῦτο οὖν βουλόμενος μήτι ἄρα τῇ ἐλαφρίᾳ ἐχρησάμην; 17
ἢ ἃ βουλεύομαι κατὰ σάρκα βουλεύομαι, ἵνα ᾖ παρ᾽ ἐμοὶ
τὸ Ναί ναὶ καὶ τὸ Οὔ οὔ; πιστὸς δὲ ὁ θεὸς ὅτι 18
ὁ λόγος ἡμῶν ὁ πρὸς ὑμᾶς οὐκ ἔστιν Ναί καὶ Οὔ· ὁ 19
τοῦ θεοῦ γὰρ υἱὸς Χριστὸς Ἰησοῦς ὁ ἐν ὑμῖν δι᾽ ἡμῶν
κηρυχθείς, δι᾽ ἐμοῦ καὶ Σιλουανοῦ καὶ Τιμοθέου, οὐκ ἐγέ-
νετο Ναί καὶ Οὔ, ἀλλὰ Ναί ἐν αὐτῷ γέγονεν· ὅσαι γὰρ 20
ἐπαγγελίαι θεοῦ, ἐν αὐτῷ τὸ Ναί· διὸ καὶ δι᾽ αὐτοῦ
τὸ Ἀμήν τῷ θεῷ πρὸς δόξαν δι᾽ ἡμῶν. ὁ δὲ βεβαιῶν 21
ἡμᾶς σὺν ὑμῖν εἰς Χριστὸν καὶ χρίσας ἡμᾶς θεός, [ὁ] καὶ 22
σφραγισάμενος ἡμᾶς καὶ δοὺς τὸν ἀρραβῶνα τοῦ πνεύ-
ματος ἐν ταῖς καρδίαις ἡμῶν.   Ἐγὼ δὲ μάρτυρα 23
τὸν θεὸν ἐπικαλοῦμαι ἐπὶ τὴν ἐμὴν ψυχήν, ὅτι φειδόμενος
ὑμῶν οὐκέτι ἦλθον εἰς Κόρινθον. οὐχ ὅτι κυριεύομεν ὑμῶν 24

15 χάριν

τῆς πίστεως, ἀλλὰ συνεργοί ἐσμεν τῆς χαρᾶς ὑμῶν, τῇ
1 γὰρ πίστει ἑστήκατε. ἔκρινα ⌜γὰρ⌝ ἐμαυτῷ τοῦτο, τὸ μὴ
2 πάλιν ἐν λύπῃ πρὸς ὑμᾶς ἐλθεῖν· εἰ γὰρ ἐγὼ λυπῶ ὑμᾶς,
3 καὶ τίς ὁ εὐφραίνων με εἰ μὴ ὁ λυπούμενος ἐξ ἐμοῦ; καὶ
ἔγραψα τοῦτο αὐτὸ ἵνα μὴ ἐλθὼν λύπην σχῶ ἀφ' ὧν ἔδει
με χαίρειν, πεποιθὼς ἐπὶ πάντας ὑμᾶς ὅτι ἡ ἐμὴ χαρὰ
4 πάντων ὑμῶν ἐστίν. ἐκ γὰρ πολλῆς θλίψεως καὶ συνοχῆς
καρδίας ἔγραψα ὑμῖν διὰ πολλῶν δακρύων, οὐχ ἵνα λυπη-
θῆτε, ἀλλὰ τὴν ἀγάπην ἵνα γνῶτε ἣν ἔχω περισσοτέρως
5 εἰς ὑμᾶς.   Εἰ δέ τις λελύπηκεν, οὐκ ἐμὲ λελύ-
πηκεν, ἀλλὰ ἀπὸ μέρους ἵνα μὴ ἐπιβαρῶ πάντας ὑμᾶς.
6 ἱκανὸν τῷ τοιούτῳ ἡ ἐπιτιμία αὕτη ἡ ὑπὸ τῶν πλειόνων,
7 ὥστε τοὐναντίον ⌐ ὑμᾶς χαρίσασθαι καὶ παρακαλέσαι, μὴ
8 πως τῇ περισσοτέρᾳ λύπῃ καταποθῇ ὁ τοιοῦτος. διὸ
9 παρακαλῶ ὑμᾶς κυρῶσαι εἰς αὐτὸν ἀγάπην· εἰς τοῦτο
γὰρ καὶ ἔγραψα ἵνα γνῶ τὴν δοκιμὴν ὑμῶν, ⌜εἰ⌝ εἰς
10 πάντα ὑπήκοοί ἐστε. ᾧ δέ τι χαρίζεσθε, κἀγώ· καὶ γὰρ
ἐγὼ ὃ κεχάρισμαι, εἴ τι κεχάρισμαι, δι' ὑμᾶς ἐν προσώ-
11 πῳ Χριστοῦ, ἵνα μὴ πλεονεκτηθῶμεν ὑπὸ τοῦ Σατανᾶ,
12 οὐ γὰρ αὐτοῦ τὰ νοήματα ἀγνοοῦμεν.   Ἐλθὼν
δὲ εἰς τὴν Τρῳάδα εἰς τὸ εὐαγγέλιον τοῦ χριστοῦ, καὶ
13 θύρας μοι ἀνεῳγμένης ἐν κυρίῳ, οὐκ ἔσχηκα ἄνεσιν τῷ
πνεύματί μου τῷ μὴ εὑρεῖν με Τίτον τὸν ἀδελφόν μου,
14 ἀλλὰ ἀποταξάμενος αὐτοῖς ἐξῆλθον εἰς Μακεδονίαν. Τῷ
δὲ θεῷ χάρις τῷ πάντοτε θριαμβεύοντι ἡμᾶς ἐν τῷ χρι-
στῷ καὶ τὴν ὀσμὴν τῆς γνώσεως αὐτοῦ φανεροῦντι δι' ἡμῶν
15 ἐν παντὶ τόπῳ· ὅτι Χριστοῦ εὐωδία ἐσμὲν τῷ θεῷ ἐν
16 τοῖς σωζομένοις καὶ ἐν τοῖς ἀπολλυμένοις, οἷς μὲν ὀσμὴ
ἐκ θανάτου εἰς θάνατον, οἷς δὲ ὀσμὴ ἐκ ζωῆς εἰς ζωήν.
17 καὶ πρὸς ταῦτα τίς ἱκανός; οὐ γὰρ ἐσμεν ὡς οἱ πολλοὶ
καπηλεύοντες τὸν λόγον τοῦ θεοῦ, ἀλλ' ὡς ἐξ εἰλικρινίας,
ἀλλ' ὡς ἐκ θεοῦ κατέναντι θεοῦ ἐν Χριστῷ λαλοῦμεν.
1   Ἀρχόμεθα πάλιν ἑαυτοὺς συνιστάνειν; ἢ μὴ χρῄζομεν

1 δὲ   7 μᾶλλον   9 ἢ

ὥς τινες συστατικῶν ἐπιστολῶν πρὸς ὑμᾶς ἢ ἐξ ὑμῶν;
ἡ ἐπιστολὴ ἡμῶν ὑμεῖς ἐστέ, ἐγγεγραμμένη ἐν ταῖς καρ- 2
δίαις ἡμῶν, γινωσκομένη καὶ ἀναγινωσκομένη ὑπὸ πάντων
ἀνθρώπων· φανερούμενοι ὅτι ἐστὲ ἐπιστολὴ Χριστοῦ δια- 3
κονηθεῖσα ὑφ' ἡμῶν, ⌜ ἐνΓεΓραμμένΗ οὐ μέλανι ἀλλὰ
πνεύματι θεοῦ ζῶντος, οὐκ ἐν πλαΞὶν λιθίναιϲ ἀλλ' ἐν
⌜πλαΞὶν καρΔίαιϲ ϲαρκίναιϲ⌝.

Πεποίθησιν δὲ τοιαύτην ἔχομεν διὰ τοῦ χριστοῦ πρὸς 4
τὸν ⌜θεόν.⌝ οὐχ ὅτι ἀφ' ἑαυτῶν ἱκανοί ⌜ἐσμεν⌝ λογίσασθαί 5
τι ὡς ἐξ αὑτῶν, ἀλλ' ἡ ἱκανότης ἡμῶν ἐκ τοῦ θεοῦ, ὃς καὶ 6
ἱκάνωσεν ἡμᾶς διακόνους καινῆς διαθήκης, οὐ γράμματος
ἀλλὰ πνεύματος, τὸ γὰρ γράμμα ἀποκτείνει, τὸ δὲ
πνεῦμα ζωοποιεῖ. Εἰ δὲ ἡ διακονία τοῦ θανάτου 7
ἐν γράμμασιν ἐντετυπωμένη λίθοις ἐγενήθη ἐν δόξῃ, ὥστε
μὴ δύνασθαι ἀτενίσαι τοὺς υἱοὺς Ἰσραὴλ εἰς τὸ πρόσωπον
Μωϲέωϲ διὰ τὴν Δόξαν τοῦ προϲώπου αὐτοῦ τὴν
καταργουμένην, πῶς οὐχὶ μᾶλλον ἡ διακονία τοῦ πνεύματος 8
ἔσται ἐν δόξῃ; εἰ γὰρ ⌜ἡ διακονία⌝ τῆς κατακρίσεως δόξα, 9
πολλῷ μᾶλλον περισσεύει ἡ διακονία τῆς δικαιοσύνης δόξῃ.
καὶ γὰρ οὐ ΔεΔόΞαϲται τὸ ΔεΔοΞαϲμένον ἐν τούτῳ 10
τῷ μέρει εἵνεκεν τῆς ὑπερβαλλούσης δόξης· εἰ γὰρ τὸ κα- 11
ταργούμενον διὰ δόξης, πολλῷ μᾶλλον τὸ μένον ἐν δό-
ξῃ. Ἔχοντες οὖν τοιαύτην ἐλπίδα πολλῇ παρ- 12
ρησίᾳ χρώμεθα, καὶ οὐ καθάπερ Μωϲῆϲ ἐτίθει κά- 13
λυμμα ἐπὶ τὸ πρόϲωπον αὐτοῦ, πρὸς τὸ μὴ ἀτενίσαι
τοὺς υἱοὺς Ἰσραὴλ εἰς τὸ τέλος τοῦ καταργουμένου. ἀλλὰ 14
ἐπωρώθη τὰ νοήματα αὐτῶν. ἄχρι γὰρ τῆς σήμερον
ἡμέρας τὸ αὐτὸ κάλυμμα ἐπὶ τῇ ἀναγνώσει τῆς παλαιᾶς
διαθήκης μένει μὴ ἀνακαλυπτόμενον, ὅτι ἐν Χριστῷ κα-
ταργεῖται, ἀλλ' ἕως σήμερον ἡνίκα ἂν ἀναγινώσκηται 15
Μωυσῆς κάλυμμα ἐπὶ τὴν καρδίαν αὐτῶν κεῖται· Ηνίκα 16
Δὲ ἐὰν ἐπιϲτρέψῃ πρὸϲ Κύριον, περιαιρεῖται τὸ
κάλυμμα. ὁ δὲ κύριος τὸ πνεῦμά ἐστιν· οὗ δὲ τὸ πνεῦμα 17

3 καὶ | †...† 4 θεόν, 5 ἐσμεν, 9 τῇ διακονίᾳ 16 δ' ἂν

18 ⌜Κυρίου⌝, ἐλευθερία. ἡμεῖς δὲ πάντες ἀνακεκαλυμμένῳ
προσώπῳ τὴν Δόξαν Κυρίου κατοπτριζόμενοι τὴν αὐτὴν
εἰκόνα μεταμορφούμεθα ἀπὸ δόξης εἰς δόξαν, ⌜καθάπερ⌝
1 ἀπὸ κυρίου πνεύματος.   Διὰ τοῦτο, ἔχοντες
τὴν διακονίαν ταύτην καθὼς ἠλεήθημεν, οὐκ ἐγκακοῦμεν,
2 ἀλλὰ ἀπειπάμεθα τὰ κρυπτὰ τῆς αἰσχύνης, μὴ περιπα-
τοῦντες ἐν πανουργίᾳ μηδὲ δολοῦντες τὸν λόγον τοῦ
θεοῦ, ἀλλὰ τῇ φανερώσει τῆς ἀληθείας συνιστάνοντες
ἑαυτοὺς πρὸς πᾶσαν συνείδησιν ἀνθρώπων ἐνώπιον τοῦ
3 θεοῦ. εἰ δὲ καὶ ἔστιν κεκαλυμμένον τὸ εὐαγγέλιον ἡμῶν,
4 ἐν τοῖς ἀπολλυμένοις ἐστὶν κεκαλυμμένον, ἐν οἷς ὁ θεὸς
τοῦ αἰῶνος τούτου ἐτύφλωσεν τὰ νοήματα τῶν ἀπίστων
εἰς τὸ μὴ αὐγάσαι τὸν φωτισμὸν τοῦ εὐαγγελίου τῆς
5 δόξης τοῦ χριστοῦ, ὅς ἐστιν εἰκὼν τοῦ θεοῦ.   οὐ γὰρ
ἑαυτοὺς κηρύσσομεν ἀλλὰ ⌜Χριστὸν Ἰησοῦν⌝ κύριον,
6 ἑαυτοὺς δὲ δούλους ὑμῶν διὰ ⌜Ἰησοῦν⌝. ὅτι ὁ θεὸς ὁ εἰπών
Ἐκ σκότους φῶς λάμψει, ὃς ἔλαμψεν ἐν ταῖς καρδίαις
ἡμῶν πρὸς φωτισμὸν τῆς γνώσεως τῆς δόξης τοῦ θεοῦ
ἐν προσώπῳ Χριστοῦ.

7   Ἔχομεν δὲ τὸν θησαυρὸν τοῦτον ἐν ὀστρακίνοις
σκεύεσιν, ἵνα ἡ ὑπερβολὴ τῆς δυνάμεως ᾖ τοῦ θεοῦ καὶ
8 μὴ ἐξ ἡμῶν· ἐν παντὶ θλιβόμενοι ἀλλ᾽ οὐ στενοχωρούμε-
9 νοι, ἀπορούμενοι ἀλλ᾽ οὐκ ἐξαπορούμενοι, διωκόμενοι
ἀλλ᾽ οὐκ ἐγκαταλειπόμενοι, καταβαλλόμενοι ἀλλ᾽ οὐκ ἀ-
10 πολλύμενοι, πάντοτε τὴν νέκρωσιν τοῦ Ἰησοῦ ἐν τῷ
σώματι περιφέροντες, ἵνα καὶ ἡ ζωὴ τοῦ Ἰησοῦ ἐν τῷ
11 σώματι ἡμῶν φανερωθῇ· ἀεὶ γὰρ ἡμεῖς οἱ ζῶντες εἰς
θάνατον παραδιδόμεθα διὰ Ἰησοῦν, ἵνα καὶ ἡ ζωὴ τοῦ
12 Ἰησοῦ φανερωθῇ ἐν τῇ θνητῇ σαρκὶ ἡμῶν. ὥστε ὁ θά-
13 νατος ἐν ἡμῖν ἐνεργεῖται, ἡ δὲ ζωὴ ἐν ὑμῖν. ἔχοντες
δὲ τὸ αὐτὸ πνεῦμα τῆς πίστεως, κατὰ τὸ γεγραμμέ-
νον Ἐπίστευσα, διὸ ἐλάλησα, καὶ ἡμεῖς πιστεύομεν,
14 διὸ καὶ λαλοῦμεν, εἰδότες ὅτι ὁ ἐγείρας τὸν [κύριον] Ἰησοῦν

17 †...†   18 καθώσπερ   5 Ἰησοῦν Χριστὸν | Ἰησοῦ

καὶ ἡμᾶς σὺν Ἰησοῦ ἐγερεῖ καὶ παραστήσει σὺν ὑμῖν.
τὰ γὰρ πάντα δι᾽ ὑμᾶς, ἵνα ἡ χάρις πλεονάσασα διὰ 15
τῶν πλειόνων τὴν εὐχαριστίαν περισσεύσῃ εἰς τὴν δόξαν
τοῦ θεοῦ. Διὸ οὐκ ἐγκακοῦμεν, ἀλλ᾽ εἰ καὶ ὁ ἔξω 16
ἡμῶν ἄνθρωπος διαφθείρεται, ἀλλ᾽ ὁ ἔσω ἡμῶν ἀνακαι-
νοῦται ἡμέρᾳ καὶ ἡμέρᾳ. τὸ γὰρ παραυτίκα ἐλαφρὸν τῆς 17
θλίψεως ᵀ καθ᾽ ὑπερβολὴν εἰς ὑπερβολὴν αἰώνιον βάρος
δόξης κατεργάζεται ἡμῖν, μὴ σκοπούντων ἡμῶν τὰ 18
βλεπόμενα ἀλλὰ τὰ μὴ βλεπόμενα, τὰ γὰρ βλεπόμενα
πρόσκαιρα, τὰ δὲ μὴ βλεπόμενα αἰώνια. οἴδαμεν γὰρ ὅτι 1
ἐὰν ἡ ἐπίγειος ἡμῶν οἰκία τοῦ σκήνους καταλυθῇ, οἰκο-
δομὴν ἐκ θεοῦ ἔχομεν οἰκίαν ἀχειροποίητον αἰώνιον ἐν τοῖς
οὐρανοῖς. καὶ γὰρ ἐν τούτῳ στενάζομεν, τὸ οἰκητήριον 2
ἡμῶν τὸ ἐξ οὐρανοῦ ἐπενδύσασθαι ἐπιποθοῦντες, ⌜εἴ γε⌝ 3
καὶ ἐνδυσάμενοι οὐ γυμνοὶ εὑρεθησόμεθα. καὶ γὰρ 4
οἱ ὄντες ἐν τῷ σκήνει στενάζομεν βαρούμενοι ἐφ᾽ ᾧ οὐ
θέλομεν ἐκδύσασθαι ἀλλ᾽ ἐπενδύσασθαι, ἵνα καταποθῇ
τὸ θνητὸν ὑπὸ τῆς ζωῆς. ὁ δὲ κατεργασάμενος ἡμᾶς 5
εἰς αὐτὸ τοῦτο θεός, ὁ δοὺς ἡμῖν τὸν ἀρραβῶνα τοῦ πνεύ-
ματος. Θαρροῦντες οὖν πάντοτε καὶ εἰδότες 6
ὅτι ἐνδημοῦντες ἐν τῷ σώματι ἐκδημοῦμεν ἀπὸ τοῦ
κυρίου, διὰ πίστεως γὰρ περιπατοῦμεν οὐ διὰ εἴδους,— 7
θαρροῦμεν δὲ καὶ εὐδοκοῦμεν μᾶλλον ἐκδημῆσαι ἐκ τοῦ 8
σώματος καὶ ἐνδημῆσαι πρὸς τὸν κύριον· διὸ καὶ φιλοτι- 9
μούμεθα, εἴτε ἐνδημοῦντες εἴτε ἐκδημοῦντες, εὐάρεστοι
αὐτῷ εἶναι. τοὺς γὰρ πάντας ἡμᾶς φανερωθῆναι δεῖ ἔμ- 10
προσθεν τοῦ βήματος τοῦ χριστοῦ, ἵνα κομίσηται ἕκαστος
τὰ διὰ τοῦ σώματος πρὸς ἃ ἔπραξεν, εἴτε ἀγαθὸν εἴτε
φαῦλον.

Εἰδότες οὖν τὸν φόβον τοῦ κυρίου ἀνθρώπους πείθο- 11
μεν, θεῷ δὲ πεφανερώμεθα· ἐλπίζω δὲ καὶ ἐν ταῖς συνει-
δήσεσιν ὑμῶν πεφανερῶσθαι. οὐ πάλιν ἑαυτοὺς συνι- 12
στάνομεν ὑμῖν, ἀλλὰ ἀφορμὴν διδόντες ὑμῖν καυχήματος

17 ἡμῶν   3 εἴ περ

ὑπὲρ ἡμῶν, ἵνα ἔχητε πρὸς τοὺς ἐν προσώπῳ καυχωμέ-
13 νους καὶ μὴ ἐν καρδίᾳ. εἴτε γὰρ ἐξέστημεν, θεῷ· εἴτε
14 σωφρονοῦμεν, ὑμῖν. ἡ γὰρ ἀγάπη τοῦ χριστοῦ συνέχει
ἡμᾶς, κρίναντας τοῦτο ὅτι εἷς ὑπὲρ πάντων ἀπέθανεν·
15 ἄρα οἱ πάντες ἀπέθανον· καὶ ὑπὲρ πάντων ἀπέθανεν ἵνα
οἱ ζῶντες μηκέτι ἑαυτοῖς ζῶσιν ἀλλὰ τῷ ὑπὲρ αὐτῶν
16 ἀποθανόντι καὶ ἐγερθέντι. ῞Ωστε ἡμεῖς ἀπὸ
τοῦ νῦν οὐδένα οἴδαμεν κατὰ σάρκα· εἰ καὶ ἐγνώκαμεν
17 κατὰ σάρκα Χριστόν, ἀλλὰ νῦν οὐκέτι γινώσκομεν. ὥστε
εἴ τις ἐν Χριστῷ, καινὴ κτίσις· τὰ ἀρχαῖα παρῆλθεν, ἰδοὺ
18 γέγονεν καινά· τὰ δὲ πάντα ἐκ τοῦ θεοῦ τοῦ καταλλά-
ξαντος ἡμᾶς ἑαυτῷ διὰ Χριστοῦ καὶ δόντος ἡμῖν τὴν
19 διακονίαν τῆς καταλλαγῆς, ὡς ὅτι θεὸς ἦν ἐν Χριστῷ
κόσμον καταλλάσσων ἑαυτῷ, μὴ λογιζόμενος αὐτοῖς τὰ
παραπτώματα αὐτῶν, καὶ θέμενος ἐν ἡμῖν τὸν λόγον τῆς
20 καταλλαγῆς. ῾Υπὲρ Χριστοῦ οὖν πρεσβεύομεν
ὡς τοῦ θεοῦ παρακαλοῦντος δι᾽ ἡμῶν· δεόμεθα ὑπὲρ
21 Χριστοῦ, καταλλάγητε τῷ θεῷ. τὸν μὴ γνόντα ἁμαρτίαν
ὑπὲρ ἡμῶν ἁμαρτίαν ἐποίησεν, ἵνα ἡμεῖς γενώμεθα δι-
1 καιοσύνη θεοῦ ἐν αὐτῷ. Συνεργοῦντες δὲ καὶ παρακαλοῦ-
μεν μὴ εἰς κενὸν τὴν χάριν τοῦ θεοῦ δέξασθαι ὑμᾶς·
2 λέγει γάρ

Καιρῷ Δεκτῷ ἐπήκογcά coy
καὶ ἐν ἡμέρᾳ cωτηρίαc ἐΒοήθηcά coι·

ἰδοὺ νῦν καιρὸc εὐπρόcΔεκτοc, ἰδοὺ νῦν ἡμέρα cωτη-
3 ρίαc· μηδεμίαν ἐν μηδενὶ διδόντες προσκοπήν, ἵνα μὴ
4 μωμηθῇ ἡ διακονία, ἀλλ᾽ ἐν παντὶ συνιστάνοντες ἑαυ-
τοὺς ὡς θεοῦ διάκονοι· ἐν ὑπομονῇ πολλῇ, ἐν θλίψεσιν,
5 ἐν ἀνάγκαις, ἐν στενοχωρίαις, ἐν πληγαῖς, ἐν φυλακαῖς,
ἐν ἀκαταστασίαις, ἐν κόποις, ἐν ἀγρυπνίαις, ἐν νηστείαις,
6 ἐν ἁγνότητι, ἐν γνώσει, ἐν μακροθυμίᾳ, ἐν χρηστότητι,
7 ἐν πνεύματι ἁγίῳ, ἐν ἀγάπῃ ἀνυποκρίτῳ, ἐν λόγῳ ἀληθείας,
ἐν δυνάμει θεοῦ· διὰ τῶν ὅπλων τῆς δικαιοσύνης τῶν
8 δεξιῶν καὶ ἀριστερῶν, διὰ δόξης καὶ ἀτιμίας, διὰ δυσφη-

μίας καὶ εὐφημίας· ὡς πλάνοι καὶ ἀληθεῖς, ὡς ἀγνοούμενοι 9
καὶ ἐπιγινωσκόμενοι, ὡς ἀποθΝΗΣΚΟΝΤΕΣ καὶ ἰδοὺ ζῶ-
ΜΕΝ, ὡς ΠΑΙΔΕΥΌΜΕΝΟΙ καὶ ΜΗ ΘΑΝΑΤΟΥΜΕΝΟΙ, ὡς λυ- 10
πούμενοι ἀεὶ δὲ χαίροντες, ὡς πτωχοὶ πολλοὺς δὲ πλουτί-
ζοντες, ὡς μηδὲν ἔχοντες καὶ πάντα κατέχοντες.

Τὸ στόμα ἡμῶν ἀνέῳγεν πρὸς ὑμᾶς, Κορίνθιοι, ἡ 11
καρδία ἡμῶν πεπλάτυνται· οὐ στενοχωρεῖσθε ἐν ἡμῖν, 12
στενοχωρεῖσθε δὲ ἐν τοῖς σπλάγχνοις ὑμῶν· τὴν δὲ 13
αὐτὴν ἀντιμισθίαν, ὡς τέκνοις λέγω, πλατύνθητε καὶ
ὑμεῖς.   Μὴ γίνεσθε ἑτεροζυγοῦντες ἀπίστοις· τίς 14
γὰρ μετοχὴ δικαιοσύνῃ καὶ ἀνομίᾳ, ἢ τίς κοινωνία φωτὶ
πρὸς σκότος; τίς δὲ συμφώνησις Χριστοῦ πρὸς Βελίαρ, 15
ἢ τίς μερὶς ⌈πιστῷ⌉ μετὰ ἀπίστου; τίς δὲ συνκατάθεσις 16
ναῷ θεοῦ μετὰ εἰδώλων; ἡμεῖς γὰρ ναὸς θεοῦ ἐσμὲν
ζῶντος· καθὼς εἶπεν ὁ θεὸς ὅτι

ἘΝΟΙΚΗΣΩ ἐΝ ΑΥΤΟῖΣ ΚΑὶ ἐΝΠΕΡΙΠΑΤΗΣΩ,
καὶ ἔΣΟΜΑΙ ΑΥΤῶΝ ΘΕΌΣ, ΚΑὶ ΑΥΤΟὶ ἔΣΟΝΤΑΊ
ΜΟΥ λΑΌΣ.

διὸ ἐΞΈλΘΑΤΕ ἐΚ ΜΈΣΟΥ ΑΥΤῶΝ,   17
καὶ ἀφΟΡΊΣΘΗΤΕ, λΈΓΕΙ ΚΎΡΙΟΣ,
καὶ ἀΚΑΘΆΡΤΟΥ ΜΗ ἅΠΤΕΣΘΕ·
ΚἀΓῺ ΕἰΣΔΈΖΟΜΑΙ ὙΜᾶΣ·
καὶ ἔΣΟΜΑΙ ὙΜῖΝ ΕἰΣ ΠΑΤΈΡΑ,   18
καὶ ὙΜΕῖΣ ἔΣΕΣΘΈ ΜΟΙ ΕἰΣ ΥἹΟῪΣ ΚΑὶ ΘΥΓΑΤΈΡΑΣ,
λΈΓΕΙ ΚΎΡΙΟΣ ΠΑΝΤΟΚΡΆΤΩΡ.

ταύτας οὖν ἔχοντες τὰς ἐπαγγελίας, ἀγαπητοί, καθαρίσω- 1
μεν ἑαυτοὺς ἀπὸ παντὸς μολυσμοῦ σαρκὸς καὶ πνεύματος,
ἐπιτελοῦντες ἁγιωσύνην ἐν φόβῳ θεοῦ.   Χω- 2
ρήσατε ἡμᾶς· οὐδένα ἠδικήσαμεν, οὐδένα ἐφθείραμεν,
οὐδένα ἐπλεονεκτήσαμεν. πρὸς κατάκρισιν οὐ λέγω, 3
προείρηκα γὰρ ὅτι ἐν ταῖς καρδίαις ἡμῶν ἐστὲ εἰς
τὸ συναποθανεῖν καὶ συνζῆν. πολλή μοι παρρησία 4
πρὸς ὑμᾶς, πολλή μοι καύχησις ὑπὲρ ὑμῶν· πεπλή-

15 πιστοῦ

ρωμαι τῇ παρακλήσει, ὑπερπερισσεύομαι τῇ χαρᾷ ἐπὶ
5 πάσῃ τῇ θλίψει ἡμῶν. Καὶ γὰρ ἐλθόντων
ἡμῶν εἰς Μακεδονίαν οὐδεμίαν ἔσχηκεν ἄνεσιν ἡ σὰρξ
ἡμῶν, ἀλλ' ἐν παντὶ θλιβόμενοι—ἔξωθεν μάχαι, ἔσωθεν
6 φόβοι—. ἀλλ' ὁ παρακαλῶν τοὺς ταπεινοὺς παρεκάλεσεν
7 ἡμᾶς ὁ θεὸς ἐν τῇ παρουσίᾳ Τίτου· οὐ μόνον δὲ ἐν τῇ
παρουσίᾳ αὐτοῦ, ἀλλὰ καὶ ἐν τῇ παρακλήσει ᾗ παρεκλή-
θη ἐφ' ὑμῖν, ἀναγγέλλων ἡμῖν τὴν ὑμῶν ἐπιπόθησιν, τὸν
ὑμῶν ὀδυρμόν, τὸν ὑμῶν ζῆλον ὑπὲρ ἐμοῦ, ὥστε με
8 μᾶλλον χαρῆναι. ὅτι εἰ καὶ ἐλύπησα ὑμᾶς ἐν τῇ ἐπι-
στολῇ, οὐ μεταμέλομαι· εἰ καὶ μετεμελόμην, (⌈βλέπω⌉
ὅτι ἡ ἐπιστολὴ ἐκείνη εἰ καὶ πρὸς ὥραν ἐλύπησεν ὑμᾶς,)
9 νῦν χαίρω, οὐχ ὅτι ἐλυπήθητε, ἀλλ' ὅτι ἐλυπήθητε εἰς
μετάνοιαν, ἐλυπήθητε γὰρ κατὰ θεόν, ἵνα ἐν μηδενὶ ζη-
10 μιωθῆτε ἐξ ἡμῶν. ἡ γὰρ κατα θεὸν λύπη μετάνοιαν εἰς
σωτηρίαν ἀμεταμέλητον ἐργάζεται· ἡ δὲ τοῦ κόσμου λύπη
11 θάνατον κατεργάζεται. ἰδοὺ γὰρ αὐτὸ τοῦτο τὸ κατὰ
θεὸν λυπηθῆναι πόσην κατειργάσατο ὑμῖν σπουδήν, ἀλλὰ
ἀπολογίαν, ἀλλὰ ἀγανάκτησιν, ἀλλὰ φόβον, ἀλλὰ ἐπι-
πόθησιν, ἀλλὰ ζῆλον, ἀλλὰ ἐκδίκησιν· ἐν παντὶ συνε-
12 στήσατε ἑαυτοὺς ἁγνοὺς εἶναι τῷ πράγματι. ἄρα εἰ καὶ
ἔγραψα ὑμῖν, οὐχ ἕνεκεν τοῦ ἀδικήσαντος, [ἀλλ'] οὐδὲ
ἕνεκεν τοῦ ἀδικηθέντος, ἀλλ' ἕνεκεν τοῦ φανερωθῆναι
τὴν σπουδὴν ὑμῶν τὴν ὑπὲρ ἡμῶν πρὸς ὑμᾶς ἐνώπιον τοῦ
13 θεοῦ. διὰ τοῦτο παρακεκλήμεθα. Ἐπὶ δὲ τῇ
παρακλήσει ἡμῶν περισσοτέρως μᾶλλον ἐχάρημεν ἐπὶ
τῇ χαρᾷ Τίτου, ὅτι ἀναπέπαυται τὸ πνεῦμα αὐτοῦ ἀπὸ
14 πάντων ὑμῶν· ὅτι εἴ τι αὐτῷ ὑπὲρ ὑμῶν κεκαύχημαι, οὐ
κατῃσχύνθην, ἀλλ' ὡς πάντα ἐν ἀληθείᾳ ἐλαλήσαμεν ὑμῖν,
οὕτως καὶ ἡ καύχησις ἡμῶν ⌐ἐπὶ Τίτου ἀλήθεια ἐγενήθη.
15 καὶ τὰ σπλάγχνα αὐτοῦ περισσοτέρως εἰς ὑμᾶς ἐστὶν
ἀναμιμνησκομένου τὴν πάντων ὑμῶν ὑπακοήν, ὡς μετὰ
16 φόβου καὶ τρόμου ἐδέξασθε αὐτόν. Χαίρω ὅτι ἐν παντὶ

8 †...†   14 ἡ

θαρρῶ ἐν ὑμῖν.

Γνωρίζομεν δὲ ὑμῖν, ἀδελφοί, τὴν χάριν τοῦ θεοῦ τὴν 1
δεδομένην ἐν ταῖς ἐκκλησίαις τῆς Μακεδονίας, ὅτι ἐν πολ- 2
λῇ δοκιμῇ θλίψεως ἡ περισσεία τῆς χαρᾶς αὐτῶν καὶ ἡ
κατὰ βάθους πτωχεία αὐτῶν ἐπερίσσευσεν εἰς τὸ πλοῦτος
τῆς ἁπλότητος αὐτῶν· ὅτι κατὰ δύναμιν, μαρτυρῶ, καὶ 3
παρὰ δύναμιν, αὐθαίρετοι μετὰ πολλῆς παρακλήσεως δεό- 4
μενοι ἡμῶν, τὴν χάριν καὶ τὴν κοινωνίαν τῆς διακονίας τῆς
εἰς τοὺς ἁγίους,— καὶ οὐ καθὼς ἠλπίσαμεν ἀλλ' ἑαυτοὺς 5
ἔδωκαν πρῶτον τῷ κυρίῳ καὶ ἡμῖν διὰ θελήματος θεοῦ, εἰς 6
τὸ παρακαλέσαι ἡμᾶς Τίτον ἵνα καθὼς προενήρξατο οὕτως
καὶ ἐπιτελέσῃ εἰς ὑμᾶς καὶ τὴν χάριν ταύτην· ἀλλ' ὥσπερ 7
ἐν παντὶ περισσεύετε, πίστει καὶ λόγῳ καὶ γνώσει καὶ
πάσῃ σπουδῇ καὶ τῇ ἐξ ⌜ἡμῶν ἐν ὑμῖν⌝ ἀγάπῃ, ἵνα
καὶ ἐν ταύτῃ τῇ χάριτι περισσεύητε.   Οὐ 8
κατ' ἐπιταγὴν λέγω, ἀλλὰ διὰ τῆς ἑτέρων σπουδῆς καὶ τὸ
τῆς ὑμετέρας ἀγάπης γνήσιον δοκιμάζων· γινώσκετε γὰρ 9
τὴν χάριν τοῦ κυρίου ἡμῶν Ἰησοῦ [Χριστοῦ], ὅτι δι' ὑμᾶς
ἐπτώχευσεν πλούσιος ὤν, ἵνα ὑμεῖς τῇ ἐκείνου πτωχείᾳ
πλουτήσητε. καὶ γνώμην ἐν τούτῳ δίδωμι· τοῦτο γὰρ 10
ὑμῖν συμφέρει, οἵτινες οὐ μόνον τὸ ποιῆσαι ἀλλὰ καὶ τὸ
θέλειν προενήρξασθε ἀπὸ πέρυσι· νυνὶ δὲ καὶ τὸ ποιῆσαι 11
ἐπιτελέσατε, ὅπως καθάπερ ἡ προθυμία τοῦ θέλειν οὕτως
καὶ τὸ ἐπιτελέσαι ἐκ τοῦ ἔχειν. εἰ γὰρ ἡ προθυμία πρό- 12
κειται, καθὸ ἐὰν ἔχῃ εὐπρόσδεκτος, οὐ καθὸ οὐκ ἔχει. οὐ 13
γὰρ ἵνα ἄλλοις ἄνεσις, ὑμῖν ⌜θλίψις· ἀλλ' ἐξ ἰσότητος⌝ ἐν 14
τῷ νῦν καιρῷ τὸ ὑμῶν περίσσευμα εἰς τὸ ἐκείνων ὑστέρη-
μα, ἵνα καὶ τὸ ἐκείνων περίσσευμα γένηται εἰς τὸ ὑμῶν ὑστέ-
ρημα, ὅπως γένηται ἰσότης· καθὼς γέγραπται Ὁ τὸ πολὺ 15
ΟΥ̓Κ ἘΠΛΕΌΝΑΣΕΝ, ΚΑῚ ὁ ΤῸ ὈΛΊΓΟΝ ΟΥ̓Κ ἨΛΑΤΤΌ-
ΝΗΣΕΝ.   Χάρις δὲ τῷ θεῷ τῷ διδόντι τὴν αὐτὴν 16
σπουδὴν ὑπὲρ ὑμῶν ἐν τῇ καρδίᾳ Τίτου, ὅτι τὴν μὲν παρά- 17
κλησιν ἐδέξατο, σπουδαιότερος δὲ ὑπάρχων αὐθαίρετος

7 ὑμῶν ἐν ἡμῖν   13 θλίψις, ἀλλ' ἐξ ἰσότητος·

18 ἐξῆλθεν πρὸς ὑμᾶς. συνεπέμψαμεν δὲ μετ᾿ αὐτοῦ τὸν
ἀδελφὸν οὗ ὁ ἔπαινος ἐν τῷ εὐαγγελίῳ διὰ πασῶν τῶν
19 ἐκκλησιῶν,— οὐ μόνον δὲ ἀλλὰ καὶ χειροτονηθεὶς ὑπὸ τῶν
ἐκκλησιῶν συνέκδημος ἡμῶν ἐν τῇ χάριτι ταύτῃ τῇ διακο-
νουμένῃ ὑφ᾿ ἡμῶν πρὸς τὴν τοῦ κυρίου δόξαν καὶ προ-
20 θυμίαν ἡμῶν,— στελλόμενοι τοῦτο μή τις ἡμᾶς μωμήσηται
21 ἐν τῇ ἁδρότητι ταύτῃ τῇ διακονουμένῃ ὑφ᾿ ἡμῶν, ΠΡΟΝΟΟΥ-
ΜΕΝ γὰρ καλὰ οὐ μόνον ἐνώπιον Κυρίου ἀλλα καὶ
22 ἐνώπιον ἀνθρώπων. συνεπέμψαμεν δὲ αὐτοῖς τὸν ἀδελ-
φὸν ἡμῶν ὃν ἐδοκιμάσαμεν ἐν πολλοῖς πολλάκις σπου-
δαῖον ὄντα, νυνὶ δὲ πολὺ σπουδαιότερον πεποιθήσει πολλῇ
23 τῇ εἰς ὑμᾶς. εἴτε ὑπὲρ Τίτου, κοινωνὸς ἐμὸς καὶ εἰς ὑμᾶς
συνεργός· εἴτε ἀδελφοὶ ἡμῶν, ἀπόστολοι ἐκκλησιῶν, δόξα
24 Χριστοῦ. Τὴν οὖν ἔνδειξιν τῆς ἀγάπης ὑμῶν καὶ ἡμῶν
καυχήσεως ὑπὲρ ὑμῶν εἰς αὐτοὺς ⌜ἐνδείξασθε⌝ εἰς πρόσωπον
1 τῶν ἐκκλησιῶν. Περὶ μὲν γὰρ τῆς διακονίας
τῆς εἰς τοὺς ἁγίους περισσόν μοί ἐστιν τὸ γράφειν ὑμῖν,
2 οἶδα γὰρ τὴν προθυμίαν ὑμῶν ἣν ὑπὲρ ὑμῶν καυχῶμαι
Μακεδόσιν ὅτι Ἀχαΐα παρεσκεύασται ἀπὸ πέρυσι, καὶ τὸ
3 ὑμῶν ζῆλος ἠρέθισε τοὺς πλείονας. ἔπεμψα δὲ τοὺς ἀδελ-
φούς, ἵνα μὴ τὸ καύχημα ἡμῶν τὸ ὑπὲρ ὑμῶν κενωθῇ ἐν
τῷ μέρει τούτῳ, ἵνα καθὼς ἔλεγον παρεσκευασμένοι ἦτε,
4 μή πως ἐὰν ἔλθωσιν σὺν ἐμοὶ Μακεδόνες καὶ εὕρωσιν ὑμᾶς
ἀπαρασκευάστους καταισχυνθῶμεν ἡμεῖς, ἵνα μὴ λέγωμεν
5 ὑμεῖς, ἐν τῇ ὑποστάσει ταύτῃ. ἀναγκαῖον οὖν ἡγησάμην
παρακαλέσαι τοὺς ἀδελφοὺς ἵνα προέλθωσιν εἰς ὑμᾶς καὶ
προκαταρτίσωσι τὴν προεπηγγελμένην εὐλογίαν ὑμῶν, ταύ-
την ἑτοίμην εἶναι οὕτως ὡς εὐλογίαν καὶ μὴ ὡς πλεονε-
6 ξίαν. Τοῦτο δέ, ὁ σπείρων φειδομένως φειδο-
μένως καὶ θερίσει, καὶ ὁ σπείρων ἐπ᾿ εὐλογίαις ἐπ᾿ εὐλο-
7 γίαις καὶ θερίσει. ἕκαστος καθὼς προῄρηται τῇ καρδίᾳ,
μὴ ἐκ λύπης ἢ ἐξ ἀνάγκης, ἱλαρὸν γὰρ δότην ἀγαπᾷ
8 ὁ θεός. δυνατεῖ δὲ ὁ θεὸς πᾶσαν χάριν περισσεῦσαι εἰς

24 ἐνδεικνύμενοι

ὑμᾶς, ἵνα ἐν παντὶ πάντοτε πᾶσαν αὐτάρκειαν ἔχοντες
περισσεύητε εἰς πᾶν ἔργον ἀγαθόν· (καθὼς γέγραπται   9
    Ἐϲκόρπιϲεν, ἔδωκεν τοῖϲ πένηϲιν,
    ἡ Δικαιοϲύνη αὐτοῦ μένει εἰϲ τὸν αἰῶνα·
ὁ δὲ ἐπιχορηγῶν ϲπέρμα τῷ ϲπείροντι καὶ ἄρτον εἰϲ 10
βρῶϲιν χορηγήϲει καὶ πληθυνεῖ τὸν σπόρον ὑμῶν καὶ
αὐξήϲει τὰ γενήματα τῆϲ Δικαιοϲύνηϲ ὑμῶν·) ἐν 11
παντὶ πλουτιζόμενοι εἰς πᾶσαν ἁπλότητα, ἥτις κατεργάζε-
ται δι᾽ ἡμῶν εὐχαριστίαν ⌜τῷ θεῷ⌝,— ὅτι ἡ διακονία τῆς 12
λειτουργίας ταύτης οὐ μόνον ἐστὶν προσαναπληροῦσα τὰ
ὑστερήματα τῶν ἁγίων, ἀλλὰ καὶ περισσεύουσα διὰ πολλῶν
εὐχαριστιῶν τῷ θεῷ,— διὰ τῆς δοκιμῆς τῆς διακονίας ταύ- 13
της δοξάζοντες τὸν θεὸν ἐπὶ τῇ ὑποταγῇ τῆς ὁμολογίας
ὑμῶν εἰς τὸ εὐαγγέλιον τοῦ χριστοῦ καὶ ἁπλότητι τῆς
κοινωνίας εἰς αὐτοὺς καὶ εἰς πάντας, καὶ αὐτῶν δεήσει 14
ὑπὲρ ὑμῶν ἐπιποθούντων ὑμᾶς διὰ τὴν ὑπερβάλλουσαν
χάριν τοῦ θεοῦ ἐφ᾽ ὑμῖν. Χάρις τῷ θεῷ ἐπὶ τῇ ἀνεκδιη- 15
γήτῳ αὐτοῦ δωρεᾷ.

Αὐτὸς δὲ ἐγὼ Παῦλος παρακαλῶ ὑμᾶς διὰ τῆς πραΰ- 1
τητος καὶ ἐπιεικίας τοῦ χριστοῦ, ὃς κατὰ πρόσωπον μὲν
ταπεινὸς ἐν ὑμῖν, ἀπὼν δὲ θαρρῶ εἰς ὑμᾶς· δέομαι δὲ τὸ 2
μὴ παρὼν θαρρῆσαι τῇ πεποιθήσει ᾗ λογίζομαι τολμῆσαι
ἐπί τινας τοὺς λογιζομένους ἡμᾶς ὡς κατὰ σάρκα περιπα-
τοῦντας. Ἐν σαρκὶ γὰρ περιπατοῦντες οὐ κατὰ σάρκα 3
στρατευόμεθα,— τὰ γὰρ ὅπλα τῆς στρατείας ἡμῶν οὐ σαρ- 4
κικὰ ἀλλὰ δυνατὰ τῷ θεῷ πρὸς καθαίρεσιν ὀχυρωμάτων,—
λογισμοὺς καθαιροῦντες καὶ πᾶν ὕψωμα ἐπαιρόμενον κατὰ 5
τῆς γνώσεως τοῦ θεοῦ, καὶ αἰχμαλωτίζοντες πᾶν νόημα εἰς
τὴν ὑπακοὴν τοῦ χριστοῦ, καὶ ἐν ἑτοίμῳ ἔχοντες ἐκδικῆσαι 6
πᾶσαν παρακοήν, ὅταν πληρωθῇ ὑμῶν ἡ ὑπακοή. Τὰ 7
κατὰ πρόσωπον βλέπετε. εἴ τις πέποιθεν ἑαυτῷ Χριστοῦ
εἶναι, τοῦτο λογιζέσθω πάλιν ἐφ᾽ ἑαυτοῦ ὅτι καθὼς αὐτὸς
Χριστοῦ οὕτως καὶ ἡμεῖς. ⌜ἐάν τε⌝ γὰρ περισσότερόν τι 8

11 θεοῦ   8 ἐάν

καυχήσωμαι περὶ τῆς ἐξουσίας ἡμῶν, ἧς ἔδωκεν ὁ κύριος
εἰς οἰκοδομὴν καὶ οὐκ εἰς καθαίρεσιν ὑμῶν, οὐκ αἰσχυνθή-
9 σομαι, ἵνα μὴ δόξω ὡς ἂν ἐκφοβεῖν ὑμᾶς διὰ τῶν ἐπιστο-
10 λῶν· ὅτι Αἱ ἐπιστολαὶ μέν, ⌜φησίν⌝, βαρεῖαι καὶ ἰσχυραί,
ἡ δὲ παρουσία τοῦ σώματος ἀσθενὴς καὶ ὁ λόγος ἐξουθε-
11 νημένος. τοῦτο λογιζέσθω ὁ τοιοῦτος, ὅτι οἷοί ἐσμεν τῷ
λόγῳ δι᾿ ἐπιστολῶν ἀπόντες, τοιοῦτοι καὶ παρόντες τῷ
12 ἔργῳ. Οὐ γὰρ τολμῶμεν ἐνκρῖναι ἢ συνκρῖναι ἑαυτούς
τισιν τῶν ἑαυτοὺς συνιστανόντων· ἀλλὰ αὐτοὶ ἐν ἑαυτοῖς
ἑαυτοὺς μετροῦντες καὶ συνκρίνοντες ἑαυτοὺς ἑαυτοῖς οὐ
13 συνιᾶσιν. ἡμεῖς δὲ οὐκ εἰς τὰ ἄμετρα καυχησόμεθα, ἀλλὰ
κατὰ τὸ μέτρον τοῦ κανόνος οὗ ἐμέρισεν ἡμῖν ὁ θεὸς
14 μέτρου, ἐφικέσθαι ἄχρι καὶ ὑμῶν·— ⌜οὐ γὰρ ὡς μὴ ἐφικνού-
μενοι εἰς ὑμᾶς ὑπερεκτείνομεν ἑαυτούς,⌝ ἄχρι γὰρ καὶ ὑμῶν
15 ἐφθάσαμεν ἐν τῷ εὐαγγελίῳ τοῦ χριστοῦ·— οὐκ εἰς τὰ
ἄμετρα καυχώμενοι ἐν ἀλλοτρίοις κόποις, ἐλπίδα δὲ ἔχοντες
αὐξανομένης τῆς πίστεως ὑμῶν ἐν ὑμῖν μεγαλυνθῆναι κατὰ
16 τὸν κανόνα ἡμῶν εἰς περισσείαν, εἰς τὰ ὑπερέκεινα ὑμῶν
εὐαγγελίσασθαι, οὐκ ἐν ἀλλοτρίῳ κανόνι εἰς τὰ ἔτοιμα
17 καυχήσασθαι. Ὁ δὲ καγχώμενος ἐν Κυρίῳ καγχάσθω·
18 οὐ γὰρ ὁ ἑαυτὸν συνιστάνων, ἐκεῖνός ἐστιν δόκιμος, ἀλλὰ
ὃν ὁ κύριος συνίστησιν.

1 Ὄφελον ἀνείχεσθέ μου μικρόν τι ἀφροσύνης· ἀλλὰ καὶ
2 ἀνέχεσθέ μου. ζηλῶ γὰρ ὑμᾶς θεοῦ ζήλῳ, ἡρμοσάμην
γὰρ ὑμᾶς ἑνὶ ἀνδρὶ παρθένον ἁγνὴν παραστῆσαι τῷ χριστῷ·
3 φοβοῦμαι δὲ μή πως, ὡς ὁ ὄφις ἐξηπάτησεν Εὔαν ἐν τῇ
πανουργίᾳ αὐτοῦ, φθαρῇ τὰ νοήματα ὑμῶν ἀπὸ τῆς ἁπλό-
4 τητος [καὶ τῆς ἁγνότητος] τῆς εἰς ⌜τὸν χριστόν⌝. εἰ μὲν
γὰρ ὁ ἐρχόμενος ἄλλον Ἰησοῦν κηρύσσει ὃν οὐκ ἐκη-
ρύξαμεν, ἢ πνεῦμα ἕτερον λαμβάνετε ὃ οὐκ ἐλάβετε, ἢ
εὐαγγέλιον ἕτερον ὃ οὐκ ἐδέξασθε, καλῶς ⌜ἀνέχεσθε⌝.
5 λογίζομαι γὰρ μηδὲν ὑστερηκέναι τῶν ὑπερλίαν ἀποστό-
6 λων· εἰ δὲ καὶ ἰδιώτης τῷ λόγῳ, ἀλλ᾿ οὐ τῇ γνώσει, ἀλλ᾿ ἐν

10 φασίν   14 ὡς γὰρ μὴ......ἑαυτούς;   3 Χριστόν   4 ἀνείχεσθε

παντὶ φανερώσαντες ἐν πᾶσιν εἰς ὑμᾶς.   *Η 7
ἁμαρτίαν ἐποίησα ἐμαυτὸν ταπεινῶν ἵνα ὑμεῖς ὑψωθῆτε,
ὅτι δωρεὰν τὸ τοῦ θεοῦ εὐαγγέλιον εὐηγγελισάμην ὑμῖν;
ἄλλας ἐκκλησίας ἐσύλησα λαβὼν ὀψώνιον πρὸς τὴν ὑμῶν 8
διακονίαν, καὶ παρὼν πρὸς ὑμᾶς καὶ ὑστερηθεὶς οὐ κατε- 9
νάρκησα οὐθενός· τὸ γὰρ ὑστέρημά μου προσανεπλήρω-
σαν οἱ ἀδελφοὶ ἐλθόντες ἀπὸ Μακεδονίας· καὶ ἐν παντὶ
ἀβαρῆ ἐμαυτὸν ὑμῖν ἐτήρησα καὶ τηρήσω. ἔστιν ἀλήθεια 10
Χριστοῦ ἐν ἐμοὶ ὅτι ἡ καύχησις αὕτη οὐ φραγήσεται εἰς
ἐμὲ ἐν τοῖς κλίμασι τῆς Ἀχαίας. διὰ τί; ὅτι οὐκ ἀγαπῶ 11
ὑμᾶς; ὁ θεὸς οἶδεν.   ᵟΟ δὲ ποιῶ καὶ ποιήσω, 12
ἵνα ἐκκόψω τὴν ἀφορμὴν τῶν θελόντων ἀφορμήν, ἵνα ἐν ᾧ
καυχῶνται εὑρεθῶσιν καθὼς καὶ ἡμεῖς. οἱ γὰρ τοιοῦτοι 13
ψευδαπόστολοι, ἐργάται δόλιοι, μετασχηματιζόμενοι εἰς
ἀποστόλους Χριστοῦ· καὶ οὐ θαῦμα, αὐτὸς γὰρ ὁ Σατανᾶς 14
μετασχηματίζεται εἰς ἄγγελον φωτός· οὐ μέγα οὖν εἰ καὶ 15
οἱ διάκονοι αὐτοῦ μετασχηματίζονται ὡς διάκονοι δικαιο-
σύνης, ὧν τὸ τέλος ἔσται κατὰ τὰ ἔργα αὐτῶν.

Πάλιν λέγω, μή τίς με δόξῃ ἄφρονα εἶναι· — εἰ δὲ 16
μήγε, κἂν ὡς ἄφρονα δέξασθέ με, ἵνα κἀγὼ μικρόν τι καυ-
χήσωμαι· ὃ λαλῶ οὐ κατὰ κύριον λαλῶ, ἀλλ᾽ ὡς ἐν ἀφρο- 17
σύνῃ, ἐν ταύτῃ τῇ ὑποστάσει τῆς καυχήσεως. ἐπεὶ πολλοὶ 18
καυχῶνται κατὰ [τὴν] σάρκα, κἀγὼ καυχήσομαι. ἡδέως 19
γὰρ ἀνέχεσθε τῶν ἀφρόνων φρόνιμοι ὄντες· ἀνέχεσθε γὰρ 20
εἴ τις ὑμᾶς καταδουλοῖ, εἴ τις κατεσθίει, εἴ τις λαμβάνει,
εἴ τις ἐπαίρεται, εἴ τις εἰς πρόσωπον ὑμᾶς δέρει.   κατὰ 21
ἀτιμίαν λέγω, ὡς ὅτι ἡμεῖς ἠσθενήκαμεν· ἐν ᾧ δ᾽ ἄν τις
τολμᾷ, ἐν ἀφροσύνῃ λέγω, τολμῶ κἀγώ. Ἑβραῖοί εἰσιν; 22
κἀγώ. Ἰσραηλεῖταί εἰσιν; κἀγώ. σπέρμα Ἀβραάμ εἰσιν;
κἀγώ. διάκονοι Χριστοῦ εἰσίν; παραφρονῶν λαλῶ, ὑπὲρ 23
ἐγώ· ἐν κόποις περισσοτέρως, ἐν φυλακαῖς περισσοτέρως,
ἐν πληγαῖς ὑπερβαλλόντως, ἐν θανάτοις πολλάκις· ὑπὸ 24
Ἰουδαίων πεντάκις τεσσεράκοντα παρὰ μίαν ἔλαβον, τρὶς 25

ι δὲ οὐ

ἐραβδίσθην, ἅπαξ ἐλιθάσθην, τρὶς ἐναυάγησα, νυχθήμερον
26 ἐν τῷ βυθῷ πεποίηκα· ὁδοιπορίαις πολλάκις, κινδύνοις
ποταμῶν, κινδύνοις λῃστῶν, κινδύνοις ἐκ γένους, κινδύνοις
ἐξ ἐθνῶν, κινδύνοις ἐν πόλει, κινδύνοις ἐν ἐρημίᾳ, κινδύνοις
27 ἐν θαλάσσῃ, κινδύνοις ἐν ψευδαδέλφοις, κόπῳ καὶ μόχθῳ,
ἐν ἀγρυπνίαις πολλάκις, ἐν λιμῷ καὶ δίψει, ἐν νηστείαις
28 πολλάκις, ἐν ψύχει καὶ γυμνότητι· χωρὶς τῶν παρεκτὸς ἡ
ἐπίστασίς μοι ἡ καθ' ἡμέραν, ἡ μέριμνα πασῶν τῶν ἐκκλη-
29 σιῶν. τίς ἀσθενεῖ, καὶ οὐκ ἀσθενῶ; τίς σκανδαλίζεται,
30 καὶ οὐκ ἐγὼ πυροῦμαι; εἰ καυχᾶσθαι δεῖ, τὰ τῆς ἀσθε-
31 νείας [μου] καυχήσομαι.   ὁ θεὸς καὶ πατὴρ τοῦ κυρίου
Ἰησοῦ οἶδεν, ὁ ὢν εὐλογητὸς εἰς τοὺς αἰῶνας, ὅτι οὐ ψεύ-
32 δομαι.   ἐν Δαμασκῷ ὁ ἐθνάρχης Ἀρέτα τοῦ βασιλέως
33 ἐφρούρει τὴν πόλιν Δαμασκηνῶν πιάσαι με, καὶ διὰ
θυρίδος ἐν σαργάνῃ ἐχαλάσθην διὰ τοῦ τείχους καὶ ἐξέ-
1 φυγον τὰς χεῖρας αὐτοῦ.   Καυχᾶσθαι ⌜δεῖ· οὐ⌝
συμφέρον μέν, ἐλεύσομαι δὲ εἰς ὀπτασίας καὶ ἀποκαλύψεις
2 Κυρίου. οἶδα ἄνθρωπον ἐν Χριστῷ πρὸ ἐτῶν δεκατεσσά-
ρων,— εἴτε ἐν σώματι οὐκ οἶδα, εἴτε ἐκτὸς τοῦ σώματος
οὐκ οἶδα, ὁ θεὸς οἶδεν,— ἁρπαγέντα τὸν τοιοῦτον ἕως τρίτου
3 οὐρανοῦ. καὶ οἶδα τὸν τοιοῦτον ἄνθρωπον,— εἴτε ἐν σώματι
4 εἴτε χωρὶς τοῦ σώματος [οὐκ οἶδα,] ὁ θεὸς οἶδεν,— ὅτι
ἡρπάγη εἰς τὸν παράδεισον καὶ ἤκουσεν ἄρρητα ῥήματα ἃ
5 οὐκ ἐξὸν ἀνθρώπῳ λαλῆσαι. ὑπὲρ τοῦ τοιούτου καυχή-
σομαι, ὑπὲρ δὲ ἐμαυτοῦ οὐ·καυχήσομαι εἰ μὴ ἐν ταῖς ἀσθε-
6 νείαις. ἐὰν γὰρ θελήσω καυχήσασθαι, οὐκ ἔσομαι ἄφρων,
ἀλήθειαν γὰρ ἐρῶ· φείδομαι δέ, μή τις εἰς ἐμὲ λογίσηται
7 ὑπὲρ ὃ βλέπει με ἢ ἀκούει ἐξ ⌜ἐμοῦ, καὶ τῇ ὑπερβολῇ τῶν
ἀποκαλύψεων. διὸ ἵνα μὴ ὑπεραίρωμαι, ἐδόθη μοι σκόλοψ
τῇ σαρκί, ἄγγελος Σατανᾶ, ἵνα με κολαφίζῃ, ἵνα μὴ
8 ὑπεραίρωμαι.⌝ ὑπὲρ τούτου τρὶς τὸν κύριον παρεκάλεσα
9 ἵνα ἀποστῇ ἀπ' ἐμοῦ· καὶ εἴρηκέν μοι Ἀρκεῖ σοι ἡ χάρις
μου· ἡ γὰρ δύναμις ἐν ἀσθενείᾳ τελεῖται.   Ἡ-

6,7 †...†

E E

διστα οὖν μᾶλλον καυχήσομαι ἐν ταῖς ἀσθενείαις, ἵνα
ἐπισκηνώσῃ ἐπ᾿ ἐμὲ ἡ δύναμις τοῦ χριστοῦ. διὸ εὐδοκῶ 10
ἐν ἀσθενείαις, ἐν ὕβρεσιν, ἐν ἀνάγκαις, ἐν ⌜διωγμοῖς καὶ⌝
στενοχωρίαις, ὑπὲρ Χριστοῦ· ὅταν γὰρ ἀσθενῶ, τότε
δυνατός εἰμι.

Γέγονα ἄφρων· ὑμεῖς με ἠναγκάσατε· ἐγὼ γὰρ ὤφειλον 11
ὑφ᾿ ὑμῶν συνίστασθαι. οὐδὲν ⌜γὰρ⌝ ὑστέρησα τῶν ὑπερ-
λίαν ἀποστόλων, εἰ καὶ οὐδέν εἰμι· τὰ μὲν σημεῖα τοῦ 12
ἀποστόλου κατειργάσθη ἐν ὑμῖν ἐν πάσῃ ὑπομονῇ, ση-
μείοις [τε] καὶ τέρασιν καὶ δυνάμεσιν. τί γάρ ἐστιν ὃ 13
ἡσσώθητε ὑπὲρ τὰς λοιπὰς ἐκκλησίας, εἰ μὴ ὅτι αὐτὸς
ἐγὼ οὐ κατενάρκησα ὑμῶν; χαρίσασθέ μοι τὴν ἀδικίαν
ταύτην.   Ἰδοὺ τρίτον τοῦτο ἑτοίμως ἔχω ἐλθεῖν 14
πρὸς ὑμᾶς, καὶ οὐ καταναρκήσω· οὐ γὰρ ζητῶ τὰ ὑμῶν
ἀλλὰ ὑμᾶς, οὐ γὰρ ὀφείλει τὰ τέκνα τοῖς γονεῦσιν θησαυ-
ρίζειν, ἀλλὰ οἱ γονεῖς τοῖς τέκνοις. ἐγὼ δὲ ἥδιστα δαπα- 15
νήσω καὶ ἐκδαπανηθήσομαι ὑπὲρ τῶν ψυχῶν ⌜ὑμῶν. εἰ
περισσοτέρως ὑμᾶς ἀγαπῶ, ἧσσον ἀγαπῶμαι;⌝ Ἔστω 16
δέ, ἐγὼ οὐ κατεβάρησα ὑμᾶς· ἀλλὰ ὑπάρχων πανοῦργος
δόλῳ ὑμᾶς ἔλαβον. μή τινα ὧν ἀπέσταλκα πρὸς ὑμᾶς, 17
δι᾿ αὐτοῦ ἐπλεονέκτησα ὑμᾶς; παρεκάλεσα Τίτον καὶ συνα- 18
πέστειλα τὸν ἀδελφόν· μήτι ἐπλεονέκτησεν ὑμᾶς Τίτος;
οὐ τῷ αὐτῷ πνεύματι περιεπατήσαμεν; οὐ τοῖς αὐτοῖς
ἴχνεσιν;   Πάλαι δοκεῖτε ὅτι ὑμῖν ἀπολογού- 19
μεθα; κατέναντι θεοῦ ἐν Χριστῷ λαλοῦμεν. τὰ δὲ πάντα,
ἀγαπητοί, ὑπὲρ τῆς ὑμῶν οἰκοδομῆς, φοβοῦμαι γὰρ μή 20
πως ἐλθὼν οὐχ οἵους θέλω εὕρω ὑμᾶς, κἀγὼ εὑρεθῶ ὑμῖν
οἷον οὐ θέλετε, μή πως ἔρις, ζῆλος, θυμοί, ἐριθίαι, κατα-
λαλιαί, ψιθυρισμοί, φυσιώσεις, ἀκαταστασίαι· μὴ πάλιν 21
ἐλθόντος μου ταπεινώσῃ με ὁ θεός μου πρὸς ὑμᾶς, καὶ
πενθήσω πολλοὺς τῶν προημαρτηκότων καὶ μὴ μετα-
νοησάντων ἐπὶ τῇ ἀκαθαρσίᾳ καὶ πορνείᾳ καὶ ἀσελγείᾳ ᾗ
ἔπραξαν.   Τρίτον τοῦτο ἔρχομαι πρὸς ὑμᾶς· 1

10 διωγμοῖς, ἐν   11 γάρ τι   15 ὑμῶν, εἰ περισσοτέρως ὑμᾶς ἀγαπῶν ἧσσον ἀγαπῶμ

ἐπὶ cτόματοc Δγο μαρτγρων καὶ τριῶν cταθήcεται
2 πᾶν ῥῆμα. προείρηκα καὶ προλέγω ὡς παρὼν τὸ δεύτερον
καὶ ἀπὼν νῦν τοῖς προημαρτηκόσιν καὶ τοῖς λοιποῖς πᾶσιν,
3 ὅτι ἐὰν ἔλθω εἰς τὸ πάλιν οὐ φείσομαι, ἐπεὶ δοκιμὴν
ζητεῖτε τοῦ ἐν ἐμοὶ λαλοῦντος χριστοῦ· ὃς εἰς ὑμᾶς
4 οὐκ ἀσθενεῖ ἀλλὰ δυνατεῖ ἐν ὑμῖν, καὶ γὰρ ἐσταυρώθη ἐξ
ἀσθενείας, ἀλλὰ ζῇ ἐκ δυνάμεως θεοῦ. καὶ γὰρ ἡμεῖς
ἀσθενοῦμεν ⌜ἐν⌝ αὐτῷ, ἀλλὰ ζήσομεν σὺν αὐτῷ ἐκ δυνάμεως
5 θεοῦ [εἰς ὑμᾶς]. Ἑαυτοὺς πειράζετε εἰ ἐστὲ ἐν τῇ πίστει,
ἑαυτοὺς δοκιμάζετε· ἢ οὐκ ἐπιγινώσκετε ἑαυτοὺς ὅτι ⌜Ἰη-
6 σοῦς Χριστὸς⌝ ἐν ὑμῖν; εἰ μήτι ἀδόκιμοί ἐστε. ἐλπίζω δὲ
7 ὅτι γνώσεσθε ὅτι ἡμεῖς οὐκ ἐσμὲν ἀδόκιμοι. εὐχόμεθα δὲ
πρὸς τὸν θεὸν μὴ ποιῆσαι ὑμᾶς κακὸν μηδέν, οὐχ ἵνα ἡμεῖς
δόκιμοι φανῶμεν, ἀλλ᾽ ἵνα ὑμεῖς τὸ καλὸν ποιῆτε, ἡμεῖς δὲ
8 ὡς ἀδόκιμοι ὦμεν. οὐ γὰρ δυνάμεθά τι κατὰ τῆς ἀλη-
9 θείας, ἀλλὰ ὑπὲρ τῆς ἀληθείας. χαίρομεν γὰρ ὅταν ἡμεῖς
ἀσθενῶμεν, ὑμεῖς δὲ δυνατοὶ ἦτε· τοῦτο καὶ εὐχόμεθα, τὴν
10 ὑμῶν κατάρτισιν. Διὰ τοῦτο ταῦτα ἀπὼν γράφω, ἵνα
παρὼν μὴ ἀποτόμως χρήσωμαι κατὰ τὴν ἐξουσίαν ἣν ὁ
κύριος ἔδωκέν μοι, εἰς οἰκοδομὴν καὶ οὐκ εἰς καθαίρεσιν.
11 Λοιπόν, ἀδελφοί, χαίρετε, καταρτίζεσθε, παρακαλεῖσθε,
τὸ αὐτὸ φρονεῖτε, εἰρηνεύετε, καὶ ὁ θεὸς τῆς ἀγάπης καὶ
12 εἰρήνης ἔσται μεθ᾽ ὑμῶν. Ἀσπάσασθε ἀλλήλους ἐν ἁγίῳ
φιλήματι. Ἀσπάζονται ὑμᾶς οἱ ἅγιοι πάντες.
13 Ἡ χάρις τοῦ κυρίου Ἰησοῦ [Χριστοῦ] καὶ ἡ ἀγάπη
τοῦ θεοῦ καὶ ἡ κοινωνία τοῦ ἁγίου πνεύματος μετὰ πάντων
ὑμῶν.

4 σὺν   5 Χριστὸς Ἰησοῦς

ΠΡΟΣ ΓΑΛΑΤΑΣ

ΠΑΥΛΟΣ ἀπόστολος, οὐκ ἀπ' ἀνθρώπων οὐδὲ δι' ἀν- 1
θρώπου ἀλλὰ διὰ Ἰησοῦ Χριστοῦ καὶ θεοῦ πατρὸς τοῦ
ἐγείραντος αὐτὸν ἐκ νεκρῶν, καὶ οἱ σὺν ἐμοὶ πάντες 2
ἀδελφοί, ταῖς ἐκκλησίαις τῆς Γαλατίας· χάρις ὑμῖν καὶ 3
εἰρήνη ἀπὸ θεοῦ πατρὸς ⌐ἡμῶν καὶ κυρίου⌐ Ἰησοῦ Χριστοῦ,
τοῦ δόντος ἑαυτὸν⌐ὑπὲρ⌐ τῶν ἁμαρτιῶν ἡμῶν ὅπως ἐξέ- 4
ληται ἡμᾶς ἐκ τοῦ αἰῶνος τοῦ ἐνεστῶτος πονηροῦ κατὰ τὸ
θέλημα τοῦ θεοῦ καὶ πατρὸς ἡμῶν, ᾧ ἡ δόξα εἰς τοὺς 5
αἰῶνας τῶν αἰώνων· ἀμήν.

Θαυμάζω ὅτι οὕτως ταχέως μετατίθεσθε ἀπὸ τοῦ καλέ- 6
σαντος ὑμᾶς ἐν χάριτι Χριστοῦ εἰς ἕτερον εὐαγγέλιον, ὃ 7
οὐκ ἔστιν ἄλλο· εἰ μή τινές εἰσιν οἱ ταράσσοντες ὑμᾶς καὶ
θέλοντες μεταστρέψαι τὸ εὐαγγέλιον τοῦ χριστοῦ. ἀλλὰ 8
καὶ ἐὰν ἡμεῖς ἢ ἄγγελος ἐξ οὐρανοῦ εὐαγγελίσηται [ὑμῖν]
παρ' ὃ εὐηγγελισάμεθα ὑμῖν, ἀνάθεμα ἔστω. ὡς προειρή- 9
καμεν, καὶ ἄρτι πάλιν λέγω, εἴ τις ὑμᾶς εὐαγγελίζεται
παρ' ὃ παρελάβετε, ἀνάθεμα ἔστω.

Ἄρτι γὰρ ἀνθρώπους πείθω ἢ τὸν θεόν; ἢ ζητῶ ἀνθρώ- 10
ποις ἀρέσκειν; εἰ ἔτι ἀνθρώποις ἤρεσκον, Χριστοῦ δοῦλος
οὐκ ἂν ἤμην. γνωρίζω ⌐γὰρ⌐ ὑμῖν, ἀδελφοί, τὸ εὐαγγέλιον τὸ 11
εὐαγγελισθὲν ὑπ' ἐμοῦ ὅτι οὐκ ἔστιν κατὰ ἄνθρωπον· οὐδὲ 12
γὰρ ἐγὼ παρὰ ἀνθρώπου παρέλαβον αὐτό, ⌐οὔτε⌐ ἐδιδάχθην,
ἀλλὰ δι' ἀποκαλύψεως Ἰησοῦ Χριστοῦ.   Ἠκού- 13
σατε γὰρ τὴν ἐμὴν ἀναστροφήν ποτε ἐν τῷ Ἰουδαϊσμῷ, ὅτι
καθ' ὑπερβολὴν ἐδίωκον τὴν ἐκκλησίαν τοῦ θεοῦ καὶ ἐπόρ-

3 καὶ κυρίου [ἡμῶν]   4 περὶ

14 θουν αὐτήν, καὶ προέκοπτον ἐν τῷ Ἰουδαϊσμῷ ὑπὲρ πολ-
λοὺς συνηλικιώτας ἐν τῷ γένει μου, περισσοτέρως ζηλωτὴς
15 ὑπάρχων τῶν πατρικῶν μου παραδόσεων. Ὅτε δὲ εὐδόκησεν
[ὁ θεὸς] ὁ ἀφορίσας με ἐκ κοιλίας ΜΗΤΡΟC ΜΟΥ καὶ κα-
16 ΛΕCΑC διὰ τῆς χάριτος αὐτοῦ ἀποκαλύψαι τὸν υἱὸν αὐτοῦ
ἐν ἐμοὶ ἵνα εὐαγγελίζωμαι αὐτὸν ἐν τοῖς ἔθνεσιν, εὐθέως οὐ
17 προσανεθέμην σαρκὶ καὶ αἵματι, οὐδὲ ἀνῆλθον εἰς Ἱερο-
σόλυμα πρὸς τοὺς πρὸ ἐμοῦ ἀποστόλους, ἀλλὰ ἀπῆλθον εἰς
18 Ἀραβίαν, καὶ πάλιν ὑπέστρεψα εἰς Δαμασκόν. Ἔπειτα
μετὰ τρία ἔτη ἀνῆλθον εἰς Ἱεροσόλυμα ἱστορῆσαι Κηφᾶν,
19 καὶ ἐπέμεινα πρὸς αὐτὸν ἡμέρας δεκαπέντε· ἕτερον δὲ
τῶν ἀποστόλων οὐκ εἶδον, εἰ μὴ Ἰάκωβον τὸν ἀδελφὸν
20 τοῦ κυρίου. ἃ δὲ γράφω ὑμῖν, ἰδοὺ ἐνώπιον τοῦ θεοῦ ὅτι
21 οὐ ψεύδομαι. ἔπειτα ἦλθον εἰς τὰ κλίματα τῆς Συρίας
22 καὶ [τῆς] Κιλικίας. ἤμην δὲ ἀγνοούμενος τῷ προσώπῳ
23 ταῖς ἐκκλησίαις τῆς Ἰουδαίας ταῖς ἐν Χριστῷ, μόνον δὲ
ἀκούοντες ἦσαν ὅτι Ὁ διώκων ἡμᾶς ποτὲ νῦν εὐαγγελί-
24 ζεται τὴν πίστιν ἥν ποτε ἐπόρθει, καὶ ἐδόξαζον ἐν ἐμοὶ
1 τὸν θεόν. Ἔπειτα διὰ δεκατεσσάρων ἐτῶν πάλιν ἀνέβην
εἰς Ἱεροσόλυμα μετὰ Βαρνάβα, συνπαραλαβὼν καὶ Τίτον·
2 ἀνέβην δὲ κατὰ ἀποκάλυψιν· καὶ ἀνεθέμην αὐτοῖς τὸ εὐαγ-
γέλιον ὃ κηρύσσω ἐν τοῖς ἔθνεσιν, κατ᾽ ἰδίαν δὲ τοῖς
3 δοκοῦσιν, μή πως εἰς κενὸν τρέχω ἢ ἔδραμον. ἀλλ᾽ οὐδὲ
4 Τίτος ὁ σὺν ἐμοί, Ἕλλην ὤν, ἠναγκάσθη περιτμηθῆναι· διὰ
δὲ τοὺς παρεισάκτους ψευδαδέλφους, οἵτινες παρεισῆλθον
κατασκοπῆσαι τὴν ἐλευθερίαν ἡμῶν ἣν ἔχομεν ἐν Χριστῷ
5 Ἰησοῦ, ἵνα ἡμᾶς καταδουλώσουσιν, — οἷς οὐδὲ πρὸς ὥραν
εἴξαμεν τῇ ὑποταγῇ, ἵνα ἡ ἀλήθεια τοῦ εὐαγγελίου δια-
6 μείνῃ πρὸς ὑμᾶς. ἀπὸ δὲ τῶν δοκούντων εἶναί τι — ὁποῖοί
ποτε ἦσαν οὐδέν μοι διαφέρει — πρόσωπον [ὁ] θεὸς ἀνθρώ-
που οὐ λαμβάνει — ἐμοὶ γὰρ οἱ δοκοῦντες οὐδὲν προσανέ-
7 θεντο, ἀλλὰ τοὐναντίον ἰδόντες ὅτι πεπίστευμαι τὸ εὐαγ-
8 γέλιον τῆς ἀκροβυστίας καθὼς Πέτρος τῆς περιτομῆς, ὁ

11 δὲ   12 οὐδὲ

γὰρ ἐνεργήσας Πέτρῳ εἰς ἀποστολὴν τῆς περιτομῆς ἐνήρ-
γησεν καὶ ἐμοὶ εἰς τὰ ἔθνη, καὶ γνόντες τὴν χάριν τὴν 9
δοθεῖσάν μοι, Ἰάκωβος καὶ Κηφᾶς καὶ Ἰωάνης, οἱ δο-
κοῦντες στύλοι εἶναι, δεξιὰς ἔδωκαν ἐμοὶ καὶ Βαρνάβᾳ
κοινωνίας, ἵνα ἡμεῖς εἰς τὰ ἔθνη, αὐτοὶ δὲ εἰς τὴν περι-
τομήν· μόνον τῶν πτωχῶν ἵνα μνημονεύωμεν, ὃ καὶ ἐσπού- 10
δασα αὐτὸ τοῦτο ποιῆσαι. Ὅτε δὲ ἦλθεν Κηφᾶς εἰς 11
Ἀντιόχειαν, κατὰ πρόσωπον αὐτῷ ἀντέστην, ὅτι κατε-
γνωσμένος ἦν· πρὸ τοῦ γὰρ ἐλθεῖν τινὰς ἀπὸ Ἰακώβου 12
μετὰ τῶν ἐθνῶν συνήσθιεν· ὅτε δὲ ἦλθον, ὑπέστελλεν καὶ
ἀφώριζεν ἑαυτόν, φοβούμενος τοὺς ἐκ περιτομῆς. καὶ 13
συνυπεκρίθησαν αὐτῷ [καὶ] οἱ λοιποὶ Ἰουδαῖοι, ὥστε καὶ
Βαρνάβας συναπήχθη αὐτῶν τῇ ὑποκρίσει· ἀλλ᾽ ὅτε εἶδον 14
ὅτι οὐκ ὀρθοποδοῦσιν πρὸς τὴν ἀλήθειαν τοῦ εὐαγγελίου,
εἶπον τῷ Κηφᾷ ἔμπροσθεν πάντων Εἰ σὺ Ἰουδαῖος ὑπάρ-
χων ἐθνικῶς καὶ ⌜οὐκ⌝ Ἰουδαϊκῶς ζῇς, πῶς τὰ ἔθνη ἀναγ-
κάζεις Ἰουδαΐζειν; Ἡμεῖς φύσει Ἰουδαῖοι καὶ 15
οὐκ ἐξ ἐθνῶν ἁμαρτωλοί, εἰδότες δὲ ὅτι οὐ δικαιοῦται ἄν- 16
θρωπος ἐξ ἔργων νόμου ἐὰν μὴ διὰ πίστεως Χριστοῦ
Ἰησοῦ, καὶ ἡμεῖς εἰς ⌜Χριστὸν Ἰησοῦν⌝ ἐπιστεύσαμεν, ἵνα
δικαιωθῶμεν ἐκ πίστεως Χριστοῦ καὶ οὐκ ἐξ ἔργων νόμου,
ὅτι ἐξ ἔργων νόμου ΟΥ ΔΙΚΑΙΩΘΗϹΕΤΑΙ ΠΑϹΑ ϹΑΡΞ. εἰ δὲ 17
ζητοῦντες δικαιωθῆναι ἐν Χριστῷ εὑρέθημεν καὶ αὐτοὶ
ἁμαρτωλοί, ἆρα Χριστὸς ἁμαρτίας διάκονος; μὴ γένοιτο·
εἰ γὰρ ἃ κατέλυσα ταῦτα πάλιν οἰκοδομῶ, παραβάτην 18
ἐμαυτὸν συνιστάνω. ἐγὼ γὰρ διὰ νόμου νόμῳ ἀπέθανον 19
ἵνα θεῷ ζήσω· Χριστῷ συνεσταύρωμαι· ζῶ δὲ οὐκέτι ἐγώ, 20
ζῇ δὲ ἐν ἐμοὶ Χριστός· ὃ δὲ νῦν ζῶ ἐν σαρκί, ἐν πίστει ζῶ
τῇ τοῦ υἱοῦ τοῦ θεοῦ τοῦ ἀγαπήσαντός με καὶ παραδόντος
ἑαυτὸν ὑπὲρ ἐμοῦ. Οὐκ ἀθετῶ τὴν χάριν τοῦ θεοῦ· εἰ γὰρ 21
διὰ νόμου δικαιοσύνη, ἆρα Χριστὸς δωρεὰν ἀπέθανεν.

Ὦ ἀνόητοι Γαλάται, τίς ὑμᾶς ἐβάσκανεν, οἷς κατ᾽ ὀ- 1
φθαλμοὺς Ἰησοῦς Χριστὸς προεγράφη ἐσταυρωμένος; τοῦτο 2

14 οὐχ MSS   16 Ἰησοῦν Χριστὸν

μόνον θέλω μαθεῖν ἀφ᾽ ὑμῶν, ἐξ ἔργων νόμου τὸ πνεῦμα
3 ἐλάβετε ἢ ἐξ ἀκοῆς πίστεως; οὕτως ἀνόητοί ἐστε; ἐναρξά-
4 μενοι πνεύματι νῦν σαρκὶ ἐπιτελεῖσθε; τοσαῦτα ἐπάθετε
5 εἰκῇ; εἴ γε καὶ εἰκῇ. ὁ οὖν ἐπιχορηγῶν ὑμῖν τὸ πνεῦμα
καὶ ἐνεργῶν δυνάμεις ἐν ὑμῖν ἐξ ἔργων νόμου ἢ ἐξ ἀκοῆς
6 πίστεως; καθὼς ᾿Αβραὰμ ἐπίϲτεγϲεν τῷ θεῷ, καὶ ἐλο-
ΓίϲΘΗ ἀΥ̓τῷ εἰϲ ΔικαιοϲΎΝΗΝ.

7   Γινώσκετε ἄρα ὅτι οἱ ἐκ πίστεως, οὗτοι υἱοί εἰσιν
8 ᾿Αβραάμ. προϊδοῦσα δὲ ἡ γραφὴ ὅτι ἐκ πίστεως δικαιοῖ τὰ
ἔθνη ὁ θεὸς προευηγγελίσατο τῷ ᾿Αβραὰμ ὅτι ᾿ΕνεγλοΓΗ-
9 ΘΉϲοΝται ἐν ϲοὶ πάΝτα τὰ ἔΘΝΗ. ὥστε οἱ ἐκ πίστε-
10 ως εὐλογοῦνται σὺν τῷ πιστῷ ᾿Αβραάμ.   ῞Οσοι
γὰρ ἐξ ἔργων νόμου εἰσὶν ὑπὸ κατάραν εἰσίν, γέγραπται γὰρ
ὅτι ᾿ΕπικατΆρατοϲ πᾶϲ ὃϲ ογ̓κ ἐμμΈΝει πᾶϲιν τοῖϲ
ΓεΓραμμΈΝοιϲ ἐν τῷ Βιβλίῳ τογ̓ Νόμογ τογ̓ ποιῆϲαι
11 ἀΥ̓τΆ. ὅτι δὲ ἐν νόμῳ οὐδεὶς δικαιοῦται παρὰ τῷ θεῷ
12 δῆλον, ὅτι ῾Ο Δίκαιοϲ ἐκ πίϲτεωϲ ΖΉϲεται, ὁ δὲ νό-
μοϲ οὐκ ἔστιν ἐκ πίστεως, ἀλλ᾽ ῾Ο ποιΉϲαϲ ἀΥ̓τὰ ΖΉϲεται
13 ἐν ἀΥ̓τοῖϲ. Χριστὸς ἡμᾶς ἐξηγόρασεν ἐκ τῆς κατάρας
τοῦ νόμου γενόμενος ὑπὲρ ἡμῶν κατάρα, ὅτι γέγραπται
14 ᾿ΕπικατΆρατοϲ πᾶϲ ὁ κρεμΆμενοϲ ἐπὶ ΖΎλογ, ἵνα
εἰς τὰ ἔθνη ἡ εὐλογία τοῦ ᾿Αβραὰμ γένηται ἐν ⌐Ιησοῦ
Χριστῷ⌐, ἵνα τὴν ἐπαγγελίαν τοῦ πνεύματος λάβωμεν
15 διὰ τῆς πίστεως.   ᾿Αδελφοί, κατὰ ἄνθρωπον
λέγω· ὅμως ἀνθρώπου κεκυρωμένην διαθήκην οὐδεὶς ἀθετεῖ
16 ἢ ἐπιδιατάσσεται. τῷ δὲ ᾿Αβραὰμ ἐρρέθησαν αἱ ἐπαγ-
γελίαι καὶ τῷ ϲπΈρματι αὐτοῦ· οὐ λέγει Καὶ τοῖς
σπέρμασιν, ὡς ἐπὶ πολλῶν, ἀλλ᾽ ὡς ἐφ᾽ ἑνός Καὶ τῷ
17 ϲπΈρματί ϲογ, ὅϲ ἐϲτιν Χριστόϲ. τοῦτο δὲ λέγω· δια-
θήκην προκεκυρωμένην ὑπὸ τοῦ θεοῦ ὁ μετὰ τετρακόσια
καὶ τριάκοντα ἔτη γεγονὼς νόμος οὐκ ἀκυροῖ, εἰς τὸ καταρ-
18 γῆσαι τὴν ἐπαγγελίαν. εἰ γὰρ ἐκ νόμου ἡ κληρονομία,
οὐκέτι ἐξ ἐπαγγελίας· τῷ δὲ ᾿Αβραὰμ δι᾽ ἐπαγγελίας

14 Χριστῷ ᾿Ιησοῦ

κεχάρισται ὁ θεός.   Τί οὖν ὁ νόμος; τῶν παρα- 19
βάσεων χάριν προσετέθη, ἄχρις ⌜ἂν⌝ ἔλθῃ τὸ σπέρμα ᾧ
ἐπήγγελται, διαταγεὶς δι᾽ ἀγγέλων ἐν χειρὶ μεσίτου· ὁ δὲ 20
μεσίτης ἑνὸς οὐκ ἔστιν, ὁ δὲ θεὸς εἷς ἐστίν. ὁ οὖν νόμος 21
κατὰ τῶν ἐπαγγελιῶν [τοῦ θεοῦ]; μὴ γένοιτο· εἰ γὰρ ἐδόθη
νόμος ὁ δυνάμενος ζωοποιῆσαι, ὄντως ⌜ἐν νόμῳ ἂν ἦν⌝ ἡ
δικαιοσύνη. ἀλλὰ συνέκλεισεν ἡ γραφὴ τὰ πάντα ὑπὸ 22
ἁμαρτίαν ἵνα ἡ ἐπαγγελία ἐκ πίστεως Ἰησοῦ Χριστοῦ
δοθῇ τοῖς πιστεύουσιν.

Πρὸ τοῦ δὲ ἐλθεῖν τὴν πίστιν ὑπὸ νόμον ἐφρουρούμεθα 23
συνκλειόμενοι εἰς τὴν μέλλουσαν πίστιν ἀποκαλυφθῆναι.
ὥστε ὁ νόμος παιδαγωγὸς ἡμῶν γέγονεν εἰς Χριστόν, ἵνα 24
ἐκ πίστεως δικαιωθῶμεν· ἐλθούσης δὲ τῆς πίστεως οὐκέτι 25
ὑπὸ παιδαγωγόν ἐσμεν.   Πάντες γὰρ υἱοὶ θεοῦ 26
ἐστὲ διὰ τῆς πίστεως ἐν Χριστῷ Ἰησοῦ. ὅσοι γὰρ εἰς 27
Χριστὸν ἐβαπτίσθητε, Χριστὸν ἐνεδύσασθε· οὐκ ἔνι Ἰου- 28
δαῖος οὐδὲ Ἕλλην, οὐκ ἔνι δοῦλος οὐδὲ ἐλεύθερος, οὐκ ἔνι
ἄρσεν καὶ θῆλυ· πάντες γὰρ ὑμεῖς εἷς ἐστὲ ἐν Χριστῷ
Ἰησοῦ. εἰ δὲ ὑμεῖς Χριστοῦ, ἄρα τοῦ Ἀβραὰμ σπέρμα 29
ἐστέ, κατ᾽ ἐπαγγελίαν κληρονόμοι.   Λέγω δέ, 1
ἐφ᾽ ὅσον χρόνον ὁ κληρονόμος νήπιός ἐστιν, οὐδὲν διαφέρει
δούλου κύριος πάντων ὤν, ἀλλὰ ὑπὸ ἐπιτρόπους ἐστὶ καὶ 2
οἰκονόμους ἄχρι τῆς προθεσμίας τοῦ πατρός. οὕτως καὶ 3
ἡμεῖς, ὅτε ἦμεν νήπιοι, ὑπὸ τὰ στοιχεῖα τοῦ κόσμου ἤμεθα
δεδουλωμένοι· ὅτε δὲ ἦλθεν τὸ πλήρωμα τοῦ χρόνου, ἐξα- 4
πέστειλεν ὁ θεὸς τὸν υἱὸν αὐτοῦ, γενόμενον ἐκ γυναικός,
γενόμενον ὑπὸ νόμον, ἵνα τοὺς ὑπὸ νόμον ἐξαγοράσῃ, ἵνα 5
τὴν υἱοθεσίαν ἀπολάβωμεν.   Ὅτι δέ ἐστε υἱοί, 6
ἐξαπέστειλεν ὁ θεὸς τὸ πνεῦμα τοῦ υἱοῦ αὐτοῦ εἰς τὰς
καρδίας ἡμῶν, κρᾶζον Ἀββά ὁ πατήρ. ὥστε οὐκέτι εἶ 7
δοῦλος ἀλλὰ υἱός· εἰ δὲ υἱός, καὶ κληρονόμος διὰ θεοῦ.

Ἀλλὰ τότε μὲν οὐκ εἰδότες θεὸν ἐδουλεύσατε τοῖς 8
φύσει μὴ οὖσι θεοῖς· νῦν δὲ γνόντες θεόν, μᾶλλον δὲ 9

19 οὖ   21 ἐκ νόμου ἦν [ἂν]

γνωσθέντες ὑπὸ θεοῦ, πῶς ἐπιστρέφετε πάλιν ἐπὶ τὰ
ἀσθενῆ καὶ πτωχὰ στοιχεῖα, οἷς πάλιν ἄνωθεν ⌈δουλεῦσαι⌉
10 θέλετε; ἡμέρας παρατηρεῖσθε καὶ μῆνας καὶ καιροὺς καὶ
11 ἐνιαυτούς. φοβοῦμαι ὑμᾶς μή πως εἰκῇ κεκοπίακα εἰς ὑμᾶς.
12 Γίνεσθε ὡς ἐγώ, ὅτι κἀγὼ ὡς ὑμεῖς, ἀδελφοί, δέομαι
13 ὑμῶν. οὐδέν με ἠδικήσατε· οἴδατε δὲ ὅτι δι᾽ ἀσθένειαν
14 τῆς σαρκὸς εὐηγγελισάμην ὑμῖν τὸ πρότερον, καὶ τὸν
πειρασμὸν ὑμῶν ἐν τῇ σαρκί μου οὐκ ἐξουθενήσατε οὐδὲ
ἐξεπτύσατε, ἀλλὰ ὡς ἄγγελον θεοῦ ἐδέξασθέ με, ὡς
15 Χριστὸν Ἰησοῦν. ποῦ οὖν ὁ μακαρισμὸς ὑμῶν; μαρτυρῶ
γὰρ ὑμῖν ὅτι εἰ δυνατὸν τοὺς ὀφθαλμοὺς ὑμῶν ἐξορύξαντες
16 ἐδώκατέ μοι. ὥστε ἐχθρὸς ὑμῶν γέγονα ἀληθεύων ὑμῖν;
17 ζηλοῦσιν ὑμᾶς οὐ καλῶς, ἀλλὰ ἐκκλεῖσαι ὑμᾶς θέλουσιν,
18 ἵνα αὐτοὺς ζηλοῦτε. καλὸν δὲ ζηλοῦσθαι ἐν καλῷ πάντοτε,
19 καὶ μὴ μόνον ἐν τῷ παρεῖναί με πρὸς ὑμᾶς, ⌈τεκνία⌉ μου,
οὓς πάλιν ὠδίνω μέχρις οὗ μορφωθῇ Χριστὸς ἐν ὑμῖν·
20 ἤθελον δὲ παρεῖναι πρὸς ὑμᾶς ἄρτι, καὶ ἀλλάξαι τὴν
φωνήν μου, ὅτι ἀποροῦμαι ἐν ὑμῖν.
21 Λέγετέ μοι, οἱ ὑπὸ νόμον θέλοντες εἶναι, τὸν νόμον
22 οὐκ ἀκούετε; γέγραπται γὰρ ὅτι Ἀβραὰμ δύο υἱοὺς ἔσχεν,
23 ἕνα ἐκ τῆς παιδίσκης καὶ ἕνα ἐκ τῆς ἐλευθέρας· ἀλλ᾽ ὁ
[μὲν] ἐκ τῆς παιδίσκης κατὰ σάρκα γεγέννηται, ὁ δὲ ἐκ τῆς
24 ἐλευθέρας ⌈δι᾽⌉ ἐπαγγελίας. ἅτινά ἐστιν ἀλληγορούμενα·
αὗται γάρ εἰσιν δύο διαθῆκαι, μία μὲν ἀπὸ ὄρους Σινά, εἰς
25 δουλείαν γεννῶσα, ἥτις ἐστὶν Ἅγαρ, τὸ ⌈δὲ Ἅγαρ⌉ Σινὰ
ὄρος ἐστὶν ἐν τῇ Ἀραβίᾳ, συνστοιχεῖ δὲ τῇ νῦν Ἰερου-
26 σαλήμ, δουλεύει γὰρ μετὰ τῶν τέκνων αὐτῆς· ἡ δὲ ἄνω
27 Ἰερουσαλὴμ ἐλευθέρα ἐστίν, ἥτις ἐστὶν μήτηρ ἡμῶν·
γέγραπται γάρ

Εὐφράνθητι, στεῖρα ἡ οὐ τίκτουσα·
ῥῆξον καὶ βόησον, ἡ οὐκ ὠδίνουσα·
ὅτι πολλὰ τὰ τέκνα τῆς ἐρήμου μᾶλλον ἢ
τῆς ἐχούσης τὸν ἄνδρα.

9 δουλεύειν   19 τέκνα   23 διὰ τῆς   25 γὰρ

⌐ἡμεῖς δέ, ἀδελφοί, κατὰ Ἰσαὰκ ἐπαγγελίας τέκνα ἐσμέν⌐· 28
ἀλλ᾽ ὥσπερ τότε ὁ κατὰ σάρκα γεννηθεὶς ἐδίωκε τὸν κατὰ 29
πνεῦμα, οὕτως καὶ νῦν. ἀλλὰ τί λέγει ἡ γραφή; Ἔκ- 30
Βαλε τὴν παιδίϲκην καὶ τὸν γίον αὐτῆϲ, οὐ γὰρ μὴ
κληρονομήϲει ὁ γίοϲ τῆϲ παιδίϲκηϲ μετὰ τοῦ γίοῦ
τῆς ἐλευθέρας. διό, ἀδελφοί, οὐκ ἐσμὲν παιδίσκης τέκνα 31
ἀλλὰ τῆς ἐλευθέρας.

⌐Τῇ ἐλευθερίᾳ ἡμᾶς Χριστὸς ἠλευθέρωσεν⌐· στήκετε 1
οὖν καὶ μὴ πάλιν ζυγῷ δουλείας ἐνέχεσθε. —

Ἴδε ἐγὼ Παῦλος λέγω ὑμῖν ὅτι ἐὰν περιτέμνησθε 2
Χριστὸς ὑμᾶς οὐδὲν ὠφελήσει. μαρτύρομαι δὲ πάλιν 3
παντὶ ἀνθρώπῳ περιτεμνομένῳ ὅτι ὀφειλέτης ἐστὶν ὅλον
τὸν νόμον ποιῆσαι. κατηργήθητε ἀπὸ Χριστοῦ οἵτινες ἐν 4
νόμῳ δικαιοῦσθε, τῆς χάριτος ἐξεπέσατε. ἡμεῖς γὰρ πνεύ- 5
ματι ἐκ πίστεως ἐλπίδα δικαιοσύνης ἀπεκδεχόμεθα. ἐν γὰρ 6
Χριστῷ [Ἰησοῦ] οὔτε περιτομή τι ἰσχύει οὔτε ἀκροβυστία,
ἀλλὰ πίστις δι᾽ ἀγάπης ἐνεργουμένη. Ἐτρέχετε 7
καλῶς· τίς ὑμᾶς ἐνέκοψεν ἀληθείᾳ μὴ πείθεσθαι; ἡ 8
πεισμονὴ οὐκ ἐκ τοῦ καλοῦντος ὑμᾶς. μικρὰ ζύμη ὅλον 9
τὸ φύραμα ζυμοῖ. ἐγὼ πέποιθα εἰς ὑμᾶς ἐν κυρίῳ ὅτι 10
οὐδὲν ἄλλο φρονήσετε· ὁ δὲ ταράσσων ὑμᾶς βαστάσει τὸ
κρίμα, ὅστις ἐὰν ᾖ. Ἐγὼ δέ, ἀδελφοί, εἰ περιτομὴν ἔτι 11
κηρύσσω, τί ἔτι διώκομαι; ἄρα κατήργηται τὸ σκάνδαλον
τοῦ σταυροῦ. Ὄφελον καὶ ἀποκόψονται οἱ ἀναστατοῦντες 12
ὑμᾶς.

Ὑμεῖς γὰρ ἐπ᾽ ἐλευθερίᾳ ἐκλήθητε, ἀδελφοί· μόνον 13
μὴ τὴν ἐλευθερίαν εἰς ἀφορμὴν τῇ σαρκί, ἀλλὰ διὰ τῆς
ἀγάπης δουλεύετε ἀλλήλοις· ὁ γὰρ πᾶς νόμος ἐν ἑνὶ λόγῳ 14
πεπλήρωται, ἐν τῷ Ἀγαπήϲειϲ τὸν πληϲίον ϲου ὡϲ
ϲεαυτόν. εἰ δὲ ἀλλήλους δάκνετε καὶ κατεσθίετε, βλέ- 15
πετε μὴ ὑπ᾽ ἀλλήλων ἀναλωθῆτε. Λέγω δέ, 16
πνεύματι περιπατεῖτε καὶ ἐπιθυμίαν σαρκὸς οὐ μὴ τελέ-
σητε. ἡ γὰρ σὰρξ ἐπιθυμεῖ κατὰ τοῦ πνεύματος, τὸ δὲ 17

28 ὑμεῖς δέ......τέκνα ἐστέ   1 †...†

πνεῦμα κατὰ τῆς σαρκός, ταῦτα γὰρ ἀλλήλοις ἀντίκειται,
18 ἵνα μὴ ἃ ἐὰν θέλητε ταῦτα ποιῆτε. εἰ δὲ πνεύματι ἄγε-
19 σθε, οὐκ ἐστὲ ὑπὸ νόμον. φανερὰ δέ ἐστιν τὰ ἔργα τῆς
20 σαρκός, ἅτινά ἐστιν πορνεία, ἀκαθαρσία, ἀσέλγεια, εἰδω-
λολατρία, φαρμακία, ἔχθραι, ⌐ἔρις, ζῆλος,⌐ θυμοί, ἐριθίαι,
21 διχοστασίαι, αἱρέσεις, φθόνοι, μέθαι, κῶμοι, καὶ τὰ ὅμοια
τούτοις, ἃ προλέγω ὑμῖν καθὼς ⌐ προεῖπον ὅτι οἱ τὰ
τοιαῦτα πράσσοντες βασιλείαν θεοῦ οὐ κληρονομήσουσιν.
22 ὁ δὲ καρπὸς τοῦ πνεύματός ἐστιν ἀγάπη, χαρά, εἰρήνη,
23 μακροθυμία, χρηστότης, ἀγαθωσύνη, πίστις, πραΰτης,
24 ἐγκράτεια· κατὰ τῶν τοιούτων οὐκ ἔστιν νόμος. οἱ δὲ τοῦ
χριστοῦ Ἰησοῦ τὴν σάρκα ἐσταύρωσαν σὺν τοῖς παθή-
25 μασιν καὶ ταῖς ἐπιθυμίαις.   Εἰ ζῶμεν πνεύματι,
26 πνεύματι καὶ στοιχῶμεν.   μὴ γινώμεθα κενόδοξοι, ἀλλή-
1 λους προκαλούμενοι, ⌐ἀλλήλοις⌐ φθονοῦντες.   Ἀδελφοί,
ἐὰν καὶ προλημφθῇ ἄνθρωπος ἔν τινι παραπτώματι, ὑμεῖς
οἱ πνευματικοὶ καταρτίζετε τὸν τοιοῦτον ἐν πνεύματι πραΰ-
2 τητος, σκοπῶν σεαυτόν, μὴ καὶ σὺ πειρασθῇς.   Ἀλλήλων
τὰ βάρη βαστάζετε, καὶ οὕτως ἀναπληρώσατε τὸν νόμον
3 τοῦ χριστοῦ. εἰ γὰρ δοκεῖ τις εἶναί τι μηδὲν ὤν, φρενα-
4 πατᾷ ἑαυτόν· τὸ δὲ ἔργον ἑαυτοῦ δοκιμαζέτω [ἕκαστος],
καὶ τότε εἰς ἑαυτὸν μόνον τὸ καύχημα ἕξει καὶ οὐκ εἰς
5 τὸν ἕτερον, ἕκαστος γὰρ τὸ ἴδιον φορτίον βαστάσει.
6 Κοινωνείτω δὲ ὁ κατηχούμενος τὸν λόγον τῷ κατηχοῦντι
7 ἐν πᾶσιν ἀγαθοῖς.   Μὴ πλανᾶσθε, θεὸς οὐ
μυκτηρίζεται· ὃ γὰρ ἐὰν σπείρῃ ἄνθρωπος, τοῦτο καὶ
8 θερίσει· ὅτι ὁ σπείρων εἰς τὴν σάρκα ἑαυτοῦ ἐκ τῆς
σαρκὸς θερίσει φθοράν, ὁ δὲ σπείρων εἰς τὸ πνεῦμα ἐκ
9 τοῦ πνεύματος θερίσει ζωὴν αἰώνιον. τὸ δὲ καλὸν ποιοῦν-
τες μὴ ἐνκακῶμεν, καιρῷ γὰρ ἰδίῳ θερίσομεν μὴ ἐκλυό-
10 μενοι. Ἄρα οὖν ὡς καιρὸν ἔχωμεν, ἐργαζώμεθα τὸ
ἀγαθὸν πρὸς πάντας, μάλιστα δὲ πρὸς τοὺς οἰκείους τῆς
πίστεως.

Ἴδετε ⌜πηλίκοις⌝ ὑμῖν γράμμασιν ἔγραψα τῇ ἐμῇ χειρί. 11
Ὅσοι θέλουσιν εὐπροσωπῆσαι ἐν σαρκί, οὗτοι ἀναγκά- 12
ζουσιν ὑμᾶς περιτέμνεσθαι, μόνον ἵνα τῷ σταυρῷ τοῦ
χριστοῦ [Ἰησοῦ] – μὴ διώκωνται· οὐδὲ γὰρ οἱ ⌜περιτεμνό- 13
μενοι⌝ αὐτοὶ νόμον φυλάσσουσιν, ἀλλὰ θέλουσιν ὑμᾶς
περιτέμνεσθαι ἵνα ἐν τῇ ὑμετέρᾳ σαρκὶ καυχήσωνται.
ἐμοὶ δὲ μὴ γένοιτο καυχᾶσθαι εἰ μὴ ἐν τῷ σταυρῷ τοῦ 14
κυρίου ἡμῶν Ἰησοῦ Χριστοῦ, δι᾽ οὗ ἐμοὶ κόσμος ἐσταύ-
ρωται κἀγὼ κόσμῳ. οὔτε γὰρ περιτομή τι ἔστιν οὔτε 15
ἀκροβυστία, ἀλλὰ καινὴ κτίσις. καὶ ὅσοι τῷ κανόνι 16
τούτῳ στοιχήσουσιν, ΕΙΡΗΝΗ ἐπ᾽ αὐτοὺς καὶ ἔλεος, καὶ
ἐπὶ τὸν ἸϹΡΑΗᴧ τοῦ θεοῦ.

Τοῦ λοιποῦ κόπους μοι μηδεὶς παρεχέτω, ἐγὼ γὰρ 17
τὰ στίγματα τοῦ Ἰησοῦ ἐν τῷ σώματί μου βαστάζω.

Ἡ χάρις τοῦ κυρίου [ἡμῶν] Ἰησοῦ Χριστοῦ μετὰ τοῦ 18
πνεύματος ὑμῶν, ἀδελφοί· ἀμήν.

11 ἡλίκοις   13 περιτετμημένοι

ΠΡΟΣ ΕΦΕΣΙΟΥΣ

1 ΠΑΥΛΟΣ ἀπόστολος Χριστοῦ Ἰησοῦ διὰ θελήματος
θεοῦ τοῖς ἁγίοις τοῖς οὖσιν [ἐν Ἐφέσῳ] καὶ πιστοῖς
2 ἐν Χριστῷ Ἰησοῦ· χάρις ὑμῖν καὶ εἰρήνη ἀπὸ θεοῦ πα-
τρὸς ἡμῶν καὶ κυρίου Ἰησοῦ Χριστοῦ.

3 Εὐλογητὸς ὁ θεὸς καὶ πατὴρ τοῦ κυρίου ἡμῶν Ἰησοῦ
Χριστοῦ, ὁ εὐλογήσας ἡμᾶς ἐν πάσῃ εὐλογίᾳ πνευματικῇ
4 ἐν τοῖς ἐπουρανίοις ἐν Χριστῷ, καθὼς ἐξελέξατο ἡμᾶς
ἐν αὐτῷ πρὸ καταβολῆς κόσμου, εἶναι ἡμᾶς ἁγίους καὶ
5 ἀμώμους κατενώπιον αὐτοῦ ἐν ἀγάπῃ, προορίσας ἡμᾶς
εἰς υἱοθεσίαν διὰ Ἰησοῦ Χριστοῦ εἰς αὐτόν, κατὰ τὴν εὐδο-
6 κίαν τοῦ θελήματος αὐτοῦ, εἰς ἔπαινον δόξης τῆς χάριτος
7 αὐτοῦ ἧς ἐχαρίτωσεν ἡμᾶς ἐν τῷ ἠγαπημένῳ, ἐν ᾧ ἔχο-
μεν τὴν ἀπολύτρωσιν διὰ τοῦ αἵματος αὐτοῦ, τὴν ἄφεσιν
8 τῶν παραπτωμάτων, κατὰ τὸ πλοῦτος τῆς χάριτος αὐτοῦ
9 ἧς ἐπερίσσευσεν εἰς ἡμᾶς ἐν πάσῃ σοφίᾳ καὶ φρονή-
σει γνωρίσας ἡμῖν τὸ μυστήριον τοῦ θελήματος αὐτοῦ,
10 κατὰ τὴν εὐδοκίαν αὐτοῦ ἣν προέθετο ἐν αὐτῷ εἰς οἰκο-
νομίαν τοῦ πληρώματος τῶν καιρῶν, ἀνακεφαλαιώσασθαι
τὰ πάντα ἐν τῷ χριστῷ, τὰ ἐπὶ τοῖς οὐρανοῖς καὶ τὰ ἐπὶ
11 τῆς γῆς· ἐν αὐτῷ, ἐν ᾧ καὶ ἐκληρώθημεν προορισθέν-
τες κατὰ πρόθεσιν τοῦ τὰ πάντα ἐνεργοῦντος κατὰ τὴν
12 βουλὴν τοῦ θελήματος αὐτοῦ, εἰς τὸ εἶναι ἡμᾶς εἰς
ἔπαινον δόξης αὐτοῦ τοὺς προηλπικότας ἐν τῷ χριστῷ·
13 ἐν ᾧ καὶ ὑμεῖς ἀκούσαντες τὸν λόγον τῆς ἀληθείας, τὸ
εὐαγγέλιον τῆς σωτηρίας ὑμῶν, ἐν ᾧ καὶ πιστεύσαντες

ἐσφραγίσθητε τῷ πνεύματι τῆς ἐπαγγελίας τῷ ἁγίῳ, ⌜ὅ⌝ 14
ἐστιν ἀρραβὼν τῆς κληρονομίας ἡμῶν, εἰς ἀπολύτρωσιν
τῆς περιποιήσεως, εἰς ἔπαινον τῆς δόξης αὐτοῦ.

Διὰ τοῦτο κἀγώ, ἀκούσας τὴν καθ᾿ ὑμᾶς πίστιν 15
ἐν τῷ κυρίῳ Ἰησοῦ καὶ τὴν εἰς πάντας τοὺς ἁγίους,
οὐ παύομαι εὐχαριστῶν ὑπὲρ ὑμῶν μνείαν ποιούμε- 16
νος ἐπὶ τῶν προσευχῶν μου, ἵνα ὁ θεὸς τοῦ κυρίου 17
ἡμῶν Ἰησοῦ Χριστοῦ, ὁ πατὴρ τῆς δόξης, ⌜δῴη⌝ ὑμῖν
πνεῦμα σοφίας καὶ ἀποκαλύψεως ἐν ἐπιγνώσει αὐτοῦ,
πεφωτισμένους τοὺς ὀφθαλμοὺς τῆς καρδίας [ὑμῶν] εἰς 18
τὸ εἰδέναι ὑμᾶς τίς ἐστιν ἡ ἐλπὶς τῆς κλήσεως αὐτοῦ, τίς
ὁ πλοῦτος τῆς δόξης τῆς κληρονομίας αὐτοῦ ἐν ΤΟΙϹ
ἁΓΙΟΙϹ, καὶ τί τὸ ὑπερβάλλον μέγεθος τῆς δυνάμεως αὐτοῦ 19
εἰς ἡμᾶς τοὺς πιστεύοντας κατὰ τὴν ἐνέργειαν τοῦ κράτους
τῆς ἰσχύος αὐτοῦ ἣν ⌜ἐνήργηκεν⌝ ἐν τῷ χριστῷ ἐγείρας 20
αὐτὸν ἐκ νεκρῶν, καὶ ΚΑΘΙϹΑϹ ἐΝ ΔΕΞΙᾷ ΑῪΤΟῪ ἐν τοῖς
ἐπουρανίοις ὑπεράνω πάσης ἀρχῆς καὶ ἐξουσίας καὶ δυνά- 21
μεως καὶ κυριότητος καὶ παντὸς ὀνόματος ὀνομαζομένου οὐ
μόνον ἐν τῷ αἰῶνι τούτῳ ἀλλὰ καὶ ἐν τῷ μέλλοντι· καὶ 22
ΠΑΝΤΑ ὙΠΕΤΑΞΕΝ ὙΠὸ ΤΟῪϹ ΠΟΔΑϹ ΑῪΤΟῪ, καὶ αὐτὸν
ἔδωκεν κεφαλὴν ὑπὲρ πάντα τῇ ἐκκλησίᾳ, ἥτις ἐστὶν τὸ 23
σῶμα αὐτοῦ, τὸ πλήρωμα τοῦ τὰ πάντα ἐν πᾶσιν πληρου-
μένου. καὶ ὑμᾶς ὄντας νεκροὺς τοῖς παραπτώμασιν καὶ 1
ταῖς ἁμαρτίαις ὑμῶν, ἐν αἷς ποτὲ περιεπατήσατε κατὰ 2
τὸν αἰῶνα τοῦ κόσμου τούτου, κατὰ τὸν ἄρχοντα τῆς
ἐξουσίας τοῦ ἀέρος, τοῦ πνεύματος τοῦ νῦν ἐνεργοῦντος
ἐν τοῖς υἱοῖς τῆς ἀπειθίας· ἐν οἷς καὶ ἡμεῖς πάντες 3
ἀνεστράφημέν ποτε ἐν ταῖς ἐπιθυμίαις τῆς σαρκὸς
ἡμῶν, ποιοῦντες τὰ θελήματα τῆς σαρκὸς καὶ τῶν δια-
νοιῶν, καὶ ἤμεθα τέκνα φύσει ὀργῆς ὡς καὶ οἱ λοιποί· —
ὁ δὲ θεὸς πλούσιος ὢν ἐν ἐλέει, διὰ τὴν πολλὴν ἀγάπην 4
αὐτοῦ ἣν ἠγάπησεν ἡμᾶς, καὶ ὄντας ἡμᾶς νεκροὺς τοῖς 5
παραπτώμασιν συνεζωοποίησεν ⸆ τῷ χριστῷ, — χάριτί ἐστε

14 ὅς   17 δῴη v. δῷ   20 ἐνήργησεν

6 σεσωσμένοι,— καὶ συνήγειρεν καὶ συνεκάθισεν ἐν τοῖς
7 ἐπουρανίοις ἐν Χριστῷ Ἰησοῦ, ἵνα ἐνδείξηται ἐν τοῖς
αἰῶσιν τοῖς ἐπερχομένοις τὸ ὑπερβάλλον πλοῦτος τῆς
χάριτος αὐτοῦ ἐν χρηστότητι ἐφ᾽ ἡμᾶς ἐν Χριστῷ Ἰησοῦ.
8 τῇ γὰρ χάριτί ἐστε σεσωσμένοι διὰ πίστεως· καὶ τοῦτο
9 οὐκ ἐξ ὑμῶν, θεοῦ τὸ δῶρον· οὐκ ἐξ ἔργων, ἵνα μή τις
10 καυχήσηται. αὐτοῦ γάρ ἐσμεν ποίημα, κτισθέντες ἐν
Χριστῷ Ἰησοῦ ἐπὶ ἔργοις ἀγαθοῖς οἷς προητοίμασεν ὁ
θεὸς ἵνα ἐν αὐτοῖς περιπατήσωμεν.

11   Διὸ μνημονεύετε ὅτι ποτὲ ὑμεῖς τὰ ἔθνη ἐν σαρκί, οἱ
λεγόμενοι ἀκροβυστία ὑπὸ τῆς λεγομένης περιτομῆς ἐν
12 σαρκὶ χειροποιήτου,— ὅτι ἦτε τῷ καιρῷ ἐκείνῳ χωρὶς
Χριστοῦ, ἀπηλλοτριωμένοι τῆς πολιτείας τοῦ Ἰσραὴλ καὶ
ξένοι τῶν διαθηκῶν τῆς ἐπαγγελίας, ἐλπίδα μὴ ἔχοντες
13 καὶ ἄθεοι ἐν τῷ κόσμῳ. νυνὶ δὲ ἐν Χριστῷ Ἰησοῦ ὑμεῖς οἵ
ποτε ὄντες ΜΑΚΡΑΝ ἐγενήθητε ΕΓΓΥϹ ἐν τῷ αἵματι τοῦ
14 χριστοῦ. Αὐτὸς γάρ ἐστιν ἡ ΕΙΡΗΝΗ ἡμῶν, ὁ ποιήσας τὰ
ἀμφότερα ἓν καὶ τὸ μεσότοιχον τοῦ φραγμοῦ λύσας, τὴν
15 ἔχθραν ἐν τῇ σαρκὶ αὐτοῦ, τὸν νόμον τῶν ἐντολῶν ἐν
δόγμασιν καταργήσας, ἵνα τοὺς δύο κτίσῃ ἐν αὐτῷ εἰς ἕνα
16 καινὸν ἄνθρωπον ποιῶν εἰρήνην, καὶ ἀποκαταλλάξῃ τοὺς
ἀμφοτέρους ἐν ἑνὶ σώματι τῷ θεῷ διὰ τοῦ σταυροῦ ἀπο-
17 κτείνας τὴν ἔχθραν ἐν αὐτῷ· καὶ ἐλθὼν ΕΥΗΓΓΕΛΙϹΑΤΟ
ΕΙΡΗΝΗΝ ὑμῖν ΤΟΙϹ ΜΑΚΡΑΝ ΚΑΙ ΕΙΡΗΝΗΝ ΤΟΙϹ ΕΓΓΥϹ·
18 ὅτι δι᾽ αὐτοῦ ἔχομεν τὴν προσαγωγὴν οἱ ἀμφότεροι ἐν
19 ἑνὶ πνεύματι πρὸς τὸν πατέρα. Ἄρα οὖν οὐκέτι ἐστὲ ξένοι
καὶ πάροικοι, ἀλλὰ ἐστὲ συνπολῖται τῶν ἁγίων καὶ οἰκεῖοι
20 τοῦ θεοῦ, ἐποικοδομηθέντες ἐπὶ τῷ θεμελίῳ τῶν ἀποστό-
λων καὶ προφητῶν, ὄντος ἀκρογωνιαίου αὐτοῦ Χριστοῦ
21 Ἰησοῦ, ἐν ᾧ πᾶσα οἰκοδομὴ συναρμολογουμένη αὔξει
22 εἰς ναὸν ἅγιον ἐν κυρίῳ, ἐν ᾧ καὶ ὑμεῖς συνοικοδομεῖσθε
εἰς κατοικητήριον τοῦ θεοῦ ἐν πνεύματι.

1   Τούτου χάριν ἐγὼ Παῦλος ὁ δέσμιος τοῦ χριστοῦ

Ἰησοῦ ὑπὲρ ὑμῶν τῶν ἐθνῶν,— εἴ γε ἠκούσατε τὴν οἰκο- 2
νομίαν τῆς χάριτος τοῦ θεοῦ τῆς δοθείσης μοι εἰς ὑμᾶς,
[ὅτι] κατὰ ἀποκάλυψιν ἐγνωρίσθη μοι τὸ μυστήριον, καθὼς 3
προέγραψα ἐν ὀλίγῳ, πρὸς ὃ δύνασθε ἀναγινώσκοντες νοῆ- 4
σαι τὴν σύνεσίν μου ἐν τῷ μυστηρίῳ τοῦ χριστοῦ, ὃ ἑτέραις 5
γενεαῖς οὐκ ἐγνωρίσθη τοῖς υἱοῖς τῶν ἀνθρώπων ὡς νῦν
ἀπεκαλύφθη τοῖς ἁγίοις ἀποστόλοις αὐτοῦ καὶ προφήταις
ἐν πνεύματι, εἶναι τὰ ἔθνη συνκληρονόμα καὶ σύνσωμα 6
καὶ συνμέτοχα τῆς ἐπαγγελίας ἐν Χριστῷ Ἰησοῦ διὰ τοῦ
εὐαγγελίου, οὗ ἐγενήθην διάκονος κατὰ τὴν δωρεὰν τῆς 7
χάριτος τοῦ θεοῦ τῆς δοθείσης μοι κατὰ τὴν ἐνέργειαν τῆς
δυνάμεως αὐτοῦ — ἐμοὶ τῷ ἐλαχιστοτέρῳ πάντων ἁγίων 8
ἐδόθη ἡ χάρις αὕτη — τοῖς ἔθνεσιν εὐαγγελίσασθαι τὸ
ἀνεξιχνίαστον πλοῦτος τοῦ χριστοῦ, καὶ φωτίσαι ⌐ τίς ἡ 9
οἰκονομία τοῦ μυστηρίου τοῦ ἀποκεκρυμμένου ἀπὸ τῶν
αἰώνων ἐν τῷ θεῷ τῷ τὰ πάντα κτίσαντι, ἵνα γνωρισθῇ νῦν 10
ταῖς ἀρχαῖς καὶ ταῖς ἐξουσίαις ἐν τοῖς ἐπουρανίοις διὰ τῆς
ἐκκλησίας ἡ πολυποίκιλος σοφία τοῦ θεοῦ, κατὰ πρόθεσιν 11
τῶν αἰώνων ἣν ἐποίησεν ἐν τῷ χριστῷ Ἰησοῦ τῷ κυρίῳ
ἡμῶν, ἐν ᾧ ἔχομεν τὴν παρρησίαν καὶ προσαγωγὴν ἐν 12
πεποιθήσει διὰ τῆς πίστεως αὐτοῦ. Διὸ αἰτοῦμαι μὴ 13
ἐνκακεῖν ἐν ταῖς θλίψεσίν μου ὑπὲρ ὑμῶν, ἥτις ἐστὶν δόξα
ὑμῶν.　　　　Τούτου χάριν κάμπτω τὰ γόνατά μου 14
πρὸς τὸν πατέρα, ἐξ οὗ πᾶσα πατριὰ ἐν οὐρανοῖς καὶ ἐπὶ 15
γῆς ὀνομάζεται, ἵνα δῷ ὑμῖν κατὰ τὸ πλοῦτος τῆς δόξης 16
αὐτοῦ δυνάμει κραταιωθῆναι διὰ τοῦ πνεύματος αὐτοῦ εἰς
τὸν ἔσω ἄνθρωπον, κατοικῆσαι τὸν χριστὸν διὰ τῆς πίστεως 17
ἐν ταῖς καρδίαις ὑμῶν ἐν ἀγάπῃ· ἐρριζωμένοι καὶ τεθεμε-
λιωμένοι, ἵνα ἐξισχύσητε καταλαβέσθαι σὺν πᾶσιν τοῖς 18
ἁγίοις τί τὸ πλάτος καὶ μῆκος καὶ ⌐ὕψος καὶ βάθος⌐,
γνῶναί τε τὴν ὑπερβάλλουσαν τῆς γνώσεως ἀγάπην τοῦ 19
χριστοῦ, ἵνα ⌐πληρωθῆτε εἰς⌐ πᾶν τὸ πλήρωμα τοῦ θεοῦ.

Τῷ δὲ δυναμένῳ ὑπὲρ πάντα ποιῆσαι ὑπερεκπερισσοῦ 20

9 πάντας　　　18 βάθος καὶ ὕψος　　　19 πληρωθῇ

ὧν αἰτούμεθα ἢ νοοῦμεν κατὰ τὴν δύναμιν τὴν ἐνεργου-
21 μένην ἐν ἡμῖν, αὐτῷ ἡ δόξα ἐν τῇ ἐκκλησίᾳ καὶ ἐν Χριστῷ
Ἰησοῦ εἰς πάσας τὰς γενεὰς τοῦ αἰῶνος τῶν αἰώνων· ἀμήν.

1   Παρακαλῶ οὖν ὑμᾶς ἐγὼ ὁ δέσμιος ἐν κυρίῳ ἀξίως
2 περιπατῆσαι τῆς κλήσεως ἧς ἐκλήθητε, μετὰ πάσης τα-
πεινοφροσύνης καὶ πραΰτητος, μετὰ μακροθυμίας, ἀνε-
3 χόμενοι ἀλλήλων ἐν ἀγάπῃ, σπουδάζοντες τηρεῖν τὴν
4 ἑνότητα τοῦ πνεύματος ἐν τῷ συνδέσμῳ τῆς εἰρήνης· ἓν
σῶμα καὶ ἓν πνεῦμα, καθὼς [καὶ] ἐκλήθητε ἐν μιᾷ ἐλπίδι
5 τῆς κλήσεως ὑμῶν· εἷς κύριος, μία πίστις, ἓν βάπτισμα·
6 εἷς θεὸς καὶ πατὴρ πάντων, ὁ ἐπὶ πάντων καὶ διὰ πάντων
7 καὶ ἐν πᾶσιν. Ἑνὶ δὲ ἑκάστῳ ἡμῶν ἐδόθη [ἡ] χάρις κατὰ
8 τὸ μέτρον τῆς δωρεᾶς τοῦ χριστοῦ. διὸ λέγει
Ἀναβὰς εἰς ὕψος ἠχμαλώτευσεν αἰχμαλωσίαν,
[καὶ] ἔδωκεν δόματα τοῖς ἀνθρώποις.
9 τὸ δὲ Ἀνέβη τί ἐστιν εἰ μὴ ὅτι καὶ κατέβη ⌐ εἰς τὰ
10 κατώτερα μέρη τῆς γῆς; ὁ καταβὰς αὐτός ἐστιν καὶ ὁ
ἀναβὰς ὑπεράνω πάντων τῶν οὐρανῶν, ἵνα πληρώσῃ τὰ
11 πάντα. καὶ αὐτὸς ἔδωκεν τοὺς μὲν ἀποστόλους, τοὺς δὲ
προφήτας, τοὺς δὲ εὐαγγελιστάς, τοὺς δὲ ποιμένας καὶ
12 διδασκάλους, πρὸς τὸν καταρτισμὸν τῶν ἁγίων εἰς ἔργον
13 διακονίας, εἰς οἰκοδομὴν τοῦ σώματος τοῦ χριστοῦ, μέχρι
καταντήσωμεν οἱ πάντες εἰς τὴν ἑνότητα τῆς πίστεως καὶ
τῆς ἐπιγνώσεως τοῦ υἱοῦ τοῦ θεοῦ, εἰς ἄνδρα τέλειον, εἰς
14 μέτρον ἡλικίας τοῦ πληρώματος τοῦ χριστοῦ, ἵνα μηκέτι
ὦμεν νήπιοι, κλυδωνιζόμενοι καὶ περιφερόμενοι παντὶ
ἀνέμῳ τῆς διδασκαλίας ἐν τῇ κυβίᾳ τῶν ἀνθρώπων ἐν
15 πανουργίᾳ πρὸς τὴν μεθοδίαν τῆς πλάνης, ἀληθεύοντες δὲ
ἐν ἀγάπῃ αὐξήσωμεν εἰς αὐτὸν τὰ πάντα, ὅς ἐστιν ἡ
16 κεφαλή, Χριστός, ἐξ οὗ πᾶν τὸ σῶμα συναρμολογούμενον
καὶ συνβιβαζόμενον διὰ πάσης ἁφῆς τῆς ἐπιχορηγίας
κατ᾽ ἐνέργειαν ἐν μέτρῳ ἑνὸς ἑκάστου ⌐μέρους τὴν αὔξησιν
τοῦ σώματος ποιεῖται εἰς οἰκοδομὴν ἑαυτοῦ ἐν ἀγάπῃ.

9 πρῶτον   16 μέλους

Τοῦτο οὖν λέγω καὶ μαρτύρομαι ἐν κυρίῳ, μηκέτι ὑμᾶς 17
περιπατεῖν καθὼς καὶ τὰ ἔθνη περιπατεῖ ἐν ματαιότητι τοῦ
νοὸς αὐτῶν, ἐσκοτωμένοι τῇ διανοίᾳ ὄντες, ἀπηλλοτριω- 18
μένοι τῆς ζωῆς τοῦ θεοῦ, διὰ τὴν ἄγνοιαν τὴν οὖσαν ἐν
αὐτοῖς, διὰ τὴν πώρωσιν τῆς καρδίας αὐτῶν, οἵτινες ἀπηλ- 19
γηκότες ἑαυτοὺς παρέδωκαν τῇ ἀσελγείᾳ εἰς ἐργασίαν
ἀκαθαρσίας πάσης ἐν πλεονεξίᾳ. Ὑμεῖς δὲ οὐχ οὕτως 20
ἐμάθετε τὸν χριστόν, εἴ γε αὐτὸν ἠκούσατε καὶ ἐν αὐτῷ 21
ἐδιδάχθητε, ⌜καθὼς ἔστιν ἀλήθεια ἐν⌝ τῷ Ἰησοῦ, ἀποθέσθαι 22
ὑμᾶς κατὰ τὴν προτέραν ἀναστροφὴν τὸν παλαιὸν ἄνθρω-
πον τὸν φθειρόμενον κατὰ τὰς ἐπιθυμίας τῆς ἀπάτης,
ἀνανεοῦσθαι δὲ τῷ πνεύματι τοῦ νοὸς ὑμῶν, καὶ ἐνδύσα- 23 24
σθαι τὸν καινὸν ἄνθρωπον τὸν κατὰ θεὸν κτισθέντα ἐν
δικαιοσύνῃ καὶ ὁσιότητι τῆς ἀληθείας.

Διὸ ἀποθέμενοι τὸ ψεῦδος λαλεῖτε ἀλήθειαν ἕκαστος 25
μετὰ τοῦ πλησίον αὐτοῦ, ὅτι ἐσμὲν ἀλλήλων μέλη.
ὀργίζεσθε καὶ μὴ ἁμαρτάνετε· ὁ ἥλιος μὴ ἐπιδυέτω 26
ἐπὶ παροργισμῷ ὑμῶν, μηδὲ δίδοτε τόπον τῷ διαβόλῳ. 27
ὁ κλέπτων μηκέτι κλεπτέτω, μᾶλλον δὲ κοπιάτω ἐργαζόμε- 28
νος ταῖς ⌜ χερσὶν τὸ ἀγαθόν, ἵνα ἔχῃ μεταδιδόναι τῷ χρεί-
αν ἔχοντι. πᾶς λόγος σαπρὸς ἐκ τοῦ στόματος ὑμῶν μὴ 29
ἐκπορευέσθω, ἀλλὰ εἴ τις ἀγαθὸς πρὸς οἰκοδομὴν τῆς
χρείας, ἵνα δῷ χάριν τοῖς ἀκούουσιν. καὶ μὴ λυπεῖτε τὸ 30
πνεῦμα τὸ ἅγιον τοῦ θεοῦ, ἐν ᾧ ἐσφραγίσθητε εἰς ἡμέ-
ραν ἀπολυτρώσεως. πᾶσα πικρία καὶ θυμὸς καὶ ὀργὴ καὶ 31
κραυγὴ καὶ βλασφημία ἀρθήτω ἀφ' ὑμῶν σὺν πάσῃ κακίᾳ.
γίνεσθε [δὲ] εἰς ἀλλήλους χρηστοί, εὔσπλαγχνοι, χαρι- 32
ζόμενοι ἑαυτοῖς καθὼς καὶ ὁ θεὸς ἐν Χριστῷ ἐχαρίσατο
⌜ὑμῖν⌝. γίνεσθε οὖν μιμηταὶ τοῦ θεοῦ, ὡς τέκνα ἀγαπητά, 1
καὶ περιπατεῖτε ἐν ἀγάπῃ, καθὼς καὶ ὁ χριστὸς ἠγάπησεν 2
ὑμᾶς καὶ παρέδωκεν ἑαυτὸν ὑπὲρ ⌜ὑμῶν⌝ προσφορὰν καὶ
θυσίαν τῷ θεῷ εἰς ὀσμὴν εὐωδίας. Πορνεία 3
δὲ καὶ ἀκαθαρσία πᾶσα ἢ πλεονεξία μηδὲ ὀνομαζέσθω ἐν

1 καθώς ἐστιν ἀληθείᾳ, ἐν   28 ἰδίαις   32 ἡμῖν   2 ἡμῶν

4 ὑμῖν, καθὼς πρέπει ἁγίοις, καὶ αἰσχρότης καὶ μωρολογία
ἢ εὐτραπελία, ἃ οὐκ ἀνῆκεν, ἀλλὰ μᾶλλον εὐχαριστία.
5 τοῦτο γὰρ ἴστε γινώσκοντες ὅτι πᾶς πόρνος ἢ ἀκάθαρτος
ἢ πλεονέκτης, ὅ ἐστιν εἰδωλολάτρης, οὐκ ἔχει κληρονομίαν
6 ἐν τῇ βασιλείᾳ τοῦ χριστοῦ καὶ θεοῦ.   Μηδεὶς
ὑμᾶς ἀπατάτω κενοῖς λόγοις, διὰ ταῦτα γὰρ ἔρχεται ἡ ὀργὴ
7 τοῦ θεοῦ ἐπὶ τοὺς υἱοὺς τῆς ἀπειθίας. μὴ οὖν γίνεσθε
8 συμμέτοχοι αὐτῶν· ἦτε γάρ ποτε σκότος, νῦν δὲ φῶς ἐν
9 κυρίῳ· ὡς τέκνα φωτὸς περιπατεῖτε, ὁ γὰρ καρπὸς τοῦ
φωτὸς ἐν πάσῃ ἀγαθωσύνῃ καὶ δικαιοσύνῃ καὶ ἀληθείᾳ,
10 δοκιμάζοντες τί ἐστιν εὐάρεστον τῷ κυρίῳ· καὶ μὴ συνκοι-
11 νωνεῖτε τοῖς ἔργοις τοῖς ἀκάρποις τοῦ σκότους, μᾶλλον δὲ
12 καὶ ἐλέγχετε, τὰ γὰρ κρυφῇ γινόμενα ὑπ᾽ αὐτῶν αἰσχρόν
13 ἐστιν καὶ λέγειν· τὰ δὲ πάντα ἐλεγχόμενα ὑπὸ τοῦ φωτὸς
14 φανεροῦται, πᾶν γὰρ τὸ φανερούμενον φῶς ἐστίν. διὸ
λέγει

Ἔγειρε, ὁ καθεύδων,
καὶ ἀνάστα ἐκ τῶν νεκρῶν,
καὶ ἐπιφαύσει σοι ὁ χριστός.

15 Βλέπετε οὖν ἀκριβῶς πῶς περιπατεῖτε, μὴ ὡς ἄσοφοι
16 ἀλλ᾽ ὡς σοφοί, ἐξαγοραζόμενοι τὸν καιρόν, ὅτι αἱ ἡμέραι
17 πονηραί εἰσιν. διὰ τοῦτο μὴ γίνεσθε ἄφρονες, ἀλλὰ
18 συνίετε τί τὸ θέλημα τοῦ κυρίου· καὶ ΜΗ ΜΕΘΥCΚΕCΘΕ
ΟΙΝῼ, ἐν ᾧ ἐστιν ἀσωτία, ἀλλὰ πληροῦσθε ἐν πνεύματι,
19 λαλοῦντες ἑαυτοῖς ᵀ ψαλμοῖς καὶ ὕμνοις καὶ ᾠδαῖς πνευμα-
τικαῖς, ᾄδοντες καὶ ψάλλοντες τῇ καρδίᾳ ὑμῶν τῷ κυρίῳ,
20 εὐχαριστοῦντες πάντοτε ὑπὲρ πάντων ἐν ὀνόματι τοῦ κυρίου
21 ἡμῶν Ἰησοῦ Χριστοῦ τῷ θεῷ καὶ πατρί, ὑποτασσόμενοι
22 ἀλλήλοις ἐν φόβῳ Χριστοῦ.   Αἱ γυναῖκες τοῖς
23 ἰδίοις ἀνδράσιν ᵀ ὡς τῷ κυρίῳ, ὅτι ⌜ἀνήρ ἐστιν κεφαλὴ⌝ τῆς
γυναικὸς ὡς καὶ ὁ χριστὸς κεφαλὴ τῆς ἐκκλησίας, αὐτὸς
24 σωτὴρ τοῦ σώματος. ἀλλὰ ὡς ἡ ἐκκλησία ὑποτάσσεται
τῷ χριστῷ, οὕτως καὶ αἱ γυναῖκες τοῖς ἀνδράσιν ἐν παντί.

19 ἐν   22 ὑποτασσέσθωσαν   23 ἀνὴρ κεφαλή ἐστιν

Οἱ ἄνδρες, ἀγαπᾶτε τὰς γυναῖκας, καθὼς καὶ ὁ χριστὸς 25
ἠγάπησεν τὴν ἐκκλησίαν καὶ ἑαυτὸν παρέδωκεν ὑπὲρ αὐτῆς,
ἵνα αὐτὴν ἁγιάσῃ καθαρίσας τῷ λουτρῷ τοῦ ὕδατος ἐν 26
ῥήματι, ἵνα παραστήσῃ αὐτὸς ἑαυτῷ ἔνδοξον τὴν ἐκκλησίαν, 27
μὴ ἔχουσαν σπίλον ἢ ῥυτίδα ἤ τι τῶν τοιούτων, ἀλλ᾽ ἵνα
ᾖ ἁγία καὶ ἄμωμος. οὕτως ὀφείλουσιν [καὶ] οἱ ἄνδρες ἀγα- 28
πᾶν τὰς ἑαυτῶν γυναῖκας ὡς τὰ ἑαυτῶν σώματα· ὁ ἀγαπῶν
τὴν ἑαυτοῦ γυναῖκα ἑαυτὸν ἀγαπᾷ, οὐδεὶς γάρ ποτε τὴν 29
ἑαυτοῦ σάρκα ἐμίσησεν, ἀλλὰ ἐκτρέφει καὶ θάλπει αὐτήν,
καθὼς καὶ ὁ χριστὸς τὴν ἐκκλησίαν, ὅτι μέλη ἐσμὲν τοῦ σώμα- 30
τος αὐτοῦ. ἀντὶ τούτου καταλείψει ἄνθρωπος [τὸν] 31
πατέρα καὶ [τὴν] μητέρα καὶ προσκολληθήσεται
⌜πρὸς τὴν γυναῖκα⌝ αὐτοῦ, καὶ ἔσονται οἱ δύο εἰς
σάρκα μίαν. τὸ μυστήριον τοῦτο μέγα ἐστίν, ἐγὼ δὲ λέγω 32
εἰς Χριστὸν καὶ [εἰς] τὴν ἐκκλησίαν. πλὴν καὶ ὑμεῖς οἱ 33
καθ᾽ ἕνα ἕκαστος τὴν ἑαυτοῦ γυναῖκα οὕτως ἀγαπάτω ὡς
ἑαυτόν, ἡ δὲ γυνὴ ἵνα φοβῆται τὸν ἄνδρα.　　　　Τὰ 1
τέκνα, ὑπακούετε τοῖς γονεῦσιν ὑμῶν [ἐν κυρίῳ], τοῦτο γάρ
ἐστιν δίκαιον· τίμα τὸν πατέρα σου καὶ τὴν μητέρα, 2
ἥτις ἐστὶν ἐντολὴ ⌜πρώτη ἐν ἐπαγγελίᾳ, ἵνα⌝ εὖ σοι 3
γένηται καὶ ἔσῃ μακροχρόνιος ἐπὶ τῆς γῆς. Καὶ οἱ 4
πατέρες, μὴ παροργίζετε τὰ τέκνα ὑμῶν, ἀλλὰ ἐκτρέφετε
αὐτὰ ἐν παιδείᾳ καὶ νουθεσίᾳ Κυρίου.　　　　Οἱ 5
δοῦλοι, ὑπακούετε τοῖς κατὰ σάρκα κυρίοις μετὰ φόβου
καὶ τρόμου ἐν ἁπλότητι τῆς καρδίας ὑμῶν ὡς τῷ χριστῷ,
μὴ κατ᾽ ὀφθαλμοδουλίαν ὡς ἀνθρωπάρεσκοι ἀλλ᾽ ὡς δοῦ- 6
λοι Χριστοῦ ποιοῦντες τὸ θέλημα τοῦ θεοῦ, ἐκ ψυχῆς 7
μετ᾽ εὐνοίας δουλεύοντες, ὡς τῷ κυρίῳ καὶ οὐκ ἀνθρώποις,
εἰδότες ὅτι ἕκαστος, ἐάν τι ποιήσῃ ἀγαθόν, τοῦτο κομί- 8
σεται παρὰ κυρίου, εἴτε δοῦλος εἴτε ἐλεύθερος. Καὶ οἱ 9
κύριοι, τὰ αὐτὰ ποιεῖτε πρὸς αὐτούς, ἀνιέντες τὴν ἀπει-
λήν, εἰδότες ὅτι καὶ αὐτῶν καὶ ὑμῶν ὁ κύριός ἐστιν ἐν
οὐρανοῖς, καὶ προσωπολημψία οὐκ ἔστιν παρ᾽ αὐτῷ.

31 τῇ γυναικὶ　　　　2 πρώτη, ἐν ἐπαγγελίᾳ ἵνα

10 Τοῦ λοιποῦ ⌜ἐνδυναμοῦσθε⌝ ἐν κυρίῳ καὶ ἐν τῷ κράτει
11 τῆς ἰσχύος αὐτοῦ. ἐνδύσασθε τὴν πανοπλίαν τοῦ θεοῦ
πρὸς τὸ δύνασθαι ὑμᾶς στῆναι πρὸς τὰς μεθοδίας τοῦ
12 διαβόλου· ὅτι οὐκ ἔστιν ⌜ἡμῖν⌝ ἡ πάλη πρὸς αἷμα καὶ
σάρκα, ἀλλὰ πρὸς τὰς ἀρχάς, πρὸς τὰς ἐξουσίας, πρὸς
τοὺς κοσμοκράτορας τοῦ σκότους τούτου, πρὸς τὰ πνευμα-
13 τικὰ τῆς πονηρίας ἐν τοῖς ἐπουρανίοις. διὰ τοῦτο ἀνα-
λάβετε τὴν πανοπλίαν τοῦ θεοῦ, ἵνα δυνηθῆτε ἀντιστῆ-
ναι ἐν τῇ ἡμέρᾳ τῇ πονηρᾷ καὶ ἅπαντα κατεργασάμενοι
14 στῆναι. στῆτε οὖν ΠΕΡΙΖΩϹΑΜΕΝΟΙ ΤΗΝ ΟϹΦΥΝ ὑμῶν
ἐν ἀληθείᾳ, καὶ ἐΝΔΥϹΑΜΕΝΟΙ ΤΟΝ ΘΩΡΑΚΑ ΤΗϹ ΔΙΚΑΙΟ-
15 ϹΥΝΗϹ, καὶ ὑποδηϹΑΜΕΝΟΙ ΤΟΥϹ ΠΟΔΑϹ ΕΝ ΕΤΟΙΜΑϹΙᾼ
16 ΤΟΥ ΕΥΑΓΓΕΛΙΟΥ ΤΗϹ ΕΙΡΗΝΗϹ, ἐν πᾶσιν ἀναλαβόντες
τὸν θυρεὸν τῆς πίστεως, ἐν ᾧ δυνήσεσθε πάντα τὰ βέλη
17 τοῦ πονηροῦ [τὰ] πεπυρωμένα σβέσαι· καὶ ΤΗΝ ΠΕΡΙ-
ΚΕΦΑΛΑΙΑΝ ΤΟΥ ϹΩΤΗΡΙΟΥ δέξασθε, καὶ ΤΗΝ ΜΑΧΑΙΡΑΝ
18 ΤΟΥ ΠΝΕΥΜΑΤΟϹ, ὅ ἐστιν ΡΗΜΑ ΘΕΟΥ, διὰ πάσης προσ-
ευχῆς καὶ δεήσεως, προσευχόμενοι ἐν παντὶ καιρῷ ἐν
πνεύματι, καὶ εἰς αὐτὸ ἀγρυπνοῦντες ἐν πάσῃ προσκαρ-
19 τερήσει καὶ δεήσει περὶ πάντων τῶν ἁγίων, καὶ ὑπὲρ
ἐμοῦ, ἵνα μοι δοθῇ λόγος ἐν ἀνοίξει τοῦ στόματός μου,
ἐν παρρησίᾳ γνωρίσαι τὸ μυστήριον [τοῦ εὐαγγελίου]
20 ὑπὲρ οὗ πρεσβεύω ἐν ἁλύσει, ἵνα ἐν αὐτῷ παρρησιάσω-
μαι ὡς δεῖ με λαλῆσαι.

21 Ἵνα δὲ ⌜εἰδῆτε καὶ ὑμεῖς⌝ τὰ κατ᾽ ἐμέ, τί πράσσω,
πάντα γνωρίσει ὑμῖν Τύχικος ὁ ἀγαπητὸς ἀδελφὸς καὶ
22 πιστὸς διάκονος ἐν κυρίῳ, ὃν ἔπεμψα πρὸς ὑμᾶς εἰς
αὐτὸ τοῦτο ἵνα γνῶτε τὰ περὶ ἡμῶν καὶ παρακαλέσῃ τὰς
καρδίας ὑμῶν.

23 Εἰρήνη τοῖς ἀδελφοῖς καὶ ἀγάπη μετὰ πίστεως ἀπὸ
24 θεοῦ πατρὸς καὶ κυρίου Ἰησοῦ Χριστοῦ. Ἡ χάρις μετὰ
πάντων τῶν ἀγαπώντων τὸν κύριον ἡμῶν Ἰησοῦν Χριστὸν
ἐν ἀφθαρσίᾳ.

10 δυναμοῦσθε   12 ὑμῖν   21 καὶ ὑμεῖς εἰδῆτε

ΠΡΟΣ ΦΙΛΙΠΠΗΣΙΟΥΣ

ΠΑΥΛΟΣ ΚΑΙ ΤΙΜΟΘΕΟΣ δοῦλοι Χριστοῦ Ἰησοῦ 1
πᾶσιν τοῖς ἁγίοις ἐν Χριστῷ Ἰησοῦ τοῖς οὖσιν ἐν Φιλίπ-
ποις σὺν ἐπισκόποις καὶ διακόνοις· χάρις ὑμῖν καὶ εἰρήνη 2
ἀπὸ θεοῦ πατρὸς ἡμῶν καὶ κυρίου Ἰησοῦ Χριστοῦ.

Εὐχαριστῶ τῷ θεῷ μου ἐπὶ πάσῃ τῇ μνείᾳ ὑμῶν 3
πάντοτε ἐν πάσῃ δεήσει μου ὑπὲρ πάντων ὑμῶν, μετὰ 4
χαρᾶς τὴν δέησιν ποιούμενος, ἐπὶ τῇ κοινωνίᾳ ὑμῶν εἰς τὸ 5
εὐαγγέλιον ἀπὸ τῆς πρώτης ἡμέρας ἄχρι τοῦ νῦν, πεποιθὼς 6
αὐτὸ τοῦτο ὅτι ὁ ἐναρξάμενος ἐν ὑμῖν ἔργον ἀγαθὸν ἐπι-
τελέσει ἄχρι ἡμέρας ⌜Ἰησοῦ Χριστοῦ⌝· καθώς ἐστιν δίκαιον 7
ἐμοὶ τοῦτο φρονεῖν ὑπὲρ πάντων ὑμῶν, διὰ τὸ ἔχειν με ἐν
τῇ καρδίᾳ ὑμᾶς, ἔν τε τοῖς δεσμοῖς μου καὶ ἐν τῇ ἀπολογίᾳ
καὶ βεβαιώσει τοῦ εὐαγγελίου συνκοινωνούς μου τῆς χά-
ριτος πάντας ὑμᾶς ὄντας· μάρτυς γάρ μου ὁ θεός, ὡς ἐπι- 8
ποθῶ πάντας ὑμᾶς ἐν σπλάγχνοις Χριστοῦ Ἰησοῦ. καὶ 9
τοῦτο προσεύχομαι ἵνα ἡ ἀγάπη ὑμῶν ἔτι μᾶλλον καὶ
μᾶλλον ⌜περισσεύῃ⌝ ἐν ἐπιγνώσει καὶ πάσῃ αἰσθήσει, εἰς 10
τὸ δοκιμάζειν ὑμᾶς τὰ διαφέροντα, ἵνα ἦτε εἰλικρινεῖς καὶ
ἀπρόσκοποι εἰς ἡμέραν Χριστοῦ, πεπληρωμένοι καρπὸν 11
δικαιοσύνης τὸν διὰ Ἰησοῦ Χριστοῦ εἰς δόξαν καὶ ἔπαινον
θεοῦ.

Γινώσκειν δὲ ὑμᾶς βούλομαι, ἀδελφοί, ὅτι τὰ κατ' ἐμὲ 12
μᾶλλον εἰς προκοπὴν τοῦ εὐαγγελίου ἐλήλυθεν, ὥστε 13
τοὺς δεσμούς μου φανεροὺς ἐν Χριστῷ γενέσθαι ἐν ὅλῳ
τῷ πραιτωρίῳ καὶ τοῖς λοιποῖς πᾶσιν, καὶ τοὺς πλείο- 14

6 Χριστοῦ Ἰησοῦ   9 περισσεύσῃ

νας τῶν ἀδελφῶν ἐν κυρίῳ πεποιθότας τοῖς δεσμοῖς μου
περισσοτέρως τολμᾶν ἀφόβως τὸν λόγον τοῦ θεοῦ λα-
15 λεῖν. Τινὲς μὲν καὶ διὰ φθόνον καὶ ἔριν, τινὲς
16 δὲ καὶ δι᾽ εὐδοκίαν τὸν χριστὸν κηρύσσουσιν· οἱ μὲν ἐξ
ἀγάπης, εἰδότες ὅτι εἰς ἀπολογίαν τοῦ εὐαγγελίου κεῖμαι,
17 οἱ δὲ ἐξ ἐριθίας ⌜τὸν χριστὸν⌝ καταγγέλλουσιν, οὐχ ἁγνῶς,
18 οἰόμενοι θλίψιν ἐγείρειν τοῖς δεσμοῖς μου. τί γάρ; πλὴν
ὅτι παντὶ τρόπῳ, εἴτε προφάσει εἴτε ἀληθείᾳ, Χριστὸς
καταγγέλλεται, καὶ ἐν τούτῳ χαίρω· ἀλλὰ καὶ χαρήσομαι,
19 οἶδα ⌜γὰρ⌝ ὅτι τοῦτό μοι ἀποβήσεται εἰς σωτηρίαν διὰ
τῆς ὑμῶν δεήσεως καὶ ἐπιχορηγίας τοῦ πνεύματος Ἰησοῦ
20 Χριστοῦ, κατὰ τὴν ἀποκαραδοκίαν καὶ ἐλπίδα μου ὅτι ἐν
οὐδενὶ αἰσχυνθήσομαι, ἀλλ᾽ ἐν πάσῃ παρρησίᾳ ὡς πάν-
τοτε καὶ νῦν μεγαλυνθήσεται Χριστὸς ἐν τῷ σώματί μου,
21 εἴτε διὰ ζωῆς εἴτε διὰ θανάτου. Ἐμοὶ γὰρ
22 τὸ ζῆν Χριστὸς καὶ τὸ ἀποθανεῖν κέρδος. εἰ δὲ τὸ ζῆν
ἐν σαρκί, τοῦτό μοι καρπὸς ⌜ἔργου,— καὶ τί αἱρήσομαι⌝ οὐ
23 γνωρίζω· συνέχομαι δὲ ἐκ τῶν δύο, τὴν ἐπιθυμίαν ἔχων
εἰς τὸ ἀναλῦσαι καὶ σὺν Χριστῷ εἶναι, πολλῷ γὰρ μᾶλλον
24 κρεῖσσον, τὸ δὲ ⌜ἐπιμένειν⌝ τῇ σαρκὶ ἀναγκαιότερον δι᾽ ὑμᾶς.
25 καὶ τοῦτο πεποιθὼς οἶδα ὅτι μενῶ καὶ παραμενῶ πᾶσιν
26 ὑμῖν εἰς τὴν ὑμῶν προκοπὴν καὶ χαρὰν τῆς πίστεως, ἵνα τὸ
καύχημα ὑμῶν περισσεύῃ ἐν Χριστῷ Ἰησοῦ ἐν ἐμοὶ διὰ
27 τῆς ἐμῆς παρουσίας πάλιν πρὸς ὑμᾶς. Μό-
νον ἀξίως τοῦ εὐαγγελίου τοῦ χριστοῦ πολιτεύεσθε, ἵνα
εἴτε ἐλθὼν καὶ ἰδὼν ὑμᾶς εἴτε ἀπὼν ἀκούω τὰ περὶ ὑμῶν,
ὅτι στήκετε ἐν ἑνὶ πνεύματι, μιᾷ ψυχῇ συναθλοῦντες τῇ
28 πίστει τοῦ εὐαγγελίου, καὶ μὴ πτυρόμενοι ἐν μηδενὶ ὑπὸ
τῶν ἀντικειμένων (ἥτις ἐστὶν αὐτοῖς ἔνδειξις ἀπωλείας,
29 ὑμῶν δὲ σωτηρίας, καὶ τοῦτο ἀπὸ θεοῦ, ὅτι ὑμῖν ἐχαρίσθη
τὸ ὑπὲρ Χριστοῦ, οὐ μόνον τὸ εἰς αὐτὸν πιστεύειν ἀλλὰ
30 καὶ τὸ ὑπὲρ αὐτοῦ πάσχειν), τὸν αὐτὸν ἀγῶνα ἔχοντες
οἷον εἴδετε ἐν ἐμοὶ καὶ νῦν ἀκούετε ἐν ἐμοί.

17 Χριστὸν   19 δὲ   22 ἔργου, καὶ τί αἱρήσομαι;   24 ἐπιμεῖναι

Εἴ τις οὖν παράκλησις ἐν Χριστῷ, εἴ τι παραμύθιον 1
ἀγάπης, εἴ τις κοινωνία πνεύματος, εἴ τις σπλάγχνα καὶ
οἰκτιρμοί, πληρώσατέ μου τὴν χαρὰν ἵνα τὸ αὐτὸ φρονῆτε, 2
τὴν αὐτὴν ἀγάπην ἔχοντες, σύνψυχοι, τὸ ⌈ἐν⌉ φρονοῦντες,
μηδὲν κατ᾽ ἐριθίαν μηδὲ κατὰ κενοδοξίαν, ἀλλὰ τῇ ταπεινο- 3
φροσύνῃ ἀλλήλους ἡγούμενοι ὑπερέχοντας ἑαυτῶν, μὴ τὰ 4
ἑαυτῶν ⌈ἕκαστοι⌉ σκοποῦντες, ἀλλὰ καὶ τὰ ⌈ἑτέρων ἕκα-
στοι. τοῦτο⌉ φρονεῖτε ἐν ὑμῖν ὃ καὶ ἐν Χριστῷ Ἰησοῦ, 5
ὃς ἐν μορφῇ θεοῦ ὑπάρχων οὐχ ἁρπαγμὸν ἡγήσατο τὸ 6
εἶναι ἴσα θεῷ, ἀλλὰ ἑαυτὸν ἐκένωσεν μορφὴν δούλου 7
λαβών, ἐν ὁμοιώματι ἀνθρώπων γενόμενος· καὶ σχήματι
εὑρεθεὶς ὡς ἄνθρωπος ἐταπείνωσεν ἑαυτὸν γενόμενος ὑπή- 8
κοος μέχρι θανάτου, θανάτου δὲ σταυροῦ· διὸ καὶ ὁ θεὸς 9
αὐτὸν ὑπερύψωσεν, καὶ ἐχαρίσατο αὐτῷ τὸ ὄνομα τὸ ὑπὲρ
πᾶν ὄνομα, ἵνα ἐν τῷ ὀνόματι Ἰησοῦ ΠᾶΝ ΓΟΝΥ ΚάΜΨΗ 10
ἐπουρανίων καὶ ἐπιγείων καὶ καταχθονίων, ΚΑὶ ΠᾶΣΑ 11
ΓλῶΣΣΑ ἐΞΟΜΟΛΟΓΉΣΗΤΑΙ ὅτι ΚΥΡΙΟΣ ΙΗΣΟΥΣ ΧΡΙ-
ΣΤΟΣ εἰς δόξαν ΘΕΟΥ πατρός.

Ὥστε, ἀγαπητοί μου, καθὼς πάντοτε ὑπηκούσατε, μὴ 12
[ὡς] ἐν τῇ παρουσίᾳ μου μόνον ἀλλὰ νῦν πολλῷ μᾶλλον
ἐν τῇ ἀπουσίᾳ μου, μετὰ φόβου καὶ τρόμου τὴν ἑαυτῶν
σωτηρίαν κατεργάζεσθε, θεὸς γάρ ἐστιν ὁ ἐνεργῶν ἐν 13
ὑμῖν καὶ τὸ θέλειν καὶ τὸ ἐνεργεῖν ὑπὲρ τῆς εὐδοκίας·
πάντα ποιεῖτε χωρὶς γογγυσμῶν καὶ διαλογισμῶν· ἵνα 14 15
γένησθε ἄμεμπτοι καὶ ἀκέραιοι, ΤΈΚΝΑ ΘΕΟΥ ἄμωμα μέσον
ΓΕΝΕᾶΣ ΣΚΟΛΙᾶΣ ΚΑὶ ΔΙΕΣΤΡΑΜΜΈΝΗΣ, ἐν οἷς φαί-
νεσθε ὡς φωστῆρες ἐν κόσμῳ λόγον ζωῆς ἐπέχοντες, 16
εἰς καύχημα ἐμοὶ εἰς ἡμέραν Χριστοῦ, ὅτι οὐκ εἰς κενὸν
ἔδραμον οὐδὲ εἰς ΚΕΝὸΝ ἐκοπίασα. Ἀλλὰ εἰ καὶ σπέν- 17
δομαι ἐπὶ τῇ θυσίᾳ καὶ λειτουργίᾳ τῆς πίστεως ὑμῶν,
χαίρω καὶ συνχαίρω πᾶσιν ὑμῖν· τὸ δὲ αὐτὸ καὶ ὑμεῖς 18
χαίρετε καὶ συνχαίρετέ μοι.

Ἐλπίζω δὲ ἐν κυρίῳ Ἰησοῦ Τιμόθεον ταχέως πέμψαι 19

2 αὐτὸ   4 ἕκαστος   4,5 ἑτέρων. ἕκαστοι τοῦτο

20 ὑμῖν, ἵνα κἀγὼ εὐψυχῶ γνοὺς τὰ περὶ ὑμῶν. οὐδένα
γὰρ ἔχω ἰσόψυχον ὅστις γνησίως τὰ περὶ ὑμῶν μεριμνήσει,
21 οἱ πάντες γὰρ τὰ ἑαυτῶν ζητοῦσιν, οὐ τὰ ⌜Χριστοῦ Ἰησοῦ⌝.
22 τὴν δὲ δοκιμὴν αὐτοῦ γινώσκετε, ὅτι ὡς πατρὶ τέκνον σὺν
23 ἐμοὶ ἐδούλευσεν εἰς τὸ εὐαγγέλιον. Τοῦτον μὲν οὖν
ἐλπίζω πέμψαι ὡς ἂν ἀφίδω τὰ περὶ ἐμὲ ἐξαυτῆς·
24 πέποιθα δὲ ἐν κυρίῳ ὅτι καὶ αὐτὸς ταχέως ἐλεύσομαι.
25 ἀναγκαῖον δὲ ἡγησάμην Ἐπαφρόδιτον τὸν ἀδελφὸν καὶ
συνεργὸν καὶ συνστρατιώτην μου, ὑμῶν δὲ ἀπόστολον καὶ
26 λειτουργὸν τῆς χρείας μου, πέμψαι πρὸς ὑμᾶς, ἐπειδὴ
ἐπιποθῶν ἦν ⌜πάντας ὑμᾶς [ἰδεῖν]⌝, καὶ ἀδημονῶν διότι
27 ἠκούσατε ὅτι ἠσθένησεν. καὶ γὰρ ἠσθένησεν παραπλήσιον
θανάτου· ἀλλὰ ὁ θεὸς ἠλέησεν αὐτόν, οὐκ αὐτὸν δὲ μόνον
28 ἀλλὰ καὶ ἐμέ, ἵνα μὴ λύπην ἐπὶ λύπην σχῶ. σπουδαιοτέρως
οὖν ἔπεμψα αὐτὸν ἵνα ἰδόντες αὐτὸν πάλιν χαρῆτε κἀγὼ
29 ἀλυπότερος ὦ. προσδέχεσθε οὖν αὐτὸν ἐν κυρίῳ μετὰ
30 πάσης χαρᾶς, καὶ τοὺς τοιούτους ἐντίμους ἔχετε, ὅτι διὰ
τὸ ἔργον ⌜Κυρίου⌝ μέχρι θανάτου ἤγγισεν, παραβολευσά-
μενος τῇ ψυχῇ ἵνα ἀναπληρώσῃ τὸ ὑμῶν ὑστέρημα τῆς
πρός με λειτουργίας.

1   Τὸ λοιπόν, ἀδελφοί μου, χαίρετε ἐν κυρίῳ. τὰ αὐτὰ
γράφειν ὑμῖν ἐμοὶ μὲν οὐκ ὀκνηρόν, ὑμῖν δὲ ἀσφαλές.—
2   Βλέπετε τοὺς κύνας, βλέπετε τοὺς κακοὺς ἐργάτας,
3 βλέπετε τὴν κατατομήν. ἡμεῖς γάρ ἐσμεν ἡ περιτομή,
οἱ πνεύματι θεοῦ λατρεύοντες καὶ καυχώμενοι ἐν Χριστῷ
4 Ἰησοῦ καὶ οὐκ ἐν σαρκὶ πεποιθότες, καίπερ ἐγὼ ἔχων
πεποίθησιν καὶ ἐν σαρκί. Εἴ τις δοκεῖ ἄλλος
5 πεποιθέναι ἐν σαρκί, ἐγὼ μᾶλλον· περιτομῇ ὀκταήμερος,
ἐκ γένους Ἰσραήλ, φυλῆς Βενιαμείν, Ἑβραῖος ἐξ Ἑβραίων,
6 κατὰ νόμον Φαρισαῖος, κατὰ ζῆλος διώκων τὴν ἐκκλησίαν,
7 κατὰ δικαιοσύνην τὴν ἐν νόμῳ γενόμενος ἄμεμπτος. Ἀλ-
λὰ ἅτινα ἦν μοι κέρδη, ταῦτα ἥγημαι διὰ τὸν χριστὸν
8 ζημίαν. ἀλλὰ μὲν οὖν γε καὶ ἡγοῦμαι πάντα ζημίαν εἶναι

21 Ἰησοῦ Χριστοῦ   26 ὑμᾶς πάντας   30 Χριστοῦ

διὰ τὸ ὑπερέχον τῆς γνώσεως Χριστοῦ Ἰησοῦ τοῦ κυρίου
μου δι᾽ ὃν τὰ πάντα ἐζημιώθην, καὶ ἡγοῦμαι σκύβαλα ἵνα
Χριστὸν κερδήσω καὶ εὑρεθῶ ἐν αὐτῷ, μὴ ἔχων ἐμὴν 9
δικαιοσύνην τὴν ἐκ νόμου ἀλλὰ τὴν διὰ πίστεως Χριστοῦ,
τὴν ἐκ θεοῦ δικαιοσύνην ἐπὶ τῇ πίστει, τοῦ γνῶναι αὐτὸν 10
καὶ τὴν δύναμιν τῆς ἀναστάσεως αὐτοῦ καὶ κοινωνίαν
παθημάτων αὐτοῦ, συμμορφιζόμενος τῷ θανάτῳ αὐτοῦ,
εἴ πως καταντήσω εἰς τὴν ἐξανάστασιν τὴν ἐκ νεκρῶν. 11
οὐχ ὅτι ἤδη ἔλαβον ἢ ἤδη τετελείωμαι, διώκω δὲ εἰ καὶ 12
καταλάβω, ἐφ᾽ ᾧ καὶ κατελήμφθην ὑπὸ Χριστοῦ [Ἰησοῦ].
ἀδελφοί, ἐγὼ ἐμαυτὸν ⌜οὔπω⌝ λογίζομαι κατειληφέναι· ἐν 13
δέ, τὰ μὲν ὀπίσω ἐπιλανθανόμενος τοῖς δὲ ἔμπροσθεν
ἐπεκτεινόμενος, κατὰ σκοπὸν διώκω εἰς τὸ βραβεῖον τῆς 14
ἄνω κλήσεως τοῦ θεοῦ ἐν Χριστῷ Ἰησοῦ. Ὅσοι οὖν 15
τέλειοι, τοῦτο φρονῶμεν· καὶ εἴ τι ἑτέρως φρονεῖτε, καὶ
τοῦτο ὁ θεὸς ὑμῖν ἀποκαλύψει· πλὴν εἰς ὃ ἐφθάσαμεν, 16
τῷ αὐτῷ στοιχεῖν.　　　　Συνμιμηταί μου γίνεσθε, 17
ἀδελφοί, καὶ σκοπεῖτε τοὺς οὕτω περιπατοῦντας καθὼς
ἔχετε τύπον ἡμᾶς· πολλοὶ γὰρ περιπατοῦσιν οὓς πολλά- 18
κις ἔλεγον ὑμῖν, νῦν δὲ καὶ κλαίων λέγω, τοὺς ἐχθροὺς
τοῦ σταυροῦ τοῦ χριστοῦ, ὧν τὸ τέλος ἀπώλεια, ὧν ὁ θεὸς 19
ἡ κοιλία καὶ ἡ δόξα ἐν τῇ αἰσχύνῃ αὐτῶν, οἱ τὰ ἐπίγεια
φρονοῦντες. ἡμῶν γὰρ τὸ πολίτευμα ἐν οὐρανοῖς ὑπάρχει, 20
ἐξ οὗ καὶ σωτῆρα ἀπεκδεχόμεθα κύριον Ἰησοῦν Χριστόν,
ὃς μετασχηματίσει τὸ σῶμα τῆς ταπεινώσεως ἡμῶν σύμ- 21
μορφον τῷ σώματι τῆς δόξης αὐτοῦ κατὰ τὴν ἐνέργειαν
τοῦ δύνασθαι αὐτὸν καὶ ὑποτάξαι αὐτῷ τὰ πάντα.

Ὥστε, ἀδελφοί μου ἀγαπητοὶ καὶ ἐπιπόθητοι, χαρὰ 1
καὶ στέφανός μου, οὕτως στήκετε ἐν κυρίῳ, ἀγαπη-
τοί⌝.　　　　Εὐοδίαν παρακαλῶ καὶ Συντύχην παρα- 2
καλῶ τὸ αὐτὸ φρονεῖν ἐν κυρίῳ. ναὶ ἐρωτῶ καὶ σέ, 3
γνήσιε ⌜σύνζυγε⌝, συνλαμβάνου αὐταῖς, αἵτινες ἐν τῷ
εὐαγγελίῳ συνήθλησάν μοι μετὰ καὶ Κλήμεντος καὶ

τῶν λοιπῶν συνεργῶν μου, ὧν τὰ ὀνόματα ἐν βίβλῳ
4 ζωῆς. Χαίρετε ἐν κυρίῳ πάντοτε· πάλιν ἐρῶ,
5 χαίρετε. τὸ ἐπιεικὲς ὑμῶν γνωσθήτω πᾶσιν ἀνθρώποις.
6 ὁ κύριος ἐγγύς· μηδὲν μεριμνᾶτε, ἀλλ᾽ ἐν παντὶ τῇ
προσευχῇ καὶ τῇ δεήσει μετ᾽ εὐχαριστίας τὰ αἰτήματα
7 ὑμῶν γνωριζέσθω πρὸς τὸν θεόν· καὶ ἡ εἰρήνη τοῦ θεοῦ ἡ
ὑπερέχουσα πάντα νοῦν φρουρήσει τὰς καρδίας ὑμῶν καὶ
8 τὰ νοήματα ὑμῶν ἐν Χριστῷ Ἰησοῦ.   Τὸ λοι-
πόν, ἀδελφοί, ὅσα ἐστὶν ἀληθῆ, ὅσα σεμνά, ὅσα δίκαια,
ὅσα ἁγνά, ὅσα προσφιλῆ, ὅσα εὔφημα, εἴ τις ἀρετὴ καὶ
9 εἴ τις ἔπαινος, ταῦτα λογίζεσθε· ἃ καὶ ἐμάθετε καὶ πα-
ρελάβετε καὶ ἠκούσατε καὶ εἴδετε ἐν ἐμοί, ταῦτα πράσ-
σετε· καὶ ὁ θεὸς τῆς εἰρήνης ἔσται μεθ᾽ ὑμῶν.
10   Ἐχάρην δὲ ἐν κυρίῳ μεγάλως ὅτι ἤδη ποτὲ ἀνεθά-
λετε τὸ ὑπὲρ ἐμοῦ φρονεῖν, ἐφ᾽ ᾧ καὶ ἐφρονεῖτε ἠκαι-
11 ρεῖσθε δέ. οὐχ ὅτι καθ᾽ ὑστέρησιν λέγω, ἐγὼ γὰρ ἔμαθον
12 ἐν οἷς εἰμὶ αὐτάρκης εἶναι· οἶδα καὶ ταπεινοῦσθαι, οἶδα
καὶ περισσεύειν· ἐν παντὶ καὶ ἐν πᾶσιν μεμύημαι, καὶ
χορτάζεσθαι καὶ πεινᾶν, καὶ περισσεύειν καὶ ὑστερεῖσθαι·
13
14 πάντα ἰσχύω ἐν τῷ ἐνδυναμοῦντί με. πλὴν καλῶς ἐποιή-
15 σατε συνκοινωνήσαντές μου τῇ θλίψει. οἴδατε δὲ καὶ
ὑμεῖς, Φιλιππήσιοι, ὅτι ἐν ἀρχῇ τοῦ εὐαγγελίου, ὅτε
ἐξῆλθον ἀπὸ Μακεδονίας, οὐδεμία μοι ἐκκλησία ἐκοινώνη-
σεν εἰς λόγον δόσεως καὶ λήμψεως εἰ μὴ ὑμεῖς μόνοι,
16 ὅτι καὶ ἐν Θεσσαλονίκῃ καὶ ἅπαξ καὶ δὶς εἰς τὴν χρείαν
17 μοι ἐπέμψατε. οὐχ ὅτι ἐπιζητῶ τὸ δόμα, ἀλλὰ ἐπιζητῶ
18 τὸν καρπὸν τὸν πλεονάζοντα εἰς λόγον ὑμῶν. ἀπέχω
δὲ πάντα καὶ περισσεύω· πεπλήρωμαι δεξάμενος παρὰ
Ἐπαφροδίτου τὰ παρ᾽ ὑμῶν, ΟϹΜΗΝ ΕΥΩΔΙΑΣ, θυσίαν
19 δεκτήν, εὐάρεστον τῷ θεῷ. ὁ δὲ θεός μου πληρώσει
πᾶσαν χρείαν ὑμῶν κατὰ τὸ πλοῦτος αὐτοῦ ἐν δόξῃ ἐν
20 Χριστῷ Ἰησοῦ. τῷ δὲ θεῷ καὶ πατρὶ ἡμῶν ἡ δόξα
εἰς τοὺς αἰῶνας τῶν αἰώνων· ἀμήν.
21   Ἀσπάσασθε πάντα ἅγιον ἐν Χριστῷ Ἰησοῦ. Ἀσπά-

ζονται ὑμᾶς οἱ σὺν ἐμοὶ ἀδελφοί. ἀσπάζονται ὑμᾶς πάντες 22 οἱ ἅγιοι, μάλιστα δὲ οἱ ἐκ τῆς Καίσαρος οἰκίας.

Ἡ χάρις τοῦ κυρίου Ἰησοῦ Χριστοῦ μετὰ τοῦ πνεύ- 23 ματος ὑμῶν.

ΠΡΟΣ ΚΟΛΑΣΣΑΕΙΣ

1 ΠΑΥΛΟΣ ἀπόστολος Χριστοῦ Ἰησοῦ διὰ θελήματος
2 θεοῦ καὶ Τιμόθεος ὁ ἀδελφὸς τοῖς ἐν Κολοσσαῖς ἁγίοις
καὶ πιστοῖς ἀδελφοῖς ἐν Χριστῷ· χάρις ὑμῖν καὶ εἰρήνη
ἀπὸ θεοῦ πατρὸς ἡμῶν.

3 Εὐχαριστοῦμεν τῷ θεῷ πατρὶ τοῦ κυρίου ἡμῶν Ἰησοῦ
4 [Χριστοῦ] πάντοτε ⌜περὶ⌝ ὑμῶν προσευχόμενοι, ἀκούσαντες
τὴν πίστιν ὑμῶν ἐν Χριστῷ Ἰησοῦ καὶ τὴν ἀγάπην [ἣν
5 ἔχετε] εἰς πάντας τοὺς ἁγίους διὰ τὴν ἐλπίδα τὴν ἀποκει-
μένην ὑμῖν ἐν τοῖς οὐρανοῖς, ἣν προηκούσατε ἐν τῷ λόγῳ
6 τῆς ἀληθείας τοῦ εὐαγγελίου τοῦ παρόντος εἰς ὑμᾶς, καθὼς
καὶ ἐν παντὶ τῷ κόσμῳ ἐστὶν καρποφορούμενον καὶ αὐξανό-
μενον καθὼς καὶ ἐν ὑμῖν, ἀφ᾽ ἧς ἡμέρας ἠκούσατε καὶ
7 ἐπέγνωτε τὴν χάριν τοῦ θεοῦ ἐν ἀληθείᾳ· καθὼς ἐμά-
θετε ἀπὸ Ἐπαφρᾶ τοῦ ἀγαπητοῦ συνδούλου ἡμῶν, ὅς
8 ἐστιν πιστὸς ὑπὲρ ⌜ἡμῶν⌝ διάκονος τοῦ χριστοῦ, ὁ καὶ
9 δηλώσας ἡμῖν τὴν ὑμῶν ἀγάπην ἐν πνεύματι. Διὰ
τοῦτο καὶ ἡμεῖς, ἀφ᾽ ἧς ἡμέρας ἠκούσαμεν, οὐ παυόμεθα
ὑπὲρ ὑμῶν προσευχόμενοι καὶ αἰτούμενοι ἵνα πληρωθῆτε
τὴν ἐπίγνωσιν τοῦ θελήματος αὐτοῦ ἐν πάσῃ σοφίᾳ
10 καὶ συνέσει πνευματικῇ, περιπατῆσαι ἀξίως τοῦ κυρίου
εἰς πᾶσαν ἀρεσκίαν ἐν παντὶ ἔργῳ ἀγαθῷ καρποφο-
11 ροῦντες καὶ αὐξανόμενοι τῇ ἐπιγνώσει τοῦ θεοῦ, ἐν
πάσῃ δυνάμει δυναμούμενοι κατὰ τὸ κράτος τῆς δόξης
αὐτοῦ εἰς πᾶσαν ὑπομονὴν καὶ μακροθυμίαν μετὰ χαρᾶς,
12 εὐχαριστοῦντες τῷ ⊤ πατρὶ τῷ ἱκανώσαντι ⌜ὑμᾶς⌝ εἰς τὴν

μερίδα τοῦ κλήρου τῶν ἁγίων ἐν τῷ φωτί, ὃς ἐρύσατο 13
ἡμᾶς ἐκ τῆς ἐξουσίας τοῦ σκότους καὶ μετέστησεν εἰς
τὴν βασιλείαν τοῦ υἱοῦ τῆς ἀγάπης αὐτοῦ, ἐν ᾧ ⌜ἔχομεν⌝ 14
τὴν ἀπολύτρωσιν, τὴν ἄφεσιν τῶν ἁμαρτιῶν· ὅς ἐστιν 15
εἰκὼν τοῦ θεοῦ τοῦ ἀοράτου, πρωτότοκος πάσης κτίσεως,
ὅτι ἐν αὐτῷ ἐκτίσθη τὰ πάντα ἐν τοῖς οὐρανοῖς καὶ ἐπὶ 16
τῆς γῆς, τὰ ὁρατὰ καὶ τὰ ἀόρατα, εἴτε θρόνοι εἴτε
κυριότητες εἴτε ἀρχαὶ εἴτε ἐξουσίαι· τὰ πάντα δι᾽ αὐτοῦ
καὶ εἰς αὐτὸν ἔκτισται· καὶ αὐτὸς ἔστιν πρὸ πάντων 17
·καὶ τὰ πάντα ἐν αὐτῷ συνέστηκεν, καὶ αὐτός ἐστιν 18
ἡ κεφαλὴ τοῦ σώματος, τῆς ἐκκλησίας· ὅς ἐστιν [ἡ]
ἀρχή, πρωτότοκος ἐκ τῶν νεκρῶν, ἵνα γένηται ἐν πᾶσιν
αὐτὸς πρωτεύων, ὅτι ἐν αὐτῷ εὐδόκησεν πᾶν τὸ πλήρω- 19
μα κατοικῆσαι καὶ δι᾽ αὐτοῦ ἀποκαταλλάξαι τὰ πάντα 20
εἰς αὐτόν, εἰρηνοποιήσας διὰ τοῦ αἵματος τοῦ σταυροῦ
αὐτοῦ, [δι᾽ αὐτοῦ] εἴτε τὰ ἐπὶ τῆς γῆς εἴτε τὰ ἐν τοῖς
οὐρανοῖς· καὶ ὑμᾶς ποτὲ ὄντας ἀπηλλοτριωμένους καὶ 21
ἐχθροὺς τῇ διανοίᾳ ἐν τοῖς ἔργοις τοῖς πονηροῖς,— νυνὶ 22
δὲ ⌜ἀποκατήλλαξεν⌝ ἐν τῷ σώματι τῆς σαρκὸς αὐτοῦ διὰ
τοῦ θανάτου,— παραστῆσαι ὑμᾶς ἁγίους καὶ ἀμώμους
καὶ ἀνεγκλήτους κατενώπιον αὐτοῦ, εἴ γε ἐπιμένετε τῇ 23
πίστει τεθεμελιωμένοι καὶ ἑδραῖοι καὶ μὴ μετακινούμενοι
ἀπὸ τῆς ἐλπίδος τοῦ εὐαγγελίου οὗ ἠκούσατε, τοῦ κη-
ρυχθέντος ἐν πάσῃ κτίσει τῇ ὑπὸ τὸν οὐρανόν, οὗ
ἐγενόμην ἐγὼ Παῦλος διάκονος.

Νῦν χαίρω ἐν τοῖς παθήμασιν ὑπὲρ ὑμῶν, καὶ ἀντα- 24
ναπληρῶ τὰ ὑστερήματα τῶν θλίψεων τοῦ χριστοῦ ἐν
τῇ σαρκί μου ὑπὲρ τοῦ σώματος αὐτοῦ, ὅ ἐστιν ἡ ἐκ-
κλησία, ἧς ἐγενόμην ἐγὼ διάκονος κατὰ τὴν οἰκονομίαν 25
τοῦ θεοῦ τὴν δοθεῖσάν μοι εἰς ὑμᾶς πληρῶσαι τὸν
λόγον τοῦ θεοῦ, τὸ μυστήριον τὸ ἀποκεκρυμμένον ἀπὸ 26
τῶν αἰώνων καὶ ἀπὸ τῶν γενεῶν,— νῦν δὲ ἐφανερώθη
τοῖς ἁγίοις αὐτοῦ, οἷς ἠθέλησεν ὁ θεὸς γνωρίσαι τί τὸ 27

14 ἔσχομεν   22 ἀποκατηλλάγητε

πλοῦτος τῆς δόξης τοῦ μυστηρίου τούτου ἐν τοῖς ἔθνεσιν,
28 ˹ὅ˺ ἐστιν Χριστὸς ἐν ὑμῖν, ἡ ἐλπὶς τῆς δόξης· ὃν ἡμεῖς
καταγγέλλομεν νουθετοῦντες πάντα ἄνθρωπον καὶ διδά-
σκοντες πάντα ἄνθρωπον ἐν πάσῃ σοφίᾳ, ἵνα παραστή-
29 σωμεν πάντα ἄνθρωπον τέλειον ἐν Χριστῷ· εἰς ὃ καὶ
κοπιῶ ἀγωνιζόμενος κατὰ τὴν ἐνέργειαν αὐτοῦ τὴν ἐνερ-
1 γουμένην ἐν ἐμοὶ ἐν δυνάμει.   Θέλω γὰρ ὑμᾶς
εἰδέναι ἡλίκον ἀγῶνα ἔχω ὑπὲρ ὑμῶν καὶ τῶν ἐν
Λαοδικίᾳ καὶ ὅσοι οὐχ ἑόρακαν τὸ πρόσωπόν μου ἐν
2 σαρκί, ἵνα παρακληθῶσιν αἱ καρδίαι αὐτῶν, συνβιβα-
σθέντες ἐν ἀγάπῃ καὶ εἰς πᾶν πλοῦτος τῆς πληροφορίας
τῆς συνέσεως, εἰς ἐπίγνωσιν τοῦ μυστηρίου τοῦ ˹θεοῦ,
3 Χριστοῦ˺, ἐν ᾧ εἰσὶν πάντες οἱ θησαυροὶ τῆς σοφίας
4 καὶ γνώσεως ἀπόκρυφοι. Τοῦτο λέγω ἵνα μηδεὶς ὑμᾶς
5 παραλογίζηται ἐν πιθανολογίᾳ. εἰ γὰρ καὶ τῇ σαρκὶ
ἄπειμι, ἀλλὰ τῷ πνεύματι σὺν ὑμῖν εἰμί, χαίρων καὶ
βλέπων ὑμῶν τὴν τάξιν καὶ τὸ στερέωμα τῆς εἰς Χριστὸν
πίστεως ὑμῶν.

6   Ὡς οὖν παρελάβετε τὸν χριστὸν Ἰησοῦν τὸν κύριον,
7 ἐν αὐτῷ περιπατεῖτε, ἐρριζωμένοι καὶ ἐποικοδομούμενοι
ἐν αὐτῷ καὶ βεβαιούμενοι τῇ πίστει καθὼς ἐδιδάχθητε, πε-
8 ρισσεύοντες [ἐν αὐτῇ] ἐν εὐχαριστίᾳ.   Βλέ-
πετε μή τις ˹ὑμᾶς ἔσται˺ ὁ συλαγωγῶν διὰ τῆς φιλοσοφί-
ας καὶ κενῆς ἀπάτης κατὰ τὴν παράδοσιν τῶν ἀνθρώ-
πων, κατὰ τὰ στοιχεῖα τοῦ κόσμου καὶ οὐ κατὰ Χριστόν·
9 ὅτι ἐν αὐτῷ κατοικεῖ πᾶν τὸ πλήρωμα τῆς θεότητος
10 σωματικῶς, καὶ ἐστὲ ἐν αὐτῷ πεπληρωμένοι, ὅς ἐστιν
11 ἡ κεφαλὴ πάσης ἀρχῆς καὶ ἐξουσίας, ἐν ᾧ καὶ περιε-
τμήθητε περιτομῇ ἀχειροποιήτῳ ἐν τῇ ἀπεκδύσει τοῦ
σώματος τῆς σαρκός, ἐν τῇ περιτομῇ τοῦ χριστοῦ,
12 συνταφέντες αὐτῷ ἐν τῷ βαπτίσματι, ἐν ᾧ καὶ συνη-
γέρθητε διὰ τῆς πίστεως τῆς ἐνεργείας τοῦ θεοῦ τοῦ
13 ἐγείραντος αὐτὸν ἐκ νεκρῶν· καὶ ὑμᾶς νεκροὺς ὄν-

27 ὅς   2 †...†   8 ἔσται ὑμᾶς

τας τοῖς παραπτώμασιν καὶ τῇ ἀκροβυστίᾳ τῆς σαρκὸς
ὑμῶν, συνεζωοποίησεν ⌜ὑμᾶς⌝ σὺν ⌜αὐτῷ· χαρισάμενος
ἡμῖν πάντα τὰ παραπτώματα, ἐξαλείψας τὸ καθ᾽ ἡμῶν 14
χειρόγραφον τοῖς δόγμασιν ὃ ἦν ὑπεναντίον ἡμῖν,⌝ καὶ
αὐτὸ ἦρκεν ἐκ τοῦ μέσου προσηλώσας αὐτὸ τῷ σταυρῷ·
ἀπεκδυσάμενος τὰς ἀρχὰς καὶ τὰς ἐξουσίας ἐδειγμάτισεν 15
ἐν παρρησίᾳ θριαμβεύσας αὐτοὺς ἐν αὐτῷ. Μὴ 16
οὖν τις ὑμᾶς κρινέτω ἐν βρώσει ⌜καὶ⌝ ἐν πόσει ἢ ἐν
μέρει ἑορτῆς ἢ νεομηνίας ἢ σαββάτων, ⌜ἅ⌝ ἐστιν σκιὰ 17
τῶν μελλόντων, τὸ δὲ σῶμα τοῦ χριστοῦ. μηδεὶς 18
ὑμᾶς καταβραβευέτω ⌜θέλων ἐν ταπεινοφροσύνῃ καὶ θρη-
σκείᾳ τῶν ἀγγέλων, ἃ ἑόρακεν ἐμβατεύων⌝, εἰκῇ φυσιού-
μενος ὑπὸ τοῦ νοὸς τῆς σαρκὸς αὐτοῦ, καὶ οὐ κρατῶν 19
τὴν κεφαλήν, ἐξ οὗ πᾶν τὸ σῶμα διὰ τῶν ἁφῶν καὶ συν-
δέσμων ἐπιχορηγούμενον καὶ συνβιβαζόμενον αὔξει τὴν
αὔξησιν τοῦ θεοῦ.

Εἰ ἀπεθάνετε σὺν Χριστῷ ἀπὸ τῶν στοιχείων τοῦ 20
κόσμου, τί ὡς ζῶντες ἐν κόσμῳ δογματίζεσθε Μὴ ἅψῃ 21
μηδὲ γεύσῃ μηδὲ θίγῃς, ἅ ἐστιν πάντα εἰς φθορὰν 22
τῇ ἀποχρήσει, κατὰ τὰ ἐντάλματα καὶ ΔιΔασκαλίας
τῶν ἀνθρώπων; ἅτινά ἐστιν λόγον μὲν ἔχοντα σο- 23
φίας ἐν ἐθελοθρησκίᾳ καὶ ταπεινοφροσύνῃ ⌜[καὶ]⌝ ἀφει-
δίᾳ σώματος, οὐκ ἐν τιμῇ τινὶ πρὸς πλησμονὴν τῆς
σαρκός⌝. Εἰ οὖν συνηγέρθητε τῷ χριστῷ, τὰ 1
ἄνω ζητεῖτε, οὗ ὁ χριστός ἐστιν ἐΝ Δεξιᾷ τοῦ θεοῦ
καθήμενος· τὰ ἄνω φρονεῖτε, μὴ τὰ ἐπὶ τῆς γῆς, 2
ἀπεθάνετε γάρ, καὶ ἡ ζωὴ ὑμῶν κέκρυπται σὺν τῷ 3
χριστῷ ἐν τῷ θεῷ· ὅταν ὁ χριστὸς φανερωθῇ, ἡ ζωὴ 4
⌜ἡμῶν⌝ τότε καὶ ὑμεῖς σὺν αὐτῷ φανερωθήσεσθε ἐν
δόξῃ.

Νεκρώσατε οὖν τὰ μέλη τὰ ἐπὶ τῆς γῆς, πορνείαν, 5
ἀκαθαρσίαν, πάθος, ἐπιθυμίαν κακήν, καὶ τὴν πλεονεξίαν
ἥτις ἐστὶν εἰδωλολατρία, δι᾽ ἃ ἔρχεται ἡ ὀργὴ τοῦ θεοῦ· 6

13 ἡμᾶς | αὐτῷ, χαρισάμενος......ἡμῖν· 16 ἢ 17 ὅ 18 †...† 23 †...† 4 ὑμ

7 ἐν οἷς καὶ ὑμεῖς περιεπατήσατέ ποτε ὅτε ἐζῆτε ἐν
8 τούτοις· νυνὶ δὲ ἀπόθεσθε καὶ ὑμεῖς τὰ πάντα, ὀργήν,
θυμόν, κακίαν, βλασφημίαν, αἰσχρολογίαν ἐκ τοῦ
9 στόματος ὑμῶν· μὴ ψεύδεσθε εἰς ἀλλήλους· ἀπεκ-
δυσάμενοι τὸν παλαιὸν ἄνθρωπον σὺν ταῖς πράξεσιν
10 αὐτοῦ, καὶ ἐνδυσάμενοι τὸν νέον τὸν ἀνακαινούμενον εἰς
11 ἐπίγνωσιν ΚΑΤ᾽ ΕἸΚΌΝΑ ΤΟῦ ΚΤΊΣΑΝΤΟΣ αὐτόν, ὅπου
οὐκ ἔνι Ἕλλην καὶ Ἰουδαῖος, περιτομὴ καὶ ἀκροβυστία,
βάρβαρος, Σκύθης, δοῦλος, ἐλεύθερος, ἀλλὰ πάντα καὶ
12 ἐν πᾶσιν Χριστός.   Ἐνδύσασθε οὖν ὡς ἐκλε-
κτοὶ τοῦ θεοῦ, ⌜ἅγιοι καὶ⌝ ἠγαπημένοι, σπλάγχνα οἰκτιρ-
μοῦ, χρηστότητα, ταπεινοφροσύνην, πραΰτητα, μακρο-
13 θυμίαν, ἀνεχόμενοι ἀλλήλων καὶ χαριζόμενοι ἑαυτοῖς
ἐάν τις πρός τινα ἔχῃ μομφήν· καθὼς καὶ ὁ ⌜κύριος⌝
14 ἐχαρίσατο ὑμῖν οὕτως καὶ ὑμεῖς· ἐπὶ πᾶσι δὲ τούτοις
15 τὴν ἀγάπην, ὅ ἐστιν σύνδεσμος τῆς τελειότητος. καὶ ἡ
εἰρήνη τοῦ χριστοῦ βραβευέτω ἐν ταῖς καρδίαις ὑμῶν,
εἰς ἣν καὶ ἐκλήθητε ἐν [ἑνὶ] σώματι· καὶ εὐχάριστοι
16 γίνεσθε. ὁ λόγος τοῦ ⌜χριστοῦ⌝ ἐνοικείτω ἐν ὑμῖν
πλουσίως ἐν πάσῃ σοφίᾳ· διδάσκοντες καὶ νουθετοῦντες
ἑαυτοὺς ψαλμοῖς, ὕμνοις, ᾠδαῖς πνευματικαῖς ἐν ᵀ χάριτι,
17 ᾄδοντες ἐν ταῖς καρδίαις ὑμῶν τῷ θεῷ· καὶ πᾶν ὅτι
ἐὰν ποιῆτε ἐν λόγῳ ἢ ἐν ἔργῳ, πάντα ἐν ὀνόματι κυρίου
Ἰησοῦ, εὐχαριστοῦντες τῷ θεῷ πατρὶ δι᾽ αὐτοῦ.

18   Αἱ γυναῖκες, ὑποτάσσεσθε τοῖς ἀνδράσιν, ὡς ἀνῆκεν
19 ἐν κυρίῳ. Οἱ ἄνδρες, ἀγαπᾶτε τὰς γυναῖκας καὶ μὴ
20 πικραίνεσθε πρὸς αὐτάς.   Τὰ τέκνα, ὑπακούετε
τοῖς γονεῦσιν κατὰ πάντα, τοῦτο γὰρ εὐάρεστόν ἐστιν
21 ἐν κυρίῳ. Οἱ πατέρες, μὴ ἐρεθίζετε τὰ τέκνα ὑμῶν,
22 ἵνα μὴ ἀθυμῶσιν.   Οἱ δοῦλοι, ὑπακούετε κατὰ
πάντα τοῖς κατὰ - σάρκα κυρίοις, μὴ ἐν ⌜ὀφθαλμο-
δουλίαις⌝, ὡς ἀνθρωπάρεσκοι, ἀλλ᾽ ἐν ἁπλότητι καρδίας,
23 φοβούμενοι τὸν κύριον. ὃ ἐὰν ποιῆτε, ἐκ ψυχῆς ἐργά-

12 ἅγιοι,   13 χριστὸς   16 κυρίου | τῇ   22 ὀφθαλμοδουλίᾳ

ζεσθε, ὡς τῷ κυρίῳ καὶ οὐκ ἀνθρώποις, εἰδότες ὅτι ἀπὸ 24
κυρίου ἀπολήμψεσθε τὴν ἀνταπόδοσιν τῆς κληρονομίας·
τῷ κυρίῳ Χριστῷ δουλεύετε· ὁ γὰρ ἀδικῶν κομίσεται 25
ὃ ἠδίκησεν, καὶ οὐκ ἔστιν προσωπολημψία. Οἱ κύριοι, 1
τὸ δίκαιον καὶ τὴν ἰσότητα τοῖς δούλοις παρέχεσθε,
εἰδότες ὅτι καὶ ὑμεῖς ἔχετε κύριον ἐν οὐρανῷ.

Τῇ προσευχῇ προσκαρτερεῖτε, γρηγοροῦντες ἐν αὐτῇ 2
ἐν εὐχαριστίᾳ, προσευχόμενοι ἅμα καὶ περὶ ἡμῶν, ἵνα 3
ὁ θεὸς ἀνοίξῃ ἡμῖν θύραν τοῦ λόγου, λαλῆσαι τὸ μυστή-
ριον τοῦ χριστοῦ, δι᾽ ὃ καὶ δέδεμαι, ἵνα φανερώσω αὐτὸ 4
ὡς δεῖ μὲ λαλῆσαι. Ἐν σοφίᾳ περιπατεῖτε πρὸς τοὺς 5
ἔξω, τὸν καιρὸν ἐξαγοραζόμενοι. ὁ λόγος ὑμῶν πάντοτε 6
ἐν χάριτι, ἅλατι ἠρτυμένος, εἰδέναι πῶς δεῖ ὑμᾶς ἑνὶ
ἑκάστῳ ἀποκρίνεσθαι.

Τὰ κατ᾽ ἐμὲ πάντα γνωρίσει ὑμῖν Τύχικος ὁ ἀγαπητὸς 7
ἀδελφὸς καὶ πιστὸς διάκονος καὶ σύνδουλος ἐν κυρίῳ,
ὃν ἔπεμψα πρὸς ὑμᾶς εἰς αὐτὸ τοῦτο ἵνα γνῶτε τὰ 8
περὶ ἡμῶν καὶ παρακαλέσῃ τὰς καρδίας ὑμῶν, σὺν 9
Ὀνησίμῳ τῷ πιστῷ καὶ ἀγαπητῷ ἀδελφῷ, ὅς ἐστιν
ἐξ ὑμῶν· πάντα ὑμῖν γνωρίσουσιν τὰ ὧδε.

Ἀσπάζεται ὑμᾶς Ἀρίσταρχος ὁ συναιχμάλωτός μου, 10
καὶ Μάρκος ὁ ἀνεψιὸς Βαρνάβα, (περὶ οὗ ἐλάβετε ἐντο-
λάς, ἐὰν ἔλθῃ πρὸς ὑμᾶς δέξασθε αὐτόν,) καὶ Ἰησοῦς 11
ὁ λεγόμενος Ἰοῦστος, οἱ ὄντες ἐκ περιτομῆς, οὗτοι
μόνοι συνεργοὶ εἰς τὴν βασιλείαν τοῦ θεοῦ, οἵτινες
ἐγενήθησάν μοι παρηγορία. ἀσπάζεται ὑμᾶς Ἐπαφρᾶς 12
ὁ ἐξ ὑμῶν, δοῦλος Χριστοῦ Ἰησοῦ, πάντοτε ἀγωνιζόμενος
ὑπὲρ ὑμῶν ἐν ταῖς προσευχαῖς, ἵνα σταθῆτε τέλειοι
καὶ πεπληροφορημένοι ἐν παντὶ θελήματι τοῦ θεοῦ.
μαρτυρῶ γὰρ αὐτῷ ὅτι ἔχει πολὺν πόνον ὑπὲρ ὑμῶν 13
καὶ τῶν ἐν Λαοδικίᾳ καὶ τῶν ἐν Ἱερᾷ Πόλει. ἀσπά- 14
ζεται ὑμᾶς Λουκᾶς ὁ ἰατρὸς ὁ ἀγαπητὸς καὶ Δημᾶς.
Ἀσπάσασθε τοὺς ἐν Λαοδικίᾳ ἀδελφοὺς καὶ Νύμφαν καὶ 15

16 τὴν κατ᾽ οἶκον αὐτῆς ἐκκλησίαν. καὶ ὅταν ἀναγνωσθῇ παρ᾽ ὑμῖν ἡ ἐπιστολή, ποιήσατε ἵνα καὶ ἐν τῇ Λαοδικέων ἐκκλησίᾳ ἀναγνωσθῇ, καὶ τὴν ἐκ Λαοδικίας ἵνα 17 καὶ ὑμεῖς ἀναγνῶτε. καὶ εἴπατε Ἀρχίππῳ Βλέπε τὴν διακονίαν ἣν παρέλαβες ἐν κυρίῳ, ἵνα αὐτὴν πληροῖς. 18 Ὁ ἀσπασμὸς τῇ ἐμῇ χειρὶ Παύλου. μνημονεύετέ μου τῶν δεσμῶν. ἡ χάρις μεθ᾽ ὑμῶν.

ΠΡΟΣ ΘΕΣΣΑΛΟΝΙΚΕΙΣ Α

ΠΑΥΛΟΣ ΚΑΙ ΣΙΛΟΥΑΝΟΣ ΚΑΙ ΤΙΜΟΘΕΟΣ τῇ 1
ἐκκλησίᾳ Θεσσαλονικέων ἐν θεῷ πατρὶ καὶ κυρίῳ Ἰησοῦ
Χριστῷ· χάρις ὑμῖν καὶ εἰρήνη.

Εὐχαριστοῦμεν τῷ θεῷ πάντοτε περὶ πάντων ὑμῶν 2
μνείαν ποιούμενοι ἐπὶ τῶν προσευχῶν ἡμῶν, ἀδιαλείπτως
μνημονεύοντες ὑμῶν τοῦ ἔργου τῆς πίστεως καὶ τοῦ 3
κόπου τῆς ἀγάπης καὶ τῆς ὑπομονῆς τῆς ἐλπίδος τοῦ
κυρίου ἡμῶν Ἰησοῦ Χριστοῦ ἔμπροσθεν τοῦ θεοῦ καὶ
πατρὸς ἡμῶν, εἰδότες, ἀδελφοὶ ἠγαπημένοι ὑπὸ [τοῦ] 4
θεοῦ, τὴν ἐκλογὴν ὑμῶν, ὅτι τὸ εὐαγγέλιον ἡμῶν οὐκ ἐγε- 5
νήθη εἰς ὑμᾶς ἐν λόγῳ μόνον ἀλλὰ καὶ ἐν δυνάμει καὶ
ἐν πνεύματι ἁγίῳ καὶ πληροφορίᾳ πολλῇ, καθὼς οἴδατε
οἷοι ἐγενήθημεν ⌐ ὑμῖν δι᾽ ὑμᾶς· καὶ ὑμεῖς μιμηταὶ ἡμῶν 6
ἐγενήθητε καὶ τοῦ κυρίου, δεξάμενοι τὸν λόγον ἐν θλίψει
πολλῇ μετὰ χαρᾶς πνεύματος ἁγίου, ὥστε γενέσθαι ὑμᾶς 7
⌐τύπον⌐ πᾶσιν τοῖς πιστεύουσιν ἐν τῇ Μακεδονίᾳ καὶ ἐν
τῇ Ἀχαίᾳ. ἀφ᾽ ὑμῶν γὰρ ἐξήχηται ὁ λόγος τοῦ κυρίου 8
οὐ μόνον ἐν τῇ Μακεδονίᾳ καὶ Ἀχαίᾳ, ἀλλ᾽ ἐν παντὶ
τόπῳ ἡ πίστις ὑμῶν ἡ πρὸς τὸν θεὸν ἐξελήλυθεν, ὥστε
μὴ χρείαν ἔχειν ἡμᾶς λαλεῖν τι· αὐτοὶ γὰρ περὶ ⌐ἡμῶν⌐ 9
ἀπαγγέλλουσιν ὁποίαν εἴσοδον ἔσχομεν πρὸς ὑμᾶς, καὶ
πῶς ἐπεστρέψατε πρὸς τὸν θεὸν ἀπὸ τῶν εἰδώλων δου-
λεύειν θεῷ ζῶντι καὶ ἀληθινῷ, καὶ ἀναμένειν τὸν υἱὸν 10
αὐτοῦ ἐκ τῶν οὐρανῶν, ὃν ἤγειρεν ἐκ [τῶν] νεκρῶν,
Ἰησοῦν τὸν ῥυόμενον ἡμᾶς ἐκ τῆς ὀργῆς τῆς ἐρχομένης.

5 ἐν   7 τύπους   9 ὑμῶν

1   Αὐτοὶ γὰρ οἴδατε, ἀδελφοί, τὴν εἴσοδον ἡμῶν τὴν πρὸς
2 ὑμᾶς ὅτι οὐ κενὴ γέγονεν, ἀλλὰ προπαθόντες καὶ ὑβρισθέν-
τες καθὼς οἴδατε ἐν Φιλίπποις ἐπαρρησιασάμεθα ἐν τῷ
θεῷ ἡμῶν λαλῆσαι πρὸς ὑμᾶς τὸ εὐαγγέλιον τοῦ θεοῦ ἐν
3 πολλῷ ἀγῶνι. ἡ γὰρ παράκλησις ἡμῶν οὐκ ἐκ πλάνης
4 οὐδὲ ἐξ ἀκαθαρσίας οὐδὲ ἐν δόλῳ, ἀλλὰ καθὼς δεδοκι-
μάσμεθα ὑπὸ τοῦ θεοῦ πιστευθῆναι τὸ εὐαγγέλιον οὕτως
λαλοῦμεν, οὐχ ὡς ἀνθρώποις ἀρέσκοντες ἀλλὰ θεῷ τῷ
5 ΔΟΚΙΜΆΖΟΝΤΙ ΤᾺC ΚΑΡΔΊΑC ἡμῶν. οὔτε γάρ ποτε ἐν λόγῳ
κολακίας ἐγενήθημεν, καθὼς οἴδατε, οὔτε προφάσει πλεο-
6 νεξίας, θεὸς μάρτυς, οὔτε ζητοῦντες ἐξ ἀνθρώπων δόξαν,
7 οὔτε ἀφ' ὑμῶν οὔτε ἀπ' ἄλλων, δυνάμενοι ἐν βάρει εἶναι
ὡς Χριστοῦ ἀπόστολοι· ἀλλὰ ἐγενήθημεν νήπιοι ἐν μέσῳ
8 ὑμῶν, ὡς ἐὰν τροφὸς θάλπῃ τὰ ἑαυτῆς τέκνα· οὕτως
ὁμειρόμενοι ὑμῶν ηὐδοκοῦμεν μεταδοῦναι ὑμῖν οὐ μόνον τὸ
εὐαγγέλιον τοῦ θεοῦ ἀλλὰ καὶ τὰς ἑαυτῶν ψυχάς, διότι
9 ἀγαπητοὶ ἡμῖν ἐγενήθητε· μνημονεύετε γάρ, ἀδελφοί, τὸν
κόπον ἡμῶν καὶ τὸν μόχθον· νυκτὸς καὶ ἡμέρας ἐργαζό-
μενοι πρὸς τὸ μὴ ἐπιβαρῆσαί τινα ὑμῶν ἐκηρύξαμεν εἰς
10 ὑμᾶς τὸ εὐαγγέλιον τοῦ θεοῦ. ὑμεῖς μάρτυρες καὶ ὁ θεός,
ὡς ὁσίως καὶ δικαίως καὶ ἀμέμπτως ὑμῖν τοῖς πιστεύουσιν
11 ἐγενήθημεν, καθάπερ οἴδατε ὡς ἕνα ἕκαστον ὑμῶν ὡς
12 πατὴρ τέκνα ἑαυτοῦ παρακαλοῦντες ὑμᾶς καὶ παραμυθού-
μενοι καὶ μαρτυρόμενοι, εἰς τὸ περιπατεῖν ὑμᾶς ἀξίως τοῦ
θεοῦ τοῦ ⌈καλοῦντος⌉ ὑμᾶς εἰς τὴν ἑαυτοῦ βασιλείαν καὶ
δόξαν.

13   Καὶ διὰ τοῦτο καὶ ἡμεῖς εὐχαριστοῦμεν τῷ θεῷ ἀδια-
λείπτως, ὅτι παραλαβόντες λόγον ἀκοῆς παρ' ἡμῶν τοῦ
θεοῦ ἐδέξασθε οὐ λόγον ἀνθρώπων ἀλλὰ καθὼς ἀληθῶς
ἐστὶν λόγον θεοῦ, ὃς καὶ ἐνεργεῖται ἐν ὑμῖν τοῖς πιστεύ-
14 ουσιν. ὑμεῖς γὰρ μιμηταὶ ἐγενήθητε, ἀδελφοί, τῶν ἐκ-
κλησιῶν τοῦ θεοῦ τῶν οὐσῶν ἐν τῇ Ἰουδαίᾳ ἐν Χριστῷ
Ἰησοῦ, ὅτι τὰ αὐτὰ ἐπάθετε καὶ ὑμεῖς ὑπὸ τῶν ἰδίων

12 καλέσαντος

συμφυλετῶν καθὼς καὶ αὐτοὶ ὑπὸ τῶν Ἰουδαίων, τῶν καὶ 15
τὸν κύριον ἀποκτεινάντων Ἰησοῦν καὶ τοὺς προφήτας καὶ
ἡμᾶς ἐκδιωξάντων, καὶ θεῷ μὴ ἀρεσκόντων, καὶ πᾶσιν
ἀνθρώποις ἐναντίων, κωλυόντων ἡμᾶς τοῖς ἔθνεσιν λα- 16
λῆσαι ἵνα σωθῶσιν, εἰς τὸ ἀΝαπληρῶςαι αὐτῶν τὰς
ἁμαρτίαc πάντοτε. ⌈ἔφθαcεν⌉ δὲ ἐπ᾽ αὐτοὺς ἡ ὀργὴ εἰς
τέλος.

Ἡμεῖς δέ, ἀδελφοί, ἀπορφανισθέντες ἀφ᾽ ὑμῶν πρὸς 17
καιρὸν ὥρας, προσώπῳ οὐ καρδίᾳ, περισσοτέρως ἐσπουδά-
σαμεν τὸ πρόσωπον ὑμῶν ἰδεῖν ἐν πολλῇ ἐπιθυμίᾳ.
διότι ἠθελήσαμεν ἐλθεῖν πρὸς ὑμᾶς, ἐγὼ μὲν Παῦλος 18
καὶ ἅπαξ καὶ δίς, καὶ ἐνέκοψεν ἡμᾶς ὁ Σατανᾶς. τίς 19
γὰρ ἡμῶν ἐλπὶς ἢ χαρὰ ἢ στέφανος καυχήσεως — ἢ οὐχὶ
καὶ ὑμεῖς — ἔμπροσθεν τοῦ κυρίου ἡμῶν Ἰησοῦ ἐν τῇ
αὐτοῦ παρουσίᾳ; ὑμεῖς γάρ ἐστε ἡ δόξα ἡμῶν καὶ ἡ 20
χαρά.   Διὸ μηκέτι στέγοντες ηὐδοκήσαμεν 1
καταλειφθῆναι ἐν Ἀθήναις μόνοι, καὶ ἐπέμψαμεν Τιμό- 2
θεον, τὸν ἀδελφὸν ἡμῶν καὶ ⌈διάκονον τοῦ θεοῦ⌉ ἐν τῷ
εὐαγγελίῳ τοῦ χριστοῦ, εἰς τὸ στηρίξαι ὑμᾶς καὶ παρα-
καλέσαι ὑπὲρ τῆς πίστεως ὑμῶν τὸ μηδένα σαίνεσθαι 3
ἐν ταῖς θλίψεσιν ταύταις. αὐτοὶ γὰρ οἴδατε ὅτι εἰς τοῦτο
κείμεθα· καὶ γὰρ ὅτε πρὸς ὑμᾶς ἦμεν, προελέγομεν ὑμῖν 4
ὅτι μέλλομεν θλίβεσθαι, καθὼς καὶ ἐγένετο καὶ οἴδατε.
διὰ τοῦτο κἀγὼ μηκέτι στέγων ἔπεμψα εἰς τὸ γνῶναι τὴν 5
⌈πίστιν ὑμῶν⌉, μή πως ἐπείρασεν ὑμᾶς ὁ πειράζων καὶ
εἰς κενὸν γένηται ὁ κόπος ἡμῶν. Ἄρτι δὲ ἐλθόντος 6
Τιμοθέου πρὸς ἡμᾶς ἀφ᾽ ὑμῶν καὶ εὐαγγελισαμένου ἡμῖν
τὴν πίστιν καὶ τὴν ἀγάπην ὑμῶν, καὶ ὅτι ἔχετε μνείαν
ἡμῶν ἀγαθὴν πάντοτε ἐπιποθοῦντες ἡμᾶς ἰδεῖν καθάπερ
καὶ ἡμεῖς ὑμᾶς, διὰ τοῦτο παρεκλήθημεν, ἀδελφοί, 7
ἐφ᾽ ὑμῖν ἐπὶ πάσῃ τῇ ἀνάγκῃ καὶ θλίψει ἡμῶν διὰ τῆς
ὑμῶν πίστεως, ὅτι νῦν ζῶμεν ἐὰν ὑμεῖς στήκετε ἐν κυρίῳ. 8
τίνα γὰρ εὐχαριστίαν δυνάμεθα τῷ θεῷ ἀνταποδοῦναι περὶ 9

16 ἔφθακεν   2 συνεργὸν [τοῦ θεοῦ]   5 ὑμῶν πίστιν

ὑμῶν ἐπὶ πάσῃ τῇ χαρᾷ ᾗ χαίρομεν δι᾽ ὑμᾶς ἔμπροσθεν
10 τοῦ θεοῦ ἡμῶν, νυκτὸς καὶ ἡμέρας ὑπερεκπερισσοῦ δεό-
μενοι εἰς τὸ ἰδεῖν ὑμῶν τὸ πρόσωπον καὶ καταρτίσαι τὰ
11 ὑστερήματα τῆς πίστεως ὑμῶν;   Αὐτὸς δὲ ὁ
θεὸς καὶ πατὴρ ἡμῶν καὶ ὁ κύριος ἡμῶν Ἰησοῦς κατευ-
12 θύναι τὴν ὁδὸν ἡμῶν πρὸς ὑμᾶς· ὑμᾶς δὲ ὁ κύριος πλεο-
νάσαι καὶ περισσεύσαι τῇ ἀγάπῃ εἰς ἀλλήλους καὶ εἰς
13 πάντας, καθάπερ καὶ ἡμεῖς εἰς ὑμᾶς, εἰς τὸ στηρίξαι ὑμῶν
τὰς καρδίας ⌜ἀμέμπτους⌝ ἐν ἁγιωσύνῃ ἔμπροσθεν τοῦ θεοῦ
καὶ πατρὸς ἡμῶν ἐν τῇ παρουσίᾳ τοῦ κυρίου ἡμῶν Ἰησοῦ
μετὰ πάντων τῶν ἁγίων αὐτοῦ.⊤

1 ⌜Λοιπόν⌝, ἀδελφοί, ἐρωτῶμεν ὑμᾶς καὶ παρακαλοῦ-
μεν ἐν κυρίῳ Ἰησοῦ, [ἵνα] καθὼς παρελάβετε παρ᾽ ἡ-
μῶν τὸ πῶς δεῖ ὑμᾶς περιπατεῖν καὶ ἀρέσκειν θεῷ,
2 καθὼς καὶ περιπατεῖτε,– ἵνα περισσεύητε μᾶλλον. οἴδατε
γὰρ τίνας παραγγελίας ἐδώκαμεν ὑμῖν διὰ τοῦ κυρίου
3 Ἰησοῦ.   Τοῦτο γάρ ἐστιν θέλημα τοῦ θεοῦ,
ὁ ἁγιασμὸς ὑμῶν, ἀπέχεσθαι ὑμᾶς ἀπὸ τῆς πορνείας,
4 εἰδέναι ἕκαστον ὑμῶν τὸ ἑαυτοῦ σκεῦος κτᾶσθαι ἐν ἁγια-
5 σμῷ καὶ τιμῇ, μὴ ἐν πάθει ἐπιθυμίας καθάπερ καὶ τὰ
6 ἔθνη τὰ μὴ εἰδότα τὸν θεόν, τὸ μὴ ὑπερβαίνειν καὶ
πλεονεκτεῖν ἐν τῷ πράγματι τὸν ἀδελφὸν αὐτοῦ, διότι
ἔκδικος Κύριος περὶ πάντων τούτων, καθὼς καὶ προεί-
7 παμεν ὑμῖν καὶ διεμαρτυράμεθα. οὐ γὰρ ἐκάλεσεν ἡμᾶς ὁ
8 θεὸς ἐπὶ ἀκαθαρσίᾳ ἀλλ᾽ ἐν ἁγιασμῷ. τοιγαροῦν ὁ ἀθε-
τῶν οὐκ ἄνθρωπον ἀθετεῖ ἀλλὰ τὸν θεὸν τὸν ΔΙΔΟΝΤΑ ΤΟ
9 ΠΝΕῩΜΑ ΑΥΤΟῩ τὸ ἅγιον ΕἸΣ ῩΜᾶΣ.   Περὶ δὲ
τῆς φιλαδελφίας οὐ χρείαν ἔχετε γράφειν ὑμῖν, αὐτοὶ
γὰρ ὑμεῖς θεοδίδακτοί ἐστε εἰς τὸ ἀγαπᾶν ἀλλήλους·
10 καὶ γὰρ ποιεῖτε αὐτὸ εἰς πάντας τοὺς ἀδελφοὺς [τοὺς] ἐν
ὅλῃ τῇ Μακεδονίᾳ.   Παρακαλοῦμεν δὲ ὑμᾶς,
11 ἀδελφοί, περισσεύειν μᾶλλον, καὶ φιλοτιμεῖσθαι ἡσυχά-
ζειν καὶ πράσσειν τὰ ἴδια καὶ ἐργάζεσθαι ταῖς χερσὶν

13 ἀμέμπτως | ἀμήν.   1 Λοιπὸν οὖν

ὑμῶν, καθὼς ὑμῖν παρηγγείλαμεν, ἵνα περιπατῆτε εὐσχη- 12
μόνως πρὸς τοὺς ἔξω καὶ μηδενὸς χρείαν ἔχητε.

Οὐ θέλομεν δὲ ὑμᾶς ἀγνοεῖν, ἀδελφοί, περὶ τῶν 13
κοιμωμένων, ἵνα μὴ λυπῆσθε καθὼς καὶ οἱ λοιποὶ οἱ μὴ
ἔχοντες ἐλπίδα. εἰ γὰρ πιστεύομεν ὅτι Ἰησοῦς ἀπέθανεν 14
καὶ ἀνέστη, οὕτως καὶ ὁ θεὸς τοὺς κοιμηθέντας διὰ τοῦ
Ἰησοῦ ἄξει σὺν αὐτῷ. Τοῦτο γὰρ ὑμῖν λέγομεν ἐν 15
λόγῳ κυρίου, ὅτι ἡμεῖς οἱ ζῶντες οἱ περιλειπόμενοι εἰς
τὴν παρουσίαν τοῦ κυρίου οὐ μὴ φθάσωμεν τοὺς κοιμη-
θέντας· ὅτι αὐτὸς ὁ κύριος ἐν κελεύσματι, ἐν φωνῇ 16
ἀρχαγγέλου καὶ ἐν σάλπιγγι θεοῦ, καταβήσεται ἀπ᾽ οὐ-
ρανοῦ, καὶ οἱ νεκροὶ ἐν Χριστῷ ἀναστήσονται πρῶτον,
ἔπειτα ἡμεῖς οἱ ζῶντες οἱ περιλειπόμενοι ἅμα σὺν αὐτοῖς 17
ἁρπαγησόμεθα ἐν νεφέλαις εἰς ἀπάντησιν τοῦ κυρίου εἰς
ἀέρα· καὶ οὕτως πάντοτε σὺν κυρίῳ ἐσόμεθα. Ὥστε 18
παρακαλεῖτε ἀλλήλους ἐν τοῖς λόγοις τούτοις.

Περὶ δὲ τῶν χρόνων καὶ τῶν καιρῶν, ἀδελφοί, οὐ 1
χρείαν ἔχετε ὑμῖν γράφεσθαι, αὐτοὶ γὰρ ἀκριβῶς οἴδατε 2
ὅτι ἡμέρα Κυρίου ὡς κλέπτης ἐν νυκτὶ οὕτως ἔρχεται.
ὅταν ᵀ λέγωσιν Εἰρήνη καὶ ἀσφάλεια, τότε αἰφνί- 3
διος αὐτοῖς ἐπίσταται ὄλεθρος ὥσπερ ἡ ὠδὶν τῇ ἐν
γαστρὶ ἐχούσῃ, καὶ οὐ μὴ ἐκφύγωσιν. ὑμεῖς δέ, ἀδελ- 4
φοί, οὐκ ἐστὲ ἐν σκότει, ἵνα ἡ ἡμέρα ὑμᾶς ὡς ⌜κλέπτας⌝
καταλάβῃ, πάντες γὰρ ὑμεῖς υἱοὶ φωτός ἐστε καὶ υἱοὶ 5
ἡμέρας. Οὐκ ἐσμὲν νυκτὸς οὐδὲ σκότους· ἄρα οὖν μὴ 6
καθεύδωμεν ὡς οἱ λοιποί, ἀλλὰ γρηγορῶμεν καὶ νήφωμεν.
οἱ γὰρ καθεύδοντες νυκτὸς καθεύδουσιν, καὶ οἱ μεθυσκό- 7
μενοι νυκτὸς μεθύουσιν· ἡμεῖς δὲ ἡμέρας ὄντες νήφωμεν, 8
ἐνΔΥσάμενοι θώρακα πίστεως καὶ ἀγάπης καὶ περικε-
φαλαίαν ἐλπίδα ϲωτηρίαϲ· ὅτι οὐκ ἔθετο ⌜ἡμᾶς ὁ θεὸς⌝ 9
εἰς ὀργὴν ἀλλὰ εἰς περιποίησιν σωτηρίας διὰ τοῦ κυρίου
ἡμῶν Ἰησοῦ [Χριστοῦ], τοῦ ἀποθανόντος ⌜περὶ⌝ ἡμῶν 10
ἵνα εἴτε γρηγορῶμεν εἴτε καθεύδωμεν ἅμα σὺν αὐτῷ ζήσω-

3 δὲ   4 κλέπτης   9 ὁ θεὸς ἡμᾶς   10 ὑπὲρ

11 μεν. Διὸ παρακαλεῖτε ἀλλήλους καὶ οἰκοδομεῖτε εἰς τὸν ἕνα, καθὼς καὶ ποιεῖτε.

12 Ἐρωτῶμεν δὲ ὑμᾶς, ἀδελφοί, εἰδέναι τοὺς κοπιῶντας ἐν ὑμῖν καὶ προϊσταμένους ὑμῶν ἐν κυρίῳ καὶ νουθετοῦντας 13 ὑμᾶς, καὶ ἡγεῖσθαι αὐτοὺς ⌜ὑπερεκπερισσοῦ⌝ ἐν ἀγάπῃ διὰ 14 τὸ ἔργον αὐτῶν. εἰρηνεύετε ἐν ἑαυτοῖς. Παρακαλοῦμεν δὲ ὑμᾶς, ἀδελφοί, νουθετεῖτε τοὺς ἀτάκτους, παραμυθεῖσθε τοὺς ὀλιγοψύχους, ἀντέχεσθε τῶν ἀσθενῶν, μακροθυμεῖτε 15 πρὸς πάντας. ὁρᾶτε μή τις κακὸν ἀντὶ κακοῦ τινὶ ἀπο-δῷ, ἀλλὰ πάντοτε τὸ ἀγαθὸν διώκετε ᵀ εἰς ἀλλήλους καὶ
16
17 εἰς πάντας. Πάντοτε χαίρετε, ἀδιαλείπτως προσεύχεσθε, 18 ἐν παντὶ εὐχαριστεῖτε· τοῦτο γὰρ θέλημα θεοῦ ἐν Χριστῷ
19
20 Ἰησοῦ εἰς ὑμᾶς. τὸ πνεῦμα μὴ σβέννυτε, προφητείας μὴ 21 ἐξουθενεῖτε· πάντα [δὲ] δοκιμάζετε, τὸ καλὸν κατέχετε,
22
23 ἀπὸ ΠΑΝΤΟΣ εἴδους ΠΟΝΗΡΟΥ ἀπέχεσθε. Αὐτὸς δὲ ὁ θεὸς τῆς εἰρήνης ἁγιάσαι ὑμᾶς ὁλοτελεῖς, καὶ ὁλόκληρον ὑμῶν τὸ πνεῦμα καὶ ἡ ψυχὴ καὶ τὸ σῶμα ἀμέμπτως ἐν τῇ παρουσίᾳ τοῦ κυρίου ἡμῶν Ἰησοῦ Χριστοῦ τηρηθείη 24 πιστὸς ὁ καλῶν ὑμᾶς, ὃς καὶ ποιήσει.

25 Ἀδελφοί, προσεύχεσθε [καὶ] περὶ ἡμῶν.

26 Ἀσπάσασθε τοὺς ἀδελφοὺς πάντας ἐν φιλήματι 27 ἁγίῳ. Ἐνορκίζω ὑμᾶς τὸν κύριον ἀναγνωσθῆναι τὴν ἐπιστολὴν πᾶσιν τοῖς ᵀ ἀδελφοῖς.

28 Ἡ χάρις τοῦ κυρίου ἡμῶν Ἰησοῦ Χριστοῦ μεθ' ὑμῶν.

13 ὑπερεκπερισσῶς   15 καὶ   27 ἁγίοις

ΠΡΟΣ ΘΕΣΣΑΛΟΝΙΚΕΙΣ Β

ΠΑΥΛΟΣ ΚΑΙ ΣΙΛΟΥΑΝΟΣ ΚΑΙ ΤΙΜΟΘΕΟΣ τῇ 1
ἐκκλησίᾳ Θεσσαλονικέων ἐν θεῷ πατρὶ ἡμῶν καὶ κυρίῳ
Ἰησοῦ Χριστῷ· χάρις ὑμῖν καὶ εἰρήνη ἀπὸ θεοῦ πατρὸς 2
καὶ κυρίου Ἰησοῦ Χριστοῦ.

Εὐχαριστεῖν ὀφείλομεν τῷ θεῷ πάντοτε περὶ ὑμῶν, 3
ἀδελφοί, καθὼς ἄξιόν ἐστιν, ὅτι ὑπεραυξάνει ἡ πίστις
ὑμῶν καὶ πλεονάζει ἡ ἀγάπη ἑνὸς ἑκάστου πάντων ὑμῶν
εἰς ἀλλήλους, ὥστε αὐτοὺς ἡμᾶς ἐν ὑμῖν ἐνκαυχᾶσθαι ἐν 4
ταῖς ἐκκλησίαις τοῦ θεοῦ ὑπὲρ τῆς ὑπομονῆς ὑμῶν καὶ
πίστεως ἐν πᾶσιν τοῖς διωγμοῖς ὑμῶν καὶ ταῖς θλίψεσιν
αἷς ⌜ἀνέχεσθε⌝, ἔνδειγμα τῆς δικαίας κρίσεως τοῦ θεοῦ, εἰς 5
τὸ καταξιωθῆναι ὑμᾶς τῆς βασιλείας τοῦ θεοῦ, ὑπὲρ ἧς
καὶ πάσχετε, εἴπερ δίκαιον παρὰ θεῷ ἀνταποδοῦναι τοῖς 6
θλίβουσιν ὑμᾶς θλῖψιν καὶ ὑμῖν τοῖς θλιβομένοις ἄνεσιν 7
μεθ' ἡμῶν ἐν τῇ ἀποκαλύψει τοῦ κυρίου Ἰησοῦ ἀπ' οὐρανοῦ
μετ' ἀγγέλων δυνάμεως αὐτοῦ ἐν ΠΥΡΙ ΦΛΟΓΟΣ, ΔΙΔΟΝΤΟΣ 8
ἐΚΔΙΚΗϹΙΝ ΤΟΙϹ ΜΗ ΕΙΔΟϹΙ ΘΕΟΝ καὶ ΤΟΙϹ ΜΗ ΥΠΑΚΟΥ-
ΟΥϹΙΝ τῷ εὐαγγελίῳ τοῦ κυρίου ἡμῶν Ἰησοῦ, οἵτινες δίκην 9
τίσουσιν ὄλεθρον αἰώνιον ΑΠΟ ΠΡΟϹΩΠΟΥ ΤΟΥ ΚΥΡΙΟΥ
ΚΑΙ ΑΠΟ ΤΗϹ ΔΟΞΗϹ ΤΗϹ ΙϹΧΥΟϹ ΑΥΤΟΥ, ὅταν ἔλθῃ 10
ἐΝΔΟΞΑϹΘΗΝΑΙ ἐΝ ΤΟΙϹ ἉΓΙΟΙϹ ΑΥΤΟΥ καὶ ΘΑΥΜΑϹΘΗΝΑΙ
ἐν πᾶσιν τοῖς πιστεύσασιν, ὅτι ⌜ἐπιστεύθη⌝ τὸ μαρτύριον
ἡμῶν ἐφ' ὑμᾶς, ἐν ΤΗ ΗΜΕΡΑ ἐκείνῃ.   Εἰς ὃ καὶ 11
προσευχόμεθα πάντοτε περὶ ὑμῶν, ἵνα ὑμᾶς ἀξιώσῃ τῆς
κλήσεως ὁ θεὸς ἡμῶν καὶ πληρώσῃ πᾶσαν εὐδοκίαν ἀγα-

12 θωσύνης καὶ ἔργον πίστεως ἐν δυνάμει, ὅπως ἐνΔοΞαcθῇ
τὸ ὄΝΟΜΑ τοῦ κυρίου ἡμῶν Ἰησοῦ ἐν ὑΜῖΝ, καὶ ὑμεῖς
ἐν αὐτῷ, κατὰ τὴν χάριν τοῦ θεοῦ ἡμῶν καὶ κυρίου Ἰησοῦ
Χριστοῦ.

1 Ἐρωτῶμεν δὲ ὑμᾶς, ἀδελφοί, ὑπὲρ τῆς παρουσίας τοῦ
κυρίου [ἡμῶν] Ἰησοῦ Χριστοῦ καὶ ἡμῶν ἐπισυναγωγῆς
2 ἐπ᾽ αὐτόν, εἰς τὸ μὴ ταχέως σαλευθῆναι ὑμᾶς ἀπὸ τοῦ νοὸς
μηδὲ θροεῖσθαι μήτε διὰ πνεύματος μήτε διὰ λόγου μήτε
δι᾽ ἐπιστολῆς ὡς δι᾽ ἡμῶν, ὡς ὅτι ἐνέστηκεν ἡ ἡμέρα τοῦ
3 ⌜κυρίου.⌝ μή τις ὑμᾶς ἐξαπατήσῃ κατὰ μηδένα τρόπον·
ὅτι ἐὰν μὴ ἔλθῃ ἡ ἀποστασία πρῶτον καὶ ἀποκαλυφθῇ
4 ὁ ἄνθρωπος τῆς ⌜ἀνομίας⌝, ὁ υἱὸς τῆς ἀπωλείας, ὁ ἀντι-
κείμενος καὶ ὑπεραιρόμενος ἐπὶ πάντα λεγόμενον
θεὸν ἢ σέβασμα, ὥστε αὐτὸν εἰς τὸν ναὸν τοῦ θεοῦ
5 καθίcαι, ἀποδεικνύντα ἑαυτὸν ὅτι ἔστιν θεός—. Οὐ
μνημονεύετε ὅτι ἔτι ὢν πρὸς ὑμᾶς ταῦτα ἔλεγον ὑμῖν;
6 καὶ νῦν τὸ κατέχον οἴδατε, εἰς τὸ ἀποκαλυφθῆναι αὐτὸν
7 ἐν τῷ αὐτοῦ καιρῷ· τὸ γὰρ μυστήριον ἤδη ἐνεργεῖται τῆς
ἀνομίας· μόνον ὁ κατέχων ἄρτι ἕως ἐκ μέσου γένηται.
8 καὶ τότε ἀποκαλυφθήσεται ὁ ἄΝΟΜΟΣ, ὃν ὁ κύριος [Ἰη-
σοῦς] ⌜ἀΝελεῖ⌝ τῷ πΝεύΜΑτι τοῦ cτόΜΑτος αὐτοῦ
9 καὶ καταργήσει τῇ ἐπιφανείᾳ τῆς παρουσίας αὐτοῦ, οὗ
ἐστὶν ἡ παρουσία κατ᾽ ἐνέργειαν τοῦ Σατανᾶ ἐν πάσῃ
10 δυνάμει καὶ σημείοις καὶ τέρασιν ψεύδους καὶ ἐν πάσῃ
ἀπάτῃ ἀδικίας τοῖς ἀπολλυμένοις, ἀνθ᾽ ὧν τὴν ἀγάπην
11 τῆς ἀληθείας οὐκ ἐδέξαντο εἰς τὸ σωθῆναι αὐτούς· καὶ
διὰ τοῦτο πέμπει αὐτοῖς ὁ θεὸς ἐνέργειαν πλάνης εἰς τὸ
12 πιστεῦσαι αὐτοὺς τῷ ψεύδει, ἵνα κριθῶσιν ⌜πάντες⌝ οἱ μὴ
πιστεύσαντες τῇ ἀληθείᾳ ἀλλὰ εὐδοκήσαντες τῇ ἀδικίᾳ.

13 Ἡμεῖς δὲ ὀφείλομεν εὐχαριστεῖν τῷ θεῷ πάντοτε
περὶ ὑμῶν, ἀδελφοὶ ἨΓΑπημένοι ὑπὸ Κυρίου, ὅτι εἵ-
λατο ὑμᾶς ὁ θεὸς ⌜ἀπ᾽ ἀρχῆς⌝ εἰς σωτηρίαν ἐν ἁγιασμῷ
14 πνεύματος καὶ πίστει ἀληθείας, εἰς ὃ ἐκάλεσεν ὑμᾶς διὰ

2 κυρίου.—   3 ἁμαρτίας   8 ἀναλοῖ   12 ἅπαντες   13 ἀπαρχὴν

τοῦ εὐαγγελίου ἡμῶν, εἰς περιποίησιν δόξης τοῦ κυρίου
ἡμῶν Ἰησοῦ Χριστοῦ. Ἄρα οὖν, ἀδελφοί, στήκετε, καὶ 15
κρατεῖτε τὰς παραδόσεις ἃς ἐδιδάχθητε εἴτε διὰ λόγου
εἴτε δι' ἐπιστολῆς ἡμῶν. Αὐτὸς δὲ ὁ κύριος ἡμῶν Ἰησοῦς 16
Χριστὸς καὶ [ὁ] θεὸς ὁ πατὴρ ἡμῶν, ὁ ἀγαπήσας ἡμᾶς
καὶ δοὺς παράκλησιν αἰωνίαν καὶ ἐλπίδα ἀγαθὴν ἐν
χάριτι, παρακαλέσαι ὑμῶν τὰς καρδίας καὶ στηρίξαι ἐν 17
παντὶ ἔργῳ καὶ λόγῳ ἀγαθῷ.

Τὸ λοιπὸν προσεύχεσθε, ἀδελφοί, περὶ ἡμῶν, ἵνα 1
ὁ λόγος τοῦ κυρίου τρέχῃ καὶ δοξάζηται καθὼς καὶ πρὸς
ὑμᾶς, καὶ ἵνα ῥυσθῶμεν ἀπὸ τῶν ἀτόπων καὶ πονηρῶν 2
ἀνθρώπων, οὐ γὰρ πάντων ἡ πίστις.   Πιστὸς 3
δέ ἐστιν ὁ κύριος, ὃς στηρίξει ὑμᾶς καὶ φυλάξει ἀπὸ τοῦ
πονηροῦ. πεποίθαμεν δὲ ἐν κυρίῳ ἐφ' ὑμᾶς, ὅτι ἃ πα- 4
ραγγέλλομεν [καὶ] ποιεῖτε καὶ ποιήσετε. Ὁ δὲ κύριος 5
κατευθύναι ὑμῶν τὰς καρδίας εἰς τὴν ἀγάπην τοῦ θεοῦ
καὶ εἰς τὴν ὑπομονὴν τοῦ χριστοῦ.

Παραγγέλλομεν δὲ ὑμῖν, ἀδελφοί, ἐν ὀνόματι τοῦ 6
κυρίου ⸆ Ἰησοῦ Χριστοῦ στέλλεσθαι ὑμᾶς ἀπὸ παντὸς
ἀδελφοῦ ἀτάκτως περιπατοῦντος καὶ μὴ κατὰ τὴν παρά-
δοσιν ἣν ⌜παρελάβετε⌝ παρ' ἡμῶν. αὐτοὶ γὰρ οἴδατε 7
πῶς δεῖ μιμεῖσθαι ἡμᾶς, ὅτι οὐκ ἠτακτήσαμεν ἐν ὑμῖν
οὐδὲ δωρεὰν ἄρτον ἐφάγομεν παρά τινος, ἀλλ' ἐν κόπῳ 8
καὶ μόχθῳ νυκτὸς καὶ ἡμέρας ἐργαζόμενοι πρὸς τὸ μὴ
ἐπιβαρῆσαί τινα ὑμῶν· οὐχ ὅτι οὐκ ἔχομεν ἐξουσίαν, 9
ἀλλ' ἵνα ἑαυτοὺς τύπον δῶμεν ὑμῖν εἰς τὸ μιμεῖσθαι ἡμᾶς.
καὶ γὰρ ὅτε ἦμεν πρὸς ὑμᾶς, τοῦτο παρηγγέλλομεν ὑμῖν, 10
ὅτι εἴ τις οὐ θέλει ἐργάζεσθαι μηδὲ ἐσθιέτω. ἀκούομεν 11
γάρ τινας περιπατοῦντας ἐν ὑμῖν ἀτάκτως, μηδὲν ἐργα-
ζομένους ἀλλὰ περιεργαζομένους· τοῖς δὲ τοιούτοις πα- 12
ραγγέλλομεν καὶ παρακαλοῦμεν ἐν κυρίῳ Ἰησοῦ Χριστῷ
ἵνα μετὰ ἡσυχίας ἐργαζόμενοι τὸν ἑαυτῶν ἄρτον ἐσθίω-
σιν. Ὑμεῖς δέ, ἀδελφοί, μὴ ἐνκακήσητε καλοποιοῦντες. 13

6 ἡμῶν | παρελάβοσαν

14 εἰ δέ τις οὐχ ὑπακούει τῷ λόγῳ ἡμῶν διὰ τῆς ἐπιστολῆς,
τοῦτον σημειοῦσθε, μὴ συναναμίγνυσθαι αὐτῷ, ἵνα ἐν-
15 τραπῇ· καὶ μὴ ὡς ἐχθρὸν ἡγεῖσθε, ἀλλὰ νουθετεῖτε
16 ὡς ἀδελφόν. Αὐτὸς δὲ ὁ κύριος τῆς εἰρήνης δῴη ὑμῖν
τὴν εἰρήνην διὰ παντὸς ἐν παντὶ τρόπῳ. ὁ κύριος μετὰ
πάντων ὑμῶν.

17 Ὁ ἀσπασμὸς τῇ ἐμῇ χειρὶ Παύλου, ὅ ἐστιν σημεῖον ἐν
18 πάσῃ ἐπιστολῇ· οὕτως γράφω. ἡ χάρις τοῦ κυρίου ἡμῶν
Ἰησοῦ Χριστοῦ μετὰ πάντων ὑμῶν.

ΠΡΟΣ ΕΒΡΑΙΟΥΣ

ΠΟΛΥΜΕΡΩΣ ΚΑΙ ΠΟΛΥΤΡΟΠΩΣ πάλαι ὁ θεὸς 1
λαλήσας τοῖς πατράσιν ἐν τοῖς προφήταις ἐπ᾽ ἐσχάτου 2
τῶν ἡμερῶν τούτων ἐλάλησεν ἡμῖν ἐν υἱῷ, ὃν ἔθηκεν
κληρονόμον πάντων, δι᾽ οὗ καὶ ἐποίησεν τοὺς αἰῶνας· ὃς 3
ὢν ἀπαύγασμα τῆς δόξης καὶ χαρακτὴρ τῆς ὑποστάσεως
αὐτοῦ, φέρων τε τὰ πάντα τῷ ῥήματι τῆς δυνάμεως αὐ-
τοῦ, καθαρισμὸν τῶν ἁμαρτιῶν ποιησάμενος ἐκάθιϲεν ἐν
Δεξιᾷ τῆς μεγαλωσύνης ἐν ὑψηλοῖς, τοσούτῳ κρείττων 4
γενόμενος τῶν ἀγγέλων ὅσῳ διαφορώτερον παρ᾽ αὐτοὺς
κεκληρονόμηκεν ὄνομα.   Τίνι γὰρ εἶπέν ποτε 5
τῶν ἀγγέλων
       Υἱόϲ μογ εἶ ϲγ, ἐγὼ ϲήμερον γεγέννηκά ϲε,
καὶ πάλιν
       Ἐγὼ ἔϲομαι αγτῷ εἰϲ πατέρα, καὶ αγτὸϲ ἔϲται
                                     μοι εἰϲ γίόν;
ὅταν δὲ πάλιν εἰσαγάγῃ τὸν πρωτότοκον εἰς τὴν οἰκου- 6
μένην, λέγει
       Καὶ προϲκγνηϲάτωϲαν αγτῷ πάντεϲ ἄγγελοι
                                              θεογ.
καὶ πρὸς μὲν τοὺς ἀγγέλους λέγει   7
       Ὁ ποιῶν τογϲ ἀγγέλογϲ αγτογ πνεγματα,
       καὶ τογϲ λειτογργογϲ αγτογ πγρὸϲ φλόγα·
πρὸς δὲ τὸν υἱόν   8

Ὁ θρόνος ⌜cογ ὁ θεὸc εἰc τὸν αἰῶνα [τοῦ αἰῶνοc],
καὶ ἡ ῥάΒΔοc τῆc εὐθύτητοc ῥάΒΔοc τῆc Βαcι-
λείαc αὐτοῦ⌝.

9 Ἠráπηcαc Δικαιοcύνην καὶ ἐμίcηcαc ἀνομίαν·
Διὰ τοῦτο ἔχρicéν cε ὁ θεόc, ὁ θεόc coγ, ἔλαιον
ἀralλιάcεωc παρὰ τοὺc μετόχογc coγ·

10 καί
Cὺ κατ' ἀρχάc, κύριε, τὴν rῆν ἐθεμελίωcαc,
καὶ ἔρra τῶν χειρῶν coγ εἰcιν οἱ οὐρανοί·

11 αὐτοὶ ἀπολοῦνται, cὺ Δὲ Διαμένειc·
καὶ πάντεc ὡc ἱμάτιον παλαιωθήcονται,

12 καὶ ὡcεὶ περιΒόλαιον ἑλίξειc αὐτούc,
ὡς ἱμάτιον καὶ ἀλλαrήcονται·
cὺ Δὲ ὁ αὐτὸc εἶ, καὶ τὰ ἔτη coγ οὐκ ἐκλεί-
ψογcιν.

13 πρὸς τίνα δὲ τῶν ἀγγέλων εἴρηκέν ποτε
Κάθογ ἐκ Δεξιῶν μογ
ἕωc ἂν θῶ τοὺc ἐχθρούc coγ ὑποπόΔιον τῶν
ποΔῶν coγ;

14 οὐχὶ πάντες εἰσὶν λειτουργικὰ πνεύματα εἰς διακονίαν
ἀποστελλόμενα διὰ τοὺς μέλλοντας κληρονομεῖν σωτη-

1 ρίαν;   Διὰ τοῦτο δεῖ περισσοτέρως προσέχειν

2 ἡμᾶς τοῖς ἀκουσθεῖσιν, μή ποτε παραρυῶμεν. | εἰ γὰρ
ὁ δι' ἀγγέλων λαληθεὶς λόγος ἐγένετο βέβαιος, καὶ πᾶσα
παράβασις καὶ παρακοὴ ἔλαβεν ἔνδικον μισθαποδοσίαν,

3 πῶς ἡμεῖς ἐκφευξόμεθα τηλικαύτης ἀμελήσαντες σωτη-
ρίας, ἥτις, ἀρχὴν λαβοῦσα λαλεῖσθαι διὰ τοῦ κυρίου,

4 ὑπὸ τῶν ἀκουσάντων εἰς ἡμᾶς ἐβεβαιώθη, συνεπιμαρ-
τυροῦντος τοῦ θεοῦ σημείοις τε καὶ τέρασιν καὶ ποικίλαις
δυνάμεσιν καὶ πνεύματος ἁγίου μερισμοῖς κατὰ τὴν
αὐτοῦ θέλησιν;

5 Οὐ γὰρ ἀγγέλοις ὑπέταξεν τὴν οἰκουμένην τὴν μέλ-
6 λουσαν, περὶ ἧς λαλοῦμεν· διεμαρτύρατο δέ πού τις

8 σου, ὁ θεός, εἰς......βασιλείας σου

λέγων

Τί ἐcτιν ἄνθρωπος ὅτι μιμνήcκη αὐτοῦ,
ἢ γίὸc ἀνθρώπου ὅτι ἐπιcκέπτη αὐτόν;
ἠλάττωcαc αὐτὸν βραχύ τι παρ' ἀγγέλουc,   7
Δόξη καὶ τιμῆ ἐcτεφάνωcαc αὐτόν,
[καὶ κατέcτηcαc αὐτὸν ἐπὶ τὰ ἔργα τῶν χειρῶν
      coy,]
      πάντα ὑπέταξαc ὑποκάτω τῶν ποΔῶν αὐτοῦ·   8
ἐν τῷ γὰρ ὑποτάξαι [αὐτῷ] τὰ πάντα οὐδὲν ἀφῆκεν
αὐτῷ ἀνυπότακτον. νῦν δὲ οὔπω ὁρῶμεν αὐτῷ τὰ πάν-
τα ὑποτεταγμένα· τὸν δὲ βραχύ τι παρ' ἀγγέλουc 9
ἠλαττωμένον βλέπομεν Ἰηcοῦν διὰ τὸ πάθημα τοῦ
θανάτου Δόξη καὶ τιμῆ ἐcτεφανωμένον, ὅπως χάριτι
θεοῦ ὑπὲρ παντὸς γεύcηται θανάτου. Ἔπρεπεν γὰρ αὐτῷ, 10
δι' ὃν τὰ πάντα καὶ δι' οὗ τὰ πάντα, πολλοὺς υἱοὺς
εἰς δόξαν ἀγαγόντα τὸν ἀρχηγὸν τῆς σωτηρίας αὐτῶν
διὰ παθημάτων τελειῶσαι. ὅ τε γὰρ ἁγιάζων καὶ οἱ 11
ἁγιαζόμενοι ἐξ ἑνὸς πάντες· δι' ἣν αἰτίαν οὐκ ἐπαισχύ-
νεται ἀδελφοὺς αὐτοὺς καλεῖν, λέγων   12
      Ἀπαγγελῶ τὸ ὄνομά coy τοῖc ἀδελφοῖc μου,
      ἐν μέcῳ ἐκκληcίαc ὑμνήcω cε·
καὶ πάλιν   13
      Ἐγὼ ἔcομαι πεποιθὼc ἐπ' αὐτῷ·
καὶ πάλιν
      Ἰδοὺ ἐγὼ καὶ τὰ παιδία ἅ μοι ἔδωκεν ὁ θεόc.
ἐπεὶ οὖν τὰ παιδία κεκοινώνηκεν αἵματος καὶ σαρκός, 14
καὶ αὐτὸς παραπλησίως μετέσχεν τῶν αὐτῶν, ἵνα διὰ
τοῦ θανάτου καταργήσῃ τὸν τὸ κράτος ἔχοντα τοῦ θανά-
του, τοῦτ' ἔστι τὸν διάβολον, καὶ ἀπαλλάξῃ τούτους, 15
ὅσοι φόβῳ θανάτου διὰ παντὸς τοῦ ζῆν ἔνοχοι ἦσαν
δουλείας. οὐ γὰρ δή που ἀγγέλων ἐπιλαμβάνεται, ἀλλὰ 16
cπέρματος Ἀβραὰμ ἐπιλαμβάνεται. ὅθεν ὤφειλεν 17
κατὰ πάντα τοῖc ἀδελφοῖc ὁμοιωθῆναι, ἵνα ἐλεήμων
γένηται καὶ πιστὸς ἀρχιερεὺς τὰ πρὸς τὸν θεόν, εἰς

18 τὸ ἱλάσκεσθαι τὰς ἁμαρτίας τοῦ λαοῦ· ἐν ᾧ γὰρ πέπονθεν αὐτὸς πειρασθείς, δύναται τοῖς πειραζομένοις βοηθῆσαι.

1 Ὅθεν, ἀδελφοὶ ἅγιοι, κλήσεως ἐπουρανίου μέτοχοι, κατανοήσατε τὸν ἀπόστολον καὶ ἀρχιερέα τῆς ὁμολογίας 2 ἡμῶν Ἰησοῦν, πιϲτὸν ὄντα τῷ ποιήσαντι αὐτὸν ὡς καὶ 3 Μωυϲῆϲ ἐν [ὅλῳ] τῷ οἴκῳ αὐτοῦ. πλείονος γὰρ οὗτος δόξης παρὰ Μωυσῆν ἠξίωται καθ᾽ ὅσον πλείονα 4 τιμὴν ἔχει τοῦ οἴκου ὁ κατασκευάσας αὐτόν· πᾶς γὰρ οἶκος κατασκευάζεται ὑπό τινος, ὁ δὲ πάντα κατασκευάσας 5 θεός. καὶ Μωυϲῆϲ μὲν πιϲτὸς ἐν ὅλῳ τῷ οἴκῳ αὐτοῦ ὡς θεράπων εἰς μαρτύριον τῶν λαληθησομένων, 6 Χριστὸς δὲ ὡς υἱὸς ἐπὶ τὸν οἶκον αὐτοῦ· οὗ οἶκός ἐσμεν ἡμεῖς, ἐὰν τὴν παρρησίαν καὶ τὸ καύχημα τῆς ἐλπίδος 7 [μέχρι τέλους βεβαίαν] κατάσχωμεν.   Διό, καθὼς λέγει τὸ πνεῦμα τὸ ⌈ἅγιον⌉

Ϲήμερον ἐὰν τῆϲ φωνῆϲ αὐτοῦ ἀκούϲητε,
8 μὴ ϲκληρύνητε τὰϲ καρδίαϲ ὑμῶν ὡϲ ἐν τῷ
             παραπικραϲμῷ,
κατὰ τὴν ἡμέραν τοῦ πειραϲμοῦ ἐν τῇ ἐρήμῳ,
9 οὗ ἐπείραϲαν οἱ πατέρεϲ ὑμῶν ἐν δοκιμαϲίᾳ
10 καὶ εἶδον τὰ ἔργα μου τεϲϲεράκοντα ἔτη·
διὸ προϲώχθιϲα τῇ γενεᾷ ταύτῃ
καὶ εἶπον Ἀεὶ πλανῶνται τῇ καρδίᾳ·
αὐτοὶ δὲ οὐκ ἔγνωϲαν τὰϲ ὁδούϲ μου·
11 ὡϲ ὤμοϲα ἐν τῇ ὀργῇ μου
Εἰ εἰϲελεύϲονται εἰϲ τὴν κατάπαυϲίν μου.⌉

12 βλέπετε, ἀδελφοί, μή ποτε ἔσται ἔν τινι ὑμῶν καρδία πονηρὰ ἀπιστίας ἐν τῷ ἀποστῆναι ἀπὸ θεοῦ ζῶντος, 13 ἀλλὰ παρακαλεῖτε ἑαυτοὺς καθ᾽ ἑκάστην ἡμέραν, ἄχρις οὗ τὸ Ϲήμερον καλεῖται, ἵνα μὴ ϲκληρυνθῇ ⌈τις ἐξ 14 ὑμῶν⌉ ἀπάτῃ τῆς ἁμαρτίας· μέτοχοι γὰρ τοῦ χριστοῦ γεγόναμεν, ἐάνπερ τὴν ἀρχὴν τῆς ὑποστάσεως μέχρι

<hr />

7 11 ἅγιον,......μου.   13 ἐξ ὑμῶν τις

                                          H H

τέλους βεβαίαν κατάσχωμεν· ἐν τῷ λέγεσθαι　15
Σήμερον ἐὰν τῆς φωνῆς αὐτοῦ ⸂ἀκούσητε,⸃
Μὴ σκληρύνητε τὰς καρδίας ὑμῶν ὡς ἐν τῷ
　　　　　　　　　　παραπικρασμῷ.
τίνες γὰρ ἀκούσαντες παρεπίκραναν; ἀλλ᾽ οὐ πάντες 16
οἱ ἐξελθόντες ἐξ Αἰγύπτου διὰ Μωυσέως; τίσιν δὲ προς- 17
ώχθισεν τεσσεράκοντα ἔτη; οὐχὶ τοῖς ἁμαρτήσασιν,
ὧν τὰ κῶλα ἔπεσεν ἐν τῇ ἐρήμῳ; τίσιν δὲ ὤμοσεν 18
μὴ εἰσελεύσεσθαι εἰς τὴν κατάπαυσιν αὐτοῦ εἰ μὴ
τοῖς ἀπειθήσασιν; καὶ βλέπομεν ὅτι οὐκ ἠδυνήθησαν 19
εἰσελθεῖν δι᾽ ἀπιστίαν. φοβηθῶμεν οὖν μή ποτε κατα- 1
λειπομένης ἐπαγγελίας εἰσελθεῖν εἰς τὴν κατάπαυσιν
αὐτοῦ δοκῇ τις ἐξ ὑμῶν ὑστερηκέναι· καὶ γάρ ἐσμεν 2
εὐηγγελισμένοι καθάπερ κἀκεῖνοι, ἀλλ᾽ οὐκ ὠφέλησεν
ὁ λόγος τῆς ἀκοῆς ἐκείνους, ⸂μὴ ⸂συνκεκερασμένους⸃ τῇ
πίστει τοῖς ἀκούσασιν⸃. Εἰσερχόμεθα ⸂γὰρ⸃ εἰς [τὴν] 3
κατάπαυσιν οἱ πιστεύσαντες, καθὼς εἴρηκεν
　　῾Ως ὤμοσα ἐν τῇ ὀργῇ μου
　　Εἰ εἰσελεύσονται εἰς τὴν κατάπαυσίν μου,
καίτοι τῶν ἔργων ἀπὸ καταβολῆς κόσμου γενηθέντων,
εἴρηκεν γάρ που περὶ τῆς ἑβδόμης οὕτως Καὶ κατέ- 4
παυσεν ὁ θεὸς ἐν τῇ ἡμέρᾳ τῇ ἑβδόμῃ ἀπὸ
πάντων τῶν ἔργων αὐτοῦ, καὶ ἐν τούτῳ πάλιν Εἰ 5
εἰσελεύσονται εἰς τὴν κατάπαυσίν μου. ἐπεὶ οὖν 6
ἀπολείπεται τινὰς εἰσελθεῖν εἰς αὐτήν, καὶ οἱ πρότερον
εὐαγγελισθέντες οὐκ εἰσῆλθον δι᾽ ἀπείθειαν, πάλιν 7
τινὰ ὁρίζει ἡμέραν, Σήμερον, ἐν Δαυεὶδ λέγων μετὰ
τοσοῦτον χρόνον, καθὼς ⸂προείρηται⸃,
　　Σήμερον ἐὰν τῆς φωνῆς αὐτοῦ ἀκούσητε,
　　μὴ σκληρύνητε τὰς καρδίας ὑμῶν·
εἰ γὰρ αὐτοὺς Ἰησοῦς κατέπαυσεν, οὐκ ἂν περὶ ἄλλης 8
ἐλάλει μετὰ ταῦτα ἡμέρας. ἄρα ἀπολείπεται σαββα- 9
τισμὸς τῷ λαῷ τοῦ θεοῦ· ὁ γὰρ εἰσελθὼν εἰς τὴν 10

15 ἀκούσητε,－　　　2 †...† | συνκεκερασμένος

κατάπαυcιν αὐτοῦ καὶ αὐτὸς κατέπαυcεν ἀπὸ τῶν
11 ἔργων αὐτοῦ ὥσπερ ἀπὸ τῶν ἰδίων ὁ θεόc. Σπου-
δάσωμεν οὖν εἰcελθεῖν εἰc ἐκείνην τὴν κατάπαυcιν,
ἵνα μὴ ἐν τῷ αὐτῷ τις ὑποδείγματι πέσῃ τῆς ἀπει-
12 θείας. Ζῶν γὰρ ὁ λόγος τοῦ θεοῦ καὶ ἐνεργὴς καὶ
τομώτερος ὑπὲρ πᾶσαν μάχαιραν δίστομον καὶ διικνού-
μενος ἄχρι μερισμοῦ ψυχῆς καὶ πνεύματος, ἁρμῶν τε καὶ
μυελῶν, καὶ κριτικὸς ἐνθυμήσεων καὶ ἐννοιῶν καρδίας·
13 καὶ οὐκ ἔστιν κτίσις ἀφανὴς ἐνώπιον αὐτοῦ, πάντα δὲ
γυμνὰ καὶ τετραχηλισμένα τοῖς ὀφθαλμοῖς αὐτοῦ, πρὸς
14 ὃν ἡμῖν ὁ λόγος.   Ἔχοντες οὖν ἀρχιερέα
μέγαν διεληλυθότα τοὺς οὐρανούς, Ἰησοῦν τὸν υἱὸν τοῦ
15 θεοῦ, κρατῶμεν τῆς ὁμολογίας· οὐ γὰρ ἔχομεν ἀρχιερέα
μὴ δυνάμενον συνπαθῆσαι ταῖς ἀσθενείαις ἡμῶν, πεπει-
ρασμένον δὲ κατὰ πάντα καθ᾽ ὁμοιότητα χωρὶς ἁμαρτίας.
16 προσερχώμεθα οὖν μετὰ παρρησίας τῷ θρόνῳ τῆς χάρι-
τος, ἵνα λάβωμεν ἔλεος καὶ χάριν εὕρωμεν εἰς εὔκαιρον
βοήθειαν.

1   Πᾶς γὰρ ἀρχιερεὺς ἐξ ἀνθρώπων λαμβανόμενος ὑπὲρ
ἀνθρώπων καθίσταται τὰ πρὸς τὸν θεόν, ἵνα προσφέρῃ
2 δῶρά [τε] καὶ θυσίας ὑπὲρ ἁμαρτιῶν, μετριοπαθεῖν
δυνάμενος τοῖς ἀγνοοῦσι καὶ πλανωμένοις ἐπεὶ καὶ αὐτὸς
3 περίκειται ἀσθένειαν, καὶ δι᾽ αὐτὴν ὀφείλει, καθὼς περὶ
τοῦ λαοῦ, οὕτως καὶ περὶ ἑαυτοῦ προσφέρειν περὶ
4 ἁμαρτιῶν. καὶ οὐχ ἑαυτῷ τις λαμβάνει τὴν τιμήν, ἀλλὰ
5 καλούμενος ὑπὸ τοῦ θεοῦ, καθώσπερ καὶ Ἀαρών. Οὕτως
καὶ ὁ χριστὸς οὐχ ἑαυτὸν ἐδόξασεν γενηθῆναι ἀρχιερέα,
ἀλλ᾽ ὁ λαλήσας πρὸς αὐτόν
       Υἱός μου εἶ cύ, ἐγὼ cήμερον γεγέννηκά cε·
6 καθὼς καὶ ἐν ἑτέρῳ λέγει
       Σὺ ἱερεὺς εἰc τὸν αἰῶνα κατὰ τὴν τάξιν Μελ-
                                          χιcεδέκ.
7 ὃς ἐν ταῖς ἡμέραις τῆς σαρκὸς αὐτοῦ, δεήσεις τε καὶ

IV 3 οὖν   7 προείρηκεν

ἱκετηρίας πρὸς τὸν δυνάμενον σώζειν αὐτὸν ἐκ θανάτου
μετὰ κραυγῆς ἰσχυρᾶς καὶ δακρύων προσενέγκας καὶ
εἰσακουσθεὶς ἀπὸ τῆς εὐλαβείας, καίπερ ὢν υἱός, ἔμαθεν 8
ἀφ' ὧν ἔπαθεν τὴν ὑπακοήν, καὶ τελειωθεὶς ἐγένετο 9
πᾶσιν τοῖς ὑπακούουσιν αὐτῷ αἴτιος cωτηρίας αἰωνίου,
προσαγορευθεὶς ὑπὸ τοῦ θεοῦ ἀρχιερεὺς κατὰ τὴν τάξιν 10
Μελχισεδέκ.

Περὶ οὗ πολὺς ἡμῖν ὁ λόγος καὶ δυσερμήνευτος 11
λέγειν, ἐπεὶ νωθροὶ γεγόνατε ταῖς ἀκοαῖς· καὶ γὰρ 12
ὀφείλοντες εἶναι διδάσκαλοι διὰ τὸν χρόνον, πάλιν
χρείαν ἔχετε τοῦ διδάσκειν ὑμᾶς τινὰ τὰ στοιχεῖα τῆς
ἀρχῆς τῶν λογίων τοῦ θεοῦ, καὶ γεγόνατε χρείαν ἔχοντες
γάλακτος, ┬ οὐ στερεᾶς τροφῆς. πᾶς γὰρ ὁ μετέχων 13
γάλακτος ἄπειρος λόγου δικαιοσύνης, νήπιος γάρ ἐστιν·
τελείων δέ ἐστιν ἡ στερεὰ τροφή, τῶν διὰ τὴν ἕξιν τὰ 14
αἰσθητήρια γεγυμνασμένα ἐχόντων πρὸς διάκρισιν καλοῦ
τε καὶ κακοῦ. Διὸ ἀφέντες τὸν τῆς ἀρχῆς τοῦ χριστοῦ 1
λόγον ἐπὶ τὴν τελειότητα φερώμεθα, μὴ πάλιν θεμέλιον
καταβαλλόμενοι μετανοίας ἀπὸ νεκρῶν ἔργων, καὶ πίστεως
ἐπὶ θεόν, βαπτισμῶν ⌜διδαχὴν⌝ ἐπιθέσεώς τε χειρῶν, 2
ἀναστάσεως ┬ νεκρῶν καὶ κρίματος αἰωνίου. καὶ τοῦτο 3
ποιήσομεν ἐάνπερ ἐπιτρέπῃ ὁ θεός. Ἀδύνατον γὰρ τοὺς 4
ἅπαξ ⌜φωτισθέντας⌝ γευσαμένους τε τῆς δωρεᾶς τῆς
ἐπουρανίου καὶ μετόχους γενηθέντας πνεύματος ἁγίου
καὶ καλὸν γευσαμένους θεοῦ ῥῆμα δυνάμεις τε μέλλοντος 5
αἰῶνος, καὶ παραπεσόντας, πάλιν ἀνακαινίζειν εἰς μετά- 6
νοιαν, ἀνασταυροῦντας ἑαυτοῖς τὸν υἱὸν τοῦ θεοῦ καὶ
παραδειγματίζοντας. Γῆ γὰρ ἡ πιοῦσα τὸν ἐπ' αὐτῆς 7
ἐρχόμενον πολλάκις ὑετόν, καὶ τίκτουσα βοτάνην εὔθετον
ἐκείνοις δι' οὓς καὶ γεωργεῖται, μεταλαμβάνει εὐλογίας
ἀπὸ τοῦ θεοῦ· ἐκφέρουcα δὲ ἀκάνθας καὶ τριβόλουc 8
ἀδόκιμος καὶ κατάρας ἐγγύς, ἧς τὸ τέλος εἰς καῦ-
σιν.   Πεπείσμεθα δὲ περὶ ὑμῶν, ἀγαπητοί, 9

12 καὶ   2 διδαχῆς | τε   4 φωτισθέντας,

τὰ κρείσσονα καὶ ἐχόμενα σωτηρίας, εἰ καὶ οὕτως λαλοῦ-
10 μεν· οὐ γὰρ ἄδικος ὁ θεὸς ἐπιλαθέσθαι τοῦ ἔργου ὑμῶν
καὶ τῆς ἀγάπης ἧς ἐνεδείξασθε εἰς τὸ ὄνομα αὐτοῦ,
11 διακονήσαντες τοῖς ἁγίοις καὶ διακονοῦντες. ἐπιθυμοῦμεν
δὲ ἕκαστον ὑμῶν τὴν αὐτὴν ἐνδείκνυσθαι σπουδὴν πρὸς
12 τὴν πληροφορίαν τῆς ἐλπίδος ἄχρι τέλους, ἵνα μὴ νωθροὶ
γένησθε, μιμηταὶ δὲ τῶν διὰ πίστεως καὶ μακροθυμίας
13 κληρονομούντων τὰς ἐπαγγελίας.   Τῷ γὰρ
Ἀβραὰμ ἐπαγγειλάμενος ὁ θεός, ἐπεὶ κατ᾽ οὐδενὸς εἶχεν
14 μείζονος ὀμόσαι, ὤΜΟϹΕΝ ΚΑΘ᾽ ἑΑΥΤΟΫ, λέγων Εἰ ΜῊΝ
εΫΛΟΓῶΝ εὐΛΟΓΉϹω ϹΕ ΚΑῚ ΠΛΗΘΎΝωΝ ΠΛΗΘΥΝῶ
15 ϹΕ· καὶ οὕτως μακροθυμήσας ἐπέτυχεν τῆς ἐπαγγελίας.
16 ἄνθρωποι γὰρ κατὰ τοῦ μείζονος ὀμνύουσιν, καὶ πάσης
17 αὐτοῖς ἀντιλογίας πέρας εἰς βεβαίωσιν ὁ ὅρκος· ἐν ᾧ
περισσότερον βουλόμενος ὁ θεὸς ἐπιδεῖξαι τοῖς κληρο-
νόμοις τῆς ἐπαγγελίας τὸ ἀμετάθετον τῆς βουλῆς αὐτοῦ
18 ἐμεσίτευσεν ὅρκῳ, ἵνα διὰ δύο πραγμάτων ἀμεταθέτων,
ἐν οἷς ἀδύνατον ψεύσασθαι ⌐θεόν⌐, ἰσχυρὰν παράκλησιν
ἔχωμεν οἱ καταφυγόντες κρατῆσαι τῆς προκειμένης ἐλ-
19 πίδος· ἣν ὡς ἄγκυραν ἔχομεν τῆς ψυχῆς, ἀσφαλῆ τε
καὶ βεβαίαν καὶ εἰϹΕΡΧΟΜΈΝΗΝ εἰς τὸ ἐϹώΤΕΡΟΝ ΤΟΫ
20 ΚΑΤΑΠΕΤΆϹΜΑΤΟϹ, ὅπου πρόδρομος ὑπὲρ ἡμῶν εἰσῆλ-
θεν Ἰησοῦς, κατὰ τὴν ΤΆΞΙΝ ΜΕΛΧΙϹΕΔΈΚ ἀρχιερεὺς
γενόμενος εἰς τὸν αἰῶνα.

1 ⸱ Οὗτος γὰρ ὁ ΜΕΛΧΙϹΕΔΈΚ, ΒΑϹΙΛΕΫϹ ϹΑΛΉΜ, ἱερεῢϹ
ΤΟΫ ΘΕΟΫ ΤΟΫ ὙΨΊϹΤΟΥ, ⌐ὁ⌐ ϹΥΝΑΝΤΉϹΑϹ Ἀβραὰμ
ὙΠΟϹΤΡΈΦΟΝΤΙ ἀπὸ τῆϹ ΚΟΠῆϹ τῶΝ ΒΑϹΙΛΈωΝ ΚΑῚ
2 εΫΛΟΓΉϹΑϹ ΑΥΤΌΝ, ᾧ ΚΑῚ ΔΕΚΆΤΗΝ ἀπὸ ΠΆΝΤωΝ
ἐμέρισεν Ἀβραάμ, πρῶτον μὲν ἑρμηνευόμενος βασιλεὺς
Δικαιοσύνης ἔπειτα δὲ καὶ βασιλεὺς Ϲαλήμ, ὅ ἐστιν
3 βασιλεὺς Εἰρήνης, ἀπάτωρ, ἀμήτωρ, ἀγενεαλόγητος,
μήτε ἀρχὴν ἡμερῶν μήτε ζωῆς τέλος ἔχων, ἀφωμοιω-
μένος δὲ τῷ υἱῷ τοῦ θεοῦ, μένει ἱερεῢϹ εἰς τὸ

18 τὸν   1 ὃς MSS

διηνεκές.   Θεωρεῖτε δὲ πηλίκος οὗτος ᾧ ᵀ Δε- 4
κάτην 'Αβραὰμ ἔδωκεν ἐκ τῶν ἀκροθινίων ὁ πατριάρ-
χης. καὶ οἱ μὲν ἐκ τῶν υἱῶν Λευεὶ τὴν ἱερατίαν λαμβά- 5
νοντες ἐντολὴν ἔχουσιν ἀποδεκατοῖν τὸν λαὸν κατὰ τὸν
νόμον, τοῦτ' ἔστιν τοὺς ἀδελφοὺς αὐτῶν, καίπερ ἐξελη-
λυθότας ἐκ τῆς ὀσφύος 'Αβραάμ· ὁ δὲ μὴ γενεαλογού- 6
μενος ἐξ αὐτῶν δεδεκάτωκεν 'Αβραάμ, καὶ τὸν ἔχοντα
τὰς ἐπαγγελίας εὐλόγηκεν. χωρὶς δὲ πάσης ἀντιλογίας 7
τὸ ἔλαττον ὑπὸ τοῦ κρείττονος εὐλογεῖται. καὶ ὧδε μὲν 8
δεκάτας ἀποθνήσκοντες ἄνθρωποι λαμβάνουσιν, ἐκεῖ δὲ
μαρτυρούμενος ὅτι ζῇ. καὶ ὡς ἔπος εἰπεῖν, δι' 'Αβραὰμ 9
καὶ Λευεὶς ὁ δεκάτας λαμβάνων δεδεκάτωται, ἔτι γὰρ 10
ἐν τῇ ὀσφύϊ τοῦ πατρὸς ἦν ὅτε ϹΥΝΗΝΤΗϹΕΝ ΑΫΤῼ
Μελχιϲεδέκ.   Εἰ μὲν οὖν τελείωσις διὰ τῆς 11
Λευειτικῆς ἱερωσύνης ἦν, ὁ λαὸς γαρ ἐπ' αὐτῆς νενομο-
θέτηται, τίς ἔτι χρεία κατὰ τὴν τάζιν Μελχιϲεδὲκ
ἕτερον ἀνίστασθαι ἱερέα καὶ οὐ κατὰ τὴν τάζιν
'Ααρὼν λέγεσθαι; μετατιθεμένης γὰρ τῆς ἱερωσύνης 12
ἐξ ἀνάγκης καὶ νόμου μετάθεσις γίνεται. ἐφ' ὃν γὰρ λέ- 13
γεται ταῦτα φυλῆς ἑτέρας μετέσχηκεν, ἀφ' ἧς οὐδεὶς
προσέσχηκεν τῷ θυσιαστηρίῳ· πρόδηλον γὰρ ὅτι ἐξ 14
'Ιούδα ἀνατέταλκεν ὁ κύριος ἡμῶν, εἰς ἣν φυλὴν περὶ
ἱερέων οὐδὲν Μωυσῆς ἐλάλησεν. Καὶ περισσότερον ἔτι 15
κατάδηλόν ἐστιν, εἰ κατὰ τὴν ὁμοιότητα Μελχιϲεδὲκ
ἀνίσταται ἱερεύϲ ἕτερος, ὃς οὐ κατὰ νόμον ἐντολῆς 16
σαρκίνης γέγονεν ἀλλὰ κατὰ δύναμιν ζωῆς ἀκαταλύτου,
μαρτυρεῖται γὰρ ὅτι Ϲὺ ἱερεὺϲ εἰϲ τὸν ἀιῶνα 17
κατὰ τὴν τάζιν Μελχιϲεδέκ. ἀθέτησις μὲν γὰρ γί- 18
νεται προαγούσης ἐντολῆς διὰ τὸ αὐτῆς ἀσθενὲς καὶ
ἀνωφελές, οὐδὲν γὰρ ἐτελείωσεν ὁ νόμος, ἐπεισαγωγὴ 19
δὲ κρείττονος ἐλπίδος, δι' ἧς ἐγγίζομεν τῷ θεῷ. Καὶ 20
καθ' ὅσον οὐ χωρὶς ὀρκωμοσίας, (οἱ μὲν γὰρ χωρὶς
ὀρκωμοσίας εἰσὶν ἱερεῖς γεγονότες, ὁ δὲ μετὰ ὀρκωμοσίας 21

4 καὶ

διὰ τοῦ λέγοντος πρὸς αὐτόν ˊΏΜΟϹΕΝ ΚΎΡΙΟϹ, καὶ ΟΥ̓
22 ΜΕΤΑΜΕΛΗΘΉϹΕΤΑΙ, ϹΎ ἱΕΡΕΎϹ ΕἰϹ ΤὸΝ ΑἰῶΝΑ,) κατὰ
τοσοῦτο καὶ κρείττονος διαθήκης γέγονεν ἔγγυος Ἰη-
23 σοῦς. Καὶ οἱ μὲν πλείονές εἰσιν γεγονότες ἱερεῖς διὰ
24 τὸ θανάτῳ κωλύεσθαι παραμένειν· ὁ δὲ διὰ τὸ μένειν
αὐτὸν εἰς τὸν αἰῶνα ἀπαράβατον ἔχει τὴν ἱερωσύ-
25 νην· ὅθεν καὶ σώζειν εἰς τὸ παντελὲς δύναται τοὺς
προσερχομένους δι᾽ αὐτοῦ τῷ θεῷ, πάντοτε ζῶν εἰς τὸ
26 ἐντυγχάνειν ὑπὲρ αὐτῶν.   Τοιοῦτος γὰρ ἡμῖν
[καὶ] ἔπρεπεν ἀρχιερεύς, ὅσιος, ἄκακος, ἀμίαντος, κεχω-
ρισμένος ἀπὸ τῶν ἁμαρτωλῶν, καὶ ὑψηλότερος τῶν
27 οὐρανῶν γενόμενος· ὃς οὐκ ἔχει καθ᾽ ἡμέραν ἀνάγκην,
ὥσπερ οἱ ἀρχιερεῖς, πρότερον ὑπὲρ τῶν ἰδίων ἁμαρτιῶν
θυσίας ἀναφέρειν, ἔπειτα τῶν τοῦ λαοῦ· (τοῦτο γὰρ
28 ἐποίησεν ἐφάπαξ ἑαυτὸν ⌜ἀνενέγκας⌝·) ὁ νόμος γὰρ ἀνθρώ-
πους καθίστησιν ἀρχιερεῖς ἔχοντας ἀσθένειαν, ὁ λόγος
δὲ τῆς ὁρκωμοσίας τῆς μετὰ τὸν νόμον ΥἱόΝ, ΕἰϹ ΤὸΝ
ΑἰῶΝΑ τετελειωμένον.

1 Κεφάλαιον δὲ ἐπὶ τοῖς λεγομένοις, τοιοῦτον ἔχομεν
ἀρχιερέα, ὃς ἘΚΆΘΙϹΕΝ ἘΝ ΔΕΞΙᾷ τοῦ θρόνου τῆς μεγα-
2 λωσύνης ἐν τοῖς οὐρανοῖς, τῶν ἁγίων λειτουργὸς καὶ
ΤῆϹ ϹΚΗΝῆϹ τῆς ἀληθινῆς, ἣΝ ἜΠΗΞΕΝ ὁ ΚΎΡΙΟϹ,
3 οὐκ ἄνθρωπος. πᾶς γὰρ ἀρχιερεὺς εἰς τὸ προσφέρειν
δῶρά τε καὶ θυσίας καθίσταται· ὅθεν ἀναγκαῖον ἔχειν
4 τι καὶ τοῦτον ὃ προσενέγκῃ. εἰ μὲν οὖν ἦν ἐπὶ γῆς,
οὐδ᾽ ἂν ἦν ἱερεύς, ὄντων τῶν προσφερόντων κατὰ νόμον
5 τὰ δῶρα· (οἵτινες ὑποδείγματι καὶ σκιᾷ λατρεύουσιν τῶν
ἐπουρανίων, καθὼς κεχρημάτισται Μωυσῆς μέλλων ἐπι-
τελεῖν τὴν σκηνήν, Ὅρα γάρ, φησίν, ΠΟΙΉϹΕΙϹ ΠΆΝΤΑ
ΚΑΤὰ ΤὸΝ ΤΎΠΟΝ ΤὸΝ ΔΕΙΧΘΈΝΤΑ ϹΟΙ ἘΝ Τῷ ὌΡΕΙ·)
6 ⌜νῦν⌝ δὲ διαφορωτέρας τέτυχεν λειτουργίας, ὅσῳ καὶ
κρείττονός ἐστιν διαθήκης μεσίτης, ἥτις ἐπὶ κρείττοσιν
7 ἐπαγγελίαις νενομοθέτηται. εἰ γὰρ ἡ πρώτη ἐκείνη ἦν

27 προσενέγκας   6 νυνὶ

ἄμεμπτος, οὐκ ἂν δευτέρας ἐζητεῖτο τόπος· μεμφόμενος 8
γὰρ ⌜αὐτοὺς⌝ λέγει

Ἰδοὺ ἡμέραι ἔρχονται, λέγει Κύριος,
καὶ cυντελέcω ἐπὶ τὸν οἶκον Ἰcραὴλ καὶ
ἐπὶ τὸν οἶκον Ἰούδα Διαθήκην καινήν,
οὐ κατὰ τὴν Διαθήκην ἣν ἐποίηcα τοῖc πα- 9
τράcιν αὐτῶν
ἐν ἡμέρᾳ ἐπιλαβομένου μου τῆc χειρὸc αὐτῶν
ἐzαγαγεῖν αὐτοὺc ἐκ γῆc Αἰγύπτου,
ὅτι αὐτοὶ οὐκ ἐνέμειναν ἐν τῇ Διαθήκῃ μου,
κἀγὼ ἠμέληcα αὐτῶν, λέγει Κύριος.
ὅτι αὕτη ἡ Διαθήκη ἣν Διαθήcομαι τῷ οἴκῳ 10
Ἰcραὴλ
μετὰ τὰc ἡμέραc ἐκείναc, λέγει Κύριος,
Διδοὺc νόμουc μου εἰc τὴν Διάνοιαν αὐτῶν,
καὶ ἐπὶ ⌜καρΔίαc⌝ αὐτῶν ἐπιγράψω αὐτούc,
καὶ ἔcομαι αὐτοῖc εἰc θεόν
καὶ αὐτοὶ ἔcονταί μοι εἰc λαόν.
καὶ οὐ μὴ Διδάzωcιν ἕκαcτοc τὸν πολίτην αὐτοῦ 11
καὶ ἕκαcτοc τὸν ἀΔελφὸν αὐτοῦ, λέγων Γνῶθι
τὸν κύριον,
ὅτι πάντεc εἰΔήcουcίν με
ἀπὸ μικροῦ ἕωc μεγάλου αὐτῶν.
ὅτι ἵλεωc ἔcομαι ταῖc ἀΔικίαιc αὐτῶν,
καὶ τῶν ἁμαρτιῶν αὐτῶν οὐ μὴ μνηcθῶ ἔτι. 12

ἐν τῷ λέγειν Καινήν πεπαλαίωκεν τὴν πρώτην, τὸ δὲ 13
παλαιούμενον καὶ γηράcκον ἐγγὺς ἀφανισμοῦ.

Εἶχε μὲν οὖν [καὶ] ἡ πρώτη δικαιώματα λατρείας τό 1
τε ἅγιον κοσμικόν. σκηνὴ γὰρ κατεσκευάσθη ἡ πρώτη 2
ἐν ᾗ ἥ τε λυχνία καὶ ἡ τράπεζα καὶ ἡ πρόθεσις τῶν
ἄρτων, ἥτις λέγεται ⌜Ἅγια· μετὰ δὲ τὸ δεύτερον καταπέ- 3
τασμα σκηνὴ ἡ λεγομένη Ἅγια Ἁγίων⌝, χρυσοῦν ἔχουσα 4
θυμιατήριον καὶ τὴν κιβωτὸν τῆς διαθήκης περικεκαλυμμέ-

8 αὐτοῖς   10 καρδίαν   2, 3 Τὰ ἅγια......λεγομένη Τὰ ἅγια τῶν ἁγίων

νην πάντοθεν χρυσίῳ, ἐν ᾗ στάμνος χρυσῆ ἔχουσα τὸ
μάννα καὶ ἡ ῥάβδος Ἀαρὼν ἡ βλαστήσασα καὶ αἱ πλά-
5 κες τῆς διαθήκης, ὑπεράνω δὲ αὐτῆς Χερουβεὶν δόξης
κατασκιάζοντα τὸ ἱλαστήριον· περὶ ὧν οὐκ ἔστιν νῦν
6 λέγειν κατὰ μέρος. Τούτων δὲ οὕτως κατεσκευασμένων,
εἰς μὲν τὴν πρώτην σκηνὴν διὰ παντὸς εἰσίασιν οἱ ἱερεῖς
7 τὰς λατρείας ἐπιτελοῦντες, εἰς δὲ τὴν δευτέραν ἅπαξ τοῦ
ἐνιαυτοῦ μόνος ὁ ἀρχιερεύς, οὐ χωρὶς αἵματος, ὃ προσφέρει
8 ὑπὲρ ἑαυτοῦ καὶ τῶν τοῦ λαοῦ ἀγνοημάτων, τοῦτο δηλοῦν-
τος τοῦ πνεύματος τοῦ ἁγίου, μήπω πεφανερῶσθαι τὴν τῶν
9 ἁγίων ὁδὸν ἔτι τῆς πρώτης σκηνῆς ἐχούσης στάσιν, ἥτις
παραβολὴ εἰς τὸν καιρὸν τὸν ἐνεστηκότα, καθ᾽ ἣν δῶρά
τε καὶ θυσίαι προσφέρονται μὴ δυνάμεναι κατὰ συνείδησιν
10 τελειῶσαι τὸν λατρεύοντα, μόνον ἐπὶ βρώμασιν καὶ πό-
μασιν καὶ διαφόροις βαπτισμοῖς, ⌐ δικαιώματα σαρκὸς μέ-
11 χρι καιροῦ διορθώσεως ἐπικείμενα.   Χριστὸς
δὲ παραγενόμενος ἀρχιερεὺς τῶν ⌐γενομένων⌐ ἀγαθῶν διὰ
τῆς μείζονος καὶ τελειοτέρας σκηνῆς οὐ χειροποιήτου,
12 τοῦτ᾽ ἔστιν οὐ ταύτης τῆς κτίσεως, οὐδὲ δι᾽ αἵματος τράγων
καὶ μόσχων διὰ δὲ τοῦ ἰδίου αἵματος, εἰσῆλθεν ἐφάπαξ εἰς
13 τὰ ἅγια, αἰωνίαν λύτρωσιν εὑράμενος. εἰ γὰρ τὸ αἷμα
τράγων καὶ ταύρων καὶ σποδὸς δαμάλεως ῥαντίζουσα τοὺς
κεκοινωμένους ἁγιάζει πρὸς τὴν τῆς σαρκὸς καθαρότητα,
14 πόσῳ μᾶλλον τὸ αἷμα τοῦ χριστοῦ, ὃς διὰ πνεύματος
αἰωνίου ἑαυτὸν προσήνεγκεν ἄμωμον τῷ θεῷ, καθαριεῖ
τὴν συνείδησιν ⌐ἡμῶν⌐ ἀπὸ νεκρῶν ἔργων εἰς τὸ λατρεύειν
15 θεῷ ζῶντι.   Καὶ διὰ τοῦτο διαθήκης καινῆς μεσίτης
ἐστίν, ὅπως θανάτου γενομένου εἰς ἀπολύτρωσιν τῶν ἐπὶ
τῇ πρώτῃ διαθήκῃ παραβάσεων τὴν ἐπαγγελίαν λάβωσιν
16 οἱ κεκλημένοι τῆς αἰωνίου κληρονομίας. ὅπου γὰρ δια-
17 θήκη, θάνατον ἀνάγκη φέρεσθαι τοῦ διαθεμένου· διαθήκη
γὰρ ἐπὶ νεκροῖς βεβαία, ἐπεὶ ⌐μὴ τότε⌐ ἰσχύει ὅτε ζῇ ὁ
18 ⌐διαθέμενος.⌐ Ὅθεν οὐδὲ ἡ πρώτη χωρὶς αἵματος ἐνκε-

10 καὶ   11 μελλόντων   14 ὑμῶν   17 μή ποτε | διαθέμενος;

καίνισται· λαληθείσης γὰρ πάσης ἐντολῆς κατὰ τὸν νόμον 19
ὑπὸ Μωυσέως παντὶ τῷ λαῷ, λαβὼν τὸ αἷμα τῶν μόσχων
καὶ τῶν τράγων μετὰ ὕδατος καὶ ἐρίου κοκκίνου καὶ ὑσσώ-
που αὐτό τε τὸ βιβλίον καὶ πάντα τὸν λαὸν ἐράντισεν,
λέγων   Τοῦτο τὸ αἷμα τῆς Διαθήκης ἧς ἐνετείλατο 20
πρὸς ὑμᾶς ὁ θεός·   καὶ τὴν σκηνὴν δὲ καὶ πάντα τὰ 21
σκεύη τῆς λειτουργίας τῷ αἵματι ὁμοίως ἐράντισεν. καὶ σχε- 22
δὸν ἐν αἵματι πάντα καθαρίζεται κατὰ τὸν νόμον, καὶ χωρὶς
αἱματεκχυσίας οὐ γίνεται ἄφεσις.   Ἀνάγκη 23
οὖν τὰ μὲν ὑποδείγματα τῶν ἐν τοῖς οὐρανοῖς τούτοις
καθαρίζεσθαι, αὐτὰ δὲ τὰ ἐπουράνια κρείττοσι θυσίαις
παρὰ ταύτας. οὐ γὰρ εἰς χειροποίητα εἰσῆλθεν ἅγια 24
Χριστός, ἀντίτυπα τῶν ἀληθινῶν, ἀλλ᾽ εἰς αὐτὸν τὸν
οὐρανόν, νῦν ἐμφανισθῆναι τῷ προσώπῳ τοῦ θεοῦ ὑπὲρ
ἡμῶν· οὐδ᾽ ἵνα πολλάκις προσφέρῃ ἑαυτόν, ὥσπερ ὁ 25
ἀρχιερεὺς εἰσέρχεται εἰς τὰ ἅγια κατ᾽ ἐνιαυτὸν ἐν αἵματι
ἀλλοτρίῳ, ἐπεὶ ἔδει αὐτὸν πολλάκις παθεῖν ἀπὸ κατα- 26
βολῆς κόσμου· νυνὶ δὲ ἅπαξ ἐπὶ συντελείᾳ τῶν αἰώνων
εἰς ἀθέτησιν τῆς ἁμαρτίας διὰ τῆς θυσίας αὐτοῦ πεφανέ-
ρωται. καὶ καθ᾽ ὅσον ἀπόκειται τοῖς ἀνθρώποις ἅπαξ 27
ἀποθανεῖν, μετὰ δὲ τοῦτο κρίσις, οὕτως καὶ ὁ χριστός, 28
ἅπαξ προσενεχθεὶς εἰς τὸ πολλῶν ἀνενεγκεῖν ἁμαρ-
τίας, ἐκ δευτέρου χωρὶς ἁμαρτίας ὀφθήσεται τοῖς αὐτὸν
ἀπεκδεχομένοις εἰς σωτηρίαν.

Σκιὰν γὰρ ἔχων ὁ νόμος τῶν μελλόντων ἀγαθῶν, 1
οὐκ αὐτὴν τὴν εἰκόνα τῶν πραγμάτων, ⌜κατ᾽ ἐνιαυτὸν ταῖς
αὐταῖς θυσίαις ⌐ ἃς προσφέρουσιν εἰς τὸ διηνεκὲς οὐδέ-
ποτε ⌜δύνανται⌝ τοὺς προσερχομένους τελειῶσαι⌝ ἐπεὶ 2
οὐκ ἂν ἐπαύσαντο προσφερόμεναι, διὰ τὸ μηδεμίαν ἔχειν
ἔτι συνείδησιν ἁμαρτιῶν τοὺς λατρεύοντας ἅπαξ κεκαθαρι-
σμένους; ἀλλ᾽ ἐν αὐταῖς ἀνάμνησις ἁμαρτιῶν κατ᾽ ἐνι- 3
αυτόν, ἀδύνατον γὰρ αἷμα ⌜ταύρων καὶ τράγων⌝ ἀφαιρεῖν 4
ἁμαρτίας. Διὸ εἰσερχόμενος εἰς τὸν κόσμον λέγει 5

1 †...† | αὐτῶν | δύναται   4 τράγων καὶ ταύρων

Θγcίαν καὶ προσφορὰν ογκ ἠθέληcαc, cῶμα Δὲ
κατηρτίcω μοι·

6 ὁλοκαγτώματα καὶ περὶ ἁμαρτίαc ογκ εγΔόκηcαc.

7 τότε εἶπον   Ἰδογ ἥκω, ἐν κεφαλίΔι Βιβλίογ
Γέγραπται περὶ ἐμογ,

τογ ποιῆcαι, ὁ θεόc, τὸ θέλημά coγ.

8 ἀνώτερον λέγων ὅτι   Θγcίαc καὶ προσφορὰc καὶ ὁλο-
καγτώματα καὶ περὶ ἁμαρτίαc ογκ ἠθέληcαc ογΔὲ
9 εγΔόκηcαc, αἵτινες κατὰ νόμον προσφέρονται, τότε
εἴρηκεν   Ἰδογ ἥκω τογ ποιῆcαι τὸ θέλημά coγ·
10 ἀναιρεῖ τὸ πρῶτον ἵνα τὸ δεύτερον στήσῃ. ἐν ᾧ θελή-
ματι ἡγιασμένοι ἐσμὲν διὰ τῆς προσφορᾶς τογ cώματοc
11 Ἰησογ Χριστογ ἐφάπαξ. Καὶ πᾶς μὲν ⌜ἱερεὺς⌝ ἕστηκεν
καθ᾽ ἡμέραν λειτουργῶν καὶ τὰς αὐτὰς πολλάκις προσφέ-
ρων θυσίας, αἵτινες οὐδέποτε δύνανται περιελεῖν ἁμαρτίας.
12 οὗτος δὲ μίαν ὑπὲρ ἁμαρτιῶν προσενέγκας θυσίαν εἰς τὸ
13 διηνεκὲς ἐκάθιcεν ἐν Δεξιᾷ τογ θεογ, τὸ λοιπὸν ἐκδε-
χόμενος ἕως τεθῶcιν οἱ ἐχθροὶ αγτογ ὑποπόΔιον
14 τῶν ποΔῶν αγτογ, μιᾷ γὰρ προσφορᾷ τετελείωκεν εἰς
15 τὸ διηνεκὲς τοὺς ἁγιαζομένους.   Μαρτυρεῖ δὲ ἡμῖν καὶ
τὸ πνεῦμα τὸ ἅγιον, μετὰ γὰρ τὸ εἰρηκέναι

16 Αγτη ἡ ΔιαθΗκΗ ἡν ΔιαθΗΣομαι πρὸς αγτούς
μετὰ τὰς ἡμέραc ἐκείναc, λέγει Κγριοc,
ΔιΔογc νόμογc μογ ἐπὶ καρΔίαc αγτῶν,
καὶ ἐπὶ τὴν Διάνοιαν αγτῶν ἐπιγράψω αγτογc,—

17 Καὶ τῶν ἁμαρτιῶν αγτῶν καὶ τῶν ἀνομιῶν αγτῶν
18 ογ μη μνηcθΗcομαι ἔτι· ὅπου δὲ ἄφεσις τούτων,
οὐκέτι προσφορὰ περὶ ἁμαρτίας.

19 Ἔχοντες οὖν, ἀδελφοί, παρρησίαν εἰς τὴν εἴσοδον τῶν
20 ἁγίων ἐν τῷ αἵματι Ἰησογ, ἣν ἐνεκαίνισεν ἡμῖν ὁδὸν πρόσ-
φατον καὶ ζῶσαν διὰ τογ καταπετάσματος, τογτ᾽ ἔστιν
21 τῆς σαρκὸς αγτογ, καὶ ἱερέα μέγαν ἐπὶ τὸν οἶκον τογ
22 θεογ, προσερχώμεθα μετὰ ἀληθινῆς καρδίας ἐν πληρο-

11 ἀρχιερεύς

φορία πίστεως, ῥεραντισμένοι τὰς καρδίας ἀπὸ συνειδή-
σεως πονηρᾶς καὶ λελουσμένοι τὸ σῶμα ὕδατι καθαρῷ· κα- 23
τέχωμεν τὴν ὁμολογίαν τῆς ἐλπίδος ἀκλινῆ, πιστὸς γὰρ
ὁ ἐπαγγειλάμενος· καὶ κατανοῶμεν ἀλλήλους εἰς παροξυ- 24
σμὸν ἀγάπης καὶ καλῶν ἔργων, μὴ ἐγκαταλείποντες τὴν 25
ἐπισυναγωγὴν ἑαυτῶν, καθὼς ἔθος τισίν, ἀλλὰ παρακα-
λοῦντες, καὶ τοσούτῳ μᾶλλον ὅσῳ βλέπετε ἐγγίζουσαν
τὴν ἡμέραν. Ἑκουσίως γὰρ ἁμαρτανόντων 26
ἡμῶν μετὰ τὸ λαβεῖν τὴν ἐπίγνωσιν τῆς ἀληθείας, οὐκέτι
περὶ ἁμαρτιῶν ἀπολείπεται θυσία, φοβερὰ δέ τις ἐκδοχὴ 27
κρίσεως καὶ πυρὸϲ ζῆλοϲ ἐϲθίειν μέλλοντος τοὺϲ ὑπε-
ναντίουϲ. ἀθετήσας τις νόμον Μωυσέως χωρὶς οἰκτιρμῶν 28
ἐπὶ δυϲὶν ἢ τριϲὶν μάρτυϲιν ἀποθνήϲκει· πόσῳ δο- 29
κεῖτε χείρονος ἀξιωθήσεται τιμωρίας ὁ τὸν υἱὸν τοῦ θεοῦ
καταπατήσας, καὶ τὸ αἷμα τῆϲ διαθήκηϲ κοινὸν ἡγη-
σάμενος ἐν ᾧ ἡγιάσθη, καὶ τὸ πνεῦμα τῆς χάριτος ἐνυ-
βρίσας. οἴδαμεν γὰρ τὸν εἰπόντα Ἐμοὶ ἐκδίκηϲιϲ, 30
ἐγὼ ἀνταποδώϲω· καὶ πάλιν Κρινεῖ Κύριοϲ τὸν
λαὸν αὐτοῦ. φοβερὸν τὸ ἐμπεσεῖν εἰς χεῖρας θεοῦ 31
ζῶντος. Ἀναμιμνήσκεσθε δὲ τὰς πρότερον 32
ἡμέρας, ἐν αἷς φωτισθέντες πολλὴν ἄθλησιν ὑπεμείνα-
τε παθημάτων, τοῦτο μὲν ὀνειδισμοῖς τε καὶ θλίψεσιν 33
θεατριζόμενοι, τοῦτο δὲ κοινωνοὶ τῶν οὕτως ἀναστρε-
φομένων γενηθέντες· καὶ γὰρ τοῖς δεσμίοις συνεπαθήσατε, 34
καὶ τὴν ἁρπαγὴν τῶν ὑπαρχόντων ὑμῶν μετὰ χαρᾶς
προσεδέξασθε, γινώσκοντες ἔχειν ἑαυτοὺς κρείσσονα
ὕπαρξιν καὶ μένουσαν. Μὴ ἀποβάλητε οὖν τὴν παρ- 35
ρησίαν ὑμῶν, ἥτις ἔχει μεγάλην μισθαποδοσίαν, ὑπομονῆς 36
γὰρ ἔχετε χρείαν ἵνα τὸ θέλημα τοῦ θεοῦ ποιήσαντες
κομίσησθε τὴν ἐπαγγελίαν·

ἔτι γὰρ μικρὸν ὅϲον ὅϲον,   37
    ὁ ἐρχόμενοϲ ἥξει καὶ οὐ χρονίϲει·
ὁ δὲ δίκαιόϲ [μου] ἐκ πίϲτεωϲ ζήϲεται,   38

────────────

1 ὑπόστασις πραγμάτων,   4 †...†

καὶ ἐὰν ὑποστείληται, ΟΥΚ ΕΥΔΟΚΕΙ Η ΨΥΧΗ ΜΟΥ
ἘΝ ΑΥΤΩ.

39 ἡμεῖς δὲ οὐκ ἐσμὲν ὑποστολῆς εἰς ἀπώλειαν, ἀλλὰ
πίστεως εἰς περιποίησιν ψυχῆς.

1 Ἔστιν δὲ πίστις ἐλπιζομένων ⌜ὑπόστασις, πραγμάτων⌝
2 ἔλεγχος οὐ βλεπομένων· ἐν ταύτῃ γὰρ ἐμαρτυρήθησαν
3 οἱ πρεσβύτεροι.   Πίστει νοοῦμεν κατηρτίσθαι
τοὺς αἰῶνας ῥήματι θεοῦ, εἰς τὸ μὴ ἐκ φαινομένων τὸ
4 βλεπόμενον γεγονέναι.   Πίστει πλείονα θυσίαν Ἄβελ
παρὰ Κάϊν προσήνεγκεν τῷ θεῷ, δι' ἧς ἐμαρτυρήθη εἶναι
δίκαιος, μαρτυροῦντος ἐπὶ τοῖς Δώροις ⌜ΑΥΤΟΥ ΤΟΥ
5 ΘΕΟΥ⌝, καὶ δι' αὐτῆς ἀποθανὼν ἔτι λαλεῖ.   Πίστει
Ἐνὼχ μετετέθη τοῦ μὴ ἰδεῖν θάνατον, καὶ ΟΥΧ ΗΥΡΙΣΚΕΤΟ
ΔΙΟΤΙ ΜΕΤΕΘΗΚΕΝ ΑΥΤΟΝ Ο ΘΕΟΣ· πρὸ γὰρ τῆς μεταθέ-
6 σεως μεμαρτύρηται ΕΥΑΡΕΣΤΗΚΕΝΑΙ ΤΩ ΘΕΩ, χωρὶς δὲ
πίστεως ἀδύνατον ΕΥΑΡΕΣΤΗΣΑΙ, πιστεῦσαι γὰρ δεῖ τὸν
προσερχόμενον [τῷ] θεῷ ὅτι ἔστιν καὶ τοῖς ἐκζητοῦσιν
7 αὐτὸν μισθαποδότης γίνεται.   Πίστει χρηματισθεὶς Νῶε
περὶ τῶν μηδέπω βλεπομένων εὐλαβηθεὶς κατεσκεύασεν
κιβωτὸν εἰς σωτηρίαν τοῦ οἴκου αὐτοῦ, δι' ἧς κατέκρινεν
τὸν κόσμον, καὶ τῆς κατὰ πίστιν δικαιοσύνης ἐγένετο
8 κληρονόμος.   Πίστει καλούμενος Ἀβραὰμ ὑπήκουσεν
ἐξελθεῖν εἰς τόπον ὃν ἤμελλεν λαμβάνειν εἰς κληρονο-
9 μίαν, καὶ ΕΞΗΛΘΕΝ μὴ ἐπιστάμενος ποῦ ἔρχεται.   Πίστει
παρῴκησεν εἰς γῆν τῆς ἐπαγγελίας ὡς ἀλλοτρίαν, ἐν
σκηναῖς κατοικήσας μετὰ Ἰσαὰκ καὶ Ἰακὼβ τῶν συν-
10 κληρονόμων τῆς ἐπαγγελίας τῆς αὐτῆς· ἐξεδέχετο γὰρ
τὴν τοὺς θεμελίους ἔχουσαν πόλιν, ἧς τεχνίτης καὶ δη-
11 μιουργὸς ὁ θεός.   Πίστει καὶ ⌜αὐτὴ Σάρρα⌝ δύναμιν εἰς
καταβολὴν σπέρματος ἔλαβεν καὶ παρὰ καιρὸν ἡλικίας,
12 ἐπεὶ πιστὸν ἡγήσατο τὸν ἐπαγγειλάμενον· διὸ καὶ ἀφ' ἑνὸς
⌜ἐγεννήθησαν⌝, καὶ ταῦτα νενεκρωμένου, καθὼς τὰ ΑΣΤΡΑ
ΤΟΥ ΟΥΡΑΝΟΥ τῷ πλήθει καὶ ὡς Η ΑΜΜΟΣ Η ΠΑΡΑ ΤΟ

11 αὐτῇ Σάρρᾳ   12 ἐγεννήθησαν

χεῖλος τῆς θαλάσσης ἡ ἀναρίθμητος.　　Κατὰ 13
πίστιν ἀπέθανον οὗτοι πάντες, μὴ κομισάμενοι τὰς ἐπαγ-
γελίας, ἀλλὰ πόρρωθεν αὐτὰς ἰδόντες καὶ ἀσπασάμενοι,
καὶ ὁμολογήσαντες ὅτι ξένοι καὶ παρεπίδημοί εἰσιν
ἐπὶ τῆς γῆς·　οἱ γὰρ τοιαῦτα λέγοντες ἐμφανίζουσιν 14
ὅτι πατρίδα ἐπιζητοῦσιν. καὶ εἰ μὲν ἐκείνης ἐμνημόνευον 15
ἀφ᾽ ἧς ἐξέβησαν, εἶχον ἂν καιρὸν ἀνακάμψαι· νῦν δὲ 16
κρείττονος ὀρέγονται, τοῦτ᾽ ἔστιν ἐπουρανίου. διὸ οὐκ ἐ-
παισχύνεται αὐτοὺς ὁ θεὸς θεὸς ἐπικαλεῖσθαι αὐτῶν,
ἡτοίμασεν γὰρ αὐτοῖς πόλιν.　　Πίστει προσ- 17
ενήνοχεν Ἀβραὰμ τὸν Ἰσαὰκ πειραζόμενος, καὶ τὸν
μονογενῆ προσέφερεν ὁ τὰς ἐπαγγελίας ἀναδεξάμενος,
πρὸς ὃν ἐλαλήθη ὅτι　　Ἐν Ἰσαὰκ κληθήσεταί σοι 18
σπέρμα,　λογισάμενος ὅτι καὶ ἐκ νεκρῶν ἐγείρειν δυ- 19
νατὸς ὁ θεός· ὅθεν αὐτὸν καὶ ἐν παραβολῇ ἐκομί-
σατο.　　Πίστει καὶ περὶ μελλόντων εὐλόγησεν Ἰσαὰκ 20
τὸν Ἰακὼβ καὶ τὸν Ἠσαῦ.　　Πίστει Ἰακὼβ ἀποθνή- 21
σκων ἕκαστον τῶν υἱῶν Ἰωσὴφ εὐλόγησεν, καὶ προσεκύ-
νησεν ἐπὶ τὸ ἄκρον τῆς ῥάβδου αὐτοῦ.　　Πίστει 22
Ἰωσὴφ τελευτῶν περὶ τῆς ἐξόδου τῶν υἱῶν Ἰσραὴλ ἐμνη-
μόνευσεν, καὶ περὶ τῶν ὀστέων αὐτοῦ ἐνετείλατο.　　Πίστει 23
Μωυσῆς γεννηθεὶς ἐκρύβη τρίμηνον ὑπὸ τῶν πατέρων
αὐτοῦ, διότι εἶδον ἀστεῖον τὸ παιδίον καὶ οὐκ ἐφοβή-
θησαν τὸ διάταγμα τοῦ βασιλέως.　　Πίστει Μωυσῆς 24
μέγας γενόμενος ἠρνήσατο λέγεσθαι υἱὸς θυγατρὸς
Φαραώ, μᾶλλον ἑλόμενος συνκακουχεῖσθαι τῷ λαῷ τοῦ 25
θεοῦ ἢ πρόσκαιρον ἔχειν ἁμαρτίας ἀπόλαυσιν, μείζονα 26
πλοῦτον ἡγησάμενος τῶν Αἰγύπτου θησαυρῶν τὸν ὀνει-
δισμὸν τοῦ χριστοῦ, ἀπέβλεπεν γὰρ εἰς τὴν μισθαπο-
δοσίαν.　　Πίστει κατέλιπεν Αἴγυπτον, μὴ φοβηθεὶς τὸν 27
θυμὸν τοῦ βασιλέως, τὸν γὰρ ἀόρατον ὡς ὁρῶν ἐκαρτέ-
ρησεν.　　Πίστει πεποίηκεν τὸ πάσχα καὶ τὴν πρόσχυσιν 28
τοῦ αἵματος, ἵνα μὴ ὁ ὀλοθρεύων τὰ πρωτότοκα θίγῃ

35 γυναῖκας MSS

29 αὐτῶν.   Πίστει διέβησαν τὴν Ἐρυθρὰν Θάλασσαν ὡς
διὰ ξηρᾶς γῆς, ἧς πεῖραν λαβόντες οἱ Αἰγύπτιοι κατεπό-
30 θησαν.   Πίστει τὰ τείχη Ἰερειχὼ ἔπεσαν κυκλωθέντα
31 ἐπὶ ἑπτὰ ἡμέρας.   Πίστει Ῥαὰβ ἡ πόρνη οὐ συναπώ-
λετο τοῖς ἀπειθήσασιν, δεξαμένη τοὺς κατασκόπους
32 μετ᾽ εἰρήνης.   Καὶ τί ἔτι λέγω ; ἐπιλείψει με
γὰρ διηγούμενον ὁ χρόνος περὶ Γεδεών, Βαράκ, Σαμψών,
33 Ἰεφθάε, Δαυείδ τε καὶ Σαμουὴλ καὶ τῶν προφητῶν, οἳ
διὰ πίστεως κατηγωνίσαντο βασιλείας, ἠργάσαντο δικαι-
οσύνην, ἐπέτυχον ἐπαγγελιῶν, ἔφραξαν στόματα λεόντων,
34 ἔσβεσαν δύναμιν πυρός, ἔφυγον στόματα μαχαίρης, ἐδυνα-
μώθησαν ἀπὸ ἀσθενείας, ἐγενήθησαν ἰσχυροὶ ἐν πολέμῳ,
35 παρεμβολὰς ἔκλιναν ἀλλοτρίων· ἔλαβον ⌜γυναῖκες⌝ ἐξ
ἀναστάσεως τοὺς νεκροὺς αὐτῶν· ἄλλοι δὲ ἐτυμπανίσθη-
σαν, οὐ προσδεξάμενοι τὴν ἀπολύτρωσιν, ἵνα κρείττονος
36 ἀναστάσεως τύχωσιν· ἕτεροι δὲ ἐμπαιγμῶν καὶ μαστίγων
37 πεῖραν ἔλαβον, ἔτι δὲ δεσμῶν καὶ φυλακῆς· ἐλιθάσθησαν,
⌜ἐπειράσθησαν, ἐπρίσθησαν⌝, ἐν φόνῳ μαχαίρης ἀπέθανον,
περιῆλθον ἐν μηλωταῖς, ἐν αἰγίοις δέρμασιν, ὑστερού-
38 μενοι, θλιβόμενοι, κακουχούμενοι, ὧν οὐκ ἦν ἄξιος ὁ κό-
σμος ⌜ἐπὶ⌝ ἐρημίαις πλανώμενοι καὶ ὄρεσι καὶ σπηλαίοις
39 καὶ ταῖς ὀπαῖς τῆς γῆς.   Καὶ οὗτοι πάντες
μαρτυρηθέντες διὰ τῆς πίστεως οὐκ ἐκομίσαντο τὴν ἐπαγ-
40 γελίαν, τοῦ θεοῦ περὶ ἡμῶν κρεῖττόν τι προβλεψαμένου,
ἵνα μὴ χωρὶς ἡμῶν τελειωθῶσιν.

1   Τοιγαροῦν καὶ ἡμεῖς, τοσοῦτον ἔχοντες περικείμενον
ἡμῖν νέφος μαρτύρων, ὄγκον ἀποθέμενοι πάντα καὶ τὴν
εὐπερίστατον ἁμαρτίαν, δι᾽ ὑπομονῆς τρέχωμεν τὸν προ-
2 κείμενον ἡμῖν ἀγῶνα, ἀφορῶντες εἰς τὸν τῆς πίστεως
ἀρχηγὸν καὶ τελειωτὴν Ἰησοῦν, ὃς ἀντὶ τῆς προκειμένης
αὐτῷ χαρᾶς ὑπέμεινεν σταυρὸν αἰσχύνης καταφρονήσας,
3 ἐν Δεξιᾷ τε τοῦ θρόνου τοῦ θεοῦ κεκάθικεν. ἀναλογί-
σασθε γὰρ τὸν τοιαύτην ὑπομεμενηκότα ὑπὸ τῶν ἁμαρτω-

37 † ἐπρίσθησαν, ἐπειράσθησαν †   38 ἐν

λῶν εἰς ⌜ἑαυτοὺς⌝ ἀντιλογίαν, ἵνα μὴ κάμητε ταῖς ψυχαῖς
ὑμῶν ἐκλυόμενοι. Οὔπω μέχρις αἵματος ἀντικατέστη- 4
τε πρὸς τὴν ἁμαρτίαν ἀνταγωνιζόμενοι, καὶ ἐκλέλησθε 5
τῆς παρακλήσεως, ἥτις ὑμῖν ὡς υἱοῖς διαλέγεται,

Υἱέ ΜΟΥ, ΜΗ ὀλιΓώρει παιΔείας Κγρίογ,
ΜΗΔὲ ἐκλγογ ὑπ' αγτογ ἐλεΓχόΜεΝΟc·
ὅν Γὰρ ἀΓαπᾶ ΚγριΟc παιΔεγει, 6
ΜαcτιΓοῖ Δὲ πάΝτα γἱὸΝ ὅΝ παραΔέχεται.

εἰς παιΔείαΝ ὑπομένετε· ὡς γἱοῖς ὑμῖν προσφέρεται ὁ θεός· 7
τίς Γὰρ γἱὸc ὅΝ οὐ παιΔεγει πατήρ ; εἰ δὲ χωρίς ἐστε 8
παιΔείας ἧς μέτοχοι γεγόνασι πάντες, ἄρα νόθοι καὶ
οὐχ γἱοί ἐστε. εἶτα τοὺς μὲν τῆς σαρκὸς ἡμῶν πατέ- 9
ρας εἴχομεν παιδευτὰς καὶ ἐνετρεπόμεθα· οὐ πολὺ μᾶλλον
ὑποταγησόμεθα τῷ πατρὶ τῶν πνευμάτων καὶ ζήσομεν ;
οἱ μὲν γὰρ πρὸς ὀλίγας ἡμέρας κατὰ τὸ δοκοῦν αὐτοῖς 10
ἐπαίδευον, ὁ δὲ ἐπὶ τὸ συμφέρον εἰς τὸ μεταλαβεῖν τῆς
ἁγιότητος αὐτοῦ. πᾶσα ⌜μὲν⌝ παιδεία πρὸς μὲν τὸ παρὸν 11
οὐ δοκεῖ χαρᾶς εἶναι ἀλλὰ λύπης, ὕστερον δὲ καρπὸν εἰρη-
νικὸν τοῖς δι' αὐτῆς γεγυμνασμένοις ἀποδίδωσιν δικαιοσύ-
νης. Διὸ τὰς παρειμένας χεῖρας καὶ τὰ παραλελγ- 12
ΜέΝα ΓόΝατα ἀνορθώσατε, καὶ τροχιὰς ὀρθὰς ⌜ποι- 13
εῖτε⌝ τοῖς ποσὶν ὑμῶν, ἵνα μὴ τὸ χωλὸν ἐκτραπῇ, ἰαθῇ δὲ
μᾶλλον. Εἰρήνην Διώκετε μετὰ πάντων, 14
καὶ τὸν ἁγιασμόν, οὗ χωρὶς οὐδεὶς ὄψεται τὸν κύριον, ἐπι- 15
σκοποῦντες μή τις ὑστερῶν ἀπὸ τῆς χάριτος τοῦ θεοῦ,
ΜΗ τιc ῥίΖα πικρίας ἄΝω φγογcα ἐΝοχλῇ καὶ ⌜δι' αὐ-
τῆς⌝ ΜιαΝθῶcιΝ οἱ πολλοί, μή τις πόρνος ἢ βέβηλος ὡς 16
Ἠσαῦ, ὃς ἀντὶ βρώσεως μιᾶς ἀπέδετο τὰ πρωτοτόκια
ἑαυτοῦ. ἴστε γὰρ ὅτι καὶ μετέπειτα θέλων κληρονομῆσαι 17
τὴν εὐλογίαν ἀπεδοκιμάσθη, μετανοίας· γὰρ τόπον οὐχ εὗ-
ρεν, καίπερ μετὰ δακρύων ἐκζητήσας αὐτήν. Οὐ 18
γὰρ προσεληλύθατε ψηλαφωμένῳ καὶ κεκαγΜέΝῳ πγρὶ
καὶ ΓΝόφῳ καὶ Ζόφῳ καὶ θγέλλῃ καὶ cάλπιΓΓΟc 19

3 ἑαυτὸν   11 †δὲ†   13 ποιήσατε   15 διὰ ταύτης

ἤχῳ καὶ φωνῇ ῥημάτων, ἧς οἱ ἀκούσαντες παρη-
20 τήσαντο ⸆ προστεθῆναι αὐτοῖς λόγον· οὐκ ἔφερον γὰρ τὸ
διαστελλόμενον Κἂν θηρίον θίγῃ ΤΟΥ ὄρους, λιθο-
21 ΒΟΛΗθΗΟΕΤΑΙ· καί, οὕτω φοβερὸν ἦν τὸ φανταζόμενον,
22 Μωυσῆς εἶπεν Ἐκφοβός εἰμι καὶ ⌜ἔντρομος⌝. ἀλλὰ
προσεληλύθατε Σιὼν ὄρει καὶ πόλει θεοῦ ζῶντος, Ἰερου-
23 σαλὴμ ἐπουρανίῳ, καὶ μυριάσιν ⌜ἀγγέλων, πανηγύρει⌝ καὶ
ἐκκλησίᾳ πρωτοτόκων ἀπογεγραμμένων ἐν οὐρανοῖς, καὶ
κριτῇ θεῷ πάντων, καὶ πνεύμασι δικαίων τετελειωμένων,
24 καὶ διαθήκης νέας μεσίτῃ Ἰησοῦ, καὶ αἵματι ῥαντισμοῦ
25 κρεῖττον λαλοῦντι παρὰ τὸν Ἄβελ. Βλέπετε μὴ παραι-
τήσησθε τὸν λαλοῦντα· εἰ γὰρ ἐκεῖνοι οὐκ ἐξέφυγον ἐπὶ
γῆς παραιτησάμενοι τὸν χρηματίζοντα, πολὺ μᾶλλον
26 ἡμεῖς οἱ τὸν ἀπ᾽ ⌜οὐρανῶν⌝ ἀποστρεφόμενοι· οὗ ἡ φωνὴ
τὴν γῆν ἐσάλευσεν τότε, νῦν δὲ ἐπήγγελται λέγων Ἔτι
ἅπαξ ἐγὼ ΟΕίΟω οὐ μόνον ΤΗΝ ΓΗΝ ἀλλὰ καὶ τὸν
27 ΟΥΡΑΝόΝ. τὸ δέ Ἔτι ἅπαξ δηλοῖ [τὴν] τῶν σαλευο-
μένων μετάθεσιν ὡς πεποιημένων, ἵνα μείνῃ τὰ μὴ σα-
28 λευόμενα. Διὸ βασιλείαν ἀσάλευτον παραλαμβάνοντες
ἔχωμεν χάριν, δι᾽ ἧς λατρεύωμεν εὐαρέστως τῷ θεῷ
29 μετὰ εὐλαβείας καὶ δέους, καὶ γὰρ ὁ θεὸς ἡμῶν ΠΥΡ
ΚΑΤΑΝΑΛίΟΚΟΝ.

1
2 Ἡ φιλαδελφία μενέτω. τῆς φιλοξενίας μὴ ἐπιλαν-
θάνεσθε, διὰ ταύτης γὰρ ἔλαθόν τινες ξενίσαντες ἀγγέ-
3 λους. μιμνήσκεσθε τῶν δεσμίων ὡς συνδεδεμένοι, τῶν κα-
4 κουχουμένων ὡς καὶ αὐτοὶ ὄντες ἐν σώματι. Τίμιος ὁ
γάμος ἐν πᾶσιν καὶ ἡ κοίτη ἀμίαντος, πόρνους γὰρ καὶ
5 μοιχοὺς κρινεῖ ὁ θεός. Ἀφιλάργυρος ὁ τρόπος· ἀρ-
κούμενοι τοῖς παροῦσιν· αὐτὸς γὰρ εἴρηκεν Οὐ μή
6 σε ἀνῶ οὐδ᾽ οὐ μή σε ἐγκαταλίπω· ὥστε θαρροῦν-
τας ἡμᾶς λέγειν
Κύριος ἐμοὶ βοηθός, οὐ φοβηθήσομαι·
τί ποιήσει μοι ἄνθρωπος;

Μνημονεύετε τῶν ἡγουμένων ὑμῶν, οἵτινες ἐλάλησαν 7
ὑμῖν τὸν λόγον τοῦ θεοῦ, ὧν ἀναθεωροῦντες τὴν ἔκβασιν
τῆς ἀναστροφῆς μιμεῖσθε τὴν πίστιν.   Ἰησοῦς 8
Χριστὸς ἐχθὲς καὶ σήμερον ὁ αὐτός, καὶ εἰς τοὺς αἰῶνας.
διδαχαῖς ποικίλαις καὶ ξέναις μὴ παραφέρεσθε· καλὸν γὰρ 9
χάριτι βεβαιοῦσθαι τὴν καρδίαν, οὐ βρώμασιν, ἐν οἷς
οὐκ ὠφελήθησαν οἱ ⌜περιπατοῦντες⌝. ἔχομεν θυσιαστήριον 10
ἐξ οὗ φαγεῖν οὐκ ἔχουσιν [ἐξουσίαν] οἱ τῇ σκηνῇ λατρεύ-
οντες. ὧν γὰρ εἰϲφέρεται ζῴων τὸ αἷμα περὶ ἁμαρτίαϲ 11
εἰϲ τὰ ἅγια διὰ τοῦ ἀρχιερέωϲ, τούτων τὰ ϲώματα κατα-
καίεται ἔξω τῆϲ παρεμβολῆϲ· διὸ καὶ Ἰησοῦς, ἵνα 12
ἁγιάσῃ διὰ τοῦ ἰδίου αἵματος τὸν λαόν, ἔξω τῆς πύλης
ἔπαθεν. τοίνυν ἐξερχώμεθα πρὸς αὐτὸν ἔξω τῆϲ παρεμ- 13
βολῆϲ, τὸν ὀνειδισμὸν αὐτοῦ φέροντες, οὐ γὰρ ἔχομεν 14
ὧδε μένουσαν πόλιν, ἀλλὰ τὴν μέλλουσαν ἐπιζητοῦμεν·
δι᾽ αὐτοῦ ⸆ ἀναφέρωμεν θυϲίαν αἰνέϲεωϲ διὰ παντὸς 15
τῷ θεῷ, τοῦτ᾽ ἔστιν καρπὸν χειλέων ὁμολογούντων
τῷ ὀνόματι αὐτοῦ. τῆς δὲ εὐποιίας καὶ κοινωνίας μὴ 16
ἐπιλανθάνεσθε, τοιαύταις γὰρ θυσίαις εὐαρεστεῖται ὁ
θεός.   Πείθεσθε τοῖς ἡγουμένοις ὑμῶν καὶ 17
ὑπείκετε, αὐτοὶ γὰρ ἀγρυπνοῦσιν ὑπὲρ τῶν ψυχῶν ὑμῶν
ὡς λόγον ἀποδώσοντες, ἵνα μετὰ χαρᾶς τοῦτο ποιῶσιν καὶ
μὴ στενάζοντες, ἀλυσιτελὲς γὰρ ὑμῖν τοῦτο.

Προσεύχεσθε περὶ ἡμῶν, πειθόμεθα γὰρ ὅτι καλὴν 18
συνείδησιν ἔχομεν, ἐν πᾶσιν καλῶς θέλοντες ἀναστρέφε-
σθαι. περισσοτέρως δὲ παρακαλῶ τοῦτο ποιῆσαι ἵνα τάχει- 19
ον ἀποκατασταθῶ ὑμῖν.   Ὁ δὲ θεὸς τῆς εἰρήνης, 20
ὁ ἀναγαγὼν ἐκ νεκρῶν τὸν ποιμένα τῶν προβά-
των τὸν μέγαν ἐν αἵματι διαθήκηϲ αἰωνίου, τὸν
κύριον ἡμῶν Ἰησοῦν, καταρτίσαι ὑμᾶς ἐν παντὶ ἀγαθῷ εἰς 21
τὸ ποιῆσαι τὸ θέλημα αὐτοῦ, ⸆ ποιῶν ἐν ἡμῖν τὸ εὐάρε-
στον ἐνώπιον αὐτοῦ διὰ Ἰησοῦ Χριστοῦ, ᾧ ἡ δόξα εἰς
τοὺς αἰῶνας τῶν αἰώνων· ἀμήν.   Παρακαλῶ δὲ 22

          9 περιπατήσαντες   15 οὖν   21 †αὐτῷ†

ὑμᾶς, ἀδελφοί, ⌈ἀνέχεσθε⌉ τοῦ λόγου τῆς παρακλήσεως,
23 καὶ γὰρ διὰ βραχέων ἐπέστειλα ὑμῖν.   Γινώ-
σκετε τὸν ἀδελφὸν ἡμῶν Τιμόθεον ἀπολελυμένον, μεθ' οὗ
ἐὰν τάχειον ἔρχηται ὄψομαι ὑμᾶς.

24   Ἀσπάσασθε πάντας τοὺς ἡγουμένους ὑμῶν καὶ πάντας
τοὺς ἁγίους.   Ἀσπάζονται ὑμᾶς οἱ ἀπὸ τῆς Ἰταλίας.

25   Ἡ χάρις μετὰ πάντων ὑμῶν. ⊤

22 ἀνέχεσθαι   25 ἀμήν.

ΠΡΟΣ ΤΙΜΟΘΕΟΝ Α

ΠΑΥΛΟΣ ἀπόστολος Χριστοῦ Ἰησοῦ κατ' ἐπιταγὴν 1
θεοῦ σωτῆρος ἡμῶν καὶ Χριστοῦ Ἰησοῦ τῆς ἐλπίδος ἡμῶν
Τιμοθέῳ γνησίῳ τέκνῳ ἐν πίστει· χάρις, ἔλεος, εἰρήνη 2
ἀπὸ θεοῦ πατρὸς καὶ Χριστοῦ Ἰησοῦ τοῦ κυρίου ἡμῶν.

Καθὼς παρεκάλεσά σε προσμεῖναι ἐν Ἐφέσῳ, πορευό- 3
μενος εἰς Μακεδονίαν, ἵνα παραγγείλῃς τισὶν μὴ ἑτεροδι-
δασκαλεῖν μηδὲ προσέχειν μύθοις καὶ γενεαλογίαις ἀπε- 4
ράντοις, αἵτινες ἐκζητήσεις παρέχουσι μᾶλλον ἢ οἰκονο-
μίαν θεοῦ τὴν ἐν πίστει,— τὸ δὲ τέλος τῆς παραγγελίας 5
ἐστὶν ἀγάπη ἐκ καθαρᾶς καρδίας καὶ συνειδήσεως ἀγαθῆς
καὶ πίστεως ἀνυποκρίτου, ὧν τινὲς ἀστοχήσαντες ἐξετρά- 6
πησαν εἰς ματαιολογίαν, θέλοντες εἶναι νομοδιδάσκαλοι, 7
μὴ νοοῦντες μήτε ἃ λέγουσιν μήτε περὶ τίνων διαβε-
βαιοῦνται.   Οἴδαμεν δὲ ὅτι καλὸς ὁ νόμος ἐάν τις αὐτῷ 8
νομίμως χρῆται, εἰδὼς τοῦτο ὅτι δικαίῳ νόμος οὐ κεῖται, 9
ἀνόμοις δὲ καὶ ἀνυποτάκτοις, ἀσεβέσι καὶ ἁμαρτωλοῖς,
ἀνοσίοις καὶ βεβήλοις, πατρολῴαις καὶ μητρολῴαις, ἀνδρο-
φόνοις, πόρνοις, ἀρσενοκοίταις, ἀνδραποδισταῖς, ψεύσταις, 10
ἐπιόρκοις, καὶ εἴ τι ἕτερον τῇ ὑγιαινούσῃ διδασκαλίᾳ ἀντί-
κειται, κατὰ τὸ εὐαγγέλιον τῆς δόξης τοῦ μακαρίου θεοῦ, 11
ὁ ἐπιστεύθην ἐγώ.   Χάριν ἔχω τῷ ⸢ἐνδυναμώ- 12
σαντί⸣ με Χριστῷ Ἰησοῦ τῷ κυρίῳ ἡμῶν, ὅτι πιστόν με

12 ἐνδυναμοῦντί

13 ἡγήσατο θέμενος εἰς διακονίαν, τὸ πρότερον ὄντα βλάσφη-
μον καὶ διώκτην καὶ ὑβριστήν· ἀλλὰ ἠλεήθην, ὅτι ἀγνοῶν
14 ἐποίησα ἐν ἀπιστίᾳ, ὑπερεπλεόνασεν δὲ ἡ χάρις τοῦ κυρίου
ἡμῶν μετὰ πίστεως καὶ ἀγάπης τῆς ἐν Χριστῷ Ἰησοῦ.
15 πιστὸς ὁ λόγος καὶ πάσης ἀποδοχῆς ἄξιος, ὅτι Χριστὸς
Ἰησοῦς ἦλθεν εἰς τὸν κόσμον ἁμαρτωλοὺς σῶσαι· ὧν
16 πρῶτός εἰμι ἐγώ, ἀλλὰ διὰ τοῦτο ἠλεήθην, ἵνα ἐν ἐμοὶ
πρώτῳ ἐνδείξηται ⌜Χριστὸς Ἰησοῦς⌝ τὴν ἅπασαν μακροθυ-
μίαν, πρὸς ὑποτύπωσιν τῶν μελλόντων πιστεύειν ἐπ᾽ αὐτῷ
17 εἰς ζωὴν αἰώνιον.   Τῷ δὲ βασιλεῖ τῶν αἰώνων, ἀφθάρτῳ,
ἀοράτῳ, μόνῳ θεῷ, τιμὴ καὶ δόξα εἰς τοὺς αἰῶνας τῶν
18 αἰώνων· ἀμήν.   Ταύτην τὴν παραγγελίαν πα-
ρατίθεμαί σοι, τέκνον Τιμόθεε, κατὰ τὰς προαγούσας ἐπὶ
σὲ προφητείας, ἵνα ⌜στρατεύῃ⌝ ἐν αὐταῖς τὴν καλὴν στρα-
19 τείαν, ἔχων πίστιν καὶ ἀγαθὴν συνείδησιν, ἥν τινες ἀπωσά-
20 μενοι περὶ τὴν πίστιν ἐναυάγησαν· ὧν ἐστὶν Ὑμέναιος
καὶ Ἀλέξανδρος, οὓς παρέδωκα τῷ Σατανᾷ ἵνα παιδευθῶσι
μὴ βλασφημεῖν.

1   Παρακαλῶ οὖν πρῶτον πάντων ποιεῖσθαι δεήσεις,
προσευχάς, ἐντεύξεις, εὐχαριστίας, ὑπὲρ πάντων ἀνθρώπων,
2 ὑπὲρ βασιλέων καὶ πάντων τῶν ἐν ὑπεροχῇ ὄντων, ἵνα
ἤρεμον καὶ ἡσύχιον βίον διάγωμεν ἐν πάσῃ εὐσεβείᾳ καὶ
3 σεμνότητι. τοῦτο καλὸν καὶ ἀπόδεκτον ἐνώπιον τοῦ σω-
4 τῆρος ἡμῶν θεοῦ ὃς πάντας ἀνθρώπους θέλει σωθῆναι καὶ
5 εἰς ἐπίγνωσιν ἀληθείας ἐλθεῖν.   Εἷς γὰρ θεός, εἷς καὶ
μεσίτης θεοῦ καὶ ἀνθρώπων ἄνθρωπος Χριστὸς Ἰησοῦς,
6 ὁ δοὺς ἑαυτὸν ἀντίλυτρον ὑπὲρ πάντων, τὸ μαρτύριον
7 καιροῖς ἰδίοις· εἰς ὃ ἐτέθην ἐγὼ κῆρυξ καὶ ἀπόστολος, —
ἀλήθειαν λέγω, οὐ ψεύδομαι, — διδάσκαλος ἐθνῶν ἐν πίστει
8 καὶ ἀληθείᾳ.   Βούλομαι οὖν προσεύχεσθαι τοὺς
ἄνδρας ἐν παντὶ τόπῳ, ἐπαίροντας ὁσίους χεῖρας χωρὶς
9 ὀργῆς καὶ ⌜διαλογισμῶν⌝. Ὡσαύτως γυναῖκας. ἐν κα-
ταστολῇ ⌜κοσμίῳ⌝ μετὰ αἰδοῦς καὶ σωφροσύνης κοσμεῖν

Ἰησοῦς Χριστὸς   18 στρατεύσῃ   8 διαλογισμοῦ   9 κοσμίως

ἑαυτάς, μὴ ἐν πλέγμασιν καὶ ⌜χρυσίῳ⌝ ἢ μαργαρίταις ἢ
ἱματισμῷ πολυτελεῖ, ἀλλ᾽ ὃ πρέπει γυναιξὶν ἐπαγγελ- 10
λομέναις θεοσέβειαν, δι᾽ ἔργων ἀγαθῶν.   Γυνὴ ἐν ἡσυ- 11
χίᾳ μανθανέτω ἐν πάσῃ ὑποταγῇ· διδάσκειν δὲ γυναικὶ 12
οὐκ ἐπιτρέπω, οὐδὲ αὐθεντεῖν ἀνδρός, ἀλλ᾽ εἶναι ἐν ἡσυ- 13
χίᾳ.   Ἀδὰμ γὰρ πρῶτος ἐπλάσθη, εἶτα Εὔα· καὶ Ἀδὰμ 14
οὐκ ἠπατήθη, ἡ δὲ γυνὴ ἐξαπατηθεῖσα ἐν παραβάσει γέγο-
νεν. σωθήσεται δὲ διὰ τῆς τεκνογονίας, ἐὰν μείνωσιν ἐν 15
πίστει καὶ ἀγάπῃ καὶ ἁγιασμῷ μετὰ σωφροσύνης. πιστὸς 1
ὁ λόγος.   Εἴ τις ἐπισκοπῆς ὀρέγεται, καλοῦ ἔρ-
γου ἐπιθυμεῖ. δεῖ οὖν τὸν ἐπίσκοπον ἀνεπίλημπτον εἶναι, 2
μιᾶς γυναικὸς ἄνδρα, νηφάλιον, σώφρονα, κόσμιον, φιλό-
ξενον, διδακτικόν, μὴ πάροινον, μὴ πλήκτην, ἀλλὰ ἐπιεικῆ, 3
ἄμαχον, ἀφιλάργυρον, τοῦ ἰδίου οἴκου καλῶς προϊστάμενον, 4
τέκνα ἔχοντα ἐν ὑποταγῇ μετὰ πάσης σεμνότητος· (εἰ δέ 5
τις τοῦ ἰδίου οἴκου προστῆναι οὐκ οἶδεν, πῶς ἐκκλησίας
θεοῦ ἐπιμελήσεται;) μὴ νεόφυτον, ἵνα μὴ τυφωθεὶς εἰς 6
κρίμα ἐμπέσῃ τοῦ διαβόλου. δεῖ δὲ καὶ μαρτυρίαν καλὴν 7
ἔχειν ἀπὸ τῶν ἔξωθεν, ἵνα μὴ εἰς ὀνειδισμὸν ἐμπέσῃ καὶ
παγίδα τοῦ διαβόλου.   Διακόνους ὡσαύτως σεμνούς, μὴ 8
διλόγους, μὴ οἴνῳ πολλῷ προσέχοντας, μὴ αἰσχροκερδεῖς,
ἔχοντας τὸ μυστήριον τῆς πίστεως ἐν καθαρᾷ συνειδήσει. 9
καὶ οὗτοι δὲ δοκιμαζέσθωσαν πρῶτον, εἶτα διακονείτωσαν 10
ἀνέγκλητοι ὄντες. γυναῖκας ὡσαύτως σεμνάς, μὴ διαβό- 11
λους, νηφαλίους, πιστὰς ἐν πᾶσιν. διάκονοι ἔστωσαν 12
μιᾶς γυναικὸς ἄνδρες, τέκνων καλῶς προϊστάμενοι καὶ τῶν
ἰδίων οἴκων· οἱ γὰρ καλῶς διακονήσαντες βαθμὸν ἑαυτοῖς 13
καλὸν περιποιοῦνται καὶ πολλὴν παρρησίαν ἐν πίστει τῇ
ἐν Χριστῷ Ἰησοῦ.   Ταῦτά σοι γράφω, ἐλπί- 14
ζων ἐλθεῖν [πρὸς σὲ] ἐν τάχει, ἐὰν δὲ βραδύνω, ἵνα εἰδῇς 15
πῶς δεῖ ἐν οἴκῳ θεοῦ ἀναστρέφεσθαι, ἥτις ἐστὶν ἐκκλησία
θεοῦ ζῶντος, στῦλος καὶ ἑδραίωμα τῆς ἀληθείας· καὶ 16
ὁμολογουμένως μέγα ἐστὶν τὸ τῆς εὐσεβείας μυστήριον·

11 9 χρυσῷ

Ὃς ἐφανερώθη ἐν σαρκί,
ἐδικαιώθη ἐν πνεύματι,
ὤφθη ἀγγέλοις,
ἐκηρύχθη ἐν ἔθνεσιν,
ἐπιστεύθη ἐν κόσμῳ,
ἀνελήμφθη ἐν δόξῃ.

1 Τὸ δὲ πνεῦμα ῥητῶς λέγει ὅτι ἐν ὑστέροις καιροῖς
ἀποστήσονταί τινες τῆς πίστεως, προσέχοντες πνεύμασι
2 πλάνοις καὶ διδασκαλίαις δαιμονίων ἐν ὑποκρίσει ψευδο-
3 λόγων, κεκαυστηριασμένων τὴν ἰδίαν συνείδησιν, ⌜κωλυ-
όντων γαμεῖν, ἀπέχεσθαι⌝ βρωμάτων ἃ ὁ θεὸς ἔκτισεν εἰς
μετάλημψιν μετὰ εὐχαριστίας τοῖς πιστοῖς καὶ ἐπεγνωκόσι
4 τὴν ἀλήθειαν. ὅτι πᾶν κτίσμα θεοῦ καλόν, καὶ οὐδὲν ἀπό-
5 βλητον· μετὰ εὐχαριστίας λαμβανόμενον, ἁγιάζεται γὰρ
6 διὰ λόγου θεοῦ καὶ ἐντεύξεως.   Ταῦτα ὑποτιθέ-
μενος τοῖς ἀδελφοῖς καλὸς ἔσῃ διάκονος Χριστοῦ Ἰησοῦ,
ἐντρεφόμενος τοῖς λόγοις τῆς πίστεως καὶ τῆς καλῆς διδα-
7 σκαλίας ᾗ ⌜παρηκολούθηκας⌝, τοὺς δὲ βεβήλους καὶ γραώ-
8 δεις μύθους παραιτοῦ. γύμναζε δὲ σεαυτὸν πρὸς εὐσέβειαν·
ἡ γὰρ σωματικὴ γυμνασία πρὸς ὀλίγον ἐστὶν ὠφέλιμος,
ἡ δὲ εὐσέβεια πρὸς πάντα ὠφέλιμός ἐστιν, ἐπαγγελίαν
9 ἔχουσα ζωῆς τῆς νῦν καὶ τῆς μελλούσης. πιστὸς ὁ
10 λόγος καὶ πάσης ἀποδοχῆς ἄξιος, εἰς τοῦτο γὰρ κοπιῶμεν
καὶ ⌜ἀγωνιζόμεθα⌝, ὅτι ⌜ἠλπίκαμεν⌝ ἐπὶ θεῷ ζῶντι, ὅς
ἐστιν σωτὴρ πάντων ἀνθρώπων, μάλιστα πιστῶν.

11
12 Παράγγελλε ταῦτα καὶ δίδασκε. μηδείς σου τῆς νεό-
τητος καταφρονείτω, ἀλλὰ τύπος γίνου τῶν πιστῶν ἐν
13 λόγῳ, ἐν ἀναστροφῇ, ἐν ἀγάπῃ, ἐν πίστει, ἐν ἁγνίᾳ. ἕως
ἔρχομαι πρόσεχε τῇ ἀναγνώσει, τῇ παρακλήσει, τῇ διδα-
14 σκαλίᾳ. μὴ ἀμέλει τοῦ ἐν σοὶ χαρίσματος, ὃ ἐδόθη σοι
διὰ προφητείας μετὰ ἐπιθέσεως τῶν χειρῶν τοῦ πρεσβυ-
15 τερίου. ταῦτα μελέτα, ἐν τούτοις ἴσθι, ἵνα σου ἡ προ-
16 κοπὴ φανερὰ ᾖ πᾶσιν· ἔπεχε σεαυτῷ καὶ τῇ διδασκαλίᾳ·

3 †...†   7 παρηκολούθησας   10 ὀνειδιζόμεθα | ἠλπίσαμεν

ἐπίμενε αὐτοῖς· τοῦτο γὰρ ποιῶν καὶ σεαυτὸν σώσεις καὶ
τοὺς ἀκούοντάς σου.

Πρεσβυτέρῳ μὴ ἐπιπλήξῃς, ἀλλὰ παρακάλει ὡς πα- 1
τέρα, νεωτέρους ὡς ἀδελφούς, πρεσβυτέρας ὡς μητέρας, 2
νεωτέρας ὡς ἀδελφὰς ἐν πάσῃ ἁγνίᾳ. Χήρας τίμα τὰς 3
ὄντως χήρας. εἰ δέ τις χήρα τέκνα ἢ ἔκγονα ἔχει, μανθα- 4
νέτωσαν πρῶτον τὸν ἴδιον οἶκον εὐσεβεῖν καὶ ἀμοιβὰς ἀπο-
διδόναι τοῖς προγόνοις, τοῦτο γάρ ἐστιν ἀπόδεκτον ἐνώπιον
τοῦ θεοῦ· ἡ δὲ ὄντως χήρα καὶ μεμονωμένη ἤλπικεν ἐπὶ 5
⌈τὸν⌉ θεὸν⌉ καὶ προσμένει ταῖς δεήσεσιν καὶ ταῖς προσευ-
χαῖς νυκτὸς καὶ ἡμέρας· ἡ δὲ σπαταλῶσα ζῶσα τέθνηκεν. 6
καὶ ταῦτα παράγγελλε, ἵνα ἀνεπίλημπτοι ὦσιν· εἰ δέ τις 7
τῶν ἰδίων καὶ μάλιστα οἰκείων οὐ ⌈προνοεῖ⌉, τὴν πίστιν 8
ἤρνηται καὶ ἔστιν ἀπίστου χείρων. Χήρα καταλεγέσθω 9
μὴ ἔλαττον ἐτῶν ἑξήκοντα γεγονυῖα, ἑνὸς ἀνδρὸς γυνή,
ἐν ἔργοις καλοῖς μαρτυρουμένη, εἰ ἐτεκνοτρόφησεν, εἰ 10
ἐξενοδόχησεν, εἰ ἁγίων πόδας ἔνιψεν, εἰ θλιβομένοις
ἐπήρκεσεν, εἰ παντὶ ἔργῳ ἀγαθῷ ἐπηκολούθησεν. νεωτέ- 11
ρας δὲ χήρας παραιτοῦ· ὅταν γὰρ καταστρηνιάσωσιν τοῦ
χριστοῦ, γαμεῖν θέλουσιν, ἔχουσαι κρίμα ὅτι τὴν πρώτην 12
πίστιν ἠθέτησαν· ἅμα δὲ καὶ ἀργαὶ μανθάνουσιν, περι- 13
ερχόμεναι τὰς οἰκίας, οὐ μόνον δὲ ἀργαὶ ἀλλὰ καὶ φλύαροι
καὶ περίεργοι, λαλοῦσαι τὰ μὴ δέοντα. βούλομαι οὖν 14
νεωτέρας γαμεῖν, τεκνογονεῖν, οἰκοδεσποτεῖν, μηδεμίαν
ἀφορμὴν διδόναι τῷ ἀντικειμένῳ λοιδορίας χάριν· ἤδη γάρ 15
τινες ἐξετράπησαν ὀπίσω τοῦ Σατανᾶ. εἴ τις πιστὴ ἔχει 16
χήρας, ⌈ἐπαρκείτω⌉ αὐταῖς, καὶ μὴ βαρείσθω ἡ ἐκκλησία,
ἵνα ταῖς ὄντως χήραις ἐπαρκέσῃ. Οἱ καλῶς 17
προεστῶτες πρεσβύτεροι διπλῆς τιμῆς ἀξιούσθωσαν, μά-
λιστα οἱ κοπιῶντες ἐν λόγῳ καὶ διδασκαλίᾳ· λέγει γὰρ ἡ 18
γραφή Βοῦν ἀλοῶντα οὐ φιμώσεις· καί Ἄξιος ὁ ἐρ-
γάτης τοῦ μισθοῦ αὐτοῦ. κατὰ πρεσβυτέρου κατηγορίαν 19
μὴ παραδέχου, ἐκτὸς εἰ μὴ ἐπὶ ΔΥΟ Η ΤΡΙΩΝ ΜΑΡΤΥΡΩΝ·

5 Κύριον   8 προνοεῖται   16 ἐπαρκείσθω

20 τοὺς [δὲ] ἁμαρτάνοντας ἐνώπιον πάντων ἔλεγχε, ἵνα καὶ οἱ
21 λοιποὶ φόβον ἔχωσιν. Διαμαρτύρομαι ἐνώπιον τοῦ θεοῦ
καὶ Χριστοῦ Ἰησοῦ καὶ τῶν ἐκλεκτῶν ἀγγέλων, ἵνα ταῦτα
φυλάξῃς χωρὶς προκρίματος, μηδὲν ποιῶν κατὰ πρόσ-
22 κλισιν. Χεῖρας ταχέως μηδενὶ ἐπιτίθει, μηδὲ κοινώνει
23 ἁμαρτίαις ἀλλοτρίαις· σεαυτὸν ἁγνὸν τήρει. Μηκέτι ὑδρο-
πότει, ἀλλὰ οἴνῳ ὀλίγῳ χρῶ διὰ τὸν στόμαχον καὶ τὰς
24 πυκνάς σου ἀσθενείας. Τινῶν ἀνθρώπων αἱ ἁμαρτίαι
πρόδηλοί εἰσιν, προάγουσαι εἰς κρίσιν, τισὶν δὲ καὶ ἐπα-
25 κολουθοῦσιν· ὡσαύτως καὶ τὰ ἔργα τὰ καλὰ πρόδηλα, καὶ
1 τὰ ἄλλως ἔχοντα κρυβῆναι οὐ δύνανται.   Ὅσοι
εἰσὶν ὑπὸ ζυγὸν δοῦλοι, τοὺς ἰδίους δεσπότας πάσης τιμῆς
ἀξίους ἡγείσθωσαν, ἵνα μὴ τὸ ὄνομα τοῦ θεοῦ καὶ ἡ δι-
2 δασκαλία βλασφημῆται. οἱ δὲ πιστοὺς ἔχοντες δεσπότας
μὴ καταφρονείτωσαν, ὅτι ἀδελφοί εἰσιν· ἀλλὰ μᾶλλον
δουλευέτωσαν, ὅτι πιστοί εἰσιν καὶ ⌜ἀγαπητοὶ οἱ⌝ τῆς εὐερ-
γεσίας ἀντιλαμβανόμενοι.

3   Ταῦτα δίδασκε καὶ παρακάλει. εἴ τις ἑτεροδιδασκαλεῖ
καὶ μὴ προσέρχεται ὑγιαίνουσι λόγοις, τοῖς τοῦ κυρίου
ἡμῶν Ἰησοῦ Χριστοῦ, καὶ τῇ κατ᾽ εὐσέβειαν διδασκαλίᾳ,
4 τετύφωται, μηδὲν ἐπιστάμενος, ἀλλὰ νοσῶν περὶ ζητήσεις
καὶ λογομαχίας, ἐξ ὧν γίνεται φθόνος, ἔρις, βλασφημίαι,
5 ὑπόνοιαι πονηραί, διαπαρατριβαὶ διεφθαρμένων ἀνθρώπων
τὸν νοῦν καὶ ἀπεστερημένων τῆς ἀληθείας, νομιζόντων πο-
6 ρισμὸν εἶναι τὴν εὐσέβειαν. ἔστιν δὲ πορισμὸς μέγας ἡ
7 εὐσέβεια μετὰ αὐταρκείας· οὐδὲν γὰρ εἰσηνέγκαμεν εἰς τὸν
8 κόσμον, ⌜ὅτι οὐδὲ⌝ ἐξενεγκεῖν τι δυνάμεθα· ἔχοντες δὲ ⌜δια-
9 τροφὰς⌝ καὶ σκεπάσματα, τούτοις ἀρκεσθησόμεθα. οἱ δὲ
βουλόμενοι πλουτεῖν ἐμπίπτουσιν εἰς πειρασμὸν καὶ πα-
γίδα καὶ ἐπιθυμίας πολλὰς ἀνοήτους καὶ βλαβεράς, αἵτινες
10 βυθίζουσι τοὺς ἀνθρώπους εἰς ὄλεθρον καὶ ἀπώλειαν· ῥίζα
γὰρ πάντων τῶν κακῶν ἐστιν ἡ φιλαργυρία, ἧς τινὲς ὀρε-
γόμενοι ἀπεπλανήθησαν ἀπὸ τῆς πίστεως καὶ ἑαυτοὺς

2 ἀγαπητοί, οἱ   7 †...†   8 διατροφὴν

περιέπειραν ὀδύναις· πολλαῖς.   Σὺ δέ, ὦ ἄν- 11
θρωπε ^Τ θεοῦ, ταῦτα φεῦγε· δίωκε δὲ δικαιοσύνην, εὐσέ-
βειαν, πίστιν, ἀγάπην, ὑπομονήν, πραϋπαθίαν. ἀγωνίζου 12
τὸν καλὸν ἀγῶνα τῆς πίστεως, ἐπιλαβοῦ τῆς αἰωνίου ζωῆς,
εἰς ἣν ἐκλήθης καὶ ὡμολόγησας τὴν καλὴν ὁμολογίαν ἐνώ-
πιον πολλῶν μαρτύρων. παραγγέλλω σοι ἐνώπιον τοῦ 13
θεοῦ τοῦ ζωογονοῦντος τὰ πάντα καὶ ⌜Χριστοῦ Ἰησοῦ⌝ τοῦ
μαρτυρήσαντος ἐπὶ Ποντίου Πειλάτου τὴν καλὴν ὁμο-
λογίαν, τηρῆσαί σε τὴν ἐντολὴν ἄσπιλον ἀνεπίλημπτον 14
μέχρι τῆς ἐπιφανείας τοῦ κυρίου ἡμῶν Ἰησοῦ Χριστοῦ, ἣν 15
καιροῖς ἰδίοις δείξει ὁ μακάριος καὶ μόνος δυνάστης, ὁ
βασιλεὺς τῶν βασιλευόντων καὶ κύριος τῶν κυριευόντων, ὁ 16
μόνος ἔχων ἀθανασίαν, φῶς οἰκῶν ἀπρόσιτον, ὃν εἶδεν
οὐδεὶς ἀνθρώπων οὐδὲ ἰδεῖν δύναται· ᾧ τιμὴ καὶ κράτος
αἰώνιον· ἀμήν.   Τοῖς πλουσίοις ἐν τῷ νῦν αἰῶνι 17
παράγγελλε μὴ ⌜ὑψηλοφρονεῖν⌝ μηδὲ ἠλπικέναι ἐπὶ πλού-
του ἀδηλότητι, ἀλλ' ἐπὶ ^Τ θεῷ τῷ παρέχοντι ἡμῖν πάντα
πλουσίως εἰς ἀπόλαυσιν, ἀγαθοεργεῖν, πλουτεῖν ἐν ἔργοις 18
καλοῖς, εὐμεταδότους εἶναι, κοινωνικούς, ἀποθησαυρίζοντας 19
ἑαυτοῖς θεμέλιον καλὸν εἰς τὸ μέλλον, ἵνα ἐπιλάβωνται τῆς
ὄντως ζωῆς.   Ὦ Τιμόθεε, τὴν παραθήκην φύ- 20
λαξον, ἐκτρεπόμενος τὰς βεβήλους κενοφωνίας καὶ ἀντιθέ-
σεις τῆς ψευδωνύμου γνώσεως, ἥν τινες ἐπαγγελλόμενοι 21
περὶ τὴν πίστιν ἠστόχησαν.

Ἡ χάρις μεθ' ὑμῶν.

11 τοῦ   13 Ἰησοῦ Χριστοῦ   17 ὑψηλὰ φρονεῖν | τῷ

ΠΡΟΣ ΤΙΜΟΘΕΟΝ Β

1 ΠΑΥΛΟΣ ἀπόστολος Χριστοῦ Ἰησοῦ διὰ θελήματος
2 θεοῦ κατ᾽ ἐπαγγελίαν ζωῆς τῆς ἐν Χριστῷ Ἰησοῦ Τιμοθέῳ
ἀγαπητῷ τέκνῳ· χάρις, ἔλεος, εἰρήνη ἀπὸ θεοῦ πατρὸς καὶ
⌜Χριστοῦ Ἰησοῦ⌝ τοῦ κυρίου ἡμῶν.

3 Χάριν ἔχω τῷ θεῷ, ᾧ λατρεύω ἀπὸ προγόνων ἐν κα-
θαρᾷ συνειδήσει, ὡς ἀδιάλειπτον ἔχω τὴν περὶ σοῦ μνείαν
4 ἐν ταῖς δεήσεσίν μου, νυκτὸς καὶ ἡμέρας ἐπιποθῶν σε ἰδεῖν,
5 μεμνημένος σου τῶν δακρύων, ἵνα χαρᾶς πληρωθῶ ὑπόμνη-
σιν λαβὼν τῆς ἐν σοὶ ἀνυποκρίτου πίστεως, ἥτις ἐνῴκησεν
πρῶτον ἐν τῇ μάμμῃ σου Λωΐδι καὶ τῇ μητρί σου Εὐνίκῃ,
6 πέπεισμαι δὲ ὅτι καὶ ἐν σοί. δι᾽ ἣν αἰτίαν ἀναμιμνήσκω
σε ἀναζωπυρεῖν τὸ χάρισμα τοῦ θεοῦ, ὅ ἐστιν ἐν σοὶ διὰ
7 τῆς ἐπιθέσεως τῶν χειρῶν μου· οὐ γὰρ ἔδωκεν ἡμῖν ὁ θεὸς
πνεῦμα δειλίας, ἀλλὰ δυνάμεως καὶ ἀγάπης καὶ σωφρο-
8 νισμοῦ. μὴ οὖν ἐπαισχυνθῇς τὸ μαρτύριον τοῦ κυρίου
ἡμῶν μηδὲ ἐμὲ τὸν δέσμιον αὐτοῦ, ἀλλὰ συνκακοπάθησον
9 τῷ εὐαγγελίῳ κατὰ δύναμιν θεοῦ, τοῦ σώσαντος ἡμᾶς καὶ
καλέσαντος κλήσει ἁγίᾳ, οὐ κατὰ τὰ ἔργα ἡμῶν ἀλλὰ κατὰ
ἰδίαν πρόθεσιν καὶ χάριν, τὴν δοθεῖσαν ἡμῖν ἐν Χριστῷ
10 Ἰησοῦ πρὸ χρόνων αἰωνίων, φανερωθεῖσαν δὲ νῦν διὰ τῆς
ἐπιφανείας τοῦ σωτῆρος ἡμῶν Χριστοῦ Ἰησοῦ, καταργή-
σαντος μὲν τὸν θάνατον φωτίσαντος δὲ ζωὴν καὶ ἀφθαρ-
11 σίαν διὰ τοῦ εὐαγγελίου, εἰς ὃ ἐτέθην ἐγὼ κῆρυξ καὶ ἀπό-
12 στολος καὶ διδάσκαλος. δι᾽ ἣν αἰτίαν καὶ ταῦτα πάσχω,
ἀλλ᾽ οὐκ ἐπαισχύνομαι, οἶδα γὰρ ᾧ πεπίστευκα, καὶ πέ-

2 κυρίου Ἰησοῦ Χριστοῦ

πεισμαι ὅτι δυνατός ἐστιν τὴν παραθήκην μου φυλάξαι
εἰς ἐκείνην τὴν ἡμέραν. ὑποτύπωσιν ἔχε ὑγιαινόντων 13
λόγων ⌈ὧν⌉ παρ᾿ ἐμοῦ ἤκουσας ἐν πίστει καὶ ἀγάπῃ τῇ ἐν
Χριστῷ Ἰησοῦ· τὴν καλὴν παραθήκην φύλαξον διὰ πνεύ- 14
ματος ἁγίου τοῦ ἐνοικοῦντος ἐν ἡμῖν.   Οἶδας 15
τοῦτο ὅτι ἀπεστράφησάν με πάντες οἱ ἐν τῇ Ἀσίᾳ, ὧν
ἐστὶν Φύγελος καὶ Ἑρμογένης. δῴη ἔλεος ὁ κύριος τῷ 16
Ὀνησιφόρου οἴκῳ, ὅτι πολλάκις με ἀνέψυξεν, καὶ τὴν
ἅλυσίν μου οὐκ ἐπαισχύνθη· ἀλλὰ γενόμενος ἐν Ῥώμῃ 17
σπουδαίως ἐζήτησέν με καὶ εὗρεν· — δῴη αὐτῷ ὁ κύριος 18
εὑρεῖν ἔλεος παρὰ κυρίου ἐν ἐκείνῃ τῇ ἡμέρᾳ· — καὶ ὅσα ἐν
Ἐφέσῳ διηκόνησεν, βέλτιον σὺ γινώσκεις.

Σὺ οὖν, τέκνον μου, ἐνδυναμοῦ ἐν τῇ χάριτι τῇ ἐν 1
Χριστῷ Ἰησοῦ, καὶ ἃ ἤκουσας παρ᾿·ἐμοῦ διὰ πολλῶν μαρ- 2
τύρων, ταῦτα παράθου πιστοῖς ἀνθρώποις, οἵτινες ἱκανοὶ
ἔσονται καὶ ἑτέρους διδάξαι. συνκακοπάθησον ὡς καλὸς 3
στρατιώτης Χριστοῦ Ἰησοῦ. οὐδεὶς στρατευόμενος ἐμπλέ- 4
κεται ταῖς τοῦ βίου πραγματίαις, ἵνα τῷ στρατολογήσαντι
ἀρέσῃ· ἐὰν δὲ καὶ ἀθλῇ τις, οὐ στεφανοῦται ἐὰν μὴ νομί- 5
μως ἀθλήσῃ· τὸν κοπιῶντα γεωργὸν δεῖ πρῶτον τῶν καρ- 6
πῶν μεταλαμβάνειν. νόει ὃ λέγω· δώσει γάρ σοι ὁ κύριος 7
σύνεσιν ἐν πᾶσιν. μνημόνευε Ἰησοῦν Χριστὸν ἐγηγερ- 8
μένον ἐκ νεκρῶν, ἐκ σπέρματος Δαυείδ, κατὰ τὸ εὐαγ-
γέλιόν μου· ἐν ᾧ κακοπαθῶ μέχρι δεσμῶν ὡς κακοῦργος. 9
ἀλλὰ ὁ λόγος τοῦ θεοῦ οὐ δέδεται· διὰ τοῦτο πάντα ὑπο- 10
μένω διὰ τοὺς ἐκλεκτούς, ἵνα καὶ αὐτοὶ σωτηρίας τύχωσιν
τῆς ἐν Χριστῷ Ἰησοῦ μετὰ δόξης αἰωνίου. πιστὸς ὁ 11
λόγος· εἰ γὰρ συναπεθάνομεν, καὶ συνζήσομεν· εἰ ὑπο- 12
μένομεν, καὶ συνβασιλεύσομεν· εἰ ἀρνησόμεθα, κἀκεῖνος
ἀρνήσεται ἡμᾶς· εἰ ἀπιστοῦμεν, ἐκεῖνος πιστὸς μένει, ἀρνή- 13
σασθαι γὰρ ἑαυτὸν οὐ δύναται.   Ταῦτα ὑπο- 14
μίμνησκε, διαμαρτυρόμενος ἐνώπιον τοῦ ⌈θεοῦ⌉, μὴ λογο-
μαχεῖν, ἐπ᾿ οὐδὲν χρήσιμον, ἐπὶ καταστροφῇ τῶν ἀκουόν-

13 †...†   II 14 κυρίου

15 των. σπούδασον σεαυτὸν δόκιμον παραστῆσαι τῷ θεῷ,
ἐργάτην ἀνεπαίσχυντον, ὀρθοτομοῦντα τὸν λόγον τῆς ἀλη-
16 θείας. τὰς δὲ βεβήλους κενοφωνίας περιΐστασο· ἐπὶ
17 πλεῖον γὰρ προκόψουσιν ἀσεβείας, καὶ ὁ λόγος αὐτῶν ὡς
γάγγραινα νομὴν ἕξει· ὧν ἐστιν Ὑμέναιος καὶ Φίλητος,
18 οἵτινες περὶ τὴν ἀλήθειαν ἠστόχησαν, λέγοντες ⸆ ἀνά-
στασιν ἤδη γεγονέναι, καὶ ἀνατρέπουσιν τήν τινων
19 πίστιν. ὁ μέντοι στερεὸς θεμέλιος τοῦ θεοῦ ἕστηκεν,
ἔχων τὴν σφραγῖδα ταύτην Ἔγνω Κύριοϲ τοὺϲ ὄνταϲ
αὐτοῦ, καί Ἀποστήτω ἀπὸ ἀδικίας πᾶς ὁ ὀνομάζων
20 τὸ ὄνομα Κυρίου. ἐν μεγάλῃ δὲ οἰκίᾳ οὐκ ἔστιν μόνον
σκεύη χρυσᾶ καὶ ἀργυρᾶ ἀλλὰ καὶ ξύλινα καὶ ὀστράκινα,
21 καὶ ἃ μὲν εἰς τιμὴν ἃ δὲ εἰς ἀτιμίαν· ἐὰν οὖν τις ἐκκαθάρῃ
ἑαυτὸν ἀπὸ τούτων, ἔσται σκεῦος εἰς τιμήν, ἡγιασμένον,
εὔχρηστον τῷ δεσπότῃ, εἰς πᾶν ἔργον ἀγαθὸν ἡτοιμασμέ-
22 νον. τὰς δὲ νεωτερικὰς ἐπιθυμίας φεῦγε, δίωκε δὲ δικαιο-
σύνην, πίστιν, ἀγάπην, εἰρήνην μετὰ ⸆ τῶν ἐπικαλουμένων
23 τὸν κύριον ἐκ καθαρᾶς καρδίας. τὰς δὲ μωρὰς καὶ ἀπαι-
24 δεύτους ζητήσεις παραιτοῦ, εἰδὼς ὅτι γεννῶσι μάχας· δοῦ-
λον δὲ κυρίου οὐ δεῖ μάχεσθαι, ἀλλὰ ἤπιον εἶναι πρὸς
25 πάντας, διδακτικόν, ἀνεξίκακον, ἐν πραΰτητι παιδεύοντα
τοὺς ἀντιδιατιθεμένους, μή ποτε ⸂δῴη⸃ αὐτοῖς ὁ θεὸς μετά-
26 νοιαν εἰς ἐπίγνωσιν ἀληθείας, καὶ ἀνανήψωσιν ἐκ τῆς τοῦ
διαβόλου παγίδος, ἐζωγρημένοι ὑπ' αὐτοῦ εἰς τὸ ἐκείνου
θέλημα.

1 Τοῦτο δὲ γίνωσκε ὅτι ἐν ἐσχάταις ἡμέραις ἐνστήσονται
2 καιροὶ χαλεποί· ἔσονται γὰρ οἱ ἄνθρωποι φίλαυτοι, φιλάρ-
γυροι, ἀλαζόνες, ὑπερήφανοι, βλάσφημοι, γονεῦσιν ἀπει-
3 θεῖς, ἀχάριστοι, ἀνόσιοι, ἄστοργοι, ἄσπονδοι, διάβολοι,
4 ἀκρατεῖς, ἀνήμεροι, ἀφιλάγαθοι, προδόται, προπετεῖς, τε-
5 τυφωμένοι, φιλήδονοι μᾶλλον ἢ φιλόθεοι, ἔχοντες μόρ-
φωσιν εὐσεβείας τὴν δὲ δύναμιν αὐτῆς ἠρνημένοι· καὶ
6 τούτους ἀποτρέπου. ἐκ τούτων γάρ εἰσιν οἱ ἐνδύνοντες

18 τὴν   22 πάντων   25 δώῃ

εἰς τὰς οἰκίας καὶ αἰχμαλωτίζοντες γυναικάρια σεσωρευ-
μένα ἁμαρτίαις, ἀγόμενα ἐπιθυμίαις ποικίλαις, πάντοτε 7
μανθάνοντα καὶ μηδέποτε εἰς ἐπίγνωσιν ἀληθείας ἐλθεῖν
δυνάμενα. ὃν τρόπον δὲ Ἰαννῆς καὶ Ἰαμβρῆς ἀντέστησαν 8
Μωυσεῖ, οὕτως καὶ οὗτοι ἀνθίστανται τῇ ἀληθείᾳ, ἄνθρω-
ποι κατεφθαρμένοι τὸν νοῦν, ἀδόκιμοι περὶ τὴν πίστιν.
ἀλλ᾽ οὐ προκόψουσιν ἐπὶ πλεῖον, ἡ γὰρ ἄνοια αὐτῶν ἔκδη- 9
λος ἔσται πᾶσιν, ὡς καὶ ἡ ἐκείνων ἐγένετο. Σὺ δὲ ⌜παρηκο- 10
λούθησάς⌝ μου τῇ διδασκαλίᾳ, τῇ ἀγωγῇ, τῇ προθέσει, τῇ
πίστει, τῇ μακροθυμίᾳ, τῇ ἀγάπῃ, τῇ ὑπομονῇ, τοῖς διω- 11
γμοῖς, τοῖς παθήμασιν, οἷά μοι ἐγένετο ἐν Ἀντιοχείᾳ, ἐν
Ἰκονίῳ, ἐν Λύστροις, οἵους διωγμοὺς ὑπήνεγκα· καὶ ἐκ πάν-
των με ἐρύσατο ὁ κύριος. καὶ πάντες δὲ οἱ θέλοντες ζῆν 12
εὐσεβῶς ἐν Χριστῷ Ἰησοῦ διωχθήσονται· πονηροὶ δὲ ἄν- 13
θρωποι καὶ γόητες προκόψουσιν ἐπὶ τὸ χεῖρον, πλανῶντες
καὶ πλανώμενοι. σὺ δὲ μένε ἐν οἷς ἔμαθες καὶ ἐπιστώ- 14
θης, εἰδὼς παρὰ τίνων ἔμαθες, καὶ ὅτι ἀπὸ βρέφους ἱερὰ 15
γράμματα οἶδας, τὰ δυνάμενά σε σοφίσαι εἰς σωτηρίαν
διὰ πίστεως τῆς ἐν Χριστῷ Ἰησοῦ· πᾶσα γραφὴ θεόπνευ- 16
στος καὶ ὠφέλιμος πρὸς διδασκαλίαν, πρὸς ἐλεγμόν, πρὸς
ἐπανόρθωσιν, πρὸς παιδείαν τὴν ἐν δικαιοσύνῃ, ἵνα ἄρτιος 17
ᾖ ὁ τοῦ θεοῦ ἄνθρωπος, πρὸς πᾶν ἔργον ἀγαθὸν ἐξηρτι-
σμένος. Διαμαρτύρομαι ἐνώπιον τοῦ θεοῦ καὶ 1
Χριστοῦ Ἰησοῦ, τοῦ μέλλοντος ⌜κρίνειν⌝ ζῶντας καὶ νε-
κρούς, καὶ τὴν ἐπιφάνειαν αὐτοῦ καὶ τὴν βασιλείαν αὐτοῦ·
κήρυξον τὸν λόγον, ἐπίστηθι εὐκαίρως ἀκαίρως, ἔλεγξον, 2
⌜ἐπιτίμησον, παρακάλεσον⌝, ἐν πάσῃ μακροθυμίᾳ καὶ δι-
δαχῇ. ἔσται γὰρ καιρὸς ὅτε τῆς ὑγιαινούσης διδασκαλίας 3
οὐκ ἀνέξονται, ἀλλὰ κατὰ τὰς ἰδίας ἐπιθυμίας ἑαυτοῖς
ἐπισωρεύσουσιν διδασκάλους κνηθόμενοι τὴν ἀκοήν, καὶ 4
ἀπὸ μὲν τῆς ἀληθείας τὴν ἀκοὴν ἀποστρέψουσιν, ἐπὶ δὲ
τοὺς μύθους ἐκτραπήσονται. σὺ δὲ νῆφε ἐν πᾶσιν, κακο- 5
πάθησον, ἔργον ποίησον εὐαγγελιστοῦ, τὴν διακονίαν σου

10 παρηκολούθηκάς   1 κρῖναι   2 παρακάλεσον, ἐπιτίμησον

6 πληροφόρησον.   Ἐγὼ γὰρ ἤδη σπένδομαι, καὶ
7 ὁ καιρὸς τῆς ἀναλύσεώς μου ἐφέστηκεν. τὸν καλὸν
ἀγῶνα ἠγώνισμαι, τὸν δρόμον τετέλεκα, τὴν πίστιν τετή-
8 ρηκα· λοιπὸν ἀπόκειταί μοι ὁ τῆς δικαιοσύνης στέφανος,
ὃν ἀποδώσει μοι ὁ κύριος ἐν ἐκείνῃ τῇ ἡμέρᾳ, ὁ δίκαιος
κριτής, οὐ μόνον δὲ ἐμοὶ ἀλλὰ καὶ πᾶσιν τοῖς ἠγαπηκόσι
τὴν ἐπιφάνειαν αὐτοῦ.

9
10   Σπούδασον ἐλθεῖν πρός με ταχέως· Δημᾶς γάρ με
⌜ἐγκατέλειπεν⌝ ἀγαπήσας τὸν νῦν αἰῶνα, καὶ ἐπορεύθη εἰς
Θεσσαλονίκην, Κρήσκης εἰς Γαλατίαν, Τίτος εἰς Δαλμα-
11 τίαν· Λουκᾶς ἐστὶν μόνος μετ' ἐμοῦ. Μάρκον ἀναλαβὼν
ἄγε μετὰ σεαυτοῦ, ἔστιν γάρ μοι εὔχρηστος εἰς διακονίαν,
12
13 Τύχικον δὲ ἀπέστειλα εἰς Ἔφεσον. τὸν φελόνην, ὃν
⌜ἀπέλειπον⌝ ἐν Τρῳάδι παρὰ Κάρπῳ, ἐρχόμενος φέρε, καὶ
14 τὰ βιβλία, μάλιστα τὰς μεμβράνας.   Ἀλέξανδρος ὁ
χαλκεὺς πολλά μοι κακὰ ἐνεδείξατο· — ἀποδώσει αὐτῷ
15 ὁ κύριος κατὰ τὰ ἔργα αὐτοῦ· — ὃν καὶ σὺ φυλάσσου,
16 λίαν γὰρ ἀντέστη τοῖς ἡμετέροις λόγοις.   Ἐν τῇ πρώτῃ
μου ἀπολογίᾳ οὐδείς μοι παρεγένετο, ἀλλὰ πάντες με
17 ⌜ἐγκατέλειπον⌝· — μὴ αὐτοῖς λογισθείη· — ὁ δὲ κύριός μοι
παρέστη καὶ ἐνεδυνάμωσέν με, ἵνα δι' ἐμοῦ τὸ κήρυγμα
πληροφορηθῇ καὶ ἀκούσωσιν πάντα τὰ ἔθνη, καὶ ἐρύσθην
18 ἐκ ΣΤΟΜΑΤΟΣ ΛΕΟΝΤΟΣ. ῥύσεταί με ὁ κύριος ἀπὸ παντὸς
ἔργου πονηροῦ καὶ σώσει εἰς τὴν βασιλείαν αὐτοῦ τὴν
ἐπουράνιον· ᾧ ἡ δόξα εἰς τοὺς αἰῶνας τῶν αἰώνων, ἀμήν.
19   Ἄσπασαι Πρίσκαν καὶ Ἀκύλαν καὶ τὸν Ὀνησιφόρου
20 οἶκον.   Ἔραστος ἔμεινεν ἐν Κορίνθῳ, Τρόφι-
21 μον δὲ ⌜ἀπέλειπον⌝ ἐν Μιλήτῳ ἀσθενοῦντα.   Σπούδασον
πρὸ χειμῶνος ἐλθεῖν.   Ἀσπάζεταί σε Εὔβου-
λος καὶ Πούδης καὶ Λίνος καὶ Κλαυδία καὶ οἱ ἀδελφοὶ
[πάντες].

22   Ὁ κύριος ᵀ μετὰ τοῦ πνεύματός σου. ἡ χάρις μεθ' ὑ-
μῶν.

10 ἐγκατέλιπεν   13 ἀπέλιπον   16 ἐγκατέλιπον   20 ἀπέλιπον   22 Ἰησοῦς

ΠΡΟΣ ΤΙΤΟΝ

ΠΑΥΛΟΣ δοῦλος θεοῦ, ἀπόστολος δὲ ⌐Ἰησοῦ Χριστοῦ⌐ 1
κατὰ πίστιν ἐκλεκτῶν θεοῦ καὶ ἐπίγνωσιν ἀληθείας τῆς
κατ᾽ εὐσέβειαν ἐπ᾽ ἐλπίδι ζωῆς αἰωνίου, ἣν ἐπηγγείλατο 2
ὁ ἀψευδὴς θεὸς πρὸ χρόνων αἰωνίων ἐφανέρωσεν δὲ και- 3
ροῖς ἰδίοις, τὸν λόγον αὐτοῦ ἐν κηρύγματι ὃ ἐπιστεύθην
ἐγὼ κατ᾽ ἐπιταγὴν τοῦ σωτῆρος ἡμῶν θεοῦ, Τίτῳ γνησίῳ 4
τέκνῳ κατὰ κοινὴν πίστιν· χάρις καὶ εἰρήνη ἀπὸ θεοῦ
πατρὸς καὶ Χριστοῦ Ἰησοῦ τοῦ σωτῆρος ἡμῶν.

Τούτου χάριν ⌐ἀπέλειπόν⌐ σε ἐν Κρήτῃ ἵνα τὰ λεί- 5
ποντα ἐπιδιορθώσῃ, καὶ καταστήσῃς κατὰ πόλιν πρεσβυ-
τέρους, ὡς ἐγώ σοι διεταξάμην, εἴ τίς ἐστιν ἀνέγκλητος, 6
μιᾶς γυναικὸς ἀνήρ, τέκνα ἔχων πιστά, μὴ ἐν κατηγορίᾳ
ἀσωτίας ἢ ἀνυπότακτα. δεῖ γὰρ τὸν ἐπίσκοπον ἀνέγκλη- 7
τον εἶναι ὡς θεοῦ οἰκονόμον, μὴ αὐθάδη, μὴ ὀργίλον, μὴ
πάροινον, μὴ πλήκτην, μὴ αἰσχροκερδῆ, ἀλλὰ φιλό- 8
ξενον, φιλάγαθον, σώφρονα, δίκαιον, ὅσιον, ἐγκρατῆ,
ἀντεχόμενον τοῦ κατὰ τὴν διδαχὴν πιστοῦ λόγου, ἵνα 9
δυνατὸς ᾖ καὶ παρακαλεῖν ἐν τῇ διδασκαλίᾳ τῇ ὑγιαινούσῃ
καὶ τοὺς ἀντιλέγοντας ἐλέγχειν.   Εἰσὶν γὰρ 10
πολλοὶ ἀνυπότακτοι, ματαιολόγοι καὶ φρεναπάται, μά-
λιστα οἱ ἐκ τῆς περιτομῆς, οὓς δεῖ ἐπιστομίζειν, οἵτινες 11
ὅλους οἴκους ἀνατρέπουσιν διδάσκοντες ἃ μὴ δεῖ αἰσχροῦ
κέρδους χάριν. εἰπέν τις ἐξ αὐτῶν, ἴδιος αὐτῶν προφήτης, 12
Κρῆτες ἀεὶ ψεῦσται, κακὰ θηρία, γαστέρες ἀργαί·
ἡ μαρτυρία αὕτη ἐστὶν ἀληθής. δι᾽ ἣν αἰτίαν ἔλεγχε 13

1 Χριστοῦ [Ἰησοῦ]   5 ἀπέλιπόν

14 αὐτοὺς ἀποτόμως, ἵνα ὑγιαίνωσιν [ἐν] τῇ πίστει, μὴ προσέ-
15 χοντες Ἰουδαϊκοῖς μύθοις καὶ ἐντολαῖς ἀνθρώπων ἀπο-
στρεφομένων τὴν ἀλήθειαν. πάντα καθαρὰ τοῖς καθαροῖς·
τοῖς δὲ μεμιαμμένοις καὶ ἀπίστοις οὐδὲν καθαρόν, ἀλλὰ
16 μεμίανται αὐτῶν καὶ ὁ νοῦς καὶ ἡ συνείδησις. θεὸν ὁμο-
λογοῦσιν εἰδέναι, τοῖς δὲ ἔργοις ἀρνοῦνται, βδελυκτοὶ ὄντες
καὶ ἀπειθεῖς καὶ πρὸς πᾶν ἔργον ἀγαθὸν ἀδόκιμοι.

1   Σὺ δὲ λάλει ἃ πρέπει τῇ ὑγιαινούσῃ διδασκαλίᾳ.
2 Πρεσβύτας νηφαλίους εἶναι, σεμνούς, σώφρονας, ὑγιαί-
3 νοντας τῇ πίστει, τῇ ἀγάπῃ, τῇ ὑπομονῇ. πρεσβύτιδας
ὡσαύτως ἐν καταστήματι ἱεροπρεπεῖς, μὴ ⌜διαβόλους
4 μηδὲ⌝ οἴνῳ πολλῷ δεδουλωμένας, καλοδιδασκάλους, ἵνα
5 σωφρονίζωσι τὰς νέας φιλάνδρους εἶναι, φιλοτέκνους, σώ-
φρονας, ἁγνάς, οἰκουργούς, ἀγαθάς, ὑποτασσομένας τοῖς
ἰδίοις ἀνδράσιν, ἵνα μὴ ὁ λόγος τοῦ θεοῦ βλασφημῆται.
6
7 τοὺς νεωτέρους ὡσαύτως παρακάλει σωφρονεῖν· περὶ πάντα
σεαυτὸν παρεχόμενος τύπον καλῶν ⌜ἔργων⌝, ἐν τῇ διδασκα-
8 λίᾳ ἀφθορίαν⌝, σεμνότητα, λόγον ὑγιῆ ἀκατάγνωστον, ἵνα
ὁ ἐξ ἐναντίας ἐντραπῇ μηδὲν ἔχων λέγειν περὶ ἡμῶν φαῦ-
9 λον. δούλους ἰδίοις δεσπόταις ὑποτάσσεσθαι ἐν πᾶσιν,
10 εὐαρέστους εἶναι, μὴ ⌜ἀντιλέγοντας, μὴ⌝ νοσφιζομένους,
ἀλλὰ πᾶσαν ⌜πίστιν ἐνδεικνυμένους ἀγαθήν⌝, ἵνα τὴν
διδασκαλίαν τὴν τοῦ σωτῆρος ἡμῶν θεοῦ κοσμῶσιν ἐν
11 πᾶσιν.   Ἐπεφάνη γὰρ ἡ χάρις τοῦ θεοῦ σωτή-
12 ριος πᾶσιν ἀνθρώποις παιδεύουσα ἡμᾶς, ἵνα ἀρνησάμενοι
τὴν ἀσέβειαν καὶ τὰς κοσμικὰς ἐπιθυμίας σωφρόνως καὶ
13 δικαίως καὶ εὐσεβῶς ζήσωμεν ἐν τῷ νῦν αἰῶνι, προσδεχό-
μενοι τὴν μακαρίαν ἐλπίδα καὶ ἐπιφάνειαν τῆς δόξης τοῦ
14 μεγάλου θεοῦ καὶ σωτῆρος ⌜ἡμῶν⌝ ⌜Χριστοῦ Ἰησοῦ⌝, ὃς
ἔδωκεν ἑαυτὸν ὑπὲρ ἡμῶν ἵνα λυτρώϲηται ἡμᾶς ἀπὸ πά-
ϲηϲ ἀνομίαϲ καὶ καθαρίϲῃ ἑαυτῷ λαὸν περιούϲιον,
15 ζηλωτὴν καλῶν ἔργων.   Ταῦτα λάλει καὶ παρα-

3 διαβόλους, μὴ   7 ἔργων ἐν τῇ διδασκαλίᾳ, ἀφθορίαν   9,10 ἀντιλέγοντας μηδὲ
10 ἐνδεικνυμένους ἀγάπην   13 ἡμῶν, | Ἰησοῦ Χριστοῦ

K K

κάλει καὶ ἔλεγχε μετὰ πάσης ἐπιταγῆς· μηδείς σου περι-
φρονείτω. Ὑπομίμνησκε αὐτοὺς ἀρχαῖς ἐξουσίαις ὑπο- 1
τάσσεσθαι πειθαρχεῖν, πρὸς πᾶν ἔργον ἀγαθὸν ἑτοίμους εἶ-
ναι, μηδένα βλασφημεῖν, ἀμάχους εἶναι, ἐπιεικεῖς, πᾶσαν 2
ἐνδεικνυμένους πραΰτητα πρὸς πάντας ἀνθρώπους. Ἦμεν 3
γάρ ποτε καὶ ἡμεῖς ἀνόητοι, ἀπειθεῖς, πλανώμενοι, δου-
λεύοντες ἐπιθυμίαις καὶ ἡδοναῖς ποικίλαις, ἐν κακίᾳ καὶ
φθόνῳ διάγοντες, στυγητοί, μισοῦντες ἀλλήλους. ὅτε δὲ 4
ἡ χρηστότης καὶ ἡ φιλανθρωπία ἐπεφάνη τοῦ σωτῆρος
ἡμῶν θεοῦ, οὐκ ἐξ ἔργων τῶν ἐν δικαιοσύνῃ ἃ ἐποιήσαμεν 5
ἡμεῖς ἀλλὰ κατὰ τὸ αὐτοῦ ἔλεος ἔσωσεν ἡμᾶς διὰ λουτροῦ
παλινγενεσίας καὶ ἀνακαινώσεως πνεύματος ἁγίου, οὗ ἐξέ- 6
χεεν ἐφ᾽ ἡμᾶς πλουσίως διὰ Ἰησοῦ Χριστοῦ τοῦ σωτῆρος
ἡμῶν, ἵνα δικαιωθέντες τῇ ἐκείνου χάριτι κληρονόμοι γενη- 7
θῶμεν κατ᾽ ἐλπίδα ζωῆς αἰωνίου. Πιστὸς ὁ λόγος, καὶ 8
περὶ τούτων βούλομαί σε διαβεβαιοῦσθαι, ἵνα φροντίζωσιν
καλῶν ἔργων προΐστασθαι οἱ πεπιστευκότες θεῷ. Ταῦτά
ἐστιν καλὰ καὶ ὠφέλιμα τοῖς ἀνθρώποις· μωρὰς δὲ ζητή- 9
σεις καὶ γενεαλογίας καὶ ἔριν καὶ μάχας νομικὰς περι-
ίστασο, εἰσὶν γὰρ ἀνωφελεῖς καὶ μάταιοι. αἱρετικὸν ἄνθρω- 10
πον μετὰ μίαν καὶ δευτέραν νουθεσίαν παραιτοῦ, εἰδὼς 11
ὅτι ἐξέστραπται ὁ τοιοῦτος καὶ ἁμαρτάνει, ὢν αὐτο-
κατάκριτος.

Ὅταν πέμψω Ἀρτεμᾶν πρὸς σὲ ἢ Τύχικον, σπούδασον 12
ἐλθεῖν πρός με εἰς Νικόπολιν, ἐκεῖ γὰρ κέκρικα παρα-
χειμάσαι. Ζηνᾶν τὸν νομικὸν καὶ Ἀπολλὼν σπουδαίως 13
πρόπεμψον, ἵνα μηδὲν αὐτοῖς ⸢λείπῃ⸣. Μανθανέτωσαν 14
δὲ καὶ οἱ ἡμέτεροι καλῶν ἔργων προΐστασθαι εἰς τὰς
ἀναγκαίας χρείας, ἵνα μὴ ὦσιν ἄκαρποι.

Ἀσπάζονταί σε οἱ μετ᾽ ἐμοῦ πάντες. Ἄσπασαι 15
τοὺς φιλοῦντας ἡμᾶς ἐν πίστει.

Ἡ χάρις μετὰ πάντων ὑμῶν.

13 λίπῃ

ΠΡΟΣ ΦΙΛΗΜΟΝΑ

1 ΠΑΥΛΟΣ δέσμιος Χριστοῦ Ἰησοῦ καὶ Τιμόθεος ὁ
2 ἀδελφὸς Φιλήμονι τῷ ἀγαπητῷ καὶ συνεργῷ ἡμῶν καὶ
Ἀπφίᾳ τῇ ἀδελφῇ καὶ Ἀρχίππῳ τῷ συνστρατιώτῃ ἡμῶν
3 καὶ τῇ κατ' οἶκόν σου ἐκκλησίᾳ· χάρις ὑμῖν καὶ εἰρήνη
ἀπὸ θεοῦ πατρὸς ἡμῶν καὶ κυρίου Ἰησοῦ Χριστοῦ.
4 Εὐχαριστῶ τῷ θεῷ μου πάντοτε μνείαν σου ποιούμενος
5 ἐπὶ τῶν προσευχῶν μου, ἀκούων σου τὴν ἀγάπην καὶ τὴν
πίστιν ἣν ἔχεις ⌜εἰς⌝ τὸν κύριον Ἰησοῦν καὶ εἰς πάντας τοὺς
6 ἁγίους, ὅπως ἡ κοινωνία τῆς πίστεώς σου ἐνεργὴς γένηται
ἐν ἐπιγνώσει παντὸς ἀγαθοῦ [τοῦ] ἐν ⌜ἡμῖν⌝ εἰς Χριστόν·
7 χαρὰν γὰρ πολλὴν ἔσχον καὶ παράκλησιν ἐπὶ τῇ ἀγάπῃ
σου, ὅτι τὰ σπλάγχνα τῶν ἁγίων ἀναπέπαυται διὰ σοῦ,
8 ἀδελφέ. Διό, πολλὴν ἐν Χριστῷ παρρησίαν
9 ἔχων ἐπιτάσσειν σοι τὸ ἀνῆκον, διὰ τὴν ἀγάπην μᾶλλον
παρακαλῶ, τοιοῦτος ὢν ὡς Παῦλος ⌜πρεσβύτης⌝ ⌜νυνὶ⌝ δὲ
10 καὶ δέσμιος Χριστοῦ Ἰησοῦ,— παρακαλῶ σε περὶ τοῦ
11 ἐμοῦ τέκνου, ὃν ἐγέννησα ἐν τοῖς δεσμοῖς Ὀνήσιμον, τόν
12 ποτέ σοι ἄχρηστον νυνὶ δὲ ⌐ σοὶ καὶ ἐμοὶ εὔχρηστον, ὃν
13 ἀνέπεμψά σοι αὐτόν, τοῦτ' ἔστιν τὰ ἐμὰ σπλάγχνα· ὃν
ἐγὼ ἐβουλόμην πρὸς ἐμαυτὸν κατέχειν, ἵνα ὑπὲρ σοῦ μοι
14 διακονῇ ἐν τοῖς δεσμοῖς τοῦ εὐαγγελίου, χωρὶς δὲ τῆς
σῆς γνώμης οὐδὲν ἠθέλησα ποιῆσαι, ἵνα μὴ ὡς κατὰ
15 ἀνάγκην τὸ ἀγαθόν σου ᾖ ἀλλὰ κατὰ ἑκούσιον. τάχα
γὰρ διὰ τοῦτο ἐχωρίσθη πρὸς ὥραν ἵνα αἰώνιον αὐτὸν
16 ἀπέχῃς, οὐκέτι ὡς δοῦλον ἀλλὰ ὑπὲρ δοῦλον, ἀδελφὸν

5 πρὸς   6 ὑμῖν   9 †...† | νῦν   11 καὶ

ἀγαπητόν, μάλιστα ἐμοί, πόσῳ δὲ μᾶλλον σοὶ καὶ ἐν
σαρκὶ καὶ ἐν κυρίῳ. εἰ οὖν με ἔχεις κοινωνόν, προσ- 17
λαβοῦ αὐτὸν ὡς ἐμέ. εἰ δέ τι ἠδίκησέν σε ἢ ὀφείλει, 18
τοῦτο ἐμοὶ ἐλλόγα· ἐγὼ Παῦλος ἔγραψα τῇ ἐμῇ χειρί, 19
ἐγὼ ἀποτίσω· ἵνα μὴ λεγω σοι ὅτι καὶ σεαυτόν μοι προσ-
οφείλεις. ναί, ἀδελφέ, ἐγώ σου ὀναίμην ἐν κυρίῳ· ἀνά- 20
παυσόν μου τὰ σπλάγχνα ἐν Χριστῷ.

Πεποιθὼς τῇ ὑπακοῇ σου ἔγραψά σοι, εἰδὼς ὅτι καὶ 21
ὑπὲρ ἃ λέγω ποιήσεις. ἅμα δὲ καὶ ἑτοίμαζέ μοι ξενίαν, 22
ἐλπίζω γὰρ ὅτι διὰ τῶν προσευχῶν ὑμῶν χαρισθήσομαι
ὑμῖν.

Ἀσπάζεταί σε Ἐπαφρᾶς ὁ συναιχμάλωτός μου ἐν 23
Χριστῷ Ἰησοῦ, Μάρκος, Ἀρίσταρχος, Δημᾶς, Λουκᾶς, 24
οἱ συνεργοί μου.

Ἡ χάρις τοῦ κυρίου ᵀ Ἰησοῦ Χριστοῦ μετὰ τοῦ πνεύ- 25
ματος ὑμῶν.

25 ἡμῶν

ΑΠΟΚΑΛΥΨΙΣ ΙΩΑΝΟΥ

ΑΠΟΚΑΛΥΨΙΣ ΙΩΑΝΟΥ

1 ΑΠΟΚΑΛΥΨΙΣ ΙΗΣΟΥ ΧΡΙΣΤΟΥ, ἣν ἔδωκεν
αὐτῷ ὁ θεὸς δεῖξαι τοῖς δούλοις αὐτοῦ, ἃ ΔΕῖ ΓΕΝΕϹΘΑΙ
ἐν τάχει, καὶ ἐσήμανεν ἀποστείλας διὰ τοῦ ἀγγέλου
2 αὐτοῦ τῷ δούλῳ αὐτοῦ Ἰωάνει, ὃς ἐμαρτύρησεν τὸν
λόγον τοῦ θεοῦ καὶ τὴν μαρτυρίαν Ἰησοῦ Χριστοῦ, ὅσα
3 εἶδεν. μακάριος ὁ ἀναγινώσκων καὶ οἱ ἀκούοντες τοὺς
λόγους τῆς προφητείας καὶ τηροῦντες τὰ ἐν αὐτῇ
γεγραμμένα, ὁ γὰρ καιρὸς ἐγγύς.

4 ΙΩΑΝΗΣ ταῖς ἑπτὰ ἐκκλησίαις ταῖς ἐν τῇ Ἀσίᾳ·
χάρις ὑμῖν καὶ εἰρήνη ἀπὸ ὁ ὬΝ καὶ ὁ ἦν καὶ
ὁ ἐρχόμενος, καὶ ἀπὸ τῶν ἑπτὰ πνευμάτων ⌜ἃ⌝ ἐνώ-
5 πιον τοῦ θρόνου αὐτοῦ, καὶ ἀπὸ Ἰησοῦ Χριστοῦ,
ὁ ΜΆΡΤΥϹ ὁ ΠΙϹΤΌϹ, ὁ ΠΡΩΤΌΤΟΚΟϹ τῶν νεκρῶν καὶ
ὁ ἌΡΧΩΝ ΤῶΝ ΒΑϹΙΛΈΩΝ ΤῆϹ ΓῆϹ. Τῷ ἀγαπῶντι
ἡμᾶς καὶ λύϹΑΝΤΙ ἡμᾶς ἐκ τῶν ἁΜΑΡΤΙῶΝ [ἡμῶν]
6 ἐν τῷ αἵματι αὐτοῦ, — καὶ ἐποίησεν ⌜ἡμᾶς⌝ ΒΑϹΙΛΕΊΑΝ,
ἱΕΡΕῖϹ Τῷ ΘΕῷ καὶ ΠΑΤΡΙ αὐτοῦ, — αὐτῷ ἡ δόξα
7 καὶ τὸ κράτος εἰς τοὺς αἰῶνας· ἀμήν. Ἰδοὺ ἔρ-
ΧΕΤΑΙ ΜΕΤὰ ΤῶΝ ΝΕΦΕΛῶΝ, καὶ ὄψεται αὐτὸν πᾶς

4 τῶν   6 ἡμῖν

ὀφθαλμὸς καὶ οἵτινες αὐτὸν ἐϩεκέΝΤΗCAΝ, καὶ κό-
ψονται ἐπ' αὐτὸΝ πᾶCAι αἱ φγλαὶ τῆC γῆC. ναί,
ἀμήν.

Ἐγώ εἰμι τὸ Ἄλφα καὶ τὸ Ω, λέγει ΚΥΡΙΟC, 8
ὁ θεός, ὁ ὢΝ καὶ ὁ ἦν καὶ ὁ ἐρχόμενος, ὁ ΠΑΝ-
ΤΟΚΡΑΤΩΡ.

Ἐγὼ Ἰωάνης, ὁ ἀδελφὸς ὑμῶν καὶ συνκοινωνὸς ἐν 9
τῇ θλίψει καὶ βασιλείᾳ καὶ ὑπομονῇ ἐν Ἰησοῦ,
ἐγενόμην ἐν τῇ νήσῳ τῇ καλουμένῃ Πάτμῳ διὰ τὸν
λόγον τοῦ θεοῦ καὶ τὴν μαρτυρίαν Ἰησοῦ. ἐγενόμην 10
ἐν πνεύματι ἐν τῇ κυριακῇ ἡμέρᾳ, καὶ ἤκουσα ⌜ὀπίσω
μου φωνὴν μεγάλην⌝ ὡς σάλπιγγος λεγούσης ˚Ο 11
βλέπεις γράψον εἰς βιβλίον καὶ πέμψον ταῖς ἑπτὰ
ἐκκλησίαις, εἰς Ἔφεσον καὶ εἰς Σμύρναν καὶ εἰς Πέργαμον
καὶ εἰς Θυάτειρα καὶ εἰς Σάρδεις καὶ εἰς Φιλαδελφίαν
καὶ εἰς Λαοδικίαν. Καὶ ἐπέστρεψα βλέπειν τὴν φωνὴν 12
ἥτις ἐλάλει μετ' ἐμοῦ· καὶ ἐπιστρέψας εἶδον ἑπτὰ
λυχνίας χρυσᾶς, καὶ ἐν μέσῳ τῶν λυχνιῶν ΟΜΟΙΟΝ 13
⌜γιὸΝ⌝ ἀΝθρώπογ, ἐΝδεδγμένοΝ ΠΟΔΉΡΗ καὶ περιε-
ζωϲμένοΝ πρὸς τοῖς μαστοῖς ζώΝΗΝ ΧΡΥϹᾶΝ· Ἡ δὲ 14
κεφαλὴ αγτοῦ καὶ αἱ τρίχες λεγκαὶ ὡϲ ἔριον
λευκόν, ὡς χιών, καὶ οἱ ὀφθαλμοὶ αγτοῦ ὡς φλὸξ
πυρός, καὶ οἱ πόδες αγτοῦ ὅμοιοι χαλκολιβάνῳ, 15
ὡς ἐν καμίνῳ ⌜πεπυρωμένης⌝, καὶ Ἡ φωΝΗ αγτοῦ ὡς
φωΝῊ γδάτωΝ ΠΟλλῶΝ, καὶ ἔχων ἐν τῇ δεξιᾷ χειρὶ 16
αὐτοῦ ἀστέρας ἑπτά, καὶ ἐκ τοῦ στόματος αὐτοῦ ῥομ-
φαία δίστομος ὀξεῖα ἐκπορευομένη, καὶ ἡ ὄψις αὐτοῦ
ὡς ὁ ἥλιος φαίνει ἐν τῇ δγΝάμει αγτοῦ. Καὶ 17
ὅτε εἶδον αὐτόν, ἔπεσα πρὸς τοὺς πόδας αὐτοῦ ὡς
νεκρός· καὶ ἔθηκεν τὴν δεξιὰν αὐτοῦ ἐπ' ἐμὲ λέγων

ΜῊ φοβοῦ· ἐγώ εἰμι ὁ πρῶτος καὶ ὁ ἔϲχατος,
καὶ ὁ ζῶν, — καὶ ἐγενόμην νεκρὸς καὶ ἰδοὺ ζῶν εἰμὶ 18
εἰς τοὺς αἰῶνας τῶν αἰώνων, — καὶ ἔχω τὰς κλεῖς τοῦ

---

10 φωνὴν μεγάλην ὀπισθέν μου   13 υἱῷ   15 πεπυρωμένοι

19 θανάτου καὶ τοῦ ᾅδου. γράψον οὖν ἃ εἶδες καὶ ἃ εἰσὶν
20 καὶ ἃ μέλλει γίνεσθαι μετὰ ταῦτα. τὸ μυστήριον
τῶν ἑπτὰ ἀστέρων οὓς εἶδες ἐπὶ τῆς δεξιᾶς μου, καὶ
τὰς ἑπτὰ λυχνίας τὰς χρυσᾶς· οἱ ἑπτὰ ἀστέρες
ἄγγελοι τῶν ἑπτὰ ἐκκλησιῶν εἰσίν, καὶ αἱ λυχνίαι αἱ
⌜ἑπτὰ ἑπτὰ⌝ ἐκκλησίαι εἰσίν.

1 Τῷ ἀγγέλῳ τῷ ἐν Ἐφέσῳ ἐκκλησίας γράψον

Τάδε λέγει ὁ κρατῶν τοὺς ἑπτὰ ἀστέρας ἐν τῇ δε-
ξιᾷ αὐτοῦ, ὁ περιπατῶν ἐν μέσῳ τῶν ἑπτὰ λυχνιῶν
2 τῶν χρυσῶν, Οἶδα τὰ ἔργα σου, καὶ τὸν κόπον καὶ
τὴν ὑπομονήν σου, καὶ ὅτι οὐ δύνῃ βαστάσαι κακούς,
καὶ ἐπείρασας τοὺς λέγοντας ἑαυτοὺς ἀποστόλους,
3 καὶ οὐκ εἰσίν, καὶ εὗρες αὐτοὺς ψευδεῖς· καὶ ὑπο-
μονὴν ἔχεις, καὶ ἐβάστασας διὰ τὸ ὄνομά μου, καὶ
4 οὐ κεκοπίακες. ἀλλὰ ἔχω κατὰ σοῦ ὅτι τὴν ἀγάπην
5 σου τὴν πρώτην ἀφῆκες. μνημόνευε οὖν πόθεν πέπτωκες,
καὶ μετανόησον καὶ τὰ πρῶτα ἔργα ποίησον· εἰ δὲ μή,
ἔρχομαί σοι, καὶ κινήσω τὴν λυχνίαν σου ἐκ τοῦ τόπου
6 αὐτῆς, ἐὰν μὴ μετανοήσῃς. ἀλλὰ τοῦτο ἔχεις ὅτι μισεῖς
7 τὰ ἔργα τῶν Νικολαϊτῶν, ἃ κἀγὼ μισῶ. Ὁ ἔχων οὖς
ἀκουσάτω τί τὸ πνεῦμα λέγει ταῖς ἐκκλησίαις. Τῷ
νικῶντι δώσω αὐτῷ φαγεῖν ἐκ τοῦ ξύλου τῆς ζωῆς,
ὅ ἐστιν ἐν τῷ παραδείσῳ τοῦ θεοῦ⌝.

8 Καὶ τῷ ἀγγέλῳ τῷ ἐν Σμύρνῃ ἐκκλησίας γράψον

Τάδε λέγει ὁ πρῶτος καὶ ὁ ἔσχατος, ὃς ἐγένετο
9 νεκρὸς καὶ ἔζησεν, Οἶδά σου τὴν θλῖψιν καὶ τὴν
πτωχείαν, ἀλλὰ πλούσιος εἶ, καὶ τὴν βλασφημίαν ἐκ
τῶν λεγόντων Ἰουδαίους εἶναι ἑαυτούς, καὶ οὐκ εἰσίν,
10 ἀλλὰ συναγωγὴ τοῦ Σατανᾶ. ⌜μὴ⌝ φοβοῦ ἃ μέλλεις
πάσχειν. ἰδοὺ μέλλει βάλλειν ὁ διάβολος ἐξ ὑμῶν εἰς
φυλακὴν ἵνα πειρασθῆτε, καὶ ⌜ἔχητε⌝ θλῖψιν ἡμερῶν
δέκα. γίνου πιστὸς ἄχρι θανάτου, καὶ δώσω σοι τὸν
11 στέφανον τῆς ζωῆς. Ὁ ἔχων οὖς ἀκουσάτω τί τὸ

20 †...†   7 μου   10 μηδὲν | ἔξετε v. ἔχετε

πνεῦμα λέγει ταῖς ἐκκλησίαις. Ὁ νικῶν οὐ μὴ ἀδι-
κηθῇ ἐκ τοῦ θανάτου τοῦ δευτέρου.

Καὶ τῷ ἀγγέλῳ ⌜τῆς⌝ ἐν Περγάμῳ ἐκκλησίας γρά- 12
ψον

Τάδε λέγει ὁ ἔχων τὴν ῥομφαίαν τὴν δίστομον τὴν
ὀξεῖαν Οἶδα ποῦ κατοικεῖς, ὅπου ὁ θρόνος τοῦ Σατανᾶ, 13
καὶ κρατεῖς τὸ ὄνομά μου, καὶ οὐκ ἠρνήσω τὴν πίστιν
μου καὶ ἐν ταῖς ἡμέραις ⌜Ἀντίπας⌝, ὁ μάρτυς μου, ὁ
πιστός [μου], ὃς ἀπεκτάνθη παρ' ὑμῖν, ὅπου ὁ Σατανᾶς
κατοικεῖ. ἀλλὰ ἔχω κατὰ σοῦ ⌜ὀλίγα, ὅτι⌝ ἔχεις ἐκεῖ 14
κρατοῦντας τὴν διδαχὴν Βαλαάμ, ὃς ἐδίδασκεν τῷ
Βαλὰκ βαλεῖν σκάνδαλον ἐνώπιον τῶν γἱῶν Ἰϲραήλ,
φαγεῖν εἰδωλόθυτα καὶ πορνεῦϲαι· οὕτως ἔχεις καὶ 15
σὺ κρατοῦντας τὴν διδαχὴν Νικολαϊτῶν ὁμοίως. μετα- 16
νόησον οὖν· εἰ δὲ μή, ἔρχομαί σοι ταχύ, καὶ πολεμήσω
μετ' αὐτῶν ἐν τῇ ῥομφαίᾳ τοῦ στόματός μου. Ὁ ἔχων 17
οὖς ἀκουσάτω τί τὸ πνεῦμα λέγει ταῖς ἐκκλησίαις. Τῷ
νικῶντι δώσω αὐτῷ τοῦ ΜΑΝΝΑ τοῦ κεκρυμμένου, καὶ
δώσω αὐτῷ ψῆφον λευκήν, καὶ ἐπὶ τὴν ψῆφον ὄνομα
καινὸν γεγραμμένον ὃ οὐδεὶς οἶδεν εἰ μὴ ὁ λαμβά-
νων.

Καὶ τῷ ἀγγέλῳ τῷ ἐν Θυατείροις ἐκκλησίας γρά- 18
ψον

Τάδε λέγει ὁ υἱὸς τοῦ θεοῦ, ὁ ἔχων τοὺς ὀφθαλ-
μούς [αὐτοῦ] ὡς φλόγα πυρός, καὶ οἱ πόδες αὐτοῦ
ὅμοιοι χαλκολιβάνῳ, Οἶδά σου τὰ ἔργα, καὶ τὴν 19
ἀγάπην καὶ τὴν πίστιν καὶ τὴν διακονίαν καὶ τὴν
ὑπομονήν σου, καὶ τὰ ἔργα σου τὰ ἔσχατα πλείονα
τῶν πρώτων. ἀλλὰ ἔχω κατὰ σοῦ ὅτι ἀφεῖς τὴν 20
⌜γυναῖκα⌝ Ἰεζάβελ, ἡ λέγουσα ἑαυτὴν προφῆτιν, καὶ
διδάσκει καὶ πλανᾷ τοὺς ἐμοὺς δούλους πορνεῦϲαι καὶ
φαγεῖν εἰδωλόθυτα. καὶ ἔδωκα αὐτῇ χρόνον ἵνα μετα- 21
νοήσῃ, καὶ οὐ θέλει μετανοῆσαι ἐκ τῆς πορνείας αὐτῆς.

12 †...†   13 †...†   14 ὀλίγα·   20 γυναῖκά σου

22 ἰδοὺ βάλλω αὐτὴν εἰς κλίνην, καὶ τοὺς μοιχεύοντας
μετ' αὐτῆς εἰς θλίψιν μεγάλην, ἐὰν μὴ μετανοήσουσιν
23 ἐκ τῶν ἔργων ⸢αὐτῆς⸣· καὶ τὰ τέκνα αὐτῆς ἀποκτενῶ
ἐν θανάτῳ· καὶ γνώσονται πᾶσαι αἱ ἐκκλησίαι ὅτι ἐγώ
εἰμι ὁ ἐραυνῶν νεφροὺς καὶ καρδίας, καὶ δώσω
24 ὑμῖν ἑκάστῳ κατὰ τὰ ἔργα ὑμῶν. ὑμῖν δὲ λέγω
τοῖς λοιποῖς τοῖς ἐν Θυατείροις, ὅσοι οὐκ ἔχουσιν
τὴν διδαχὴν ταύτην, οἵτινες οὐκ ἔγνωσαν τὰ βαθέα
τοῦ Σατανᾶ, ὡς λέγουσιν, οὐ βάλλω ἐφ' ὑμᾶς ἄλλο
25 26 βάρος· πλὴν ὃ ἔχετε κρατήσατε ἄχρι οὗ ἂν ἥξω. Καὶ
ὁ νικῶν καὶ ὁ τηρῶν ἄχρι τέλους τὰ ἔργα μου, δώσω
27 αὐτῷ ἐξουσίαν ἐπὶ τῶν ἐθνῶν, καὶ ποιμανεῖ
αὐτοὺς ἐν ῥάβδῳ σιδηρᾷ ὡς τὰ σκεύη τὰ κε-
28 ραμικὰ συντρίβεται, ὡς κἀγὼ εἴληφα παρὰ τοῦ πα-
τρός μου, καὶ δώσω αὐτῷ τὸν ἀστέρα τὸν πρωινόν.
29 Ὁ ἔχων οὖς ἀκουσάτω τί τὸ πνεῦμα λέγει ταῖς ἐκκλη-
σίαις.

1 Καὶ τῷ ἀγγέλῳ ⸢τῆς⸣ ἐν Σάρδεσιν ἐκκλησίας γρά-
ψον

Τάδε λέγει ὁ ἔχων τὰ ἑπτὰ πνεύματα τοῦ θεοῦ
καὶ τοὺς ἑπτὰ ἀστέρας Οἶδά σου τὰ ἔργα, ὅτι ὄνομα
2 ἔχεις ὅτι ζῇς, καὶ νεκρὸς εἶ. γίνου γρηγορῶν, καὶ
στήρισον τὰ λοιπὰ ἃ ἔμελλον ἀποθανεῖν, οὐ γὰρ
εὕρηκά σου ⸆ ἔργα πεπληρωμένα ἐνώπιον τοῦ θεοῦ μου·
3 μνημόνευε οὖν πῶς εἴληφας καὶ ἤκουσας καὶ τήρει, καὶ
μετανόησον· ἐὰν οὖν μὴ γρηγορήσῃς, ἥξω ὡς κλέπτης,
4 καὶ οὐ μὴ ⸢γνῷς⸣ ποίαν ὥραν ἥξω ἐπὶ σέ· ἀλλὰ ἔχεις
ὀλίγα ὀνόματα ἐν Σάρδεσιν ἃ οὐκ ἐμόλυναν τὰ ἱμάτια
αὐτῶν, καὶ περιπατήσουσιν μετ' ἐμοῦ ἐν λευκοῖς, ὅτι
5 ἄξιοί εἰσιν. Ὁ νικῶν οὕτως περιβαλεῖται ἐν ἱματίοις
λευκοῖς, καὶ οὐ μὴ ἐξαλείψω τὸ ὄνομα αὐτοῦ ἐκ τῆς
βίβλου τῆς ζωῆς, καὶ ὁμολογήσω τὸ ὄνομα αὐτοῦ
ἐνώπιον τοῦ πατρός μου καὶ ἐνώπιον τῶν ἀγγέλων

22 αὐτῶν 1 †τῷ† 2 τά 3 γνώσῃ

αὐτοῦ. Ὁ ἔχων οὖς ἀκουσάτω τί τὸ πνεῦμα λέγει 6
ταῖς ἐκκλησίαις.

Καὶ τῷ ἀγγέλῳ ⌜τῆς⌝ ἐν Φιλαδελφίᾳ ἐκκλησίας 7
γράψον

Τάδε λέγει ⌜ὁ ἅγιος, ὁ ἀληθινός⌝, ὁ ἔχων τὴν
κλεῖν ᵀ Δαγείδ, ὁ ἀνοίγων καὶ οὐδεὶς κλείσει, καὶ
⌜κλείων⌝ καὶ οὐδεὶς ἀνοίγει, Οἶδά σου τὰ ἔργα,— 8
ἰδοὺ δέδωκα ἐνώπιόν σου θύραν ἠνεῳγμένην, ἣν οὐδεὶς
δύναται κλεῖσαι αὐτήν, — ὅτι μικρὰν ἔχεις δύναμιν, καὶ
ἐτήρησάς μου τὸν λόγον, καὶ οὐκ ἠρνήσω τὸ ὄνομά
μου. ἰδοὺ διδῶ ἐκ τῆς συναγωγῆς τοῦ Σατανᾶ, τῶν 9
λεγόντων ἑαυτοὺς Ἰουδαίους εἶναι, καὶ οὐκ εἰσὶν ἀλλὰ
ψεύδονται, — ἰδοὺ ποιήσω αὐτοὺς ἵνα ΗΖΟΥϹΙΝ ΚΑⅠ
ΠΡΟϹΚΥΝΗϹΟΥϹΙΝ ἐνώπιον ΤΩΝ ΠΟΔΩΝ ϹΟΥ, καὶ
γνῶσιν ὅτι ἐγὼ ΗΓΑΠΗϹΑ ϹΕ. ὅτι ἐτήρησας τὸν λόγον 10
τῆς ὑπομονῆς μου, κἀγώ σε τηρήσω ἐκ τῆς ὥρας
τοῦ πειρασμοῦ τῆς μελλούσης ἔρχεσθαι ἐπὶ τῆς οἰκου-
μένης ὅλης, πειράσαι τοὺς κατοικοῦντας ἐπὶ τῆς γῆς.
ἔρχομαι ταχύ· κράτει ὃ ἔχεις, ἵνα μηδεὶς λάβῃ τὸν 11
στέφανόν σου. Ὁ νικῶν ποιήσω αὐτὸν στύλον ἐν τῷ 12
ναῷ τοῦ θεοῦ μου, καὶ ἔξω οὐ μὴ ἐξέλθῃ ἔτι, καὶ
γράψω ἐπ' αὐτὸν τὸ ὄνομα τοῦ θεοῦ μου καὶ
τὸ ΟΝΟΜΑ ΤΗϹ ΠΟΛΕΩϹ τοῦ θεοῦ μου, τῆς καινῆς
Ἰερουσαλήμ, ἡ καταβαίνουσα ἐκ τοῦ οὐρανοῦ ἀπὸ
τοῦ θεοῦ μου, καὶ τὸ ΟΝΟΜΑ μου τὸ ΚΑΙΝΟΝ. Ὁ ἔχων 13
οὖς ἀκουσάτω τί τὸ πνεῦμα λέγει ταῖς ἐκκλησίαις.

Καὶ τῷ ἀγγέλῳ ⌜τῆς⌝ ἐν Λαοδικίᾳ ἐκκλησίας γρά- 14
ψον

Τάδε λέγει ὁ Ἀμήν, ὁ ΜΑΡΤΥϹ ὁ ΠΙϹΤΟϹ ΚΑⅠ [ὁ]
ἀληθινός, ἡ ΑΡΧΗ ΤΗϹ ΚΤΙϹΕΩϹ τοῦ θεοῦ, Οἶδά σου 15
τὰ ἔργα, ὅτι οὔτε ψυχρὸς εἶ οὔτε ζεστός. ὄφελον
ψυχρὸς ἦς ἢ ζεστός. οὕτως, ὅτι χλιαρὸς εἶ καὶ οὔτε 16
ζεστὸς οὔτε ψυχρός, μέλλω σε ἐμέσαι ἐκ τοῦ στόματος

17 μου. ὅτι λέγεις ὅτι Πλούσιός εἰμι καὶ ΠΕΠΛΟΥΤΗΚΑ
καὶ οὐδὲν χρείαν ἔχω, καὶ οὐκ οἶδας ὅτι σὺ εἶ
ὁ ταλαίπωρος καὶ ^Τ ἐλεινὸς καὶ πτωχὸς καὶ τυφλὸς
18 καὶ γυμνός, συμβουλεύω σοι ἀγοράσαι παρ' ἐμοῦ χρυ-
σίον πεπυρωμένον ἐκ πυρὸς ἵνα πλουτήσῃς, καὶ ἱμά-
τια λευκὰ ἵνα περιβάλῃ καὶ μὴ φανερωθῇ ἡ αἰσχύνη
τῆς γυμνότητός σου, καὶ κολλούριον ἐγχρῖσαι τοὺς
19 ὀφθαλμούς σου ἵνα βλέπῃς. ἐγὼ ὅcοΥc ἐὰν ΦΙΛΩ
ἐλέΓΧΩ καὶ ΠΑΙΔΕΥΩ· ζήλευε οὖν καὶ μετανόη-
20 σον. Ἰδοὺ ἕστηκα ἐπὶ τὴν θύραν καὶ κρούω· ἐάν
τις ἀκούσῃ τῆς φωνῆς μου καὶ ἀνοίξῃ τὴν θύραν,
^Τ εἰσελεύσομαι πρὸς αὐτὸν καὶ δειπνήσω μετ' αὐτοῦ
21 καὶ αὐτὸς μετ' ἐμοῦ. Ὁ νικῶν δώσω αὐτῷ καθίσαι
μετ' ἐμοῦ ἐν τῷ θρόνῳ μου, ὡς κἀγὼ ἐνίκησα καὶ
ἐκάθισα μετὰ τοῦ πατρός μου ἐν τῷ θρόνῳ αὐτοῦ.
22 Ὁ ἔχων οὖς ἀκουσάτω τί τὸ πνεῦμα λέγει ταῖς
ἐκκλησίαις.

1 Μετὰ ταῦτα εἶδον, καὶ ἰδοὺ θύρα ἠνεωγμένη ἐν τῷ
οὐρανῷ, καὶ ἡ φωνὴ ἡ πρώτη ἣν ἤκουσα ὡς CΑΛΠΙΓΓΟC
λαλούσης μετ' ἐμοῦ, λέγων Ἀνάβα ὧδε, καὶ δείξω σοι
2 ἃ ΔΕΙ ΓΕΝΕCΘΑΙ. μετὰ ταῦτα εὐθέως ἐγενόμην ἐν
πνεύματι· καὶ ἰδοὺ θρόνος ἔκειτο ἐν τῷ οὐρανῷ, καὶ
3 ἐπὶ ΤΟΝ ΘΡΟΝΟΝ ΚΑΘΗΜΕΝΟC, καὶ ὁ καθήμενος ὅμοιος
ὁράσει λίθῳ ἰάσπιδι καὶ σαρδίῳ, καὶ Ἶρις ΚΥΚΛΟΘΕΝ
4 ΤΟΥ ΘΡΟΝΟΥ ὅμοιος ὁράσει σμαραγδίνῳ. καὶ κυκλόθεν
τοῦ θρόνου ⌈θρόνοι⌉ εἴκοσι τέσσαρες, καὶ ἐπὶ τοὺς
θρόνους εἴκοσι τέσσαρας πρεσβυτέρους καθημένους πε-
ριβεβλημένους ^Τ ἱματίοις λευκοῖς, καὶ ἐπὶ τὰς κεφαλὰς
5 αὐτῶν στεφάνους χρυσοῦς. καὶ ἐκ τοῦ θρόνου ἐκπο-
ρεΎΟΝΤΑΙ ἀcΤΡΑΠΑΙ καὶ φωναὶ καὶ ΒΡΟΝΤΑΙ· καὶ ἑπτὰ
λαμπάδες πυρὸς καιόμεναι ἐνώπιον τοῦ θρόνου, ἅ εἰσιν
6 τὰ ἑπτὰ πνεύματα τοῦ θεοῦ, καὶ ἐνώπιον τοῦ θρόνου

17 ὁ   20 καὶ   4 θρόνους | ἐν

ὡς θάλασσα ὑαλίνη ὁμοία κρυετάλλῳ. καὶ ἐν μέσῳ
τοῦ θρόνου καὶ κύκλῳ τοῦ θρόνου τέσσερα ζῷα
γέμοντα ὀφθαλμῶν ἔμπροσθεν καὶ ὄπισθεν· καὶ τὸ 7
ζῷον τὸ πρῶτον ὅμοιον λέοντι, καὶ τὸ δεύτερον
ζῷον ὅμοιον μόσχῳ, καὶ τὸ τρίτον ζῷον ⌈ἔχων⌉ τὸ
πρόσωπον ὡς ἀνθρώπου, καὶ τὸ τέταρτον ζῷον
ὅμοιον ἀετῷ πετομένῳ· καὶ τὰ τέσσερα ζῷα, ἓν 8
καθ᾽ ἓν αὐτῶν ἔχων ἀνὰ πτέρυγας ἕξ, κυκλόθεν
καὶ ἔσωθεν γέμουσιν ὀφθαλμῶν· καὶ ἀνάπαυσιν
οὐκ ἔχουσιν ἡμέρας καὶ νυκτὸς λέγοντες

Ἅγιος ἅγιος ἅγιος Κύριος, ὁ θεός, ὁ παντοκρά-
τωρ, ὁ ἦν καὶ ὁ ὢν καὶ ὁ ἐρχόμενος.

Καὶ ὅταν δώσουσιν τὰ ζῷα δόξαν καὶ τιμὴν καὶ 9
εὐχαριστίαν τῷ καθημένῳ ἐπὶ ⌈τοῦ θρόνου⌉, τῷ
ζῶντι εἰς τοὺς αἰῶνας τῶν αἰώνων, πεσοῦνται οἱ 10
εἴκοσι τέσσαρες πρεσβύτεροι ἐνώπιον τοῦ καθημένου
ἐπὶ τοῦ θρόνου, καὶ προσκυνήσουσιν τῷ ζῶντι εἰς
τοὺς αἰῶνας τῶν αἰώνων, καὶ βαλοῦσιν τοὺς στεφά-
νους αὐτῶν ἐνώπιον τοῦ θρόνου, λέγοντες

Ἄξιος εἶ, ὁ κύριος καὶ ὁ θεὸς ἡμῶν, λαβεῖν 11
τὴν δόξαν καὶ τὴν τιμὴν καὶ τὴν δύναμιν, ὅτι
σὺ ἔκτισας τὰ πάντα, καὶ διὰ τὸ θέλημά σου
ἦσαν καὶ ἐκτίσθησαν.

Καὶ εἶδον ἐπὶ τὴν δεξιὰν τοῦ καθημένου 1
ἐπὶ τοῦ θρόνου βιβλίον γεγραμμένον ἔσωθεν καὶ·
ὄπισθεν, κατεσφραγισμένον σφραγῖσιν ἑπτά. καὶ 2
εἶδον ἄγγελον ἰσχυρὸν κηρύσσοντα ἐν φωνῇ μεγά-
λῃ Τίς ἄξιος ἀνοῖξαι τὸ βιβλίον καὶ λῦσαι τὰς
σφραγῖδας αὐτοῦ; καὶ οὐδεὶς ἐδύνατο ἐν τῷ οὐρανῷ 3
⌈οὐδὲ ἐπὶ τῆς γῆς οὐδὲ⌉ ὑποκάτω τῆς γῆς ἀνοῖξαι τὸ
βιβλίον οὔτε βλέπειν αὐτό. καὶ [ἐγὼ] ἔκλαιον πολὺ 4
ὅτι οὐδεὶς ἄξιος εὑρέθη ἀνοῖξαι τὸ βιβλίον οὔτε
βλέπειν αὐτό· καὶ εἷς ἐκ τῶν πρεσβυτέρων λέγει 5

7. ἔχον   9 τῷ θρόνῳ   3 οὔτε ἐπὶ τῆς γῆς οὔτε

μοι Μὴ κλαῖε· ἰδοὺ ἐνίκησεν ὁ λέων ὁ ἐκ τῆς
φυλῆς Ἰούδα, ἡ ῥίζα Δαυείδ, ἀνοῖξαι τὸ βιβλίον καὶ
6 τὰς ἑπτὰ σφραγῖδας αὐτοῦ.   Καὶ εἶδον ἐν
μέσῳ τοῦ θρόνου καὶ τῶν τεσσάρων ζῴων καὶ ἐν μέσῳ
τῶν πρεσβυτέρων ἀρνίον ⌈ἑστηκὸς⌉ ὡς ἐϹΦΑΓΜΕΝΟΝ,
ἔχων κέρατα ἑπτὰ καὶ ὀφθαλμοὺϹ ἑπτά, οἵ εἰσιν τὰ
[ἑπτὰ] πνεύματα τοῦ θεοῦ, ⌈ἀπεσταλμένοι⌉ εἰϹ ΠΑϹΑΝ
7 ΤΗΝ ΓΗΝ. καὶ ἦλθεν καὶ εἴληφεν ἐκ τῆς δεξιᾶς ΤΟΥ
8 ΚΑΘΗΜΕΝΟΥ ἐπὶ ΤΟΥ ΘΡΟΝΟΥ. Καὶ ὅτε ἔλαβεν τὸ βι-
βλίον, τὰ τέσσερα ζῷα καὶ οἱ εἴκοσι τέσσαρες πρε-
σβύτεροι ἔπεσαν ἐνώπιον τοῦ ἀρνίου, ἔχοντες ἕκαστος
κιθάραν καὶ φιάλας χρυσᾶς γεμούσας θΥΜΙΑΜΑΤΩΝ,
9 ⌈αἵ⌉ εἰσιν αἱ ΠΡΟϹΕΥΧΑΙ τῶν ἁγίων· καὶ ᾄΔΟΥϹΙΝ
ᾠΔΗΝ ΚΑΙΝΗΝ λέγοντες

Ἄξιος εἶ λαβεῖν τὸ βιβλίον καὶ ἀνοῖξαι τὰς
σφραγῖδας αὐτοῦ, ὅτι ἐσφάγης καὶ ἠγόρασας τῷ
θεῷ ἐν τῷ αἵματί σου ἐκ πάσης φυλῆς καὶ
10   γλώσσης καὶ λαοῦ καὶ ἔθνους, καὶ ἐποίησας
αὐτοὺς τῷ θεῷ ἡμῶν ΒΑϹΙΛΕΙΑΝ καὶ ἹΕΡΕΙϹ, καὶ
βασιλεύουσιν ἐπὶ τῆς γῆς.
11 καὶ εἶδον, καὶ ἤκουσα ᵀ φωνὴν · ἀγγέλων πολλῶν
κύκλῳ τοῦ θρόνου καὶ τῶν ζῴων καὶ τῶν πρεσβυτέρων,
καὶ ἦν ὁ ἀριθμὸς αὐτῶν ΜΥΡΙΑΔΕϹ ΜΥΡΙΑΔΩΝ ΚΑΙ
12 ΧΙΛΙΑΔΕϹ ΧΙΛΙΑΔΩΝ, λέγοντες φωνῇ μεγάλῃ

⌈Ἄξιόν⌉ ἐστιν τὸ ἀρνίον τὸ ἐϹΦΑΓΜΕΝΟΝ λα-
βεῖν τὴν δύναμιν καὶ πλοῦτον καὶ σοφίαν καὶ
ἰσχὺν καὶ τιμὴν καὶ δόξαν καὶ εὐλογίαν.
13 καὶ πᾶν κτίσμα ὃ ἐν τῷ οὐρανῷ καὶ ἐπὶ τῆς γῆς
καὶ ὑποκάτω τῆς γῆς καὶ ἐπὶ τῆς θαλάσσης [ἐστίν],
καὶ τὰ ἐν αὐτοῖς πάντα, ἤκουσα ⌈λέγοντας⌉

Τῷ ΚΑΘΗΜΕΝῳ ἐπὶ ⌈ΤΟΥ ΘΡΟΝΟΥ⌉ καὶ τῷ ἀρνίῳ
ἡ εὐλογία καὶ ἡ τιμὴ καὶ ἡ δόξα καὶ τὸ κρά-
τος εἰς τοὺς αἰῶνας τῶν αἰώνων.

ἑστηκὼς | ἀπεσταλμένα   8 ἃ   11 ὡς   12 Ἄξιός   13 λέγοντα | τῷ θρόνῳ

καὶ τὰ τέσσερα ζῷα ἔλεγον Ἀμήν, καὶ οἱ πρεσβύ- 14
τεροι ἔπεσαν καὶ προσεκύνησαν.

Καὶ εἶδον ὅτε ἤνοιξεν τὸ ἀρνίον μίαν ἐκ τῶν 1
ἑπτὰ σφραγίδων, καὶ ἤκουσα ἑνὸς ἐκ τῶν τεσσάρων ζῴ-
ων λέγοντος ὡς φωνῇ βροντῆς Ἔρχου. καὶ εἶδον, καὶ 2
ἰδοὺ ἵππος λευκός, καὶ ὁ καθήμενος ἐπ᾽ αὐτὸν ἔχων
τόξον, καὶ ἐδόθη αὐτῷ στέφανος, καὶ ἐξῆλθεν νικῶν καὶ
ἵνα νικήσῃ. Καὶ ὅτε ἤνοιξεν τὴν σφραγῖδα τὴν 3
δευτέραν, ἤκουσα τοῦ δευτέρου ζῴου λέγοντος Ἔρχου.
καὶ ἐξῆλθεν ἄλλος ἵππος πυρρός, καὶ τῷ καθημένῳ 4
ἐπ᾽ αὐτὸν ἐδόθη [αὐτῷ] λαβεῖν τὴν εἰρήνην [ἐκ] τῆς γῆς
καὶ ἵνα ἀλλήλους σφάξουσιν, καὶ ἐδόθη αὐτῷ μάχαιρα
μεγάλη. Καὶ ὅτε ἤνοιξε τὴν σφραγῖδα τὴν 5
τρίτην, ἤκουσα τοῦ τρίτου ζῴου λέγοντος Ἔρχου. καὶ
εἶδον, καὶ ἰδοὺ ἵππος μέλας, καὶ ὁ καθήμενος ἐπ᾽ αὐτὸν
ἔχων ζυγὸν ἐν τῇ χειρὶ αὐτοῦ. καὶ ἤκουσα ὡς φωνὴν 6
ἐν μέσῳ τῶν τεσσάρων ζῴων λέγουσαν Χοῖνιξ σίτου
δηναρίου, καὶ τρεῖς χοίνικες κριθῶν δηναρίου· καὶ τὸ
ἔλαιον καὶ τὸν οἶνον μὴ ἀδικήσῃς. Καὶ ὅτε 7
ἤνοιξεν τὴν σφραγῖδα τὴν τετάρτην, ἤκουσα φωνὴν τοῦ
τετάρτου ζῴου λέγοντος Ἔρχου. καὶ εἶδον, καὶ ἰδοὺ 8
ἵππος χλωρός, καὶ ὁ καθήμενος ἐπάνω [αὐτοῦ] ὄνομα
αὐτῷ [Ὁ] Θάνατος, καὶ ὁ ᾅδης ἠκολούθει μετ᾽ αὐ-
τοῦ, καὶ ἐδόθη αὐτοῖς ἐξουσία ἐπὶ τὸ τέταρτον τῆς γῆς,
ἀποκτεῖναι ἐν ῥομφαίᾳ καὶ ἐν λιμῷ καὶ ἐν θα-
νάτῳ καὶ ὑπὸ τῶν θηρίων τῆς γῆς. Καὶ 9
ὅτε ἤνοιξεν τὴν πέμπτην σφραγῖδα, εἶδον ὑποκάτω τοῦ
θυσιαστηρίου τὰς ψυχὰς τῶν ἐσφαγμένων διὰ τὸν λό-
γον τοῦ θεοῦ καὶ διὰ τὴν μαρτυρίαν ἣν εἶχον. καὶ 10
ἔκραξαν φωνῇ μεγάλῃ λέγοντες Ἕως πότε, ὁ Δε-
σπότης ὁ ἅγιος καὶ ἀληθινός, οὐ κρίνεις καὶ ἐκδικεῖς
τὸ αἷμα ἡμῶν ἐκ τῶν κατοικούντων ἐπὶ τῆς
γῆς; καὶ ἐδόθη αὐτοῖς ἑκάστῳ στολὴ λευκή, καὶ 11

VI 11 πληρώσωσιν   14 ἑλισσόμενος

ἐρρέθη αὐτοῖς ἵνα ἀναπαύσονται ἔτι χρόνον μικρόν,
ἕως ⌈πληρωθῶσιν⌉ καὶ οἱ σύνδουλοι αὐτῶν καὶ οἱ ἀ-
δελφοὶ αὐτῶν οἱ μέλλοντες ἀποκτέννεσθαι ὡς καὶ
12 αὐτοί.   Καὶ εἶδον ὅτε ἤνοιξεν τὴν σφρα-
γῖδα τὴν ἕκτην, καὶ σεισμὸς μέγας ἐγένετο, καὶ
ὁ ἥλιος ἐγένετο μέλας ὡς σάκκος τρίχινος, καὶ
13 ἡ ϲελήνη ὅλη ἐγένετο ὡς αἷμα, καὶ οἱ ἀϲτέρεϲ τοῦ
οὐρανοῦ ἔπεϲαν εἰς τὴν γῆν, ὡς ϲυκῆ βάλλει τοὺς
14 ὀλύνθους αὐτῆς ὑπὸ ἀνέμου μεγάλου σειομένη, καὶ ὁ
οὐρανὸϲ ἀπεχωρίσθη ὡς Βιβλίον ⌈ἑλιϲϲόμενον⌉, καὶ
πᾶν ὄρος καὶ νῆσος ἐκ τῶν τόπων αὐτῶν ἐκινήθησαν.
15 καὶ οἱ Βασιλεῖϲ τῆϲ γῆϲ καὶ οἱ μεγιϲτᾶνεϲ καὶ
οἱ χιλίαρχοι καὶ οἱ πλούσιοι καὶ οἱ ἰσχυροὶ καὶ πᾶς
δοῦλος καὶ ἐλεύθερος ἔκρυψαν ἑαυτοὺϲ εἰς τὰ ϲπήλαια
16 καὶ εἰϲ τὰϲ πέτραϲ τῶν ὀρέων· καὶ λέγουϲιν τοῖϲ
ὄρεϲιν καὶ ταῖϲ πέτραιϲ Πέϲατε ἐφ' ἡμᾶϲ καὶ
κρύψατε ἡμᾶϲ ἀπὸ προσώπου τοῦ καθημένου ἐπὶ
17 τοῦ θρόνου καὶ ἀπὸ τῆς ὀργῆς τοῦ ἀρνίου, ὅτι
ἦλθεν ἡ ἡμέρα ἡ μεγάλη τῆϲ ὀργῆϲ αὐτῶν, καὶ τίϲ
δύναται ϲταθῆναι;
1 ⌈Μετὰ⌉ τοῦτο εἶδον τέσσαρας ἀγγέλους ἑστῶτας ἐπὶ
τὰϲ τέϲϲαρας γωνίαϲ τῆϲ γῆϲ, κρατοῦντας τοὺϲ τέϲ-
ϲαραϲ ἀνέμουϲ τῆς γῆς, ἵνα μὴ πνέῃ ἄνεμος ἐπὶ
τῆς γῆς μήτε ἐπὶ τῆς θαλάσσης μήτε ⌈ἐπὶ πᾶν⌉ δέν-
2 δρον. καὶ εἶδον ἄλλον ἄγγελον ἀναβαίνοντα ἀπὸ
⌈ἀνατολῆς⌉ ἡλίου, ἔχοντα σφραγῖδα θεοῦ ζῶντος, καὶ
⌈ἔκραξεν⌉ φωνῇ μεγάλῃ τοῖς τέσσαρσιν ἀγγέλοις οἷς
ἐδόθη αὐτοῖς ἀδικῆσαι τὴν γῆν καὶ τὴν θάλασσαν,
3 λέγων Μὴ ἀδικήσητε τὴν γῆν ⌈μήτε⌉ τὴν θάλασσαν
μήτε τὰ δένδρα, ἄχρι σφραγίσωμεν τοὺς δούλους τοῦ
4 θεοῦ ἡμῶν ἐπὶ τῶν μετώπων αὐτῶν. Καὶ ἤκουσα
τὸν ἀριθμὸν τῶν ἐσφραγισμένων, ἑκατὸν τεσσεράκον-
τα τέσσαρες χιλιάδες, ἐσφραγισμένοι ἐκ πάσης φυλῆς

1 Καὶ μετὰ | ἐπί [τι]   2 ἀνατολῶν | ἔκραζεν   3 καὶ

υἱῶν Ἰσραήλ·

ἐκ φυλῆς Ἰούδα δώδεκα χιλιάδες ἐσφραγισμένοι,   5
ἐκ φυλῆς Ῥουβὴν δώδεκα χιλιάδες,
ἐκ φυλῆς Γὰδ δώδεκα χιλιάδες,
ἐκ φυλῆς Ἀσὴρ δώδεκα χιλιάδες,   6
ἐκ φυλῆς Νεφθαλὶμ δώδεκα χιλιάδες,
ἐκ φυλῆς Μανασσῆ δώδεκα χιλιάδες,
ἐκ φυλῆς Συμεὼν δώδεκα χιλιάδες,   7
ἐκ φυλῆς Λευεὶ δώδεκα χιλιάδες,
ἐκ φυλῆς Ἰσσαχὰρ δώδεκα χιλιάδες,
ἐκ φυλῆς Ζαβουλὼν δώδεκα χιλιάδες,   8
ἐκ φυλῆς Ἰωσὴφ δώδεκα χιλιάδες,
ἐκ φυλῆς Βενιαμεὶν δώδεκα χιλιάδες ἐσφραγισμένοι.

Μετὰ ταῦτα εἶδον, καὶ ἰδοὺ ὄχλος πολύς, ὃν ἀριθμῆσαι 9
αὐτὸν οὐδεὶς ἐδύνατο, ἐκ παντὸς ἔθνους καὶ φυλῶν καὶ
λαῶν καὶ γλωσσῶν, ἑστῶτες ἐνώπιον τοῦ θρόνου καὶ ἐνώ-
πιον τοῦ ἀρνίου, περιβεβλημένους στολὰς λευκάς, καὶ
φοίνικες ἐν ταῖς χερσὶν αὐτῶν· καὶ κράζουσι φωνῇ μεγάλῃ 10
λέγοντες

Ἡ σωτηρία τῷ θεῷ ἡμῶν τῷ καθημένῳ ἐπὶ
τῷ θρόνῳ καὶ τῷ ἀρνίῳ.

καὶ πάντες οἱ ἄγγελοι ἱστήκεισαν κύκλῳ τοῦ θρόνου καὶ 11
τῶν πρεσβυτέρων καὶ τῶν τεσσάρων ζῴων, καὶ ἔπεσαν
ἐνώπιον τοῦ θρόνου ἐπὶ τὰ πρόσωπα αὐτῶν καὶ προσεκύ-
νησαν τῷ θεῷ, λέγοντες
                                                                    12
Ἀμήν· ἡ εὐλογία καὶ ἡ δόξα καὶ ἡ σοφία καὶ ἡ
εὐχαριστία καὶ ἡ τιμὴ καὶ ἡ δύναμις καὶ ἡ ἰσχὺς
τῷ θεῷ ἡμῶν εἰς τοὺς αἰῶνας τῶν αἰώνων [· ἀμήν].

Καὶ ἀπεκρίθη εἷς ἐκ τῶν πρεσβυτέρων λέγων μοι Οὗτοι 13
οἱ περιβεβλημένοι τὰς στολὰς τὰς λευκὰς τίνες εἰσὶν καὶ
πόθεν ἦλθον; καὶ εἴρηκα αὐτῷ Κύριέ μου, σὺ οἶδας. καὶ 14
εἶπέν μοι Οὗτοί εἰσιν οἱ ἐρχόμενοι ἐκ τῆς θλίψεως τῆς
μεγάλης, καὶ ΕΠΛΥΝΑΝ ΤΑΣ ΣΤΟΛΑΣ ΑΥΤΩΝ καὶ ἐλεύ-

VIII 2 ἐδόθη   3 τὸ θυσιαστήριον

15 καναν αὐτὰς ἐν τῷ αἵματι τοῦ ἀρνίου. διὰ τοῦτό εἰσιν
ἐνώπιον τοῦ θρόνου τοῦ θεοῦ, καὶ λατρεύουσιν αὐτῷ ἡμέρας
καὶ νυκτὸς ἐν τῷ ναῷ αὐτοῦ, καὶ ὁ ΚΑΘΗΜΕΝΟΣ ἐπὶ ΤΟΥ
16 ΘΡΟΝΟΥ σκηνώσει ἐπ᾿ αὐτούς. ΟΥ ΠΕΙΝΑΣΟΥΣΙΝ ἔτι
ΟΥΔΕ ΔΙΨΗΣΟΥΣΙΝ ἔτι, ΟΥΔΕ ΜΗ ΠΕΣΗ ἐπ᾿ ΑΥΤΟΥΣ ὁ
17 ΗΛΙΟΣ ΟΥΔΕ πᾶν ΚΑΥΜΑ, ὅτι τὸ ἀρνίον τὸ ἀνὰ μέσον
τοῦ θρόνου ΠΟΙΜΑΝΕΙ ΑΥΤΟΥΣ, καὶ ΟΔΗΓΗΣΕΙ ΑΥΤΟΥΣ
ἐπὶ ΖΩΗΣ ΠΗΓΑΣ ΥΔΑΤΩΝ· καὶ ἐΖΑΛΕΙΨΕΙ ὁ ΘΕΟΣ
πᾶν ΔΑΚΡΥΟΝ ἐκ ΤΩΝ ΟΦΘΑΛΜΩΝ αὐτῶν.

1 Καὶ ὅταν ἤνοιξεν τὴν σφραγῖδα τὴν ἑβδόμην, ἐγένετο
2 σιγὴ ἐν τῷ οὐρανῷ ὡς ἡμίωρον. καὶ εἶδον τοὺς ἑπτὰ
ἀγγέλους οἳ ἐνώπιον τοῦ θεοῦ ἑστήκασιν, καὶ ⌜ἐδόθησαν⌝
3 αὐτοῖς ἑπτὰ σάλπιγγες. Καὶ ἄλλος ἄγγελος
ἦλθεν καὶ ἐΣΤΑΘΗ ἐπὶ ⌜τοῦ ΘΥΣΙΑΣΤΗΡΙΟΥ⌝ ἔχων
λιβανωτὸν χρυσοῦν, καὶ ἐδόθη αὐτῷ ΘΥΜΙΑΜΑΤΑ πολλὰ
ἵνα δώσει ταῖς προσευχαῖς τῶν ἁγίων πάντων ἐπὶ τὸ
4 θυσιαστήριον τὸ χρυσοῦν τὸ ἐνώπιον τοῦ θρόνου. καὶ ἀνέ-
βη ὁ καπνὸς ΤΩΝ ΘΥΜΙΑΜΑΤΩΝ ταῖς προσευχαῖς τῶν
5 ἁγίων ἐκ χειρὸς τοῦ ἀγγέλου ἐνώπιον τοῦ θεοῦ. καὶ
εἴληφεν ὁ ἄγγελος ΤΟΝ ΛΙΒΑΝΩΤΟΝ, καὶ ἐΓΕΜΙΣΕΝ
αὐτὸν ἐκ ΤΟΥ ΠΥΡΟΣ ΤΟΥ ΘΥΣΙΑΣΤΗΡΙΟΥ, καὶ ἔβαλεν
εἰς τὴν ΓΗΝ· καὶ ἐγένοντο ΒΡΟΝΤΑΙ καὶ ⌜ΦΩΝΑΙ καὶ
6 ΑΣΤΡΑΠΑΙ⌝ καὶ σεισμός. Καὶ οἱ ἑπτὰ ἄγγελοι
οἱ ἔχοντες τὰς ἑπτὰ σάλπιγγας ἡτοίμασαν αὐτοὺς ἵνα
σαλπίσωσιν.

7 Καὶ ὁ πρῶτος ἐσάλπισεν· καὶ ἐΓΕΝΕΤΟ ΧΑΛΑΖΑ καὶ
ΠΥΡ μεμιγμένα ἐν ΑΙΜΑΤΙ, καὶ ἐΒΛΗΘΗ εἰς ΤΗΝ ΓΗΝ· καὶ
τὸ τρίτον τῆς γῆς κατεκάη, καὶ τὸ τρίτον τῶν δένδρων
8 κατεκάη, καὶ πᾶς χόρτος χλωρὸς κατεκάη. Καὶ
ὁ δεύτερος ἄγγελος ἐσάλπισεν· καὶ ὡς ΟΡΟΣ μέγα ΠΥΡΙ
ΚΑΙΟΜΕΝΟΝ ἐΒΛΗΘΗ εἰς τὴν θάλασσαν· καὶ ἐγένετο τὸ
9 τρίτον τῆς θαλάσσης ΑΙΜΑ, καὶ ἀπέθανε τὸ τρίτον τῶν
κτισμάτων τῶν ἐν τῇ θαλάσσῃ, τὰ ἔχοντα ψυχάς, καὶ τὸ

5 ἀστραπαὶ καὶ φωναὶ

τρίτον τῶν πλοίων διεφθάρησαν. Καὶ ὁ τρίτος 10
ἄγγελος ἐσάλπισεν· καὶ ἔπεϹεν ἐκ τοῦ οὐρανοῦ ἀϹτὴρ
μέγας καιόμενος ὡς λαμπάς, καὶ ἔπεσεν ἐπὶ τὸ τρίτον τῶν
ποταμῶν καὶ ἐπὶ τὰς πηγὰς τῶν ὑδάτων. καὶ τὸ ὄνομα 11
τοῦ ἀστέρος λέγεται Ὁ Ἄψινθος. καὶ ἐγένετο τὸ τρίτον
τῶν ὑδάτων εἰς ἄψινθον, καὶ πολλοὶ τῶν ἀνθρώπων ἀπέ-
θανον ἐκ τῶν ὑδάτων, ὅτι ἐπικράνθησαν. Καὶ 12
ὁ τέταρτος ἄγγελος ἐσάλπισεν· καὶ ἐπλήγη τὸ τρίτον τοῦ
ἡλίου καὶ τὸ τρίτον τῆς σελήνης καὶ τὸ τρίτον τῶν
ἀστέρων, ἵνα σκοτισθῇ τὸ τρίτον αὐτῶν καὶ ἡ ἡμέρα μὴ
φάνῃ τὸ τρίτον αὐτῆς, καὶ ἡ νὺξ ὁμοίως.

Καὶ εἶδον, καὶ ἤκουσα ἑνὸς ἀετοῦ πετομένου ἐν 13
μεσουρανήματι λέγοντος φωνῇ μεγάλῃ Οὐαί οὐαί
οὐαὶ ⌐τοὺς κατοικοῦντας⌐ ἐπὶ τῆς γῆς ἐκ τῶν λοιπῶν
φωνῶν τῆς σάλπιγγος τῶν τριῶν ἀγγέλων τῶν μελ-
λόντων σαλπίζειν.

Καὶ ὁ πέμπτος ἄγγελος ἐσάλπισεν· καὶ εἶδον ἀστέρα ἐκ 1
τοῦ οὐρανοῦ πεπτωκότα εἰς τὴν γῆν, καὶ ἐδόθη αὐτῷ ἡ
κλεὶς τοῦ φρέατος τῆς ἀβύσσου· καὶ ἤνοιξεν τὸ φρέαρ τῆς 2
ἀβύσσου, καὶ ἀνέβη κΑΠνὸϹ ἐκ τοῦ φρέατος ὡϹ κΑΠνὸϹ
κΑΜίνοΥ μεγάλης, καὶ ἐϹκοτώθη ὁ ἭλιοϹ καὶ ὁ ἀὴρ
ἐκ τοῦ καπνοῦ τοῦ φρέατος. καὶ ἐκ τοῦ καπνοῦ ἐξῆλθον 3
ἀκρίΔεϹ εἰϹ τὴν γῆν, καὶ ἐδόθη αὐταῖς ἐξουσία ὡς ἔχουσιν
ἐξουσίαν οἱ σκορπίοι τῆς γῆς. καὶ ἐρρέθη αὐταῖς ἵνα μὴ 4
ἀδικήσουσιν τὸν χόρτον τῆϹ γῆϹ οὐδὲ πᾶν χλωρὸν
οὐδὲ πᾶν δένδρον, εἰ μὴ τοὺς ἀνθρώπους οἵτινες οὐκ ἔ-
χουσι τὴν Ϲφραγῖδα τοῦ θεοῦ ἐπὶ τῶν μετώπων.
καὶ ἐδόθη ⌐αὐταῖς⌐ ἵνα μὴ ἀποκτείνωσιν αὐτούς, ἀλλ᾽ ἵνα 5
βασανισθήσονται μῆνας πέντε· καὶ ὁ βασανισμὸς αὐ-
τῶν ὡς βασανισμὸς σκορπίου, ὅταν παίσῃ ἄνθρωπον.
καὶ ἐν ταῖς ἡμέραις ἐκείναις ΖητήϹοΥϹιν οἱ ἄνθρωποι 6
τὸν θάνατον καὶ οΥ μὴ ⌐εΥρήϹοΥϹιν⌐ αὐτόν, καὶ ἐπι-
θυμήσουσιν ἀποθανεῖν καὶ φεύγει ὁ θάνατος ἀπ᾽ αὐτῶν.

13 τοῖς κατοικοῦσιν   5 αὐτοῖς   6 εὕρωσιν

7 καὶ τὰ ὁμοιώματα τῶν ἀκρίδων ⌜ὅμοια⌝ ἵπποις ἡτοι-
μασμένοις εἰς ΠΟΛΕΜΟΝ, καὶ ἐπὶ τὰς κεφαλὰς αὐτῶν
ὡς στέφανοι ὅμοιοι χρυσῷ, καὶ τὰ πρόσωπα αὐτῶν ὡς
8 πρόσωπα ἀνθρώπων, καὶ εἶχαν τρίχας ὡς τρίχας γυναικῶν,
9 καὶ οἱ ὈΔΟΝΤΕϹ ΑΥ̓ΤὨΝ ὡς ΛΕΟΝΤΩΝ ἦσαν, καὶ εἶχαν
θώρακας ὡς θώρακας σιδηροῦς, καὶ ἡ φωνὴ τῶν πτερύγων
αὐτῶν ὡϹ ΦΩΝΗ ἉΡΜΑΤΩΝ ἵππων πολλῶν ΤΡΕΧΟΝΤΩΝ
10 ΕἸϹ ΠΟΛΕΜΟΝ· καὶ ἔχουσιν οὐρὰς ⌜ὁμοίας⌝ σκορπίοις
καὶ κέντρα, καὶ ἐν ταῖς οὐραῖς αὐτῶν ἡ ἐξουσία αὐτῶν
11 ἀδικῆσαι τοὺς ἀνθρώπους μῆνας πέντε. ἔχουσιν ἐπ᾽ αὐ-
τῶν βασιλέα τὸν ἄγγελον τῆς ἀβύσσου· ὄνομα αὐτῷ
Ἑβραϊστὶ Ἀβαδδών καὶ ἐν τῇ Ἑλληνικῇ ὄνομα ἔχει
12 Ἀπολλύων. Ἡ Οὐαὶ ἡ μία ἀπῆλθεν· ἰδοὺ
ἔρχεται ἔτι δύο Οὐαὶ μετὰ ταῦτα.

13 Καὶ ὁ ἕκτος ἄγγελος ἐσάλπισεν· καὶ ἤκουσα φωνὴν
μίαν ἐκ τῶν κεράτων τοῦ θυσιαστηρίου τοῦ χρυσοῦ τοῦ
14 ἐνώπιον τοῦ θεοῦ, λέγοντα τῷ ἕκτῳ ἀγγέλῳ, ὁ ἔχων
τὴν σάλπιγγα, Λῦσον τοὺς τέσσαρας ἀγγέλους τοὺς δε-
δεμένους ἐπὶ τῷ ΠΟΤΑΜὨ τῷ ΜΕΓΑΛὨ ΕΥ̓ΦΡΑΤΗ.
15 καὶ ἐλύθησαν οἱ τέσσαρες ἄγγελοι οἱ ἡτοιμασμένοι εἰς
τὴν ὥραν καὶ ἡμέραν καὶ μῆνα καὶ ἐνιαυτόν, ἵνα ἀπο-
16 κτείνωσιν τὸ τρίτον τῶν ἀνθρώπων. καὶ ὁ ἀριθμὸς
τῶν στρατευμάτων τοῦ ἱππικοῦ δὶς μυριάδες μυριάδων·
17 ἤκουσα τὸν ἀριθμὸν αὐτῶν. καὶ οὕτως εἶδον τοὺς
ἵππους ἐν τῇ ὁράσει καὶ τοὺς καθημένους ἐπ᾽ αὐτῶν,
ἔχοντας θώρακας πυρίνους καὶ ὑακινθίνους καὶ θειώδεις·
καὶ αἱ κεφαλαὶ τῶν ἵππων ὡς κεφαλαὶ λεόντων, καὶ
ἐκ τῶν στομάτων αὐτῶν ἐκπορεύεται πῦρ καὶ καπνὸς
18 καὶ θεῖον. ἀπὸ τῶν τριῶν πληγῶν τούτων ἀπεκτάνθη-
σαν τὸ τρίτον τῶν ἀνθρώπων, ἐκ τοῦ πυρὸς καὶ τοῦ
καπνοῦ καὶ τοῦ θείου τοῦ ἐκπορευομένου ἐκ τῶν στο-
19 μάτων αὐτῶν. ἡ γὰρ ἐξουσία τῶν ἵππων ἐν τῷ στόματι
αὐτῶν ἐστὶν καὶ ἐν ταῖς οὐραῖς αὐτῶν· αἱ γὰρ οὐραὶ

αὐτῶν ὅμοιαι ὄφεσιν, ἔχουσαι κεφαλάς, καὶ ἐν αὐταῖς
ἀδικοῦσιν. καὶ οἱ λοιποὶ τῶν ἀνθρώπων, οἳ οὐκ ἀπε- 20
κτάνθησαν ἐν ταῖς πληγαῖς ταύταις, ⌜οὐ⌝ μετενόησαν
ἐκ ΤῶΝ ἔργωΝ ΤῶΝ χειρῶΝ αὐτῶν, ἵνα μὴ προσ-
κυνήσουσιν Τὰ ΔΑΙΜΟΝΙΑ καὶ Τὰ ΕἴΔωλΑ Τὰ χρυcὰ
καὶ Τὰ ἀρΓυρὰ καὶ Τὰ χαλκὰ καὶ Τὰ λίθΙΝΑ καὶ
Τὰ ξύλΙΝΑ, ἃ οὔΤΕ ΒλέπειΝ δύνανται οὔΤΕ ἀκοΎ-
ειΝ οὔΤΕ περιπατεῖΝ, καὶ οὐ μετενόησαν ἐκ ΤῶΝ 21
φόΝωΝ αὐτῶν οὔΤΕ ἐκ ΤῶΝ ⌜φαρμάκωΝ⌝ αὐτῶν οὔΤΕ ἐκ
ΤῆΣ πορΝΕίΑc αὐτῶν οὔΤΕ ἐκ ΤῶΝ κλεμμάτων αὐ-
τῶν.   Καὶ εἶδον ἄλλον ἄγγελον ἰσχυρὸν 1
καταβαίνοντα ἐκ τοῦ οὐρανοῦ, περιβεβλημένον νεφέλην,
καὶ ἡ ἶρις ἐπὶ τὴν κεφαλὴν αὐτοῦ, καὶ τὸ πρόσωπον
αὐτοῦ ὡς ὁ ἥλιος, καὶ οἱ πόδες αὐτοῦ ὡς στῦλοι
πυρός, καὶ ἔχων ἐν τῇ χειρὶ αὐτοῦ βιβλαρίδιον 2
ἠνεῳγμένον. καὶ ἔθηκεν τὸν πόδα αὐτοῦ τὸν δεξιὸν
ἐπὶ τῆς θαλάσσης, τὸν δὲ εὐώνυμον ἐπὶ τῆς γῆς,
καὶ ἔκραξεν φωνῇ μεγάλῃ ὥσπερ λέων μυκᾶται. καὶ 3
ὅτε ἔκραξεν, ἐλάλησαν αἱ ἑπτὰ βρονταὶ τὰς ἑαυτῶν
φωνάς. Καὶ ὅτε ἐλάλησαν αἱ ἑπτὰ βρονταί, ἤμελλον 4
γράφειν· καὶ ἤκουσα φωνὴν ἐκ τοῦ οὐρανοῦ λέγου-
σαν Cφράγιcον ἃ ἐλάλησαν αἱ ἑπτὰ βρονταί, καὶ
μὴ αὐτὰ γράψῃς. Καὶ ὁ ἄγγελος, ὃν εἶδον ἑστῶτα ἐπὶ 5
τῆς θαλάσσης καὶ ἐπὶ τῆς γῆς, ἦρεΝ τὴΝ χεῖρΑ αὐτοῦ
τὴΝ ΔΕξΙὰΝ εἰc τὸΝ οὐρΑΝόΝ, καὶ ὤμοcεΝ ἐΝ τῷ 6
ζῶΝΤΙ εἰc τοὺc αἰῶΝΑc τῶΝ αἰώΝωΝ, ὃc ἔκΤΙceΝ
τὸΝ οὐρΑΝὸΝ καὶ Τὰ ἐΝ αὐτῷ καὶ τὴΝ ΓῆΝ καὶ
Τὰ ἐΝ αὐτῇ [καὶ τὴΝ θάλΑccΑΝ καὶ Τὰ ἐΝ αὐτῇ],
ὅτι χρόνος οὐκέτι ⌜ἔσται· ἀλλ' ἐν ταῖς ἡμέραις τῆς 7
φωνῆς τοῦ ἑβδόμου ἀγγέλου, ὅταν μέλλῃ σαλπίζειν,⌝
καὶ ἐτελέσθη τὸ ΜΥcΤήριοΝ τοῦ θεοῦ, ὡς εὐηγγέλισεν
τοὺc ἑαυτοῦ ΔούλουΣ τοὺc προφήτΑc. Καὶ ἡ φωνὴ 8
ἣν ἤκουσα ἐκ τοῦ οὐρανοῦ, πάλιν λαλοῦσαν μετ' ἐμοῦ

---

20 οὔτε v· οὐδὲ   21 φαρμακιῶν   6,7 ἔσται, ἀλλ'...σαλπίζειν·

καὶ λέγουσαν Ὕπαγε λάβε τὸ βιβλίον τὸ ἠνεῳγμένον
ἐν τῇ χειρὶ τοῦ ἀγγέλου τοῦ ἑστῶτος ἐπὶ τῆς θα-
9 λάσσης καὶ ἐπὶ τῆς γῆς. καὶ ἀπῆλθα πρὸς τὸν
ἄγγελον λέγων αὐτῷ δοῦναί μοι τὸ ΒΙΒΛαρίΔΙΟΝ.
καὶ λέγει μοι Λάβε καὶ κατάφαγε αὐτό, καὶ πικρανεῖ
cΟΥ ΤῊΝ ΚΟΙΛΙΑΝ, ἀλλ' ἐν τῷ cΤΟΜΑΤΙ cΟΥ ἔσται
10 γλυκὺ ὡς μέλι. καὶ ἔλαβον τὸ ΒΙΒΛαρίΔΙΟΝ ἐκ τῆς
χειρὸς τοῦ ἀγγέλου καὶ κατέφαγον αὐτό, καὶ ἦν
ἐν τῷ cΤΟΜΑΤΙ ΜΟΥ ὡς ΜΕΛΙ ΓΛΥΚΥ· καὶ ὅτε ἔφαγον
11 αὐτό, ἐπικράνθη ἡ κοιλία μου. καὶ λέγουσίν μοι Δεῖ
ce πάλιν προφητεῦcαι ἐπὶ λαοῖc καὶ ἔθΝεcιΝ καὶ
1 ΓΛΩccαιc καὶ ΒαcιΛεῦcιΝ πολλοῖς.   Καὶ
ἐδόθη μοι ΚΑΛΑΜΟc ὅμοιος ῥάβδῳ, λέγων Ἔγειρε καὶ
μέτρησον τὸν ναὸν τοῦ θεοῦ καὶ τὸ θυσιαστήριον καὶ
2 τοὺς προσκυνοῦντας ἐν αὐτῷ. καὶ τὴν αὐλὴν τὴν
ἔξωθεν τοῦ ναοῦ ἔκβαλε ἔξωθεν, καὶ μὴ αὐτὴν με-
τρήσῃς, ὅτι ἐδόθη ΤΟΙc ἔθΝεcΙΝ, καὶ τὴν πόλιν τὴν
ἁγίαν ΠΑΤΗcΟΥcΙΝ μῆνας τεσσεράκοντα [καὶ] δύο.
3 καὶ δώσω τοῖς δυσὶν μάρτυσίν μου, καὶ προφητεύ-
σουσιν ἡμέρας χιλίας διακοσίας ἑξήκοντα, ⌜περιβεβλημέ-
4 νους⌝ σάκκους. Οὗτοί εἰσιν αἱ ΔΥΟ ἐλαῖαι καὶ αἱ δύο
ΛΥΧΝΙΑΙ [αἱ] ἐΝΩΠΙΟΝ ΤΟΥ ΚΥΡΙΟΥ ΤῊc ΓῊc ἑcΤῶΤεc.
5 καὶ εἴ τις αὐτοὺς θέλει ἀδικῆσαι, πῦρ ἐκπορεύεται
ἐκ ΤΟΥ cΤΟΜΑΤΟc αὐτῶν καὶ ΚΑΤεcθίεΙ ΤΟΥc ἐχθροὺς
αὐτῶν· καὶ εἴ τις ⌜θελήσῃ⌝ αὐτοὺς ἀδικῆσαι, οὕτως
6 δεῖ αὐτὸν ἀποκτανθῆναι. οὗτοι ἔχουσιν τὴν ἐξουσίαν
κλεῖσαι τὸν οὐρανόν, ἵνα ΜῊ ΥεΤΟc Βρέχῃ τὰς ἡμέρας
τῆς προφητείας αὐτῶν, καὶ ἐξουσίαν ἔχουσιν ἐπὶ ΤῶΝ
ὑΔΑΤΩΝ cΤΡΕΦΕΙΝ αὐτὰ εἰς ΑΙΜΑ καὶ ΠΑΤΑΞΑΙ τὴν
7 γῆν ἐν ΠΑcῌ ΠΛΗΓῌ ὁσάκις ἐὰν θελήσωσιν. καὶ
ὅταν τελέσωσιν τὴν μαρτυρίαν αὐτῶν, τὸ θηρίον τὸ
ἀναβαῖνον ἐκ ΤῊc ἀΒΥccΟΥ ΠΟΙΗcΕΙ ΜΕΤ' αὐτῶν
ΠΟΛΕΜΟΝ ΚΑῚ ΝΙΚΗcΕΙ αὐΤΟΥc ΚΑῚ ἀποκτενεῖ αὐτούς.

3 †...†   5 θέλει v. θελήσει

καὶ τὸ πτῶμα αὐτῶν ἐπὶ τῆς πλατείας τῆς πόλεως τῆς 8
μεγάλης, ἥτις καλεῖται πνευματικῶς Σόδομα καὶ Αἴγυ-
πτος, ὅπου καὶ ὁ κύριος αὐτῶν ἐσταυρώθη. καὶ βλέπου- 9
σιν ἐκ τῶν λαῶν καὶ φυλῶν καὶ γλωσσῶν καὶ ἐθνῶν τὸ
πτῶμα αὐτῶν ἡμέρας τρεῖς καὶ ἥμισυ, καὶ τὰ πτώματα
αὐτῶν οὐκ ἀφίουσιν τεθῆναι εἰς μνῆμα. καὶ οἱ κατοι- 10
κοῦντες ἐπὶ τῆς γῆς χαίρουσιν ἐπ᾽ αὐτοῖς καὶ εϒΦραί-
ΝΟΝΤΑΙ, καὶ δῶρα πέμψουσιν ἀλλήλοις, ὅτι οὗτοι οἱ δύο
προφῆται ἐβασάνισαν τοὺς κατοικοῦντας ἐπὶ τῆς γῆς. καὶ 11
μετὰ [τὰς] τρεῖς ἡμέρας καὶ ἥμισυ ΠΝΕϒΜΑ ΖΩΗϹ ἐκ τοῦ
θεοῦ εἰϹΗΛθΕΝ [ἐν] αϒτοῖϹ, καὶ ἔϹτΗϹαΝ ἐπὶ τοϒϹ
πόΔαϹ αϒτῶΝ, καὶ ΦόβοϹ μέγας ἐπέπεϹΕΝ ἐπὶ τοὺς
θεωροῦντας αὐτούς· καὶ ἤκουσαν ⌜φωνῆς μεγάλης ἐκ τοῦ 12
οὐρανοῦ λεγούσης⌝ αὐτοῖς Ἀνάβατε ὧδε, καὶ ἀνέβησαν
εἰϹ τὸΝ οϒραΝὸΝ ἐν τῇ νεφέλῃ, καὶ ἐθεώρησαν αὐτοὺς
οἱ ἐχθροὶ αὐτῶν. Καὶ ἐν ἐκείνῃ τῇ ὥρᾳ ἐγένετο 13
ϹΕιϹμὸϹ μέγαϹ, καὶ τὸ δέκατον τῆς πόλεως ἔπεϹΕΝ,
καὶ ἀπεκτάνθησαν ἐν τῷ σεισμῷ ὀνόματα ἀνθρώπων
χιλιάδες ἑπτά, καὶ οἱ λοιποὶ ἔμφοβοι ἐγένοντο καὶ
ἔδωκαν δόξαν τῷ θεῷ τοϒ οϒραΝοϒ.   Ἡ 14
Οὐαὶ ἡ δευτέρα ἀπῆλθεν· ἰδοὺ ἡ Οὐαὶ ἡ τρίτη ἔρχεται
ταχύ.

Καὶ ὁ ἕβδομος ἄγγελος ἐσάλπισεν· καὶ ἐγένοντο 15
φωναὶ μεγάλαι ἐν τῷ οὐρανῷ, λέγοντες
Ἐγένετο Ἡ βαϹιλεία τοῦ κόϹμοϒ τοϒ κϒρίοϒ
ἡμῶν καὶ τοϒ χριϹτοϒ αϒτοϒ, καὶ βαϹιλεϒ-
ϹΕι εἰϹ τοϒϹ αἰῶΝαϹ τῶΝ αἰώΝωΝ.
καὶ οἱ εἴκοσι τέσσαρες πρεσβύτεροι ⌜οἱ⌝ ἐνώπιον τοῦ 16
θεοῦ καθήμενοι⌝ ἐπὶ τοὺς θρόνους αὐτῶν ἔπεσαν ἐπὶ τὰ
πρόσωπα αὐτῶν καὶ προσεκύνησαν τῷ θεῷ, λέγοντες 17
Εὐχαριστοῦμέν σοι, κϒριε, ὁ θεόϹ, ὁ παΝτο-
κράτωρ, ὁ ὢΝ καὶ ὁ ἦΝ, ᵀ ὅτι εἴληφες
τὴν δύναμίν σου τὴν μεγάλην καὶ ἐβαϹιλεϒϹαϹ·

12 φωνὴν μεγάλην ἐκ τοῦ οὐρανοῦ λέγουσαν   16 οἳ ἐνώπιον τοῦ θεοῦ κάθηνται   17 καὶ

18 καὶ τὰ ἔθνη ὠργίϲθηϲαν, καὶ ἦλθεν ἡ ὀργή
σου καὶ ὁ καιρὸς τῶν νεκρῶν κριθῆναι, καὶ δοῦ-
ναι τὸν μισθὸν τοῖς Δογλοιϲ ϲογ τοῖϲ προ-
φήταιϲ καὶ τοῖϲ ἁγίοιϲ καὶ τοῖϲ φοβογμένοιϲ
τὸ ὄνομά σου, τογϲ μικρογϲ καὶ τογϲ μεγά-
λογϲ, καὶ διαφθεῖραι τοὺς διαφθείροντας τὴν γῆν.
19 καὶ ἠνοίγη ὁ ναὸς τοῦ θεοῦ ὁ ἐν τῷ οὐρανῷ, καὶ
ὤφθη ἡ κιβωτὸϲ τῆϲ Διαθήκηϲ αὐτοῦ ἐν τῷ ναῷ
αὐτοῦ· καὶ ἐγένοντο ἀϲτραπαὶ καὶ φωναὶ καὶ βρονταὶ
καὶ σεισμὸς καὶ χάλαζα μεγάλη.

1 Καὶ σημεῖον μέγα ὤφθη ἐν τῷ οὐρανῷ, γυνὴ περιβε-
βλημένη τὸν ἥλιον, καὶ ἡ σελήνη ὑποκάτω τῶν ποδῶν
αὐτῆς, καὶ ἐπὶ τῆς κεφαλῆς αὐτῆς στέφανος ἀστέρων
2 δώδεκα, καὶ ἐν γαστρὶ ⌈ἔχουσα· καὶ κράζει⌉ ὠΔίνογϲα καὶ
3 βαϲανιζομένη τεκεῖν. καὶ ὤφθη ἄλλο σημεῖον ἐν τῷ
οὐρανῷ, καὶ ἰδοὺ δράκων ⌈μέγας πυρρός⌉, ἔχων κεφαλὰς
ἑπτὰ καὶ κέρατα Δέκα καὶ ἐπὶ τὰϲ κεφαλὰϲ αὐτοῦ ἑπτὰ
4 διαδήματα, καὶ ἡ οὐρὰ αὐτοῦ σύρει τὸ τρίτον τῶν ἀϲτέ-
ρων τογ ογρανογ, καὶ ἔβαλεν αὐτοὺϲ εἰϲ τὴν γῆν.
καὶ ὁ δράκων ἕστηκεν ἐνώπιον τῆς γυναικὸς τῆς μελλού-
5 σης τεκεῖν, ἵνα ὅταν τέκῃ τὸ τέκνον αὐτῆς καταφάγῃ. καὶ
ἔτεκεν υἱόν, ἄρϲεν, ὃς μέλλει ποιμαίνειν πάντα τὰ
ἔθνη ἐν ῥάβΔῳ ϲιΔηρᾷ· καὶ ἡρπάσθη τὸ τέκνον αὐτῆς
6 πρὸς τὸν θεὸν καὶ πρὸς τὸν θρόνον αὐτοῦ. καὶ ἡ γυνὴ
ἔφυγεν εἰς τὴν ἔρημον, ὅπου ἔχει ἐκεῖ τόπον ἡτοιμασμέ-
νον ἀπὸ τοῦ θεοῦ, ἵνα ἐκεῖ ⌈τρέφωσιν⌉ αὐτὴν ἡμέρας χιλί-
7 ας διακοσίας ἑξήκοντα. Καὶ ἐγένετο πόλεμος
ἐν τῷ οὐρανῷ, ὁ Μιχαὴλ καὶ οἱ ἄγγελοι αὐτοῦ τογ πο-
λεμῆϲαι μετὰ τοῦ δράκοντος. καὶ ὁ δράκων ἐπολέμησεν
8 καὶ οἱ ἄγγελοι αὐτοῦ, καὶ οὐκ ⌈ἴσχυσεν⌉, οὐδὲ τόπος εὑ-
9 ρέθη αὐτῶν ἔτι ἐν τῷ οὐρανῷ. καὶ ἐβλήθη ὁ δράκων ὁ
μέγας, ὁ ὄφις ὁ ἀρχαῖος, ὁ καλούμενος Διάβολος καί

2 ἔχουσα κράζει, 3 πυρρὸς μέγας 6 τρέφουσιν 8 ἴσχυσαν

Ὁ Σατανᾶς, ὁ πλανῶν τὴν οἰκουμένην ὅλην,— ἐβλήθη
εἰς τὴν γῆν, καὶ οἱ ἄγγελοι αὐτοῦ μετ᾽ αὐτοῦ ἐβλήθησαν.
καὶ ἤκουσα φωνὴν μεγάλην ἐν τῷ οὐρανῷ λέγουσαν   10
"Ἄρτι ἐγένετο ἡ σωτηρία καὶ ἡ δύναμις καὶ ἡ βα-
σιλεία τοῦ θεοῦ ἡμῶν καὶ ἡ ἐξουσία τοῦ χριστοῦ
αὐτοῦ, ὅτι ἐβλήθη ὁ κατήγωρ τῶν ἀδελφῶν ἡμῶν, ὁ
κατηγορῶν αὐτοὺς ἐνώπιον τοῦ θεοῦ ἡμῶν ἡμέρας
καὶ νυκτός· καὶ αὐτοὶ ἐνίκησαν αὐτὸν διὰ τὸ αἷμα   11
τοῦ ἀρνίου καὶ διὰ τὸν λόγον τῆς μαρτυρίας αὐ-
τῶν, καὶ οὐκ ἠγάπησαν τὴν ψυχὴν αὐτῶν ἄχρι
θανάτου· διὰ τοῦτο εὐφραίνεϲθε, ᵀ οὐρανοὶ καὶ   12
οἱ ἐν αὐτοῖς σκηνοῦντες· οὐαὶ τὴν γῆν καὶ τὴν
θάλασσαν, ὅτι κατέβη ὁ διάβολος πρὸς ὑμᾶς,
ἔχων θυμὸν μέγαν, εἰδὼς ὅτι ὀλίγον καιρὸν ἔχει.
Καὶ ὅτε εἶδεν ὁ δράκων ὅτι ἐβλήθη εἰς τὴν γῆν, ἐδίωξεν 13
τὴν γυναῖκα ἥτις ἔτεκεν τὸν ἄρσενα. καὶ ἐδόθησαν τῇ 14
γυναικὶ αἱ δύο πτέρυγες τοῦ ἀετοῦ τοῦ μεγάλου, ἵνα πέτη-
ται εἰς τὴν ἔρημον εἰς τὸν τόπον αὐτῆς, ὅπου τρέφεται ἐκεῖ
καιρὸν καὶ καιροὺϲ καὶ ἥμιϲυ καιροῦ ἀπὸ προσώπου
τοῦ ὄφεως. καὶ ἔβαλεν ὁ ὄφις ἐκ τοῦ στόματος αὐτοῦ ὀπί- 15
σω τῆς γυναικὸς ὕδωρ ὡς ποταμόν, ἵνα αὐτὴν ποταμοφό-
ρητον ποιήσῃ. καὶ ἐβοήθησεν ἡ γῆ τῇ γυναικί, καὶ ἤνοι- 16
ξεν ἡ γῆ τὸ στόμα αὐτῆς καὶ κατέπιεν τὸν ποταμὸν ὃν
ἔβαλεν ὁ δράκων ἐκ τοῦ στόματος αὐτοῦ· καὶ ὠργίσθη 17
ὁ δράκων ἐπὶ τῇ γυναικί, καὶ ἀπῆλθεν ποιῆσαι πόλεμον
μετὰ τῶν λοιπῶν τοῦ σπέρματος αὐτῆς, τῶν τηρούντων
τὰς ἐντολὰς τοῦ θεοῦ καὶ ἐχόντων τὴν μαρτυρίαν Ἰησοῦ·
καὶ ἐστάθη ἐπὶ τὴν ἄμμον τῆς θαλάσσης.   18

Καὶ εἶδον ἐκ τῆϲ θαλάϲϲηϲ θηρίον ἀναβαῖνον, 1
ἔχον κέρατα δέκα καὶ κεφαλὰς ἑπτά, καὶ ἐπὶ τῶν κερά-
των αὐτοῦ δέκα διαδήματα, καὶ ἐπὶ τὰς κεφαλὰς αὐτοῦ ⌜ὀνό-
ματα⌝ βλασφημίας. καὶ τὸ θηρίον ὃ εἶδον ἦν ὅμοιον 2
παρδάλει, καὶ οἱ πόδες αὐτοῦ ὡϲ ἄρκου, καὶ τὸ στόμα

12 οἱ   1 ὄνομα

αὐτοῦ ὡς στόμα ⌜λέοντος⌝. καὶ ἔδωκεν αὐτῷ ὁ δράκων
τὴν δύναμιν αὐτοῦ καὶ τὸν θρόνον αὐτοῦ καὶ ἐξουσίαν
3 μεγάλην. καὶ μίαν ἐκ τῶν κεφαλῶν αὐτοῦ ὡς ἐσφαγμένην
εἰς θάνατον, καὶ ἡ πληγὴ τοῦ θανάτου αὐτοῦ ἐθεραπεύθη.
4 καὶ ἐθαυμάσθη ὅλη ἡ γῆ ὀπίσω τοῦ θηρίου, καὶ προσε-
κύνησαν τῷ δράκοντι ὅτι ἔδωκεν τὴν ἐξουσίαν τῷ θηρίῳ,
καὶ προσεκύνησαν ⌜τῷ θηρίῳ⌝ λέγοντες Τίς ὅμοιος τῷ
5 θηρίῳ, καὶ τίς δύναται πολεμῆσαι μετ᾽ αὐτοῦ; καὶ ἐδόθη
αὐτῷ ϲτόμα λαλοῦν μεγάλα καὶ βλασφημίας, καὶ ἐδόθη
αὐτῷ ἐξουσία ποιηϲαι μῆνας τεσσεράκοντα [καὶ] δύο.
6 καὶ ἤνοιξε τὸ στόμα αὐτοῦ εἰς βλασφημίας πρὸς τὸν θεόν,
βλασφημῆσαι τὸ ὄνομα αὐτοῦ καὶ τὴν σκηνὴν αὐτοῦ, τοὺς
7 ἐν τῷ οὐρανῷ σκηνοῦντας. [καὶ ἐδόθη αὐτῷ ποιηϲαι
πόλεμον μετὰ τῶν ἁγίων καὶ νικηϲαι αὐτούϲ,] καὶ
ἐδόθη αὐτῷ ἐξουσία ἐπὶ πᾶσαν φυλὴν καὶ λαὸν καὶ γλῶσ-
8 σαν καὶ ἔθνος. καὶ προσκυνήσουσιν αὐτὸν πάντες οἱ κατοι-
κοῦντες ἐπὶ τῆς γῆς, οὗ οὐ γέγραπται τὸ ὄνομα αὐτοῦ
ἐν τῷ βιβλίῳ τηϲ ζωηϲ τοῦ ἀρνίου τοῦ ἐϲφαγμέ-
9 νου ἀπὸ καταβολῆς κόσμου. Εἴ τις ἔχει οὖς ἀκουσάτω.
10 εἴ τιϲ εἰϲ αἰχμαλωσίαν, εἰϲ αἰχμαλωσίαν ὑπάγει· εἴ
τιϲ ἐν μαχαίρῃ ⌜ἀποκτενεῖ⌝, δεῖ αὐτὸν ἐν μαχαίρῃ ἀπο-
κτανθῆναι. Ὧδέ ἐστιν ἡ ὑπομονὴ καὶ ἡ πίστις τῶν
11 ἁγίων. Καὶ εἶδον ἄλλο θηρίον ἀναβαῖνον ἐκ
τῆς γῆς, καὶ εἶχεν κέρατα δύο ὅμοια ἀρνίῳ, καὶ ἐλάλει ὡς
12 δράκων. καὶ τὴν ἐξουσίαν τοῦ πρώτου θηρίου πᾶσαν
ποιεῖ ἐνώπιον αὐτοῦ. καὶ ποιεῖ τὴν γῆν καὶ τοὺς ἐν αὐτῇ
κατοικοῦντας ἵνα προσκυνήσουσιν τὸ θηρίον τὸ πρῶτον,
13 οὗ ἐθεραπεύθη ἡ πληγὴ τοῦ θανάτου αὐτοῦ. καὶ ποιεῖ
σημεῖα μεγάλα, ἵνα καὶ πῦρ ποιῇ ἐκ τοῦ οὐρανοῦ καταβαί-
14 νειν εἰς τὴν γῆν ἐνώπιον τῶν ἀνθρώπων. καὶ πλανᾷ τοὺς
κατοικοῦντας ἐπὶ τῆς γῆς διὰ τὰ σημεῖα ἃ ἐδόθη αὐτῷ
ποιῆσαι ἐνώπιον τοῦ θηρίου, λέγων τοῖς κατοικοῦσιν
ἐπὶ τῆς γῆς ποιῆσαι εἰκόνα τῷ θηρίῳ ὃς ἔχει τὴν πληγὴν

2 λεόντων   4 τὸ θηρίον   10 †ἀποκτείνει†

τῆς μαχαίρης καὶ ἔζησεν. καὶ ἐδόθη ⸀αὐτῇ⸀ δοῦναι πνεῦμα 15
τῇ εἰκόνι τοῦ θηρίου, ἵνα καὶ λαλήσῃ ἡ εἰκὼν τοῦ θηρί-
ου καὶ ⸀ποιήσῃ⸀ [ἵνα] ὅσοι ἐὰν ΜΗ ΠΡΟΣΚΥΝΗϹΩϹΙΝ
⸀ΤΗ ΕΙΚΟΝΙ⸀ τοῦ θηρίου ἀποκτανθῶσιν. καὶ ποιεῖ πάντας, 16
τοὺς μικροὺς καὶ τοὺς μεγάλους, καὶ τοὺς πλουσίους καὶ
τοὺς πτωχούς, καὶ τοὺς ἐλευθέρους καὶ τοὺς δούλους,
ἵνα ⸀δῶσιν⸀ αὐτοῖς χάραγμα ἐπὶ τῆς χειρὸς αὐτῶν τῆς
δεξιᾶς ἢ ἐπὶ τὸ μέτωπον αὐτῶν, [καὶ] ἵνα μή τις ⸀δύνηται⸀ 17
ἀγοράσαι ἢ πωλῆσαι εἰ μὴ ὁ ἔχων τὸ χάραγμα, τὸ
ὄνομα τοῦ θηρίου ἢ τὸν ἀριθμὸν τοῦ ὀνόματος αὐτοῦ.
῟Ωδε ἡ σοφία ἐστίν· ὁ ἔχων νοῦν ψηφισάτω τὸν ἀριθμὸν 18
τοῦ θηρίου, ἀριθμὸς γὰρ ἀνθρώπου ἐστίν· καὶ ὁ ἀριθμὸς
αὐτοῦ ᵀ ⸀ἑξακόσιοι⸀ ἑξήκοντα ἕξ.

Καὶ εἶδον, καὶ ἰδοὺ τὸ ἀρνίον ἑστὸς ἐπὶ τὸ ὄρος Σιών, 1
καὶ μετ᾽ αὐτοῦ ἑκατὸν τεσσεράκοντα τέσσαρες χιλιάδες
ἔχουσαι τὸ ὄνομα αὐτοῦ καὶ τὸ ὄνομα τοῦ πατρὸς αὐτοῦ
γεγραμμένον ἐπὶ ΤΩΝ ΜΕΤΩΠΩΝ αὐτῶν. καὶ ἤκουσα 2
φωνὴν ἐκ τοῦ οὐρανοῦ ὡς ΦΩΝΗΝ ῨΔΑΤΩΝ ΠΟΛΛΩΝ
καὶ ὡς φωνὴν βροντῆς μεγάλης, καὶ ἡ φωνὴ ἣν ἤκουσα
ὡς κιθαρῳδῶν κιθαριζόντων ἐν ταῖς κιθάραις αὐτῶν. καὶ 3
ᾄΔΟΥϹΙΝ ὡς ῼΔΗΝ ΚΑΙΝΗΝ ἐνώπιον τοῦ θρόνου καὶ ἐνώ-
πιον τῶν τεσσάρων ζῴων καὶ τῶν πρεσβυτέρων· καὶ οὐδεὶς
ἐδύνατο μαθεῖν τὴν ᾠδὴν εἰ μὴ αἱ ἑκατὸν τεσσεράκοντα
τέσσαρες χιλιάδες, οἱ ἠγορασμένοι ἀπὸ τῆς ⸀γῆς. οὗτοί 4
εἰσιν οἳ⸀ μετὰ γυναικῶν οὐκ ἐμολύνθησαν, παρθένοι γάρ
εἰσιν· οὗτοι οἱ ἀκολουθοῦντες τῷ ἀρνίῳ ὅπου ἂν ὑπάγει·
οὗτοι ἠγοράσθησαν ἀπὸ τῶν ἀνθρώπων ἀπαρχὴ τῷ θεῷ
καὶ τῷ ἀρνίῳ, καὶ ἐν τῷ ΣΤΟΜΑΤΙ αὐτῶν ΟΥΧ ΕΥΡΕΘΗ 5
ΨΕῨΔΟϹ· ἄμωμοί εἰσιν.

Καὶ εἶδον ἄλλον ἄγγελον πετόμενον ἐν μεσουρανήματι, 6
ἔχοντα εὐαγγέλιον αἰώνιον εὐαγγελίσαι ἐπὶ τοὺς καθημένους
ἐπὶ τῆς γῆς καὶ ἐπὶ πᾶν ἔθνος καὶ φυλὴν καὶ γλῶσσαν καὶ
λαόν, λέγων ἐν φωνῇ μεγάλῃ Φοβήθητε τὸν θεὸν καὶ δότε 7

15 †...† | ποιήσει | τὴν εἰκόνα   16 †δώσει†   17 δύναται   18 ἐστὶν | ἑξακόσιαι

αὐτῷ δόξαν, ὅτι ἦλθεν ἡ ὥρα τῆς κρίσεως αὐτοῦ, καὶ προσ-
κυνήσατε τῷ ΠΟΙΗϹΑΝΤΙ ΤΟΝ ΟΥΡΑΝΟΝ ΚΑΙ ΤΗΝ ΓΗΝ
8 καὶ θάλαϲϲαν καὶ πηγὰς ὑδάτων.   Καὶ ἄλλος
δεύτερος [ἄγγελος] ἠκολούθησεν λέγων Ἔπεϲεν, ἔπεϲεν
Βαβυλὼν ἡ μεγάλη, ἣ ἐκ ΤΟΥ ΟΙΝΟΥ τοῦ θυμοῦ τῆς
9 πορνείας αὐΤΗϹ ΠΕΠΟΤΙΚΕΝ ΠΑΝΤΑ ΤΑ ΕΘΝΗ.   Καὶ
ἄλλος ἄγγελος τρίτος ἠκολούθησεν αὐτοῖς λέγων ἐν φωνῇ
μεγάλῃ Εἴ τις προσκυνεῖ τὸ θηρίον καὶ τὴν εἰκόνα αὐτοῦ,
καὶ λαμβάνει χάραγμα ἐπὶ τοῦ μετώπου αὐτοῦ ἢ ἐπὶ τὴν
10 χεῖρα αὐτοῦ, καὶ αὐτὸς ΠΙΕΤΑΙ ἐκ ΤΟΥ ΟΙΝΟΥ τοῦ θυμοῦ τοῦ
θεοῦ τοῦ κεκερασμένου ἀκράτου ἐν τῷ ΠΟΤΗΡΙῼ ΤΗϹ
ΟΡΓΗϹ αὐΤΟΥ, καὶ βασανισθήσεται ἐν ΠΥΡΙ καὶ θείῳ
11 ἐνώπιον ⌜ἀγγέλων ἁγίων⌝ καὶ ἐνώπιον τοῦ ἀρνίου. καὶ ὁ
ΚΑΠΝΟϹ τοῦ βασανισμοῦ αὐτῶν εἰς ΑΙΩΝΑϹ ΑΙώνων ἀνα-
Βαίνει, καὶ οὐκ ἔχουσιν ἀνάπαυσιν ΗΜΕΡΑϹ ΚΑΙ ΝΥΚΤΟϹ,
οἱ προσκυνοῦντες τὸ θηρίον καὶ τὴν εἰκόνα αὐτοῦ, καὶ εἴ
12 τις λαμβάνει τὸ χάραγμα τοῦ ὀνόματος αὐτοῦ. Ὧδε ἡ
ὑπομονὴ τῶν ἁγίων ἐστίν, οἱ τηροῦντες τὰς ἐντολὰς τοῦ
13 θεοῦ καὶ τὴν πίστιν Ἰησοῦ.   Καὶ ἤκουσα φωνῆς
ἐκ τοῦ οὐρανοῦ λεγούσης Γράψον Μακάριοι οἱ νεκροὶ οἱ
ἐν κυρίῳ ἀποθνήσκοντες ἀπ᾽ ἄρτι. ναί, λέγει τὸ πνεῦμα,
ἵνα ἀναπαήσονται ἐκ τῶν κόπων αὐτῶν, τὰ γὰρ ἔργα αὐ-
τῶν ἀκολουθεῖ μετ᾽ αὐτῶν.

14   Καὶ εἶΔΟΝ, καὶ ἰΔΟΥ νεφέλη λευκή, καὶ ἐπὶ τὴν ΝΕΦΕ-
ΛΗΝ καθήμενον ΟΜΟΙΟΝ ΥΙΟΝ ἀνθρώπου, ἔχων ἐπὶ τῆς
κεφαλῆς αὐτοῦ στέφανον χρυσοῦν καὶ ἐν τῇ χειρὶ αὐτοῦ
15 δρέπανον ὀξύ.   Καὶ ἄλλος ἄγγελος ἐξῆλθεν ἐκ
τοῦ ναοῦ, κράζων ἐν φωνῇ μεγάλῃ τῷ καθημένῳ ἐπὶ τῆς
νεφέλης Πέμψον τὸ ΔΡΕΠΑΝΟΝ σου καὶ θέρισον, ὅτι
ἦλθεν ἡ ὥρα θερίσαι, ὅτι ἐξηράνθη ὁ θερισμὸς τῆς γῆς.
16 καὶ ἔβαλεν ὁ καθήμενος ἐπὶ ⌜τῆς νεφέλης⌝ τὸ δρέπανον
17 αὐτοῦ ἐπὶ τὴν γῆν, καὶ ἐθερίσθη ἡ γῆ.   Καὶ
ἄλλος ἄγγελος ἐξῆλθεν ἐκ τοῦ ναοῦ τοῦ ἐν τῷ οὐρανῷ

3,4 γῆς, οἱ   10 τῶν ἀγγέλων   16 τὴν νεφέλην

ἔχων καὶ αὐτὸς δρέπανον ὀξύ.   Καὶ ἄλλος 18
ἄγγελος [ἐξῆλθεν] ἐκ τοῦ θυσιαστηρίου, [ὁ] ἔχων ἐξουσίαν
ἐπὶ τοῦ πυρός, καὶ ἐφώνησεν φωνῇ μεγάλῃ τῷ ἔχοντι τὸ
δρέπανον τὸ ὀξὺ λέγων ΠΕΜΨΟΝ σου τὸ ΔΡΕΠΑΝΟΝ τὸ
ὀξὺ καὶ τρύγησον τοὺς βότρυας τῆς ἀμπέλου τῆς γῆς, ὅτι
ἤκμασαν αἱ σταφυλαὶ αὐτῆς. καὶ ἔβαλεν ὁ ἄγγελος τὸ 19
δρέπανον αὐτοῦ εἰς τὴν γῆν, καὶ ἐτρύγησεν τὴν ἄμπελον
τῆς γῆς, καὶ ἔβαλεν εἰς τὴν ληνὸν τοῦ θυμοῦ τοῦ θεοῦ
τὸν μέγαν. καὶ ἘΠΑΤΗΘΗ Ἡ ΛΗΝΟΣ ἔξωθεν τῆς πόλεως, 20
καὶ ἐξῆλθεν αἷμα ἐκ τῆς ληνοῦ ἄχρι τῶν χαλινῶν τῶν
ἵππων ἀπὸ σταδίων χιλίων ἑξακοσίων.

Καὶ εἶδον ἄλλο σημεῖον ἐν τῷ οὐρανῷ μέγα καὶ 1
θαυμαστόν, ἀγγέλους ἑπτὰ ἔχοντας ΠΛΗΓΑΣ ἑπτὰ
τὰς ἐσχάτας, ὅτι ἐν αὐταῖς ἐτελέσθη ὁ θυμὸς τοῦ
θεοῦ.   Καὶ εἶδον ὡς θάλασσαν ὑαλίνην μεμι- 2
γμένην πυρί, καὶ τοὺς νικῶντας ἐκ τοῦ θηρίου καὶ ἐκ τῆς
εἰκόνος αὐτοῦ καὶ ἐκ τοῦ ἀριθμοῦ τοῦ ὀνόματος αὐτοῦ
ἑστῶτας ἐπὶ τὴν θάλασσαν τὴν ὑαλίνην, ἔχοντας κιθάρας
τοῦ θεοῦ. καὶ ᾄΔΟΥΣΙΝ ΤΗΝ ᾠΔΗΝ ΜΩΥΣΕΩΣ ΤΟΥ 3
ΔΟΥΛΟΥ ΤΟΥ ΘΕΟΥ καὶ τὴν ᾠδὴν τοῦ ἀρνίου λέγοντες·
ΜΕΓΑΛΑ καὶ ΘΑΥΜΑΣΤΑ ΤΑ ΕΡΓΑ ΣΟΥ, ΚΥΡΙΕ,
ὁ ΘΕΟΣ, ὁ ΠΑΝΤΟΚΡΑΤΩΡ· ΔΙΚΑΙΑΙ ΚΑΙ ΑΛΗΘΙΝΑΙ
αἱ ὉΔΟΙ ΣΟΥ, ὁ ΒΑΣΙΛΕΥΣ ΤΩΝ ⌐ΑΙΩΝΩΝ⌐· ΤΙΣ ΟΥ 4
ΜΗ ΦΟΒΗΘΗ, ΚΥΡΙΕ, καὶ ΔΟΞΑΣΕΙ ΤΟ ΟΝΟΜΑ ΣΟΥ,
ὅτι ΜΟΝΟΣ ΟΣΙΟΣ; ὅτι ΠΑΝΤΑ ΤΑ ΕΘΝΗ ἭΞΟΥΣΙΝ
ΚΑΙ ΠΡΟΣΚΥΝΗΣΟΥΣΙΝ ἘΝΩΠΙΟΝ ΣΟΥ, ὅτι τὰ δικαι-
ώματά σου ἐφανερώθησαν.

Καὶ μετὰ ταῦτα εἶδον, καὶ ἠνοίγη ὁ ναὸς ΤΗΣ ΣΚΗΝΗΣ 5
ΤΟΥ ΜΑΡΤΥΡΙΟΥ ἐν τῷ οὐρανῷ, καὶ ἐξῆλθαν οἱ ἑπτὰ ἄγγε- 6
λοι [οἱ] ἔχοντες τὰς ἑπτὰ ΠΛΗΓΑΣ ἐκ τοῦ ναοῦ, ἐΝΔΕΔΥ-
ΜΕΝΟΙ λίθον καθαρὸν λαμπρὸν καὶ περιεζωσμένοι περὶ τὰ
στήθη ζώνας χρυσᾶς. καὶ ἓν ἐκ τῶν τεσσάρων ζῴων ἔδωκεν 7
τοῖς ἑπτὰ ἀγγέλοις ἑπτὰ φιάλας χρυσᾶς γεμούσας τοῦ
θυμοῦ τοῦ θεοῦ τοῦ ζῶντος εἰς τοὺς αἰῶνας τῶν αἰώνων.

8 καὶ ἐγεμίσθη ὁ ναὸς καπνοῦ ἐκ τῆς Δόξης τοῦ θεοῦ
καὶ ἐκ τῆς δυνάμεως αὐτοῦ, καὶ οὐδεὶς ἐδύνατο εἰσελ-
θεῖν εἰς τὸν ναὸν ἄχρι τελεσθῶσιν αἱ ἑπτὰ πληγαὶ
1 τῶν ἑπτὰ ἀγγέλων. Καὶ ἤκουσα μεγάλης φωνῆς ἐκ
τοῦ ναοῦ λεγούσης τοῖς ἑπτὰ ἀγγέλοις Ὑπάγετε καὶ
ἐκχέετε τὰς ἑπτὰ φιάλας τοῦ θυμοῦ τοῦ θεοῦ εἰς τὴν
2 ΓῆΝ. Καὶ ἀπῆλθεν ὁ πρῶτος καὶ ἐξέχεεν τὴν
φιάλην αὐτοῦ εἰς τὴν γῆν· καὶ ἐγένετο ἕλκος κακὸν καὶ
πονηρὸν ἐπὶ τοὺς ἀνθρώπους τοὺς ἔχοντας τὸ χά-
ραγμα τοῦ θηρίου καὶ τοὺς προσκυνοῦντας τῇ εἰκόνι
3 αὐτοῦ. Καὶ ὁ δεύτερος ἐξέχεεν τὴν φιάλην
αὐτοῦ εἰς τὴν θάλασσαν· καὶ ἐγένετο αἷμα ὡς νε-
κροῦ, καὶ πᾶσα ψυχὴ ζωῆς ἀπέθανεν, τὰ ἐν τῇ θα-
4 λάσσῃ. Καὶ ὁ τρίτος ἐξέχεεν τὴν φιάλην
αὐτοῦ εἰς τοὺς ποταμοὺς καὶ τὰς πηγὰς τῶν ὑδάτων·
5 καὶ ⌈ἐγένετο⌉ αἷμα. Καὶ ἤκουσα τοῦ ἀγγέλου τῶν
ὑδάτων λέγοντος Δίκαιος εἶ, ὁ ὢν καὶ ὁ ἦν, [ὁ] ὅσιος,
6 ὅτι ταῦτα ἔκρινας, ὅτι αἷμα ἁγίων καὶ προφητῶν ἐξέχεαν,
7 καὶ αἷμα αὐτοῖς ⌈δέδωκας⌉ πεῖν· ἄξιοί εἰσιν. Καὶ ἤ-
κουσα τοῦ θυσιαστηρίου λέγοντος Ναί, κύριε, ὁ θεός,
ὁ παντοκράτωρ, ἀληθιναὶ καὶ δίκαιαι αἱ κρίσεις
8 σου. Καὶ ὁ τέταρτος ἐξέχεεν τὴν φιάλην αὐτοῦ
ἐπὶ τὸν ἥλιον· καὶ ἐδόθη αὐτῷ καυματίσαι τοὺς ἀνθρώπους
9 ἐν πυρί, καὶ ἐκαυματίσθησαν οἱ ἄνθρωποι καῦμα μέγα·
καὶ ἐβλασφήμησαν τὸ ὄνομα τοῦ θεοῦ τοῦ ἔχοντος τὴν
ἐξουσίαν ἐπὶ τὰς πληγὰς ταύτας, καὶ οὐ μετενόησαν
10 δοῦναι αὐτῷ δόξαν. Καὶ ὁ πέμπτος ἐξέχεεν τὴν
φιάλην αὐτοῦ ἐπὶ τὸν θρόνον τοῦ θηρίου· καὶ ἐγένετο ἡ
βασιλεία αὐτοῦ ἐσκοτωμένη, καὶ ἐμασῶντο τὰς γλώσσας
11 αὐτῶν ἐκ τοῦ πόνου, καὶ ἐβλασφήμησαν τὸν θεὸν τοῦ
οὐρανοῦ ἐκ τῶν πόνων αὐτῶν καὶ ἐκ τῶν ἑλκῶν αὐτῶν,
12 καὶ οὐ μετενόησαν ἐκ τῶν ἔργων αὐτῶν. Καὶ
ὁ ἕκτος ἐξέχεεν τὴν φιάλην αὐτοῦ ἐπὶ τὸν ποταμὸν τὸν

XV 3 ἐθνῶν   XVI 4 ἐγένοντο   6 ἔδωκας

μέγαν [τὸν] Εὐφράτην· καὶ ἐξηράνθη τὸ ὕδωρ αὐτοῦ,
ἵνα ἑτοιμασθῇ ἡ ὁδὸς τῶν βασιλέων τῶν ἀπὸ ⌜ἀνατο-
λῆς⌝ ἡλίου. Καὶ εἶδον ἐκ τοῦ στόματος τοῦ δράκοντος καὶ 13
ἐκ τοῦ στόματος τοῦ θηρίου καὶ ἐκ τοῦ στόματος τοῦ ψευ-
δοπροφήτου πνεύματα τρία ἀκάθαρτα ὡς βάτραχοι· εἰσὶν 14
γὰρ πνεύματα δαιμονίων ποιοῦντα σημεῖα, ἃ ἐκπορεύεται
ἐπὶ τοὺς βασιλεῖς τῆς οἰκουμένης ὅλης, συναγαγεῖν αὐτοὺς
εἰς τὸν πόλεμον τῆς ⌜ἡμέρας τῆς μεγάλης⌝ τοῦ θεοῦ τοῦ
ΠΑΝΤΟΚΡΑΤΟΡΟΣ.— Ἰδοὺ ἔρχομαι ὡς κλέπτης. μακάριος 15
ὁ γρηγορῶν καὶ τηρῶν τὰ ἱμάτια αὐτοῦ, ἵνα μὴ γυμνὸς
περιπατῇ καὶ βλέπωσιν τὴν ἀσχημοσύνην αὐτοῦ.— καὶ 16
συνήγαγεν αὐτοὺς εἰς τὸν τόπον τὸν καλούμενον Ἑβραϊστί
ᵈΑρ Μαγεδών.   Καὶ ὁ ἕβδομος ἐξέχεεν 17
τὴν φιάλην αὐτοῦ ἐπὶ τὸν ἀέρα· — καὶ ἐξῆλθεν φωνὴ
μεγάλη ἐκ τοῦ ναοῦ ἀπὸ τοῦ θρόνου λέγουσα Γέγο-
νεν· — καὶ ἐγένοντο ἀστραπαὶ καὶ φωναὶ καὶ βρονταί, 18
καὶ σεισμὸς ἐγένετο μέγας, οἷος οὐκ ἐγένετο ἀφ᾽ οὗ
⌜ἄνθρωποι ἐγένοντο⌝ ἐπὶ τῆς γῆς τηλικοῦτος σεισμὸς
οὕτω μέγας, καὶ ἐγένετο ἡ πόλις ἡ μεγάλη εἰς τρία μέρη, 19
καὶ αἱ πόλεις τῶν ἐθνῶν ἔπεσαν· καὶ Βαβυλὼν ἡ μεγάλη
ἐμνήσθη ἐνώπιον τοῦ θεοῦ δοῦναι αὐτῇ τὸ ποτήριον τοῦ
οἴνου τοῦ θυμοῦ τῆς ὀργῆς αὐτοῦ· καὶ πᾶσα νῆσος 20
ἔφυγεν, καὶ ὄρη οὐχ εὑρέθησαν. καὶ χάλαζα μεγάλη ὡς 21
ταλαντιαία καταβαίνει ἐκ τοῦ οὐρανοῦ ἐπὶ τοὺς ἀνθρώπους·
καὶ ἐβλασφήμησαν οἱ ἄνθρωποι τὸν θεὸν ἐκ τῆς πληγῆς
τῆς χαλάζης, ὅτι μεγάλη ἐστὶν ἡ πληγὴ αὐτῆς σφόδρα.

Καὶ ἦλθεν εἷς ἐκ τῶν ἑπτὰ ἀγγέλων τῶν ἐχόντων τὰς 1
ἑπτὰ φιάλας, καὶ ἐλάλησεν μετ᾽ ἐμοῦ λέγων Δεῦρο, δείξω
σοι τὸ κρίμα τῆς πόρνης τῆς μεγάλης τῆς καθημένης ἐπὶ
ὑδάτων πολλῶν, μεθ᾽ ἧς ἐπόρνευσαν οἱ βασιλεῖς 2
τῆς γῆς, καὶ ἐμεθύσθησαν οἱ κατοικοῦντες τὴν γῆν
ἐκ τοῦ οἴνου τῆς πορνείας αὐτῆς. καὶ ἀπήνεγκέν με εἰς 3
ἔρημον ἐν πνεύματι. καὶ εἶδον γυναῖκα καθημένην ἐπὶ θηρίον

12 ἀνατολῶν   14 μεγάλης ἡμέρας   18 ἄνθρωπος ἐγένετο   3 ἔχοντα   4 χρυσῷ | γέμων

κόκκινον, γέμοντα ὀνόματα βλασφημίας, ⌜ἔχων⌝ κεφαλὰς
4 ἑπτὰ καὶ κέρατα δέκα· καὶ ἡ γυνὴ ἦν περιβεβλημένη
πορφυροῦν καὶ κόκκινον, καὶ κεχρυσωμένη ⌜χρυσίῳ⌝ καὶ
λίθῳ τιμίῳ καὶ μαργαρίταις, ἔχουσα ΠΟΤΗΡΙΟΝ ΧΡΥΣΟῨΝ
ἐν τῇ χειρὶ αὐτῆς ⌜γέμον⌝ βδελυγμάτων καὶ τὰ ἀκάθαρτα
5 τῆς πορνείας αὐτῆς, καὶ ἐπὶ τὸ μέτωπον αὐτῆς ὄνομα γε-
γραμμένον, μυστήριον, ΒΑΒΥΛΩΝ Η ΜΕΓΑΛΗ,
Η ΜΗΤΗΡ ΤΩΝ ΠΟΡΝΩΝ ΚΑΙ ΤΩΝ ΒΔΕΛΥΓΜΑ-
6 ΤΩΝ ΤΗΣ ΤΗΣ. καὶ εἶδον τὴν γυναῖκα μεθύουσαν ἐκ
τοῦ αἵματος τῶν ἁγίων καὶ ἐκ τοῦ αἵματος τῶν μαρτύ-
7 ρων Ἰησοῦ. Καὶ ἐθαύμασα ἰδὼν αὐτὴν θαῦμα μέγα· καὶ
εἶπέν μοι ὁ ἄγγελος Διὰ τί ἐθαύμασας; ⌜ἐγὼ ἐρῶ σοι⌝ τὸ
μυστήριον τῆς γυναικὸς καὶ τοῦ θηρίου τοῦ βαστάζοντος
αὐτήν, τοῦ ἔχοντος τὰς ἑπτὰ κεφαλὰς καὶ τὰ δέκα κέρατα·
8 τὸ θηρίον ὃ εἶδες ἦν καὶ οὐκ ἔστιν, καὶ μέλλει ἀναβαίνειν
ἐκ τῆς ἀβύσσου, καὶ εἰς ἀπώλειαν ⌜ὑπάγει⌝· καὶ θαυμασθή-
σονται οἱ κατοικοῦντες ἐπὶ τῆς γῆς, ὧν οὐ γέγραπται τὸ
ὄνομα ἐπὶ τὸ ΒΙΒΛίΟΝ ΤΗΣ ΖΩΗΣ ἀπὸ καταβολῆς κόσμου,
βλεπόντων τὸ θηρίον ὅτι ἦν καὶ οὐκ ἔστιν καὶ πάρεσται.
9 Ὧδε ὁ νοῦς ὁ ἔχων σοφίαν. αἱ ἑπτὰ κεφαλαὶ ἑπτὰ ὄρη
εἰσίν, ὅπου ἡ γυνὴ κάθηται ἐπ᾽ αὐτῶν. καὶ βασιλεῖς ἑπτά
10 εἰσιν· οἱ πέντε ἔπεσαν, ὁ εἷς ἔστιν, ὁ ἄλλος οὔπω ἦλθεν,
11 καὶ ὅταν ἔλθῃ ὀλίγον αὐτὸν δεῖ ⌜μεῖναι, καὶ τὸ θηρίον ὃ ἦν
καὶ οὐκ ἔστιν.⌝ καὶ αὐτὸς ὄγδοός ἐστιν καὶ ἐκ τῶν ἑπτά
12 ἐστιν, καὶ εἰς ἀπώλειαν ὑπάγει. καὶ τὰ δέκα κέρατα
ἃ εἶδες δέκα βασιλεῖς εἰσίν, οἵτινες βασιλείαν οὔπω
ἔλαβον, ἀλλὰ ἐξουσίαν ὡς βασιλεῖς μίαν ὥραν λαμβά-
13 νουσιν μετὰ τοῦ θηρίου. οὗτοι μίαν γνώμην ἔχουσιν, καὶ
τὴν δύναμιν καὶ ⌜ ἐξουσίαν αὐτῶν τῷ θηρίῳ διδόασιν.
14 οὗτοι μετὰ τοῦ ἀρνίου πολεμήσουσιν, καὶ τὸ ἀρνίον
νικήσει αὐτούς, ὅτι ΚΥΡΙΟΣ ΚΥΡΙΩΝ ἐστὶν καὶ ΒΑΣΙΛΕΥΣ
ΒΑΣΙΛΕΩΝ, καὶ οἱ μετ᾽ αὐτοῦ κλητοὶ καὶ ἐκλεκτοὶ καὶ
15 πιστοί. Καὶ λέγει μοι Τὰ ὕδατα ἃ εἶδες, οὗ ἡ πόρνη

7 ἐγώ σοι ἐρῶ   8 ὑπάγειν   10, 11 μεῖναι. καὶ τὸ ......οὐκ ἔστιν,   13 τὴν

κάθηται, λαοὶ καὶ ὄχλοι εἰσὶν καὶ ἔθνη καὶ γλῶσσαι. καὶ 16
τὰ δέκα κέρατα ἃ εἶδες καὶ τὸ θηρίον, οὗτοι μισήσουσι
τὴν πόρνην, καὶ ἠρημωμένην ποιήσουσιν αὐτὴν καὶ
γυμνήν, καὶ τὰς σάρκας αὐτῆς φάγονται, καὶ αὐτὴν κατα-
καύσουσιν [ἐν] πυρί· ὁ γὰρ θεὸς ἔδωκεν εἰς τὰς καρδίας 17
αὐτῶν ποιῆσαι τὴν γνώμην αὐτοῦ, καὶ ποιῆσαι μίαν γνώ-
μην καὶ δοῦναι τὴν βασιλείαν αὐτῶν τῷ θηρίῳ, ἄχρι
τελεσθήσονται οἱ λόγοι τοῦ θεοῦ. καὶ ἡ γυνὴ ἣν εἶδες 18
ἔστιν ἡ πόλις ἡ μεγάλη ἡ ἔχουσα βασιλείαν ἐπὶ τῶν
Βασιλέων τῆς γῆς. Μετα ταῦτα εἶδον ἄλλον 1
ἄγγελον καταβαίνοντα ἐκ τοῦ οὐρανοῦ, ἔχοντα ἐξουσίαν
μεγάλην, καὶ ἡ γῆ ἐφωτίσθη ἐκ τῆς δόξης αὐτοῦ. καὶ 2
ἔκραξεν ἐν ἰσχυρᾷ φωνῇ λέγων Ἔπεσεν, ἔπεσεν Βα-
βυλὼν ἡ μεγάλη, καὶ ἐγένετο κατοικητήριον δαιμο-
νίων καὶ φυλακὴ παντὸς πνεύματος ἀκαθάρτου καὶ φυλα-
κὴ παντὸς ὀρνέου ἀκαθάρτου καὶ μεμισημένου, ὅτι ἐκ [τοῦ 3
οἴνου] τοῦ θυμοῦ τῆς πορνείας αὐτῆς ⌐πέπτωκαν⌐ πάν-
τα τὰ ἔθνη, καὶ οἱ βασιλεῖς τῆς γῆς μετ᾽ αὐτῆς
ἐπόρνευσαν, καὶ οἱ ἔμποροι τῆς γῆς ἐκ τῆς δυνάμεως
τοῦ στρήνους αὐτῆς ἐπλούτησαν. Καὶ ἤκουσα ἄλλην φωνὴν 4
ἐκ τοῦ οὐρανοῦ λέγουσαν Ἐξέλθατε⌐, ὁ λαός μου, ἐξ
αὐτῆς⌐, ἵνα μὴ συνκοινωνήσητε ταῖς ἁμαρτίαις αὐτῆς, καὶ
ἐκ τῶν πληγῶν αὐτῆς ἵνα μὴ λάβητε· ὅτι ἐκολλήθησαν 5
αὐτῆς αἱ ἁμαρτίαι ἄχρι τοῦ οὐρανοῦ, καὶ ἐμνημόνευσεν
ὁ θεὸς τὰ ἀδικήματα αὐτῆς. ἀπόδοτε αὐτῇ ὡς καὶ 6
αὐτὴ ἀπέδωκεν, καὶ διπλώσατε [τὰ] διπλᾶ κατὰ τὰ
ἔργα αὐτῆς· ἐν τῷ ποτηρίῳ ᾧ ἐκέρασεν κεράσατε αὐτῇ δι-
πλοῦν· ὅσα ἐδόξασεν αὐτὴν καὶ ἐστρηνίασεν, τοσοῦτον δότε 7
αὐτῇ βασανισμὸν καὶ πένθος. ὅτι ἐν τῇ καρδίᾳ αὐτῆς
λέγει ὅτι Κάθημαι βασίλισσα, καὶ χήρα οὐκ εἰμί,
καὶ πένθος οὐ μὴ ἴδω· διὰ τοῦτο ἐν μιᾷ ἡμέρᾳ 8
ἥξουσιν αἱ πληγαὶ αὐτῆς, θάνατος καὶ πένθος καὶ λιμός,
καὶ ἐν πυρὶ κατακαυθήσεται· ὅτι ἰσχυρὸς [Κύριος] ὁ θεὸς

3 πέπωκαν   4 ἐξ αὐτῆς, ὁ λαός μου   9 κλαύσονται | αὐτῇ

9 ὁ κρίνας αὐτήν. καὶ ⌜κλαύσουσιν⌝ καὶ κόψονται ἐπ᾽ ⌜αὐ-
τὴν⌝ οἱ βασιλεῖς τῆς γῆς οἱ μετ᾽ αὐτῆς πορνεύσαντες
καὶ στρηνιάσαντες, ὅταν βλέπωσιν τὸν καπνὸν τῆς πυρώ-
10 σεως αὐτῆς, ἀπὸ. μακρόθεν ἑστηκότες διὰ τὸν φόβον τοῦ
βασανισμοῦ αὐτῆς, λέγοντες Οὐαί οὐαί, ἡ πόλις ἡ μεγά-
λη, Βαβυλὼν ἡ πόλις ἡ ἰσχυρά, ὅτι ⌜μιᾷ ὥρᾳ⌝ ἦλθεν
11 ἡ κρίσις σου. καὶ οἱ ἔμποροι τῆς γῆς κλαίουσιν καὶ
πενθοῦσιν ἐπ᾽ αὐτήν, ὅτι τὸν γόμον αὐτῶν οὐδεὶς ἀγοράζει
12 οὐκέτι, γόμον χρυσοῦ καὶ ἀργύρου καὶ λίθου τιμίου καὶ
⌜μαργαριτῶν⌝ καὶ βυσσίνου καὶ πορφύρας καὶ σιρικοῦ καὶ
κοκκίνου, καὶ πᾶν ξύλον θύινον καὶ πᾶν σκεῦος ἐλεφάν-
τινον καὶ πᾶν σκεῦος ἐκ ξύλου τιμιωτάτου καὶ χαλκοῦ
13 καὶ σιδήρου καὶ μαρμάρου, καὶ κιννάμωμον καὶ ἄμωμον
καὶ θυμιάματα καὶ μύρον καὶ λίβανον καὶ οἶνον καὶ
ἔλαιον καὶ σεμίδαλιν καὶ σῖτον καὶ κτήνη καὶ πρόβατα,
καὶ ἵππων καὶ ῥεδῶν καὶ σωμάτων, καὶ ψυχὰς ἀνθρώπων.
14 καὶ ἡ ὀπώρα σου τῆς ἐπιθυμίας τῆς ψυχῆς ἀπῆλθεν ἀπὸ
σοῦ, καὶ πάντα τὰ λιπαρὰ καὶ τὰ λαμπρὰ ἀπώλετο ἀπὸ
15 σοῦ, καὶ οὐκέτι οὐ μὴ αὐτὰ εὑρήσουσιν. οἱ ἔμποροι
τούτων, οἱ πλουτήσαντες ἀπ᾽ αὐτῆς, ἀπὸ μακρόθεν στή-
σονται διὰ τὸν φόβον τοῦ βασανισμοῦ αὐτῆς κλαίοντες
16 καὶ πενθοῦντες, λέγοντες Οὐαί οὐαί, ἡ πόλις ἡ μεγάλη,
ἡ περιβεβλημένη βύσσινον καὶ πορφυροῦν καὶ κόκκινον,
καὶ κεχρυσωμένη [ἐν] ⌜χρυσίῳ⌝ καὶ λίθῳ τιμίῳ καὶ μαργα-
17 ρίτῃ, ὅτι μιᾷ ὥρᾳ ἠρημώθη ὁ τοσοῦτος πλοῦτος. καὶ πᾶς
κυβερνήτης καὶ πᾶς ὁ ἐπὶ τόπον πλέων, καὶ ναῦται καὶ
ὅσοι τὴν θάλασσαν ἐργάζονται, ἀπὸ μακρόθεν ἔστησαν
18 καὶ ἔκραξαν βλέποντες τὸν καπνὸν τῆς πυρώσεως αὐτῆς
19 λέγοντες Τίς ὁμοία τῇ πόλει τῇ μεγάλῃ; καὶ ⌜ἔβαλον⌝
χοῦν ἐπὶ τὰς κεφαλὰς αὐτῶν καὶ ἔκραζαν κλαί-
οντες καὶ πενθοῦντες, λέγοντες Οὐαί οὐαί, ἡ πόλις
ἡ μεγάλη, ἐν ᾗ ἐπλούτησαν πάντες οἱ ἔχοντες τὰ
πλοῖα ἐν τῇ θαλάσσῃ ἐκ τῆς τιμιότητος αὐτῆς, ὅτι

10 μίαν ὥραν   12 †μαργαρίτας†   16 χρυσῷ   19 ἐπέβαλον

μιᾷ ὥρᾳ ἨΡΗΜΏΘΗ. Εὐφραίνου ἐπ᾽ αὐτῇ, οὐρανέ, καὶ 20
οἱ ἅγιοι καὶ οἱ ἀπόστολοι καὶ οἱ προφῆται, ὅτι ἔκρινεν
ὁ θεὸς τὸ κρίμα ὑμῶν ἐξ αὐτῆς.   Καὶ ἦρεν εἷς 21
ἄγγελος ἰσχυρὸς λίθον ὡς μύλινον μέγαν, καὶ ἔβαλεν
εἰς τὴν θάλασσαν λέγων Οὕτως ὁρμήματι βληθήσεται
Βαβυλὼν ἡ μεγάλη πόλις, καὶ οὐ μὴ εὑρεθῇ ἔτι.
καὶ φωνὴ κιθαρῳδῶν καὶ μουςικῶν καὶ αὐλητῶν καὶ 22
σαλπιστῶν οὐ μὴ ἀκουσθῇ ἐν σοὶ ἔτι, καὶ πᾶς τεχνίτης
[πάσης τέχνης] οὐ μὴ εὑρεθῇ ἐν σοὶ ἔτι, καὶ φωνὴ
μύλου οὐ μὴ ἀκουσθῇ ἐν σοὶ ἔτι, καὶ φῶς λύχνου 23
οὐ μὴ φάνῃ ἐν σοὶ ἔτι, καὶ φωνὴ νυμφίου καὶ
νύμφης οὐ μὴ ἀκουσθῇ ἐν σοὶ ἔτι· ὅτι [οἱ] ἔμποροί
σου ἦσαν οἱ μεγιστᾶνες τῆς γῆς, ὅτι ἐν τῇ φαρ-
μακίᾳ σου ἐπλανήθησαν πάντα τὰ ἔθνη, καὶ ἐν αὐτῇ αἷμα 24
προφητῶν καὶ ἁγίων εὑρέθη καὶ πάντων τῶν ἐσφα-
γμένων ἐπὶ τῆς γῆς.

Μετὰ ταῦτα ἤκουσα ὡς φωνὴν μεγάλην ὄχλου πολ- 1
λοῦ ἐν τῷ οὐρανῷ λεγόντων

Ἀλληλουϊά· ἡ σωτηρία καὶ ἡ δόξα καὶ ἡ δύναμις
τοῦ θεοῦ ἡμῶν, ὅτι ἀληθιναὶ καὶ δίκαιαι αἱ κρίσεις   2
αὐτοῦ· ὅτι ἔκρινεν τὴν πόρνην τὴν μεγάλην ἥτις
ἔφθειρεν τὴν γῆν ἐν τῇ πορνείᾳ αὐτῆς, καὶ ἐξεδίκη-
σεν τὸ αἷμα τῶν δούλων αὐτοῦ ἐκ χειρὸς αὐτῆς.
καὶ δεύτερον εἴρηκαν Ἀλληλουϊά· καὶ ὁ καπνὸς 3
αὐτῆς ἀναβαίνει εἰς τοὺς αἰῶνας τῶν αἰώνων.   καὶ 4
ἔπεσαν οἱ πρεσβύτεροι οἱ εἴκοσι τέσσαρες καὶ τὰ τέσσερα
ζῷα, καὶ προσεκύνησαν τῷ θεῷ τῷ καθημένῳ ἐπὶ τῷ
θρόνῳ λέγοντες Ἀμήν, Ἀλληλουϊά. καὶ φωνὴ ἀπὸ 5
τοῦ θρόνου ἐξῆλθεν λέγουσα

Αἰνεῖτε τῷ θεῷ ἡμῶν, πάντες οἱ δοῦλοι αὐτοῦ,
οἱ φοβούμενοι αὐτόν, οἱ μικροὶ καὶ οἱ μεγάλοι.
Καὶ ἤκουσα ὡς φωνὴν ὄχλου πολλοῦ καὶ ὡς φωνὴν 6
ὑδάτων πολλῶν καὶ ὡς φωνὴν βροντῶν ἰσχυρῶν,
⌜λεγόντων⌝

Ἀλληλογιά, ὅτι ἐβασίλευσεν Κύριος, ὁ θεὸς

7 [ἡμῶν], ὁ παντοκράτωρ. χαίρωμεν καὶ ἀγαλ-
λιῶμεν, καὶ ⌜δώσομεν⌝ τὴν δόξαν αὐτῷ, ὅτι ἦλθεν
ὁ γάμος τοῦ ἀρνίου, καὶ ἡ γυνὴ αὐτοῦ ἡτοίμασεν

8 ἑαυτήν, καὶ ἐδόθη αὐτῇ ἵνα περιβάληται βύσσι-
νον λαμπρὸν καθαρόν, τὸ γὰρ βύσσινον τὰ δικαιώ-
ματα τῶν ἁγίων ἐστίν.

9 Καὶ λέγει μοι Γράψον Μακάριοι οἱ εἰς τὸ δεῖπνον τοῦ
γάμου τοῦ ἀρνίου κεκλημένοι. καὶ λέγει μοι Οὗτοι οἱ

10 λόγοι ⊤ ἀληθινοὶ τοῦ θεοῦ εἰσίν. καὶ ἔπεσα ἔμπροσθεν
τῶν ποδῶν αὐτοῦ προσκυνῆσαι αὐτῷ. καὶ λέγει μοι Ὅρα
μή· σύνδουλός σού εἰμι καὶ τῶν ἀδελφῶν σου τῶν
ἐχόντων τὴν μαρτυρίαν Ἰησοῦ· τῷ θεῷ προσκύνησον·
ἡ γὰρ μαρτυρία Ἰησοῦ ἐστὶν τὸ πνεῦμα τῆς προφητεί-

11 ας. Καὶ εἶδον τὸν οὐρανὸν ἠνεῳγμένον,
καὶ ἰδοὺ ἵππος λευκός, καὶ ὁ καθήμενος ἐπ᾽ αὐτὸν πιστὸς
[καλούμενος] καὶ ἀληθινός, καὶ ἐν Δικαιοσύνῃ κρίνει καὶ

12 πολεμεῖ. οἱ δὲ ὀφθαλμοὶ αὐτοῦ ⊤ φλὸξ πυρός, καὶ ἐπὶ
τὴν κεφαλὴν αὐτοῦ διαδήματα πολλά, ἔχων ὄνομα γεγραμ-

13 μένον ὃ οὐδεὶς οἶδεν εἰ μὴ αὐτός, καὶ περιβεβλημένος
ἱμάτιον ⌜ῥεραντισμένον⌝ αἵματι, καὶ κέκληται τὸ ὄνομα

14 αὐτοῦ Ὁ Λόγος τοῦ Θεοῦ. καὶ τὰ στρατεύματα τὰ ἐν τῷ
οὐρανῷ ἠκολούθει αὐτῷ ἐφ᾽ ἵπποις λευκοῖς, ἐνδεδυμένοι

15 ⌜βύσσινον λευκὸν⌝ καθαρόν. καὶ ἐκ τοῦ στόματος αὐτοῦ
ἐκπορεύεται ῥομφαία ὀξεῖα, ἵνα ἐν αὐτῇ πατάξῃ τὰ ἔθνη,
καὶ αὐτὸς ποιμανεῖ αὐτοὺς ἐν ῥάβδῳ σιδηρᾷ· καὶ αὐτὸς
πατεῖ τὴν ληνὸν τοῦ οἴνου τοῦ θυμοῦ τῆς ὀργῆς τοῦ

16 θεοῦ τοῦ παντοκράτορος. καὶ ἔχει ἐπὶ τὸ ἱμάτιον καὶ
ἐπὶ τὸν μηρὸν αὐτοῦ ὄνομα γεγραμμένον ΒΑΣΙΛΕΥΣ
ΒΑΣΙΛΕΩΝ ΚΑΙ ΚΥΡΙΟΣ ΚΥΡΙΩΝ.

17 Καὶ εἶδον ἕνα ἄγγελον ἑστῶτα ἐν τῷ ἡλίῳ, καὶ ἔκραξεν
[ἐν] φωνῇ μεγάλῃ λέγων πᾶσι τοῖς ὀρνέοις τοῖς πε-
τομένοις ἐν μεσουρανήματι Δεῦτε συνάχθητε εἰς τὸ

6 λέγοντες   7 δῶμεν   9 οἱ   12 ὡς   13 †...†   14 λευκοβύσσινον

δεῖπνον τὸ μέγα τοῦ θεοῦ, ἵνα φάγητε σάρκας Βασιλέων 18
καὶ σάρκας χιλιάρχων καὶ cάρκαc ἰcχυρῶν καὶ σάρκας
ἵππων καὶ τῶν καθημένων ἐπ᾽ ⌜αὐτούς⌝, καὶ σάρκας
πάντων ἐλευθέρων τε καὶ δούλων καὶ μικρῶν καὶ με-
γάλων.   Καὶ εἶδον τὸ θηρίον καὶ τοὺc Βα- 19
cιλεῖc τῆc γῆc καὶ τὰ στρατεύματα αὐτῶν cυνηγμένα
ποιῆσαι τὸν πόλεμον μετὰ τοῦ καθημένου ἐπὶ τοῦ ἵππου
καὶ μετὰ τοῦ στρατεύματος αὐτοῦ. καὶ ἐπιάσθη τὸ θηρίον 20
καὶ ⌜μετ᾽ αὐτοῦ⌝ ὁ ψευδοπροφήτης ὁ ποιήσας τὰ σημεῖα
ἐνώπιον αὐτοῦ, ἐν οἷς ἐπλάνησεν τοὺς λαβόντας τὸ χά-
ραγμα τοῦ θηρίου καὶ τοὺς προσκυνοῦντας τῇ εἰκόνι
αὐτοῦ· ζῶντες ἐβλήθησαν οἱ δύο εἰς τὴν λίμνην τοῦ πυρὸς
τῆς καιομένηc ἐν θείῳ. καὶ οἱ λοιποὶ ἀπεκτάνθησαν 21
ἐν τῇ ῥομφαίᾳ τοῦ καθημένου ἐπὶ τοῦ ἵππου τῇ ἐξελ-
θούσῃ ἐκ τοῦ στόματος αὐτοῦ, καὶ πάντα τὰ ὄρνεα
ἐχορτάcθηcαν ἐκ τῶν cαρκῶν αὐτῶν.

Καὶ εἶδον ἄγγελον καταβαίνοντα ἐκ τοῦ οὐρανοῦ, 1
ἔχοντα τὴν κλεῖν τῆς ἀβύσσου καὶ ἅλυσιν μεγάλην ἐπὶ
τὴν χεῖρα αὐτοῦ. καὶ ἐκράτησεν τὸν δράκοντα, ⌜ὁ ὄφιc 2
ὁ ἀρχαῖοc⌝, ὅς ἐστιν Διάβολος καὶ Ὁ Σατανᾶc, καὶ
ἔδησεν αὐτὸν χίλια ἔτη, καὶ ἔβαλεν αὐτὸν εἰς τὴν ἄβυσ- 3
σον, καὶ ἔκλεισεν καὶ ἐσφράγισεν ἐπάνω αὐτοῦ, ἵνα μὴ
πλανήσῃ ἔτι τὰ ἔθνη, ἄχρι τελεσθῇ τὰ χίλια ἔτη· μετὰ
ταῦτα δεῖ λυθῆναι αὐτὸν μικρὸν χρόνον.   Καὶ 4
εἶδον θρόνουc, καὶ ἐκάθιcαν ἐπ᾽ αὐτούς, καὶ κρίμα
ἐδόθη αὐτοῖς, καὶ τὰς ψυχὰς τῶν πεπελεκισμένων διὰ τὴν
μαρτυρίαν Ἰησοῦ καὶ διὰ τὸν λόγον τοῦ θεοῦ, καὶ οἵτινες
οὐ προσεκύνησαν τὸ θηρίον οὐδὲ τὴν εἰκόνα αὐτοῦ καὶ
οὐκ ἔλαβον τὸ χάραγμα ἐπὶ τὸ μέτωπον καὶ ἐπὶ τὴν χεῖρα
αὐτῶν· καὶ ἔζησαν καὶ ἐβασίλευσαν μετὰ τοῦ χριστοῦ
χίλια ἔτη. ⌜οἱ λοιποὶ τῶν νεκρῶν οὐκ ἔζησαν ἄχρι τελεσθῇ 5
τὰ χίλια ἔτη. αὕτη ἡ ἀνάστασις ἡ πρώτη. μακάριος 6
καὶ ἅγιος ὁ ἔχων μέρος ἐν τῇ ἀναστάσει τῇ πρώτῃ· ἐπὶ

18 αὐτῶν   20 ὁ μετ᾽ αὐτοῦ,   2 τὸν ὄφιν τὸν ἀρχαῖον   5 καὶ

τούτων ὁ δεύτερος θάνατος οὐκ ἔχει ἐξουσίαν, ἀλλ' ἔσονται
ἱερεῖς ΤΟΥ ΘΕΟΥ καὶ τοῦ χριστοῦ, καὶ βασιλεύσουσιν
7 μετ' αὐτοῦ [τὰ] χίλια ἔτη.   Καὶ ὅταν τελεσθῇ
τὰ χίλια ἔτη, λυθήσεται ὁ Σατανᾶς ἐκ τῆς φυλακῆς αὐτοῦ,
8 καὶ ἐξελεύσεται πλανῆσαι τὰ ἔθνη τὰ ἐν ΤΑΙϹ ΤΕϹϹΑΡϹΙ
ΓΩΝΙΑΙϹ ΤΗϹ ΓΗϹ, τὸν Γὼγ καὶ Μαγώγ, συναγαγεῖν αὐ-
τοὺς εἰς τὸν πόλεμον, ὧν ὁ ἀριθμὸς αὐτῶν ὡς ἡ ἄμμος
9 τῆς θαλάσσης. καὶ ἀνέβησαν ἐπὶ τὸ ΠΛΑΤΟϹ ΤΗϹ ΓΗϹ,
καὶ ἐκύκλευσαν τὴν παρεμβολὴν τῶν ἁγίων καὶ τὴν πόλιν
ΤΗΝ ΗΓΑΠΗΜΕΝΗΝ. καὶ ΚΑΤΕΒΗ ΠΥ͡Ρ ᵀ ἐκ ΤΟΥ ΟΥΡΑ-
10 ΝΟΥ καὶ ΚΑΤΕΦΑΓΕΝ αὐτούς· καὶ ὁ διάβολος ὁ πλανῶν
αὐτοὺς ἐβλήθη εἰς τὴν λίμνην τοῦ ΠΥΡΟϹ καὶ ᵀ θείου,
ὅπου καὶ τὸ θηρίον καὶ ὁ ψευδοπροφήτης, καὶ βασανισθή-
σονται ἡμέρας καὶ νυκτὸς εἰς τοὺς αἰῶνας τῶν αἰώνων.

11   Καὶ εἶδον ΘΡΟΝΟΝ μέγαν λευκὸν καὶ τὸν ΚΑΘΗΜΕΝΟΝ
ἐπ' ⸂αὐτοῦ⸃, οὗ ἀπὸ ΤΟΥ ΠΡΟϹΩΠΟΥ ἔφυγεν Η ΓΗ καὶ ὁ
12 οὐρανός, καὶ ΤΟΠΟϹ ΟΥΧ ΕΥΡΕΘΗ ΑΥΤΟΙϹ. καὶ εἶδον τοὺς
νεκρούς, τοὺς μεγάλους καὶ τοὺς μικρούς, ἐστῶτας ἐνώπιον
τοῦ θρόνου, καὶ ΒΙΒΛΙΑ ΗΝΟΙΧΘΗϹΑΝ· καὶ ἄλλο ΒΙΒΛΙΟΝ
ἠνοίχθη, ὅ ἐστιν ΤΗϹ ΖΩΗϹ· καὶ ἐκρίθησαν οἱ νεκροὶ ἐκ
τῶν γεγραμμένων ἐν τοῖς βιβλίοις ΚΑΤΑ ΤΑ ΕΡΓΑ ΑΥΤΩΝ.
13 καὶ ἔδωκεν ἡ θάλασσα τοὺς νεκροὺς τοὺς ἐν αὐτῇ, καὶ ὁ
θάνατος καὶ ὁ ᾅδης ἔδωκαν τοὺς νεκροὺς τοὺς ἐν αὐτοῖς,
14 καὶ ἐκρίθησαν ἕκαστος ΚΑΤΑ ΤΑ ΕΡΓΑ ΑΥΤΩΝ. καὶ ὁ
θάνατος καὶ ὁ ᾅδης ἐβλήθησαν εἰς τὴν λίμνην τοῦ πυρός.
οὗτος ὁ θάνατος ὁ δεύτερός ἐστιν, ἡ λίμνη τοῦ πυρός.
15 καὶ εἴ τις οὐχ ΕΥΡΕΘΗ ΕΝ ΤΗ ΒΙΒΛΩ ΤΗϹ ΖΩΗϹ ΓΕΓΡΑΜ-
1 ΜΕΝΟϹ ἐβλήθη εἰς τὴν λίμνην τοῦ πυρός.   Καὶ
εἶδον ΟΥΡΑΝΟΝ ΚΑΙΝΟΝ καὶ ΓΗΝ ΚΑΙΝΗΝ· ὁ γὰρ πρῶ-
τος οὐρανὸς καὶ ἡ πρώτη γῆ ἀπῆλθαν, καὶ ἡ θάλασσα
2 οὐκ ἔστιν ἔτι. καὶ ΤΗΝ ΠΟΛΙΝ ΤΗΝ ΑΓΙΑΝ Ἰερουσαλὴμ
καινὴν εἶδον καταβαίνουσαν ἐκ τοῦ οὐρανοῦ ἀπὸ τοῦ θεοῦ,
ἡτοιμασμένην ὡς ΝΥΜΦΗΝ ΚΕΚΟϹΜΗΜΕΝΗΝ τῷ ἀνδρὶ

9 ἀπὸ τοῦ θεοῦ   10 τοῦ   11 αὐτόν

αὐτῆς. καὶ ἤκουσα φωνῆς μεγάλης ἐκ τοῦ θρόνου λε- 3
γούσης Ἰδοῦ Ἡ ϹΚΗΝΗ τοῦ θεοῦ μετὰ τῶν ἀνθρώπων,
καὶ ϹΚΗΝΏϹΕΙ ΜΕΤ᾽ ΑΥ̓ΤΩΝ, καὶ ΑΥ̓ΤΟΙ ⌜ΛΑΟΙ⌝ ΑΥ̓ΤΟΥ̓
ἔϹΟΝΤΑΙ, καὶ αὐτὸς ὁ θεὸς ΜΕΤ᾽ ΑΥ̓ΤΩΝ ἔϹΤΑΙ ᵀ,
καὶ ἐξαλείψει πᾶν ΔΆΚΡΥΟΝ ⌜ἐκ⌝ ΤΩΝ ὈΦΘΑΛΜΩΝ 4
αὐτῶν, καὶ ὁ θάνατος οὐκ ἔσται ἔτι· οὔτε ΠΕΝΘΟϹ οὔτε
ΚΡΑΥΓῊ οὔτε πόνος οὐκ ἔσται ⌜ἔτι. τὰ⌝ ΠΡΩΤΑ ⌜ἀπῆλ-
θαν⌝. καὶ εἶπεν ὁ ΚΑΘΉΜΕΝΟϹ ἐπὶ τῷ θρόνῳ Ἰδοὺ 5
ΚΑΙΝᾺ ΠΟΙΩ̃ πάντα. καὶ λέγει ᵀ Γράψον, ὅτι οὗτοι οἱ
λόγοι πιστοὶ καὶ ἀληθινοί εἰσιν. καὶ εἶπέν μοι Γέγο- 6
ναν. ἐγὼ τὸ Ἄλφα καὶ τὸ Ὦ, ἡ ἀρχὴ καὶ τὸ τέλος.
ἐγὼ τῷ ΔΙΨΩ̃ΝΤΙ δώσω ἐκ τῆς πηγῆς ΤΟΥ̓ Υ̓́ΔΑΤΟϹ ΤΗ̃Ϲ
ΖΩΗ̃Ϲ ΔΩΡΕΆΝ. ὁ νικῶν κληρονομήσει ταῦτα, καὶ ἔϹΟ- 7
ΜΑΙ ΑΥ̓ΤΩ̃ ΘΕῸϹ ΚΑῚ ΑΥ̓ΤῸϹ ἔϹΤΑΙ ΜΟΙ ΥΙΌϹ. τοῖς δὲ δει- 8
λοῖς καὶ ἀπίστοις καὶ ἐβδελυγμένοις καὶ φονεῦσι καὶ
πόρνοις καὶ φαρμακοῖς καὶ εἰδωλολάτραις καὶ πᾶσι τοῖς
ψευδέσιν τὸ μέρος αὐτῶν ἐν τῇ λίμνῃ τῇ ΚΑΙΟΜΕΝΗ
ΠΥΡῚ ΚΑῚ ΘΕΊΩ̣, ὅ ἐστιν ὁ θάνατος ὁ δεύτερος.

Καὶ ἦλθεν εἷς ἐκ τῶν ἑπτὰ ἀγγέλων τῶν ἐχόντων τὰς 9
ἑπτὰ φιάλας, τῶν γεμόντων τῶν ἑπτὰ ΠΛΗΓΩΝ τῶν ἐσχά-
των, καὶ ἐλάλησεν μετ᾽ ἐμοῦ λέγων Δεῦρο, δείξω σοι τὴν
νύμφην τὴν γυναῖκα τοῦ ἀρνίου. καὶ ΑΠΉΝΕΓΚΕΝ ΜΕ ἐν 10
ΠΝΕΎΜΑΤΙ ἐπὶ ὄΡΟϹ μέγα καὶ ὑψηλόν, καὶ ἔδειξέν μοι
ΤῊΝ ΠΌΛΙΝ ΤῊΝ ΑΓΊΑΝ Ἰ ΕΡΟΥϹΑΛῊΜ καταβαίνουσαν ἐκ
τοῦ οὐρανοῦ ἀπὸ τοῦ θεοῦ, ἔχουσαν ΤῊΝ ΔΌΞΑΝ ΤΟΥ̃ ΘΕΟΥ̃· 11
ὁ φωστὴρ αὐτῆς ὅμοιος λίθῳ τιμιωτάτῳ, ὡς λίθῳ ἰάσπιδι
κρυσταλλίζοντι· ἔχουσα τεῖχος μέγα καὶ ὑψηλόν, ἔχουσα 12
ΠΥΛΩ̃ΝΑϹ δώδεκα, καὶ ἐπὶ τοῖς πυλῶσιν ἀγγέλους δώδεκα,
καὶ ὀνόματα ἐπιγεγραμμένα ἅ ἐστιν τῶν δώδεκα
ΦΥΛΩΝ ΥΙΩ̃Ν Ἰ ϹΡΑΉΛ· ΑΠῸ ΑΝΑΤΟΛΗ̃Ϲ ΠΥΛΩ̃ΝΕϹ 13
ΤΡΕΙ̃Ϲ, ΚΑῚ ΑΠῸ ΒΟΡΡΑ̃ ΠΥΛΩ̃ΝΕϹ ΤΡΕΙ̃Ϲ, ΚΑῚ ΑΠῸ ΝΌ-
ΤΟΥ ΠΥΛΩ̃ΝΕϹ ΤΡΕΙ̃Ϲ, ΚΑῚ ΑΠῸ ΔΥϹΜΩ̃Ν ΠΥΛΩ̃ΝΕϹ
ΤΡΕΙ̃Ϲ· καὶ τὸ τεῖχος τῆς πόλεως ἔχων θεμελίους δώδεκα, 14

3 λαός | αὐτῶν θεός   4 ἀπό | ἔτι, ὅτι τὰ | ἀπῆλθεν   5 μοι

καὶ ἐπ᾿ αὐτῶν δώδεκα ὀνόματα τῶν δώδεκα ἀποστόλων τοῦ
15 ἀρνίου. Καὶ ὁ λαλῶν μετ᾿ ἐμοῦ εἶχεν ΜΕΤΡΟΝ ΚΑΛΑΜΟΝ
χρυσοῦν, ἵνα μετρήσῃ τὴν πόλιν καὶ τοὺς πυλῶνας αὐτῆς
16 καὶ τὸ τεῖχος αὐτῆς. καὶ ἡ πόλις ΤΕΤΡΑΓΩΝΟΣ κεῖται,
καὶ τὸ μῆκος αὐτῆς ὅσον τὸ πλάτος. καὶ ἐμέτρησεν τὴν
πόλιν τῷ καλάμῳ ἐπὶ ⌐σταδίων⌐ δώδεκα χιλιάδων· τὸ
μῆκος καὶ τὸ πλάτος καὶ τὸ ὕψος αὐτῆς ἴσα ἐστίν.
17 ΚΑΙ ΕΜΕΤΡΗΣΕΝ ΤΟ ΤΕΙΧΟΣ αὐτῆς ἑκατὸν τεσσεράκοντα
τεσσάρων πηχῶν, μέτρον ἀνθρώπου, ὅ ἐστιν ἀγγέλου.
18 ΚΑΙ ἡ ἐνδώμησις ΤΟΥ ΤΕΙΧΟΥΣ αὐτῆς ΙΑΣΠΙΣ, καὶ ἡ πόλις
19 χρυσίον καθαρὸν ὅμοιον ὑάλῳ καθαρῷ· οἱ θεμέλιοι τοῦ
τείχους τῆς πόλεως παντὶ λίθῳ ΤΙΜΙῼ κεκοσμημένοι· ὁ
θεμέλιος ὁ πρῶτος ἴασπις, ὁ δεύτερος σάπφειρος, ὁ τρίτος
20 χαλκηδών, ὁ τέταρτος σμάραγδος, ὁ πέμπτος σαρδόνυξ,
ὁ ἕκτος σάρδιον, ὁ ἕβδομος χρυσόλιθος, ὁ ὄγδοος βή-
ρυλλος, ὁ ἔνατος τοπάζιον, ὁ δέκατος χρυσόπρασος, ὁ
21 ἑνδέκατος ὑάκινθος, ὁ δωδέκατος ἀμέθυστος· καὶ οἱ δώδεκα
πυλῶνες δώδεκα μαργαρῖται, ἀνὰ εἷς ἕκαστος τῶν πυλώνων
ἦν ἐξ ἑνὸς μαργαρίτου· καὶ ἡ πλατεῖα τῆς πόλεως χρυ-
22 σίον καθαρὸν ὡς ὕαλος διαυγής. Καὶ ΝΑΟΝ οὐκ εἶδον ἐν
αὐτῇ, ὁ γὰρ ΚΥΡΙΟΣ, ὁ ΘΕΟΣ, ὁ ΠΑΝΤΟΚΡΑΤΩΡ, ναὸς αὐτῆς
23 ἐστίν, καὶ τὸ ἀρνίον. καὶ ἡ πόλις οὐ χρείαν ἔχει ΤΟΥ
ΗΛΙΟΥ ΟΥΔΕ ΤΗΣ ΣΕΛΗΝΗΣ, ἵνα ΦΑΙΝΩΣΙΝ αὐτῇ, ἡ γὰρ
ΔΟΞΑ ΤΟΥ ΘΕΟΥ ἐφώτισεν αὐτήν, καὶ ὁ λύχνος αὐτῆς τὸ
24 ἀρνίον. ΚΑΙ ΠΕΡΙΠΑΤΗΣΟΥΣΙΝ ΤΑ ΕΘΝΗ ΔΙΑ ΤΟΥ φωτὸς
αὐτῆς· ΚΑΙ ΟΙ ΒΑΣΙΛΕΙΣ ΤΗΣ ΓΗΣ ΦΕΡΟΥΣΙΝ ΤΗΝ ΔΟΞΑΝ
25 αὐτῶν εἰς αὐτήν· ΚΑΙ ΟΙ ΠΥΛΩΝΕΣ αὐτῆς ΟΥ ΜΗ ΚΛΕΙ-
26 ΣΘΩΣΙΝ ΗΜΕΡΑΣ, ΝΥΞ γὰρ οὐκ ἔσται ἐκεῖ καὶ ΟΙΣΟΥΣΙΝ
27 ΤΗΝ ΔΟΞΑΝ καὶ τὴν τιμὴν ΤΩΝ ΕΘΝΩΝ εἰς αὐτήν. καὶ
ΟΥ ΜΗ εἰσέλθῃ εἰς ΑΥΤΗΝ ΠΑΝ ΚΟΙΝΟΝ καὶ [ὁ] ποιῶν
βδέλυγμα καὶ ψεῦδος, εἰ μὴ οἱ ΓΕΓΡΑΜΜΕΝΟΙ ΕΝ Τῼ
1 ΒΙΒΛΙῼ ΤΗΣ ΖΩΗΣ τοῦ ἀρνίου. καὶ ἔδειξέν μοι ΠΟΤΑ-
ΜΟΝ ΥΔΑΤΟΣ ΖΩΗΣ λαμπρὸν ὡς κρύσταλλον, ἐκπορευό-

16 σταδίους

ΜΕΝΟΝ ἐκ τοῦ θρόνου τοῦ θεοῦ καὶ τοῦ ἀρνίου ἐΝ ΜέϹῳ 2
τῆς πλατείας αὐτῆς· καὶ ΤΟΫ ΠΟΤΑΜΟΫ ἐΝΤΕΫΘΕΝ καὶ
ἐκεῖΘΕΝ ΖΫΛΟΝ Ζωῆϲ ⌜ποιοῦν⌝ καρποὺς δώδεκα, κατὰ
ΜῆΝΑ ἕκαστον ⌜ἀποδιδοῦν⌝ ΤὸΝ ΚΑΡΠὸΝ ΑΫΤΟΫ, καὶ τὰ
φύλλα τοῦ ξύλου εἰϲ θεραπείαΝ τῶν ἐθνῶν. καὶ πᾶΝ 3
ΚΑΤΑΘΕΜΑ ΟΫΚ ἔϹΤΑΙ ἔτι. καὶ ὁ θρόνος τοῦ θεοῦ καὶ τοῦ
ἀρνίου ἐν αὐτῇ ἔσται, καὶ οἱ δοῦλοι αὐτοῦ λατρεύσουσιν
αὐτῷ, καὶ ὄψΟΝΤΑΙ τὸ πρόϹωπΟΝ ΑΫΤΟΫ, καὶ τὸ ὄνομα 4
αὐτοῦ ἐπὶ τῶν μετώπων αὐτῶν. καὶ νὺξ οὐκ ἔσται ἔτι, 5
καὶ ΟΫΚ ἔχουσιν χρείαν φωτὸς λύχνου καὶ φῶϹ ἡλίΟΥ,
ὅτι ΚΫριοϲ ὁ θεὸϲ φωτίϹΕΙ [ἐπʼ] αὐτούς, καὶ Βαϲι-
λεΫϹΟΥϹΙΝ εἰϹ ΤΟΫϹ αἰῶΝΑϹ ΤῶΝ αἰώΝωΝ.

Καὶ εἶπέν μοι Οὗτοι οἱ λόγοι πιστοὶ καὶ ἀληθινοί, 6
καὶ ⌜ὁ κύριος⌝, ὁ θεὸς τῶν πνευμάτων τῶν προφητῶν,
ἀπέστειλεν τὸν ἄγγελον αὐτοῦ δεῖξαι τοῖς δούλοις αὐτοῦ ἃ
δεῖ γενέϹΘΑΙ ἐν τάχει· καί ʼΙΔΟΫ ἔρχΟΜΑΙ ταχύ· μα- 7
κάριος ὁ τηρῶν τοὺς λόγους τῆς προφητείας τοῦ βιβλίου
τούτου.   Κἀγὼ ʼΙωάννης ὁ ἀκούων καὶ βλέπων 8
ταῦτα. καὶ ὅτε ἤκουσα καὶ ⌜ἔβλεψα⌝, ἔπεσα προσκυνῆσαι
ἔμπροσθεν τῶν ποδῶν τοῦ ἀγγέλου τοῦ δεικνύοντός μοι
ταῦτα. καὶ λέγει μοι Ὅρα μή· σύνδουλός σού εἰμι καὶ 9
τῶν ἀδελφῶν σου τῶν προφητῶν καὶ τῶν τηρούντων
τοὺς λόγους τοῦ βιβλίου τούτου· τῷ θεῷ προσκύνη-
σον.   Καὶ λέγει μοι Μὴ ϹφραΓίϹΗϹ τοὺς 10
λόγΟΥϹ τῆς προφητείας ΤΟΫ ΒΙΒΛίΟΥ τούτου, ὁ καιρὸς γὰρ
ἐγγύς ἐστιν. ὁ ἀδικῶν ἀδικησάτω ἔτι, καὶ ὁ ῥυπαρὸς 11
⌜ῥυπανθήτω⌝ ἔτι, καὶ ὁ δίκαιος δικαιοσύνην ποιησάτω ἔτι,
καὶ ὁ ἅγιος ἁγιασθήτω ἔτι.— ʼΙΔΟΫ ἔρχΟΜΑΙ ταχύ, 12
καὶ ὁ ΜΙϹΘόϹ μου ΜΕΤʼ ἐμοῦ, ἀποδοῦναι ἑκάστῳ ὡϲ
τὸ ἔρΓΟΝ ἐϲτὶν ΑΫΤΟΫ. ἐγὼ τὸ ῎Αλφα καὶ τὸ ῏Ω, 13
⌜ὁ πρῶτοϲ καὶ ὁ⌝ ἔϹχατοϲ, ἡ ἀρχὴ καὶ τὸ τέλος.—
Μακάριοι οἱ πλΫΝΟΝΤΕϹ ΤὰϹ ϹΤΟΛὰϹ αὐτῶν, ἵνα ἔσται 14
ἡ ἐξουσία αὐτῶν ἐπὶ τὸ ΖΫΛΟΝ ΤῆϹ ΖωῆϹ καὶ τοῖς

2 ποιῶν | ἀποδιδοὺς   6 Κύριος   8 ἔβλεπον   11 ῥυπαρευθήτω   13 πρῶτος καὶ

πυλῶσιν εἰσέλθωσιν εἰς τὴν πόλιν. ἔξω οἱ κύνες καὶ οἱ
φαρμακοὶ καὶ οἱ πόρνοι καὶ οἱ φονεῖς καὶ οἱ εἰδωλολάτραι
καὶ πᾶς φιλῶν καὶ ποιῶν ψεῦδος.

16 Ἐγὼ Ἰησοῦς ἔπεμψα τὸν ἄγγελόν μου μαρτυρῆσαι
ὑμῖν ταῦτα ⌜ἐπὶ⌝ ταῖς ἐκκλησίαις. ἐγώ εἰμι ἡ ῥίζα καὶ
τὸ γένος Δαυείδ, ὁ ἀστὴρ ὁ λαμπρός, ὁ πρωινός.

17 Καὶ ⌜τὸ πνεῦμα καὶ ἡ⌝ νύμφη λέγουσιν Ἔρχου· καὶ
ὁ ἀκούων εἰπάτω Ἔρχου· καὶ ὁ ΔΙΨῶΝ ἐρχέϲθω, ὁ
θέλων λαβέτω ὕΔωρ ζωῆϲ Δωρεάν.

18 Μαρτυρῶ ἐγὼ παντὶ τῷ ἀκούοντι τοὺϲ λόγουϲ
τῆς προφητείας τοῦ βιβλίου τούτου· ἐάν τιϲ ἐπιθῇ
ἐπ᾽ αὐτά, ἐπιθήσει ὁ θεὸϲ ἐπ᾽ αὐτὸν τὰϲ πληγὰϲ τὰϲ
19 γεγραμμένας ἐν τῷ βιβλίῳ τούτῳ· καὶ ἐάν τιϲ
ἀφέλῃ ἀπὸ τῶν λόγων τοῦ βιβλίου τῆς προφητείας
ταύτης, ἀφελεῖ ὁ θεὸς τὸ μέρος αὐτοῦ ἀπὸ τοῦ ξύλου
τῆϲ ζωῆϲ καὶ ἐκ τῆς πόλεως τῆς ἁγίας, τῶν γεγραμ-
μένων ἐν τῷ βιβλίῳ τούτῳ.

20 Λέγει ὁ μαρτυρῶν ταῦτα Ναί· ἔρχομαι ταχύ.
Ἀμήν· ἔρχου, κύριε Ἰησοῦ.

21 Ἡ χάρις τοῦ κυρίου Ἰησοῦ [Χριστοῦ] μετὰ τῶν
ἁγίων.

16 ἐν   17 πνεῦμα καὶ

ΕΥΑΓΓΕΛΙΟΝ

ΚΑΤΑ ΜΑΘΘΑΙΟΝ
ΚΑΤΑ ΜΑΡΚΟΝ
ΚΑΤΑ ΛΟΥΚΑΝ
ΚΑΤΑ ΙΩΑΝΗΝ

ΠΡΑΞΕΙΣ ΑΠΟΣΤΟΛΩΝ

ΕΠΙΣΤΟΛΑΙ ΚΑΘΟΛΙΚΑΙ

ΙΑΚΩΒΟΥ
ΠΕΤΡΟΥ Α
ΠΕΤΡΟΥ Β
ΙΩΑΝΟΥ Α
ΙΩΑΝΟΥ Β
ΙΩΑΝΟΥ Γ
ΙΟΥΔΑ

ΕΠΙΣΤΟΛΑΙ ΠΑΥΛΟΥ

ΠΡΟΣ ΡΩΜΑΙΟΥΣ
ΠΡΟΣ ΚΟΡΙΝΘΙΟΥΣ Α
ΠΡΟΣ ΚΟΡΙΝΘΙΟΥΣ Β
ΠΡΟΣ ΓΑΛΑΤΑΣ
ΠΡΟΣ ΕΦΕΣΙΟΥΣ
ΠΡΟΣ ΦΙΛΙΠΠΗΣΙΟΥΣ
ΠΡΟΣ ΚΟΛΑΣΣΑΕΙΣ
ΠΡΟΣ ΘΕΣΣΑΛΟΝΙΚΕΙΣ Α
ΠΡΟΣ ΘΕΣΣΑΛΟΝΙΚΕΙΣ Β

ΠΡΟΣ ΕΒΡΑΙΟΥΣ

ΠΡΟΣ ΤΙΜΟΘΕΟΝ Α
ΠΡΟΣ ΤΙΜΟΘΕΟΝ Β
ΠΡΟΣ ΤΙΤΟΝ
ΠΡΟΣ ΦΙΛΗΜΟΝΑ

ΑΠΟΚΑΛΥΨΙΣ ΙΩΑΝΟΥ

This edition of the Greek text of the New Testament is reproduced from a larger edition published in 1881 with an accompanying volume containing an Introduction and an Appendix of Notes on Select Readings and on Orthography. The second and corrected impression of the larger edition of the text, issued in December 1881, is here followed. Additional simplicity has been gained by removing all strictly alternative marginal readings from the margin to the foot of the page, and by transferring to the end of the volume all such rejected readings as had been allowed to stand in the margin on account of some special interest, together with such other rejected readings as were noticed only in the Appendix. The subsidiary matter which already stood at the end has likewise been adapted to the requirements of a single independent volume.

The principles of criticism which have been followed in the determination of the text were set forth in detail in the Introduction, to which a full Table of Contents was prefixed. The following brief and general explanation was likewise appended to the Greek text itself. It is reprinted here in the hope that it may be useful to some readers of the text, who may not care to study in detail the discussions and statements of evidence upon which the various conclusions set forth in the Introduction are founded.

Wherever there are more readings than one, two classes of evidence are available for making the decision between them.

We may compare the probability of the readings themselves, that is, employ internal evidence; and we may compare the authority of the documents which attest them, that is, employ external or documentary evidence.

Internal evidence is itself of two kinds, the consideration of what an author is likely to have written, and the consideration of what a copyist is likely to have made him seem to have written. The former kind, resting on 'intrinsic' probability, valuable as it sometimes is, has little force in the innumerable variations in which each of the rival readings is unobjectionable, so that either of them would be reasonably approved in the absence of the other. The latter kind, resting on 'transcriptional' probability, is not less valuable; but it is subject to analogous uncertainty, because in a vast number of cases each reading can be explained as a corruption of the other by reference to some tendency of scribes which is known to be often productive of textual change, and the tendency which actually operated in producing change in any particular case need not be the tendency which is most obvious to modern eyes. A few hours spent in studying a series of the countless corrections which no one would think of accepting will shew the variety of instinct to be found among scribes, the frequent disagreement between their instincts and our own, and, above all, the conflicting effects of different instincts in the same passage. Moreover, though normally a scribe's correction, or, more properly, corruption, should exhibit at once plausibility and latent inferiority, that is, should be condemned by transcriptional and by intrinsic evidence alike, the imperfection of our knowledge more commonly leaves unreconciled the apparent conflict of the two kinds of probability, arising out of the consideration that no scribe would consciously introduce a worse reading instead of a better. Lastly, all decisions made solely or chiefly on the ground of internal evidence are subject to the chances of mistake inseparable from single and isolated judgements: they lack the security given by comparison and mutual correction. Hence it is dangerous to fix the mind in the first instance on any kind of internal probability: the bias thus inevitably acquired can hardly fail to mislead where the authority of documents is not obviously clear and decisive at once. The uses of internal evidence are subordinate and accessory: if taken as the primary guide, it cannot but lead to extensive error.

Documentary evidence in its simplest form consists in the relative authority of individual documents; that is, in the relative antecedent probability that a reading attested by them is the true reading. This is what is meant when it is said in popular language that 'good MSS' should be trusted. A presumption of relatively high authority is conferred by priority of date; a presumption verified on the average by experience, but still no more than a presumption, because the exemplar from which a MS was copied may have been either only a little older than itself or of any earlier date, and because corruption may be rapid in one line of transmission, slow in another. The only adequate criterion of authority for an individual document, apart from its affinity to other documents, is the character of its text, as ascertained by the fullest possible comparison of its different readings; the variations in which internal evidence is of such exceptional clearness as to be provisionally decisive being taken as tests of the general characteristics of the text throughout, and thus shewing how far it is likely to have preserved genuine readings in the more numerous variations in which internal evidence is more or less ambiguous. Criticism resting on this basis, the basis of 'internal evidence of documents' as distinguished from the preceding 'internal evidence of readings', involves not a single but a threefold process; tentative examination of readings, examination of the texts of documents by means of the materials thus collected, and final decision upon readings. It thus makes all variations contribute to the interpretation of each. Its principle may be expressed in the single proposition, *Knowledge of documents should precede final judgement upon readings.*

The use of 'internal evidence of documents' in the New Testament is however impeded by various exceptions to the homogeneousness of texts, especially by the difficulty of applying it to a plurality of documents in places where the better documents are ranged on different sides, and by the fusion of two or more independent texts in one. This fusion or mixture would arise in several different ways. Sometimes two exemplars would be used together in transcription: sometimes a scribe would consciously or unconsciously intermingle reminiscences of another MS with the text which he was copying: sometimes variant readings noted in the margin of the exemplar, or inserted as corrections of it, would be substituted for the corresponding readings of the exemplar itself. Now, since almost every important document combines readings from more than one ancient source, the nature and therefore ultimately the value of its testimony in any particular case must vary accordingly; and there is no possibility of discriminating the readings derived from the several sources except by observing what the other documents are with which in each case it is associated. When therefore each document is treated as a constant unit of authority, so that the attestation of each reading becomes merely the sum of such units, there is no way of arriving at a decision except by resolving the comparison of total authority for two readings into a simple arithmetical balance; and this arithmetical proceeding must be hopelessly vitiated by the impossibility of assigning to each document a numerical value proportional to its ascertained excellence, as well as by the fragmentary nature of many documents, and the large element of consequent fortuitousness in the amount of extant attestation for this or that reading. A more or less distinct sense of these difficulties has doubtless had a considerable influence in encouraging a dangerous reliance on the direct use of 'internal evidence of readings' in the New Testament. But unfortunately this is an expedient which succeeds only in disguising the uncertainty, not in removing it.

There is but one way through the chaos of complex attestation; and that is by tracing it back to its several causes, in other words, by enquiring what antecedent circumstances of transmission will account for such combinations of agreements and differences between the several documents as we find actually existing. *All trustworthy restoration of corrupted texts is founded on the study of their history, that is, of the relations of descent or affinity which connect the several documents.* The importance of genealogy in textual criticism is at once shown by the considerations that no multiplication of copies, or of copies of copies, can give their joint testimony any higher authority than that of the single document from which they sprang, and that one early document may have left a single descendant, another a hundred or a thousand. Since then identical numerical relations among existing documents are compatible with the utmost dissimilarity in the numerical relations among their ancestors, and *vice versa*, no available presumptions whatever as to text can be obtained from number alone, that is, from number not as yet interpreted by descent.

When, as often happens, the extant copies of an ancient work can be distributed into definite families having each a single common ancestor, the task of tracing textual genealogy is comparatively easy. In the New Testament the problem is one of much complexity, not only from the amount and variety of evidence, but from the early and frequent confluence of different lines of descent by mixture. Instances of immediate derivation of one extant document from another are extremely rare. But the combined evidence of agreements and discrepancies clearly discloses the existence of many sets of extant documents, deriving a greater or less part of their text ultimately from single lost documents, or from single lines of transmission consisting of successions of lost documents. The relation of the whole mass of documents containing a book to the single autograph is in fact repeated on a smaller scale by each subordinate set of documents for a large body of their readings; and it is impossible to have any true conception of the origin of the present distribution of readings till it is clearly understood that fundamentally all textual transmission takes the form of a genealogical tree, diverging into smaller and smaller branches, of which the extant documents are casual and scattered fragments or joints. This fundamental type of transmission is indeed greatly obscured in the New Testament by the coalescence of different branches of the tree through textual mixture, and the consequent rarity of pure representatives of the earlier and wholly divergent branches. But this seeming confusion is comparatively seldom productive of real and permanent difficulty in determining what lines of transmission did or did not contain a given reading in ancient times.

The use of genealogical evidence, like the use of 'internal evidence of documents', brings to the elucidation of each single place a knowledge gained by the examination of many, and thus involves three successive processes. In this instance they are, first, the analysis and comparison of the documentary evidence for a succession of individual variations; next, the investigation of the genealogical relations between the documents, and therefore between their ancestors, by means of the materials thus obtained; and thirdly, the application of these genealogical relations to the interpretation of the documentary evidence for each individual variation. The results of the interpretation of documentary evidence thus and thus alone made possible are various. In the first place, it winnows away a multitude of readings which genealogical relations prove to be of late origin, and which therefore cannot have been derived by transmission from the autograph. Further, as regards all other readings, it so presents and limits the possible genealogical antecedents of the existing combinations of documentary evidence as to supply presumptions in favour of one reading against another, varying from what amounts under favourable circumstances to practically absolute certainty down to complete equipoise. On the other hand the inequalities and occasional ambiguities in the evidence for the genealogical relations frequently leave room for more than one interpretation. In what manner the genealogical principle can be applied to these more difficult cases will appear presently.

The documentary evidence for the text of the New Testament consists of Greek MSS dating from the fourth to the sixteenth century, most of the earlier being in a fragmentary state; of ancient Versions in different languages; and of quotations found in the extant remains of the Fathers, written in Greek, in Latin, and to a small extent in Syriac. In order to understand fully the history of the text, documents of all kinds and ages have to be taken into account; though, as soon as the history is known, a vast numerical majority of documents must be treated as of no primary authority in ordinary variations. Since even the two earliest Greek MSS do not carry us back further than to the middle of the fourth century, the fixing of historical landmarks is chiefly dependent on the evidence of patristic quotations, which are for the most part definitely chronological, and also of the versions, three or four of which can hardly have been later than the second century. Each kind of evidence has its own imperfections. Quotations are often made from memory, and therefore liable to be loose and confused: different forms of text are used at different times by the same writer: and another kind of uncertainty is introduced by the diversity of text often exhibited by the MSS of patristic writings in quotations, which betrays the liability to corruption from the influence of late current texts of the New Testament, and by the uncritical handling from which the text of most Fathers still suffers. Versions are affected by the genius and grammatical peculiarities of their language, and in other respects are not equally or uniformly literal; while some have as yet been insufficiently edited. But all these drawbacks, however they introduce ambiguity into the evidence for single passages, do not materially impede the arrival at secure conclusions about the history of the text at large.

Comparison with patristic quotations discloses at once the striking fact that all the more considerable variations of reading must have arisen before the latter half of the fourth century. Variations of later origin are for the most part of little moment, and the changes which took place after that period were mainly changes in the distribution of readings already existing. A text virtually identical with the prevalent Greek text of the Middle Ages was used by Chrysostom and other Antiochian Fathers in the latter part of the fourth century, and thus must have been represented by MSS as old as any MS now surviving. This Antiochian or 'Syrian' text can frequently be recognised as standing out in opposition to the text or texts of most of the definitely ancient documents.

Another great landmark is furnished by the writings of Origen, which carry us to the middle of the third century, and even earlier. They establish the prior existence of at least three types of text, which can be identified through numerous readings distinctively attested by characteristic groups of extant documents. The most clearly marked of these is one that has long been conventionally known as 'Western'. Another, less prominent as being less consistently represented by any single ancient document, may be called 'Alexandrian'. The third holds a middle or neutral position, sometimes simply opposed to Western or to Alexandrian readings, occasionally opposed to Western and to Alexandrian readings alike. On the other hand Origen's writings contain no certain traces of distinctively Syrian readings.

The priority of two at least of the three texts just noticed to the Syrian text is further brought to light by the existence of a certain number of distinctively Syrian readings which prove on close examination to be due to a combination of the Western with the neutral readings. Moreover the use of Western and of neutral readings thus presupposed renders it morally certain that other readings from the same sources were adopted as they stood, sometimes from a Western, sometimes from a neutral text; and the supposition is fully confirmed by an analysis of the distribution of documentary attestation. A similar analysis in other cases shews that Alexandrian readings also were sometimes adopted by the authors of the Syrian text. To the two processes of combination and direct selective adoption must be added a third, selective adoption with modifications. In fact the Syrian text has all the marks of having been carefully constructed out of materials which are accessible to us on other authority, and apparently out of these alone. All the readings which have an exclusively Syrian attestation can be easily accounted for as parts of an editorial revision; and none of them have the stamp of genuineness to attest the use of extraneous and purer sources.

Leaving then the Syrian text, we have to consider the relations between its predecessors. The rapid and wide propagation of the Western text is the most striking phenomenon of textual history in the three centuries following the death of the Apostles. The first clear evidence (Marcion, Justin) shews us a text containing definitely Western readings before the middle of the second century; and a similar text is predominant, to say the least, in the ample citations made towards the end of the century. Nay, the text used by all the Ante-Nicene Greek writers not connected with Alexandria, who have left considerable remains (Irenæus, Hippolytus, Methodius), is substantially Western. Even in the two chief Alexandrians, Clement and Origen, especially in some of Origen's writings, Western quotations hold a conspicuous place, while in Eusebius they are on the whole predominant. After Eusebius they make no show in Greek theology, except so far as they were adopted into eclectic texts: a few writers offer rare traces of the expiring tradition, but nothing more. The Old Latin version in both its earlier forms was Western from the first. The Old Syriac, so far as can be judged from a single imperfect MS of the Gospels, was at least predominantly Western too. But indeed the Western influence to a certain extent affected every ancient version sooner or later: in those of Upper Egypt, Ethiopia, and Armenia it is often peculiarly well marked.

When Western readings generally are confronted with their ancient rivals in order to obtain a broad view of the relations between the texts, it would be difficult for any textual critic to doubt that the Western not merely is the less pure text, but also owes most of its differences to a perilous confusion between transcription and reproduction, and even between the preservation of a record and its supposed improvement. Its chief and constant characteristic is a love of paraphrase, not generically different from the tendency to verbal modification exhibited by many scribes, but rather an extreme form of it. Words and even clauses are changed, omitted, and inserted with surprising freedom, wherever it seemed that the meaning could be brought out with greater force and definiteness. Another common and dangerous type of licence which is seen here in full force is the assimilation of clauses or sentences at once like and unlike, and especially the obliteration of the characteristic statements of the several Gospels in parallel passages through the natural impulse to harmonise and to complete. More peculiar to the Western text is the readiness to adopt alterations or additions from sources extraneous to the books which ultimately became canonical. These various tendencies must have been in action for some time. The Western text is not to be thought of as a single recension, complete from the first. However its parent copy or copies may have differed from the originals, there must have been no little subsequent and progressive change.

Meanwhile the Western licence did not prevail everywhere, and MSS unaffected by its results were still copied. The perpetuation of the purer text may in great measure be laid to the credit of the watchful scholars of Alexandria: its best representatives among the versions are the Egyptian, and especially that of Lower Egypt; and the quotations which follow it are most abundant in Clement, Origen, (Dionysius, Peter,) Didymus, and the younger Cyril, all Alexandrians. On the other hand there are many textual facts which it would be difficult to reconcile with an exclusive limitation of the Non-Western text to Alexandria in early times; and, as might have been anticipated, there is sufficient evidence that here and there elsewhere it held its ground with more or less success against the triumphant popularity of Western readings. But further, as was indirectly noticed above, a group of extant documents bears witness to the early existence of independent corruptions, apparently Alexandrian in origin. They are in all respects much less important, as well as less numerous, than the Western readings, and betray no inclination to introduce extraneous matter, or to have recourse to the bolder forms of change. They often shew care and skill, more especially in the use of language, and sometimes present a deceptive appearance of originality.

The unfortunate loss of nearly all the Christian literature of the second half of the third century makes a partial chasm in textual history; but it is evident that increasing intercourse between churches led to much mixture of texts in that interval of comparative peace. Apart from miscellaneous and accidental mixture, it is probable that more than one eclectic text was deliberately formed. One such at all events, to which reference has been already made, must belong either to this time or to the years which follow. The Syrian text has all the appearance of being a careful attempt to supersede the chaos of rival texts by a judicious selection from them all. It would be doing violence alike to all that is known of ancient criticism and to the evidence supplied by a comparison of the results with the antecedent materials to imagine that the Syrian revisers would have any trustworthy means of learning which of the various texts, MSS, or readings had the best pedigree. They could only be guided by 'intrinsic' probabilities of a vague kind, and were not in a position to distinguish between the purity of a text and its present acceptability or usefulness. They evidently wished their text to be, as far as possible, easy, smooth, and complete; and for this purpose borrowed freely from all quarters, and as freely used the file to remove surviving asperities.

In the fourth century mixture prevailed almost everywhere: nearly all its texts, so far as they can be seen through the quotations of theologians, are more or less chaotic. In the early years the persecution under Diocletian and his colleagues, and then the reaction under Constantine, must have affected the text not less powerfully than the Canon of the New Testament. The long and serious effort to annihilate the Scriptures could not be otherwise than unequally successful in different places, and thus the texts current in certain districts would obtain rapid extension in the next generation. Moreover various tendencies of that century of rapid innovation were unfavourable to the preservation of local peculiarities. It is therefore no wonder that the ancient types of text are seldom to be discerned except in fragments intermingled with other texts. Meanwhile the Syrian text grew in influence. For some centuries after the fourth there was in the East a joint currency of the Syrian and other texts, nearly all mixed; but at last the Syrian text almost wholly displaced the rest. The causes of this supremacy are not far to seek. Western Christendom became exclusively Latin, as well as estranged from Eastern Christendom: with few exceptions the use and knowledge of the Greek language died out in the West. The ravages of the barbarians and Mahometans destroyed the MSS of vast regions, and narrowly limited the area within which transcription was carried on. On the other hand Greek Christendom became centralised, with Constantinople for its centre. Now Antioch is the true ecclesiastical parent of Constantinople; so that naturally the Antiochian text of the fourth century would first acquire traditional if not formal authority at Constantinople, and then become in practice the standard New Testament of the Greek East. To carry the history one step further, the printed 'Received Text' of the sixteenth century, with the exception of scattered readings commended in most cases by Latin authority to Erasmus or his successors, is a reproduction of the Syrian text in this its mediæval form.

Such being in brief the history of the text, the first endeavour
of the critic must evidently be to penetrate beyond the time of
mixture, and ascertain as far as possible what readings were to
be found in the several lines of tradition while they still pre-
served their distinctive characters. For this purpose it is neces-
sary to ascertain how far the texts of the several existing docu-
ments correspond with the principal ancient texts. No satisfactory
result was attainable so long as even our oldest documents were
assumed to be constant and faithful representatives of ancient
texts or 'recensions'. Yet they will yield up indirectly to careful
criticism the evidence which is vainly sought from them by direct
inspection. A double process is necessary; first to discover the
outlines of the history, as it has just been sketched, from the
sum total of evidence of all dates and all kinds, and then to
apply the standard so obtained to determine the origin and
character of each principal document by means of the numerous
variations in which the grouping of documents is tolerably free
from obscurity. A document may have transmitted one ancient
type of text in approximate purity; or it may be directly or
indirectly derived by mixture from originals of different defined
types; or it may have arisen from a more comprehensive mixture.
What has to be noted is, first, the presence or absence of distinc-
tively Syrian or distinctively Pre-Syrian readings; and secondly,
among Pre-Syrian readings, the presence or absence of distinc-
tively Western, or distinctively Alexandrian, or distinctively
neutral readings.

When the texts of existing documents are tested in this
manner, it becomes evident that they are almost all in some
sense mixed. One Greek MS in most chapters of the Gospels
and Acts (D), two in St Paul's Epistles (D_2G_3), one in the
Epistle to the Hebrews (D_2) have approximately Western texts.
Of the two oldest MSS, ℵ is Pre-Syrian and largely neutral, but
with considerable Western and Alexandrian elements, B is Pre-
Syrian and almost wholly neutral, but with a limited Western

element in the Pauline Epistles. All other Greek MSS contain a greater or less Syrian element, and their Pre-Syrian elements almost always exhibit readings of all three Pre-Syrian types, though in different proportions. Nor is the general proportion of mixture by any means uniform throughout each document: thus the Syrian element of A is very large in the Gospels, much smaller in the other books, the transcription having probably been made from different smaller exemplars in different parts of the New Testament. The Western character of the Old Latin version in its earlier forms and apparently of the Old Syriac has been already noticed. The other early versions, the Memphitic and Thebaic, both Egyptian, are apparently altogether Pre-Syrian: they certainly are for the most part sometimes neutral, sometimes Alexandrian, though not without a Western element, which in the Thebaic is considerable. A revision of the Old Syriac version appears to have taken place early in the fourth century, or sooner; and doubtless in some connexion with the Syrian revision of the Greek text, the readings being to a very great extent coincident. All subsequent versions and revisions of versions are much affected by Syrian influence, more especially the Gothic and the 'Italian' Latin: but the Pre-Syrian elements of the Ethiopic, the Armenian, and the Jerusalem Syriac are large and important.

The textual elements of each principal document having been thus ascertained, it now becomes possible to determine the genealogy of a much larger number of individual readings than before in relation to the several ancient texts. The process can hardly be reduced to rule: but after a while the contrasted groupings of attestation become for the most part easy to interpret with patience and care. When once the ancient distribution of a reading has thus been ascertained, the characteristics of the several ancient texts furnish presumptions of the highest value as to its genuineness or spuriousness.

A reading marked as Syrian or Post-Syrian by the range of the documents which attest it may be safely rejected at once. If it has but one rival, that rival reading will be sustained by the united authority of all Pre-Syrian texts, Western, Alexandrian, and neutral alike. If there are two or more rival readings, this circumstance leaves untouched the antecedent improbability of all distinctively Syrian readings as deduced from the historical relations of the Syrian text as a whole to other texts. On the other hand it is a less simple matter to determine the antecedent probability or improbability of readings ascertained to be evidently or probably Pre-Syrian. A more precise definition of origin has in all cases to be sought, since the most important divergences of text took place in Pre-Syrian times.

Here the Syrian text comes in again from another point of view, as disguising the relative attestation of two or more Pre-Syrian readings. In the numberless cases in which the Syrian revisers adopted unchanged one or other of the earlier readings a necessary result was the doubling, so to speak, of the attestation of that reading: it cannot but have the combined support of all the extant documents which in these variations have a Syrian origin and of all the extant documents which in these variations have a Pre-Syrian origin of a particular type. It will thus present the appearance of being much more fully attested than its rival, though in reality a large part of its attestation is merely equivalent to the single Syrian text. The importance of this consideration is especially exemplified by the numerous Western readings which owe a deceptive amplitude of apparent authority to the accident that they found favour with the Syrian revisers when numerous other readings of identical origin and not inferior character were refused.

Allowance being made for this possible cause of erroneous estimation of evidence, a large proportion of Pre-Syrian readings can be confidently referred to one or other of the chief Pre-Syrian lines of attestation. When these lines of attestation are compared with each other as wholes by examination of the internal evidence for and against the whole body of their respective readings, it becomes manifest that as wholes the Western and Alexandrian texts are aberrant texts. Where there are but two readings, the Non-Western approves itself to be more original than the Western, the Non-Alexandrian than the Alexandrian : where there are three readings, the neutral reading, if supported by such documents as stand most frequently on both the Non-Western and the Non-Alexandrian sides in the preceding cases, approves itself more original than either the Western or the Alexandrian.

There are some scattered Western and Alexandrian readings which in the present state of knowledge it would be imprudent to reject altogether. Nay, there are a few places in the Gospels, marked in this edition with a special notation, in which we believe that the Western text represents faithfully the autographs in its omission of matter contained in all Non-Western documents. In these last exceptional cases, when they are considered together, internal evidence is peculiarly strong: and moreover, in the absence of special grounds to the contrary, erroneous insertion of matter is always antecedently more probable than its erroneous omission, owing to the constant tendency of scribes towards completeness of text and their equally constant unwillingness to let go anything which they have received. On the other hand the textual integrity of the Western text cannot rightly be upheld in the numerous places in which it has preserved interesting matter omitted in the other Pre-Syrian texts, yet manifestly not due to the inventiveness of scribes, much less to any of the ordinary incidents of transcription. All these places, it should be observed, occur in the historical books, and perhaps in the Gospels only. The paradox disappears when it is remembered that the causes of various readings originating in very early times need not all lie within the text itself. When the Western text was growing up, oral traditions and written memorials of the apostolic age were still current, doubtless mixed in character; while the reverence paid to the writings which ultimately formed the Canon of the New Testament had not yet assumed a character that would forbid what might well seem their temperate enrichment from other memories or records. A few of the more important of these peculiar interpolations from extraneous sources are inserted in the text of the Gospels, or appended to them, with a special notation; and it has likewise been thought worth while to print many of the rest in the margin within distinctive marks, along with some other interesting Western readings. But the accessory recognition of these classes of readings, in association with the books of the New Testament, not as originally forming part of their true text, does not affect the primary conclusion derived from genealogical evidence with reference to the chief ancient texts, that readings found either in the Western alone of the Pre-Syrian texts or in the Alexandrian alone of the Pre-Syrian texts must lie under a strong presumption of having been introduced by scribes.

Numerous variations remain in which the distribution of documentary evidence may be reasonably interpreted in more ways than one, so that a reference of the several readings to this or that principal ancient text is open to doubt; or in which there is little or no reason to suppose that the divergence of reading has any connexion with the divergence of the principal ancient texts. Here too however the genealogical principle can be applied by an extension of 'internal evidence of documents' to the lost ancestors of groups of documents. The general internal character of distinctively Western and of distinctively Alexandrian readings was ascertained in precisely the same manner as the general internal character of any single document is ascertained, namely by consecutive examination of the whole body of readings; and the power thus given of employing easy variations as a key to difficult variations is of universal range, the same mode of testing general internal character being applicable to the whole body of readings of any other group of documents which frequently stands out in opposition to other documents. In every place in which two or more documents have the same reading, unless the reading is such as can naturally be accounted for by accidental coincidence, they must by the nature of the case have had a single common ancestor, whether it be the autograph or some later MS. If the same group of documents is found standing by itself in a considerable series of readings, sufficient material is provided for generalisations as to the common ancestor in all these places, which ancestor is virtually a series of fragments of a lost MS. This 'internal evidence of groups', by rendering it possible to estimate as wholes the documentary arrays by which rival readings are attested, independently of any estimates that may be formed of the character of their constituent members individually, escapes the difficulties caused by mixture which beset every attempt to treat individual documents of the New Testament as so many 'authorities' of constant value.

The number of groups that deserve serious attention is soon found to be comparatively small. Neither Greek MSS containing a large amount of distinctively Pre-Syrian text nor early Versions nor early Fathers are numerous, and to a great extent they are fragmentary or discontinuous; and combinations into which none of them enter may evidently in most cases be safely neglected. It is likewise soon found that various groups practically identical are somewhat variable in their limits through the defection of one or another of the documents which are habitually their members. This is the natural result of the casual eclecticism of miscellaneous mixture, which tends to disguise the simplicity of the primitive relations of text under a superficial complexity of existing attestation. Before investigation has proceeded far, it becomes manifest that the groups which can by any possibility carry authority in doubtful variations are sure to contain one or more of a very small number of primary Greek MSS. In strictness the earlier Versions and Fathers should be included in the list of primary documents, and the process would certainly be incomplete if no account were ultimately taken of readings attested by them without the support of any primary

Greek MS ; but nothing is lost and much simplicity is gained by treating them in the first instance as accessory to Greek MSS.

The next step is to determine how far there is a common element in all or most of those groups which shew the best character when tried by 'internal evidence of groups . Here two remarkable facts come out successively with especial clearness, the constant superiority of groups containing both B and ℵ to groups containing neither, wherever internal evidence is tolerably unambiguous, and the general but by no means universal superiority of groups containing B to opposed groups containing ℵ. These facts exactly correspond the one with the immunity of both MSS from Syrian readings, and the other with the almost complete immunity of B from the mixture with the chief aberrant Pre-Syrian texts which has largely affected ℵ; while they are elicited from a different kind of evidence. They are moreover independent of the size of the groups. Thus the cases in which ℵB have no support from other Greek MSS, or no documentary support at all, are connected by every gradation with the cases in which they stand at the head of a considerable group. If B and ℵ were for a great part of their text derived from a proximate common original, that common original, whatever might have been its own date, must have had a very ancient and a very pure text. There is however no tangible evidence for this supposition; while various considerations drawn from careful comparison of the accessory attestation of readings supported by ℵB together, by B against ℵ, and by ℵ against B respectively, render it morally certain that the ancestries of B and of ℵ diverged from a point near the autographs, and never came into contact subsequently ; so that the coincidence of ℵB marks those portions of text in which two primitive and entirely separate lines of transmission had not come to differ from each other through independent corruption in the one or the other. Accordingly, with certain limited classes of exceptions, the readings of ℵB combined may safely be accepted as genuine in the absence of specially strong internal evidence to the contrary, and

O O 2

can never be safely rejected altogether.

Next come the numerous variations in which ℵ and B stand on different sides. Here an important lesson is learned by examining in the same consecutive manner as before the readings of every combination of each of these MSS with one other primary MS. Every such binary combination containing B (as in the Gospels BL, BC, BT, &c.) is found to have a large proportion of readings which on the closest scrutiny have the ring of genuineness, and hardly any that look suspicious after full consideration: in fact, the character of such groups is scarcely to be distinguished from that of ℵB. On the other hand every combination of ℵ with another primary MS presents for the most part readings which cannot be finally approved, along with, it may be, a few which deserve more consideration. All other MSS stand the trial with even less success than ℵ.

Analogous though not identical results are obtained by testing the groups formed by ℵ or B with only secondary support, that is, associated only with inferior Greek MSS, or with Versions, or with Fathers, or with two or three of these classes of documents. The same high standard of excellence as before is reached where groups of this kind containing B shew variety in the accessory evidence: where B is supported by a single version only, the character varies with the version associated. Even when B stands quite alone, its readings must never be lightly rejected, though here full account has to be taken of the chances of clerical error, and of such proclivities as can be detected in the scribe of B, chiefly a tendency to slight and inartificial assimilation between neighbouring passages: the fondness for omissions which has sometimes been attributed to him is imaginary, except perhaps as regards single petty words. On the other hand the readings in which ℵ stands alone bear almost always the marks of either carelessness or boldness; and except in a few readings, some of them important, the general character of all the various groups containing ℵ with such accessory attestation as is described above is more or less suspicious.

Many of the readings of such groups are, it can hardly be doubted, Western, and many others Alexandrian. Still more unfavourable results are obtained by a similar testing of other single MSS.

These general results are such as might naturally be anticipated from the relations of ℵ and B to other documents and to each other. It was to be expected that the text of the extremely ancient common source of B and ℵ, which is shown by the concordant readings of ℵB to have been of singular purity, should as a rule be preserved in one or other of the two MSS where they differ; and further that B should usually, though not always, be its faithful representative. The wrong readings of B, with whatever amount of accessory attestation, being for the most part due only to sporadic corruption, it would naturally preserve a much larger amount of the common ancestral text than a MS so largely affected by Western and Alexandrian influences as ℵ; and, as regards readings in which each of them stands alone, the different types of transcription characteristic of their respective scribes would naturally have similar consequences.

Although however a text formed by taking B as the sole authority, except where it contains self-betraying errors, would be incomparably nearer the true text of the autographs than a text formed in like manner from any other single document, it would certainly include many wrong readings; and the only safe criticism is that which throughout takes account of all existing evidence. The places in which the true reading appears to have been lost in both B and ℵ are extremely few; but certain or possible exceptions to the usual superiority of B to ℵ are many; and thus the various presumptions afforded by the internal character of various groups of documents are invaluable, while 'internal evidence of readings' is often a helpful instrument of verification in the last decision, removing many uncertainties which must otherwise have continued unresolved, and again occasionally suggesting uncertainties which claim recognition.

Such also, wherever the ancient texts are difficult to identify, are virtually the resources on which criticism depends in those parts of the Epistles which have perished in B, namely in the latter part (ix 14—end) of the Epistle to the Hebrews, in the Pastoral Epistles, and in the Epistle to Philemon. In the Apocalypse the authority of single documents is merged still more in that of grouped documents and in internal evidence; and the leading ancient texts are at least more obscure than elsewhere. Whether B ever contained the Apocalypse or not, it is now defective from Hebrews ix 14 onward. The loss is the greater because in the Apocalypse ℵ has a text conspicuously inferior to its text of the other books, partly inherited from earlier more or less corrupted texts, partly due to increased licence of transcription; and, though A, more especially when it is supported by C, here proves itself entitled to considerable authority, it does but imperfectly supply the deficiency, and moreover the want of early and good versions other than the Latin is sensibly felt. Yet even here the number of variations in which it is difficult to come to a trustworthy conclusion is much smaller than might have been anticipated.

The sketch contained in the preceding pages may suffice to indicate the principal lines of criticism which have been followed in this edition. The aim of sound textual criticism must always be to take account of every class of textual facts, and to assign to the evidence supplied by each class its proper use and rank. When once it is clearly understood that, by the very nature of textual transmission, all existing documents are more or less closely related to each other, and that these relations of descent and affinity have been the determining causes of nearly all their readings, the historical investigation of general and partial genealogy becomes the necessary starting-point of criticism. Genealogical results, taken in combination with the internal character of the chief ancient texts or of the texts of extant documentary groups, supply the presumptions, stronger or weaker as the case may be, which constitute the primary and often the virtually decisive evidence for one reading as against another. Before however the decision as to any variation is finally made, it is always prudent, and often necessary, to take into consideration the internal evidence specially affecting it, both intrinsic and transcriptional. If it points to a result different from that which the documentary evidence suggested, a second and closer inspection will usually detect some hitherto overlooked characteristic of the best attested reading which might naturally lead to its alteration; while sometimes on the other hand reexamination brings to light an ambiguity in the attestation. No definite rule can be given in the comparatively few cases in which the apparent conflict remains, more especially where the documentary evidence is scanty on one side or obscure. The ultimate determination must evidently be here left to personal judgement on a comprehensive review of the whole evidence. But in a text so richly attested as that of the New Testament it is dangerous to reject a reading clearly commended by documentary evidence genealogically interpreted, though it is by no means always safe to reject the rival reading. Here, as in the many variations in which documentary and internal evidence are both indecisive, it is manifestly right to abstain from placing before the reader an appearance of greater certainty than really exists, and therefore to print alternative readings, so as to mark the places where an absolute decision would at present be arbitrary, and also to mark the limits within which the uncertainty is confined.

The office of criticism thus far has been to discriminate between existing various readings, adopting one and discarding another. But it is at least theoretically possible that the originality of the text thus attained is relative only, and that all existing documents are affected by errors introduced in the early stages of transmission. Here there is no possible ultimate criterion except internal evidence: but the history of the text of the New Testament shews the meeting-point of the extant lines of transmission to have been so near the autographs that complete freedom from primitive corruption would not be antecedently improbable. As far as we are able to judge, the purity of the best transmitted text does in all essential respects receive satisfactory confirmation from internal evidence. We have never observed the slightest trace of undetected interpolations or corruptions of any moment, and entirely disbelieve their existence. There are however some passages which one or both of us suspect to contain a primitive error of no great importance, and which are accordingly indicated as open to question, all suggestions for their correction being reserved for the Appendix.

This brief account of the text of the New Testament would be incomplete without a word of caution against a natural misunderstanding. Since textual criticism has various readings for its subject, and the discrimination of genuine readings from corruptions for its aim, discussions on textual criticism almost inevitably obscure the simple fact that variations are but secondary incidents of a fundamentally single and identical text. In the New Testament in particular it is difficult to escape an exaggerated impression as to the proportion which the words subject to variation bear to the whole text, and also, in most cases, as to their intrinsic importance. It is not superfluous therefore to state explicitly that the great bulk of the words of the New Testament stand out above all discriminative processes of criticism, because they are free from variation, and need only to be transcribed. Much too of the variation which it is necessary to record has only an antiquarian interest, except in so far as it supplies evidence as to the history of textual transmission, or as to the characteristics of some document or group of documents. The whole area of variation between readings that have ever been admitted, or are likely to be ever admitted, into any printed texts is comparatively small; and a large part of it is due merely to differences between the early uncritical editions and the texts formed within the last half-century with the help of the priceless documentary evidence brought to light in recent times. A small fraction of the gross residue of disputed words alone remains after the application of the improved methods of criticism won from the experience of nearly two centuries of investigation and discussion. If comparative trivialities, such as changes of order, the insertion or omission of the article with proper names, and the like, are set aside, the words in our opinion still subject to doubt can hardly amount to more than a thousandth part of the whole New Testament.

Nor must it be forgotten how strong an assurance of incorruptness in the unvarying parts of the text of the New Testament is supplied indirectly by many of the variations which do exist, inasmuch as they carry us back by the convergence of independent lines of transmission to a concord of testimonies from the highest antiquity; or again what unusually ample resources of evidence the New Testament possesses for the reduction of the area of textual uncertainty to a minimum. The apparent ease and simplicity with which many ancient texts are edited might be thought, on a hasty view, to imply that the New Testament cannot be restored with equal security. But this ease and simplicity is in fact the mark of evidence too scanty to be tested; whereas in the variety and fullness of the evidence on which it rests the text of the New Testament stands absolutely and unapproachably alone among ancient prose writings. Doubtful points are out of sight even in critical editions of classical authors merely because in ordinary literature it is seldom worth while to trouble the clearness of a page. The one disadvantage on the side of the New Testament, the comparatively early mixture of independent lines of transmission, is more than neutralised, as soon as it is distinctly perceived, by the antiquity and variety of the evidence; and the expression of doubt wherever doubt is really felt is owing to the paramount necessity for fidelity as to the exact words of Scripture.

SUMMARY
OF DOCUMENTARY EVIDENCE

THE documentary evidence for the text of the New Testament is derived entirely from manuscripts. Direct evidence is furnished by *Greek manuscripts :* they represent to us what was originally written or dictated by the author of a book, subject only to such errors as may have arisen through transcription. Indirect evidence is furnished by *Versions* and by the quotations of *Fathers*. *Versions*, themselves transmitted to us through manuscripts (Latin, Syriac &c.), are liable not only to errors of transcription but also to errors or at least uncertainties arising from the passage from one language to another, the two chief causes of such uncertainty being inability to express Greek distinctions, and paraphrastic freedom of rendering. On the other hand through the medium of Versions we are enabled more or less clearly to discern the text of the Greek MSS from which they were translated, and such Greek MSS must in most cases have been older than all but a few of the extant Greek MSS, and in some cases much older. Again, the quotations occurring in the writings of *Fathers*, themselves transmitted to us through MSS, which are rarely of any high antiquity, are liable not only to errors of transcription, but also to errors or uncertainties of quotation, due either to imperfect recollection or to modification of language for the sake of grammar or convenience. And yet, once more, the quotations reveal to us with greater or less distinctness the texts of the Greek MSS with which the Fathers were familiar and such MSS must have been at least as early as the Fathers who used them.

Thus each great class of documentary evidence supplies valuable testimony both for the investigation of the history of the text as a whole and for the determination of the true text in detail.

Greek MSS

The Greek MSS of the New Testament are usually divided into two classes, conventionally known as 'Uncials' and 'Cursives', according as they are written in capital letters or in a more or less running hand. For the sake of brevity it is customary to distinguish Uncials by capital letters (ABC &c.; ΓΔΘ &c.; ℵ), and Cursives for the most part by arabic numerals (1, 2, 3, 4, 13, 22, 33 &c.).

At the head of the list of Uncials stand four great MSS belonging to the fourth and fifth centuries, which contained when complete both the Old and the New Testaments. They are

B, *Codex Vaticanus*, at Rome, containing the whole New Testament except the later chapters of Hebrews, the Pastoral Epistles, Philemon, and the Apocalypse.

ℵ, *Codex Sinaiticus*, at St Petersburg, containing the entire New Testament. Discovered by Tischendorf in 1859 in the convent on Mount Sinai.

A, *Codex Alexandrinus*, in the British Museum, containing all, except about the first 24 chapters of St Matthew's and two leaves of St John's Gospel and three of 2 Corinthians. Preserved at Alexandria from at least the end of the eleventh century. Presented to Charles I in 1628 by Cyril Lucar, Patriarch of Constantinople.

C, *Codex Ephraemi rescriptus*, at Paris, containing nearly three fifths of the whole, part of almost every book being preserved. A 'palimpsest', the original writing having been partially washed out, and Greek translations of works of Ephrem Syrus written over.

B and א appear to belong to the middle of the fourth century: A and C are certainly of somewhat later date, and are assigned by the best judges to the fifth century. It is on the whole probable that B and א were written in Italy, A and C at Alexandria: but the evidence as yet known is not decisive.

The remaining Uncial MSS are all of smaller though variable size. None of them shew signs of having belonged to a complete Bible, and it is even doubtful whether any of them belonged to a complete New Testament.

Next in interest to the four great Greek Bibles are the bilingual Uncial MSS in Greek and Latin, written in parallel pages or columns, or in one instance with the Latin between the lines of the Greek. They are, exclusive of small fragments,

D, *Codex Bezae*, at Cambridge (University Library), containing the greater part of the Gospels and Acts: a fragment of the Latin version of 3 John shews that the Catholic Epistles were originally included. Presented to the University of Cambridge in 1581 by Beza, who states that it was found at Lyons in the war of 1562. Written in the sixth century.

Δ + G$_3$. Δ, *Codex Sangallensis*, at St Gallen, containing the Gospels all but complete. G$_3$, *Codex Boernerianus*, at Dresden, containing the Pauline Epistles (Hebrews excepted) with a few gaps. The two portions originally formed a single MS, written by an Irish scribe, probably at St Gallen, in the ninth century. The Greek text of G$_3$ was copied in a somewhat later bilingual Uncial MS, F$_2$, *Codex Augiensis*, preserved and perhaps written at Reichenau near Constanz, purchased by Bentley, and now belonging to Trinity College, Cambridge.

E$_2$, *Codex Laudianus*, at Oxford (Bodleian Library), containing the Acts with some gaps. Written about the sixth century, perhaps in Sardinia, where it was preserved in early times; used and cited by Beda in his later commentary on the Acts; and presented to the University of Oxford by Archbishop Laud.

D$_2$, *Codex Claromontanus*, at Paris, containing the Pauline Epistles with a few gaps. Written in the sixth century. Formerly in the possession of Beza, who states that it was found at Clermont near Beauvais. After undergoing many corrections, the text was copied in another bilingual Uncial MS, E$_3$, *Codex Sangermanensis*, written in the ninth century, preserved in modern times at St Germain des Prez, and since the French Revolution at St Petersburg.

These four (six) bilingual MSS must have been written in the West of Europe.

Most of the remaining uncial MSS of any great critical value are very fragmentary. The most important are

L, at Paris, containing the Gospels with a few gaps (Cent. VIII).

Z, *Codex Dublinensis*, in Dublin (Trinity College), containing many palimpsest fragments of St Matthew (Cent. VI).

Ξ, *Codex Zacynthius*, in London (British and Foreign Bible Society), containing many palimpsest fragments of St Luke, with a marginal commentary (Cent. VIII).

R, *Codex Nitriensis*, in the British Museum, containing many palimpsest fragments of St Luke (Cent. VI).

P, Q, *Codices Guelferbytani*, at Wolfenbüttel, apparently originally belonging to Bobio, containing palimpsest fragments of the Gospels (Cent. VI and V respectively).

T, *Codex Borgianus*, fragments containing nearly 180 verses of St Luke and St John (? Cent. V). Of special interest not only for the antiquity of the text, but as an Egyptian bilingual MS, having the Thebaic version (see p. 574) on opposite pages to the Greek.

H$_3$, fragments of the Pauline Epistles, scattered in several libraries on the Continent (Cent. VI).

P₂, *Codex Porphyrianus*, belonging to the Russian Bishop Por-firi, noteworthy as containing, with some gaps, the whole New Testament except the Gospels. A palimpsest, written originally in Cent. IX.

The Cursive MSS range from the ninth to the sixteenth centuries. Many of them contain two or more groups of books, and above 30 the whole New Testament. If each MS is counted as one, irrespectively of the books contained, the total number probably far exceeds 1000. Much still remains to be done in exploring their contents. But enough is already known through the labours of many collators to render it highly improbable that any considerable amount of valuable evidence lies buried in the copies as yet uncollated.

An accessory class of Greek MSS is formed by Lectionaries or books of ecclesiastical lessons taken from the New Testament, of which several hundreds have been catalogued. Many of these are Uncial. None however are believed to be older than the eighth or possibly the seventh century. All the extant Greek Lectionaries follow the lection-system of Constantinople, itself derived from the local lection-system of Antioch, which cannot be traced further back than the latter part of the fourth century. The lection-systems of other Greek Churches about the fourth century were certainly different: but few of their details are known.

On the texts found in Greek MSS see pp. 553 f. and Intro-duction §§ 201—212; 261—268.

Versions

Of Versions, or ancient translations of the whole or parts of the New Testament, made chiefly for the use of countries in which Greek was at least not habitually spoken, there are three principal classes, the LATIN, the SYRIAC, and the EGYPTIAN.

The LATIN MSS are usually and conveniently classified under two heads, 'Old Latin' (sometimes miscalled 'Italic') and 'Vulgate'. There is however a wider difference between the earlier and the later stages of the 'Old Latin' (in this comprehensive sense of the term) than between the later stages and the Vulgate. The earliest known form of the Old Latin is the 'African Latin', which can be clearly identified by the quotations of Cyprian, Bishop of Carthage towards the middle of the third century, and more obscurely by those of his master Tertullian. Two MSS of the Gospels, both unfortunately very imperfect, are substantially African, though with an admixture of other readings: they are the *Codex Palatinus* (designated *e*), formerly at Trent, now at Vienna (one leaf in Dublin), written in the fourth or fifth century with gold and silver letters on purple vellum; and the *Codex Bobiensis* (*k*), now at Turin, a small MS probably of the fifth century (portions of the first two Gospels only). Apart from quotations, the only other African text is that of a few palimpsest fragments of the Acts and Apocalypse at Paris (*h*), written in the fifth or sixth century. Nearly the whole African Apocalypse has however been recovered from the quotations of Primasius.

The 'European Latin' is a second type of text, found current in Western Europe, and especially in North Italy, in the fourth century. Its precise relation to the African text has not yet been clearly ascertained. In the Gospels it is represented by a few MSS, some of great antiquity;– *a*, *Codex Vercellensis*, at Vercelli (Cent. IV); *b*, *Codex Veronensis* at Verona (Cent. IV or V); *c*, *Codex Colbertinus*, at Paris (about Cent. XI); *ff*, *Codex Corbeiensis*, formerly at Corbey, now at Paris (Cent. VI); *h*, *Codex Claromontanus* (part of St Matthew), formerly at Clermont, now at Rome (Cent. IV or V); *i*, *Codex Vindobonensis* (part of St Mark and St Luke), at Vienna (Cent. V or VI); *r*, *Codex Dublinensis* (much damaged fragments of all the Gospels), in Dublin (Cent. VI or VII); besides smaller fragments, and also MSS of mixed text. In addition to fragments, there is a single 'European' copy of the Acts, *g*, *Codex Holmiensis* (?Cent. XIII), at Stockholm: the Apocalypse in the same huge manuscript Bible ('*Gigas*') may also be called late 'European'. A peculiar version of St James is preserved in *f*, *Codex Corbeiensis*, formerly at Corbey, now at St Petersburg (Cent. x). The Latin texts of some of the bilingual MSS, *d* of D (Gospels and Acts), *d* of D_2 (Pauline Epistles), *e* of E_2 (Acts), and *g* of G_3 (St Paul), are founded on 'European' texts, but with so much artificial assimilation to the Greek texts which they accompany that they but rarely afford independent evidence for the original Greek text of the New Testament.

A third type of text is the 'Italian Latin', formed by various revisions of the 'European' text, made partly to bring it into accord with such Greek MSS as chanced to be available, partly to give the Latinity a smoother and more customary aspect. To this type belongs the Latin text found in many of Augustine's writings. Two MSS of the Gospels (besides fragments) have an 'Italian' text, *f*, *Codex Brixianus*, at Brescia, and *q*, *Codex Monacensis*, at Munich, both probably of the sixth century; as have also a few fragments of the Pauline Epistles from two MSS (r r_2), formerly at Freisingen, now at Munich (Cent. v or vi, and vii respectively), and from a third (r_3), at Göttweig on the Danube (Cent. vi or vii), and probably a few Freisingen fragments of the Catholic Epistles (q), now at Munich (Cent. vi). The Apocalypse in the Stockholm '*Gigas*' should perhaps be added.

Other portions of Old Latin texts of different books are said to have been discovered, and to be on the way to publication; and doubtless others will in due time be brought to light.

What is called the 'Vulgate Latin' is a text formed by another revision undertaken by Jerome about 383. Internal evidence shews that the Latin MSS which he took as a basis for his corrections contained an already revised text, chiefly if not wholly 'Italian' in character. In the Gospels his changes seem to have been comparatively numerous; in the other books of the New Testament they were evidently much scantier and more perfunctory. Aided by the credit justly won by his substantially independent translation of the Old Testament from the Hebrew, Jerome's revised text of the New Testament slowly and gradually displaced the chaos of unrevised and imperfectly revised texts which had preceded it; and thus in due time acquired the right to be called the Latin Vulgate.

Before the Old Latin texts had passed out of use, many of their readings were casually adopted by transcribers of the Vulgate, and thus various mixed texts were formed. The scattered particles or portions of Old Latin texts thus preserved are sometimes of considerable interest and value.

The SYRIAC Versions are, strictly speaking, three in number. The principal is the great popular version commonly called the Peshito or *Simple*. External evidence as to its date and history is entirely wanting : but there is no reason to doubt that it is at least as old as the Latin Version. Till recently it has been known only in the form which it finally received by an evidently authoritative revision, a Syriac 'Vulgate' answering to the Latin 'Vulgate'. It has long been seen, on the ground of clear internal evidence, that this present form of the version cannot be a true representation of the Syriac text as it stood originally, but as it stood after undergoing a revision in conformity with Greek MSS. In other words, an Old Syriac must have existed as well as an Old Latin. Within the last few years the surmise has been verified. An imperfect Old Syriac copy of the Gospels, assigned to the fifth century, was found by Cureton among MSS brought to the British Museum from Egypt in 1842. The character of the fundamental text confirms the great antiquity of the version in its original form ; while many readings suggest that, like the Latin Version, it degenerated by transcription and perhaps also by irregular revision. A similar testimony is borne by the fragments of a Syriac Harmony of the Gospels preserved in an exposition by Ephrem Syrus, which has recently come to light in an Armenian translation : this Harmony, or a Greek original of it, is no other than the *Diatessaron* of Tatian, compiled early in the second half of the second century. No MS of the Old

P P

Syriac Acts and Epistles has yet been discovered.   The revision
by which the Peshito assumed its Vulgate form may be safely
taken to have been connected with the revision which produced
the Syrian Greek text (see pp. 549, 551 and Introduction
§§ 188 ff.).   The four minor Catholic Epistles and the Apocalypse,
not being included in the Canon of the Syrian Churches, are
absent from the true Syriac Vulgate, but are extant in supple-
mentary versions.

A second Syriac Version, closely literal in its renderings, was
made for Philoxenus of Mabug in 508.   Little is known of it in
this its original condition.   We possess a revision of it made by
Thomas of Harkel in 616, from whom it is called the ' Harklean
Syriac '.   It includes all the New Testament except the Apoca-
lypse.   The margin contains various readings from Greek MSS
which must either have been ancient or have had ancient texts.

A third Version, written in a peculiar dialect, is found almost
exclusively in Gospel Lectionaries (a few verses of the Acts have
lately come to light), and is commonly called the ' Jerusalem
Syriac '.   The text is mainly of ancient character : but the origin
and history of the version are obscure.

The third great group of Versions is the EGYPTIAN.   The
Coptic or Egyptian Versions proper are three, very unequally
preserved.   The Memphitic or Boheiric, sometimes loosely desig-
nated as the Coptic, contains the whole New Testament, though
it does not follow that all the books were translated at the same
period, and the Apocalypse was apparently not treated as a
canonical book.   The greater part of the version cannot well be
later than the second century.   The MSS shew much diversity of
text ; and in Egypt, as elsewhere, corruption was doubtless pro-
gressive.   The Version of Upper Egypt, the Thebaic or Sahidic,
was probably little if at all inferior in antiquity.   It in like man-
ner contained the whole New Testament, with the Apocalypse
as an appendix.   No one book is preserved complete, but the
number of extant fragments is considerable.   Of the third Ver-
sion, the Bashmuric or Fajumic, from Middle Egypt, about 330

verses from St John's Gospel and the Pauline Epistles alone survive. With the Egyptian Versions proper may be associated the ÆTHIOPIC, the Version of ancient Abyssinia, dating from the fourth or fifth century. Though written in a totally different language, it has strong affinities of text with its northern neighbours. The numerous MSS containing it vary considerably, and give evidence of mixture and revision. No book of the New Testament is wanting.

Besides the three great groups two solitary Versions are of considerable interest, the one from outlying Asia, the other from outlying Europe. These are the ARMENIAN and the GOTHIC. The ARMENIAN, which is complete, was made early in the fifth century. In its original form it was made from Greek MSS, probably obtained from Cappadocia, the mother of Armenian Christianity. The GOTHIC Version, the work of Ulfilas or Wulfila, the great bishop of the Goths, dates from the middle of the fourth century. He received a Greek education from his Christian parents, originally Cappadocians; and Greek MSS supplied the original for his version. We possess the Gospels and the Pauline Epistles (Hebrews excepted), with many gaps, in MSS of about the sixth century.

The other Versions are of comparatively late date, and of little direct value for the Greek text. Most of them are only secondary translations from versions already noticed, chiefly the Latin and Syriac Vulgates.

Lectionaries as well as continuous texts are extant for most of the versions. But unfortunately no Old Syriac Lectionary is known to exist, and of Old Latin Lectionaries a few fragments only.

On the texts found in Versions see p. 554 and Introduction §§ 213—219, 269—273, 280.

Quotations of Fathers

The third class of documentary evidence is supplied by the writings of the Fathers, which enable us with more or less certainty to discover the readings of the MS or MSS of the New Testament which they employed. The quotations naturally vary in form from verbal transcripts of passages, short or long, through loose citations down to slight allusions. Nay there are cases in which the absence of even an allusion allows the text read by an author to be inferred with tolerable certainty: but this negative evidence is admissible only with the utmost caution.

A large proportion of the Ante-Nicene Christian literature is entirely lost, and some of the most interesting of the extant writings are of little use for the present purpose on account of the scantiness and comparative vagueness of the textual materials contained in them. The only period for which we have anything like a sufficiency of representative knowledge consists roughly of three quarters of a century from about 175 to 250: but the remains of four eminent Greek Fathers, which range through this period, cast a strong light on textual history backward and forward. They are Irenæus, of Asia Minor, Rome, and Lyons (a large proportion of his chief work is preserved only in a Latin translation); his disciple Hippolytus, of Rome; Clement, of Athens and Alexandria; and his disciple Origen, of Alexandria and Palestine. To the same period belong the Latin representatives of North Africa, Tertullian and Cyprian, as also Cyprian's Roman contemporary Novatian. Towards the close of the third century we have somewhat considerable remains of Methodius, of Lycia and Tyre, an enemy of the Origenian school; and in the first third of the fourth century several writings of Eusebius of Cæsarea in Palestine, the most learned of its disciples. For the second half of the third century we have other fragments, but they are few in number.

It would be useless to enumerate the Greek writers after Eusebius. All of them in various degrees supply valuable evidence for tracing the history of the text. But when the outlines of the history of the text have once been ascertained, it becomes clear that, owing to the increase of textual mixture and the growing displacement of the earlier texts by the later, few writers supply testimony of much value for the discrimination of true readings individually. The most important of them for this purpose is Cyril of Alexandria, though his writings belong to the fifth century.

The Latin Fathers of the fourth century furnish a larger proportion of valuable material. Their quotations constitute a not less important province of Old Latin evidence than the extant MSS; not only supplying landmarks for the investigation of the history of the version, but preserving numerous verses and passages in texts belonging to various ages and in various stages of modification. Even in the Gospels their aid is always welcome, often of the highest value; while in most other books they supply not only a much greater bulk of evidence than our fragmentary MSS, but also in not a few cases texts of greater antiquity. The most important Latin Fathers of this period for textual purposes are Lucifer, Hilary, Victorinus, Ambrose, the writer known as Ambrosiaster, and Jerome. Later writers for the most part are less worthy of notice, as the Latin texts degenerated rapidly through revision made under the influence of late Greek texts.

Some considerable works written in Greek have been preserved only or chiefly in another language. In these cases the readings which meet the eye may either be a faithful reproduction of the original readings or be due to a more or less complete assimilation to the language of the Version most familiar to the translator. The most important Latin translations are those which have preserved to us the great treatise of Irenæus against heresies and several of Origen's writings, the subsidiary text being one or other form of Old Latin. To Syriac translations we chiefly owe the *Theophania* of Eusebius and a large part of the younger Cyril's Homilies on St Luke, to name only the most characteristic examples; in the former case the Old Syriac, in the latter the Vulgate Syriac, is the intrusive element in the text.

With the evidence of the Fathers may be classed a few collections of biblical extracts, selected and arranged for doctrinal or ethical purposes. Of this kind are the Latin *Speculum* designated *m*, of unknown authorship, and the three invaluable books of *Testimonia* compiled by Cyprian.

On the texts found in the Fathers see pp. 548—552 and Introduction §§ 130, 156—162, 177 ff., 182, 188, 191 ff., 220—223, 274—280.

ORTHOGRAPHY

THE purer texts of the New Testament contain many spellings and inflexions of words which differ from the forms made familiar by Attic and literary usage. The true nature of these to modern readers unfamiliar forms is disguised by the use of such terms as ' Alexandrine ' or 'Hellenistic', which are often applied to them. They do not occur in Alexandria or elsewhere in Egypt more abundantly than elsewhere ; nor is there any reason to believe that they were more freely employed by Greek-speaking Jews than by men of other creeds or nationalities under similar circumstances. There is sufficient evidence in late classical literature, and the amplest evidence in inscriptions, that these forms are in reality for the most part the spellings and inflexions of common life, such as would or might be spontaneously used by any one not scrupulous as to literary correctness. Forms of this kind do not constitute a dialect. Their own range of departure from conventional standards, and the extent to which they are adopted in writing, must from the nature of the case be subject to endless variation. Within the New Testament itself the usage of different writers is not identical, nor, as far as the testimony of extant MSS shews, is even the usage of each writer constant.

Moreover, while some unfamiliar forms are so amply attested as not to leave the slightest room for doubt as to their genuineness, the evidence for many others is too limited or too irregular to justify either absolute acceptance or absolute rejection. In such cases the form regarded as less probable than the form printed in the text must be accounted an alternative reading. On consideration however of the purely formal nature of such alternative readings, it has not been thought necessary to reproduce them in this edition. In the larger edition they will be found in the Appendix, arranged under grammatical heads in the Notes on Orthography, accompanied with brief statements of evidence and illustrations from extraneous sources. Further explanations of the problems presented by the orthography of the New Testament will be found in the Introduction §§ 393—416.

As examples of variations from the more familiar orthography under some of the principal heads the following may be taken:—

Breathings: ἐφ' ἐλπίδι (once).

Changes of Consonants: σφυρίς (=σπυρίς), σφυδρά (=σφυρά).

Non-assimilation of the final ν of σύν ἐν &c. in composition: συνλαλέω, ἐνκρίνω, παλινγενεσία.

Changes of Vowels: τέσσερα, ἐκαθερίσθην, ἐραυνάω, ἐφνίδιος (αἰφν—), κερέα (-αία), ἀνάπειρος (-ηρος), πρόϊμος, δανίζω, χρεοφιλέτης, καταλέλιμμαι (-λειμμαι), τάχειον; *and in terminations* ἀλαζονία, ἀναιδία, αἴγιος (=αἴγειος), σκοτινός.

Inflexions of nouns: μαχαίρῃ, συνειδυίης, ἔλεος -έους, χάριτα.

Inflexions of verbs: εἶπαν, ἔπεσαν, ἦλθαν, εἶδαν, ἔγνωκαν (= ἐγνώκασιν), ἠρώτουν, κατασκηνοῖν (-οῦν), ἀφίομεν (from ἀφίω= ἀφίημι), ἀφεῖς (from ἀφέω=ἀφίημι), διδῶ (from διδόω=δίδωμι), δοῖ (=δῷ), πεῖν (=πιεῖν), ἀνελήμφθην (-ήφθην) and so ἀνάλημψις; *and specially augments,* ἠργασάμην (εἰργ-), διερμήνευσα, ἀνορθώθην, οἰκοδομήθην, ἱστήκειν (εἰστ-), ἀπεκατεστάθην, ἐράντισα (and so ἄραφος), ἐριμμένος, ῥεραντισμένος.

The breathings of foreign proper names cannot be fixed by authority, for, with rare exceptions, breathings are not found in MSS of the New Testament before the seventh century. In the present text they follow the original spelling or etymology of the names in their respective languages; as Ἀδρίας, Ἄβελ, Ἀλφαῖος, Ἑβραῖος, Ἱεροσόλυμα; and similarly Ἀλληλουιά.

NOTATION

Alternative Readings

WHEREVER it has been found impossible to decide that one of two or more various readings is certainly right, alternative readings are given: and no alternative reading is given which does not appear to have a reasonable probability of being the true reading. The primary place in the text itself is assigned to those readings which on the whole are the more probable, or in cases of equal probability the better attested (see p. 563 and Introduction § 377). The other alternative readings occupy a secondary place, with a notation which varies according as they differ from the primary readings by Omission, by Addition, or by Substitution.

A secondary reading consisting in the Omission of words retained in the primary reading is marked by simple brackets [ ] in the text. Thus in Matt. vii 24 τοὺς λόγους τούτους is the primary reading, τοὺς λόγους without τούτους the secondary reading.

A secondary reading consisting in the Addition of words omitted in the primary reading is printed at the foot of the page without any accompanying marks, the place of insertion being indicated by the mark ᵀ in the text. Thus in Matt. xxiii 38 ὁ οἶκος ὑμῶν without ἔρημος is the primary reading, ὁ οἶκος ὑμῶν ἔρημος the secondary reading.

A secondary reading consisting in the Substitution of other words for the words of the primary reading is printed at the foot of the page without any accompanying mark, the words of the primary reading being included within the marks ⌐ ¬ in the text. Thus in Matt. xvi 20 ἐπετίμησεν is the primary reading, διεστείλατο the secondary reading. The notation for substitution is employed for the sake of convenience in a few cases that fall in strictness under the two former heads. Thus in Matt. xi 5 it expresses the secondary omission of καί, with a change of punctuation; and in Matt. xxi 28 it expresses the secondary addition of μου, with a change of accentuation. It is likewise employed for alternative punctuations.

Where there are two or more secondary readings, they are separated by *v.* at the foot of the page, unless they differ from each other merely by the omission or addition of words; in which case they are distinguished from each other by brackets at the foot of the page, enclosing part or the whole of the longer reading. Thus there are two secondary readings in Matt. xiii 30, both ἄχρι and μέχρι; in xvii 17, both τότε ἀποκριθείς and ἀποκριθείς alone; and in xviii 10, both ἐν τῷ οὐρανῷ and the omission of these or any corresponding words. Sometimes one of two secondary readings differs from the primary reading by omission only, so that it can be expressed by simple brackets in the text, while the other stands as a substitution at the foot of the page. Thus in Matt. ix 18, εἷς προσελθών being the primary reading, προσελθών and εἰσελθών are both secondary readings.

A few alternative readings and punctuations are examined in the Appendix to the larger edition.

Secondary readings of an orthographical character are omitted in this edition. See above, pp. 579 f.

Suspected Readings

Wherever it has appeared to the editors, or to either of them, that the text probably contains some primitive error, that is, has not been quite rightly preserved in any existing docu-

ment, or at least in any existing document of sufficient authority
(see p. 564), the marks †† are placed at the foot of the page,
the extreme limits of the words suspected to contain an error
of transcription being indicated by the marks ⌐ ⌐ in the text.
Where either of two suspected extant readings might legiti-
mately have been printed in the text, one of them is printed as
an alternative reading between the ††: where there is no such
second reading entitled to be associated with the text, the †† are
divided only by dots. All places marked with †† are the subject
of notes in the Appendix to the larger edition. A list of them
follows on the next page. In a few cases a reading apparently
right, and also attested largely though not by the best documents,
being probably a successful ancient conjecture, is printed in the
text, the better attested reading being placed at the foot with
'MSS' added, and a note inserted in the Appendix. (The same
notation is used for one or two well attested spellings or forms not
adopted in the text.) See Introduction §§ 361—368, 380, 88.

Noteworthy Rejected Readings
printed within double brackets

A few very early interpolations in the Gospels, omitted by
'Western' documents alone (Luke xxii 19 f.; xxiv 3, 6, 12, 36,
40, 51, 52), or by 'Western' and 'Syrian' documents alone
(Matt. xxvii 49), are inserted within double brackets ⟦ ⟧ in the
body of the text. See p. 557 and Introduction §§ 240 f., 383.

A few interpolations in the Gospels, probably 'Western' in
origin, containing important matter apparently derived from
extraneous sources, are inserted within double brackets ⟦ ⟧ in
the body of the text (Matt. xvi 2 f.; Luke xxii 43 f.; xxiii 34), or
separately (Mark xvi 9—20, where the same notation is used for
the alternative Shorter Conclusion of the Gospel; John vii 53—
viii 11). See p. 557 and Introduction § 384.

LIST OF
SUSPECTED READINGS

The following is a list of all words or passages marked with ✝✝ at the foot of the page, as probably containing some 'primitive' error, that is, an error affecting the texts of all or virtually all existing documents, and thus incapable of being rectified without the aid of conjecture. The corresponding note is enclosed in [ ] where one of the editors is on the whole disposed

to believe that there is no primitive error. The mark ‡ is affixed to suggested readings having some slight secondary attestation, and thus not strictly conjectural. See p. 582 f. and the references there given.

In all cases + denotes the addition of the words following, < their omission. The grave accent is retained when it would stand in the continuous text.

ST MATTHEW

xv 30 χωλούς, κυλλούς, τυφλούς, κωφούς] order of the words uncertain.

xxi 28—31 Ἐγώ,...οὐκ ἀπῆλθεν......Οὐ θέλω,...ἀπῆλθεν......Ὁ πρῶτος] Οὐ θέλω,...ἀπῆλθεν......Ἐγώ,...οὐκ ἀπῆλθεν......Ὁ ὕστερος (v. ἔσχατος).

Also Οὐ θέλω,...ἀπῆλθεν......Ἐγώ,...οὐκ ἀπῆλθεν......Ὁ πρῶτος.

[λέγουσιν Ὁ ὕστερος. perhaps a primitive interpolation.]

xxviii 7 εἶπον] [perhaps a primitive error for εἶπεν (‡).]

ST MARK

iv 28 πλήρη σῖτον] πλήρης [ὁ] σῖτος, πλήρης σῖτον [probably right ‡], and other forms.

ST LUKE

xi 35] εἰ οὖν τὸ φῶς τὸ ἐν σοὶ σκότος, τὸ σκότος πόσον with omission of v. 36. And (v. 36) ὡς ὅταν...φωτίζῃ] καὶ ὡς [ὁ] λύχνος [τῆς] ἀστραπῆς φωτίσει (in Versions only, not in Greek) and other variations. Some primitive error probable.

ST JOHN

iv 1 [some primitive error not improbable.]
vi 4 [τὸ πάσχα perhaps a primitive interpolation (‡).]

SECTION ON THE WOMAN TAKEN IN ADULTERY

9 πρεσβυτέρων,] + πάντες ἀνεχώρησαν· ‡

ACTS

iv 25 ὁ τοῦ πατρὸς...παιδός σου] many variations. Some primitive error probable, perhaps either διὰ πνεύματος ἁγίου στόματος for διὰ στόματος with διὰ πνεύματος ἁγίου transposed, or τοῦ πατρὸς for τοῖς πατράσιν.

vii 46 τῷ θεῷ Ἰακώβ] τῷ οἴκῳ Ἰακώβ. Some primitive error probable. [Perhaps τῷ οἴκῳ for τῷ κυρίῳ (ΤΩΚΩ).]

xii 25 ὑπέστρεψαν εἰς Ἰερουσαλὴμ πληρώσαντες τὴν διακονίαν] perhaps τὴν stood originally before εἰς, and was transposed by a primitive error.

xiii 32 τοῖς τέκνοις ἡμῶν] τοῖς τέκνοις αὐτῶν: also τ. τ. αὐτῶν ἡμῖν. Doubtless a primitive error for τ. τ. ἡμῖν ‡.

xiii 42 Ἐξιόντων δὲ αὐτῶν παρεκαλουν......ταῦτα] < παρεκάλουν: and ἠξίουν for παρεκάλουν. And αὐτῶν] + ἐκ τῆς συναγωγῆς τῶν Ἰουδαίων (or the same substituted), and παρεκάλουν] + τὰ ἔθνη. Some primitive error probable. [Perhaps Ἐξιόντων for Ἀξιούντων, and παρεκάλουν an

interpolation, with change of punctuation.]

xvi 12 πρώτη τῆς μερίδος Μακεδονίας] πρώτης [τῆς] μερίδος τῆς Μ. and other variations. [Some primitive error probable, perhaps μερίδος for Πιερίδος.]

xix 40 περὶ τῆς σήμερον...ταύτης] < οὐ: also < περὶ 3⁰. [Some primitive error probable, perhaps αἰτίου ὑπάρχοντος for αἴτιοι ὑπάρχοντες.]

xx 28 τοῦ θεοῦ] τοῦ κυρίου. And τοῦ αἵματος τοῦ ἰδίου] τοῦ ἰδίου αἵματος. [τοῦ ἰδίου perhaps a primitive error for τοῦ ἰδίου υἱοῦ.]

xxv 13 ἀσπασάμενοι] ἀσπασόμενοι. [Some primitive error not improbable.]

xxvi 28 ποιῆσαι] γενέσθαι. Some primitive error probable. [Perhaps με πείθεις for πέποιθας.]

1 PETER

i 7 [τὸ δοκίμιον probably a primitive error for τὸ δόκιμον ‡.]
iii 21 [ὃ probably a primitive error for ᾧ ‡.]

2 PETER

iii 10 εὑρεθήσεται] οὐχ εὑρεθήσεται: also κατακαήσεται: also ἀφανισθήσονται: also < εὑρεθήσεται: also < the whole clause. Some primitive error probable; perhaps text for ῥυήσεται, or some form of that stem.
iii 12 τήκεται] τακήσεται (-ονται). [Text probably a primitive error for τήξεται.]

1 JOHN

v 10 τῷ θεῷ] τῷ υἱῷ: also *Jesu Christo*: also omitted. Text probably a primitive interpolation.

JUDE

1 ἐν θεῷ…τετηρημένοις] several slight variations. [Text probably a primitive error for θεῷ (without ἐν) and ἐν Ἰησοῦ.]
5 Κύριος] (altern.) Ἰησοῦς: also ὁ θεὸς. Some primitive error probable, apparently οτικс (ὅτι Κύριος) and οτιιс (ὅτι Ἰησοῦς) for οτιο [ὅτι ὁ].
22 f. οὓς μὲν ἐλεᾶτε…ἐν φόβῳ] οὓς μὲν ἐλέγχετε διακρινομένους, οὓς δὲ σώζετε (ἐλεᾶτε) ἐκ πυρὸς κ.τ.λ. : also οὓς μὲν ἐλεᾶτε διακρινομένους, οὓς δὲ σώζετε ἐκ πυρὸς ἁρπάζοντες [, οὓς δὲ ἐλεᾶτε] ἐν φόβῳ and other variations, some shorter. Some primitive error probable; perhaps the first ἐλεᾶτε an interpolation.

ROMANS

i 32 ποιοῦσιν…συνευδοκοῦσιν] [οἱ] ποιοῦντες…[οἱ] συνευδοκοῦντες. Some primitive error probable.
iv 12 [καὶ τοῖς probably a primitive error for καὶ αὐτοῖς.]
v 6 εἴ γε] ἔτι γὰρ with and without ἔτι below: also εἰς τί γὰρ: also εἰ γὰρ: also εἰ δὲ. [Text possibly a primitive error for εἴπερ.]
viii 2 σε] (altern.) με. Text probably a primitive interpolation ‡

xiii 3 [τῷ ἀγαθῷ ἔργῳ probably a primitive error for τῷ ἀγαθοεργῷ ‡.]
xv 32 θεοῦ] κυρίου Ἰησοῦ: also Χριστοῦ Ἰησοῦ: also Ἰησοῦ Χριστοῦ. Text probably a primitive interpolation.

1 CORINTHIANS

xii 2 ὅτι ὅτε] < ὅτι : also < ὅτε. Probably a primitive error for ὅτι ποτὲ.

2 CORINTHIANS

iii 3 πλαξὶν καρδίαις σαρκίναις] καρδίας for καρδίαις. Πλαξὶν probably a primitive interpolation (‡).
iii 17 [Κυρίου probably a primitive error for κύριον.]
vii 8 βλέπω] + γὰρ. Βλέπω probably a primitive error for βλέπων ‡.
xii 7 < διὸ. And < ἵνα μὴ ὑπεραίρωμαι 2⁰. Some primitive error probable.

GALATIANS

iv 31; v 1 τῆς ἐλευθέρας. Τῇ ἐλευθερίᾳ ἡμᾶς Χριστὸς ἠλευθέρωσεν· στήκετε οὖν καὶ] τῆς ἐλευθέρας, ᾗ ἐλευθερίᾳ ἡμᾶς Χριστὸς ἠλευθέρωσεν. στήκετε οὖν καὶ: also τῆς ἐλευθέρας. Τῇ ἐλευθερίᾳ [οὖν] ᾗ Χριστὸς ἡμᾶς (ἡμᾶς Χριστὸς) ἠλευθέρωσεν στήκετε καὶ. [Τῇ ἐλευθερίᾳ probably a primitive error for Ἐπ᾽ ἐλευθερίᾳ.]

COLOSSIANS

ii 2 τοῦ θεοῦ, Χριστοῦ] τοῦ θεοῦ ὅ ἐστιν Χριστός: also τοῦ θεοῦ καὶ Χριστοῦ: also τοῦ θεοῦ: also τοῦ θεοῦ πατρὸς τοῦ χριστοῦ (and the same with καί inserted before or after πατρός): also τοῦ θεοῦ ἐν Χριστῷ. [Τοῦ θεοῦ, Χριστοῦ probably a primitive error for τοῦ ἐν Χριστῷ (‡).]

ii 18 < ἐν. [Some primitive error probable, perhaps θέλων ἐν ταπεινοφροσύνῃ for ἐν ἐθελοταπεινοφροσύνῃ.]

ibid. ἃ ἑόρακεν ἐμβατεύων] ἃ μὴ (οὐχ) ἑόρακεν ἐμβατεύων. Probably a primitive error for ἀέρα (or αἰώρᾳ) κενεμβατεύων.

ii 23 [καὶ] ἀφειδίᾳ...σαρκὸς] [some primitive error probable.]

2 THESSALONIANS

i 10 [ἐπιστεύθη probably a primitive error for ἐπιστώθη.]

HEBREWS

iv 2 some primitive error probable. [Perhaps ἀκούσασιν for ἀκούσμασιν.]

x 1 ταῖς αὐταῖς...δύν.] < ἃς (αἷς). And δύνανται] (altern.) δύναται. Some primitive error probable.

xi 4 αὐτοῦ τοῦ θεοῦ] αὐτοῦ τῷ θεῷ. Text probably a primitive error for αὐτῷ τοῦ θεοῦ ‡.

xi 37 ἐπειράσθησαν, ἐπρίσθησαν] (altern.) ἐπρίσθησαν, ἐπειράσθησαν : also < ἐπειράσθησαν : also < ἐπρίσθησαν. Ἐπειράσθησαν probably either a primitive interpolation or a primitive error

for some other word, as ἐνεπρήσθησαν or ἐπειρώθησαν (ἐπηρ.).

xii 11 πᾶσα μὲν] (altern.) πᾶσα [δὲ]. Some primitive error in the particle not improbable.

xiii 21 ποιῶν with alternative αὐτῷ ποιῶν] probably a primitive error for αὐτὸς ποιῶν ‡.

1 TIMOTHY

iv 3 κωλυόντων γαμεῖν, ἀπέχεσθαι βρωμάτων] some primitive error probable. [Perhaps γαμεῖν ἀπέχεσθαι for γαμεῖν καὶ γεύεσθαι or γαμεῖν ἢ ἅπτεσθαι.]

vi 7 ὅτι] ἀληθὲς ὅτι: also δῆλον ὅτι and other supplements. Some primitive error probable, perhaps interpolation of ὅτι after -ον.

2 TIMOTHY

i 13 [ὧν probably a primitive error for ὅν.]

PHILEMON

9 πρεσβύτης] a primitive error for πρεσβευτὴς, if not used in the same sense.

APOCALYPSE

i 20 αἱ ἑπτὰ ἑπτὰ] a primitive error for αἱ ἑπτὰ ‡.

ii 12; iii 1, 7, 14 τῷ ἀγγέλῳ τῆς a primitive error for τῷ ἀγγέλῳ τῷ (as ii 1, 8, 18).

ii 13 καὶ ἐν ταῖς...ὑμῖν] < καὶ. And ἡμέραις] + [ἐν] αἷς. And < ὅς. Some primitive error probable; apparently Ἀντίπας for Ἀντίπα.

ix 10 ὁμοίας probably a primitive error for ὅμοια.

xi 3 περιβεβλημένους] περιβεβλημένοι. Perhaps a primitive error for περιβεβλημένοις.

xiii 10 ἀποκτενεῖ] ἀποκτανθῆναι: also omitted. Apparently a primitive error for ἀποκτείνειν or ἀποκτεῖναι.

xiii 15 αὐτῇ] αὐτῷ. Some primitive error probable; [perhaps interpolation of αὐτῇ] [or loss of τῇ γῇ after or for αὐτῇ.]

xiii 16 δῶσιν] δώσουσιν and other variations. Apparently δῶσιν a primitive error for δώσει ‡.

xviii 12 μαργαριτῶν] μαργαρίταις: also μαργαριτοῦ. Some primitive error probable.

xix 13 ῥεραντισμένον] βεβαμμένον: also ἐρραμμένον: also περιρεραμμένον. Probably a primitive error for ῥεραμμένον.

LIST OF
NOTEWORTHY REJECTED READINGS

In the Gospels and Acts many 'Western' interpolations and substitutions containing some apparently fresh or distinctive matter, such as might probably or possibly come from an extraneous source or which is otherwise of more than average interest, but having no sufficient intrinsic claim to any form of incorporation with the New Testament, are printed between the special marks ⊣ ⊢ in the margin of the larger edition. See Introduction § 385. In the present edition these readings are transferred from the margin to the following supplementary list.

Besides the preceding class of rejected readings, which owe their exceptional claim to preservation within the volume to considerations arising out of early textual history, miscellaneous rejected readings having some special interest are noticed in the Appendix to the larger edition. These readings include some of 'Western' origin, that might with perhaps equal fitness have been placed between ⊣ ⊢. Both these classes of readings are by their nature indefinite in extent, and are limited only by selection; so that they might without impropriety have been either enlarged or diminished. See Introduction § 386.

The following list includes both classes of rejected readings, the special marks ⊣ ⊢ being retained for those 'Western' interpolations and substitutions which are distinguished by them from true alternative readings in the margin of the larger edition. It has not been thought necessary to repeat here those few noteworthy rejected readings which are printed in the text itself within double brackets. Some of the slighter accessory variations in places noticed in the list are likewise passed over. On the other hand the more important variations mentioned in the Appendix in association with readings included in ⊣ ⊢ are subjoined to these readings : they are of miscellaneous origin and character.

In all cases + denotes the addition of the words following, < their omission. The grave accent is retained when it would stand in the continuous text.

ST MATTHEW

i 8 Ἰωράμ, δὲ ἐγέννησεν] + τὸν
Ὀχοζίαν, Ὀχοζίας δὲ ἐγέννησεν
τὸν Ἰωάς, Ἰωὰς δὲ ἐγέννησεν τὸν
Ἀμασίαν, Ἀμασίας δὲ ἐγέννησεν

i 11 Ἰωσείας δὲ ἐγέννησεν] + τὸν
Ἰωακείμ, Ἰωακεὶμ δὲ ἐγέννησεν

i 18 γένεσις] γέννησις

i 25 υἱὸν] τὸν υἱὸν [αὐτῆς] τὸν
πρωτότοκον

ii 11 τοὺς θησαυροὺς] τὰς πήρας

iii 15 *fin.*] + *et cum baptizare-
tur, lumen ingens circumfulsit
de aqua, ita ut timerent omnes
qui advenerant.*

iv 10 ὕπαγε] + ὀπίσω [μου]

v 4, 5] ⊣ μακάριοι οἱ πραεῖς
κ.τ.λ. μακάριοι οἱ πενθοῦντες
κ.τ.λ. ⊢

v 22 πᾶς ὁ ὀργιζόμενος τῷ
ἀδελφῷ αὐτοῦ] + εἰκῇ

v 37 ναὶ ναί, οὒ οὒ] τό Ναί
ναί καὶ τό Οὒ οὒ

vi 13 *fin.*] + ὅτι σοῦ ἐστιν ἡ
βασιλεία καὶ ἡ δύναμις καὶ ἡ
δόξα εἰς τοὺς αἰῶνας. ἀμήν. with
variations; and other doxologi-
cal forms.

vi 33 τὴν βασιλείαν] + τοῦ θεοῦ
with variations.

vii 21 *fin.*] + ⊣ οὗτος εἰσελεύ-
σεται εἰς τὴν βασιλείαν τῶν οὐ-
ρανῶν ⊢

vii 22 Κύριε κύριε] + οὐ τῷ
ὀνόματί σου ἐφάγομεν καὶ [τῷ
ὀνόματί σου] ἐπίομεν,

vii 29 *fin.*] + ⊣ καὶ οἱ Φαρι-
σαῖοι ⊢

viii 11 μετὰ Ἀβραάμ] ἐν τοῖς
κόλποις [τοῦ] Ἀβραάμ

viii 12 ἐκβληθήσονται] ⊣ ἐξε-
λεύσονται ⊢ : also *ibunt*

viii 28 Γαδαρηνῶν] Γερασηνῶν :
also Γεργεσηνῶν

ix 15 νυμφῶνος] ⊣ νυμφίου ⊢

x 3 Θαδδαῖος] ⊣ Λεββαῖος ⊢ :
also Λεββαῖος ὁ ἐπικληθεὶς Θαδ-
δαῖος : also *Judas Zelotes*

x 23 φεύγετε εἰς τὴν ἑτέραν] +
⊣ κἂν ἐκ ταύτης διώκωσιν ὑμᾶς,
φεύγετε εἰς τὴν ἄλλην ⊢ with
much variation.

x 42 ἀπολέσῃ τὸν μισθὸν] ⊣ ἀπό-
ληται ὁ μισθὸς ⊢

xi 19 ἔργων] τέκνων

xiii 55 Ἰωσὴφ] Ἰωσῆς : also
Ἰωάννης

xvi 21 Ἰησοῦς Χριστὸς] [ὁ] Ἰη-
σοῦς : also omitted.

xvii 12 f. οὕτως...αὐτῶν. τότε
...αὐτοῖς.] τότε...αὐτοῖς. οὕτως...
αὐτῶν.

xvii 20 *fin.*] + (v. 21) τοῦτο δὲ
τὸ γένος οὐκ ἐκπορεύεται εἰ μὴ ἐν
προσευχῇ καὶ νηστείᾳ with varia-
tions.

xviii 10 *fin.*] + (v. 11) ἦλθεν
γὰρ ὁ υἱὸς τοῦ ἀνθρώπου σῶσαι τὸ
ἀπολωλός.

xviii 20] οὐκ εἰσὶν γὰρ δύο ἢ
τρεῖς συνηγμένοι εἰς τὸ ἐμὸν ὄνομα
παρ' οἷς οὐκ εἰμὶ ἐν μέσῳ αὐτῶν.

xix 16 Διδάσκαλε] + ἀγαθέ
And (v. 17) Τί με ἐρωτᾷς περὶ
τοῦ ἀγαθοῦ] Τί με λέγεις ἀγαθόν
And εἷς ἐστιν ὁ ἀγαθός] οὐδεὶς
ἀγαθὸς εἰ μὴ εἷς
And ἀγαθός] + ὁ θεός : also ὁ
πατήρ [μου ὁ ἐν τοῖς οὐρανοῖς]

xix 19]<, καὶ ἀγαπήσεις...ὡς
σεαυτόν

xx 16 *fin.*] + ⊣ πολλοὶ γάρ
εἰσιν κλητοὶ ὀλίγοι δὲ ἐκλεκτοί. ⊢

xx 28 *fin.*] + ὑμεῖς δὲ ζητεῖτε
ἐκ μικροῦ αὐξῆσαι καὶ ἐκ μείζονος
ἔλαττον εἶναι   εἰσερχόμενοι δὲ

καὶ παρακληθέντες δειπνῆσαι μὴ
ἀνακλίνεσθε εἰς τοὺς ἐξέχοντας
τόπους, μή ποτε ἐνδοξότερός σου
ἐπέλθῃ καὶ προσελθὼν ὁ δειπνο-
κλήτωρ εἴπῃ σοι Ἔτι κάτω χώρει,
καὶ καταισχυνθήσῃ. ἐὰν δὲ ἀνα-
πέσῃς εἰς τὸν ἥττονα τόπον καὶ
ἐπέλθῃ σου ἥττων, ἐρεῖ σοι ὁ δει-
πνοκλήτωρ Σύναγε ἔτι ἄνω, καὶ
ἔσται σοι τοῦτο χρήσιμον.
xx 33 *fin.*] + *Quibus dixit Jesus
Creditis posse me hoc facere? qui
responderunt ei Ita, Domine*:
also '*and we may see thee*'.
xxi 12 τὸ ἱερόν] + ⊣ τοῦ θεοῦ ⊢
xxi 17 *fin.*] + *et docebat eos de
regno Dei*
xxii 12 < Ἑταῖρε
xxiii 14 *fin.*] + (v. 13) Οὐαὶ
ὑμῖν, γραμματεῖς καὶ Φαρισαῖοι
ὑποκριταί, ὅτι κατεσθίετε τὰς
οἰκίας τῶν χηρῶν καὶ προφάσει
μακρὰ προσευχόμενοι· διὰ τοῦτο
λήμψεσθε περισσότερον κρίμα:
also with δέ (Οὐαὶ δὲ ὑμῖν κ.τ.λ.)
before v. 14.
xxiii 27 οἵτινες...γέμουσιν] ἔξω-
θεν ὁ τάφος φαίνεται ὡραῖος ἔσω-
θεν δὲ γέμει
xxiii 35 < υἱοῦ Βαραχίου
xxiv 36 < οὐδὲ ὁ υἱός
xxv 1 τοῦ νυμφίου) + ⊣ καὶ τῆς
νύμφης ⊢
xxv 41 τὸ πῦρ τὸ αἰώνιον] τὸ
σκότος τὸ ἐξώτερον. And v. 46
κόλασιν] *ignem*: also *ambus-
tionem* or *combustionem*.
xxv 41 τὸ ἡτοιμασμένον] ⊣ ὃ
ἡτοίμασεν ὁ πατήρ μου ⊢ with va-
riations.
xxvi 15 ἀργύρια] ⊣ στατῆρας ⊢:
also στατῆρας ἀργυρίου
xxvi 73 δῆλόν σε ποιεῖ] ⊣ ὁμοι-
άζει ⊢

xxvii 2 Πειλάτῳ] ⊣ Ποντίῳ ⊢
Πειλάτῳ
xxvii 9 < Ἰερεμίου: also Ζαχα-
ρίου substituted : also *Esaiam*
xxvii 16 Βαραββᾶν] Ἰησοῦν
Βαραββᾶν: and v. 17 [τὸν] Βαρ-
αββᾶν] Ἰησοῦν Βαραββᾶν
xxvii 32 Κυρηναῖον] + ⊣ εἰς
ἀπάντησιν αὐτοῦ ⊢
xxvii 34 οἶνον] ὄξος
xxvii 35 *fin.*] + ἵνα πληρωθῇ τὸ
ῥηθὲν ὑπὸ τοῦ προφήτου Διεμε-
ρίσαντο τὰ ἱμάτιά μου ἑαυτοῖς,
καὶ ἐπὶ τὸν ἱματισμόν μου ἔβαλον
κλῆρον.
xxvii 38 δεξιῶν] + *nomine Zoa-
tham:* and εὐωνύμων] + *nomine*
Camma
xxvii 45] < ἐπὶ πᾶσαν τὴν γῆν
xxvii 46 Ἐλωί ἐλωί λεμὰ σα-
βαχθανεί] ⊣ Ἠλεί ἠλεί λαμὰ ζα-
φθανεί ⊢
xxvii 56 Ἰωσὴφ μήτηρ καὶ ἡ
μήτηρ] ἡ Μαρία ἡ Ἰωσὴφ καὶ ἡ
Μαρία ἡ: also ἡ Ἰωσὴφ μήτηρ
καὶ ἡ μήτηρ: also Ἰωσὴφ καὶ ἡ
μήτηρ
xxviii 6 ἔκειτο] + ⊣ ὁ κύριος ⊢

ST MARK

i 41 σπλαγχνισθείς] ⊣ ὀργι-
σθεὶς ⊢
ii 14 Λευείν] ⊣ Ἰάκωβον ⊢
iii 18 Θαδδαῖον] ⊣ Λεββαῖον ⊢
iii 29 ἁμαρτήματος] κρίσεως:
also ἁμαρτίας
iii 32 οἱ ἀδελφοί σου] + ⊣ καὶ αἱ
ἀδελφαί σου ⊢
iv 9 ἀκουέτω] + ⊣ καὶ ὁ συνίων
συνιέτω ⊢
v 33 τρέμουσα] + ⊣ διὸ πεποιή-
κει λάθρα ⊢

vi 3 ὁ τέκτων, ὁ] ὁ τοῦ τέκτο-
νος υἱὸς καὶ ὁ
ibid. Ἰωσῆτος] Ἰωσήφ: also
Ἰωσῆ: also omitted.

vi 20 ἠπόρει] ἐποίει
vi 33 καὶ προῆλθον αὐτούς] ┤ καὶ
συνῆλθον αὐτοῦ ├: also καὶ ἦλθον
αὐτοῦ: also καὶ προῆλθον αὐτὸν
αὐτοῦ: also καὶ προῆλθον αὐτοὺς
καὶ συνῆλθον πρὸς αὐτόν
vi 36 κύκλῳ] ┤ ἔγγιστα ├
vi 47 ἦν] ┼ ┤ πάλαι ├
vi 56 ἀγοραῖς] ┤ πλατείαις ├
vii 3 πυγμῇ] πυκνὰ
vii 4 χαλκίων] ┼ ┤ καὶ κλινῶν ├
vii 6 τιμᾷ] ┤ ἀγαπᾷ ├
vii 9 τηρήσητε] ┤ στήσητε ├
vii 13 τῇ παραδόσει ὑμῶν] ┼
┤ τῇ μωρᾷ ├
vii 19 ἀφεδρῶνα] ┤ ὀχετὸν ├
vii 28 Ναί, κύριε] ┤ Κύριε,
ἀλλὰ ├ : also Κύριε alone.
viii 22 Βηθσαιδάν] ┤ Βηθανί-
αν ├
viii 26 Μηδὲ εἰς τὴν κώμην εἰ-
σέλθῃς] ┤ Μηδενὶ εἴπῃς εἰς τὴν
κώμην ├, with or without Ὕπαγε
εἰς τὸν οἶκόν σου prefixed: also
Ὕπαγε εἰς τὸν οἶκόν σου, καὶ ἐὰν
εἰς τὴν κώμην εἰσέλθῃς μηδενὶ
εἴπῃς [μηδὲ ἐν τῇ κώμῃ]: also
Μηδὲ εἰς τὴν κώμην εἰσέλθῃς
μηδὲ εἴπῃς τινὶ ἐν τῇ κώμῃ
ix 24 παιδίου] ┼ ┤ μετὰ δα-
κρύων ├
ix 29 προσευχῇ] ┼ ┤ καὶ νη-
στείᾳ ├ with variation of order.
ix 38 καὶ ἐκωλύομεν αὐτόν, ὅτι
οὐκ ἠκολούθει ἡμῖν] ┤ ὃς οὐκ ἀκο-
λουθεῖ μεθ᾽ ἡμῶν, καὶ ἐκωλύομεν
αὐτόν ├ : also with ἐκωλύσαμεν :
also ὃς οὐκ ἀκολουθεῖ ἡμῖν, καὶ
ἐκωλύσαμεν αὐτόν, ὅτι οὐκ ἀκο-
λουθεῖ ἡμῖν

ix 49 πᾶς γὰρ πυρὶ ἁλισθήσε-
ται] ┤ πᾶσα γὰρ θυσία ἀλὶ ἁλι-
σθήσεται ├: also πᾶς γὰρ πυρὶ
ἁλισθήσεται, καὶ πᾶσα θυσία
[ἀλὶ] ἁλισθήσεται
x 19 Μὴ φονεύσῃς, Μὴ μοι-
χεύσῃς] ┤ Μὴ μοιχεύσῃς, Μὴ πορ-
νεύσῃς ├: also Μὴ μοιχεύσῃς, Μὴ
φονεύσῃς and other variations.
x 24 δύσκολόν ἐστιν] ┼ τοὺς πε-
ποιθότας ἐπὶ [τοῖς] χρήμασιν : also
divitem and other supplements.
x 27 ἀδύνατον ἀλλ᾽ οὐ παρὰ
θεῷ, πάντα γὰρ δυνατὰ παρὰ
[τῷ] θεῷ] ┤ ἀδύνατόν ἐστιν παρὰ
δὲ τῷ θεῷ δυνατόν ├
x 30 οἰκίας.........ζωὴν αἰώ-
νιον] ┤ ὃς δὲ ἀφῆκεν οἰκίαν καὶ
ἀδελφὰς καὶ ἀδελφοὺς καὶ μητέρα
καὶ τέκνα καὶ ἀγροὺς μετὰ διω-
γμοῦ ἐν τῷ αἰῶνι τῷ ἐρχομένῳ
ζωὴν αἰώνιον λήμψεται ├
x 51 Ῥαββουνεί] ┤ Κύριε ῥαβ-
βεί ├: also Ῥαββεί only.
xi 32 εἶχον] ┤ ᾔδεισαν ├
xii 14 κῆνσον] ┤ ἐπικεφάλαιον ├
xii 23 ἐν τῇ ἀναστάσει] ┼ ὅταν
ἀναστῶσιν
xii 40 χηρῶν] ┼ ┤ καὶ ὀρφανῶν ├
xiii 2 fin.] ┼ ┤ καὶ διὰ τριῶν
ἡμερῶν ἄλλος ἀναστήσεται ἄνευ
χειρῶν ├ with variations.
xiii 8 λιμοί] ┼ καὶ ταραχαί
xiv 4 ἦσαν δέ τινες ἀγανα-
κτοῦντες πρὸς ἑαυτούς] ┤ οἱ δὲ
μαθηταὶ αὐτοῦ διεπονοῦντο καὶ
ἔλεγον ├ with variations.
xiv 41 ἀπέχει] ┼ τὸ τέλος with
variations.
xiv 51 αὐτόν] ┼ οἱ νεανίσκοι
xiv 58 ἀχειροποίητον οἰκοδομή-
σω] ┤ ἀναστήσω ἀχειροποίητον ├
xiv 68 fin.] ┼ καὶ ἀλέκτωρ ἐφώ-
νησεν. And v. 72] < ἐκ δευτέρου

xv 25 τρίτη] ἕκτη

ibid. ἐσταύρωσαν] ┤ ἐφύλασσον ┡

xv 27 fin.] +(v. 28) καὶ ἐπληρώθη ἡ γραφὴ ἡ λέγουσα Καὶ μετὰ ἀνόμων ἐλογίσθη.

xv 34 ἐγκατέλιπες] ┤ ὠνείδισας ┡

xv 47 Ἰωσῆτος] Ἰακώβου: also Ἰωσῆ and Ἰωσήφ.

xvi 3 ἐκ τῆς θύρας τοῦ μνημείου;] ab osteo? Subito autem ad horam tertiam tenebrae diei [l. die] factae sunt per totum orbem terrae, et descenderunt de caelis angeli et surgent [l. surgentes] in claritate vivi Dei simul ascenderunt cum eo, et continuo lux facta est. Tunc illae accesserunt ad monimentum, xvi 14 fin.]+Et illi satisfaciebant dicentes Saeculum istud iniquitatis et incredulitatis substantia [al. sub Satana] est, quae non sinit per immundos spiritus veram Dei apprehendi virtutem: idcirco jamnunc revela justitiam tuam.

ST LUKE

i 28 fin.]+┤ εὐλογημένη σὺ ἐν γυναιξίν. ┡

i 35 τὸ γεννώμενον]+ἐκ σοῦ

i 46 Μαριάμ] Elisabet

ii 2 αὕτη]+ἡ: also a variation of order.

ii 7 φάτνῃ] σπηλαίῳ

ii 33 ὁ πατὴρ αὐτοῦ καὶ ἡ μήτηρ] Ἰωσὴφ καὶ ἡ μήτηρ αὐτοῦ. And similar changes of language in vv 41, 43, 48; Mt i 16.

iii 1 ἡγεμονεύοντος] ┤ ἐπιτρο-

πεύοντος ┡

iii 16 πνεύματι ἁγίῳ]<ἁγίῳ

iii 22 Σὺ εἶ ὁ υἱός μου ὁ ἀγαπητός, ἐν σοὶ εὐδόκησα] ┤ Υἱός μου εἶ σύ, ἐγὼ σήμερον γεγέννηκά σε ┡

iii 24]<τοῦ Ματθάτ τοῦ Λευεί

iii 33 τοῦ Ἀδμείν τοῦ Ἀρνεί] τοῦ Ἀμιναδάβ (–αδάμ) τοῦ Ἀράμ with variations.

iv 1 πνεύματος ἁγίου]<ἁγίου (s. q.)

iv 44 Ἰουδαίας] ┤ Γαλιλαίας ┡

v 10 f.] ἦσαν δὲ κοινωνοὶ αὐτοῦ Ἰάκωβος καὶ Ἰωάνης υἱοὶ Ζεβεδαίου· ὁ δὲ εἶπεν αὐτοῖς Δεῦτε καὶ μὴ γείνεσθε ἁλιεῖς ἰχθύων, ποιήσω γὰρ ὑμᾶς ἁλιεῖς ἀνθρώπων· οἱ δὲ ἀκούσαντες πάντα κατέλειψαν ἐπὶ τῆς γῆς καὶ ἠκολούθησαν αὐτῷ.

v 14 εἰς μαρτύριον αὐτοῖς]+ἵνα εἰς μαρτύριον ἦν (l. ᾖ) ὑμεῖν τοῦτο ┡

vi 1 ἐν σαββάτῳ]+┤ δευτεροπρώτῳ ┡: also mane

vi 5] transposed to the end of v. 10, the following narrative being substituted here:– Τῇ αὐτῇ ἡμέρᾳ θεασάμενός τινα ἐργαζόμενον τῷ σαββάτῳ εἶπεν αὐτῷ Ἄνθρωπε, εἰ μὲν οἶδας τί ποιεῖς, μακάριος εἶ· εἰ δὲ μὴ οἶδας, ἐπικατάρατος καὶ παραβάτης εἶ τοῦ νόμου.

vi 17 Ἰερουσαλὴμ]+καὶ Πιραίας (?Περαίας) or et trans fretum

vii 14 Νεανίσκε]+┤ νεανίσκε ┡

viii 26, 37 Γερασηνῶν] Γεργεσηνῶν: also Γαδαρηνῶν

viii 51]<καὶ Ἰωάνην

ix 27 τὴν βασιλείαν τοῦ θεοῦ] τὸν υἱὸν τοῦ ἀνθρώπου ἐρχόμενον ἐν τῇ δόξῃ αὐτοῦ with variations.

ix 37 τῇ ἑξῆς ἡμέρᾳ] ┤ διὰ τῆς ἡμέρας ┡ with variations.

ix 54 ἀναλῶσαι αὐτούς]+ ⊣ ὡς καὶ Ἠλείας ἐποίησεν ⊢

ix 55 ἐπετίμησεν αὐτοῖς]+ ⊣ καὶ εἶπεν Οὐκ οἴδατε ποίου πνεύματός ἐστε ⊢ with variations.

And + ⊣ [ὁ υἱὸς τοῦ ἀνθρώπου οὐκ ἦλθεν ψυχὰς [ἀνθρώπων] ἀπολέσαι ἀλλὰ σῶσαι.] ⊢ with variations.

ix 62 ἐπιβαλὼν...ὀπίσω] ⊣ εἰς τὰ ὀπίσω βλέπων καὶ ἐπιβάλλων τὴν χεῖρα αὐτοῦ ἐπ' ἄροτρον ⊢

xi 2 ἐλθάτω ἡ βασιλεία σου] ἐλθέτω τὸ ἅγιον πνεῦμά σου ἐφ' ἡμᾶς καὶ καθαρισάτω ἡμᾶς

xi 13 πνεῦμα ἅγιον] ⊣ ἀγαθὸν δόμα ⊢: also πνεῦμα ἀγαθὸν : also spiritum bonum datum

xi 42 κρίσιν] κλῆσιν

xi 44 ὡς τὰ μνημεῖα τὰ] ⊣ μνημεῖα ⊢

xi 48 καὶ συνευδοκεῖτε] ⊣ μὴ συνευδοκεῖν ⊢

xi 52 ἤρατε] ⊣ ἐκρύψατε ⊢

xi 53, 54 Κἀκεῖθεν...στόματος αὐτοῦ] ⊣ Λέγοντος δὲ αὐτοῦ ταῦτα πρὸς αὐτοὺς ἐνώπιον παντὸς τοῦ λαοῦ ἤρξαντο οἱ Φαρισαῖοι καὶ οἱ νομικοὶ δεινῶς ἔχειν καὶ συνβάλλειν αὐτῷ περὶ πλειόνων, ζητοῦντες ἀφορμήν τινα λαβεῖν αὐτοῦ ἵνα εὕρωσιν κατηγορῆσαι αὐτοῦ ⊢ with many variations.

xii 18 τὸν σῖτον καὶ τὰ ἀγαθά μου] ⊣ τὰ γενήματά μου ⊢: also τοὺς καρπούς μου : also τὰ γενήματά μου καὶ τὰ ἀγαθά μου

xii 26 εἰ οὖν...λοιπῶν] ⊣ καὶ περὶ τῶν λοιπῶν τί ⊢

xii 27 αὐξάνει· οὐ κοπιᾷ οὐδὲ νήθει] ⊣ οὔτε νήθει οὔτε ὑφαίνει ⊢

xii 38 κἂν ἐν τῇ δευτέρᾳ...οὕτως] ⊣ καὶ ἐὰν ἔλθῃ τῇ ἐσπερινῇ φυλακῇ καὶ εὑρήσει, οὕτως ποιή-

σει, καὶ ἐὰν ἐν τῇ δευτέρᾳ καὶ τῇ τρίτῃ· ⊢ with many variations.

xiii 8 κόπρια] ⊣ κόφινον κοπρίων ⊢

xiv 5 υἱὸς] ὄνος : also πρόβατον

xv 16 χορτασθῆναι] ⊣ γεμίσαι τὴν κοιλίαν αὐτοῦ ⊢

xvi 22 f. καὶ ἐτάφη. καὶ ἐν τῷ ᾅδῃ ἐπάρας] καὶ ἐτάφη ἐν τῷ ᾅδῃ. ἐπάρας or the same words with the stop placed after ἐτάφη.

xvii 11 Γαλιλαίας]+ et Jericho

xviii 30 πολλαπλασίονα] ⊣ ἑπταπλασίονα ⊢

xx 20 παρατηρήσαντες] ⊣ ἀποχωρήσαντες ⊢: also omitted.

xx 34 Οἱ υἱοὶ τοῦ αἰῶνος τούτου] + ⊣ γεννῶνται καὶ γεννῶσιν, ⊢ with variations.

xx 36 δύνανται] ⊣ μέλλουσιν ⊢ ibid. ἰσάγγελοι γάρ εἰσιν, καὶ υἱοί εἰσιν θεοῦ] ἰσάγγελοι γάρ εἰσιν ⊣ τῷ θεῷ ⊢

xxi 11 ἔσται]+(? καὶ χειμῶνες) et hiemes (tempestates)

xxi 18]< the verse.

xxi 38 fin.]+[John] vii 53—viii 11 (p. 241)

xxii 42 εἰ βούλει.....γινέσθω.] ⊣ μὴ τὸ θέλημά μου ἀλλὰ τὸ σὸν γενέσθω· εἰ βούλει παρένεγκε τοῦτο τὸ ποτήριον ἀπ' ἐμοῦ. ⊢

xxii 68 οὐ μὴ ἀποκριθῆτε] ⊣ ἢ ἀπολύσητε ⊢

xxiii 2 ἡμῶν]+καὶ κατα\ύοντα τὸν νόμον καὶ τοὺς προφήτας : and διδόναι]+καὶ ἀποστρέφοντα τὰς γυναῖκας καὶ τὰ τέκνα

xxiii 5 fin.]+et filios nostros et uxores avertit a nobis [see .the Greek on v. 2], non enim baptizantur sicut [et] nos [nec se mundani].

xxiii 42 f.] καὶ στραφεὶς πρὸς
τὸν κύριον εἶπεν αὐτῷ Μνήσθητί
μου ἐν τῇ ἡμέρᾳ τῆς ἐλεύσεώς σου.
ἀποκριθεὶς δὲ ὁ Ἰησοῦς εἶπεν αὐτῷ
τῷ ἐπλησοντι (*l.* ἐπιπλήσσοντι)
Θάρσει, σήμερον κ.τ.λ.
xxiii 43] < σήμερον…παραδείσῳ
(so stated, but probably the
whole verse).

xxiii 45 ἐνάτης τοῦ ἡλίου ἐκλεί-
ποντος] ┤ ἐνάτης, [καὶ] ἐσκοτίσθη
ὁ ἥλιος ├ with variations.
xxiii 48 *fin.*] + *dicentes Vae
nobis quae facta sunt hodie prop-
ter peccata nostra; appropin-
quavit enim desolatio Hierusa-
lem.*

xxiii 55 αἱ] ┤ δύο ├: also omit-
ted
xxiv 13 ἑξήκοντα] ἑκατὸν ἑξή-
κοντα
xxiv 27 ἀρξάμενος…διερμήνευ-
σεν] ┤ ἦν ἀρξάμενος ἀπὸ Μωυσέως
καὶ πάντων τῶν προφητῶν ἑρμη-
νεύειν ├ with variations.

xxiv 32 ἡμῶν καιομένη ἦν] ┤ ἦν
ἡμῶν κεκαλυμμένη ├: also [? πε-
πηρωμένη] *excaecatum* and *op-
tusum* and *exterminatum*: also
other variations.
xxiv 39 ψηλαφήσατέ με] < με:
and < σάρκα καὶ: and σάρκα]
σάρκας
xxiv 42 ἰχθύος ὀπτοῦ μέρος] +
┤ καὶ ἀπὸ μελισσίου κηρίον ├: also
with κηρίου.
xxiv 43 ἔφαγεν] + καὶ [λαβὼν]
τὰ ἐπίλοιπα ἔδωκεν αὐτοῖς
xxiv 46 οὕτως γέγραπται] + καὶ
οὕτως ἔδει: also οὕτως ἔδει sub-
stituted.
xxiv 53 εὐλογοῦντες] ┤ αἰνοῦν-
τες├: also αἰνοῦντες καὶ εὐλογοῦν-
τες

ST JOHN

i 4 ἦν 1°] ┤ ἐστίν ├
i 13 οἱ…ἐγεννήθησαν] *qui…
natus est*
i 18 μονογενὴς θεὸς] ┤ ὁ μονο-
γενὴς υἱὸς ├
i 28 Βηθανίᾳ] Βηθαβαρὰ with
variations.
i 34 ὁ υἱὸς] ┤ ὁ ἐκλεκτὸς ├: also
electus filius Dei
ii 3 ὑστερήσαντος οἴνου] ┤ οἶνον
οὐκ εἶχον ὅτι συνετελέσθη ὁ οἶνος
τοῦ γάμου· εἶτα ├ with variations.
iii 5 γεννηθῇ] ἀναγεννηθῇ
ibid. εἰσελθεῖν εἰς] ἰδεῖν: and
τοῦ θεοῦ] τῶν οὐρανῶν
iii 6 σάρξ ἐστιν] + ὅτι ἐκ τῆς
σαρκὸς ἐγεννήθη: and πνεῦμά
ἐστιν] + ὅτι ἐκ τοῦ πνεύματός
ἐστιν: also *quia Deus spiritus
est, et ex Deo natus est*
iii 8 ἐκ] + ┤ τοῦ ὕδατος καὶ ├
iii 13 τοῦ ἀνθρώπου] + ┤ ὁ ὢν ἐν
τῷ οὐρανῷ ├
iv 46, 49 βασιλικὸς] ┤ βασιλί-
σκος ├
v 1 ἑορτὴ] ἡ ἑορτὴ
v 2 ἐπὶ τῇ προβατικῇ κολυμβή-
θρα] [προβατικῇ] κολυμβήθρα
v 3 ξηρῶν] +, παραλυτικῶν
ibid. fin.] +, ἐκδεχομένων τὴν
τοῦ ὕδατος κίνησιν
Also + the same with another
addition (v. 4). ἄγγελος δὲ (γὰρ)
Κυρίου [κατὰ καιρὸν] κατέβαινεν
(*v.* ἐλούετο) ἐν τῇ κολυμβήθρᾳ καὶ
ἐταράσσετο (*v.* ἐτάρασσε) τὸ ὕδωρ·
ὁ οὖν πρῶτος ἐμβὰς [μετὰ τὴν τα-
ραχὴν τοῦ ὕδατος] ὑγιὴς ἐγίνετο
οἵῳ (*v.* ᾧ) δήποτ᾽ οὖν (*v.* δήποτε)
κατείχετο νοσήματι. Also the
second addition alone.
vi 51 ἡ σάρξ…ζωῆς] ὑπὲρ τῆς

τοῦ κόσμου ζωῆς ἡ σάρξ μου ἐστίν:
also ἡ σάρξ μού ἐστιν ἢν ἐγὼ
δώσω ὑπὲρ τῆς τοῦ κόσμου ζωῆς

vi 56 ἐν αὐτῷ] +καθὼς ἐν ἐμοὶ
ὁ πατὴρ κἀγὼ ἐν τῷ πατρί. ἀμὴν
ἀμὴν λέγω ὑμῖν, ἐὰν μὴ λάβητε
τὸ σῶμα τοῦ υἱοῦ τοῦ ἀνθρώπου
ὡς τὸν ἄρτον τῆς ζωῆς, οὐκ ἔχετε
ζωὴν ἐν αὐτῷ.

vi 59 Καφαρναούμ]+ ┤ σαβ-
βάτῳ ├

vii 39 πνεῦμα] + δεδομένον:
also+ἄγιον: also+ἄγιον ἐπ᾽ αὐ-
τοῖς: also + ἄγιον δεδομένον

viii 38 ἃ ἐγώ...πατρὸς] ┤ ἐγὼ ἃ
ἑώρακα παρὰ τῷ πατρί μου [ταῦτα]
λαλῶ· καὶ ὑμεῖς οὖν ἃ ἑωράκατε
παρὰ τῷ πατρὶ ὑμῶν ├ with varia-
tions.

x 8 ἦλθον πρὸ ἐμοῦ] < πρὸ ἐμοῦ

xi 54 χώραν]+Σαμφουρεὶν

xii 28 τὸ ὄνομα] τὸν υἱὸν

xii 32 πάντας] ┤ πάντα ├ with
variation of order.

xii 41 ὅτι] ὅτε

xiii 31 ἐν αὐτῷ·]+εἰ ὁ θεὸς
ἐδοξάσθη ἐν αὐτῷ,

xvii 7 ἔγνωκαν] ┤ἔγνων ├: also
ἔγνωκα

xvii 11 ἔρχομαι]+ · οὐκέτι εἰμὶ
ἐν τῷ κόσμῳ, καὶ ἐν τῷ κόσμῳ
εἰμί

xvii 21 ἐν ἡμῖν]+ἕν

xvii 23 ἠγάπησας] ἠγάπησα

xviii 1 τῶν Κέδρων] ┤ τοῦ Κέ-
δρου ├: also τοῦ Κεδρὼν: also
τῶν δένδρων

xix 4 οὐδεμίαν] οὐχ wĭth varia-
tions of order: and < ἐν αὐτῷ

xix 14 ἕκτη] τρίτη

xxi 25] < the verse.

SECTION ON THE WOMAN TAKEN IN ADULTERY

10 κατέκρινεν] *lapidavit*

ACTS

ii 9 Ἰουδαίαν] *Armeniam* : also
in Syria

ii 30 τῆς ὀσφύος αὐτοῦ]+[κατὰ
σάρκα] ἀναστῆσαι τὸν χριστὸν
[καὶ]

iv 32 ψυχὴ μία,]+καὶ οὐκ ἦν
διάκρισις ἐν αὐτοῖς οὐδεμία

v 38 ἄφετε αὐτούς]+μὴ μιάναν-
τες τὰς χεῖρας [ὑμῶν]

vii 16 ἐν Συχέμ] τοῦ Συχέμ:
also τοῦ ἐν Συχέμ

vii 43 Ῥομφά] Ῥεμφάμ (-άν):
also Ῥαιφάν (Ῥεφάν)

viii 24 *fin.*]+┤· ὃς πολλὰ κλαί-
ων οὐ διελίμπανεν ├

viii 36 *fin.*]+ (v. 37) ┤ εἶπεν
δὲ αὐτῷ [ὁ Φίλιππος] Εἰ πιστεύεις
ἐξ ὅλης τῆς καρδίας σου [, ἔξεστιν].
ἀποκριθεὶς δὲ εἶπεν Πιστεύω τὸν
υἱὸν τοῦ θεοῦ εἶναι τὸν Ἰησοῦν
[Χριστόν]. ├ with much varia-
tion.

viii 39 πνεῦμα Κυρίου] πνεῦμα
ἅγιον ἐπέπεσεν ἐπὶ τὸν εὐνοῦχον,
ἄγγελος δὲ Κυρίου

x 25 Ὡς...Πέτρον,] Προσεγγί-
ζοντος δὲ τοῦ Πέτρου [εἰς τὴν Και-
σαρίαν] προδραμὼν εἷς τῶν δούλων
διεσάφησεν παραγεγονέναι αὐτόν.
ὁ δὲ Κορνήλιος [ἐκπηδήσας καὶ]

xi 2 Ὅτε...περιτομῆς] Ὁ μὲν
οὖν Πέτρος διὰ ἱκανοῦ χρόνου ἠθέ-
λησεν πορευθῆναι εἰς Ἱεροσόλυμα·
καὶ προσφωνήσας τοὺς ἀδελφοὺς
καὶ ἐπιστηρίξας αὐτοὺς πολὺν λό-
γον ποιούμενος διὰ τῶν χωρῶν

[? δι' αὐτῶν ἐχώρει] διδάσκων αὐτούς· ὃς καὶ κατήντησεν αὐτοῖς
[? αὐτοῦ] καὶ ἀπήγγειλεν αὐτοῖς τὴν χάριν τοῦ θεοῦ. οἱ δὲ ἐκ περιτομῆς ἀδελφοὶ διεκρίνοντο πρὸς αὐτὸν

xi 20 Ἑλληνιστάς] Ἕλληνας
xiii 18 ἐτροποφόρησεν] ἐτροφοφόρησεν
xiii 33 δευτέρῳ] πρώτῳ
xiv 2 fin.] + ὁ δὲ κύριος ἔδωκεν [ταχὺ] εἰρήνην.
xv 2 ἔταξαν...ἐξ αὐτῶν] ἔλεγεν γὰρ ὁ Παῦλος μένειν οὕτως καθὼς ἐπίστευσαν διισχυριζόμενος· οἱ δὲ ἐληλυθότες ἀπὸ Ἱερουσαλὴμ παρήγγειλαν αὐτοῖς τῷ Παύλῳ καὶ Βαρνάβᾳ καί τισιν ἄλλοις ἀναβαίνειν
xv 18 γνωστὰ ἀπ' αἰῶνος.] + γνωστὸν ἀπ' αἰῶνός [ἐστιν] τῷ κυρίῳ τὸ ἔργον αὐτοῦ. + : also γνωστὰ ἀπ' αἰῶνός ἐστιν τῷ θεῷ [πάντα] τὰ ἔργα αὐτοῦ.
xv 20 fin.] + καὶ ὅσα ἂν μὴ θέλωσιν αὐτοῖς γίνεσθαι ἑτέροις μὴ ποιεῖν : and v. 29 πορνείας]+, καὶ ὅσα μὴ θέλετε ἑαυτοῖς γίνεσθαι ἑτέρῳ μὴ ποιεῖτε.
xv 29 πράξετε]+ + φερόμενοι ἐν τῷ ἁγίῳ πνεύματι +
xv 33 fin.]+(v. 34) + ἔδοξεν δὲ τῷ Σίλᾳ ἐπιμεῖναι αὐτούς (v. αὐτοῦ) [, μόνος δὲ Ἰούδας ἐπορεύθη]. +
xvi 30 ἔξω] + τοὺς λοιποὺς ἀσφαλισάμενος
xviii 21 Πάλιν] + Δεῖ με πάντως τὴν ἑορτὴν τὴν ἐρχομένην ποιῆσαι εἰς Ἱεροσόλυμα· [et iterum] + with variations.
xviii 27 βουλομένου ..αὐτόν·] + ἐν δὲ τῇ Ἐφέσῳ ἐπιδημοῦντές τινες Κορίνθιοι καὶ ἀκούσαντες αὐ-

τοῦ παρεκάλουν διελθεῖν σὺν αὐτοῖς εἰς τὴν πατρίδα αὐτῶν· συνκατανεύσαντος δὲ αὐτοῦ οἱ Ἐφέσιοι ἔγραψαν τοῖς ἐν Κορίνθῳ μαθηταῖς ὅπως ἀποδέξωνται τὸν ἄνδρα· +
xix 1, 2 Ἐγένετο...εἶπέν τε] + Θέλοντος δὲ τοῦ Παύλου κατὰ τὴν ἰδίαν βουλὴν πορεύεσθαι εἰς Ἱεροσόλυμα εἶπεν αὐτῷ τὸ πνεῦμα ὑποστρέφειν εἰς τὴν Ἀσίαν· διελθὼν δὲ τὰ ἀνωτερικὰ μέρη ἔρχεται εἰς Ἔφεσον, καὶ εὑρών τινας μαθητὰς εἶπεν + : also the last five words only.
xix 9 Τυράννου]+ + ἀπὸ ὥρας ε̄ ἕως δεκάτης +
xix 28 θυμοῦ]+ + δραμόντες εἰς τὸ ἄμφοδον +
xx 4 αὐτῷ]+ + ἄχρι τῆς Ἀσίας + ibid. Ἀσιανοί] Ἐφέσιοι
xx 15 τῇ δὲ] + καὶ μείναντες ἐν Τρωγυλίῳ τῇ +
xx 18 πῶς...ἐγενόμην] ὡς τριετίαν ἢ καὶ πλεῖον ποταπῶς μεθ' ὑμῶν ἦν παντὸς χρόνου [?]
xxi 1 Πάταρα]+ + καὶ Μύρα +
xxi 16 ξενισθῶμεν]+ καὶ παραγενόμενοι εἴς τινα κώμην ἐγενόμεθα παρὰ ibid. Μνάσωνί] Ἰάσονί
xxiii 15 ἀνελεῖν αὐτόν]+, ἐὰν δέῃ καὶ ἀποθανεῖν
xxiii 23 ἑβδομήκοντα] ἔκατον
xxiii 24 fin.] + ἐφοβήθη γὰρ μήποτε ἁρπάσαντες αὐτὸν οἱ Ἰουδαῖοι ἀποκτε[ί]νωσι, καὶ αὐτὸς μεταξὺ ἔγκλημα ἔχῃ ὡς ἀργύριον εἰληφώς.
xxiii 29 ἔγκλημα]+ ἐξήγαγον αὐτὸν μόλις τῇ βίᾳ
xxiv 6 ἐκρατήσαμεν,]+ καὶ κατὰ τὸν ἡμέτερον νόμον ἠθελήσαμεν κρῖναι. (v. 7) παρελθὼν δὲ Λυσίας ὁ χιλίαρχος μετὰ πολλῆς βίας ἐκ

τῶν χειρῶν ἡμῶν ἀπήγαγεν, (v. 8)
κελεύσας τοὺς κατηγόρους αὐτοῦ
ἔρχεσθαι ἐπί σε. with variations.

xxiv 27 θέλων...δεδεμένον] τὸν
δὲ Παῦλον εἴασεν ἐν τηρήσει διὰ
Δρουσίλλαν
xxvii 5 διαπλεύσαντες]+ ⊣ δι’ ἡ-
μερῶν δεκάπεντε ⊢
xxvii 15 ἐπιδόντες]+τῷ πλέοντι
καὶ συστείλαντες τὰ ἱστία
xxvii 35 ἐσθίειν] + ἐπιδιδοὺς
καὶ ἡμῖν
xxviii 16 ἐπετράπη τῷ Παύλῳ]
⊣ ὁ ἑκατόνταρχος παρέδωκεν τοὺς
δεσμίους τῷ στρατοπεδάρχῳ, τῷ
δὲ Παύλῳ ἐπετράπη ⊢
ibid. ἑαυτὸν]+ ⊣ ἔξω τῆς πα-
ρεμβολῆς ⊢
xxviii 28 fin.] + (v. 29) καὶ
ταῦτα αὐτοῦ εἰπόντος ἀπῆλθον οἱ
Ἰουδαῖοι πολλὴν ἔχοντες ἐν ἑαυ-
τοῖς ζήτησιν.

1 PETER

iii 22 θεοῦ]+,*deglutiens mor-
tem ut vitae aeternae haeredes
efficeremur,*
iv 14 δόξης] + καὶ δυνάμεως
with variations.
ibid. fin.] + κατὰ μὲν αὐτοὺς
βλασφημεῖται, κατὰ δὲ ὑμᾶς δοξά-
ζεται.
v 2 θεοῦ]+ἐπισκοποῦντες
ibid. ἑκουσίως] + κατὰ θεόν

2 PETER

i 10 σπουδάσατε]+ἵνα διὰ τῶν
καλῶν [ὑμῶν] ἔργων with (for ποι-
εῖσθαι) ποιεῖσθε (-ῆσθε)

1 JOHN

ii 17 αἰῶνα]+*quomodo [et] ille
manet in aeternum* with varia-
tions.
v 6 αἵματος]+καὶ πνεύματος
ibid. τὸ πνεῦμα] *Christus*
v 7 τὸ πνεῦμα καὶ τὸ ὕδωρ καὶ
τὸ αἷμα] *in terra, spiritus [et]
aqua et sanguis, et hi tres unum
sunt in Christo Jesu: et tres sunt
qui testimonium dicunt in caelo,
Pater Verbum et Spiritus* with
variations.

2 JOHN

11 fin.]+*Ecce praedixi vobis,
ut in diem Domini [nostri Jesu
Christi] non confundamini.*

JUDE

6 δεσμοῖς ἀϊδίοις]+ἀγίων ἀγγέ-
λων

ROMANS

i 7]< ἐν Ῥώμῃ; and v. 15]
< τοῖς ἐν Ῥώμῃ
iii 22 εἰς πάντας] + καὶ ἐπὶ
πάντας
iii 26 Ἰησοῦ] omitted; also +
Χριστοῦ: also Ἰησοῦν substituted.
iv 19 κατενόησεν] οὐ κατενόησεν
v 14 τοὺς μὴ ἀμαρτήσαντας]
< μὴ
viii 1 fin.] + μὴ κατὰ σάρκα
περιπατοῦσιν: also the same with

ἀλλὰ κατὰ πνεῦμα added.

ix 28 συντέμνων] + ἐν δικαιο-
σύνῃ, ὅτι λόγον συντετμημένον
xi 6 *fin.*] + εἰ δὲ ἐξ ἔργων
οὐκέτι [ἐστὶ] χάρις, ἐπεὶ τὸ ἔργον
οὐκέτι χάρις (ἔργον).

xii 11 κυρίῳ] καιρῷ
xii 13 χρείαις] μνείαις
xiii 8 ὀφείλετε] ὀφείλητε: also
ὀφείλοντες
xiv 6 φρονεῖ]+, καὶ ὁ μὴ φρο-
νῶν τὴν ἡμέραν κυρίῳ οὐ φρονεῖ
xiv 23]+Τῷ δὲ δυναμένῳ...αἰ-
ῶνας· ἀμήν. (xvi 25—27) with
and without its retention at the
end of the Epistle.

xv 31 διακονία] δωροφορία
xvi 5 Ἀσίας] Ἀχαίας
xvi 20] ἡ χάρις...ὑμῶν trans-
posed from this place to stand
slightly modified (v. 24) after
v. 23.

xvi 23 *fin.*]+(v. 24) ἡ χάρις
τοῦ κυρίου ἡμῶν Ἰησοῦ Χριστοῦ
μετὰ πάντων ὑμῶν· ἀμήν. (with
variations), with and without its
retention in v. 20.

xvi 25—27]< the three verses,
with and without their retention
at the end of c. xiv.

xvi 26 προφητικῶν]+καὶ τῆς
ἐπιφανείας τοῦ κυρίου ἡμῶν Ἰησοῦ
Χριστοῦ

1 CORINTHIANS

v 6 Οὐ καλὸν] Καλὸν
ibid. ζυμοῖ] δολοῖ
vi 20 δοξάσατε δὴ]+*et portate*
(ἄρατε from ἀρά γε)
ibid. fin.]+καὶ ἐν τῷ πνεύματι
υμῶν, ἅτινά ἐστιν τοῦ θεοῦ

vii 33 f. γυναικί, καὶ μεμέρισται.
καὶ ... μεριμνᾷ] γυναικί. μεμέρι-
σται [καὶ] ἡ γυνὴ καὶ ἡ παρθένος.
ἡ ἄγαμος μεριμνᾷ: also γυναικί.
καὶ μεμέρισται ἡ ἄγαμος καὶ ἡ
παρθένος. ἡ ἄγαμος μεριμνᾷ
with variations of detail and
punctuation.

viii 6 *fin.*]+, καὶ ἐν πνεῦμα
ἅγιον, ἐν ᾧ τὰ πάντα καὶ ἡμεῖς ἐν
αὐτῷ
ix 5 ἀδελφὴν γυναῖκα][ἀδελφὰς]
γυναῖκας: also γυναῖκα [ἀδελφὴν]
xi 10 ἐξουσίαν] κάλυμμα (*vela-
men*)
xi 24 Τοῦτο] Λάβετε φάγετε,
τοῦτο. And ὑπὲρ ὑμῶν]+κλώ-
μενον : also θρυπτόμενον : also
'*given*' and *tradetur*.

xi 29 πίνων]+ἀναξίως
xiii 3 καυχήσωμαι] καυθήσομαι
xv 5 δώδεκα] ἔνδεκα
xv 47 ὁ δεύτερος ἄνθρωπος]+ὁ
κύριος
xv 51 πάντες οὐ κοιμηθησόμεθα
πάντες δὲ] πάντες [μὲν] ἀναστησό-
μεθα οὐ πάντες δὲ: also πάντες
[μὲν] κοιμηθησόμεθα οὐ πάντες δὲ

GALATIANS

ii 5]< οἷς οὐδὲ
ii 12 ἦλθον] ἦλθεν
ii 20 τοῦ υἱοῦ τοῦ θεοῦ] τοῦ θεοῦ
καὶ Χριστοῦ
iii 1 ἐβάσκανεν]+ τῇ ἀληθείᾳ
μὴ πείθεσθαι
iv 7 διὰ θεοῦ] [θεοῦ] διὰ Χρι-
στοῦ: also διὰ θεόν : also '*of God*'
v 8] < οὐκ
v 9 ζυμοῖ] δολοῖ

EPHESIANS

i 1] < [ἐν Ἐφέσῳ]
i 15 καὶ] + τὴν ἀγάπην: also transposed
iv 19 ἀπηλγηκότες] ἀπηλπικότες
iv 29 χρείας] πίστεως
v 14 ἐπιφαύσει σοι ὁ χριστός] ἐπιψαύσεις τοῦ χριστοῦ
v 30 fin.] +, ἐκ τῆς σαρκὸς αὐτοῦ καὶ ἐκ τῶν ὀστέων αὐτοῦ
v 31] < καὶ προσκολληθήσεται πρὸς τὴν γυναῖκα αὐτοῦ

1 TIMOTHY

i 4 οἰκονομίαν] οἰκοδομὴν
iii 1 πιστὸς] ἀνθρώπινος
iii 16 ὅς] ὅ: also θεὸς
v 19] < ἐκτὸς εἰ μὴ...μαρτύρων

2 TIMOTHY

iii 8 Ἰαμβρῆς] Μαμβρῆς
iv 10 Γαλατίαν] Γαλλίαν
iv 19 Ἀκύλαν] +, Λεκτρὰν τὴν γυναῖκα αὐτοῦ καὶ Σιμαίαν καὶ Ζήνωνα τοὺς υἱοὺς αὐτοῦ,

1 THESSALONIANS

ii 7 νήπιοι] ἤπιοι

TITUS

iii 10] < καὶ δευτέραν: also variations of order.

HEBREWS

ii 9 χάριτι] χωρὶς
ix 2 ἄρτων] + καὶ τὸ χρυσοῦν θυμιατήριον with omission of χρυσοῦν and θυμιατήριον καὶ in v. 3.
xi 23 fin.] + πίστει μέγας γενόμενος Μωυσῆς ἀνεῖλεν τὸν Αἰγύπτιον κατανοῶν τὴν ταπείνωσιν τῶν ἀδελφῶν αὐτοῦ.

APOCALYPSE

i 5 λύσαντι] λούσαντι
viii 13 ἀετοῦ] ἀγγέλου
xiii 18 ἑξακοσ. ἑξήκοντα ἕξ] ἑξακοσ. δέκα ἕξ
xiv 20 χιλίων ἑξακοσίων] χιλίων ἑξακοσίων ἕξ: also χιλίων διακοσίων
xv 6 λίθον] λίνον

QUOTATIONS

FROM THE OLD TESTAMENT

The following is a list of the passages and phrases which are marked by uncial type in the text as taken from the Old Testament (see Introduction § 413), together with references to the places from which they are derived. Many of the quotations are composite, being formed from two or more definite passages, or from one passage modified by the introduction of a phrase found in one or more other definite passages. Sometimes also it is difficult to tell from which of several similar passages a phrase was taken, if indeed it was taken from one more than another. In all these cases we have given a plurality of references. On the other hand we have abstained from multiplying references for the purposes of illustration; and have therefore passed over such passages of the Old Testament as neither had an equal claim to notice with the passages actually referred to, nor contributed any supplementary and otherwise unrepresented element to the language of the quotations in the New Testament. But in all these points, no less than in the selection of passages and words for marking by uncial type, it has not been found possible to draw and maintain a clear line of distinction.

The list has had the benefit of a careful and thorough examination by Dr Moulton. We are much indebted to him for the labour which he has bestowed upon it, and also for many excellent suggestions.

The numeration of chapters and verses is that of the ordinary English editions. It has not seemed worth while to add the numeration current in Hebrew editions except in the few cases in which it differs by more than a verse or two. The same principle has been followed as to the numeration used in editions of the LXX; for instance, that of the Psalms or of chapters in Jeremiah has been given in brackets throughout: but petty differences in the reckoning of the verses have been neglected.

Where a quotation, or a substantive element of a quotation, agrees with the Massoretic text but not with the LXX as represented by any of its better documents, we have added 'Heb.' or 'Chald.' to the numerals, and in the converse case 'LXX'. But we have seldom attempted to mark the limitation in mixed cases (as Mt xxiv 7), or in cases where the difference of texts amounts to no more than a slight modification of the one by the other.

ST MATTHEW

xxi	9	Ps cxviii (cxvii) 25 f.		
	13	Is lvi 7		
	—	Jer vii 11		**ST MARK**
	15	Ps cxviii (cxvii) 25		
	16	Ps viii 2	i 2	Mal iii 1
	33	Is v 1 f.	3	Is xl 3
	42	Ps cxviii (cxvii) 22 f.	44	Lev xiii 49
xxii	24	Deut xxv 5 ; Gen	ii 26	1 Sam xxi 6
		xxxviii 8	iv 12	Is vi 9 f.
	32	Ex iii 6	29	Joel iii (iv) 13
	37	Deut vi 5	32	Dan iv 12, 21 Chald.;
	39	Lev xix 18		Ez xvii 23
	44	Ps cx (cix) 1	vi 34	Num xxvii 17; Ez
xxiii	38	Jer xxii 5; xii 7		xxxiv 5
	39	Ps cxviii (cxvii) 26	vii 6 f.	Is xxix 13
xxiv	6	Dan ii 28	10	Ex xx 12; Deut v 16
	7	Is xix 2	—	Ex xxi 17
	10	Dan xi 41 LXX	viii 18	Jer v 21 ; Ez xii 2
	15	Dan ix 27; xii 11	ix 12	Mal iv 5 f. (iii 23 f.)
	21	Dan xii 1	48	Is lxvi 24
	24	Deut xiii 1	x 4	Deut xxiv 1 (3)
	29	Is xiii 10	6	Gen i 27
	—	Is xxxiv 4	7 f.	Gen ii 24
	30	Zech xii 12	19	Ex xx 13-16; Deut v
	—	Dan vii 13		17-20
	31	Is xxvii 13	—	Ex xx 12; Deut v 16
	—	Zech ii 6; Deut xxx 4	27	Gen xviii 14; Job xlii
	38	Gen vii 7		2; Zech viii 6 LXX
xxv	31	Zech xiv 5	xi 9 f.	Ps. cxviii (cxvii) 25 f.
	46	Dan xii 2	17	Is lvi 7
xxvi	15	Zech xi 12	—	Jer vii 11
	28	Ex xxiv 8; Zech ix 11	xii 1	Is v 1 f.
	31	Zech xiii 7	10 f.	Ps cxviii (cxvii) 22 f.
	38	Ps xlii (xli) 5	19	Deut xxv 5; Gen
	64	Dan vii 13; Ps cx		xxxviii 8
		(cix) 1 ff.	26	Ex iii 6
xxvii	9 f.	Zech xi 13	29 f.	Deut vi 4 f. (two texts
	34	Ps lxix (lxviii) 21		of LXX)
	35	Ps xxii (xxi) 18	31	Lev xix 18
	39	Ps xxii (xxi) 7 ; cix	32	Deut vi 4
		(cviii) 25	—	Deut iv 35
	43	Ps xxii (xxi) 8	33	Deut vi 5
	46	Ps xxii (xxi) 1	—	Lev xix 18
	48	Ps lxix (lxviii) 21	—	1 Sam xv 22

ST LUKE

iv 14	Is xi 2
17	Ez ix 6
18	Prov xi 31 LXX
v 5	Prov iii 34
7	Ps lv (liv) 22

2 PETER

ii 2	Is lii 5
22	Prov xxvi 11
iii 8	Ps xc (lxxxix) 4
12	Is xxxiv 4
13	Is lxv 17; lxvi 22

JUDE

9	Dan xii 1
—	Zech iii 2
12	Ez xxxiv 8
14	Deut xxxiii 2; Zech xiv 5
23	Zech iii 2 ff.

ROMANS

i 17	Hab ii 4
23	Ps cvi (cv) 20
ii 6	Ps lxii (lxi) 12; Prov xxiv 12
24	Is lii 5
iii 4	Ps cxvi 11 (cxv 2)
—	Ps li (l) 4
10 ff.	Ps xiv (xiii) 1 ff.
13	Ps v 9
—	Ps cxl (cxxxix) 3
14	Ps x 7 (ix 28)
15 ff.	Is lix 7 f.
18	Ps xxxvi (xxxv) 1

iii 20	Ps cxliii (cxlii) 2
iv 3	Gen xv 6
7 f.	Ps xxxii (xxxi) 1 f.
9	Gen xv 6
11	Gen xvii 11
17 f.	Gen xvii 5
18	Gen xv 5
22 f.	Gen xv 6
25	Is liii 12 LXX
v 5	Ps xxii (xxi) 5
vii 7	Ex xx 14, 17; Deut v 18, 21
viii 33 f.	Is l 8 f.
34	Ps cx (cix) 1
36	Ps xliv (xliii) 22
ix 7	Gen xxi 12
9	Gen xviii 10
12	Gen xxv 23
13	Mal i 2 f.
15	Ex xxxiii 19
17	Ex ix 16
18	Ex vii 3; ix 12; xiv 4, 17
20	Is xxix 16; xlv 9
21	Jer xviii 6; Is xxix 16; xlv 9
22	Jer l (xxvii) 25; Is xiii 5 Heb.
—	Is liv 16
25	Hos ii 23
26 f.	Hos i 10 (ii 1)
27 f.	Is x 22 f.
29	Is i 9
32 f.	Is viii 14 f.
33	Is xxviii 16 LXX
x 5	Lev xviii 5
6-9	Deut xxx 12 ff.
11	Is xxviii 16 LXX
13	Joel ii 32 (iii 5)
15	Is lii 7 Heb.
16	Is liii 1
18	Ps xix (xviii) 4
19	Deut xxxii 21
20 f.	Is lxv 1 f.

xi	1 f.	Ps xciv (xciii) 14; 1 Sam xii 22
	3	1 Reg xix 10
	4	1 Reg xix 18
	8	Is xxix 10; Deut xxix 4
	9 f.	Ps lxix (lxviii) 22 f.; Ps xxxv (xxxiv) 8
	11	Deut xxxii 21
	26 f.	Is lix 20 f.
	27	Is xxvii 9
	34 f.	Is xl 13 f.
xii	16	Prov iii 7
	17	Prov iii 4 LXX
	19	Deut xxxii 35 Heb.
	20 f.	Prov xxv 21 f.
xiii	9	Ex xx 13 ff., 17; Deut v 17 ff., 21
	—	Lev xix 18
xiv	11	Is xlv 23; xlix 18
xv	3	Ps lxix (lxviii) 9
	9	Ps xviii (xvii) 49
	10	Deut xxxii 43
	11	Ps cxvii (cxvi) 1
	12	Is xi 10
	21	Is lii 15

1 CORINTHIANS

i	19	Is xxix 14
	20	Is xix 11 f.; xxxiii 18
	31	Jer ix 24
ii	9	Is lxiv 4
	16	Is xl 13
iii	19	Job v 13
	20	Ps xciv (xciii) 11
v	7	Ex xii 21
	13	Deut xxii 24
vi	16	Gen ii 24
ix	9	Deut xxv 4

x	5	Num xiv 16
	6	Num xi 34, 4
	7	Ex xxxii 6
	20	Deut xxxii 17
	21	Mal i 7, 12
	22	Deut xxxii 21
	26	Ps xxiv (xxiii) 1
xi	7	Gen v 1
	25	Ex xxiv 8; Zech ix 11
xiii	5	Zech viii 17 LXX
xiv	21	Is xxviii 11 f.
	25	Is xlv 14 Heb.
xv	25	Ps cx (cix) 1
	27	Ps viii 6
	32	Is xxii 13
	45, 47	Gen ii 7
	54	Is xxv 8
	55, 57	Hos xiii 14

2 CORINTHIANS

iii	3	Ex xxxi 18; xxxiv 1
	—	Prov iii 3; Ez xi 19; xxxvi 26
	7, 10, 13, 16	Ex xxxiv 29 f.; 34 f.
	18	Ex xxiv 17
iv	13	Ps cxvi 10 (cxv) 1
v	17	Is xliii 18 f.
vi	2	Is xlix 8
	9	Ps cxviii (cxvii) 17 f.
	11	Ps cxix (cxviii) 32
	16	Lev xxvi 11 f.; Ez xxxvii 27
	17	Is lii 11; Jer li 45 Heb.; Ez xx 33 f., 41
	18	2 Sam vii 8, 14; Hos i 10; Is xliii 6; Am iv 13 LXX

viii	15	Ex xvi 18	
	21	Prov iii 4 LXX	
ix	7	Prov xxii 8 LXX	
	9	Ps cxii (cxi) 9	
	10	Hos x 12; Is lv 10	
x	17	Jer ix 24	
xi	3	Gen iii 13	
xiii	1	Deut xix 15	

iv	25	Zech viii 16
	26	Ps iv 4
v	2	Ps xl (xxxix) 6
	—	Ez xx 41
	18	Prov xxiii 31 LXX
	31	Gen ii 24
vi	2 f.	Ex xx 12: Deut v 16
	4	Prov iii 11; Is l 5
	—	Prov ii 2 LXX, 5
	14	Is xi 5
	—	Is lix 17
	15	Is lii 7
	—	Is xl 3, 9
	17	Is lix 17
	—	Is xi 4; xlix 2; li 16; Hos vi 5

GALATIANS

i	15	Is xlix 1
ii	16	Ps cxliii (cxlii) 2
iii	6	Gen xv 6
	8	Gen xii 3; xviii 18
	10	Deut xxvii 26
	11	Hab ii 4
	12	Lev xviii 5
	13	Deut xxi 23
	16	Gen xii 7; xiii 15; xvii 7 f.; xxii 18; xxiv 7
iv	27	Is liv 1
	30	Gen xxi 10
v	14	Lev xix 18
vi	16	Ps cxxv (cxxiv) 5; cxxviii (cxxvii) 6

PHILIPPIANS

i	19	Job xiii 16
ii	10 f.	Is xlv 23
	15	Deut xxxii 5
	16	Is xlix 4; lxv 23
iv	3	Ps lxix (lxviii) 28
	18	Ez xx 41

EPHESIANS

i	18	Deut xxxiii 3 f.
	20	Ps cx (cix) 1
	22	Ps viii 6
ii	13 f.,17	Is lvii 19; lii 7
	20	Is xxviii 16
iv	8-11	Ps lxviii (lxvii) 18

COLOSSIANS

ii	3	Is xlv 3; Prov ii 3 f.
	22	Is xxix 13
iii	1	Ps cx (cix) 1
	10	Gen i 27

1 THESSALONIANS

ii	4	Jer xi 20
	16	Gen xv 16
iv	5	Jer x 25; Ps lxxix (lxxviii) 6
	6	Ps xciv (xciii) 1
	8	Ez xxxvii 14
v	8	Is lix 17
	22	Job i 1; ii 3

2 THESSALONIANS

i	8	Is lxvi 14 f.
	—	Jer x 25; Ps lxxix (lxxviii) 6
	9 f.	Is ii 10 f., 19, 21
	10	Ps lxxxix (lxxxviii) 7; lxviii (lxvii) 35 LXX; Is xlix 3
	12	Is lxvi 5 LXX
ii	4	Dan xi 36 f.
	—	Ez xxviii 2
	8	Is xi 4; Job iv 9
	13	Deut xxxiii 12

HEBREWS

i	3	Ps cx (cix) 1
	5	Ps ii 7
	—	2 Sam vii 14
	6	Deut xxxii 43 LXX; Ps xcvii (xcvi) 7
	7	Ps civ (ciii) 4
	8 f.	Ps xlv (xliv) 6 f.
	10 ff.	Ps cii (ci) 25 ff.

i	13	Ps cx (cix) 1
ii	6-9.	Ps viii 4 ff.
	11 f.	Ps xxii (xxi) 22
	13 f.	Is viii 17 f.
	16	Is xli 8 f.
	17	Ps xxii (xxi) 22
iii	2, 5 f.	Num xii 7
	7-11, 13, 15-19	Ps xcv (xciv) 7-11
	17	Num xiv 29
iv	1, 3	Ps xcv (xciv) 11
	3 f.	Gen ii 2
	5 f.	Ps xcv (xciv) 11
	7	Ps xcv (xciv) 7 f.
	10	Gen ii 2
	10 f.	Ps xcv (xciv) 11
v	5	Ps ii 7
	6	Ps cx (cix) 4
	9	Is xlv 17
	10	Ps cx (cix) 4
vi	7	Gen i 11 f.
	8	Gen iii 17 f.
	13 f.	Gen xxii 16 f.
	19	Lev xvi 2, 12
	20	Ps cx (cix) 4
vii	1 f.	Gen xiv 17 ff.
	3	Gen xiv 18; Ps cx (cix) 4
	4, 6 ff., 10	Gen xiv 17 ff.
	11,15,17, 21,24,28	Ps cx (cix) 4
	28	Ps ii 7
viii	1	Ps cx (cix) 1
	2	Num xxiv 6
	5	Ex xxv 40
	8-13	Jer xxxi (xxxviii) 31-34
ix	20	Ex xxiv 8
	28	Is liii 12
x	5-10	Ps xl (xxxix) 6-8
	12 f.	Ps cx (cix) 1
	16 f.	Jer xxxi (xxxviii) 33 f.
	21	Zech vi 11 ff.; Num xii 7

x	27	Is xxvi 11 LXX
	28	Deut xvii 6
	29	Ex xxiv 8
	30	Deut xxxii 35 f.
	37	Is xxvi 20
	37 ff.	Hab ii 3 f.
xi	4	Gen iv 4
	5 f.	Gen v 24
	8	Gen xii 1
	9	Gen xxiii 4
	12	Gen xxii 17; xxxii 12
	13	1 Chr xxix 15; Ps xxxix (xxxviii) 12; Gen xxiii 4
	17	Gen xxii 1 f., 6
	18	Gen xxi 12
	21	Gen xlvii 31
	23	Ex ii 2
	24	Ex ii 11
	26	Ps lxxxix (lxxxviii) 50 f.; lxix (lxviii) 9
	28	Ex xii 21 ff.
xii	2	Ps cx (cix) 1
	3	Num xvi 38 (xvii 3)
	5-8	Prov iii 11 f.
	12	Is xxxv 3 Heb.
	13	Prov iv 26 LXX
	14	Ps xxxiv (xxxiii) 14
	15	Deut xxix 18 LXX
	16	Gen xxv 33
	18 f.	Deut iv 11
	19	Ex xix 16
	—	Deut iv 12
	20	Ex xix 12 f.
	21	Deut ix 19
	26 f.	Hag ii 6
	29	Deut iv 24
xiii	5	Deut xxxi 6, 8; Jos i 5
	6	Ps cxviii (cxvii) 6
	11,13	Lev xvi 27
	15	Ps l (xlix) 14; Lev vii 12 (2); 2 Chr xxix 31

xiii	15	Is lvii 19 Heb.; Hos xiv 2
	20	Is lxiii 11
	—	Zech ix 11
	—	Is lv 3; Ez xxxvii 26

1 TIMOTHY

v	18	Deut xxv 4
	19	Deut xix 15

2 TIMOTHY

ii	19	Num xvi 5
	—	Is xxvi 13
iv	14	Ps lxii (lxi) 12; Prov xxiv 12
	17	Ps xxii (xxi) 21

TITUS

ii	14	Ps cxxx (cxxix) 8
	—	Ez xxxvii 23
	—	Deut xiv 2

APOCALYPSE

i	1	Dan ii 28
	4	Ex iii 14; Is xli 4
	5	Ps lxxxix (lxxxviii) 37
	—	Ps lxxxix (lxxxviii) 27
	—	Ps cxxx (cxxix) 8; Is xl 2

i 6   Ex xix 6
7   Dan vii 13
—   Zech xii 10, 12, 14
8   Ex iii 14; Is xli 4
—   Am iv 13 LXX
13   Dan vii 13; Ez i 26; viii 2
—   Ez ix 2 f. LXX, 11 LXX
—   Dan x 5 Chald.
14   Dan vii 9
14 f.   Dan x 6
15   Ez i 24; xliii 2 Heb.
16   Jud v 31
17   Dan x 12, 19
—   Is xliv 6 Heb.; xlviii 12 Heb.
19   Is xlviii 6; Dan ii 29 Chald.
20   Dan ii 29
ii 7   Gen ii 9; iii 22; Ez xxxi 8
8   Is xliv 6 Heb.; xlviii 12 Heb.
10   Dan i 12, 19
14   Num xxxi 16
—   Num xxv 1 f.
17   Ps lxxviii (lxxvii) 24
—   Is lxii 2; lxv 15
18   Dan x 6
20   Num xxv 1 f.
23   Jer xvii 10; Ps vii 9; lxii (lxi) 12
26 f.   Ps ii 8 f.
iii 5   Ex xxxii 33; Ps lxix (lxviii) 28
7   Is xxii 22
9   Is xlv 14; xlix 23; lx 14 Heb.; lxvi 23
—   Is xliii 4
12   Ez xlviii 35
—   Is lxii 2; lxv 15
14   Ps lxxxix (lxxxviii) 37
—   Prov viii 22

iii 17   Hos xii 8
19   Prov iii 12 (two texts of LXX)
iv 1   Ex xix 16, 24
—   Dan ii 29
2   Is vi 1; Ps xlvii (xlvi) 8
3   Ez i 26 ff.
5   Ez i 13
—   Ex xix 16 (Heb. + LXX)
6   Ez i 5, 18, 22, 26; x 1
—   Is vi 1 f.
7   Ez i 10; x 14
8   Is vi 2 f.
—   Ez i 18; x 12
—   Am iv 13 LXX
—   Ex iii 14; Is xli 4
9 f.   Is vi 1; Ps xlvii (xlvi) 8
—   Dan iv 34; vi 26; xii 7
v 1   Is vi 1; Ps xlvii (xlvi) 8
—   Ez ii 9 f.
—   Is xxix 11
5   Gen xlix 9
—   Is xi 10
6   Is liii 7
—   Zech iv 10
7   Is vi 1; Ps xlvii (xlvi) 8
8   Ps cxli (cxl) 2
9   Ps cxliv (cxliii) 9
10   Ex xix 6
11   Dan vii 10
12   Is liii 7
13   Is vi 1; Ps xlvii (xlvi) 8
vi 2,4 f.   Zech i 8; vi 2 f., 6
8   Hos xiii 14
—   Ez xxxiii 27; xiv 21; v 12
—   Ez xxix 5; xxxiv 28

xi 13	Ez xxxviii 19 f.
—	Dan ii 19 Chald.
15	Obad 21 ; Ps xxii (xxi) 28
—	Ex xv 18 ; Ps x 16 (ix 37) ; Dan ii 44 ; vii 14
—	Ps ii 2
17	Am iv 13 LXX
—	Ex iii 14 ; Is xli 4
17 f.	Ps xcix (xcviii) 1
18	Ps ii 1 Heb., 5 ; xlvi (xlv) 6 Heb.
—	Ps cxv 13 (cxiii 21)
—	Am iii 7 ; Dan ix 6, 10 ; Zech i 6
19	1 Reg viii 1, 6 ; 2 Chr v 7
—	Ex xix 16 (Heb. + LXX)
—	Ex ix 24
xii 2	Is lxvi 6 f.
3	Dan vii 7
4	Dan viii 10
5	Is lxvi 7
—	Ps ii 8 f.
7	Dan x 13, 20
9	Gen iii 1
—	Zech iii 1 f. (Heb. + LXX)
12	Is xliv 23 ; xlix 13
14	Dan vii 25 ; xii 7
xiii 1	Dan vii 3, 7
2	Dan vii 4 ff., 8
5	Dan viii 12, 24
7	Dan vii 8 LXX, 21
8	Dan xii 1 ; Ps lxix (lxviii) 28
—	Is liii 7
10	Jer xv 2
15	Dan iii 5 f.
xiv 1	Ez ix 4
2	Ez i 24 ; xliii 2 Heb. ; Dan x 6

xiv 3	Ps cxliv (cxliii) 9
5	Is liii 9 ; Zeph iii 13
7	Ex xx 11 ; Ps cxlvi (cxlv) 6
8	Is xxi 9 ; Dan iv 30 (27) ; Jer li (xxviii) 7 f.
10	Is li 17
—	Ps lxxv (lxxiv) 8
—	Gen xix 24 ; Ez xxxviii 22
11	Is xxxiv 10
14	Dan vii 13 ; x 16
15,18, 20	Joel iii 13 (18)
xv 1	Lev xxvi 21
3	Ex xv 1
—	Jos xiv 7
—	Ps cxi (cx) 2
—	Ex xxxiv 10 ; Ps cxxxix (cxxxviii) 14
—	Am iv 13 LXX
—	Deut xxxii 4
—	Jer x 10 Heb. ; [marg. Jer x 7 Heb.]
4	Jer x 7 Heb.
—	Ps lxxxvi (lxxxv) 9 ; Mal i 11
—	Deut xxxii 4 ; Ps cxlv (cxliv) 17
5	Ex xl 34
6	Lev xxvi 21
—	Ez xxviii 13
8	Is vi 4
—	Ex xl 34 f. (28 f.)
—	Lev xxvi 21
xvi 1	Is lxvi 6
—	Ps lxix (lxviii) 24 ; Jer x 25 ; Zeph iii 8
2	Ex ix 9 f. ; Deut xxviii 35
3	Ex vii 20 Heb., 21
4	Ps lxxviii (lxxvii) 44
—	Ex vii 20 Heb.

xix 4 Is vi 1; Ps xlvii (xlvi) 8

5 Ps cxxxiv (cxxxiii) 1; cxxxv (cxxxiv) 1

— Ps xxii (xxi) 23; cxv 13 (cxiii 21)

6 Dan x 6

— Ez i 24; xliii 2 Heb.

— Ps civ 35 (1)

— Ps xciii (xcii) 1; xcix (xcviii) 1

— Am iv 13 LXX

6 f. Ps xcvii (xcvi) 1

11 Ez i 1

— Ps xcvi (xcv) 13

12 Dan x 6

15 Is xi 4; Ps ii 8 f.

— Joel iii 13 (18)

— Am iv 13 LXX

16 Deut x 17; Dan ii 47

17 f. Ez xxxix 17 f., 20

19 Ps ii 2

20 Gen xix 24; Is xxx 33; Ez xxxviii 22

21 Ez xxxix 17 f., 20

xx 2 Gen iii 1

— Zech iii 1 f. (LXX + Heb.)

4 Dan vii 9 f., 22

6 Is lxi 6

8 Ez vii 2

— Ez xxxviii 2

9 Hab i 6

— Jer xi 15; xii 7: cf Ps lxxxvii (lxxxvi) 2; lxxviii (lxxvii) 68

— 2 Reg i 10

10 Gen xix 24; Ez xxxviii 22

11 Is vi 1; Dan vii 9

— Ps cxiv (cxiii) 7, 3

— Dan ii 35 Chald.

12 Dan vii 10

xx 12 Ps lxix (lxviii) 28

12 f. Ps xxviii (xxvii) 4; lxii (lxi) 12; Jer xvii 10

15 Dan xii 1; Ps lxix (lxviii) 28

xxi 1 Is lxv 17; lxvi 22

2 Is lii 1

— Is lxi 10

3 Ez xxxvii 27; Zech ii 10 f.; Is viii 8

4 Is xxv 8; Jer xxxi (xxxviii) 16

— Is lxv 19, 17

5 Is vi 1; Ps xlvii (xlvi) 8

— Is xliii 19

6 Is lv 1; Zech xiv 8

7 2 Sam vii 14; Ps lxxxix (lxxxviii) 26

8 Gen xix 24; Is xxx 33; Ez xxxviii 22

9 Lev xxvi 21

10 Ez xl 1 f.

— Is lii 1

11 Is lviii 8; lx 1 f., 19

12 Ez xlviii 31-34 Heb.

15 ff. Ez xl 3, 5

16 Ez xliii 16

18 f. Is liv 11 f.

22 Am iv 13 LXX

23-26 Is lx 1 ff., 6, 10 f., 13, 19

24 Ps lxxxix (lxxxviii) 27

27 Is lii 1

— Dan xii 1; Ps lxix (lxviii) 28

xxii 1 Zech xiv 8

1 f. Gen ii 9 f.; iii 22; Ez xlvii 1, 7, 12

3 Zech xiv 11

4 Ps xvii (xvi) 15

5 Is lx 19

— Dan vii 18

IPSA SUMMA IN LIBRIS OMNIBUS SALVA EST EX DEI PROVIDENTIA: SED TAMEN ILLAM IPSAM PROVIDENTIAM NON DEBEMUS EO ALLEGARE UT A LIMA QUAM ACCURATISSIMA DETERREAMUR. EORUM QUI PRAECESSERE NEQUE DEFECTUM EXAGITABIMUS NEQUE AD EUM NOS ADSTRINGEMUS; EORUM QUI SEQUENTUR PROFECTUM NEQUE POSTULABIMUS IN PRAESENTI NEQUE PRAECLUDEMUS IN POSTERUM: QUAELIBET AETAS PRO SUA FACULTATE VERITATEM INVESTIGARE ET AMPLECTI FIDELITATEMQUE IN MINIMIS ET MAXIMIS PRAESTARE DEBET.

BENGEL   MDCCXXXIV

CONTENTS

TEXT